经纬度·原典系列

资治通鉴

全本全注全译

第二十三册

后梁纪　后唐纪

[宋] 司马光　编著
张大可　韩兆琦　等　注译

浙江人民出版社

图书在版编目（CIP）数据

资治通鉴全本全注全译. 第二十三册 / （宋）司马光编著 ；张大可等注译. -- 杭州 ：浙江人民出版社，2024. 10（2025. 6重印）. -- ISBN 978-7-213-11688-9

Ⅰ. K204. 3

中国国家版本馆CIP数据核字第20241TX224号

资治通鉴全本全注全译　第二十三册

ZIZHI TONGJIAN QUANBEN QUANZHU QUANYI

［宋］司马光　编著　　张大可　韩兆琦　等　注译

出版发行：浙江人民出版社（杭州市环城北路 177 号　邮编　310006）
市场部电话：（0571）85061682　85176516
选题策划：胡俊生
项目统筹：潘海林　魏　力
责任编辑：潘海林　陈　源　陈佳迪
特约编辑：褚　燕　于玲玲
营销编辑：周乐兮
责任校对：汪景芬　王欢燕　何培玉　杨　帆　陈　春
责任印务：程　琳　幸天骄
封面设计：北京之江文化传媒有限公司
电脑制版：北京之江文化传媒有限公司
印　　刷：浙江新华数码印务有限公司
开　　本：710 毫米 × 1000 毫米　1/16　　印　　张：48.75
字　　数：951 千字　　插　　页：4
版　　次：2024 年 10 月第 1 版　　印　　次：2025 年 6 月第 2 次印刷
书　　号：ISBN 978-7-213-11688-9
定　　价：124.00 元

目　录

卷第二百六十六　后梁纪一

起强圉单阏（丁卯，公元九〇七年），尽著雍执徐（戊辰，公元九〇八年）七月，凡一年有奇[1]。

【题解】

本卷记事起公元九〇七年，迄公元九〇八年七月，载述史事凡一年又七个月，即梁太祖开平元年至二年二月。此时期，一年有余，历史发生大变局，中原易代，朱全忠受禅篡唐，建立后梁。朱全忠改名朱晃，史称梁太祖。四方军阀，太原晋王李克用、淮南弘农王杨渥、凤翔岐王李茂贞仍奉唐年号“天祐”，蜀王王建称“天复”。随后四镇各发生重大事变。晋王李克用辞世，嗣子李存勖继位，发生李克宁政变未遂。淮南兵变，张颢弑杨渥，徐温奉杨隆演为弘农王。蜀王王建称帝，诛跋扈大臣太师王宗佶，自固根本。李茂贞地狭兵弱，自顾不暇。其余诸镇皆臣服于后梁。梁太祖初即位，新朝新皇帝，应当有一番新气象，大有作为。但新朝伊始即无善政可陈。梁太祖杀唐哀帝，灭王师范一门二百余口，皆非帝王气度。梁太祖的文治武功皆不足道，由于可与梁朝抗衡的强镇恰又多事，晋、吴两镇内讧削弱了抗衡梁朝的力量。于是一个德薄奸险的朱晃得以篡国成功。晋王李存勖亲自率兵救潞州，大破梁兵，崭露头角，梁太祖的潜在敌手正升起，梁太祖失落长叹曰：“克用为不亡矣。”

【原文】

太祖①神武元圣孝皇帝上

开平②元年（丁卯，公元九〇七年）

春，正月辛巳③，梁王休兵④于贝州。

淮南节度使兼侍中、东面诸道行营都统弘农郡王杨渥既得江西⑤，骄侈益甚，谓节度判官周隐曰：“君卖人国家⑥，何面复相见！”遂杀之。由是将佐皆不自安。

黑云都⑦指挥使吕师周与副指挥使綦章将兵屯上高⑧，师周与湖南战，屡有功，渥忌之。师周惧，谋于綦章曰：“马公⑨宽厚，吾欲逃死⑩焉，可乎？”章曰：“兹事⑪君自图之，吾舌可断，不敢泄！”师周遂奔湖南，章纵其孥⑫使逸⑬去。师周，扬州人也。

渥居丧⑭，昼夜酣饮⑮，作乐，然⑯十围之烛⑰以击球，一烛费钱

【语译】

太祖神武元圣孝皇帝上

开平元年（丁卯，公元九〇七年）

春，正月初四日辛巳，梁王朱全忠在贝州休整军队。

淮南节度使兼侍中、东面诸道行营都统弘农郡王杨渥取得江西以后，更加骄横奢侈，对节度判官周隐说："你出卖别人的国家，有什么脸面和我再相见！"于是把周隐杀了。由此部下将领、僚属都心神不安。

黑云都指挥使吕师周和副指挥使綦章率军屯驻上高镇。吕师周与湖南马殷交战，屡立战功，杨渥嫉恨他。吕师周很恐惧，和綦章商量说："马殷为人宽厚，我打算逃命去他那里，可以吗？"綦章说："这件事您自己考虑，我的舌头可以割掉，绝不会外泄！"吕师周便投奔湖南马殷，綦章放了吕师周的妻子儿女，让他们逃走。吕师周是扬州人。

杨渥居丧时，昼夜畅饮作乐，点燃十围粗的蜡烛，以便击球，一支蜡烛花费几

数万[18]。或单骑出游[19]，从者奔走道路，不知所之。左、右牙[20]指挥使张颢、徐温泣谏[21]，渥怒曰："汝谓我不才，何不杀我自为之！"二人惧。渥选壮士，号"东院马军"，广署亲信[22]为将吏，所署者恃势骄横，陵蔑[23]勋旧[24]。颢、温潜谋[25]作乱。渥父行密之世，有亲军数千营于牙城[26]之内，渥迁出于外，以其地为射场，颢、温由是无所惮。

渥之镇宣州也，命指挥使朱思勍、范思从、陈璠将亲兵三千，及嗣位，召归广陵。颢、温使三将从秦裴击江西，因[27]戍洪州，诬以谋叛，命别将陈祐往诛之。祐间道[28]兼行[29]，六日至洪州，微服怀短兵[30]径[31]入秦裴帐中，裴大惊，祐告之故[32]，乃召思勍等饮酒，祐数[33]思勍等罪，执而斩之。渥闻三将死，益忌颢、温，欲诛之。丙戌[34]，渥晨视事，颢、温帅牙兵二百，露刃[35]直入庭中，渥曰："尔果欲杀我邪？"对曰："非敢然[36]也，欲诛王左右乱政者耳！"因数渥亲信十余人之罪，曳[37]下，以铁楇击杀之。谓之"兵谏[38]"。诸将不与之同者，颢、温稍[39]以法诛之，于是军政悉归二人，渥不能制。

【段旨】

以上为第一段，写杨渥既得江西，骄侈益甚，牙将张颢、徐温杀渥亲信十余人，称为"兵谏"，于是军政全归于二人，杨渥不能制。

【注释】

①太祖：即梁太祖朱温，唐宋州砀山（今安徽砀山）午沟里人，初从黄巢起义，后归唐赐名全忠，即帝位改名晃。朱温以宣武节度使创业，宣武军治汴州，古称大梁。朱温受禅，先晋爵梁王，故国号梁。因前有南朝萧梁，故朱梁史称后梁，为五代之一。朱温公元九〇七至九一二年在位。谥神武元圣，庙号太祖。事载《旧五代史》卷一至卷七、《新五代史》卷一和卷二。②开平：后梁朱温称帝建立的第一个年号（公元九〇七至九一一年）。③辛巳：正月初四日。④休兵：朱全忠自沧州还，休兵贝州。⑤得江西：兼并锺匡时。事见本书上卷天祐三年（公元九〇六年）。⑥卖人国家：周隐性格憨直，曾劝杨行密立庐州刺史刘威，认为杨渥不能胜任，故云。⑦黑云都：杨行密部曲编号之一。为当时独立的部队单

万钱。有时一个人骑马外出游玩，随从侍卫在路上奔跑寻找，不知道他去哪里了。左、右牙指挥使张颢、徐温哭着劝说，杨渥生气地说："你们说我没有才能，何不杀了我，自己当节度使!"张颢、徐温两人害怕了。杨渥挑选了壮士，号称"东院马军"，大肆安排亲信担任将领和官吏，被委任的这些人仗势骄横，欺凌蔑视勋臣故旧。张颢、徐温密谋作乱。杨渥父亲杨行密在世时，有亲军几千人驻扎在牙城里面，杨渥把他们迁往牙城外面，用他们的营地作为射箭的场所。张颢、徐温因此全无顾忌。

杨渥镇守宣州时，命令指挥使朱思勍、范思从、陈璠统率亲兵三千人，等到继位后，把他们召回广陵。张颢、徐温派这三位将领跟随秦裴攻打江西，趁着这个机会戍守在洪州。张颢、徐温诬陷他们图谋反叛，命令别将陈祐前往杀死他们。陈祐从小路日夜兼程，六天到达了洪州，穿着平民衣服，怀里藏着短兵器，直接进入秦裴营帐中，秦裴大惊。陈祐把原因告诉秦裴，便把朱思勍等三人叫来饮酒。陈祐列数朱思勍等人的罪行，把他们抓起来后处斩了。杨渥听说他的三员将领死了，更加嫉恨张颢、徐温，想要除掉他们。正月初九日丙戌，杨渥早晨处理政事，张颢、徐温率领牙兵二百人，拔出刀来直接进入内庭。杨渥说："你们果然要杀我吗?"张颢、徐温回答说："不敢这样做，只是想杀死你身边那些扰乱政事的人而已!"于是数说杨渥亲信十多人的罪行，把他们拖下去，用铁鞭打死了他们，称这件事是"兵谏"。各将领中不与这二人合作的，张颢、徐温逐渐就假借军法把他们杀死，于是军政大权全部归二人掌握，杨渥不能控制。

位，以黑云为名。吕师周的父亲吕珂敢于事杨行密，累有功，拜黑云都指挥使。珂死，吕师周代之。⑧上高：镇名，在洪州高安县界，今江西宜丰东南。⑨马公：即马殷。⑩逃死：逃命。谓投奔马殷，逃避杨渥的迫害。⑪兹事：这件事。⑫孥：妻子、儿女。⑬逸：逃跑。⑭居丧：居其父杨行密之丧。⑮酣饮：恣意畅饮。⑯然：通"燃"。⑰十围之烛：十围粗的大蜡烛。围，计量周长的单位，以五寸为一围，十围为周长五尺。一云三寸为一围，十围则周长三尺。⑱一烛费钱数万：十围之烛一支就价值数万。⑲单骑出游：谓杨渥独自骑马出游。⑳左、右牙：即左右衙军，是亲军及卫队。牙，大将所建以象牙为饰的大旗。执牙旗者分为左、右队，故称左、右牙。㉑泣谏：哭着直言规劝。恳切直谏，乃至动情哭泣，忠切之至。㉒广署亲信：大肆安置亲信。㉓陵蔑：欺侮轻视。陵，同"凌"。㉔勋旧：勋臣故旧。㉕潜谋：暗中策划。㉖牙城：即衙城。围绕节度使府修筑的城墙。㉗因：趁。㉘间道：小路。㉙兼行：日夜兼程。㉚短兵：短的兵器。㉛径：直接。㉜告之故：告诉秦裴所以便衣直入的原因。㉝数：列举。㉞丙戌：正月初九日。㉟露刃：露出兵器的锋刃。㊱然：这样，指诛杀杨渥。㊲曳：拉；牵引。㊳兵谏：进谏时以兵相逼，迫使就范。㊴稍：随即；逐步。

【校记】

[1] 奇:“奇”下原有“朱氏本砀山人砀山战国时属梁地太祖以宣武节度使创业宣武军治汴州古大梁也寖益强盛进封梁王国遂号曰梁通鉴以前纪已有萧梁故此称曰后梁”六十二字。据章钰校,十二行本、乙十一行本皆无此六十二字,今据删。

【原文】

初,梁王以河北诸镇皆服,惟幽、沧未下,故大举伐之,欲以坚诸镇之心。既而潞州内叛⑩,王烧营而还,威望大沮⑪。恐中外因此离心,欲速受禅以镇之。丁亥⑫,王入馆于魏,有疾,卧府中。魏博节度使[2]罗绍威恐王袭之,入见王曰:“今四方称兵⑬为王患者,皆以翼戴⑭唐室为名,王不如早灭唐以绝人望。”王虽不许而心德⑮之,乃亟归。壬寅⑯,至大梁。

甲辰⑰,唐昭宣帝遣御史大夫薛贻矩⑱至大梁劳王,贻矩请以臣礼见,王揖⑲之升阶,贻矩曰:“殿下⑳功德在人,三灵改卜㉑,皇帝㉒方行舜、禹之事㉓,臣安敢违!”乃北面㉔拜舞㉕于庭。王侧身避之。贻矩还,言于帝曰:“元帅有受禅之意矣㉖!”帝乃下诏,以二月禅位于梁。又遣宰相以书谕王。王辞。

河东兵犹屯长子㉗,欲窥㉘泽州。王命保平㉙节度使康怀贞悉发京兆、同华之兵屯晋州以备之。

二月,唐大臣共奏请昭宣帝逊位㉚。壬子㉛,诏宰相帅百官诣元帅府㉜劝进㉝,王遣使却㉞之。于是朝臣、藩镇乃至湖南、岭南上笺㉟劝进者相继。

【语译】

当初，梁王朱全忠因河北各藩镇全部归服，只有幽州刘仁恭、沧州刘守文没有攻下来，所以大举讨伐他们，想要以此来坚定各藩镇归服之心。后来不久潞州丁会从内部叛变，朱全忠烧毁营寨返回，威望受到极大的损害。朱全忠害怕朝廷内外因此离心离德，打算赶紧接受唐昭宣帝禅让来震慑他们。正月初十日丁亥，朱全忠入住魏州，有病，在魏博节度使府中休息。魏博节度使罗绍威害怕朱全忠袭击他，进见朱全忠说："现在四方起兵成为大王祸患的人，都以拥戴唐王室为名义，大王不如及早灭了唐朝，以断绝人们对唐朝抱有的希望。"朱全忠虽然没有同意，但心里却很感激他，于是急忙回去了。二十五日壬寅，到达大梁。

正月二十七日甲辰，唐昭宣帝派遣御史大夫薛贻矩到大梁慰问朱全忠。薛贻矩请求用臣子的礼节来进见，朱全忠拱手揖让请他上台阶。薛贻矩说："殿下的功德都在人们心里，天、地、人三灵都选择了您。皇上正要像舜、禹一样行禅让之事，臣怎么敢违背呢！"于是面朝北在庭中行叩拜舞蹈之礼。朱全忠侧身避开他。薛贻矩返回洛阳，对唐昭宣帝说："朱全忠有了接受禅让帝位的意思！"唐昭宣帝于是颁下诏书，在二月把帝位禅让给梁王朱全忠。又派遣宰相用书信告诉朱全忠。朱全忠推辞不受。

河东军队仍然屯驻在长子县，想要进犯泽州。朱全忠命令保平节度使康怀贞征发京兆、同州、华州的全部军队驻扎晋州来防备河东军队。

二月，唐大臣一起上奏请求唐昭宣帝退位。初五日壬子，诏令宰相率领百官前往元帅府劝朱全忠即帝位，朱全忠派遣使者到洛阳推辞不受。于是朝中大臣、各地藩镇，乃至湖南、岭南上表劝朱全忠即帝位的人接连不断。

【段旨】

以上为第二段，写唐哀帝下诏在二月禅位于梁，朱全忠表辞。哀帝再下诏，宰相率百官到元帅府劝进，于是朝臣、藩镇等劝进者相继。

【注释】

⑩ 内叛：指昭义节度使丁会举军降李克用。㊶ 沮：丧失。㊷ 丁亥：正月初十日。㊸ 称兵：兴兵；举兵。㊹ 翼戴：辅佐拥戴。㊺ 德：感激。㊻ 壬寅：正月二十五日。㊼ 甲辰：正月二十七日。㊽ 薛贻矩（？至公元九一一年）：字熙用，河东闻喜（今山西闻喜北）人，唐末为御史大夫，朱全忠即位，为梁相五年而卒。传见《旧五代史》卷十八、《新五代史》卷三十五。㊾ 揖：揖让。㊿ 殿下：对诸侯王的称呼。(51) 三灵改卜：谓天、地、人之心都已背离唐室，改而选择梁王朱全忠。三灵，天、地、人。卜，选择。(52) 皇帝：指唐昭宣帝。(53) 舜、禹之事：指禅让。传说舜经过治水考验，以禹为继承人，主动传位给他。(54) 北面：面向北。古时君见臣，君面南而坐，臣子见君北面而拜。(55) 拜舞：先下拜，

【原文】

三月癸未(66)，王以亳州刺史李思安为北路行军都统，将兵击幽州(67)。

庚寅(68)，唐昭宣帝诏薛贻矩再诣大梁谕禅位之意，又诏礼部尚书苏循(69)赍百官笺诣大梁。

镇海、镇东节度使吴王钱镠遣其子传瑑、传瓘讨卢佶于温州。

甲辰(70)，唐昭宣帝降御札禅位于梁。以摄(71)中书令张文蔚为册使(72)[3]，礼部尚书苏循副之。摄侍中杨涉为押传国宝(73)使，翰林学士张策(74)副之。御史大夫薛贻矩为押金宝(75)使，尚书左丞赵光逢(76)副之。帅百官备法驾(77)诣大梁。

杨涉子直史馆(78)凝式言于涉曰："大人(79)为唐宰相，而国家至此，不可谓之无过。况手持天子玺绶与人，虽保富贵，奈千载何(80)！盍(81)辞之！"涉大骇曰："汝灭吾族！"神色为之不宁者数日。

策，敦煌(82)人。光逢，隐(83)之子也。

后舞蹈，是唐代臣见君的礼节。㊺元帅有受禅之意矣：薛贻矩此言是促哀帝让位。元帅，指朱全忠。㊼长子：县名，县治在今山西长子，在泽州北一百四十里。㊽窥：窥伺；找机会。㊾保平：即保义节度使。宋太宗太平兴国元年（公元九七六年）始改保义军为保平军，司马光为避宋太宗讳，亦称保平军。㊿逊位：退位。(61)壬子：二月初五日。(62)元帅府：梁王朱全忠建元帅府于大梁。(63)劝进：劝即帝位。(64)却：推辞。(65)笺：给上级或尊长者的书札。

【校记】

［2］魏博节度使：原无此五字。据章钰校，十二行本、乙十一行本、孔天胤本皆有此五字，今据补。

【语译】

三月初六日癸未，朱全忠任命亳州刺史李思安为北路行军都统，率军攻打幽州。

十三日庚寅，唐昭宣帝下诏命令薛贻矩再次前往大梁向朱全忠说明禅让帝位的想法，又下诏命令礼部尚书苏循携带百官劝朱全忠即帝位的奏笺前往大梁。

镇海、镇东节度使吴王钱镠派遣他的儿子钱传璙、钱传瓘到温州讨伐卢佶。

三月二十七日甲辰，唐昭宣帝颁下手令禅让帝位给梁王朱全忠。任命代理中书令张文蔚为册使，礼部尚书苏循为副使。任命代理侍中杨涉为押传国宝使，翰林学士张策为副使。任命御史大夫薛贻矩为押金宝使，尚书左丞赵光逢为副使。率领百官备好皇帝出巡的车驾仪仗前往大梁。

杨涉的儿子直史馆杨凝式对杨涉说："大人身任唐朝宰相，国家到此地步，不能说没有过错。何况亲手拿着天子的玉玺丝带送给别人，虽说保住了荣华富贵，但千年以后人们会怎么说！何不辞掉这个差使呢！"杨涉大惊，说："你要灭掉我全族啊！"好几天神色不安。

张策是敦煌人。赵光逢是赵隐的儿子。

【段旨】

以上为第三段，写朱全忠逼使唐哀帝降御札禅位于梁，百官备法驾诣大梁。

【注释】

⑯癸未：三月初六日。⑰幽州：时属刘仁恭。⑱庚寅：三月十三日。⑲苏循（？至公元九二三年）：为人奸佞巧伪，梁王朱全忠急于禅代，苏循阿附梁王，力劝唐哀帝退位。梁王即帝位，以苏循为册礼副使。传见《旧五代史》卷六十、《新五代史》卷三十五。⑳甲辰：三月二十七日。㉑摄：代理。㉒册使：临时所设的官名，奉传禅册书和宝玺，押金吾仗卫、太常卤簿等。㉓传国宝：唐有传国八宝。秦以来皇帝印章独称玺，专用玉材，玺有"受命于天"四字。武则天厌恶"玺"字，改为"宝"，唐受命传国八宝并改雕"宝"字。㉔张策（？至公元九〇八年）：字少逸，河西敦煌人，曾落发为僧，后被韩建荐于朝，累拜中书舍人、翰林学士。传见《新五代史》卷三十五。㉕金宝：皇后及太子之印信曰宝，因其以金为材，故曰金宝。㉖赵光逢：字延吉，赵隐之子。时以文行闻名。唐昭宗时曾为御史中丞，以世乱弃官五六年，后柳璨为相，起用为太常卿。传见《旧唐书》卷一百七十八、《新唐书》卷一百八十二、《旧五代史》卷五十八、《新五代史》卷三十四。㉗法驾：皇帝出巡的仪仗。法驾规制，各代不一。唐制，天子大驾备五

【原文】

卢龙节度使刘仁恭，骄侈[4]贪暴，常虑幽州城不固，筑馆于大安山㉘，曰："此山四面悬绝㉙，可以少制众㉚。"其栋宇㉛壮丽，拟㉜于帝者。选美女实其中，与方士炼丹㉝药求不死。悉敛境内钱，瘗㉞于山颠，令民间用堇泥㉟为钱。又禁江南茶商无得入境，自采山中草木为茶，鬻之。

仁恭有爱妾罗氏，其子守光通焉。仁恭杖守光而斥之，不以为子数㊱。李思安引兵入其境，所过焚荡无余。夏，四月己酉㊲，直抵幽州城下。仁恭犹在大安山，城中无备，几至㊳不守。守光自外引兵入，登城拒守。又出兵与思安战，思安败退。守光遂自称节度使，令部将李小喜、元行钦㊴将兵攻大安山。仁恭遣兵拒战，为小喜所败。虏仁恭以归，囚于别室。仁恭将佐及左右，凡守光素所恶者皆杀之。

银胡𫄨都㊵指挥使王思同㊶帅部兵三千，山后㊷八军巡检使㊸李承约⑩帅部兵二千奔河东。守光弟守奇奔契丹，未几，亦奔河东。河

辂：玉、金、象、革、木。五辂皆有副。又有属车十二，曰指南车、记里鼓车、白鹭车、鸾旗车、辟恶车、皮轩车、羊车、耕根车、四望车、安车、黄钺车、豹尾车。法驾仪仗略低于大驾，减五辂副车，属车减三分之一，即减白鹭、辟恶、安车、四望车。参阅《新唐书》卷二十三下《仪卫》下及《唐六典》。⑱ 直史馆：官名，唐太宗贞观三年（公元六二九年）置史馆于门下省。以他官兼领，卑位有才者亦以直馆称，以宰相莅修撰。天宝以后，他官兼史职者称史馆修撰，初入者为直史馆。唐宪宗元和元年（公元八〇六年）宰相裴垍建议，登朝领史职者为修撰，以高官入判馆事，未登朝者为直史馆。⑲ 大人：对父亲的尊称。⑳ 奈千载何：千年以后人们会如何说。意谓将要千载落骂名。㉑ 盍：何不。㉒ 敦煌：郡名，治所在今甘肃敦煌。㉓ 隐：唐懿宗时左仆射赵隐。事见本书卷二百五十二懿宗咸通十三年（公元八七二年）。

【校记】

［3］册使：原作“册礼使”。据章钰校，十二行本、乙十一行本皆无“礼”字，今据删。

【语译】

卢龙节度使刘仁恭骄侈贪暴，常常担心幽州城不坚固，在大安山上修筑馆舍，说：“这座山四周悬崖绝壁，可以少制众。”馆舍壮观华丽，可以和皇帝的宫殿相比。挑选美女住满里面，和方士一起炼丹药，以求长生不死。把境内的钱全部搜刮起来，埋在山顶上，命令老百姓用黏土做钱使用。又禁绝江南茶商，不许入境，自采山中草木为茶，卖给百姓。

刘仁恭有爱妾罗氏，他的儿子刘守光与罗氏通奸。刘仁恭用棍棒拷打刘守光，赶走了他，不再承认他这个儿子。李思安带兵进入刘仁恭的幽州境内，所到之处烧杀抢掠一空。夏，四月初三日己酉，李思安直抵幽州城下。刘仁恭还在大安山，幽州城内没有防备，几乎守不住。刘守光从外面带兵进入城内，登城抵御防守。又派出军队和李思安交战，李思安败退。刘守光便自称为节度使，命令部将李小喜、元行钦率军攻打大安山。刘仁恭派兵抵抗，被李小喜打败。李小喜俘虏了刘仁恭返回幽州，把他囚禁在侧房中。刘仁恭的将领幕僚和左右亲信，凡是刘守光厌恶的全部处死。

银胡簶都指挥使王思同率领部下三千人，山后八军巡检使李承约率领部下两千人，投奔河东李克用。刘守光的弟弟刘守奇投奔契丹，没多久，也投奔河东李克用。

东节度使晋王克用以承约为匡霸[101]指挥使，思同为飞腾指挥使。思同母，仁恭之女也。

【段旨】

以上为第四段，写刘守光囚禁其父刘仁恭，自为卢龙节度使。

【注释】

⑭大安山：山名，在今北京市房山区西北百花山。⑮悬绝：悬崖绝壁。⑯以少制众：以少量兵力抵御众多的敌人。⑰栋宇：泛指房屋。栋，屋之正中。宇，屋之四垂。⑱拟：比拟。⑲炼丹：道家炼制丹砂。⑳瘗：埋。㉑堇泥：同"墐泥"，黏土。㉒不以为子数：不把刘守光算在诸子之列。㉓己酉：四月初三日。㉔几至：几乎至于。㉕元行钦（？至公元九二六年）：幽州人，初为刘守光裨将，骁勇善战，后从后唐庄宗李存勖，赐姓名李绍荣。庄宗死后，为明宗李直所杀。传见《旧五代史》卷七十、《新五代史》卷二十五。㉖银胡簶都：刘仁恭的部队名，有勇猛亲兵之意。胡簶，藏矢的器具。都，部队的

【原文】

庚戌[102][5]，梁王始御金祥殿[103]，受百官称臣，下书称教令，自称曰寡人。辛亥[104]，令诸笺、表、簿、籍[105]皆去唐年号，但称月、日。丙辰[106]，张文蔚等至大梁。

卢佶闻钱传璙等将至，将水军拒之于青澳[107]。钱传瓘曰："佶之精兵尽在于此，不可与战。"乃自安固[108]舍舟，间道袭温州。戊午[109]，温州溃，擒佶斩之。吴王镠以都监使[110]吴璋为温州制置使，命传璙等移兵讨卢约于处州[111]。

壬戌[112]，梁王更名[113]晃。王兄全昱闻王将即帝位，谓王曰："朱三[114]，尔可作天子乎！"

甲子[115]，张文蔚、杨涉乘辂[116]自上源驿[117]从册宝，诸司各备仪卫卤簿[118]前导，百官[119]从其后，至金祥殿前陈[120]之。王被[121]衮冕[122]，即皇帝位。张文蔚、苏循奉册[123]升殿进读[124]，杨涉、张策、薛贻矩、赵光逢以

河东节度使晋王李克用任命李承约为匡霸指挥使，王思同为飞腾指挥使。王思同的母亲是刘仁恭的女儿。

编制单位。⑰ 王思同（？至公元九三四年）：幽州（今北京南）人，其父敬柔为刘仁恭之婿。思同事仁恭为银胡䩮都指挥使，后奔晋，为飞胜指挥使。为人勇敢善骑射，好学喜为诗。后唐明宗时为右武卫上将军、京兆尹。应顺元年（公元九三四年）三月，为李从珂所杀。传见《旧五代史》卷六十五、《新五代史》卷三十三。⑱ 山后：卢龙以妫、檀、新、武四州为山后。⑲ 巡检使：官名，掌训练甲兵，巡逻州邑，职权颇重。⑳ 李承约（公元八六二至九三七年）：字德俭，蓟门（一作蓟州，在今天津市蓟州区）人，少事刘仁恭为山后八军巡检使，后奔晋，为昭义军节度使、左龙武将军。传见《旧五代史》卷九十、《新五代史》卷四十七。㉑ 匡霸：匡霸与下文飞腾，皆李克用所置军都号。

【校记】

［4］骄侈：据章钰校，孔天胤本作“骄奢”。

【语译】

四月初四日庚戌，梁王朱全忠初次登上金祥殿，接受百官称臣朝拜，所颁下的文书称为教令，自称为寡人。初五日辛亥，命令各种笺、表、簿、籍都去掉唐朝的年号，只称月、日。初十日丙辰，张文蔚等人到了大梁。

卢佶听说钱传璙等人的军队即将到达，率领水军在青澳抵抗。钱传瓘说：“卢佶的精兵全部在这里了，不可与他交战。”于是从安固放弃船只，抄小路袭击温州。四月十二日戊午，温州军队溃败，卢佶活捉，被杀。吴王钱镠任命都监使吴璋为温州制置使，命令钱传璙等人转移部队在处州讨伐卢约。

四月十六日壬戌，梁王朱全忠改名为晃。朱全忠的哥哥朱全昱听说朱全忠即将即位为皇帝，对他说：“朱三，你能当天子吗！”

四月十八日甲子，张文蔚、杨涉从上源驿乘坐辂车带着禅位册书和传国玉玺，各司都准备仪仗、卫士在前面开道，百官在后随从，到金祥殿前排列成队。朱全忠身穿皇帝的礼服，头戴皇冠，登上皇帝之位。张文蔚、苏循捧着禅位册书升殿宣读，杨涉、张策、薛贻矩、赵光逢按照次序捧着传国玉玺升殿。读完册文，一起下殿，

次奉宝升殿⑫⑤，读已⑫⑥，降⑫⑦，帅百官舞蹈称贺。帝遂与文蔚等宴于玄德殿。帝举酒曰："朕辅政⑫⑧未久，此皆诸公推戴之力。"文蔚等皆[6]惭惧，俯伏不能对，独苏循、薛贻矩及刑部尚书张祎，盛称帝功德宜应天顺人⑫⑨。

帝复与宗戚⑬⓪饮博⑬①于宫中，酒酣，朱全昱忽以投琼⑬②击盆中迸散⑬③，睨⑬④帝曰："朱三，汝本砀山一民也，从黄巢为盗，天子用汝为四镇节度使⑬⑤，富贵极矣，奈何一旦灭唐家三百年⑬⑥社稷，自称帝王！行当⑬⑦族灭，奚以博为⑬⑧！"帝不怿⑬⑨而罢。

乙丑⑭⓪，命有司⑭①告⑭②天地、宗庙、社稷。丁卯⑭③，遣使宣谕⑭④州、镇。戊辰⑭⑤，大赦，改元⑭⑥，国号大梁。奉唐昭宣帝为济阴⑭⑦王，皆如前代故事，唐中外旧臣官爵并如故。以汴州为开封府，命曰东都，以故东都⑭⑧为西都，废故西京⑭⑨，以京兆府为大安府，置佑国军⑮⓪于大安府。更名魏博曰天雄军⑮①。迁济阴王于曹州，栫之以棘⑮②，使甲士守之。

【段旨】

以上为第五段，写梁王朱全忠受禅篡唐，国号大梁，改名晃，史称梁太祖。奉唐哀帝为济阴王，幽囚于曹州。

【注释】

⑩② 庚戌：四月初四日。⑩③ 金祥殿：朱全忠受禅都大梁，改正衙殿为崇元殿，东殿为玄德殿，内殿为金祥殿，万岁堂为万岁殿。⑩④ 辛亥：四月初五日。⑩⑤ 笺、表、簿、籍：此指一切章奏、文书。⑩⑥ 丙辰：四月初十日。⑩⑦ 青澳：在温州东北海中，俗称青澳门。由青澳门进船则至温州，其外则为大海。⑩⑧ 安固：县名，县治在今浙江瑞安。⑩⑨ 戊午：四月十二日。⑪⓪ 都监使：官名，即监军。⑪① 处州：州名，治所在今浙江丽水。⑪② 壬戌：四月十六日。⑪③ 更名：朱全忠时将受禅，"全忠"二字系唐僖宗所赐，故改名。⑪④ 朱三：朱温行三。⑪⑤ 甲子：四月十八日。⑪⑥ 辂：大车。⑪⑦ 上源驿：驿站名，在今河南开封城南。⑪⑧ 仪卫卤簿：皇帝出驾时扈从的仪仗队。⑪⑨ 百官：唐之百官。⑫⓪ 陈：陈列。⑫① 被：同"披"，穿着。⑫② 衮冕：衮衣和冠冕。帝王的礼服和礼帽。⑫③ 册：指以唐哀帝名义颁下的传禅册书。⑫④ 读：宣读禅位册书。⑫⑤ 奉宝升殿：捧着皇帝玉玺登殿。⑫⑥ 已：毕。⑫⑦ 降：

率领百官行舞蹈礼仪祝贺。梁太祖便在玄德殿宴请张文蔚等人。梁太祖举起酒杯说："朕辅佐朝廷大政没有多久，这都是你们推举拥戴的力量。"张文蔚等人都惭愧恐惧，俯伏在地不能回答，只有苏循、薛贻矩及刑部尚书张祎盛赞皇帝功德，应该回应上天，顺从人意。

后梁太祖又和宗族亲戚在宫中饮酒博戏。酒喝得正畅快，朱全昱忽然拿起骰子砸向盆中，骰子迸裂四散，他斜眼瞪着梁太祖说："朱三，你本来是砀山一个平民百姓，跟随黄巢做强盗，皇帝任用你为四镇节度使，荣华富贵到了极点，为什么一个早晨就灭掉了唐朝三百年江山，自称为帝王！全族将要被诛灭，还玩什么博戏呢！"梁太祖不高兴，就散了酒宴。

四月十九日乙丑，后梁太祖命令有关官吏祭告天地、宗庙、社稷。二十一日丁卯，派遣使者向各州、各藩镇宣布禅位称帝。二十二日戊辰，大赦天下，改换年号，国号大梁；尊奉唐昭宣帝为济阴王，全都按照前代的成例，唐朝廷内外旧臣的官职爵位都和过去一样。以汴州为开封府，命名为东都，以原来的东都洛阳为西都；废除原来的西京长安，以京兆府为大安府，在大安府设置佑国军。改名魏博为天雄军。将济阴王李柷迁往曹州，住处四周用荆棘围起来，派遣穿戴甲胄的士兵把守。

指杨涉等走下殿来。⑱ 辅政：任相国，辅佐朝政。⑲ 应天顺人：适应天命，顺从人心。谓朱全忠理应受禅。⑳ 宗戚：即亲戚。同姓之亲为宗，异姓之亲为戚。㉛ 博：博戏。共十二棋，六黑六白，两人相博，每人六棋，又称六博。后人有不行棋只掷采（骰子），也称掷采为博。㉜ 投琼：掷骰子。古代骰子以玉石做成，所以叫琼。㉝ 迸散：迸碎四散。㉞ 睨：斜着眼看，不屑的眼神。㉟ 四镇节度使：唐昭宗天复元年（公元九〇一年），朱全忠领宣武、宣义、天平、护国四镇节度使。㊱ 三百年：唐朝自高祖武德元年（公元六一八年）至哀帝禅位于梁，享国二百九十年。三百年，举其整数。㊲ 行当：将要。㊳ 奚以博为：还掷什么骰子取乐。奚，疑问代词，什么。㊴ 怿：高兴。㊵ 乙丑：四月十九日。㊶ 有司：官吏。古代设官分职，各有专司，故称有司。㊷ 告：祭祀祷告。㊸ 丁卯：四月二十一日。㊹ 宣谕：告之以受禅于唐。㊺ 戊辰：四月二十二日。㊻ 改元：改元开平。㊼ 济阴：曹州济阴郡治所济阴县，在今山东曹县西北。㊽ 故东都：洛阳。㊾ 故西京：长安。㊿ 佑国军：原治长安，现长安改名，故治大安府。(151) 天雄军：唐以秦州为天雄军。据本书卷二百六十四，唐昭宗天祐元年（公元九〇四年）四月，已"更命魏博曰天雄军"。当时恐亦出于朱全忠之意。(152) 栫之以棘：树荆棘柴木为围栅。《左传》哀公八年（公元前四八七年）："囚诸楼台，栫之以棘。"栫，围。

【校记】

［5］庚戌：原无此二字。据章钰校，十二行本、乙十一行本皆有此二字，张瑛《通鉴校勘记》同，今据补。［6］皆：原无此字。据章钰校，十二行本、乙十一行本皆有此字，今据补。

【原文】

辛未[153]，以武安节度使马殷为楚王[154]。

以宣武掌书记、太府卿敬翔知崇政院[155]事，以备顾问，参谋议，于禁中承上旨，宣于宰相而行之。宰相非进对时有所奏请及已受旨应复请者，皆具记事因[156]崇政院以闻，得旨则复宣于宰相。翔为人沉深[157]有智略，在幕府二[7]十余年[158]，军谋、民政，帝一以委之。翔尽心勤劳，昼夜不寐，自言惟马上乃得休息。帝性暴戾[159]难近，人莫能测，惟翔能识其意趣。或有所不可[160]，翔未尝显言[161]，但[162]微示[163]持疑，帝意已悟，多为之改易。禅代之际，翔谋居多。

追尊皇高祖[164]考、妣[165]以来皆为帝、后。皇考诚为烈祖文穆皇帝，妣王氏为文惠皇后。

初，帝为四镇节度使，凡仓库之籍[166]，置建昌院以领之。至是，以养子宣武节度副使友文[167]为开封尹、判院事[168]，掌凡国之金谷。友文本康氏子也。

乙亥[169]，下制削夺李克用官爵。是时惟河东、凤翔、淮南称“天祐[170]”，西川称“天复”年号，余皆禀梁正朔，称臣奉贡。

蜀王与弘农王[171]移檄诸道，云欲与岐王[172]、晋王会兵兴复唐室，卒无应者。蜀王乃谋称帝，下教[173]谕统内[174]吏民。又遗晋王书云“请各帝[175]一方，俟朱温既平，乃访唐宗室立之，退归藩服[176]。”晋王复书不许，曰：“誓于此生靡[177]敢失节。”

唐末之诛宦官也，诏书至河东，晋王匿监军张承业于斛律寺[178]，斩罪人以应诏。至是，复以为监军，待之加厚，承业亦为之竭力。

【语译】

四月二十五日辛未，册封武安节度使马殷为楚王。

任命宣武掌书记、太府卿敬翔主管崇政院的事务，以备顾问，参与谋划商议大事，在宫中接受梁太祖的旨意，传达给宰相执行。宰相不是进宫奏对时的紧急奏请，以及已经接受旨意又要请示的，都要详记其事，通过崇政院向梁太祖奏报，得到梁太祖旨意再传达给宰相。敬翔为人沉稳有智谋，在朱全忠幕府二十多年，军事谋划、民政事务，朱全忠全部委托给他。敬翔尽心勤劳，昼夜不眠，自己说只有骑在马上才能休息一会儿。梁太祖性情残暴乖戾，难以接近，大家猜测不到他的意图，只有敬翔能够知道他的想法。或有不合适的决定，敬翔未曾明白说出，只是稍微表示疑问，梁太祖就已经理解，大多做了改变。梁太祖接受唐昭宣帝禅位时，多是敬翔谋划。

追尊皇高祖父、高祖母以后各代祖先都为皇帝、皇后。皇上父亲朱诚为烈祖文穆皇帝，母亲王氏为文惠皇后。

当初，梁太祖担任四镇节度使，凡是粮仓府库的簿籍，设置建昌院来管理。到这时候，梁太祖任命养子宣武节度副使朱友文为开封尹，兼管建昌院的事务，掌控全国的钱财粮食。朱友文，本来是康氏的儿子。

四月二十九日乙亥，颁发制书削夺李克用的官职爵位。当时只有河东、凤翔、淮南三镇用唐昭宣帝“天祐”年号，西川用唐昭宗“天复”年号，其余各藩镇都采用后梁的历法，称臣入贡。

蜀王王建和弘农王杨渥传送檄文给各道，说要和岐王李茂贞、晋王李克用集中兵力复兴唐朝，最终无人响应。蜀王王建便谋划称帝，颁发文书告诉辖区内的官吏百姓。又写信对晋王李克用说“请各自称帝一方，等到平定朱温后，再寻访唐朝的宗室立为皇帝，我们退归藩镇。”晋王李克用回信不同意，说：“我发誓这一生不敢丧失臣子的节操。”

唐末诛杀宦官时，诏书到达河东，晋王李克用把监军张承业藏到斛律寺，杀了罪犯来应付诏命。到这时，又用张承业为监军，对待他更加优厚，张承业也为李克用竭尽全力。

岐王治军甚宽，待士卒简易。有告部将符昭反者，岐王直诣⑰其家，悉去左右⑱，熟寝⑱经宿⑱而还，由是众心悦服。然御军⑱无纪律，及闻唐亡，以兵羸地蹙⑱，不敢称帝，但开岐王府，置百官，名其所居为宫殿，妻称皇后⑱，将吏上书称笺表，鞭、扇⑱、号令多拟帝者。

镇海节度判官罗隐说吴王镠举兵讨梁，曰："纵无成功，犹可退保杭、越，自为东帝⑱，奈何交臂⑱事贼，为终古之羞乎！"镠始以隐为不遇⑱于唐，必有怨心，及闻其言，虽不能用，心甚义之。

五月丁丑朔⑲，以御史大夫薛贻矩为中书侍郎、同平章事。

加武顺军⑲[8]节度使赵王王镕守太师，天雄节度使邺王罗绍威守太傅，义武节度使王处直兼侍中。

契丹遣其臣袍笏⑲梅老来通好，帝遣太府少卿⑲高颀报之。

【段旨】

以上为第六段，写蜀王王建亦谋称帝，称"天复"年号。河东李克用、凤翔李茂贞、淮南杨渥仍称"天祐"年号，以示尊奉唐室。其余诸镇皆称臣于梁。梁封武安节度使马殷为楚王。

【注释】

⑮辛未：四月二十五日。⑮楚王：马殷不由郡王晋爵，而直接封王，是朱全忠即位之初特恩。⑮崇政院：梁之崇政院即唐之枢密院。⑮因：通过。⑮沉深：深沉。⑮二十余年：敬翔于唐僖宗光启年间入汴幕府，至此二十年。⑮暴戾：凶暴乖张。⑯或有所不可：意谓朱全忠有时做出不合适的决定。⑯显言：明说。⑯但：只。⑯微示：稍微表示。⑯高祖：祖父的祖父，即五代祖。⑯考、妣：对已亡故的父母称考、妣。据《五代会要》：梁以舜臣朱虎为始祖，四十二代至朱黯，即为朱全忠之高祖，追尊为肃祖宣元皇帝，妃范氏谥宣僖皇后。朱黯之子朱茂琳为敬祖光献皇帝，妃杨氏谥孝皇后。茂琳之子朱信为宪祖昭武皇帝，妃刘氏谥昭懿皇后。朱信之子是朱全忠的父亲朱诚。⑯籍：此指登记粮食财货的簿册。⑯友文：朱友文（？至公元九一三年），字德明，本名康勤，朱全忠养以为子。朱全忠病重，欲立友文为嗣，被朱友珪杀害。传见《旧五代史》卷十二、

岐王李茂贞治理军队极为宽松，对待士兵也平易近人。有人举报他的部将符昭造反，岐王李茂贞直接到符昭家里，让左右的人全部离开，在符昭家里熟睡一夜才回去，由此部众都心悦诚服。但他指挥军队没有纪律，等到听说唐朝灭亡，由于兵弱地狭，不敢称帝，只设立岐王府，设置文武百官，把居住的地方称为宫殿，妻子称为皇后，将领官吏上书称为笺表，鸣鞭、持扇、号令等多数按照皇帝的规格。

镇海节度判官罗隐劝说吴王钱镠出兵讨伐梁朝，说："即使没有成功，还可以退保杭州、越州，自己在东边称帝，为什么要拱手侍奉贼寇，成为千古的耻辱呢！"钱镠开始以为罗隐在唐朝不受重用，必有怨恨之心，但等到听了罗隐的话，虽然不能采纳，心里还是很称赞他。

五月初一日丁丑，任命御史大夫薛贻矩担任中书侍郎、同平章事。

加封武顺军节度使赵王王镕守太师，天雄节度使邺王罗绍威守太傅，义武节度使王处直兼任侍中。

契丹派遣他的大臣梅老穿戴朝服手执笏板前来互通友好，梁太祖派遣太府少卿高颀到契丹回访。

《新五代史》卷十三。⑱判院事：兼掌建昌院事。⑲乙亥：四月二十九日。⑰天祐：与下文"天复"都是唐昭宗晚年时的年号。昭宗天复四年（公元九〇四年），朱全忠劫持昭宗迁洛阳，改元天祐。河东李克用、凤翔李茂贞、淮南杨渥不承认梁朝，仍用唐天祐年号，西川王建一直用天复年号。⑰弘农王：淮南杨渥。⑰岐王：李茂贞。⑰下教：下教令。⑰统内：统治区域以内。⑰帝：称帝。⑰藩服：指藩镇之职。⑰靡：不。⑰斛律寺：寺庙名，南北朝时高齐建霸府于晋阳，斛律金父子先后为北齐丞相，贵盛时建庙名曰斛律寺。⑰诣：去；到；前往。⑱悉去左右：全部撤去身边侍卫人员。⑱熟寝：熟睡。⑱经宿：过了一夜。⑱御军：统帅部队。⑱兵羸地蹙：兵力弱而地方小。⑱妻称皇后：李茂贞自称岐王，而称妻为皇后，妻之贵超过了自己，说明李茂贞欲称帝而又不敢的心态，混乱了礼数。⑱鞭、扇：鸣鞭与雉尾扇。古仪仗之一。唐制，天子视朝，从禁中出则鸣鞭传警。既出西序门索扇。扇合，天子升御座；扇开，百官毕朝。⑱东帝：江东之帝。⑱交臂：交手；拱手。表示恭敬。⑱不遇：不受重用。⑲丁丑朔：五月初一日。⑲武顺军：方镇名，即成德军。天祐二年（公元九〇五年）更名为武顺军节度使。⑲袍笏：古制，自天子以至大夫、士人，皆穿朝服执笏。笏以玉、象牙及竹做成，按地位高低而异。⑲太府少卿：官名。太府寺为国家金谷之保管出纳机构，掌财货、廪藏、贸易，凡四方贡赋百官俸秩，谨其出纳。太府少卿位在太府寺卿之下。

【校记】

［7］二：原误作“三”。严衍《通鉴补》改作“二”，今据以校正。［8］武顺军：原作“武顺”。据章钰校，十二行本、乙十一行本皆有“军”字，今据补。

【原文】

初，契丹有八部⑲⁴，部各有大人，相与约，推一人为王，建旗鼓以号令诸部，每三年则以次相代。咸通[195]末，有习尔[196]者为王，土宇[197]始大。其后钦德[198]为王，乘中原多故，时入盗边。及阿保机[199]为王，尤雄勇，五姓奚[200]及七姓室韦[201]、达靼[202]咸役属之。阿保机姓邪律[203]氏，恃其强，不肯受代[204]。久之，阿保机击黄头室韦[205]还，七部[206]劫之于境上，求如约[207]。阿保机不得已，传旗鼓[208]，且曰：“我为王九年，得汉人多，请帅种落[209]居古汉城[210]，与汉人守之，别自为一部。”七部许之。汉城者［9］，故后魏[211]滑盐县也。地宜五谷，有盐池之利。其后阿保机稍以兵击灭七部，复并为一国。又北侵室韦、女真[212]，西取突厥[213]故地，击奚，灭之，复立奚王而使契丹监其兵。东北诸夷皆畏服之。

是岁，阿保机帅众三十万寇云州，晋王与之连和，面会东城[214]，约为兄弟，延之帐中，纵酒，握手尽欢，约以今冬共击梁。或劝晋王：“因其来，可擒也。”王曰：“雠[215]敌未灭而失信夷狄，自亡之道也！”阿保机留旬日乃去，晋王赠以金缯数万。阿保机留马三千匹，杂畜万计以酬之。阿保机既［10］归而背盟，更附于梁，晋王由是恨之。

己卯[216]，以河南尹兼河阳节度使张全义为魏王。镇海、镇东节度使吴王钱镠为吴越王。加清海节度使刘隐、威武[217]节度[218]王审知兼侍中，仍以隐为大彭王[219]。

癸未[220]，以权知荆南留后高季昌为节度使。荆南旧统八州[221]，乾符以来，寇乱相继，诸州皆为邻道所据，独余江陵。季昌到官，城邑残毁，户口凋耗[222]。季昌安集流散，民皆复业。

【语译】

当初，契丹有八个部，每个部都有大人，共同约定，推举一人为王，设置旗鼓用来号令各部，每三年依次轮流担任。唐懿宗咸通末年，有个叫习尔的为王，疆土开始扩大。此后以钦德为王，乘着中原地区战乱不断，经常进入边境抢掠。到阿保机为王时，他尤其威武勇猛，五姓奚和七姓室韦、达靼都归他役使。阿保机姓邪律氏，倚仗自己强大，不肯接受替代。过了很长时间，阿保机攻打黄头室韦回来，契丹七个部落的人在边境劫持他，要求他履行三年轮换为王的约定。阿保机迫不得已，把旗鼓传送给别人，并且说："我当王九年，获得很多汉人，请求率领同种部落到古汉城居住，与汉人共同守卫，另外自立一部。"七个部落同意了。汉城，就是原来后魏的滑盐县。那里土地适合种植五谷，有盐池上的利益。这以后阿保机逐渐利用兵力灭掉了七个部落，把契丹合并成为一个国家。阿保机又向北侵入室韦、女真，西取突厥旧地，攻打奚部落，消灭了他们。后来又置立奚王，让契丹监督他的军队。东北方的各夷族都很害怕，臣服于阿保机。

这一年，阿保机率领部众三十万人入侵云州，晋王李克用与他联手和好，在云州的东城会面，结为兄弟。李克用把阿保机请入营帐中，纵情饮酒，握手尽欢，约定在这一年冬天一起出兵攻打梁朝。有人劝晋王李克用说："趁着阿保机前来的机会，可以活捉他。"李克用说："仇敌朱全忠还没有消灭，就失信于阿保机，这是自取灭亡的道路！"阿保机停留了十天才离去，晋王李克用赠送给他金银绸缎有好几万。阿保机留下三千匹马和数以万计的各种牲畜来作为答礼。阿保机返回后背叛了盟约，又归附了梁朝，晋王李克用因此很恨他。

五月初三日己卯，梁太祖封河南尹兼河阳节度使张全义为魏王。封镇海、镇东节度使吴王钱镠为吴越王。加授清海节度使刘隐、威武节度王审知兼任侍中，仍封刘隐为大彭王。

五月初七日癸未，任命暂时代理荆南留后的高季昌为荆南节度使。荆南旧时统辖八个州，唐僖宗乾符年间以来，外寇内乱相继，各个州都被相邻各道占据，只剩下江陵。高季昌到任时，城邑残毁，人口凋零。高季昌招集安置好流散的百姓，民众都恢复了生业。

【段旨】

以上为第七段，写契丹主邪律阿保机率三十万众侵云州，李克用与之讲和，约共击后梁，阿保机归而背盟，派使者通好于后梁。梁太祖封张全义为魏王，钱镠为吴越王，刘隐为大彭王。

【注释】

⑲④八部：唐初，契丹居今内蒙古西拉木伦河流域，君长为大贺氏。分八部：但利皆部、乙室活部、实活部、纳尾部、频没部、内会鸡部、集解部、奚嗢部。每部之长称大人。八部大人每三年轮换称王。⑲⑤咸通：唐懿宗的年号（公元八六〇至八七四年）。⑲⑥习尔：即习尔之。传见《新唐书》卷二百十九、《旧五代史》卷一百三十七。⑲⑦土宇：疆土。⑲⑧钦德：契丹王。唐僖宗光启年间在位，屡犯边，刘守光俘获舍利王子，钦德乞盟纳赂以求之，从此十余年不敢犯塞。传见《新唐书》卷二百十九、《旧五代史》卷一百三十七。⑲⑨阿保机：即辽太祖（公元八七二至九二六年），辽王朝的建立者。传见《旧五代史》卷一百三十七、《新五代史》卷七十二、《辽史》卷一。⑳⓪五姓奚：北方奚人的五个部落，一阿会部，二处和部，三奥失部，四度稽部，五元俟折部。唐朝晚期居住在阴凉川，营府之西，幽州之西北。⑳①室韦：古族名，分布在嫩江流域及黑龙江南北岸。唐代时有二十多部。居住在南方的部分以狩猎为主，有初级农业。北方的各部从事狩猎。部落由千户或几千户组成，从北魏到唐代经常向中原王朝朝贺。在契丹建辽的过程中，部

【原文】

乙西㉓，立皇兄[11]全昱为广王，子友文为博王，友珪为郢王，友璋为福王，友贞为均王，友雍为贺王，友徽为建王㉔。

辛卯㉕，以东都㉖旧第为建昌宫，改判建昌院事为建昌宫使。

壬辰㉗，命保平节度使康怀贞将兵八万会魏博兵攻潞州㉘。

甲午㉙，诏废枢密院，其职事皆入于崇政院，以知院事敬翔为院使。

礼部尚书苏循及其子起居郎楷自谓有功于梁㉚，当不次㉛擢用。循朝夕望为相，帝薄㉜其为人，敬翔及殿中监㉝李振亦鄙之。翔言于帝曰："苏循，唐之鸱枭㉞，卖国求利，不可以立于惟新之朝㉟。"戊戌㊱，

分被并入辽。七姓室韦接近契丹的七个部落。㉒达靼：部落名，本靺鞨别部，唐末始见其名。后乃为蒙古的别称。或作鞑靼。㉓邪律：初为契丹部落名，以始兴之地世里为姓，译为邪律，一作耶律。辽建国后为国族姓。㉔不肯受代：阿保机称王，不接受三年轮换的约定，不肯去掉王号。㉕黄头室韦：室韦的一个部落。㉖七部：契丹共八部，除阿保机以外则为七部。㉗如约：依照三年轮换为主之约。㉘旗鼓：契丹王用以号令诸部的旗鼓。㉙种落：原意为部族聚居的地方，此指本部族。㉚古汉城：即北魏滑盐县治，在今河北承德南。㉛后魏：即鲜卑族拓跋珪建立的北魏。㉜女真：古族名，满族的祖先。周时称肃慎氏，隋、唐时叫靺鞨，五代始称女真，属于辽。分布于松花江、黑龙江下游一带。㉝突厥：古代阿尔泰山一带的游牧民族。隋唐之际，占有漠北之地，东西万里，后为回纥所灭。㉞东城：云州之东城。㉟雠：仇敌，指朱全忠。㊱己卯：五月初三日。㊲威武：方镇名，乾宁四年（公元八九七年）升福建团练观察处置使为威武军节度使。㊳节度：据胡三省注，下应有“使”字。㊴大彭王：自宋武帝刘裕以彭城之裔兴于江南，后多以彭城之刘姓为名族。刘隐封大彭王，取意于此。㊵癸未：五月初七日。㊶八州：荆、归、硖、夔、忠、万、澧、朗，共八州。㊷凋耗：减少。

【校记】

［9］者：原无此字。据章钰校，十二行本、乙十一行本皆有此字，今据补。［10］既：原无此字。据章钰校，十二行本、乙十一行本皆有此字，今据补。

【语译】

五月初九日乙酉，梁太祖封他的哥哥朱全昱为广王，封他的儿子朱友文为博王，朱友珪为郢王，朱友璋为福王，朱友贞为均王，朱友雍为贺王，朱友徽为建王。

十五日辛卯，把东都的旧宅作为建昌宫，改名判建昌院事为建昌宫使。

十六日壬辰，命令保平节度使康怀贞率军八万人会合魏博镇的军队攻打潞州。

十八日甲午，下诏取消枢密院，它职掌的事务全部归入崇政院，任命知院事敬翔为院使。

礼部尚书苏循和他的儿子起居郎苏楷自认为有功于梁朝，应当受到破格提拔任用，苏循日夜盼望当宰相，梁太祖看不起他的为人，敬翔和殿中监李振也鄙视他。敬翔对梁太祖说：“苏循是唐朝的鸱枭一样的恶人，出卖国家，谋求私利，不能让他立足于新的朝廷。”五月二十二日戊戌，梁太祖下诏命令苏循和刑部尚书张祎等十五

诏循及刑部尚书张祎等十五人并勒㉓⑦致仕，楷斥归田里。循父子乃之㉓⑧河中依朱友谦。

卢约以处州降吴越。

弘农王以鄂岳观察使刘存为西南面都招讨使，岳州刺史陈知新为岳州团练使，庐州观察使刘威为应援使，别将许玄应为监军，将水军三万以击楚。楚王马殷甚惧，静江军㉓⑨使杨定真贺曰："我军胜矣！"殷问其故，定真曰："夫战惧则[12]胜，骄则败。今淮南兵直趋吾城，是骄而轻敌也，而王有惧色，吾是以知其必胜也。"

殷命在城都指挥使㉔⓪秦彦晖将水军三万浮江而下，水军副指挥使黄璠帅战舰三百屯浏阳口㉔①。六月，存等遇大雨，引兵还至越堤北，彦晖追之。存数战不利，乃遗殷书诈降。彦晖使谓殷曰："此必诈也，勿受！"存与彦晖夹水而陈，存遥呼曰："杀降不祥㉔②，公独不为子孙计耶！"彦晖曰："贼入吾境而不击，奚顾㉔③子孙！"鼓噪而进。存等走，黄璠自浏阳引兵[13]绝㉔④江，与彦晖合击，大破之，执存及知新，裨将死者百余人，士卒死者以万数，获战舰八百艘。威以余众遁归，彦晖遂拔岳州。殷释存、知新之缚㉔⑤，慰谕之。二人皆骂曰："丈夫以死报主，肯事贼乎！"遂斩之。许玄应，弘农王之腹心也，常预政事，张颢、徐温因其败，收斩之。

楚王殷遣兵会吉州刺史彭玕㉔⑥攻洪州，不克。

【段旨】

以上为第八段，写楚王马殷大败犯境的淮南兵。

【注释】

㉒③乙酉：五月初九日。㉒④子友文为博王六句：子友等六人皆为朱全忠之子。此外，朱全忠还有友裕、友孜二子，共八子。其中友裕已死。友文以养子居诸子之上，导致友珪弑逆。㉒⑤辛卯：五月十五日。㉒⑥东都：开封。㉒⑦壬辰：五月十六日。㉒⑧潞州：晋将李嗣昭守潞州。潞州治所在今山西长治。㉒⑨甲午：五月十八日。㉓⓪有功于梁：天祐

人一起退职，苏楷被驱逐回乡。苏循父子便到河中依附朱友谦。

卢约献出处州投降吴越王钱镠。

弘农王杨渥任命鄂岳观察使刘存为西南面都招讨使，岳州刺史陈知新为岳州团练使，庐州观察使刘威为应援使，别将许玄应为监军，率领水军三万人攻打楚王马殷。楚王马殷极为恐惧，静江军使杨定真祝贺说："我们的军队胜利了！"马殷问他什么原因，杨定真说："双方作战，知道恐惧的就能胜利，骄傲的就会失败。如今淮南军队直奔我们城下，这是骄傲轻敌，而您有恐惧的神色，我因此知道我们必胜。"

马殷命令在城都指挥使秦彦晖率领水军三万人浮舟沿着长江而下，水军副指挥使黄璠率领战舰三百艘屯驻浏阳口。六月，刘存等人遇到大雨，率军回到越堤北面，秦彦晖追击他们。刘存几次交战都失败了，便写信给马殷假装投降。秦彦晖派人对马殷说："这一定是假投降，不要接受！"刘存与秦彦晖夹水布阵，刘存远远地呼叫说："杀投降的人不吉祥，您难道不为子孙考虑吗！"秦彦晖说："贼寇进入我的疆界而不还击，还顾及什么子孙！"擂鼓呐喊着前进。刘存等人逃走，黄璠从浏阳率军渡过长江，与秦彦晖合力攻击，大败淮南军，抓住了刘存和陈知新，敌人裨将死了一百多人，士兵死去的数以万计，缴获战舰八百艘。刘威带着剩下的部众逃了回去，秦彦晖于是拿下了岳州。马殷解开捆绑刘存、陈知新两人的绳索，劝说抚慰他们。两人都破口大骂，说："大丈夫以死报答主人，怎么能侍奉贼寇！"于是杀死了两人。许玄应是弘农王杨渥的心腹，经常参与政事，张颢、徐温因为许玄应战败，把他收捕后杀了。

楚王马殷派兵会合吉州刺史彭玗攻打洪州，没有攻克。

二年（公元九〇五年），苏循促成禅代之事，自以为有功。㉛不次：不按寻常的次序；破格。㉜薄：鄙薄；看不起。天祐二年苏楷上议认为唐昭宗谥号多溢美，朱全忠深鄙之。㉝殿中监：官名，唐置殿中省，殿中监为其长官，负责皇帝起居事务，所属有尚食、尚药、尚衣、尚舍、尚乘、尚辇六局，多以戚里贵臣为之。㉞鸱枭：猫头鹰一类的鸟。古谓之凶鸟。㉟惟新之朝：惟，语首助词。新朝，指后梁。㊱戊戌：五月二十二日。㊲勒：勒令；强制。㊳之：往。㊴静江军：马殷部队名。㊵在城都指挥使：武官名，尽统潭州在城之兵。㊶浏阳口：浏阳，县名，因浏阳河得名，县治在今湖南浏阳。浏阳河有二源，在县东二源合。浏阳口当在浏阳东。㊷不祥：不吉利。㊸奚顾：顾什么。㊹绝：渡过；跨越。㊺殷释存、知新之缚：马殷亲自解开刘存、陈知新的绑绳，以劝其降。缚，用如名词，绑缚之绳。㊻彭玗：彭玗附楚。事见本书卷二百六十五唐纪昭宣帝天祐三年。

【校记】

[11] 皇兄：原无“皇”字。据章钰校，十二行本、乙十一行本皆有此字，今据补。[12] 则：张敦仁《通鉴刊本识误》作“必”。〖按〗“则”字义长。[13] 引兵：原无此二字。据章钰校，十二行本、乙十一行本皆有此二字，今据补。

【原文】

康怀贞至潞州，晋昭义节度使李嗣昭、副使李嗣弼[247]闭城拒守。怀贞昼夜攻之，半月不克，乃筑垒穿蚰蜒堑[248]而守之，内外断绝。晋王以蕃、汉都指挥使周德威[249]为行营都指挥使，帅马军都指挥使李嗣本[250]、马步都虞候李存璋、先锋指挥使史建瑭[251]、铁林都[252]指挥使安元信[253]、横冲指挥使李嗣源[254]、骑将安金全[255]救潞州。嗣弼，克脩之子；嗣本，本姓张；建瑭，敬思之子；金全，代北[256]人也。

晋兵攻泽州[257]，帝遣左神勇军使范居实[258]将兵救之。

甲寅[259]，以平卢节度使韩建守司徒、同平章事。

武贞节度使雷彦恭[260]会楚兵攻江陵，荆南节度使高季昌引兵屯公安[261]，绝其粮道。彦恭败，楚兵亦走。

刘守光既囚其父，自称卢龙留后，遣使请命。秋，七月甲午[262]，以守光为卢龙节度使、同平章事。

静海节度使曲裕[263]卒。丙申[264]，以其子权知留后颢为节度使。

雷彦恭攻岳州[265]，不克。

丙午[266]，赐河南尹张全义名宗奭[267]。

八月[14]辛亥[268]，以吴越王镠兼淮南[269]节度使，楚王殷兼武昌节度使，各充本道招讨制置使。

晋周德威壁于高河[270]，康怀贞遣亲骑[271]都头秦武将兵击之，武败。

丁巳[272]，帝以亳州刺史李思安代怀贞为潞州行营都统，黜怀贞[273]为行营都虞候。思安将河北兵西上[274]，至潞州城下，更筑重城[275]，内以防奔突[276]，外以拒援兵，谓之夹寨。调山东[277]民馈军粮，德威日以轻骑抄[278]之，思安乃自东南山口筑甬道[279]，属[280]于夹寨。德威与诸将互往

【语译】

康怀贞到达潞州，晋昭义节度使李嗣昭、副使李嗣弼关闭城门抵抗。康怀贞昼夜攻城，半个月未能攻克，于是筑起壁垒，挖了曲如蚰蜒行迹的壕沟，驻守下来，将潞州城内外隔绝开来。晋王李克用任命蕃汉都指挥使周德威为行营都指挥使，率领马军都指挥使李嗣本、马步都虞候李存璋、先锋指挥使史建瑭、铁林都指挥使安元信、横冲指挥使李嗣源、骑将安金全救援潞州。李嗣弼是李克脩的儿子。李嗣本，本姓张。史建瑭是史敬思的儿子。安金全是代北人。

晋王李克用的军队攻打泽州，梁太祖派遣左神勇军使范居实率军救援泽州。

六月初九日甲寅，任命平卢节度使韩建为守司徒、同平章事。

武贞节度使雷彦恭会合楚兵攻打江陵，荆南节度使高季昌带兵屯驻公安，断绝敌军运粮通道。雷彦恭兵败，楚兵也撤走了。

刘守光囚禁他的父亲刘仁恭后，自称卢龙留后，派遣使者请求梁太祖任命。秋，七月十九日甲午，梁太祖任命刘守光为卢龙节度使、同平章事。

静海节度使曲裕去世。二十一日丙申，梁太祖任命曲裕的儿子暂时代理留后的曲颢担任静海节度使。

雷彦恭攻打岳州，没有攻克。

八月初一日丙午，梁太祖赐河南尹张全义名字叫宗奭。

初六日辛亥，梁太祖任命吴越王钱镠兼淮南节度使，楚王马殷兼武昌节度使，各担任本道的招讨制置使。

晋周德威在高河筑垒扎营，康怀贞派遣亲骑都头秦武率兵攻打他，秦武兵败。

二日丁巳，梁太祖任命亳州刺史李思安代替康怀贞担任潞州行营都统，贬黜康怀贞为行营都虞候。李思安率领河北军队西上，到达潞州城下，又修筑了两道城墙，对内用来防止城里的士兵奔袭冲击，对外用来防止援兵进入，这种城墙称为夹寨。李思安调发山东百姓运送军粮，周德威天天派轻骑兵抄掠，李思安就从东南山口修筑甬道，连接夹寨。周德威又和各将领轮流前往攻打，推倒城墙，填

攻之，排墙填堑，一昼夜间数十发[281]，梁兵疲于奔命。夹寨中出刍牧者[282]，德威辄抄之，于是梁兵闭壁不出。

【段旨】

以上为第九段，写潞州城下梁、晋大交兵。梁太祖加封吴越王钱镠兼淮南节度使，楚王马殷兼武昌节度使，各充本道招讨制置使，夹击淮南。

【注释】

㉔⑦李嗣弼（？至公元九二二年）：李克脩之子，为涿州刺史，天祐十九年（公元九二二年）被契丹入寇所杀。时为后梁龙德二年。传附《旧五代史》卷六十、《新五代史》卷十四《李克脩传》。㉔⑧蚰蜒堑：曲折如蚰蜒行迹的壕堑。蚰蜒，蜈蚣的一种。㉔⑨周德威：河东大将。尽统蕃、汉之兵，故官名蕃汉都指挥使。㉕⓪李嗣本（？至公元九一六年）：本姓张，雁门（今山西代县）人，世为铜冶镇将。李克用赐以姓名，养为子。以功迁代州刺史、云州防御使、振武节度使。传见《旧五代史》卷五十二、《新五代史》卷三十六。㉕①史建瑭（公元八七九至九二一年）：雁门人，其父李敬思为李克用九府都督，在上源驿为梁兵所杀。建瑭为晋兵先锋，累以战功行贝、相二州刺史。传见《旧五代史》卷五十五、《新五代史》卷二十五。㉕②铁林都：李克用的部队名。五代时，诸镇各有都指挥使，但命官的职分有不同，如周德威为蕃汉都指挥使，则蕃汉之兵都受他的指挥，铁林都指挥使则指挥铁林一都之兵。都，军队的编制单位。㉕③安元信（公元八六二至九三六年）：字子言，代北人，五代时唐、晋都有一个安元信，此为后唐安元信。后唐庄宗时为大同军节度使、横海军节度使。明宗即位，为山南东道节度使、归德军节度使。末帝时授潞州节度使，卒于镇。传见《旧五代史》卷六十一。㉕④李嗣源（公元八六七至九三三年）：即后唐明宗，公元九二六至九三三年在位。沙陀人，本名邈佶烈，为李克用养子，改名嗣源。因战功累官至蕃汉内外马步军总管。同光四年（公元九二六年）李存勖

【原文】

九月，雷彦恭攻涔阳[283]、公安，高季昌击败之。彦恭贪残类其父，专以焚掠为事，荆、湖间常被[284]其患，又附于淮南。丙申[285]，诏削彦恭官爵，命季昌与楚王殷讨之。

平壕沟，一昼夜之间出发几十次，梁军疲于奔命。夹寨中出来割草放牧的，周德威就抄掠他们，于是梁兵关闭营垒不再出来。

在兵变中被杀，嗣源入洛阳监国，后称帝，改名亶。传见《旧五代史》卷三十五、《新五代史》卷六。㉕⑤安金全（？至公元九二八年）：代北人，世为边将。从李克用屡有战功，累为刺史。传见《旧五代史》卷六十一、《新五代史》卷二十五。㉕⑥代北：地区名，泛指今山西桓山及河北小五台山以北地区。唐僖宗中和三年（公元八八三年）曾赐雁门节度为代北节度。㉕⑦攻泽州：晋兵攻泽州，是攻康怀贞之后，以分散梁的兵力。㉕⑧范居实：绛州翼城（今山西翼城）人。传见《旧五代史》卷十九。㉕⑨甲寅：六月初九日。㉖⓪雷彦恭（？至公元九〇九年）：雷满之子，继其父为武贞节度使。传见《旧五代史》卷十七、《新五代史》卷四十一。㉖①公安：县名，县治在今湖北公安西北。时属江陵府。㉖②甲午：七月十九日。㉖③曲裕：即曲承裕。㉖④丙申：七月二十一日。㉖⑤攻岳州：雷彦恭既与楚攻荆南，不久又攻楚之岳州，足见其反复。㉖⑥丙午：八月初一日。㉖⑦宗奭：朱晃因其原名朱全忠，张全义犯讳，故赐名宗奭。㉖⑧辛亥：八月初六日。㉖⑨淮南：与下文的武昌，二镇皆为杨行密所统，朱晃为使两浙、湖南攻弘农王杨行密，故先分授之。㉗⓪高河：镇名，在潞州屯留县东南。㉗①亲骑：梁之马军亲兵。㉗②丁巳：八月十二日。㉗③黜怀贞：因与周德威作战失利而被黜。㉗④西上：潞州治上党，上党地势高，在河北诸镇之西，故曰西上。㉗⑤重城：双重城墙。㉗⑥奔突：奔跑冲击。㉗⑦山东：泛指太行山以东。㉗⑧抄：掠取；抢劫。㉗⑨甬道：两侧筑墙的通道。㉘⓪属：连接。㉘①发：进攻次数。㉘②刍牧者：打柴放牧的人。

【校记】

［14］八月：原无此二字。据章钰校，十二行本、乙十一行本、孔天胤本皆有此二字，张敦仁《通鉴刊本识误》同，今据补。

【语译】

九月，雷彦恭攻打涔阳、公安，高季昌打败了他。雷彦恭贪婪残暴类似他的父亲，专门以焚烧抢掠为业，荆、湖之间经常遭受他的祸害，他又依附于淮南的弘农王杨渥。二十二日丙申，梁太祖下诏削除雷彦恭的官职爵位，命令高季昌和楚王马殷讨伐他。

蜀王会将佐议称帝，皆曰："大王虽忠于唐，唐已亡矣，此所谓'天与不取[286]'者也。"冯涓[287]独献议请以蜀王称制[288]，曰："朝兴则未爽称臣[289]，贼[290]在则不同为恶。"王不从，涓杜门不出[291]。王用安抚副使、掌书记韦庄之谋，帅吏民哭三日。己亥[292]，即皇帝位，国号大蜀。辛丑[293]，以前东川节度使兼侍中王宗佶为中书令，韦庄为左散骑常侍、判中书门下事，阆州防御使唐道袭为内枢密使。庄，见素[294]之孙也。

蜀主虽目不知书，好与书生谈论，粗晓其理。是时唐衣冠[295]之族多避乱在蜀，蜀主礼而用之，使修举故事[296]，故其典章文物[297]有唐之遗风。

蜀主长子校书郎[298]宗仁幼以疾废，立其次子秘书少监[299]宗懿为遂王。

冬，十月，高季昌遣其将倪可福会楚将秦彦晖攻朗州，雷彦恭遣使乞降于淮南，且告急。弘农王遣将泠业将水军屯平江[300]，李饶将步骑屯浏阳以救之，楚王殷遣岳州刺史许德勋将兵拒之。泠业进屯朗口[301]，德勋使善游者五十人，以木枝叶覆其首，持长刀浮江而下，夜犯其营，且举火，业军中惊扰。德勋以大军进击，大破之，追至鹿角镇[302]，擒业。又破浏阳寨，擒李饶，掠上高[303]、唐年[304]而归。斩业、饶于长沙市。

十一月甲申[305]，夹马[306]指挥使尹皓攻晋江猪岭寨[307]，拔之。

义昌节度使刘守文闻其弟守光幽其父，集将吏大哭曰："不意吾家生此枭[308]獍[309][15]！吾生不如死，誓与诸君讨之！"乃发兵击守光，互有胜负。

天雄节度使邺王绍威谓其下曰："守光以窘急归国[310]，守文孤立无援，沧州可不战服也。"乃遗守文书，谕以祸福。守文亦恐梁乘虚袭其后。戊子[311]，遣使请降，以子延祐为质。帝拊[312]手曰："绍威折简[313]，胜十万兵！"加守文中书令，抚纳之。

初，帝在藩镇，用法严，将校有战没者，所部兵悉斩之，谓之跋队斩[314]，士卒失主将者，多亡逸不敢归。帝乃命凡军士皆文其面[315]以记军号。军士或思乡里逃去，关津[316]辄执之送所属，无不死者，其乡里亦不敢容。由是亡者皆聚山泽为盗，大为州县之患。壬寅[317]，诏赦其

蜀王王建召集将领佐吏商量称帝，大家都说："虽然大王您忠于唐王室，但是唐朝已经灭亡了，这就是所说的'上天赐给你，你不接受，反而自受其灾'。"唯独冯涓建议王建以蜀王的名义发布诏令，说："这样，唐朝复兴则没有违背做臣子的礼节，贼寇存在也没有和他们共同作恶。"王建没有听从，冯涓便闭门不出。王建采用安抚副使、掌书记韦庄的谋划，率领吏民百姓大哭三天。九月二十五日己亥，即皇帝位，国号大蜀。二十七日辛丑，任命前东川节度使兼侍中王宗佶为中书令，韦庄为左散骑常侍、判中书门下事，阆州防御使唐道袭为内枢密使。韦庄是韦见素的孙子。

蜀主王建虽然目不识丁，但喜欢和读书人谈论，粗略晓得书中的道理。当时唐朝的官宦世族大多在蜀地躲避战乱，王建以礼相待，任用他们，让他们整理恢复唐朝旧制，所以蜀国的典章制度有唐朝的遗风。

蜀主王建的长子校书郎王宗仁幼时因病残废，就立他的次子秘书少监王宗懿为遂王。

冬，十月，高季昌派遣他的部将倪可福会合楚将秦彦晖攻打朗州。雷彦恭派遣使者到淮南向弘农王杨渥请求投降，并告急求援。弘农王杨渥派遣部将泠业率领水军屯驻平江，李饶率领步兵、骑兵屯驻浏阳，用来援救雷彦恭。楚王马殷派遣岳州刺史许德勋率军抵抗。泠业进军驻扎朗口，许德勋派五十个善于游泳的人，用木枝、树叶遮蔽头部，手持长刀沿长江漂流而下，夜里袭击泠业的军营，并且放火，泠业军中惊恐混乱。许德勋率领大军进攻，大败泠业，追赶到鹿角镇，抓住了泠业。又攻破了浏阳寨，活捉了李饶，抢掠了上高、唐年后返回。在长沙的街市上把泠业、李饶斩了。

十一月十一日甲申，梁朝夹马指挥使尹皓攻打晋王李克用的江猪岭寨，攻取了寨子。

义昌节度使刘守文听说他的弟弟刘守光囚禁了他们的父亲，把将吏集合起来，大哭着说："没有想到我家竟生了这样的禽兽！我活着还不如死去，发誓和你们一起讨伐刘守光！"于是调兵攻打刘守光，双方互有胜负。

天雄节度使邺王罗绍威对他的部下说："刘守光因为困迫归附我们梁朝，刘守文孤立无援，他的沧州可以不战就能降服。"于是写信给刘守文，讲明祸福。刘守文也惧怕梁朝乘虚袭击他的后方。十一月十五日戊子，派遣使者请求投降，拿儿子刘延祐作为人质。梁太祖拍着手说："罗绍威一封书信，胜过十万军队！"加授刘守文为中书令，加以抚慰，接纳了他。

当初，梁太祖在藩镇时，执法严厉，将校有战死的，他所辖管士兵全部斩首，叫作跋队斩。士兵失去主将的，大多逃亡不敢回来。梁太祖便命令所有的士兵都要文刺面部，记上部队番号。士兵或者思念乡里逃离，关卡渡口的守兵常常把他们抓住送回所属部队，没有不被杀死的，他们的家乡也不敢收容。因此逃亡的人都聚集到山林湖泽做强盗，成为州县的一大害。十一月二十九日壬寅，梁太祖下诏赦免他罪，自今虽文面亦听还乡里。盗减什七八。

淮南右都押牙米志诚等将兵渡淮袭颍州，克其外郭[318]。刺史张实据子城[319]拒守。

晋王命李存璋攻晋州，以分上党[320]兵势。十二月壬戌[321]，诏河中、陕州发兵救之。

甲子[322]，诏发步骑五千救颍州，米志诚等引去。

丁卯[323]，晋兵寇洺州[324]。

淮南兵攻信州[325]，刺史危仔倡[326]求救于吴越。

【段旨】

以上为第十段，写王建称帝于蜀，楚王马殷再败淮南兵。沧州刘守文降梁。梁太祖诏令赦免逃兵罪。

【注释】

㉘③涔阳：镇名，在今湖北公安南。㉘④被：遭遇。㉘⑤丙申：九月二十二日。㉘⑥天与不取："天与不取，反受其咎"的省语。为古代流行谚语。《后汉书·袁绍传》："（郭）图等曰：'且公师徒精勇，将士思奋，而不及时早定大业，所谓天与不取，反受其咎。'"意谓天赐良机不利用，必定反而自受其害。㉘⑦冯涓：文宗朝剑南东川节度使冯宿之孙。㉘⑧称制：行使皇帝权力。制，制书。汉代根据皇帝颁发命令的内容，有诏书、制书、策书、戒敕之别。唐代凡行大赏，授大官爵，改革旧政，宽赦降虏皆用制书。㉘⑨朝兴则未爽称臣：意谓这样做，如果唐朝复兴，则为臣之节并未违背。爽，乖、违背。㉙⓪贼：指朱全忠。㉙①杜门不出：谓屏居不与世人交往。杜门，闭门。㉙②己亥：九月二十五日。㉙③辛丑：九月二十七日。㉙④见素：指唐玄宗天宝末年宰相韦见素。㉙⑤衣冠：士大夫；官绅。㉙⑥修举故事：整理恢复唐朝旧时的典章制度。㉙⑦典章文物：礼乐典章制度。㉙⑧校书郎：官名，掌校勘典籍。唐代为文士起家之美官，由此进身，往往得居清要。㉙⑨秘书少监：官名，秘书省主官，位在卿及大监之下，掌文艺图籍。㉚⓪平江：县名，唐时分湘阴置昌江

们的罪过，从现在起，即使脸上刺了字也允许返回家乡。盗贼减少了十之七八。

淮南右都押牙米志诚等人带兵渡过淮河袭击颍州，攻下了外城。颍州刺史张实据守内城进行抵抗。

晋王李克用命令李存璋攻打晋州，以此分散梁朝攻打上党的兵力。十二月十九日壬戌，梁太祖下诏命令河中、陕州出兵救援晋州。

二十一日甲子，梁太祖下诏调发步兵、骑兵五千人救援颍州，米志诚等人带兵撤离。

二十四日丁卯，晋王李克用的军队进犯洺州。

淮南军攻打信州，信州刺史危仔倡向吴越王钱镠请求救援。

县，五代时后唐灭梁后，为避李克用之父李国昌讳，改名平江。县治在今湖南平江东南，属岳州。㉛朗口：朗水自西南辰州、锦州界入朗州，经州城入大江，谓之朗口。302鹿角镇：镇名，在岳州（今湖南岳阳）南五十里洞庭湖滨。303上高：镇名，唐武德年间曾置望蔡县，后属洪州高安县。在今江西上高。304唐年：县名，县治在今湖北崇阳西南。唐时属鄂州。305甲申：十一月十一日。306夹马：梁军营名，在梁西都，即今河南洛阳。307江猪岭寨：在潞州长子县，县治在今山西长子西。308枭：不孝之鸟，食母。309獍：恶兽，食父。310归国：七月，刘守光遣使请命，归顺梁。311戊子：十一月十五日。312拊：拍；击。313折简：古人以竹简作书，简长二尺四寸，短者一半。折简言罗绍威随便写一封信。314跋队斩：全队皆斩。跋，足后为跋。315文其面：在脸上刺字。316关津：指水陆要道关卡。317壬寅：十一月二十九日。318外郭：外城。319子城：大城内的小城，即内城。320上党：潞州上党郡，治所在今山西长治。321壬戌：十二月十九日。322甲子：十二月二十一日。323丁卯：十二月二十四日。324寇洺州：进犯洺州。此为救潞州流动出击的部队。325信州：州名，治所在今江西上饶。326危仔倡：危全讽之弟。唐僖宗中和二年（公元八八二年），锺传为江西观察使，危全讽据抚州，遣其弟据信州。

【校记】

［15］獍：据章钰校，十二行本、乙十一行本皆作“镜”。〖按〗胡三省注云：“‘獍’，读如‘镜’。”底本当不误。

【原文】

二年（戊辰，公元九〇八年）

春，正月癸酉朔[327]，蜀主登兴义楼。有僧抉一目[328]以献，蜀主命饭僧[329]万人以报之。翰林学士张格曰："小人无故自残，赦其罪已幸矣，不宜复崇奖以败风俗。"蜀主乃止。

丁丑[330]，蜀以韦庄为门下侍郎、同平章事。

辛巳[331]，蜀主祀南郊[332]。壬午[333]，大赦，改元武成。

晋王疽[334]发于首，病笃[335]。周德威等退屯乱柳[336]。晋王命其弟内外蕃汉都知兵马使、振武节度使克宁[337]，监军张承业，大将李存璋、吴珙，掌书记卢质[338]立其子晋州刺史存勖为嗣，曰："此子志气远大，必能成吾事[339]，尔曹善教导之！"辛卯[340]，晋王谓存勖曰："嗣昭厄于重围[341]，吾不及见矣。俟葬毕，汝与德威辈速竭力救之！"又谓克宁等曰："以亚子累汝！"亚子，存勖小名也。言终而卒。克宁纲纪[342]军府，中外无敢喧哗。

克宁久总兵柄[343]，有次立之势[344]，时上党围未解，军中以存勖年少，多窃议者，人情恟恟[345]。存勖惧，以位让克宁。克宁曰："汝冢嗣[346]也，且有先王之命，谁敢违之！"将吏欲谒见存勖，存勖方[347]哀哭久[16]未出。张承业入谓存勖曰："大孝在不坠基业[348]，多哭何为！"因扶存勖出，袭位为河东节度使、晋王。李克宁首帅[349]诸将拜贺，王悉以军府事委之[350]。

以李存璋为河东军城使[351]、马步都虞候。先王[352]之时，多宠借胡人及军士，侵扰市肆，存璋既领职，执其尤暴横者戮之，旬月间城中肃然。

吴越王镠遣兵侵[17]淮南甘露镇[353]，以救信州。

蜀中书令王宗佶[354]，于诸假子为最长，且恃其功，专权骄恣。唐道袭已为枢密使，宗佶犹以名呼之，道袭心衔[355]之而事之逾谨。宗佶多树党友[356]，蜀主亦恶之。二月甲辰[357]，以宗佶为太师，罢政事[358]。

蜀以户部侍郎张格为中书侍郎、同平章事。格为相，多迎合主意[359]，有胜己者，必以计排去之。

【语译】

二年（戊辰，公元九〇八年）

春，正月初一日癸酉，蜀主王建登上兴义楼。有个僧人剜出自己一只眼珠献给王建，王建命令施斋饭给一万僧人来回报他。翰林学士张格说："僧人无故自残，赦免他的罪过已经幸运，不应该再推崇奖赏他而败坏风俗。"王建这才作罢。

正月初五日丁丑，蜀主王建任命韦庄为门下侍郎、同平章事。

初九日辛巳，蜀主王建到南郊祭天。初十日壬午，大赦，改换年号为武成。

晋王李克用头上长了毒疮，病情严重。周德威等人撤退到乱柳驻扎。晋王李克用命令他的弟弟内外蕃汉都知兵马使、振武节度使李克宁，监军张承业，大将李存璋、吴珙，掌书记卢质等人拥立他的儿子晋州刺史李存勖为嗣王，说："这个儿子志向高远，一定能完成我的事业，你们要好好教导他！"正月十九日辛卯，晋王对李存勖说："李嗣昭被围困在重围之中，我来不及看见他了。等埋葬我完毕，你和周德威等人迅速竭尽全力救援他！"又对李克宁等人说："以亚子相托，拖累你了！"亚子，是李存勖的小名。李克用说完话就去世了。李克宁治理军府，内外没有人敢于喧哗。

李克宁长期总揽兵权，有兄终弟及之势。当时敌人对上党的包围还没有解除，军中认为李存勖年纪小，很多人私下议论，人心浮动。李存勖很害怕，把王位让给李克宁。李克宁说："你是嗣子，又有先王的遗命，谁敢违抗！"将领、官吏想要谒见李存勖，李存勖正在悲伤哭泣，过了很久没有出来。张承业进去对李存勖说："最大的孝顺是不丧失父亲的基业，多哭又有什么用呢！"于是扶着李存勖出来，继位为河东节度使、晋王。李克宁带头率领各将领拜贺，晋王李存勖就把军府事务全部委托给李克宁。

晋王李存勖任命李存璋为河东军城使、马步都虞候。先王李克用时，大多宠信使用胡人和军士，这些人侵犯骚扰市集店铺。李存璋任职以后，抓住其中特别残暴横行的人，将其处死，十天到一个月的时间城里就安定下来。

吴越王钱镠派遣军队进犯淮南甘露镇，借此来救援信州。

蜀国的中书令王宗佶在蜀主王建的养子中最为年长，并且仗着自己有功，专权骄纵。唐道袭已经担任枢密使，王宗佶仍然直呼其名，唐道袭心里非常怨恨他，但表面上侍奉他却更加恭敬。王宗佶广结党羽，蜀主王建也憎恨他。二月初三日甲辰，任命王宗佶为太师，停止参议国家政事。

蜀国任命户部侍郎张格为中书侍郎、同平章事。张格当宰相，大多迎合蜀主王建的旨意，遇有超过自己的人，一定设计把他排挤出去。

【段旨】

以上为第十一段，写蜀主以韦庄为门下侍郎、同平章事，祀南郊，改元武成。河东节度使李克用死，其子李存勖继位。

【注释】

㉗癸酉朔：正月初一日。㉘抉一目：挖出一只眼睛。㉙饭僧：犹言斋僧，施饭与僧。㉚丁丑：正月初五日。㉛辛巳：正月初九日。㉜祀南郊：皇帝登位，依礼应祀南郊，祭告天地。王建称帝，故有祀南郊之举。㉝壬午：正月初十日。㉞疽：结成块状的毒疮。浮浅者为痈，深厚者为疽。㉟病笃：病势严重。㊱乱柳：镇名，在潞州屯留县（今山西长治市屯留区）界。㊲克宁：李克用之弟李克宁（？至公元九〇八年），在诸兄弟中最为贤能，也最得李克用信任，为内外制置蕃汉都知兵马使、振武军节度使。克用死后，受诸养子及其妻怂恿谋乱，被杀。传见《新唐书》卷一百四十一、《旧五代史》卷五十、《新五代史》卷十四。㊳卢质（公元八六一至九三七年）：字子征，河南人，李克用时为河东节度掌书记。李存勖即位，拜太原尹、匡国军节度使，历镇河阳、横海。传见《旧五代史》卷九十三、《新五代史》卷五十六。㊴成吾事：据《考异》引《五代史阙文》，李克用将终，以三矢付存勖，曰："一矢讨刘仁恭，汝不先下幽州，河南未可图也；一矢击

【原文】

初，晋王克用多养军中壮士为子，宠遇如真子。及晋王存勖立，诸假子皆年长握兵，心怏怏㊵不服[18]，或托疾不出，或见新王不拜。李克宁权位既重，人情多向之。假子李存颢阴说㊶克宁曰："兄终弟及㊷，自古有之。以叔拜侄，于理安乎！天与不取，后悔无及！"克宁曰："吾家世以慈孝闻天下，先王之业苟㊸有所归，吾复何求！汝勿妄言，我且斩汝！"克宁妻孟氏，素刚悍，诸假子各遣其妻入说孟氏，孟氏以为然，且虑语泄㊹及祸，数㊺以迫㊻克宁。克宁性怯，朝夕惑于众言，心不能无动。又与张承业、李存璋相失㊼，数诮让㊽之。又因事擅㊾杀都虞候李存质。又求领大同节度使，以蔚、朔㊿、应州[371]为巡属。晋王皆听之。

李存颢等为克宁谋，因[372]晋王过其第，杀承业、存璋，奉克宁为节度使，举河东九州[373]附于梁，执晋王及太夫人曹氏[374]送大梁。太原

契丹，且曰阿保机与吾把臂而盟，结为兄弟，誓复唐家社稷，今背约附梁，汝必伐之；一矢灭朱温。汝能成善志，死无恨矣！”㉞㉟ 辛卯：正月十九日。㉞㉛ 厄于重围：谓李嗣昭为梁兵围困于潞州。㉞㉜ 纲纪：治理；照管。㉞㉝ 总兵柄：掌握河东军权。㉞㉞ 次立之势：兄终弟及，以长幼之次，有自立之势。㉞㉟ 恟恟：纷扰不安的样子。㉞㊱ 冢嗣：嫡长子。㉞㊲ 方：正在。㉞㊳ 大孝在不坠基业：意谓不丧失李克用开创的基业才是大孝。坠，丧失、坠落。㉞㊴ 首帅：带头率领。㉟㉟ 委之：委托李克宁。㉟㉛ 军城使：官名，掌河东节度治所部队。㉟㉜ 先王：谓李克用。㉟㉝ 吴越王镠句：钱镠攻甘露镇是为了牵制淮南兵力，使其不能急攻危仔倡。甘露镇，镇名，在浙江常山西北。㉟㉞ 王宗佶：本姓甘，王建在忠武军时掠得之，养以为子。长大后为将，屡有战功。㉟㉟ 衔：怨恨。㉟㊱ 党友：党徒；同伙。㉟㊲ 甲辰：二月初三日。㉟㊳ 罢政事：停止王宗佶参与国家大事的决策权，此为杀王宗佶张本。㉟㊴ 主意：蜀主王建之意。

【校记】

［16］久：原无此字。据章钰校，十二行本、乙十一行本皆有此字，张敦仁《通鉴刊本识误》同，今据补。［17］侵：原作“攻”。据章钰校，十二行本、乙十一行本皆作“侵”，今从改。

【语译】

当初，晋王李克用收养了很多军中的壮士为养子，宠信待遇如同亲生的儿子。等到晋王李存勖继立王位，各养子都比他年纪大，握有兵权，心里闷闷不乐，不愿服从，或者托病不出来，或者见到新王也不参拜。李克宁位高权重，人心大多归向他。养子李存颢暗中劝李克宁说：“哥哥死了弟弟继位，自古以来就有这种情况。叔叔叩拜侄子，在道理上合适吗！上天给予你而不获取，后悔也来不及了！”李克宁说：“我家世代以父慈子孝闻名天下，先王的基业如果有所归属，我还求什么呢！你不要再胡说了，不然我就杀了你！”李克宁的妻子孟氏，一向刚强凶悍，各养子分别打发自己的妻子去劝说孟氏，孟氏认为有道理，并且担心这些话泄露出去遭受灾祸，一再逼迫李克宁采取行动。李克宁性格怯弱，从早到晚受众人的言语蛊惑，不能不动心。又和张承业、李存璋失和，一再责备他们。又借故擅自杀死了都虞候李存质。又要求兼任大同节度使，把蔚州、朔州、应州作为属地。晋王李存勖都听从了他。

李存颢等为李克宁谋划，趁着晋王李存勖到他家探望时，杀死张承业、李存璋，拥立李克宁为河东节度使，献上河东所属九个州归附梁朝，抓住晋王李存勖和太夫

人史敬镕[375]，少事晋王克用，居帐下，见亲信，克宁欲知府中阴事[376]，召敬镕，密以谋告之。敬镕阳许之，入告太夫人，太夫人大骇，召张承业，指晋王谓之曰："先王把[377]此儿臂授公等，如闻外间谋欲负之，但置吾母子有地[378]，勿送大梁，自他不以累[379]公。"承业惶恐曰："老奴以死奉先王之命，此何言也！"晋王以克宁之谋告，且曰："至亲[380]不可自相鱼肉[381]，吾苟[382]避位[383]，则乱不作矣。"承业曰："克宁欲投大王母子于虎口，不除之岂有全[384]理！"乃召李存璋、吴珙及假子李存敬、长直军使朱守殷，使阴为之备。壬戌[385]，置酒会诸将于府舍，伏甲执克宁、存颢于座。晋王流涕数[386]之曰："儿向[387]以军府让叔父，叔父不取。今事已定，奈何复为此谋，忍以吾母子遗[388]仇雠[389]乎！"克宁曰："此皆谗人[390]交构[391]，夫复何言！"是日，杀克宁及存颢。

癸亥[392]，鸩杀[393]济阴王于曹州，追谥曰唐哀皇帝。

甲子[394]，蜀兵入归州[395]，执刺史张瑭。

辛未[396]，以韩建为侍中，兼建昌宫使。

李思安等攻潞州，久不下，士卒疲弊[397]，多逃亡。晋兵犹屯余吾寨[398]，帝疑晋王克用诈死，欲召兵还，恐晋人蹑[399]之，乃议自至泽州应接归师，且召匡国节度使刘知俊将兵趣泽州[400]。三月壬申朔[401]，帝发大梁。丁丑[402]，次[403]泽州。辛巳[404]，刘知俊至。壬午[405]，以知俊为潞州行营招讨使。

【段旨】

以上为第十二段，写李克用弟李克宁谋反作乱，被杀。梁太祖鸩杀济阴王李柷于曹州，谥为哀帝。

人曹氏送往大梁。太原人史敬镕年轻时侍奉晋王李克用，在李克用帐下任职，受到信任。李克宁想要知道王府中秘事，叫来史敬镕，秘密地把计划告诉了他。史敬镕佯装答应了李克宁，回府后告诉了太夫人曹氏。太夫人大惊，叫来张承业，指着晋王李存勖对他说："先王抓着这个孩子的胳膊把他托付给你们，如果听到外面有人谋划想要背叛他，只求有个地方安置我们母子，不要送往大梁，其他不敢拖累您。"张承业惶恐地说："老奴以死来遵奉先王的遗命，您说的这是什么话！"晋王李存勖把李克宁的阴谋告诉他，并且说："至亲不能自相残杀，我如果让位，祸乱就不会发生了。"张承业说："李克宁想要把大王母子投入虎口，不铲除他，难道还有保全他的道理吗！"于是召见李存璋、吴琪以及养子李存敬、长直军使朱守殷，让他们暗中准备。二月二十一日壬戌，在王府设置酒宴会集诸将领，埋伏甲士在座位上抓捕了李克宁、李存颢。晋王李存勖流着泪数落李克宁说："我以前把节度使让给叔父，叔父不接受。现在事情已成定局，为什么又策划这一阴谋，忍心要把我们母子俩送给仇敌呢！"李克宁说："这些都是说坏话的奸邪小人有意构陷，我还有什么话好说呢！"当天，晋王就杀了李克宁和李存颢。

二月二十二日癸亥，梁太祖在曹州用毒酒害死了济阴王李柷，追谥他为唐哀皇帝。

二十三日甲子，蜀国军队进入归州，抓住了归州刺史张瑭。

三十日辛未，梁太祖任命韩建担任侍中，兼任建昌宫使。

李思安等人攻打潞州，很长时间没有攻下来，士兵疲惫困乏，很多人逃亡。晋兵仍屯驻余吾寨。梁太祖怀疑晋王李克用是假死，打算让军队回来，又害怕晋兵尾随，便商议亲自到泽州接应撤回来的军队，并且叫匡国节度使刘知俊带兵赶往泽州。三月初一日壬申，梁太祖从大梁出发。初六日丁丑，驻军泽州。初十日辛巳，刘知俊到了。十一日壬午，梁太祖任命刘知俊为潞州行营招讨使。

【注释】

㊱⓪ 怏怏：不服气；不乐意。㊱① 阴说：私下里劝说。㊱② 兄终弟及：殷人之制，父子相继与兄终弟及，均为常态。自周代以后，宗法制度确立，则为父子相继。李存勖这里是以殷制为言。㊱③ 苟：如果；只要。㊱④ 语泄：企图篡夺王位的话泄露出去。㊱⑤ 数：多次。㊱⑥ 迫：逼迫；催促。㊱⑦ 相失：彼此失和。㊱⑧ 诮让：谴责。㊱⑨ 擅：任意；随便。㊲⓪ 朔：州名，治所在今山西朔州。㊲① 应州：州名，唐末置应州，领金城、浑源二县，治所在今山西应县。㊲② 因：趁。㊲③ 河东九州：并、辽、沁、汾、石、忻、代、岚、宪州。㊲④ 曹氏（？至公元九二五年）：李克用次妃，李存勖生母。李克用正室刘氏无子，性贤。曹氏封晋国夫人。李存勖即位后，册尊曹氏为皇太后，刘氏为皇太妃。传见《旧五代史》卷四十九、《新五代史》卷十四。㊲⑤ 史敬镕（？至公元九二九年）：太原（今山西太原西南）

人，李克用爱将，入唐，累为节度使，卒，赠太尉。传见《旧五代史》卷五十五。㊱阴事：秘密事。㊲把：执；握着。㊳有地：有一定的地方。㊴累：连累；拖累。㊵至亲：最亲之人。李存勖与李克宁为叔侄，故云。㊶鱼肉：残害。㊷苟：如果。㊸避位：让位。㊹全：保全。㊺壬戌：二月二十一日。㊻数：责备；数说。㊼向：从前；往日。㊽遗：送给。㊾仇雠：指朱晃。㊿谗人：进谗言的邪恶之人。391交构：互相构陷，指有意虚构，扩大事态。392癸亥：二月二十二日。393鸩杀：用毒酒杀死济阴王李柷。李柷，唐末帝，朱全忠篡唐，废为济阴王，后又杀之，谥为哀帝。李柷死时年十七，葬于济阴县定陶乡，在今山东菏泽市定陶区。394甲子：二月二十三日。395归州：荆南巡属。396辛未：二月三十日。397疲弊：疲惫。398余吾寨：在潞州屯留县西北。399蹑：紧随在后。400趣泽州：赶赴泽州。趣，通"趋"。401壬申朔：三月初一日。402丁丑：三月初六日。403次：途中止宿。404辛巳：三月初十日。405壬午：三月十一日。

【原文】

癸巳[406]，门下侍郎、同平章事张文蔚卒。

帝以李思安久无功，亡将校四十余人，士卒以万计，更闭壁自守，遣使召诣行在[407]。甲午[408]，削思安官爵，勒归本贯[409]充役[410]。斩监押[411]杨敏贞。

晋李嗣昭固守逾年[412]，城中资用将竭，嗣昭登城宴诸将作乐。流矢[413]中嗣昭足，嗣昭密拔[414]之，座中皆不觉。帝数遣使赐嗣昭诏，谕降之。嗣昭焚诏书，斩使者。

帝留泽州旬余，欲召上党兵还，遣使就与诸将议之。诸将以为李克用死，余吾兵[415]且退，上党孤城无援，请更留旬月以俟之。帝从之，命增运刍粮[416]以馈其军。刘知俊将精兵万余人击晋军，斩获甚众，表请自留攻上党，车驾宜还京师。帝以关中空虚，虑岐人[417]侵同华，命知俊休兵长子[418]旬日，退屯晋州，俟五月归镇。

蜀太师王宗佶既罢相，怨望，阴畜养死士[419]，谋作乱。上表以为："臣官预[420]大臣，亲则长子，国家之事，休戚[421]是同。今储贰[422]未定，必启[19]厉阶[423]。陛下若以宗懿才堪继承，宜早行册礼[424]，以臣为元帅，兼总六军。傥以时方艰难，宗懿冲幼，臣安敢持谦[425]不当重事！陛下

【校记】

［18］服：原作“伏”。据章钰校，十二行本、乙十一行本皆作“服”，今从改。

【语译】

三月二十二日癸巳，门下侍郎、同平章事张文蔚去世。

梁太祖因为李思安攻打潞州很久未能成功，损失了将校四十多人，士兵数以万计，又闭垒自守，便派遣使者把李思安召至泽州行营。三月二十三日甲午，削除李思安官职爵位，勒令返回原籍应差充役。杀了监押杨敏贞。

晋王李嗣昭坚守潞州一年多，城里物资用品即将耗尽了，李嗣昭故意在城楼宴请各将领取乐，装出从容的样子给敌人看。二支流矢射中了他的脚，李嗣昭偷偷地拔掉了它，座中的人都没有察觉。梁太祖多次派遣使者赐诏李嗣昭，劝说他投降梁朝。李嗣昭烧毁了诏书，杀死了使者。

梁太祖在泽州停留了十多天，想要召上党的军队回来，派遣使者就地与各将领商量。各将领认为李克用已经死了，余吾寨的晋兵即将撤退，上党孤城无援，请求再留个把月等待机会。梁太祖同意了众将的意见，命令增运粮草供应军队。刘知俊率领精兵一万多人攻打晋军，斩杀俘虏了很多士兵，上表请求自己留下攻打上党，梁太祖应返回京师大梁。梁太祖因为关中空虚，担心岐州李茂贞侵犯同州、华州，命令刘知俊在长子县休整军队十天，撤退到晋州驻扎，等到五月返回镇所。

蜀国太师王宗佶被免除宰相职务后，心中怨恨，暗中豢养敢死之士，阴谋作乱。他上表认为："臣官列大臣，论骨肉之亲则是陛下长子，国家的事情，和臣休戚相关。现在太子还没有确定，必然产生祸端。陛下如果认为王宗懿的才干可以继承皇位，应该早日举行册封大礼，任用臣为元帅，兼统所有军队。倘若认为时势正处在艰难时期，王宗懿年幼，臣怎么敢自持谦逊不去承担重任！陛下已经南面称帝，军队事既正位南面[426]，军旅之事宜委之臣下。臣请开元帅府，铸六军印，征戍[427]征发[428]，臣悉专行。太子视膳[429]于晨昏，微臣[430]握兵于环卫[431]，万世基业，惟陛下裁[432]之。”蜀主怒，隐忍[433]未发，以问唐道袭，对曰：“宗佶威望，内外慑服[434]，足以统御诸将。”蜀主益疑之。己亥[435]，宗佶入见，辞色悖慢[436]。蜀主谕之，宗佶不退，蜀主不堪其忿，命卫士扑杀之。贬其党御史中丞[437]郑骞为维州[438]司户，卫尉少卿[439]李钢为汶川[440]尉，皆赐死于路。

【段旨】

以上为第十三段，写蜀主王建斩杀桀骜不驯的太师王宗佶。

【注释】

⑩癸巳：三月二十二日。⑩行在：皇帝离宫后所居之地。⑩甲午：三月二十三日。⑩本贯：原籍。李思安为陈留（今河南开封南）人。⑩充役：充平民之役。李思安官爵被夺，贬为百姓，只能服事庶民杂役。⑪监押：监军。⑫逾年：超过一年。李嗣昭于前年十二月入潞州，上年五月康怀贞攻之，至今已一年多。⑬流矢：飞来的乱箭。⑭密拔：偷偷地拔掉。此时潞州城内资用将尽，李嗣昭故意在城楼与诸将宴饮，装出从容的样子给敌人看。脚中流矢不声张，目的是使众人安定。⑮余吾兵：在屯留县西北余吾寨驻扎的晋军。⑯刍粮：粮草。⑰岐人：李茂贞之兵。⑱长子：县名，县治在今山西长

【原文】

初，晋王克用卒，周德威握重兵在外，国人皆疑之。晋王存勖召德威使引兵还。夏，四月辛丑朔[441]，德威至晋阳，留兵城外，独徒步而入，伏先王柩，哭极哀。退，谒嗣王，礼甚恭。众心由是释然[442]。

癸卯[443]，门下侍郎、同平章事杨涉罢为右仆射。以吏部侍郎于兢为中书侍郎，翰林学士承旨张策为刑部侍郎，并同平章事。兢，琮[444]之兄子也。

务应该委托臣下。臣请求设置元帅府，铸造指挥全国军队的印信，征讨戍守，征集调发人力物力，全部由臣独自施行。太子早晚服侍您的饮食，臣下控兵在四周保卫，这是万世的基业，希望陛下考虑决定。”蜀主王建很生气，暗中忍耐没有发作，拿这件事询问唐道袭。唐道袭回答说：“王宗佶有威望，朝廷内外都畏惧他、顺从他，足可以统驭各将领。”蜀主王建更加怀疑王宗佶。三月二十八日己亥，王宗佶入宫朝见，言辞表情悖傲。蜀主向他说明白，王宗佶不退让。蜀主不胜其愤，命令卫士把王宗佶打死。他的党羽御史中丞郑骞被贬为维州司户，卫尉少卿李钢被贬为汶川尉，都在路途中赐死。

子。⑲死士：敢死之士。⑳预：参与。这里指在大臣之列。㉑休戚：喜乐与忧虑。㉒储贰：储副，太子的别称。㉓厉阶：祸端。厉，恶。㉔册礼：册封太子之礼。㉕持谦：自持谦虚。㉖正位南面：面朝南正位而坐。即谓称帝。㉗征戍：远行屯守边境。㉘征发：征集动用人力和物力。㉙视膳：人子侍养父母等长辈的礼节。食上问冷暖，食毕问所膳如何。㉚微臣：自称。㉛环卫：禁卫。㉜裁：决定。㉝隐忍：克制忍耐。㉞慑服：畏惧威势而屈服。㉟己亥：三月二十八日。㊱悖慢：违逆傲慢。㊲御史中丞：官名，御史台长官为大夫，次官为中丞，唐代御史大夫往往缺位，御史中丞实为御史台长官，掌监察。㊳维州：州名，治所在今四川理县北薛城。㊴卫尉少卿：官名，掌宫门卫屯兵。㊵汶川：县名，县治在今四川汶川，时属茂州。

【校记】

［19］启：原作“生”。据章钰校，十二行本、乙十一行本皆作“启”，今从改。

【语译】

当初，晋王李克用去世，周德威在外面握有重兵，国人都怀疑他。晋王李存勖召周德威带兵返回晋阳。夏，四月初一日辛丑，周德威到达晋阳，军队停留在城外，独自步行入城，伏在先王李克用的灵柩上，哭得非常悲伤。退出后，拜见嗣位的晋王李存勖，礼节极为恭敬。因此，大家心里的疑虑消释了。

四月初三日癸卯，梁朝的门下侍郎、同平章事杨涉免职，担任右仆射。任命吏部侍郎于兢担任中书侍郎，翰林学士承旨张策担任刑部侍郎，都任同平章事。于兢是于琮哥哥的儿子。

夹寨奏余吾晋兵已引去，帝以为[20]援兵不能复来，潞州必可取。丙午[445]，自泽州南还。壬子[446]，至大梁。梁兵在夹寨者亦不复设备[447]。晋王与诸将谋曰："上党，河东之藩蔽，无上党，是无河东也。且朱温所惮者独先王耳，闻吾新立，以为童子未闲[448]军旅，必有骄怠之心。若简精兵倍道[449]趣[450]之，出其不意，破之必矣。取威定霸[451]，在此一举，不可失也！"张承业亦劝之行。乃遣承业及判官王缄乞师于凤翔[452]，又遣使赂契丹王阿保机求骑兵。岐王衰老，兵弱财竭，竟不能应。晋王大阅[453]士卒，以前昭义节度使丁会为都招讨使。甲子[454]，帅周德威等发晋阳。

淮南遣兵寇石首[455]，襄州兵败之于瀺港[456]。又遣其将李厚将水军万五千趣荆南，高季昌逆战，败之于马头[457]。

己巳[458]，晋王军于黄碾[459]，距上党四十五里。五月辛未朔[460]，晋王伏兵三垂冈[461]下，诘旦[462]大雾，进兵直抵夹寨。梁军无斥候[463]，不意晋兵之至，将士尚未起，军中惊扰。晋王命周德威、李嗣源分兵为二道，德威攻西北隅，嗣源攻东北隅，填堑烧寨，鼓噪而入。梁兵大溃，南走，招讨使符道昭马倒，为晋人所杀。失亡将校士卒以万计，委弃资粮、器械山积。

周德威等至城下，呼李嗣昭曰："先王已薨，今王自来，破贼夹寨。贼已去矣，可开门！"嗣昭不信，曰："此必为贼所得，使来诳[464]我耳。"欲射之。左右止之，嗣昭曰："王果来，可见乎！"王自往呼之。嗣昭见王白服，大恸几绝[465]，城中皆哭，遂开门。初，德威与嗣昭有隙[466]，晋王克用临终谓晋王存勖曰："进通[467]忠孝，吾爱之深。今不出重围，岂德威不忘旧怨邪！汝为吾以此意谕之。若潞围不解，吾死不瞑目。"进通，嗣昭小名也。晋王存勖以告德威，德威感泣，由是战夹寨甚力。既与嗣昭相见，遂欢好如初。

康怀贞以百余骑自天井关[468]遁归。帝闻夹寨不守，大惊，既而叹曰："生子当如李亚子[469]，克用为不亡矣！至如吾儿，豚犬[470]耳！"诏所在安集散兵。

周德威、李存璋乘胜进趣泽州，刺史王班素失人心，众不为用。龙虎统军[471]牛存节自西都[472]将兵应接夹寨溃兵，至天井关，谓其众曰：

潞州夹寨的梁朝将领奏报余吾寨的晋兵已经撤走，梁太祖认为晋的援兵不能再来，潞州一定可以攻取。四月初六日丙午，从泽州南下返回。十二日壬子，到达大梁。留在夹寨的梁军不再设防。晋王李存勖与各将领谋划说："上党是河东的屏障，没有上党，就是没有河东。况且朱温所畏惧的只是先王李克用，听说我刚刚继位，认为小孩子不熟悉战阵，心里一定骄傲懈怠。如果挑选精兵兼程追赶他们，出其不意，一定可以打败他们。取得威势，决定霸业，在此一举，不能丧失这个机会！"张承业也劝他亲自出征。于是派遣张承业和判官王缄到凤翔请求李茂贞出兵援助，又派遣使者贿赂契丹王阿保机寻求骑兵支援。岐王李茂贞衰老了，兵弱财尽，最终没有答应。晋王李存勖大规模检阅军队，任命前昭义节度使丁会为都招讨使。二十四日甲子，率领周德威等从晋阳出发。

淮南弘农王杨渥派兵侵犯石首，襄州军队在瀺港打败了淮南军。弘农王又派遣将领李厚带领水军一万五千人赶往荆南，高季昌迎战，在马头打败了李厚。

四月二十九日己巳，晋王李存勖屯兵黄碾，距离上党四十五里。五月初一日辛未，晋王在三垂冈下设下埋伏，第二天早晨大雾，进兵直抵夹寨。梁朝军队没有侦察兵，没有想到晋兵到来，将士还没有起床，军营中惊慌骚动。晋王命令周德威、李嗣源分兵两路，周德威攻打西北角，李嗣源攻打东北角，填平壕沟，焚烧营寨，擂鼓呐喊着冲了进来。梁军崩溃，向南逃走。招讨使符道昭的战马跌倒，被晋兵杀死。逃失死亡的将校士卒数以万计；丢弃的物资、粮草、器械堆积如山。

周德威等人到达潞州城下，呼叫李嗣昭说："先王已经去世，当今的晋王亲自前来，攻破了敌人的夹寨。敌人已经逃走了，可以打开城门！"李嗣昭不相信，说："这一定是被敌人俘虏了，派来欺骗我。"想用箭射周德威，身边的人阻止他。李嗣昭说："晋王果真来了，可以见见吗！"晋王李存勖亲自前往城下呼唤李嗣昭。李嗣昭看见晋王身穿白色丧服，放声痛哭，几乎气绝，城里的人也都哭了，于是打开了城门。当初，周德威和李嗣昭有矛盾，晋王李克用临死时对李存勖说："李进通为人忠孝，我爱他很深。如今不能突出重围，难道是周德威不肯忘掉旧日的仇怨吗！你替我把这个意思向他说明白。如果潞州不能解围，我死不瞑目。"进通，是李嗣昭的小名。晋王李存勖把这话告诉了周德威，周德威感动得哭泣，因此攻打夹寨特别尽力。在与李嗣昭相见后，两人便和好了，像最初一样。

康怀贞率领一百多骑兵从天井关逃回大梁。梁太祖听说夹寨失守，大惊，过了一会儿长叹说："生儿子应当像李亚子，李克用不会消亡了！至于像我的儿子，猪狗而已！"下诏就地安抚召集逃散的士兵。

周德威、李存璋乘胜进兵奔赴泽州，泽州刺史王班一向不得民心，民众不肯听他差遣。龙虎统军牛存节从西都率军接应从夹寨溃败的士兵，到达天井关，对他的

“泽州要害地，不可失也，虽无诏旨，当救之。”众皆不欲，曰：“晋人胜气方锐，且众寡不敌。”存节曰：“见危不救，非义也；畏敌强而避之，非勇也。”遂举策⑷⒀引众而前。至泽州，城中人已纵火喧噪，欲应晋王，班闭牙城⑷⒁自守，存节至，乃定。晋兵寻至，缘城穿地道攻之，存节昼夜拒战，凡旬有三日⑷⒂。刘知俊自晋州引兵救之，德威焚攻具⑷⒃，退保高平⑷⒄。

晋王归晋阳，休兵行赏，以周德威为振武节度使、同平章事。命州县举贤才，黜贪残，宽租赋，抚孤穷，伸冤滥⑷⒅，禁奸盗，境内大治⑷⒆。以河东地狭兵少，乃训练士卒，令骑兵不见敌无得乘马。部分⑷⒇已定，无得相逾越⑷㉑，及留绝以避险⑷㉒，分道并进，期会⑷㉓无得差晷刻⑷㉔。犯者必斩。故能兼山东，取河南，由士卒精整⑷㉕故也。

初，晋王克用平王行瑜，唐昭宗许其承制⑷㉖封拜。时方镇多行墨制⑷㉗，王耻与之同，每除吏⑷㉘必表闻。至是，晋王存勖始承制除吏。

晋王德⑷㉙张承业，以兄事之，每至其第，升堂拜母，赐遗[21]甚厚。

潞州围守历年，士民冻馁死者太半，市里萧条。李嗣昭劝课农桑，宽租缓刑，数年之间，军城完复。

【段旨】

以上为第十四段，写晋王李存勖解潞州之围，大破梁军。而后休兵行赏，励精图治，王业兴隆。

【注释】

㊶辛丑朔：四月初一日。㊷释然：放心的样子。㊸癸卯：四月初三日。㊹琮：于琮，宣宗朝驸马都尉、宰相。传见《旧唐书》卷一百四十九、《新唐书》卷一百四。㊺丙午：四月初六日。㊻壬子：四月十二日。㊼不复设备：不再采取防备措施。梁兵主骄于上，将惰于下，无防备必然有祸患。㊽未闲：未熟悉。㊾倍道：兼程而行。㊿趣：通“趋”，赶赴、前往。⑷⑸取威定霸：取得威势，决定霸业。⑷⑹乞师于凤翔：向岐王李茂贞请求援

部众说："泽州是要害之地，不能丧失，虽然没有梁太祖的诏旨，也应当救援它。"部下都不愿意，说："晋兵胜利的气势正旺盛，况且敌众我寡，不能对抗。"牛存节说："见危不救，不是义；惧怕强敌而躲避，不是勇。"于是举起马鞭带领部众前进。到达泽州，城里的人已经纵火骚动，打算响应晋王，王班关闭牙城自守，牛存节到了，才安定下来。晋兵随即到达，沿着城墙挖掘地道攻城，牛存节日夜抵抗作战，一共十三天。刘知俊从晋州带兵救援，周德威烧毁攻城器具，退守高平。

晋王李存勖回到晋阳，休整军队，论功行赏，任命周德威为振武节度使、同平章事。命令州县荐举有才德的人，罢黜贪婪残暴的官吏，宽免田租赋税，抚恤孤苦穷困的人，申冤雪耻，严禁作奸行窃，境内百姓安居太平。因为河东地狭兵少，于是训练士兵，命令骑兵没有见到敌人不能骑马。各路军队部署已定，不许互相超越，以及停留躲避险隘，分道并进，约定了会合时间，不能相差片刻。违反的人，必须斩首。所以晋王能够兼并山东，夺取河南，这是士兵精锐严整的缘故。

当初，晋王李克用平定了王行瑜，唐昭宗答应李克用承皇帝意旨任官授爵。当时各藩镇多用墨制自行任命官吏，李克用耻于和他们相同，每次任命官吏一定上表奏报。到这时候，晋王李存勖才开始承制任命官吏。

晋王李存勖感激张承业的恩德，把他当作兄长侍奉，每次到张承业的宅第，进入内堂，拜见张承业的母亲，赏赐的物品非常丰厚。

潞州被围，守城历时一年，士民百姓连冻带饿死了一大半，街市里巷萧条冷落。李嗣昭鼓励督促老百姓耕地纺织，减轻赋税，放宽刑罚，数年间，城池恢复了原来的面貌。

兵。㊺㊸阅：检阅。㊺㊹甲子：四月二十四日。㊺㊺石首：县名，县治在今湖北石首。时属荆州。㊺㊻瀺港：镇名，在石首县。㊺㊼马头：城名，在今湖北公安西北，北与江陵隔长江相望。㊺㊽己巳：四月二十九日。㊺㊾黄碾：村名，在今山西长治北。㊻⓪辛未朔：五月初一日。㊻①三垂冈：在今山西长治市屯留区东南。㊻②诘旦：明晨。㊻③斥候：哨兵。梁兵骄惰，无战备，故不置哨兵。㊻④诳：欺骗。㊻⑤几绝：几乎气绝。㊻⑥隙：感情上的裂痕。㊻⑦进通：嗣昭小名。㊻⑧天井关：关名，在今山西晋城南太行山上。㊻⑨生子当如李亚子：《三国志·孙权传》裴注引《吴历》载，濡须之战，曹操赞叹孙权雄武曰："生子当如孙仲谋，刘景升儿子若豚犬耳。"这里朱全忠化用曹操语慨叹李存勖之雄武。亚子，后唐庄宗李存勖的小名。㊼⓪豚犬：猪狗。㊼①龙虎统军：即龙虎军，原唐龙武军号，梁受唐禅，改"武"为"虎"。㊼②西都：梁以洛阳为西都。㊼③策：马鞭。㊼④牙城：唐代围绕节度使府或州刺史府衙所筑城墙，在罗城和子城之内。㊼⑤旬有三日：十日一旬，旬有三日则为十三天。㊼⑥攻

具：攻城器具。⑰高平：县名，县治在今山西高平，在泽州东北八十三里。⑱冤滥：滥加的冤案。⑲大治：治理得宜，局势十分安定。⑳部分：部署安排。㉑逾越：左军不得超越右军，后部不得超越前部。㉒留绝以避险：谓军行必须紧紧跟进，不得停留以避危险。绝，停止。㉓期会：约定好会合的日期。㉔差晷刻：约期在日中会合，日晷过中而不至则为差。误期必斩，军法严明。晷刻，犹言时刻。晷，日影。古人测日影以定时刻。㉕精整：精干整齐。㉖承制：秉承皇帝旨意。㉗墨制：由皇帝直接发出不经外廷的亲笔手令。㉘除吏：授官。㉙德：感激。张承业排除李克宁之难，故晋王感激他。

【原文】

静江节度使、同平章事李琼卒，楚王殷以其弟永州刺史存知桂州事。

壬申⑩，更以许州忠武军为匡国军，同州匡国军为忠武军，陕州保义军为镇国军。

乙亥⑪，楚兵寇鄂州，淮南所署知州秦裴击破之。

淮南左牙指挥使张颢、右牙指挥使徐温专制军政，弘农威王⑫心不能平，欲去之而未能。二人不自安，共谋弑王，分其地以臣于梁。戊寅⑬，颢遣其党纪祥等弑王于寝室，诈云暴薨⑭。

己卯⑮，颢集将吏于府廷[22]，夹道及庭中堂上皆[23]列白刃⑯，令诸将悉去卫从⑰然后入。颢厉声问曰："嗣王已薨，军府谁当主之？"三问，莫应⑱，颢气色益怒。幕僚⑲严可求前密启曰："军府至大，四境多虞⑳，非公代[24]之不可，然今日则恐太速。"颢曰："何谓速也？"可求曰："刘威、陶雅、李遇、李简，皆先王之等夷㉑，公今自立，此曹肯为公下乎？不若立幼主辅之，诸将孰敢不从！"颢默然久之。可求因屏㉒左右，急书㉓一纸置袖中，麾㉔同列诣使宅㉕贺㉖，众莫测其所为。既至，可求跪读之，乃太夫人史氏㉗教㉘也。大要言先王㉙创业艰难，嗣王㉚不幸早世㉛，隆演㉜次当立，诸将宜无负杨氏，善开导之。辞旨明切。颢气色皆沮㉝，以其义正，不敢夺，遂奉威王弟隆演称淮南留后、东面诸道行营都统。既罢，副都统朱瑾诣可求所居，曰："瑾年

【校记】

［20］为：原无此字。据章钰校，十二行本、乙十一行本皆有此字，张敦仁《通鉴刊本识误》同，今据补。［21］赐遗：据章钰校，十二行本、乙十一行本皆作“赐遣”。〖按〗“赐遗”义长。

【语译】

静江节度使、同平章事李琼去世，楚王马殷任命李琼的弟弟永州刺史李存主管桂州事务。

五月初二日壬申，梁朝把许州忠武军改称为匡国军，同州匡国军改称为忠武军，陕州保义军改称为镇国军。

初五日乙亥，楚王马殷的军队侵犯鄂州，淮南弘农王杨渥委任的知州秦裴打败了楚军。

淮南左牙指挥使张颢、右牙指挥使徐温独揽军政大权，弘农威王杨渥心中不平，打算除掉他们，但没有办成。张颢、徐温自感不安，一起谋划杀杨渥，瓜分他的地盘，称臣于梁。五月初八日戊寅，张颢派遣他的党羽纪祥等人在杨渥的住处杀死了他，欺骗人们说杨渥暴病而亡。

五月初九日己卯，张颢把将领、官吏集合在节度使府庭院，夹道、庭院和大堂上都列队持刀卫士，命令各将领丢下随从的侍卫然后进入庭院。张颢粗声厉气地问道:“嗣王已经去世，节度使府应当由谁来主持?”问了三次，没有人回应，张颢更加生气。幕僚严可求向前悄悄地开导他说:“节度使府至关重要，四方边境非常令人担忧，非您继任不可，然而今天做决定恐怕太急了。”张颢说:“什么叫太急了?”严可求说:“刘威、陶雅、李遇、李简，都是和先王同等地位的人，您今天自立为王，这些人肯做您的下属吗？不如拥立幼主辅佐他，各将领谁敢不听从!”张颢沉默了很久。严可求趁机屏退身边的人，迅速写了一张纸放在袖子里，指挥大家前往节度使住宅去祝贺，大家猜不出他要做什么。到了节度使住宅后，严可求跪在地上宣读这张纸，原来是杨渥母亲太夫人史氏的教谕。大略说先王杨行密创业艰难，嗣王杨渥不幸早死，杨隆演按次序应当继立。各将领应该无负杨氏，好好地教导他。文辞意思明白恳切。张颢脸色沮丧，因为教谕理直义正，张颢不敢违背，于是尊奉弘农威王杨渥的弟弟杨隆演担任淮南留后、东面诸道行营都统。事情完了，副都统朱瑾来

十六七即横戈跃马，冲犯大敌，未尝畏慑，今日对颢，不觉流汗。公面折⑭之如无人，乃知瑾匹夫之勇⑮，不及公远矣。”因以兄事之。

纵[25]颢以徐温为浙西观察使，镇润州。严可求说温曰：“公舍牙兵⑯而出外藩，颢必以弑君之罪归公。”温惊曰：“然则奈何？”可求曰：“颢刚愎⑰而暗于事⑱，公能见听⑲，请为公图之。”时副使⑳李承嗣参预军府之政，可求又说承嗣曰：“颢凶威如此，今出徐公[26]于外，意不徒然㉑，恐亦非公之利。”承嗣深然之㉒。可求往见颢曰：“公出徐公于外，人皆言公欲夺其兵权而杀之，多言亦可畏也。”颢曰：“右牙㉓欲之，非吾意也。业已行矣，奈何？”可求曰：“止之易耳。”明日，可求邀颢及承嗣俱诣温，可求瞋目㉔责温曰：“古人不忘一饭之恩，况公杨氏宿将㉕！今幼嗣初立，多事之时，乃求自安于外，可乎？”温谢曰：“苟诸公见容，温何敢自专！”由是不行。颢知可求阴附温，夜，遣盗刺之。可求知不免，请为书㉖辞府主㉗。盗执刀临之，可求操笔无惧色。盗能辨字，见其辞旨忠壮，曰：“公长者㉘，吾不忍杀。”掠其财以复命，曰：“捕之不获。”颢怒曰：“吾欲得可求首，何用财为！”

温与可求谋诛颢，可求曰：“非锺泰章不可。”泰章者，合肥人，时为左监门卫将军㉙，温使亲将彭城[27]翟虔告之。泰章闻之喜，密结壮士三十人，夜，刺血相饮㉚为誓。丁亥㉛旦，直入斩颢于牙堂㉜，并其亲近。温始暴㉝颢弑君之罪，轘㉞纪祥等于市。诣西宫㉟白太夫人。太夫人恐惧，大泣曰：“吾儿冲幼，祸难如此，愿保百口㊱归庐州，公之惠㊲也！”温曰：“张颢弑逆，不可不诛，夫人宜自安！”初，颢与温[28]谋弑威王，温曰：“参用㊳左、右牙兵，心必不一，不若独用吾兵。”颢不可，温曰：“然则独用公兵。”颢从之。至是，穷治逆党，皆左牙兵也，由是人以温为实不知谋也。隆演以温为左、右牙都指挥使，军府事咸取决焉。以严可求为扬州司马。

温性沉毅，自奉简俭，虽不知书，使人读狱讼㊴之辞而决之，皆中情理。先是，张颢用事，刑戮[29]酷滥，纵亲兵剽夺㊵市里。温谓严可求曰：“大事已定，吾与公辈当力行善政，使人解衣而寝㊶耳。”乃

到严可求的住处，对他说：“我朱瑾十六七岁就横戈跃马，冲击大敌，未曾畏惧，今天面对张颢，不觉流汗。您当面挫败他，就像没有他这个人一样，这才知道我朱瑾是匹夫之勇，比您差远了。”从此就用兄长的礼节来侍奉严可求。

听任张颢派徐温为浙西观察使，镇守润州。严可求劝徐温说：“您放弃统率牙兵而出外镇守，张颢一定把杀死君王之罪加在您头上。”徐温吃惊地说：“这该怎么办呢？”严可求说：“张颢刚愎自用而又不明事理。您如能听我的话，请为您谋划。”当时副使李承嗣参与节度使府的政务，严可求又劝李承嗣说：“张颢凶狠威风到这个地步，如今把徐温派到外面，张颢的意图还不仅此而已，恐怕对您也不利。”李承嗣深以为然。严可求去见张颢，说：“您把徐温派到外面，人们都说您想要夺取他的兵权并把他杀死，这样说多了也是很可怕的。”张颢说：“徐温自己想出去，不是我的意思。事情已经决定了，如何处理呢？”严可求说：“要阻止他很容易。”第二天，严可求邀请张颢和李承嗣一起到徐温那里，严可求怒目指责徐温说：“古人不忘记一顿饭的恩德，况且您是杨氏的老将！如今幼主刚刚继位，正是多事之秋，却到外面给自己寻求安宁，能这样吗？”徐温谢罪说：“如果你们能宽容我，我徐温怎么敢擅自做主！”因此徐温没有成行。张颢知道严可求暗地里依附徐温，夜里派遣刺客刺杀严可求。严可求知道不能逃脱，请刺客允许他写一封信和嗣王杨隆演诀别。刺客拿刀对着他，严可求执笔书写全无惧色。刺客能识字，看到他写的文辞忠诚壮烈，说：“您是年高有德行的人，我不忍心杀您。”便抢劫他的财物回去复命，说：“搜捕严可求没有找到。”张颢生气地说：“我想得到严可求的脑袋，要这些财物干什么！”

徐温和严可求谋划杀死张颢，严可求说：“这事非锺泰章不可。”锺泰章是合肥人，当时担任左监门卫将军，徐温派遣心腹部将彭城翟虔告诉锺泰章。锺泰章听了很高兴，秘密联合壮士三十人，夜里刺血互饮立誓。五月十七日丁亥早晨，直接进入牙堂杀死了张颢和他的亲信。徐温这才揭露了张颢杀害弘农威王杨渥的罪行，在街市上把纪祥等人车裂。徐温前往西宫禀告太夫人史氏。太夫人很害怕，大哭着说：“我的儿子年纪幼小，遭遇这样的祸难，希望保全我家一百口人的性命返回庐州，就是你对我们的恩惠了！”徐温说：“张颢叛逆杀主，不能不杀死他。夫人应该放心！”当初，张颢与徐温谋划杀害弘农威王杨渥，徐温说：“如果混合使用左、右牙兵，一定不会同心，不如单独使用我的士兵。”张颢不同意，徐温说：“那么就单独使用您的兵士。”张颢答应了。到这时候，彻底惩治叛逆党徒，都是张颢的左牙兵，因此人们认为徐温确实不知道张颢的阴谋。杨隆演任命徐温为左、右牙都指挥使，军府事务都由他决定。任命严可求担任扬州司马。

徐温性格沉稳坚毅，简朴自持，虽然不识字，但让人读诉讼文书而作出判决，都合情合理。此前，张颢执政用事，滥施酷刑，放纵亲信士兵掠夺街市里巷。徐温对严可求说：“大事已定，我与您应该努力实行善政，让百姓晚上脱掉衣服安心睡立法度，禁强暴，政[30]举大纲㊷，军民安之。温以军旅委可求[31]，以财赋委支计官㊸骆知祥，皆称其职，淮南谓之“严、骆”㊹。

己丑㊺，契丹王阿保机遣使随高颀㊻入贡，且求册命㊼。帝复遣司农卿㊽浑特，赐以手诏，约共灭沙陀㊾，乃行封册。

【段旨】

以上为第十五段，写淮南兵变，牙将张颢杀杨渥，徐温奉其弟杨隆演为弘农王。

【注释】

㊾⓪壬申：五月初二日。㊾①乙亥：五月初五日。㊾②弘农威王：杨渥谥威王，故称。㊾③戊寅：五月初八日。㊾④暴薨：暴病猝死。杨渥死时，年仅二十三岁。㊾⑤己卯：五月初九日。㊾⑥白刃：锋利的刀。这里指执刀的侍卫士。㊾⑦悉去卫从：全部去掉卫从。㊾⑧莫应：无人应声。㊾⑨幕僚：地方军政长官署中参谋、书记、顾问之类的官佐。⑤⓪⓪四境多虞：指刘威在庐州，陶雅在歙州，李遇在宣州，李简在常州，各独当一面。虞，忧虑。⑤⓪①等夷：同辈。指刘威、陶雅、李遇、李简等四人皆与杨行密同辈。⑤⓪②屏：屏退；让退去。⑤⓪③书：写。⑤⓪④麾：指挥。⑤⓪⑤使宅：节度使所居为使宅。⑤⓪⑥贺：贺亲君嗣位。⑤⓪⑦史氏：杨渥之母，封武昌郡君。杨渥嗣位后为太夫人。⑤⓪⑧教：文体的一种。为上对下的告谕。⑤⓪⑨先王：指杨行密。⑤①⓪嗣王：指杨渥。⑤①①早世：过早辞世。⑤①②隆演（公元八九六至九二〇年）：字鸿源，杨行密第二子。初名瀛，又名渭。杨渥被害后嗣位，天祐十六年（公元九一九年）即吴王位，改元武义。传见《旧五代史》卷一百三十四、《新五代史》卷六十一。⑤①③沮：沮丧；失意；懊丧。⑤①④面折：当面斥责他人过错，此指当面挫败。⑤①⑤匹夫之勇：勇猛取胜不靠智谋，单凭一己之力。《孟子·梁惠王下》：“此匹夫之勇，敌一人者也。”⑤①⑥牙兵：即衙兵。徐温原为右牙指挥使。⑤①⑦刚愎：倔强而固执。⑤①⑧暗于事：不明事理。⑤①⑨见听：尊称他人听取自己的意见。⑤②⓪副使：时李承嗣为淮南行军副使。⑤②①徒然：仅此；只是如此。⑤②②深然之：深表同意。⑤②③右牙：谓徐温。当时徐温为右牙指挥使。⑤②④瞋目：怒目。⑤②⑤宿将：老将。⑤②⑥为书：写书信。⑤②⑦府主：谓杨隆演。⑤②⑧长者：品德高尚的人。⑤②⑨左监门卫将军：武官名，掌军府门卫。⑤③⓪刺血相饮：古人盟誓，各刺己血于酒

觉。”于是制定法律，禁止强暴，提出为政要领，士兵和民众安定下来。徐温把军队事务委托给严可求，把财政赋税事务委托给支计官骆知祥，都很称职，淮南把他们并称为“严、骆”。

五月十九日己丑，契丹王阿保机派遣使臣随梁朝使者高颀到京进贡，并且请求册封为王。梁太祖又派遣司农卿浑特赐给阿保机亲笔诏书，约定一起消灭沙陀李存勖，再册封他为王。

混而饮之，表示诚意。(531) 丁亥：五月十七日。(532) 牙堂：即衙堂，左右军指挥使治事之所。(533) 暴：揭露。(534) 轘：车裂。(535) 西宫：广陵西宫。杨行密妃史夫人所居。(536) 百口：全家。(537) 惠：恩惠。(538) 参用：杂用。(539) 狱讼：诉讼案件。有关财物之争执为讼，以罪名相告为狱。(540) 剽夺：抢掠。(541) 解衣而寝：表示心无忧虑。(542) 大纲：主体；要领。(543) 支计官：官名，掌收支会计之事。(544) 严、骆：指严可求与骆知祥两人为徐温之左右手，两人齐名，并称“严、骆”。(545) 己丑：五月十九日。(546) 高颀：上一年五月，契丹遣使通好，朱晃遣太府少卿高颀回报阿保机。(547) 册命：皇帝封立诸王的命令。契丹因为梁朝的强大，背晋投梁。(548) 司农卿：官名，司农寺主管粮食积储、京官禄米及园池果实等，置卿、少卿等官。(549) 沙陀：此指李存勖。

【校记】

［22］府廷：原作“府庭”。据章钰校，十二行本、乙十一行本、孔天胤本皆作“府廷”，张敦仁《通鉴刊本识误》同，今从改。［23］皆：原作“各”。据章钰校，十二行本、乙十一行本、孔天胤本皆作“皆”，张敦仁《通鉴刊本识误》同，今从改。［24］代：原作“主”。据章钰校，孔天胤本作“代”，张敦仁《通鉴刊本识误》同，今从改。［25］纵：原无此字。据章钰校，十二行本、乙十一行本皆有此字，今据补。［26］徐公：原无“公”字。据章钰校，孔天胤本有此字，今据补。〖按〗下文亦作“徐公”，有“公”字义长。［27］彭城：原无此二字。据章钰校，十二行本、乙十一行本、孔天胤本皆有此二字，张敦仁《通鉴刊本识误》同，今据补。［28］颢与温：原作“温与颢”。据章钰校，十二行本、乙十一行本、孔天胤本二字皆互乙，今从改。［29］刑戮：原作“刑罚”。据章钰校，十二行本、乙十一行本、孔天胤本皆作“刑戮”，今从改。［30］政：原无此字。据章钰校，十二行本、乙十一行本皆有此字，张敦仁《通鉴刊本识误》同，今据补。［31］可求：原作“严可求”。据章钰校，十二行本、乙十一行本、孔天胤本皆无“严”字，今据删。

【原文】

壬辰[550]，夹寨诸将诣阙待罪[551]，皆赦之。帝赏牛存节全泽州之功，以为六军马步都指挥使。

雷彦恭引沅江[552]环朗州以自守，秦彦晖顿[553]兵月余不战，彦恭守备稍懈。彦晖使裨将曹德昌帅壮士夜入自水窦[554]，内外[555]举火相应，城中惊乱，彦晖鼓噪坏门而入，彦恭轻舟奔广陵。彦晖虏其弟彦雄，送于大梁。淮南以彦恭为节度副使。先是，澧州刺史向瓌与彦恭相表里，至是亦降于楚，楚始得澧、朗二州。

蜀主遣将将兵会岐兵五万攻雍州[556]，晋张承业亦将兵应之。六月壬寅[557]，以刘知俊为西路行营都招讨使以拒之。

金吾上将军[558]王师范家于洛阳，朱友宁之妻泣诉于帝曰："陛下化家为国[559]，宗族皆蒙荣宠。妾夫[560]独不幸，因王师范叛逆，死于战场。今仇雠犹在，妾诚痛之！"帝曰："朕几忘此贼！"己酉[561]，遣使就洛阳族之。使者先凿坑[562]于第侧，乃宣敕告之。师范盛陈宴具[563]，与宗族列坐，谓使者曰："死者人所不免，况有罪乎！予不欲使积尸长幼无序。"酒既行，命自幼及长，引于坑中戮之，死者凡二百人。

丙辰[564]，刘知俊及佑国节度使王重师大破岐兵于漠谷[565][32]，晋、蜀兵皆引归。

蜀立遂王宗懿为太子。

帝欲自将击潞州。丁卯[566]，诏会诸道兵。

湖南判官高郁请听[567]民自采茶卖于北客，收其征[568]以赡军[569]，楚王殷从之。秋，七月，殷奏于汴、荆、襄、唐、郢、复州置回图务[570]，运茶于河南、北，卖之以易缯纩[571]、战马而归，仍岁贡茶二十五万斤，诏许之。湖南由是富赡[572]。

壬申[573]，淮南将吏请于李俨[574]，承制授杨隆演淮南节度使、东面诸道行营都统、同平章事、弘农王。

锺泰章赏[575]薄，泰章未尝自言。后逾年，因醉与诸将争言而及之。或告徐温，以泰章怨望，请诛之，温曰："是吾过也。"擢为滁州刺史。

【语译】

五月二十二日壬辰，潞州夹寨的各将领到皇宫外请罪，梁太祖全部赦免了他们。梁太祖赏赐牛存节保全泽州的功劳，任命他担任六军马步都指挥使。

雷彦恭引流沅江水环绕朗州来加强自身的防守，秦彦晖屯兵一个多月没有出战，雷彦恭守卫戒备逐渐松懈。秦彦晖派副将曹德昌率领壮士夜里从水洞进入城内，里外举火相应，城中惊恐骚乱，秦彦晖擂鼓呐喊毁坏城门进入城中，雷彦恭轻舟逃往广陵。秦彦晖俘虏了雷彦恭的弟弟雷彦雄，送到大梁。淮南杨隆演任命雷彦恭为节度副使。此前，澧州刺史向瓌与雷彦恭互为表里，到这时也投降了楚王。楚王这才得到了澧、朗二州。

蜀主王建派遣将领率军会合岐王李茂贞的军队五万人攻打雍州，晋监军张承业也率军响应他们。六月初三日壬寅，梁朝任命刘知俊担任西路行营都招讨使进行抵抗。

金吾上将军王师范家在洛阳。朱友宁的妻子向梁太祖哭诉说："陛下化家为国，全宗族都蒙受荣耀恩宠。唯独我的丈夫不幸，因为王师范的叛逆，死在战场上。现在仇人还在，我实在痛心！"梁太祖说："朕几乎忘掉了这个逆贼！"六月初十日己酉，派遣使者到洛阳处死了王师范的全族。使者先在王师范的宅第旁挖了坑，才宣读梁太祖的诏书，告诉王师范。王师范大摆酒席，和宗族的人依次就座，对使者说："死亡，人所不免，何况还有罪呢！我不想让尸体堆积，长幼没有次序。"已经开始喝酒，命令宗族的人从幼到长，带到坑中处死。死的共有二百人。

六月十七日丙辰，刘知俊和佑国节度使王重师在漠谷大败岐王李茂贞的军队，晋、蜀的军队都撤回去了。

蜀主王建立遂王王宗懿为太子。

梁太祖打算亲自率军攻打潞州。二十八日丁卯，下诏集合各道的军队。

湖南判官高郁请求听任百姓自己采茶卖给北方的客商，征收他们的赋税来供给军需，楚王马殷听从了。秋，七月，马殷奏请在汴州、荆州、襄州、唐州、郢州、复州设置回图务，运茶到黄河南北，卖茶换取丝棉织品和战马回来，每年仍然向朝廷进贡茶叶二十五万斤。梁太祖下诏答应了这件事。湖南从此富足起来。

七月初三日壬申，淮南的将领、官吏向江淮宣谕使李俨请求，承制授予杨隆演为淮南节度使、东面诸道行营都统、同平章事、弘农王。

锺泰章得到的赏赐很少，锺泰章未曾自己说过。后来过了一年，因为醉酒和各将领争论谈到了这件事。有人告诉了徐温，认为锺泰章心怀怨恨，请求杀了他。徐温说："这是我的过错。"于是，提拔锺泰章为滁州刺史。

【段旨】

以上为第十六段，写梁太祖与契丹共灭沙陀。楚王马殷攻取澧、朗两州。蜀主王建会同凤翔节度使李茂贞，并结晋王李存勖合兵攻梁雍州，军败。梁太祖灭王师范一门二百余人。

【注释】

㊿⑩壬辰：五月二十二日。551诣阙待罪：到宫阙请罪。552沅江：水名，源出贵州都匀云雾山，上游为清水江，自西向东，至湖南黔阳下始称沅水，经沅陵、桃源等县，绕朗州（今湖南常德）城南，至汉寿县注入洞庭湖。553顿：停留；止息。554窦：孔道。555内外：城内城外。城内指自水道入城者，城外指秦彦晖屯守大军。556雍州：梁受禅，改京兆府为雍州大安府。当时雍州治所长安，在今陕西西安。557壬寅：六月初三日。558金吾上将军：官名，金吾卫为南衙十六卫之一。上将军为高级武官，在大将军、将军之上。559化家为国：朱家受禅，统治国家。560妄夫：指朱友宁。唐昭宗天复三年（公元九〇三年）朱友宁死于登州之战，为王师范所杀。561己酉：六月初十日。562坑：坑道。563宴具：宴会器具。564丙辰：六月十七日。565漢谷：在今陕西乾县北。566丁卯：六月二十八日。567听：任凭。568征：税。569赡军：供给军队生活所需。570回图务：官署名，掌贸易交换货物，官员为回图使。571缯纩：丝织品的总称。纩，丝棉絮。572富赡：富裕充足。573壬申：七月初三日。574李俨：昭宗朝宰相张濬之子，赐姓李。先任左金吾大将军，昭宗天复二年（公元九〇二年）为江淮宣谕使，始承制。575赏：杀张颢之赏。

【校记】

［32］漢谷：原作“幕谷”，今据严衍《通鉴补》改作“漢谷”。

【研析】

本卷研析朱全忠篡唐，李存勖嗣位晋王，王建称帝三件史事。

第一，朱全忠篡唐。朱全忠，原名朱温，排行第三，宋州砀山县午沟里人。父亲朱诚，是乡间私塾教师，有三子，长子朱全昱，次子朱存，三子朱温。朱温凶悍狡诈，纯粹一个乡间流氓。参加黄巢起义，官至同州防御使，为黄巢看守东大门。公元八八二年，朱温看到黄巢形势不利，向河中节度使王重荣投降，说母亲姓王，认王重荣为母舅，唐僖宗任命朱温为同华节度使，赐名朱全忠。公元八八三年，唐任命朱全忠为汴州刺史、宣武军节度使，并加任命东北面都招讨使，堵塞黄巢向东的退路。朱全忠被黄巢打败，向李克用求救。公元八八四年，李克用到河南打败黄巢，还军路过汴州，朱全忠请李克用入城相会，企图谋杀未遂，朱、李从此交恶。

由此，也可见朱全忠之凶狡。

朱全忠经过二十年的经营，据有广大河南中原地区，环四周诸镇，李克用、李茂贞、杨行密均不能与之争，篡唐条件成熟，便迁昭宗于洛阳，随而弑帝立幼，大杀朝士，唐王室朝臣为之一空。唐哀帝天祐四年（公元九〇七年）四月十六日壬戌，朱全忠改名朱晃，四月十八日甲子黄袍加身，在汴京金祥殿即皇帝位，史称梁太祖。四月二十二日戊辰，大赦，改元，国号大梁。废唐哀帝为济阴王。朱晃长兄朱全昱在家宴上斥责朱晃说："朱三，你原本是砀山的一个平民，跟随黄巢为盗，唐朝天子任用你为四镇节度使，富贵已极，为什么你还要夺取人家三百年的天下，恩将仇报，自称皇帝，你的行为，该当灭族。"朱全昱不失平民忠厚本色，他的斥责，代表了平民对梁太祖朱晃的评价。

第二，李存勖嗣位晋王。李存勖，李克用嗣子，少小聪明过人，及长，善骑射，胆壮骁勇，年十一，从李克用讨王行瑜，昭宗见之称奇，赐以翡翠盘。李存勖习《春秋》，通大义，是其所长，但沉迷于歌舞俳优之戏，是其所短。

天祐五年（公元九〇八年）正月，李克用卒，李存勖即王位于太原，时年二十四岁。李存勖以王位让其叔父李克宁，李克宁不许，随后听信夫人及诸将之言，谋作乱，夺王位，以晋依附后梁。在这千钧一发之际，李存勖在监军张承业辅佐下，果断出击，诛李克宁，稳定了众心。接着，李存勖整顿纲纪，诛杀悍卒扰民罪大者，全军肃静。此时，汴、晋两军争潞州，攻战一年，汴军仍未攻下潞州。梁太祖趁着晋丧主少，亲率大军来取潞州，志在必得。李存勖与诸将谋议说："潞州上党是河东的屏障，不可丢失。朱温听说我新立，不熟悉军旅，一定认为是夺取上党的好时机。我将带领精兵，倍道兼行，出其不意入援上党，一定能打败汴军。取威定霸，在此一举。"四月二十日甲子，晋王李存勖亲率周德威等大将从晋阳出发，直趋上党，大败汴军。梁太祖闻讯大惊，长叹说："生子当如李亚子，李克用没有死。说起我的儿子，只是一群猪狗罢了。"梁太祖身经百战，他最害怕的人是李克用，认为李克用之死，是梁朝灭晋的好时机，他做梦也没想到李存勖年少英勇，如此有大局观，如此善抓时机，竟然抢在自己的前头到达潞州，一战使梁太祖丧胆。取威定霸，一战成功，少年晋王李存勖达到了他的目的。

第三，王建称帝。王建目不识丁，以行伍拼杀一生，居然打斗出了一片天下。唐昭宗大顺二年（公元八九一年），王建割据西川，后来兼并了东川和汉中等地，共有四十六州，四境有重山之险，蜀地称天府之国，中原多事，西川可立国。古有巴国、蜀国，东汉末有蜀汉。公元九〇七年，朱晃篡唐称帝于中原，王建随后也称帝于西川，国号蜀，史称前蜀，建都于成都。唐玄宗、唐僖宗先后蒙尘入蜀，许多名人士大夫相随入蜀，尤其唐末中原大乱，许多名门世族避乱蜀中。韦庄、张格、毛文锡等一百多名中原士人受到王建优待。史称王建喜欢与文士交游，前蜀"典章文物有唐之遗风”。王建称帝，多次改元，加尊号，宠信宦官，喜听祥瑞之言，经常有龙出现，这些都是“唐之遗风”，其实是正在被扫荡的腐朽文化。王建好女色，多内宠，疏于理政，又教子无方，前有太师王宗佶强求大司马之事，后有皇太子元膺擅杀太子少保唐道袭的事。唐道袭原本是一个舞僮，见幸于王建，嬖臣小人，王建用为枢密使，又为皇太子的少保，王宗佶和王元膺正眼瞧不起唐道袭，哪能相容。王建杀王宗佶和王元膺，丧其两子，仍未得教训。晚年，军政大权交给宦官唐文扆，公元九一八年王建死，养子王宗弼杀唐文扆。少子王宗衍嗣位，比其父更加荒淫，国政完全交给宋光嗣、宋光葆、景润澄等一群宦官，自己整日与狎客韩昭等游宴赋诗，蜀国政治由此可知。公元九二五年，后唐庄宗李存勖派兵灭了前蜀。王建所立之蜀国，前后只存在了三十五年。

卷第二百六十七　后梁纪二

起著雍执徐（戊辰，公元九〇八年）八月，尽重光协洽（辛未，公元九一一年）二月，凡二年有奇。

【题解】

本卷记事起公元九〇八年八月，迄公元九一一年二月，载述史事凡二年又七个月，当梁太祖开平二年八月至开平五年二月。此时期梁太祖朱晃已步入他的晚年，猜忌心日增，先是枉杀佑国节度使王师重，逼反忠武节度使刘知俊，遂以同州叛附岐王李茂贞，北联晋王共讨梁。继之尽诛赵王深州戍兵，逼反王镕与梁绝，依附晋王李存勖，导致梁、晋双方在赵州大战，晋王大胜梁兵，乘胜逐北攻取河北梁属州县。燕王刘守光声言南下讨梁，要当盟主，晋王退兵，决心先北后南，铲除刘守光再专意南下讨梁，舒缓了梁朝受攻的压力。此时，地区混战，刘守光破沧州，一统卢龙旧境，势力增强。吴王将周本大败危全讽于洪州，江西地尽归杨隆演所有。钱镠破湖州，叛将高澧奔吴。钱镠筑捍海石塘，拓广杭州城，从此钱唐富甲东南。楚王马殷势力达于岭表，唐宁远节度使庞巨昭、高州防御使刘昌鲁臣附楚王。梁颁行《梁律令格式》。

【原文】

太祖神武元圣孝皇帝中

开平二年（戊辰，公元九〇八年）

八月，吴越王镠遣宁国[①]节度使王景仁奉表诣大梁，陈取淮南之策。景仁，即茂章也，避梁讳[②]改焉。

淮南遣步军都指挥使周本、南面统军使吕师造击吴越，九月，围苏州。吴越将张仁保攻常州之东洲[③]，拔之。淮南兵死者万余人。淮南以池州团练使陈璋为水陆行营都招讨使，帅柴再用等诸将救东洲，大破仁保于鱼荡，复取东洲。柴再用方战舟坏，长矟[④]浮之，仅而得济。家人为之饭僧[⑤]千人，再用悉取其食以犒部兵，曰："士卒济我，僧何力焉！"

丙子[⑥]，蜀立皇后周氏[⑦]。后，许州人也。

晋周德威、李嗣昭将兵三万出阴地关[⑧]，攻晋州，刺史徐怀玉拒

【语译】

太祖神武元圣孝皇帝中

开平二年（戊辰，公元九〇八年）

八月，吴越王钱镠派宁国节度使王景仁带着奏表前往大梁，陈述攻取淮南的策略。王景仁就是王茂章，因为避梁太祖曾祖父朱茂琳讳而改名。

淮南派步军都指挥使周本、南面统军使吕师造进击吴越。九月，包围苏州。吴越将领张仁保攻打常州的东洲镇，攻克了它，淮南士兵死的有一万多人。淮南任命池州团练使陈璋为水陆行营都招讨使，率领柴再用等各将领救援东洲镇，在鱼荡大败张仁保，重新夺回东洲镇。柴再用正在交战，船却坏了，他靠长矛浮托，才上了岸。家人因此向一千个僧人施饭，柴再用把这些饭食全部拿来犒劳他部下的士兵，说："士兵救我上岸，僧人出过什么力呢！"

九月初八日丙子，蜀主册立皇后周氏。周皇后是许州人。

晋周德威、李嗣昭率军三万从阴地关出发，攻打晋州。晋州刺史徐怀玉抵御固

守，帝自将救之。丁丑⑨，发大梁。乙酉⑩，至陕州。戊子⑪，岐王所署延州节度使胡敬璋寇上平关⑫，刘知俊击破之。周德威等闻帝将至，乙未⑬，退保隰州⑭。

荆南节度使高季昌遣兵屯汉口⑮，绝楚朝贡之路。楚王殷遣其将许德勋将水军击之，至沙头⑯，季昌惧而请和。殷又遣步军都指挥使吕师周将兵击岭南，与清海节度使刘隐十余战，取昭、贺、梧、蒙、龚、富六州⑰。殷土宇既广，乃养士息民，湖南遂安。

冬，十月，蜀主立后宫张氏为贵妃，徐氏⑱为贤妃，其妹为德妃。张氏，郪⑲人，宗懿之母也。二徐，耕⑳之女也。

华原㉑贼帅温韬㉒聚众嵯峨山㉓，暴掠雍州诸县，唐帝诸陵发㉔之殆遍。

庚戌㉕，蜀主讲武㉖于星宿山㉗，步骑三十万。

丁巳㉘，帝还大梁。

辛酉㉙，以刘隐为清海、静海节度使，以膳部郎中㉚赵光裔、右补阙李殷衡充官告使㉛，隐皆留之㉜。光裔，光逢㉝之弟。殷衡，德裕㉞之孙也。

依政㉟进士梁震，唐末登第，至是归蜀。过江陵，高季昌爱其才识，留之，欲奏为判官。震耻之㊱，欲去，恐及祸，乃曰："震素不慕荣宦㊲[1]，明公不以震为愚，必欲使之参谋议，但以白衣㊳侍樽俎㊴可也，何必在幕府！"季昌许之。震终身止称前进士，不受高氏辟署㊵。季昌甚重之，以为谋主，呼曰先辈㊶。

帝从吴越王镠之请，以亳州团练使寇彦卿为东南面行营都指挥使，击淮南。十一月，彦卿帅众二千袭霍丘㊷，为土豪朱景所败。又攻庐、寿二州，皆不胜。淮南遣滁州刺史史俨拒之，彦卿引归㊸。

定难㊹节度使李思谏卒。甲戌㊺，其子彝昌㊻自为留后。

刘守文举沧德兵攻幽州，刘守光求救于晋，晋王遣兵五千助之。丁亥㊼，守文兵至卢台军㊽，为守光所败。又战玉田㊾，亦败。守文乃还。

癸巳㊿，中书侍郎、同平章事张策以刑部尚书致仕。以左仆射杨涉同平章事。

守，梁太祖亲自率军救援。九月初九日丁丑，从大梁出发。十七日乙酉，到达陕州。二十日戊子，岐王李茂贞任命的延州节度使胡敬璋侵犯上平关，刘知俊打败了他们。周德威等人听说梁太祖要到了，二十七日乙未，退守隰州。

荆南节度使高季昌派兵屯驻汉口，断绝楚向梁入朝进贡的道路。楚王马殷派他的部将许德勋率水军前去攻打，到了沙头，高季昌因畏惧而请求讲和。马殷又派步军都指挥使吕师周率军攻打岭南，与清海节度使刘隐打了十多次，攻取昭州、贺州、梧州、蒙州、龚州、富州六个州。马殷在疆域扩大之后，就让士兵和百姓休养生息，湖南终于安定。

冬，十月，蜀主王建册立后宫张氏为贵妃，徐氏为贤妃，徐氏的妹妹为德妃。张氏是郪县人，太子王宗懿的母亲。两位徐妃是徐耕的女儿。

华原的盗贼首领温韬在嵯峨山聚集部众，暴力劫掠雍州各县，唐朝皇帝的各座陵墓几乎都被他挖遍了。

十月十二日庚戌，蜀主王建在星宿山讲习武事，参加的步兵、骑兵有三十万人。

十九日丁巳，梁太祖返回大梁。

二十三日辛酉，梁朝任命刘隐为清海、静海节度使，派膳部郎中赵光裔、右补阙李殷衡充任官告使，刘隐把他们都留下了。赵光裔是赵光逢的弟弟。李殷衡是李德裕的孙子。

邛州依政县的进士梁震在唐朝末年科举考中，这时候要回到蜀地去。路过江陵，高季昌赏识梁震的才能识见，把他留下来，想要奏请任命他为判官。梁震耻于做他的僚属，想要离开，又担心遭到祸害，于是说："我一向不羡慕荣耀的官职，您如果不认为我愚昧无知，一定要让我参与谋划计议，只需让我以平民的身份在您身边侍奉就可以了，何必要在幕府任职呢！"高季昌答应了。梁震终身只自称前进士，没有接受高季昌的征举授官。高季昌很器重他，把他当作出谋划策的主要人物，称他为先辈。

梁太祖应吴越王钱镠的请求，任命亳州团练使寇彦卿为东南面行营都指挥使，进攻淮南。十一月，寇彦卿率军队两千人袭击霍丘，被当地豪强朱景打败。又攻打庐州、寿州二州，都没有取胜。淮南派滁州刺史史俨抵御，寇彦卿率军退回。

定难节度使李思谏去世。十一月初六日甲戌，他的儿子李彝昌自立为留后。

刘守文发动沧州、德州的军队进攻幽州，刘守光向晋王李存勖求救，晋王派兵五千援助刘守光。十九日丁亥，刘守文的军队到达卢台军，被刘守光打败。又在玉田县交战，也失败了。刘守文于是退了回去。

二十五日癸巳，中书侍郎、同平章事张策以刑部尚书之职退休。任命左仆射杨涉为同平章事。

保塞节度使胡敬璋卒，静难[51]节度使李继徽以其将刘万子代镇延州。

是岁，弘农王遣军将万全感赍书间道诣晋及岐，告以嗣位。

帝将迁都洛阳。

【段旨】

以上为第一段，写淮南王与吴越王交战，晋王与后梁交战，互有胜败。楚王马殷北败高季昌，南败刘隐，湖南遂安。梁震为荆南谋主，不受高氏辟署，终身止称前进士。

【注释】

①宁国：方镇名，唐昭宗景福元年（公元八九二年）升宣歙团练使为宁国军节度使，治所宣州。唐哀帝天祐三年（公元九〇六年）王茂章率众自宣州奔两浙，钱镠以为宁国节度使。②避梁讳：朱晃曾祖名茂琳，故王茂章避讳改名景仁。③东洲：镇名，又名东布洲，在今江苏启东市北吕泗镇一带。④矟：通“槊”，矛长丈八尺曰矟。⑤饭僧：家人因柴再用以长矛渡水生还为神灵保佑，故施饭与僧。⑥丙子：九月初八日。⑦周氏：许州人，王建元配之妻。⑧阴地关：关名，在汾州和晋州交界处，今山西霍州北。⑨丁丑：九月初九日。⑩乙酉：九月十七日。⑪戊子：九月二十日。⑫上平关：关名，在隰州石楼县（今山西石楼）北，位山西、陕西交界处。⑬乙未：九月二十七日。⑭隰州：州名，在晋州西北二百五十五里。治所在今山西隰县。⑮汉口：汉水入长江之口。在鄂州汉阳县东大别山下。⑯沙头：镇名，在今湖北江陵城南。⑰昭、贺、梧、蒙、龚、富六州：皆在今广西境。昭州治所在今广西平乐西，贺州治所在今广西贺州东南，梧州治所在今广西梧州，蒙州治所在今广西蒙山，龚州治所在今广西平南，富州治所在今广西昭平。⑱徐氏：《新五代史》卷六十三《前蜀世家》载，徐氏姐妹二人，姐姐封为贤妃，妹妹封为淑妃。二人皆以色进，交结宦官唐文扆等干预朝政。⑲郪：县名，县治在今四川三台。唐时为梓州治所。⑳耕：即徐耕，曾为眉州刺史。事见本书卷二百五十八。㉑华原：县名，县治在今陕西铜川市耀州区。㉒温韬（？至公元九二七年）：京兆华原人，少为盗，后事李茂贞，为华原镇将，改名李彦韬。降梁后为义胜军节度使，改名温昭图。

保塞节度使胡敬璋去世，静难节度使李继徽任用他的部将刘万子代为镇守延州。

这一年，弘农王杨隆演派军将万全感带着书信从小路前往晋王和岐王那里，把自己嗣位的事告诉了他们。

梁太祖将要迁都洛阳。

传见《旧五代史》卷七十三、《新五代史》卷四十。㉓嵯峨山：山名，在今陕西淳化东南、铜川市耀州区西南。㉔发：挖掘。㉕庚戌：十月十二日。㉖讲武：讲习武事。㉗星宿山：山名，在今四川成都北。㉘丁巳：十月十九日。㉙辛酉：十月二十三日。㉚膳部郎中：官名，膳部为礼部下属四部之一，掌陵庙之牲豆酒膳，设郎中、员外郎各一人。㉛官告使：朝廷临时派出授予授官凭证的官员。官告即告身。㉜隐皆留之：指刘隐把赵光裔、李殷衡都留在节度任上，不让还朝。当时群雄割据，各自截留士人为己用。㉝光逢：即赵光逢，唐时御史中丞、太常卿，入梁为宰相。传见《旧唐书》卷一百七十八、《新唐书》卷一百八十二、《旧五代史》卷五十八、《新五代史》卷三十四。㉞德裕：唐武宗时宰相李德裕。传见《旧唐书》卷一百七十四、《新唐书》卷一百八十。㉟依政：县名，县治在今四川邛崃东南，时属邛州。㊱震耻之：高季昌出身奴仆，梁震耻于做他的僚属。㊲荣宦：荣耀的官职。㊳白衣：无官职。㊴樽俎：盛酒食的器具，此处借指为宾客。㊵辟署：征举授官。㊶先辈：唐人呼进士为先辈。㊷霍丘：县名，县治在今安徽霍邱。㊸引归：引兵退归。寇彦卿兵势已受挫，而史俨原为河东健将，汴兵畏惧，故闻其至而退。㊹定难：方镇名，唐僖宗中和二年（公元八八二年）赐夏州节度号定难军节度。㊺甲戌：十一月初六日。㊻彝昌：李思谏之子李彝昌（？至公元九〇九年）。僖宗时，拓跋思敬拜夏州节度使，赐姓李。思敬卒，其弟李思谏为节度使。传附《旧五代史》卷一百三十二、《新五代史》卷四十。㊼丁亥：十一月十九日。㊽卢台军：军镇名，在今河北青县。宋时为乾宁军所在地。㊾玉田：县名，县治在今河北玉田。时属蓟州。㊿癸巳：十一月二十五日。51静难：方镇名，唐僖宗光启元年（公元八八五年）赐邠宁节度号静难军节度。保塞、静难二镇时皆属李茂贞。

【校记】

［1］荣宦：原作“荣官”。据章钰校，十二行本、乙十一行本、孔天胤本皆作“荣宦”，张敦仁《通鉴刊本识误》同，今从改。

【原文】

三年（己巳，公元九〇九年）

春，正月己巳[52]，迁太庙神主[53]于洛阳。甲戌[54]，帝发大梁。壬申[55]，以博王友文为东都[56]留守。己卯[57]，帝至洛阳。庚寅[58]，飨[59]太庙。辛巳[60]，祀圜丘[61]，大赦。

丙申[62]，以用度稍充，初给百官全俸[63]。

二月丁酉朔[64]，日有食之。

保塞节度使刘万子暴虐，失众心，且谋贰[65]于梁，李继徽使延州牙将李延实图之。延实因[66]万子葬胡敬璋，攻而杀之，遂据延州。马军都指挥使河西[67]高万兴[68]与弟[2]万金闻变，以其众数千人诣刘知俊降。岐王置翟州于鄜城[69]，其守将亦降。

三月甲戌[70]，帝发洛阳。以山南东道节度使杨师厚兼潞州行营四面[3]招讨使。

庚辰[71]，帝至河中，发步骑会高万兴兵取丹[72]、延。

丙戌[73]，以朔方节度使兼中书令韩逊为颍川王。逊本灵州[74]牙校，唐末据本镇，朝廷因而授以节钺。

辛卯[75]，丹州刺史崔公实请降。

徐温以金陵[76]形胜[77]，战舰所聚，乃自以淮南行军副使领昇州[78]刺史，留广陵，以其假子元从[79]指挥使知诰为昇州防遏兼楼船副使，往治之。

夏，四月丙申朔[80]，刘知俊移军攻延州，李延实婴城[81]自守。知俊遣白水[82]镇使刘儒分兵围坊州。

庚子[83]，以王审知为闽王，刘隐为南平王。

刘知俊克延州，李延实降。

【语译】

三年（己巳，公元九〇九年）

春，正月初二日己巳，梁太祖把太庙的祖宗牌位迁到洛阳。初七日甲戌，梁太祖从大梁出发。初五日壬申，任命博王朱友文为东都留守。十二日己卯，梁太祖到达洛阳。二十三日庚寅，在太庙合祭祖先。十四日辛巳，在圜丘祭祀上天，实行大赦。

二十九日丙申，梁朝由于费用渐渐充裕，开始给百官发放足额俸禄。

二月初一日丁酉，发生日食。

保塞节度使刘万子暴虐，失去人心，并且图谋投降梁朝，李继徽派延州牙将李延实设法对付他。李延实乘刘万子给胡敬璋下葬的机会，攻击并杀死了刘万子，于是占据了延州。马军都指挥使河西人高万兴和弟弟高万金听说发生变乱，率领他们的部众几千人到刘知俊那里投降梁朝。岐王李茂贞在鄜城设置翟州，那里的守将也投降了梁朝。

三月初九日甲戌，梁太祖从洛阳出发。任命山南东道节度使杨师厚兼潞州行营四面招讨使。

十五日庚辰，梁太祖到达河中，派出步兵、骑兵会同高万兴的军队攻打丹州、延州。

二十一日丙戌，封朔方节度使兼中书令韩逊为颍川王。韩逊本来是灵州牙校，唐朝末年占据灵州，朝廷因此授给他符节斧钺。

二十六日辛卯，丹州刺史崔公实请求投降。

徐温因为金陵地势优越，而且战舰聚集，于是自任淮南行军副使兼领昇州刺史，留驻在广陵，任命他的养子元从指挥使徐知诰为昇州防遏兼楼船副使，前去治理昇州。

夏，四月初一日丙申，刘知俊调动军队进攻延州，李延实利用四周城墙进行防守。刘知俊派白水镇使刘儒分兵包围坊州。

初五日庚子，梁太祖封王审知为闽王，刘隐为南平王。

刘知俊攻克延州，李延实投降。

【段旨】

以上为第二段，写梁太祖迁都洛阳，以博王朱友文为东都留守。梁太祖开始给百官全俸，加封威武节度使王审知为闽王，清海、镇海节度使刘隐为南平王。

【注释】

⑫己巳：正月初二日。⑬太庙神主：太庙内所设已死国君的牌位，以木或石制成。⑭甲戌：正月初七日。⑮壬申：正月初五日。⑯东都：梁以大梁为东都。⑰己卯：正月十二日。⑱庚寅：正月二十三日。⑲袷：合祭。⑳辛巳：正月十四日。㉑圜丘：祭天的圆形高坛。㉒丙申：正月二十九日。㉓全俸：唐自僖宗广明年间丧乱以来，百官俸银仅存数额而已，至此才给全额。㉔丁酉朔：二月初一日。㉕贰：有二心。㉖因：趁。㉗河西：地区名，此指陕北黄河西岸地区。㉘高万兴（？至公元九二五年）：初事胡敬璋为骑将，后与其弟降梁，为延州刺史、保大军节度使。传见《旧五代史》卷一百三十二、《新五代史》卷四十。㉙置翟州于鄜城：设置翟州，治所鄜城。鄜城在今陕西洛川县东

【原文】

淮南兵围苏州，推洞屋[84]攻城，吴越将临海[85]孙琰置轮于竿首，垂絙[86]投锥以揭之[87]，攻者尽露，炮[88]至则张网以拒之，淮南人不能克。吴越王镠遣牙内指挥使钱镖、行军副使杜建徽等将兵救之。

苏州有水通城中，淮南张网缀[89]铃悬水中，鱼鳖过皆知之。吴越游弈都虞候司马福欲潜行[90]入城，故以竿触网。敌闻铃声举网，福因得过，凡居水中三日，乃得入城。由是城中号令与援兵相应，敌以为神。

吴越王镠尝游府园，见园卒陆仁章树艺[91]有智而志[92]之。及苏州被围，使仁章通信入城，果得报而返。镠以诸孙[93]畜[94]之，累迁两府[95]军粮都监使，卒获其用，仁章，睦州[96]人也。

辛亥[97]，吴越兵内外合击淮南兵，大破之，擒其将何朗等三十余人，夺战舰二百艘。周本夜遁，又追败之于皇天荡[98]。锺泰章将精兵二百为殿，多树旗帜于菰蒋[99]中，追兵不敢进而还。

岐王所署保大节度使李彦博、坊州刺史李彦昱皆弃城奔凤翔，鄜州都将严弘倚举城降。己未[100]，以高万兴为保塞节度使，以绛州刺史牛存节为保大节度使。

淮南初置选举[101]，以骆知祥掌之。

南，唐属坊州。⑩ 甲戌：三月初九日。⑪ 庚辰：三月十五日。⑫ 丹：州名，治所在今陕西宜川县。⑬ 丙戌：三月二十一日。⑭ 灵州：州名，州治在今宁夏灵武。⑮ 辛卯：三月二十六日。⑯ 金陵：府名，梁置金陵府，在今江苏南京。⑰ 形胜：地势优越便利。⑱ 昇州：州名，治所金陵。⑲ 元从：自始就相随的部队。⑳ 丙申朔：四月初一日。㉑ 婴城：环城。㉒ 白水：县名，县治在今陕西白水，时属同州。㉓ 庚子：四月初五日。

【校记】

［2］弟：原作"其弟"。据章钰校，十二行本、乙十一行本皆无"其"字，今据删。［3］行营四面：原作"四面行营"。据章钰校，十二行本、乙十一行本、孔天胤本皆作"行营四面"，今从改。

【语译】

淮南军队包围苏州，推着洞屋攻城。吴越将领临海人孙琰在竹竿头上设置滑轮，垂下粗绳绑上利锥把洞屋上蒙盖的牛皮钻破掀开，使攻城的人全部暴露；炮石打过来就张网拦阻，淮南军队不能攻下苏州。吴越王钱镠派牙内指挥使钱镖、行军副使杜建徽等率军救援苏州。

苏州城外有水道通到城里，淮南军队在水中挂上网，网上缀有铃铛，鱼鳖通过都能知道。吴越游弈都虞候司马福想要潜水入城，故意用竹竿去触网子。淮南军队听到铃声举起网子，司马福因此得以通过。他在水中一共藏了三天，才得以入城。从此城里的号令与援兵相呼应，淮南军队以为他们似有神助。

吴越王钱镠曾经到府园游玩，看到园丁陆仁章种植花草树木颇具智慧而记在心里。等到苏州被围，就派陆仁章到城里去通消息，果然得到答复而回来了，钱镠把陆仁章当作孙辈对待，一直升到镇海、镇东两府军粮都监使，终于让他发挥了作用。陆仁章是睦州人。

四月十六日辛亥，吴越军队在苏州城内城外配合攻打淮南军队，把他们打得大败，擒获淮南将领何朗等三十多人，夺取战舰两百艘。周本趁黑夜逃走，吴越军队又追上去在皇天荡把周本打败了。锺泰章率精兵两百人为淮南军队殿后，在水边菰草中竖起很多旗帜迷惑对方，吴越追兵不敢追下去而返回。

岐王李茂贞任命的保大节度使李彦博、坊州刺史李彦昱都丢下城池逃回凤翔，鄜州都将严弘倚献出城池投降。四月二十四日己未，梁太祖任命高万兴为保塞节度使，任命绛州刺史牛存节为保大节度使。

淮南开始建立选士举官制度，任命骆知祥掌管此事。

五月丁卯[102]，帝命刘知俊乘胜取邠州。知俊难之[103]，辞以阙[104]食，乃召还。

佑国节度使王重师镇长安数年，帝在河中，怒其贡奉不时。己巳[105]，召重师入朝，以左龙虎统军刘捍为佑国留后。

癸酉[106]，帝发河中。己卯[107]，至洛阳。

刘捍至长安，王重师不为礼，捍谮[108]之于帝，云重师潜与邠、岐通。甲申[109]，贬重师溪州[110]刺史，寻赐自尽，夷其族。

刘守文频年[111]攻刘守光不克，乃大发兵，以重赂招契丹、吐谷浑之众，合四万屯蓟州[112]。守光逆战于鸡苏[113]，为守文所败。守文单马立于陈前，泣谓其众曰："勿杀吾弟。"守光将元行钦识之，直前擒之，沧德兵皆溃。守光囚之别室，棒以蒺藜[114]，乘胜进攻沧州。沧州节度判官吕兖、孙鹤推守文子延祚为帅，乘城拒守。兖，安次[115]人也。

【段旨】

以上为第三段，写吴越军在苏州大败淮南军。

【注释】

⑧④洞屋：攻城工具。以木撑柱为之，外边覆盖牛皮，其状如洞。⑧⑤临海：县名，县治在今浙江临海。⑧⑥縆：大绳；粗绳索。⑧⑦投锥以揭之：用大绳投锥揭牛皮，此为破洞屋的方法。锥，钻孔的工具。⑧⑧炮：古代以机械发石为炮，所以可以张网拒之。⑧⑨缀：系结。⑨⓪潜行：潜水而行。⑨①树艺：种植花木的技艺。⑨②志：记之于心。⑨③诸孙：众孙。⑨④畜：养。⑨⑤两府：镇海、镇东两节度使。⑨⑥睦州：州名，治所在今浙江建德东。⑨⑦辛亥：四月十六日。⑨⑧皇天荡：即黄天荡。在苏州长洲县界，今苏州葑门东二

【原文】

忠武节度使兼侍中刘知俊，功名浸盛，以帝猜忍[116]日甚，内不自安。及王重师诛，知俊益惧。帝将伐河东，急征知俊入朝，欲以为河

五月初三日丁卯，梁太祖命刘知俊乘胜攻取邠州。刘知俊感到为难，以缺乏军粮为借口推辞，于是梁太祖把他召回。

佑国节度使王重师镇守长安多年，梁太祖在河中时，恼怒他不按时进贡。初五日己巳，召王重师入朝，任命左龙虎统军刘捍为佑国留后。

初九日癸酉，梁太祖从河中出发。十五日己卯，到达洛阳。

刘捍到了长安，王重师不以礼相待。刘捍在梁太祖面前诬陷王重师，说王重师暗中和邠州、岐州往来。二十日甲申，把王重师贬为溪州刺史，不久又赐令王重师自尽，诛灭他的全族。

刘守文连年进攻刘守光未能取胜，于是出动大批军队，并且送出大量财物贿赂契丹、吐谷浑的部众，合计四万人屯驻在蓟州。刘守光在鸡苏迎战，被刘守文打败。刘守文单枪匹马立在阵前，哭着对他的部众说："不要杀死我的弟弟。"刘守光的部将元行钦认识刘守文，径直冲上前去活捉他，刘守文的沧德军队全都溃散了。刘守光把刘守文囚禁在另设的房间内，用一丛丛的荆棘把屋子堵塞，乘胜进攻沧州。沧州节度判官吕兖、孙鹤推举刘守文的儿子刘延祚为统帅，登城抵御防守。吕兖是安次人。

里。⑨⑨ 菰蒋："菰"与"蒋"为同一植物名，即茭白。草本，多年生，生浅水中，高五六尺。因较高，可以隐蔽，所以锺泰章置旗其中，迷惑敌人。⑩⓪ 己未：四月二十四日。⑩① 选举：礼部考试举士，吏部通过铨选与考绩举官。自唐末衰乱以来，选举之法尽废，淮南复置之。⑩② 丁卯：五月初三日。⑩③ 难之：为难。李继徽据邠州，有凤翔之援，故刘知俊以取之为难。⑩④ 阙：通"缺"。⑩⑤ 己巳：五月初五日。⑩⑥ 癸酉：五月初九日。⑩⑦ 己卯：五月十五日。⑩⑧ 谮：诬陷。⑩⑨ 甲申：五月二十日。⑪⓪ 溪州：州名，治所在今湖南永顺东。⑪① 频年：连续多年。刘守文自开平元年（公元九〇七年）攻刘守光，至此已三年。⑪② 蓟州：州名，治所在今天津市蓟州区。⑪③ 鸡苏：寨名，在今天津市蓟州区西。⑪④ 栫以藂棘：使用丛棘围堵。栫，以柴木壅塞。藂，通"丛"，聚集。⑪⑤ 安次：县名，县治在今河北廊坊市安次区西。时属幽州。

【语译】

忠武节度使兼侍中刘知俊，功劳名声越来越大，因为梁太祖的猜忌和残忍一天比一天厉害，他自己内心很不安。等到王重师被杀，刘知俊更加恐惧了。梁太祖准备攻打河东，紧急征召刘知俊入朝，想任命他为河东西面行营都统，并且因刘知俊有攻取

东西面行营都统，且以知俊有丹、延之功，厚赐之。知俊弟右保胜指挥使知浣从帝在洛阳，密使人语知俊云："入必死。"又白帝，请帅弟侄往迎知俊，帝许之。六月乙未朔117，知俊奏称[4]"为军民所留"，遂以同州附于岐。执监军及将佐之不从者，皆械送于岐。遣兵袭华州，逐刺史蔡敬思，以兵守潼关。潜遣人以重利啖118长安诸将，执刘捍119，送于岐，杀之。知俊遣使请兵于岐，亦遣使请晋人出兵攻晋、绛，遗晋王书曰："不过旬日，可取两京，复唐社稷。"

丁未120，朔方节度使韩逊奏克盐州121，斩岐所署刺史李继直。

帝遣近臣谕刘知俊曰："朕待卿甚厚，何忽相负？"对曰："臣不背德122，但畏族灭如王重师耳。"帝复使谓之曰："刘捍言重师阴结邠、岐，朕今悔之无及，捍死不足塞责123。"知俊不报。庚戌124，诏削知俊官爵，以山南东道节度使杨师厚为西路行营招讨使，帅侍卫马步军都指挥使刘鄩等讨之。

辛亥125，帝发洛阳。

刘鄩至潼关东，获刘知俊伏路兵126蔺如海等三十人，释之使为前导。刘知浣迷失道，盘桓127数日，乃至关下，关吏纳之。如海等继至，关吏不知其已被擒，亦纳之。鄩兵乘门开直进，遂克潼关，追及知浣，擒之。癸丑128，帝至陕。

丹州马军都头王行思等作乱，刺史宋知诲逃归。

帝遣刘知俊侄嗣业持诏诣同州招谕知俊。知俊欲轻骑129诣行在谢罪，弟知偃止之。杨师厚等至华州，知俊将聂赏开门降。知俊闻潼关不守，官军继至，苍黄130失图131。乙卯132夜[5]，举族奔岐。杨师厚至长安，岐兵已据城，师厚以奇兵并南山急趋，自西门入133，遂克之。庚申134，以刘鄩权佑国留后。岐王厚礼135刘知俊，以为中书令。地狭，无藩镇处之，但厚给俸禄而已。

刘守光遣使上表告捷，且言"俟沧德事毕，为陛下扫除[6]并寇136。"亦致书晋王，云欲与之同破伪梁137。

丹州、延州之功，想要重赏他。刘知俊的弟弟右保胜指挥使刘知浣跟随梁太祖在洛阳，秘密派人告诉刘知俊说："入朝必死。"又禀告梁太祖，请求率弟侄前去迎接刘知俊，梁太祖同意了。六月初一日乙未，刘知俊上奏说"被军队、百姓所挽留，不能入朝"，于是献出同州归附岐王李茂贞。他还拘捕了监军和不跟从他归附岐王的将领、佐吏，把他们戴上刑具押送到凤翔。刘知俊派兵袭击华州，驱逐刺史蔡敬思，再派军队守卫潼关。又暗中派人用重利引诱在长安的各将领，捉住刘捍，把他送到凤翔并杀死。刘知俊派使者向岐王李茂贞请求派兵，也派使者前去请求晋王李存勖出兵攻打晋州、绛州。刘知俊写给晋王的信中说："不超过十天，就可以攻取两京，恢复唐朝社稷。"

十三日丁未，朔方节度使韩逊奏报攻克盐州，杀了岐王李茂贞任命的盐州刺史李继直。

梁太祖派亲近官员告谕刘知俊说："朕对你非常好，你为什么忽然背叛?"刘知俊回答说："臣不会背弃恩德，只是害怕像王重师那样被灭族。"梁太祖又派使者对刘知俊说："刘捍说王重师暗中勾结邠州、岐州，朕如今后悔也来不及了，刘捍虽死也不足以抵偿他的罪责。"刘知俊没有答复。十六日庚戌，下诏削去刘知俊的官职爵位，任命山南东道节度使杨师厚为西路行营招讨使，率领侍卫马步军都指挥使刘鄩等前去讨伐刘知俊。

十七日辛亥，梁太祖从洛阳出发。

刘鄩到达潼关东边，抓获刘知俊派出的在路边埋伏侦察的士兵蔺如海等三十人，把他们放了让他们在前面当向导。刘知浣迷了路，耽搁了好几天才到潼关下，守关军吏把他们放了进去。蔺如海等人接着也到了，守关军吏不知道他们已被抓获，也把他们放了进去。刘鄩的军队乘着门打开径直冲了进去，于是攻克潼关，还追上刘知浣，把他擒获。十九日癸丑，梁太祖到达陕州。

丹州马军都头王行思等人作乱，丹州刺史宋知诲逃了回来。

梁太祖派刘知俊的侄子刘嗣业拿着诏书前往同州招抚晓谕刘知俊。刘知俊准备轻骑前往梁太祖的驻地请罪，他的弟弟刘知偃阻止了他。杨师厚等到达华州，刘知俊的部将聂赏打开城门投降。刘知俊听说潼关失守，梁朝的军队接着就要到了，匆忙慌张间失去了主意。二十一日乙卯夜里，带领全族投奔岐州。杨师厚到达长安时，岐王李茂贞的军队已经占据了长安城，杨师厚出其不意地派出军队沿着南山快速前进，从西门进入长安城，于是攻克长安。二十六日庚申，梁太祖任命刘鄩代理佑国留后。岐王李茂贞给予刘知俊很高的礼遇，任命他为中书令。由于岐州地域狭窄，没有藩镇可以安置他，只是给他很优厚的俸禄罢了。

刘守光派使者向梁太祖上表报捷，并且说："等到沧州、德州的事情办完后，为陛下扫除并州的贼寇。"刘守光同时也送信给晋王李存勖，说想要和他共同消灭不合正统的梁王朝。

【段旨】

以上为第四段，写梁忠武节度使刘知俊因梁太祖猜忌日甚，遂以同州附于岐王李茂贞。

【注释】

⑯猜忍：猜忌残忍。⑰乙未朔：六月初一日。⑱啖：以利诱人。⑲刘捍：时为佑国军留后。⑳丁未：六月十三日。㉑盐州：州名，治所在今陕西定边。唐末，盐州奏事专达朝廷，不隶属灵夏。至此灵、盐复合为一镇。㉒背德：背弃恩德。㉓塞责：抵罪。㉔庚戌：六月十六日。㉕辛亥：六月十七日。㉖伏路兵：刘知俊既得潼关，于关外沿路设伏以侦察动静。㉗盘桓：徘徊；逗留。㉘癸丑：六月十九日。㉙轻骑：轻装骑兵。㉚苍

【原文】

抚州刺史危全讽自称镇南节度使，帅抚、信、袁、吉㉘之兵号十万攻洪州㉙。淮南守兵才千人，将吏皆惧，节度使刘威密遣使告急于广陵，日召僚佐宴饮。全讽闻之，屯象牙潭㊵，不敢进，请兵于楚。楚王殷遣指挥使苑玫[7]会袁州刺史彭彦章围高安㊶以助全讽。玫，蔡州人。彦章[8]，玕之兄子[9]也。

徐温问将于严可求，可求荐周本。乃以本为西南面行营招讨应援使，将兵七千救高安。本以前攻苏州无功，称疾不出，可求即其卧内强起之。本曰："苏州之役，敌不能胜我，但主将权轻耳。今必见用，愿毋置副贰㊷乃可。"可求许之。本曰："楚人为全讽声援耳，非欲取高安也。吾败全讽，援兵㊸必还。"乃疾趣象牙潭。过洪州，刘威欲犒军，本不肯留，或曰："全讽兵强，君宜观形势然后进。"本曰："贼众十倍于我，我军闻之必惧，不若乘其锐而用之。"

秋，七月甲子㊹，以刘守光为燕王。

梁兵克丹州，擒王行思。

商州刺史李稠驱士民西走㊺，将吏追斩之，推都押牙李玟主州事。

庚午㊻，改佑国军曰永平㊼。

黄：慌张；匆忙。⑬失图：没有主张。⑬乙卯：六月二十一日。⑬师厚以奇兵并南山急趋二句：唐长安城共有十门，西南三门只有延平门近南山。此时长安已成丘墟，城大难守，即使杨师厚不以奇兵入西门，岐兵亦难久守。⑬庚申：六月二十六日。⑬厚礼：以很高的礼遇相待。⑬并寇：指河东李存勖。河东为并州之地，此时与梁为敌，故云。⑬伪梁：梁受禅于唐，刘守光反复于梁、晋之间，故称伪梁。

【校记】

［4］称：原无此字。据章钰校，十二行本、乙十一行本、孔天胤本皆有此字，今据补。［5］夜：原无此字。据章钰校，十二行本、乙十一行本、孔天胤本皆有此字，张敦仁《通鉴刊本识误》同，今据补。［6］扫除：原作“扫平”。据章钰校，十二行本、乙十一行本、孔天胤本皆作“扫除”，今从改。

【语译】

抚州刺史危全讽自称镇南节度使，率领抚州、信州、袁州、吉州四个州的军队号称十万人攻打洪州。洪州的淮南守军只有一千人，将吏们都很害怕，节度使刘威秘密派使者到广陵告急，自己则每天召集僚属佐吏宴饮。危全讽听到这一情况后，屯驻在象牙潭，不敢前进，向楚王请求派兵。楚王马殷派指挥使苑玫会同袁州刺史彭彦章包围高安以援助危全讽。苑玫是蔡州人。彭彦章是彭玕的侄子。

徐温向严可求询问将领人选，严可求推荐周本。徐温于是任命周本为西南面行营招讨应援使，率兵七千人救援高安。周本因之前攻打苏州没有立功，就推说有病不再出门，严可求到周本的卧室内强逼他起来。周本说：“苏州这场仗，敌人原本不能打胜我们，只是我这个主将权力太轻罢了。今天如果一定要用我，希望不要设置副职才可以。”严可求答应了他。周本说：“楚兵只是声援危全讽罢了，不是想要夺取高安。我打败危全讽，这些声援的部队一定会撤回的。”于是急速奔赴象牙潭。经过洪州时，刘威想要犒劳军队，周本不肯停留，有人说：“危全讽兵力强大，您应当观察一下形势然后再进军。”周本说：“敌军人数比我们多十倍，我军听到这一情况后必定会害怕，不如乘大家还有一股锐气时使用他们。”

秋，七月初一日甲子，封刘守光为燕王。

梁朝军队攻克丹州，擒获王行思。

商州刺史李稠驱赶士人百姓向西逃跑，商州的将领、佐吏追上去斩杀了李稠，推举都押牙李玟主持商州事务。

初七日庚午，把佑国军改称为永平。

河东兵寇晋州，抄掠至尧祠[148]而去。

癸酉[149]，帝发陕州。乙亥[150]，至洛阳，寝疾[151]。

初，帝召山南东道节度使杨师厚，欲使督诸将攻潞州，以前兖海[152]留后王班为留后，镇襄州。师厚屡为班言牙兵王求等凶悍，宜备之，班自恃左右有壮士，不以为意，每众辱之。戊寅[153]，谪[154]求戍西境，是夕，作乱，杀班，推都指挥使雍丘[155]刘玘为留后。玘伪从之，明日，与指挥使王延顺逃诣帝所。乱兵奉平淮[156]指挥使李洪为留后，附于蜀，未几，房州刺史杨虔亦叛附于蜀。

危全讽在象牙潭，营栅临溪，亘[157]数十里。庚辰[158]，周本隔溪布陈，先使羸兵尝[159]敌。全讽兵涉溪追之，本乘其半济，纵兵击之，全讽兵大溃，自相蹂藉[160]，溺水死者甚众，本分兵断其归路，擒全讽及将士五千人。乘胜克袁州，执刺史彭彦章，进攻吉州。歙州刺史陶雅使其子敬昭及都指挥使徐章将兵袭饶、信，信州刺史危仔倡请降，饶州刺史唐宝弃城走。行营都指挥使米志诚、都尉吕师造等败苑玫于上高[161]。吉州刺史彭玕帅众数千人奔楚，楚王殷表玕为郴州[162]刺史，为子希范娶其女。淮南以左先锋指挥使张景思知信州，遣行营都虞候骨言将兵五千送之。危仔倡闻兵至，奔吴越，吴越王镠以仔倡为淮南节度副使，更其姓曰元氏[163]。危全讽至广陵，弘农王以其尝有德于武忠王[164]，释之，资给甚厚。八月，虔州[165]刺史卢光稠以州附于淮南。于是江西之地尽入于杨氏。光稠亦遣使附于梁。

【段旨】

以上为第五段，写刘守光骑墙于梁、晋之间，接受梁封燕王。淮南兼并江西。

河东军队侵犯晋州，劫掠财物一直到了尧祠才离去。

初十日癸酉，梁太祖从陕州出发。十二日乙亥，到达洛阳，得病卧床。

当初，梁太祖召来山南东道节度使杨师厚，想让他督率各将领攻打潞州，任命前兖海留后王班为山南东道留后，镇守襄州。杨师厚多次对王班说牙兵王求等人凶狠强悍，应当对他们加强防备。王班自恃身边有壮士护卫，不把王求等放在心上，每每当众侮辱他们。七月十五日戊寅，把王求贬谪到西部辖境去戍守。这天晚上，王求等人作乱，杀了王班，推举都指挥使雍丘人刘玘为留后。刘玘假装依从他们，第二天，与指挥使王延顺逃到梁太祖那里。作乱的士兵尊奉平淮指挥使李洪为留后，归附蜀主王建。不久，房州刺史杨虔也叛变归附蜀主。

危全讽在象牙潭，军营的栅栏靠着溪边，连绵几十里。十七日庚辰，周本隔着溪水列阵，先派瘦弱的士兵挑战试探。危全讽的军队涉水追击，周本趁他们涉水还没上岸时，放出军队发动攻击，危全讽的军队大败，自相践踏，溺水而死的人很多。周本又分出部分兵力切断他们的归路，擒获危全讽及部下将士五千人。周本乘胜攻克袁州，抓获袁州刺史彭彦章，又进攻吉州。歙州刺史陶雅派他的儿子陶敬昭及都指挥使徐章率军袭击饶州、信州，信州刺史危仔倡请求投降，饶州刺史唐宝弃城逃走。行营都指挥使米志诚、都尉吕师造等在上高打败苑玫。吉州刺史彭玕率部众几千人逃奔到楚，楚王马殷上表奏请任命彭玕为郴州刺史，还为自己的儿子马希范迎娶了彭玕的女儿。淮南任命左先锋指挥使张景思掌管信州，派行营都虞候骨言率兵五千护送张景思。危仔倡听说淮南军队到了，逃奔到吴越。吴越王钱镠任命危仔倡为淮南节度副使，把他的姓改为元氏。危全讽被押送到广陵，弘农王杨隆演因危全讽曾经帮助过先王杨行密，于是释放了他，还给了他丰厚的财物。八月，虔州刺史卢光稠献出虔州归附淮南。于是江西之地全部落入淮南杨氏手中。卢光稠同时也派使者到梁朝表示归附。

【注释】

⑱抚、信、袁、吉：皆州名，抚州治所在今江西抚州市临川区西，信州治所在今江西上饶西北，袁州治所在今江西宜春东，吉州治所在今江西吉安。⑲洪州：唐置镇南军于洪州，抚、信、袁、吉皆其巡属。洪州治所在今江西南昌。⑳象牙潭：地名，在抚州金溪县（今江西金溪）东北。㉑高安：县名，县治在今江西高安。㉒副贰：长官的辅佐。㉓援兵：谓围高安之兵。㉔甲子：七月初一日。㉕西走：准备逃往蜀地。㉖庚午：七月初七日。㉗永平：方镇名，梁开平元年（公元九〇七年）徙佑国军于长安，现改名永平。㉘尧祠：尧都平阳（唐为临汾县，晋州治所），有祠在临汾城东十里东原上。㉙癸

酉：七月初十日。⑮⓪ 乙亥：七月十二日。⑮① 寝疾：卧病。⑮② 兖海：方镇名，唐穆宗长庆元年（公元八二一年）升沂海观察使为节度使。治所兖州，即兖海节度。⑮③ 戊寅：七月十五日。⑮④ 谪：因罪流放或贬官。⑮⑤ 雍丘：县名，县治在今河南杞县。⑮⑥ 平淮：山南东道军队名。⑮⑦ 亘：连绵不断。⑮⑧ 庚辰：七月十七日。⑮⑨ 尝：试。⑯⓪ 蹂藉：践踏。⑯① 上高：镇名，在今江西宜丰南。⑯② 郴州：州名，治所在今湖南郴州。⑯③ 元氏：钱镠厌恶危姓，将其改姓元。⑯④ 有德于武忠王：当初杨行密攻赵锽，危全讽多次供给军需。所谓"有德"，即指此。杨行密死后谥武忠。⑯⑤ 虔州：州名，治所在今江西赣州。

【原文】

甲寅[166]，上疾小瘳[167]，始复视朝。

以镇国节度使康怀贞为西路行营副招讨使。

蜀主命太子宗懿判六军，开永和府，妙选[168]朝士为僚属。

辛酉[169]，均州刺史张敬方奏克房州。

岐王欲遣刘知俊将兵攻灵、夏[170]，且约晋王使攻晋、绛。晋王引兵南下，先遣周德威等将兵出阴地关攻晋州，刺史边继威悉力固守。晋兵穿地道，陷城二十余步，城中血战拒之，一夕城复成。诏杨师厚将兵救晋州，周德威以骑扼[171]蒙坑[172]之险，师厚击破之，进抵晋州，晋兵解围遁去。

李洪寇荆南，高季昌遣其将倪可福击败之。诏马步都指挥使陈晖将兵会荆南兵讨洪。

蜀主以御史中丞王锴为中书侍郎、同平章事。

陈晖军至襄州，李洪逆战，大败，王求死。九月丁酉[173]，拔其城，斩叛兵千人，执李洪、杨虔等送洛阳，斩之。

丁未[174]，以保义节度使王檀为潞州东面行营招讨使。

刘守光奏遣其子中军兵马使继威安抚沧州吏民。戊申[175]，以继威为义昌留后。

辛亥[176]，侍中韩建罢守太保，左仆射、同平章事杨涉罢守本官。以太常卿赵光逢为中书侍郎，翰林奉旨[177]工部侍郎杜晓[178]为户部侍郎，

【校记】

［7］苑玫：据章钰校，乙十一行本作"苑政"。〖按〗下文作"玫"，尚不误。［8］彦章：据章钰校，十二行本、乙十一行本、孔天胤本皆作"彦璋"。〖按〗本卷他处皆作"彦章"，尚不误。［9］兄子：原无"子"字。据章钰校，十二行本、孔天胤本皆有此字，今据补。

【语译】

八月二十一日甲寅，梁太祖的病稍有好转，又开始临朝听政。

任命镇国节度使康怀贞为西路行营副招讨使。

蜀主王建命太子王宗懿兼领六军，设置永和府，选择出色的朝廷官员做他的属僚。

二十八日辛酉，均州刺史张敬方奏报攻克房州。

岐王李茂贞要派刘知俊率军攻打灵州、夏州，并且约请晋王李存勖让他攻打晋州、绛州。晋王李存勖率军南下，先派周德威等领兵出阴地关攻打晋州，晋州刺史边继威全力固守。晋兵挖掘地道，城墙塌陷二十多步，城中守军浴血抵抗，一个晚上城墙重又修好了。梁太祖下诏命令杨师厚率军救援晋州，周德威派骑兵扼守蒙坑险阻，杨师厚击败了他们，进军抵达晋州，晋兵解除包围逃走了。

李洪侵犯荆南，高季昌派他的部将倪可福击败李洪。梁太祖下诏命令马步都指挥使陈晖率军会同荆南军队讨伐李洪。

蜀主王建任命御史中丞王锴为中书侍郎、同平章事。

陈晖的军队到达襄州，李洪迎战，被打得大败，王求战死。九月初五日丁酉，陈晖攻克襄州，斩杀叛军千人，捉住李洪、杨虔等送到洛阳，把他们斩首。

十五日丁未，任命保义节度使王檀为潞州东面行营招讨使。

刘守光上奏请求派遣他的儿子中军兵马使刘继威去安抚沧州的官吏、百姓。十六日戊申，梁朝任命刘继威为义昌留后。

九月十九日辛亥，侍中韩建被罢免宰相职务，署守太保，左仆射、同平章事杨涉被罢免宰相职务，守任本官。任命太常卿赵光逢为中书侍郎，翰林奉旨工部侍郎

并同平章事。晓，让能[179]之子也。

淮南遣使者张知远修好于福建。知远倨慢[180]，闽王审知斩之，表上其书，始与淮南绝。审知性俭约，常蹑麻屦[181]，府舍卑陋，未尝营葺[182]。宽刑薄赋，公私富实[183]，境内以安。岁[184]自海道登、莱[185]入贡，没溺[186]者什四五。

冬，十月甲子[187]，蜀司天监胡秀林献《永昌历》[188]，行之。

湖州刺史高澧性凶忍，尝召州吏议曰："吾欲尽杀百姓，可乎？"吏曰："如此，租赋何从出？当择可杀者杀之耳。"时澧纠民为兵，有言其咨怨[189]者，澧悉集民兵于开元寺[190]，绐[191]云犒享，入则杀之。死者逾半，在外者觉之，纵火作乱。澧闭城大索[192]，凡杀三千人。吴越王镠欲诛之。戊辰[193]，澧以州叛附于淮南[194]，举兵焚义和临平镇[195]，镠命指挥使钱镖讨之。

【段旨】

以上为第六段，写闽王王审知绝淮南，由海路入贡梁朝。蜀主王建颁行《永昌历》。吴越湖州刺史高澧叛附淮南。

【注释】

⑯⑥甲寅：八月二十一日。⑯⑦小瘳：病情稍有好转。⑯⑧妙选：选出色的人物。⑯⑨辛酉：八月二十八日。⑰⓪灵、夏：两州名，灵州治所在今宁夏灵武，夏州治所在今陕西榆林市横山区西。⑰①扼：据守。⑰②蒙坑：地名，在汾水东，东西长三百多里，蹊径不通。⑰③丁酉：九月初五日。⑰④丁未：九月十五日。⑰⑤戊申：九月十六日。⑰⑥辛亥：九月十九日。⑰⑦翰林奉旨：官名，梁改翰林承旨为翰林奉旨。朱晃之父名诚，与"承"音同。为避同音之讳，改"承"为"奉"。⑰⑧杜晓（？至公元九一二年）：字明远，唐昭宗朝宰相杜让能之子，仕梁官至宰相。传见《旧唐书》卷一百七十七、《新唐书》卷九十

杜晓为户部侍郎，一并为同平章事。杜晓是杜让能的儿子。

淮南杨隆演派遣使者张知远到福建和闽王王审知建立友好关系。张知远十分傲慢，闽王王审知把他杀了，写了奏表，并把淮南的书信呈送给梁太祖，开始与淮南断绝关系。王审知生性俭约，常常穿着麻编的鞋，官府房屋低矮简陋，也不修葺。刑罚宽松，赋税不多，公家、私人都富裕充实，境内因此很安定。每年由海路经登州、莱州向梁太祖进贡，在风涛中沉没溺水而死的人占了十分之四五。

冬，十月初二日甲子，蜀司天监胡秀林呈献《永昌历》，在蜀境颁行。

湖州刺史高澧性情凶狠残忍，曾经召集州吏商议说："我想把百姓杀光，可以吗？"州吏说："像这样，田租赋税从哪里出？只应当选择可以杀的人杀死而已。"当时高澧纠集百姓当兵，有人说这些人叹息抱怨，高澧就把纠集来当兵的人全都集中到开元寺，欺骗他们说是犒劳款待，人只要一进去就被杀掉。死的人超过了一半，在寺外的人发觉异常，便放火作乱。高澧关闭城门大肆搜捕，总共杀了三千人。吴越王钱镠想要诛杀高澧。初六日戊辰，高澧叛变献出湖州归附淮南杨隆演，又派兵烧了义和县的临平镇。钱镠命令指挥使钱镖去讨伐高澧。

六、《旧五代史》卷十八，又传附《新五代史》卷三十五《苏循传》。⑰⑨让能：即杜让能，昭宗朝宰相。景福二年（公元八九三年）李茂贞与王行瑜进逼长安，请诛杜让能然后还镇，昭宗赐让能自尽。事见《旧唐书》卷一百七十七、《新唐书》卷九十六。⑱⓪倨慢：傲慢。⑱①蹑麻屦：穿麻鞋。⑱②营葺：修建。⑱③富实：富裕充实。⑱④岁：每年。⑱⑤登、莱：皆州名，登州治所在今山东烟台市蓬莱区，莱州治所在今山东莱州。⑱⑥没溺：淹死。自福建入贡大梁，陆路必须走衢州、信州至饶州、池州渡江，经舒州、庐州、寿州渡淮，然后入梁。然而信、饶、庐、寿皆属淮南杨氏，朱、杨世仇，不能假道；所以要走海路入贡。从福建绕到山东登、莱上岸，路上风涛至险，所以淹死者很多。⑱⑦甲子：十月初二日。⑱⑧《永昌历》：一种历法。当时只行于蜀国，现亡佚。⑱⑨咨怨：叹息怨恨。⑲⓪开元寺：寺庙名，当时各州多有开元寺，可能是唐开元间所建。⑲①绐：欺骗。⑲②索：搜索。⑲③戊辰：十月初六日。⑲④叛附于淮南：高澧父子以湖州介于钱、杨之间，两附以自存。现专附淮南。⑲⑤义和临平镇：临平镇属义和，镇在今浙江杭州市临平区。

【原文】

十一月甲午[196]，帝告谢[197]于圜丘。戊戌[198]，大赦。

邺王罗绍威得风痹病[199]，上表称："魏故大镇[200]，多外兵，愿得有功重臣镇之，臣乞骸骨归第。"帝闻之，抚案动容[201]。己亥[202]，以其子周翰为天雄[203]节度副使，知府事。谓使者曰："亟归语[204]而[205]主：为我强饭[206]！如有不可讳[207]，当世世贵尔子孙以相报也。今使周翰领军府，尚冀[208]尔复愈耳。"

岐王欲取灵州以处刘知俊，且以为牧马之地，使知俊自将兵攻之。朔方节度使韩逊遣使[10]告急。诏镇国节度使康怀贞、感化节度使寇彦卿将兵攻邠宁以救之。怀贞等所向皆捷，克宁、衍[209]二州，拔庆州[210]南城，刺史李彦广出降。游兵[211]侵掠至泾州[212]之境，刘知俊闻之，十二月己丑[213]，解灵州围，引兵还。帝急召怀贞等还，遣兵迎援于三原[214]青谷[215]，怀贞等还，至三水[216]，知俊遣兵据险邀之，左龙骧军[217]使寿张[218]王彦章[219]力战，怀贞等乃得过。怀贞与裨将李德遇、许从实、王审权分道而行，皆与援兵不相值[220]，至升平[221]，刘知俊伏兵山口，怀贞大败，仅以身免，德遇等军皆没。岐王以知俊为彰义节度使，镇泾州。

王彦章骁勇绝伦[222]，每战用二铁枪，皆重百斤，一置鞍中，一在手，所向无前，时人谓之王铁枪。

蜀蜀州刺史王宗弁[223]称疾，罢归成都，杜门不出。蜀主疑其矜功[224]怨望，加检校太保，固辞不受，谓人曰："廉者足而不忧，贪者忧而不足[225]。吾小人[226]，致位至此足矣，岂可求进不已乎！"蜀主嘉其志而许之，赐与有加。

刘守光围沧州久不下[227]，执刘守文至城下示之，犹固守。城中食尽，民食堇泥[228]，军士食人，驴马相啖[229]鬃[230]尾。吕兖[231]选男女羸弱者，饲以曲面[232]而烹之，以给军食，谓之宰杀务[233]。

【语译】

十一月初二日甲午，梁太祖到圜丘告谢上天。初六日戊戌，大赦天下。

邺王罗绍威得了风痹病，上表奏称："魏州原来是大的方镇，多外来的军队，希望能派有功劳的重臣来镇守，臣乞求辞官回家。"梁太祖听了这些话，抚着桌子脸上显现出受感动的神色。初七日己亥，任命罗绍威的儿子罗周翰为天雄节度副使，主持节度使府事务。对派往罗绍威的使者说："赶快回去告诉你的主人：为朕尽量多吃些饭，好好保重身体！如果万一有不测，朕会世世代代让罗氏子孙享有富贵以作为报答。现在先让罗周翰兼管节度使府，是希望你早日康复啊。"

岐王李茂贞想要攻取灵州来安置刘知俊，并且把灵州作为牧马之地，让刘知俊亲自率军去攻打它。朔方节度使韩逊派人向梁太祖告急。梁太祖下诏让镇国节度使康怀贞、感化节度使寇彦卿率军攻打邠宁来解救灵州。康怀贞等进军接连取胜，攻克宁、衍二州，夺取了庆州南城，庆州刺史李彦广出城投降。梁朝游动出击的部队进犯骚扰到了泾州的辖境，刘知俊闻讯后，在十二月二十八日己丑，解除了对灵州的包围，率军回去了。梁太祖急召康怀贞等回去，并派遣军队到三原县的青谷镇去接应援助他们，康怀贞等回师，到达三水县，刘知俊派兵占据险要地方进行拦击，左龙骧军使寿张人王彦章奋力作战，康怀贞等才得以通过。康怀贞与副将李德遇、许从实、王审权分道而行，都没有和援兵相遇。到了升平县，刘知俊在山口埋伏军队，康怀贞大败，仅仅只身逃脱，李德遇等的部队全军覆没。岐王李茂贞任命刘知俊为彰义节度使，镇守泾州。

王彦章骁勇无比，每次作战都用两杆铁枪，各重一百斤，一杆放置在马鞍上，一杆拿在手里，所向无敌，当时人称他为王铁枪。

蜀国的蜀州刺史王宗弁声称有病，辞官回到成都，闭门不出。蜀主王建怀疑王宗弁居功自负而心怀怨恨，就加封他为检校太保，王宗弁坚决推辞不肯接受，对人说："廉洁的人知足而不会有忧愁，贪婪的人忧愁而不会知足。我是个小人物，做到这样的官位也就很知足了，怎么能要求提升没有止境呢！"蜀主王建赞赏他的志向而答应了他，给了他很多赏赐。

刘守光包围沧州久攻不下，把刘守文押解到城下给城里的人看，城里的人依然固守。城里的食物吃完了，老百姓只好吃黏土，军士吃人，驴马互相吃鬃毛尾巴。吕兖挑选瘦弱的男人、女人，给他们吃制酒曲的麦粉，然后把他们杀了煮熟，供给军队食用，把这叫作"宰杀务"。

【段旨】

以上为第七段，写岐王李茂贞派刘知俊攻灵州，大破救援之梁军，岐王以刘知俊为彰义节度使镇泾州。

【注释】

⑲⑥甲午：十一月初二日。⑲⑦告谢：祭告上天拜谢天下。⑲⑧戊戌：十一月初六日。⑲⑨风痹病：由风寒引起的肢体疼痛或麻木的疾病。⑳⓪大镇：大的方镇。⑳①动容：内心有所感动而表现于面容。朱晃动容，并非因罗绍威之病难过，而是喜形于色。因为魏博大镇，历来都是世袭，有的长达几十年、上百年，现在罗绍威主动要求请人替代，实出意料之外。⑳②己亥：十一月初七日。⑳③天雄：天祐元年（公元九〇四年）赐魏博节度使号天雄军。⑳④语：告诉。⑳⑤而：汝；你。⑳⑥强饭：尽量多吃饭，意谓保重身体。⑳⑦不可讳：谓死。⑳⑧冀：希望。⑳⑨宁、衍：皆州名，宁州治所在今甘肃宁县，衍州治所在今甘肃宁和陕西彬州之间。㉑⓪庆州：州名，治所在今甘肃庆阳。宁、衍、庆三州当时都是静难军巡属。㉑①游兵：无固定防地，流动出击的部队。㉑②泾州：州名，治所在今甘肃泾川县北。㉑③己丑：十二月二十八日。㉑④三原：县名，县治在今陕西三原。㉑⑤青谷：镇名，在

【原文】

四年（庚午，公元九一〇年）

春，正月乙未㉓④，刘延祚㉓⑤力尽出降。时刘继威尚幼，守光使大将张万进㉓⑥、周知裕㉓⑦辅之镇沧州，以延祚及其将佐归幽州。族吕兖而释孙鹤。

兖子琦㉓⑧，年十五，门下客赵玉绐㉓⑨监刑者曰："此吾弟也，勿妄杀。"监刑者信之，遂挈以逃。琦足痛不能行，玉负之，变姓名，乞食于路，仅而得免。琦感家门殄灭㉔⓪，力学自立，晋王闻其名，署[11]代州判官。

辛丑㉔①，以卢光稠为镇南留后。

刘守光为其父仁恭请致仕。丙午㉔②，以仁恭为太师，致仕。守光寻使人潜杀其兄守文，归罪于杀者而诛之。

二月，万全感㉔③自岐归广陵，岐王承制加弘农王兼中书令，嗣吴王㉔④，于是吴王赦其境内。

三原境。㉖三水：汉县名，在邠州东北六十里，今陕西旬邑北。㉗左龙骧军：开平元年（公元九〇七年）改左、右亲随军将马军为左、右龙骧军。㉘寿张：县名，县治在今山东梁山县北。㉙王彦章（公元八六二至九二三年）：字子明，郓州寿张（今山东梁山）人，事梁为行营先锋马军使，末帝即位，为濮州、澶州刺史。骁勇善战，军中号“王铁枪”。传见《旧五代史》卷二十一、《新五代史》卷三十二。⑳相值：相遇。㉑升平：县名，唐玄宗天宝十二载（公元七五三年）分宜君县置升平县，县治在今陕西宜君西北。㉒绝伦：无与伦比。㉓王宗弁：即鹿弁，王建养以为子，赐姓名。㉔矜功：自夸其功。㉕廉者足而不忧二句：清廉的人知足而不忧愁，贪婪的人忧愁而不知足。㉖小人：此谓渺小而胸无大志的人。王宗弁韬讳自保的谦辞。㉗久不下：刘守光自五月攻沧州，久未攻克。㉘堇泥：《新五代史》卷三十九《刘守光传》作“墐泥”。黏土。㉙啖：食。㉚鬃：马颈上的长毛。㉛吕兖：沧州节度判官。㉜曲面：制作酒曲的麦粉。吕兖让瘦弱男女吃曲面，然后宰杀烹之以供军食。㉝宰杀务：杀人烹之以供军食处。

【校记】

［10］遣使：原无此二字。据章钰校，十二行本、乙十一行本、孔天胤本皆有此二字，张敦仁《通鉴刊本识误》、张瑛《通鉴校勘记》同，今据补。

【语译】

四年（庚午，公元九一〇年）

春，正月初四日乙未，刘延祚力量用尽而出城投降。当时刘继威年龄还小，刘守光派大将张万进、周知裕辅佐他镇守沧州；把刘延祚和他的部将、佐吏带回幽州；族灭吕兖而释放了孙鹤。

吕兖的儿子吕琦，年龄十五岁，门下客赵玉欺骗监督行刑的人说：“这是我的弟弟，不要乱杀。”监督行刑的人相信了，于是赵玉带着吕琦逃走。吕琦脚痛不能行走，赵玉背着他，改名换姓，一路乞讨，这才得以避免被害。吕琦有感于家族灭绝，努力学习谋求自立。晋王李存勖得知他的名字，任命他为代州判官。

初十日辛丑，梁朝任命卢光稠为镇南留后。

刘守光替他的父亲刘仁恭请求退休。十五日丙午，梁太祖封刘仁恭为太师，以此身份退休。刘守光不久派人秘密杀害他的哥哥刘守文，然后归罪于暗杀的人，并把他杀了。

二月，万全感从岐州回到广陵。岐王李茂贞秉承皇帝旨意加封弘农王杨隆演兼中书令，嗣位为吴王。于是吴王杨隆演在境内实行大赦。

高澧㉔⁵求救于吴，吴常州刺史李简[12]等将兵应之，湖州将盛师友、沈行思闭城不内，澧帅麾下五千人奔吴。三月癸巳㉔⁶，吴越王镠巡湖州，以钱镖为刺史。

【段旨】

以上为第八段，写卢龙节度使刘守光逼父刘仁恭致仕，又杀其兄刘守文。岐王李茂贞承制加弘农王杨隆演嗣吴王，于是吴王大赦境内。吴越将钱镖破湖州，高澧奔吴。

【注释】

㉓⁴乙未：正月初四日。㉓⁵刘延祚：刘守文之子。其事略见《新五代史》卷三十九《刘守光传》。㉓⁶张万进（？至公元九一九年）：云州人，原为刘守光裨将。因刘守光之子刘继威凶虐，杀继威而归晋，后降梁，赐名守进。传见《旧五代史》卷十三。㉓⁷周知裕（？至公元九三四年）：字好问，幽州人，初为刘仁恭骑将，辅佐刘守光之子刘继威镇沧州。后与张万进奔梁，为归化军指挥使。李存勖入汴，降唐为房州刺史。传见《旧五

【原文】

蜀太子宗懿骄暴㉔⁷，好陵傲㉔⁸[13]旧臣。内枢密使唐道袭，蜀主之嬖臣㉔⁹也，太子屡谑㉕⁰之于朝，由是有隙，互相诉于蜀主。蜀主恐其交恶，以道袭为山南西道节度使、同平章事。道袭荐宣徽北院㉕¹使郑顼为内枢密使，顼受命之日，即欲按道袭昆弟㉕²盗用内库金帛。道袭惧，奏顼褊急㉕³，不可大任。丙午㉕⁴，出顼为果州刺史，以宣徽南院使潘炕为内枢密使。

夏州都指挥使高宗益作乱，杀节度使李彝昌。将吏共诛宗益，推彝昌族父㉕⁵蕃汉都指挥使李仁福㉕⁶为帅。癸丑㉕⁷，仁福以闻。夏，四月甲子㉕⁸，以仁福为定难节度使。

丁卯㉕⁹，宋州㉖⁰节度使衡王友谅献瑞麦㉖¹，一茎三穗，帝曰："丰年为上瑞㉖²。今宋州大水，安用此为！"诏除本县㉖³令名，遣使诘责友谅，以兖海留后惠王友能㉖⁴代为宋州留后。友谅、友能，皆全昱子也。

高澧向吴王求救，吴常州刺史李简等率军前去接应。湖州将领盛师友、沈行思关闭城门不肯接纳援军，高澧率部下五千人投奔吴王。三月初三日癸巳，吴越王钱镠巡视湖州，任命钱镖为刺史。

代史》卷六十四、《新五代史》卷四十五。㉓⑧琦：吕琦（公元八九五至九四三年），字辉山，吕兖之子。刘守光族其家时，为门客赵玉所救，后为后唐庄宗殿中侍御史，明宗时为礼部郎中、史馆编修。废帝入立，拜知制诰、端明殿学士。传见《旧五代史》卷九十二、《新五代史》卷五十六。㉓⑨绐：欺骗。㉔⓪殄灭：灭绝。㉔①辛丑：正月初十日。㉔②丙午：正月十五日。㉔③万全感：淮南使，前年使晋及岐。㉔④嗣吴王：唐昭宗天复二年（公元九〇二年）封杨行密为吴王，现李茂贞承制加杨隆演嗣王。㉔⑤高澧：湖州刺史高彦之子。唐昭宣帝天祐三年（公元九〇六年）高彦卒，澧代立。㉔⑥癸巳：三月初三日。

【校记】

［11］署：原作“授”。据章钰校，十二行本、乙十一行本、孔天胤本皆作“署”，今从改。［12］李简：原作“李蔄”。据章钰校，十二行本、乙十一行本皆作“李简”，今从改。

【语译】

蜀太子王宗懿骄横暴虐，喜好凌辱轻慢旧臣。内枢密使唐道袭，是蜀主王建的宠臣，太子王宗懿多次在朝廷上戏谑他，由此两人之间有了嫌隙，互相向蜀主告状。蜀主担心他们彼此怀恨在心，就任命唐道袭为山南西道节度使、同平章事。唐道袭推荐宣徽北院使郑项为内枢密使。郑项接受任命当天，就要调查唐道袭兄弟盗用内库金帛的事。唐道袭害怕了，上奏说郑项心胸狭小，性情急躁，不能担当大任。三月十六日丙午，把郑项调到外地担任果州刺史，任命宣徽南院使潘炕为内枢密使。

夏州都指挥使高宗益作乱，杀死节度使李彝昌。将吏们共同诛杀高宗益，推举李彝昌族父蕃汉都指挥使李仁福为统帅。二十三日癸丑，李仁福向梁太祖上表奏报。夏，四月初五日甲子，梁太祖任命李仁福为定难节度使。

初八日丁卯，宋州节度使衡王朱友谅进献瑞麦，一根茎上长了三个麦穗。梁太祖说：“如果是丰年，这才是最吉利的兆头。如今宋州发大水，进献这个有什么用！”下诏除去这个县出产瑞麦的好名声，还派使者去责问朱友谅，并任命兖海留后惠王朱友能代理宋州留后。朱友谅、朱友能，都是梁太祖哥哥广王朱全昱的儿子。

帝以晋州刺史下邑[265]华温琪[266]拒晋兵有功，欲赏之，会护国节度使冀王友谦上言晋、绛边河东，乞别建节镇。壬申[267]，以晋、绛、沁三州为定昌军[268]，以温琪为节度使。

左金吾大将军寇彦卿入朝，至天津桥[269]，有民不避道[270]，投诸[271]栏外[272]而死。彦卿自首于帝。帝以彦卿才干有功，久在左右，命以私财遗死者家以赎罪。御史司宪[273]崔沂[274]劾[275]奏："彦卿杀人阙下[276]，请论如法。"帝命彦卿分析[277]。彦卿对："令从者举置栏外，不意误死。"帝欲以过失论，沂奏："在法，以势力使令为首，下手为从，不得归罪从者[278]。不斗而故殴伤人，加伤罪一等，不得为过失[279]。"辛巳[280]，责授[281]彦卿游击将军、左卫中郎将。彦卿扬言："有得崔沂首者，赏钱万缗。"沂以白帝，帝使人谓彦卿："崔沂有毫发伤[282]，我当族汝！"时功臣骄横，由是稍肃[283]。沂，沆[284]之弟也。

【段旨】

以上为第九段，写蜀王太子王宗懿骄纵暴虐。夏州发生兵变，李仁福任定难节度使。梁御史司宪崔沂依法制横暴功臣，正气稍伸。

【注释】

㉔⑦骄暴：骄横暴虐。㉔⑧陵傲：凌辱轻慢。㉔⑨嬖臣：宠爱之臣。㉕⓪谑：嬉戏；开玩笑。㉕①宣徽北院：官署名，唐置宣徽南北院使，以宦官担任，总领宫内诸司及三班内侍的名籍和郊祀朝会宴飨供账等事宜。五代因之，但以大臣职掌。㉕②昆弟：兄弟。㉕③褊急：器量小而性急躁。㉕④丙午：三月十六日。㉕⑤族父：本族与父同辈之人。㉕⑥李仁福（？至公元九三三年）：本党项拓跋氏。拓跋思敬以破黄巢功赐姓李，故仁福之族亦姓李。高宗益作乱，杀李思谏之子李彝昌，军中迎仁福立之。仁福诸子皆为"彝"字辈，则仁福当是彝昌父辈。传见《旧五代史》卷一百三十二、《新五代史》卷四十。㉕⑦癸丑：三月二十三日。㉕⑧甲子：四月初五日。㉕⑨丁卯：四月初八日。㉖⓪宋州：州名，治所在今河南商丘。梁都大梁，徙宣武节度使于宋州。㉖①瑞麦：象征祥瑞的麦穗，一茎三穗。㉖②上瑞：大吉大利。㉖③本县：即产瑞麦之县。㉖④友能：朱全昱第二子朱友能（？至公元九二三年），友谅之弟，代友谅为宋、滑二州留后，陈州刺史，所为不法。贞明四年（公元九一八年），

梁太祖因为晋州刺史下邑人华温琪抵御晋军有功，想要奖赏他。适逢护国节度使冀王朱友谦上奏说晋州、绛州与河东接界，请求另外建立节镇。十三日壬申，梁太祖以晋州、绛州、沁州三个州为定昌军，任命华温琪为节度使。

左金吾大将军寇彦卿入朝，到了天津桥，有一个老百姓没有在路上避让，被扔到桥栏外摔死了。寇彦卿自己向梁太祖报告此事认罪。梁太祖因为寇彦卿才干不凡，立有功劳，长期以来一直在自己身边，让他把自己的钱财送给死者家属以赎罪。御史司宪崔沂上奏弹劾："寇彦卿在皇宫前杀人，请求依照法律来定罪。"梁太祖命寇彦卿进行分辩。寇彦卿回答说："我让随从的人把他举起放到桥栏杆外面，没料到误伤死去。"梁太祖想按照过失定罪，崔沂上奏说："按照法律，倚仗权势下命令的人是首犯，依照命令动手办事的人是从犯，不得归罪于从犯。没有发生格斗而故意殴伤别人的，应该加伤罪一等，不能作为过失看待。"二十二日辛巳，梁太祖申斥了寇彦卿，把他贬为游击将军、左卫中郎将。寇彦卿扬言说："如有得到崔沂首级的人，赏钱一万缗。"崔沂把寇彦卿的话报告梁太祖，梁太祖派人对寇彦卿说："崔沂如果有毫发的伤害，我就灭你全族!"当时功臣骄横，从此逐渐有所收敛。崔沂是崔沆的弟弟。

以陈州兵反。后唐庄宗入汴，朱友能被杀。传见《旧五代史》卷十二，并附《新五代史》卷十三《广王全昱传》。㉖⑤下邑：县名，县治在今河南夏邑。㉖⑥华温琪（？至公元九三六年）：字德润。事梁，以战功为绛、棣二州刺史，定昌军节度使。后唐庄宗灭梁，被任命为顺义军节度使。传见《旧五代史》卷九十、《新五代史》卷四十七。㉖⑦壬申：四月十三日。㉖⑧定昌军：方镇名，治所晋州，在今山西临汾。㉖⑨天津桥：桥名，在今河南开封。㉗⓪有民不避道：据《新五代史》卷二十《寇彦卿传》，不避道之民姓梁名现。㉗①诸：之于。㉗②栏外：桥栏杆之外。㉗③御史司宪：官名，唐高宗以御史大夫为大司宪，因御史为司法之官，故名。梁置御史司宪。㉗④崔沂：唐宣宗朝宰相崔铉之幼子。唐昭宗朝为知制诰，迁为谏议大夫。入梁为御史司宪，执法严明，不避豪右。后唐庄宗灭梁，用为左丞。传见《旧五代史》卷六十八。㉗⑤劾：揭发罪状。㉗⑥阙下：天津桥正对端门，故云。㉗⑦分析：分疏辨析。崔沂要求依法论处寇彦卿，朱晃企图宽大，所以让他分辩对质。㉗⑧在法四句：此四句意谓依法，使用权势下令的人为首恶，动手的人为胁从，判罪不能让胁从者来代替首恶。在法，按照法律。指依法定罪。势力，权力。下手，动手的人、执行的人。㉗⑨不斗而故殴伤人三句：意谓按照法律，不是互相格斗而故意打伤人，加伤罪一等，不能作为过失论罪。不斗，指不是互相斗殴。㉘⓪辛巳：四月二十二日。㉘①责授：遭申斥而授官，即贬官，降职为官。㉘②毫发伤：伤一根毫毛。㉘③肃：严正。此指收敛。㉘④沆：僖宗朝宰相崔沆。事见《旧唐书》卷一百六十三、《新唐书》卷一百六十。

【校记】

［13］陵傲：原作“陵暴”。据章钰校，十二行本、乙十一行本、孔天胤本皆作“陵傲”，张敦仁《通鉴刊本识误》同，今从改。

【原文】

五月，吴徐温母周氏卒，将吏致祭，为偶人㉘⑤，高数尺，衣以罗锦，温曰：“此皆出民力，奈何施于此而焚之，宜解以衣贫者。”未几，起复㉘⑥为内外马步［14］都军使，领润州观察使。

岐王屡求货于蜀，蜀主皆与之。又求巴、剑㉘⑦二州，蜀主曰：“吾奉茂贞，勤亦至矣，若与之地，是弃民也，宁多与之货。”乃复以丝、茶、布、帛七万遗之。

己亥㉘⑧，以刘继威为义昌节度使。

癸丑㉘⑨，天雄节度使兼中书令邺贞庄王罗绍威卒。诏以其子周翰为天雄留后。

匡国㉙⓪节度使长乐忠敬王㉙①冯行袭疾笃，表请代者。许州牙兵二千，皆秦宗权余党，帝深以为忧。六月庚戌㉙②，命崇政院直学士㉙③李珽驰往视行袭病，曰：“善谕朕意，勿使乱我近镇。”珽至许州，谓将吏曰：“天子握百万兵，去此数舍㉙④耳［15］，冯公忠纯，勿使上有所疑。汝曹赤心奉国，何忧不富贵！”由是众莫敢异议。

行袭欲使人代受诏，珽曰：“东首加朝服㉙⑤，礼也。”乃即卧内宣诏，谓行袭曰：“公善自辅养，勿视事，此子孙之福也。”行袭泣谢，遂解两使印㉙⑥授珽，使代掌军府。帝闻之曰：“予固知珽能办事，冯族亦不亡矣。”庚辰㉙⑦，行袭卒。甲申㉙⑧，以李珽权知匡国留后，悉以行袭兵分隶诸校，冒冯姓㉙⑨者皆还宗㉚⓪。

楚王殷求为天策上将㉚①，诏加天策上将军。殷始开天策府，以弟赍为左相，存为右相。殷遣将侵荆南，军于油口㉚②。高季昌击破之，斩首五千级，逐北㉚③至白田㉚④而还。

【语译】

五月，吴徐温的母亲周氏去世，将领官吏前去吊祭，做了一个木偶人，有几尺高，还穿上了罗锦做的衣服。徐温说："这些衣服都出于百姓的劳动，怎么能用在这里而去烧掉，应当把衣服卸下来给贫苦的人穿。"不久，徐温又被起用为内外马步都军使，兼任润州观察使。

岐王李茂贞多次向蜀国索求财物，蜀主王建都给了他。李茂贞又索求巴、剑二州，蜀主说："我侍奉李茂贞，已经尽力至极，如果给他土地，这是在抛弃百姓，我宁可多给他财物。"于是又把丝、茶、布、帛共七万送给了岐王。

五月十一日己亥，任命刘继威为义昌节度使。

二十五日癸丑，天雄节度使兼中书令邺贞庄王罗绍威去世。梁太祖下诏任命罗绍威的儿子罗周翰为天雄留后。

匡国节度使长乐忠敬王冯行袭病得很重，上表请求任命代替自己的人。许州牙兵二千人，都是秦宗权的余党，梁太祖对此深为忧虑。六月庚戌日，命崇政院直学士李珽快马赶往许州去探视冯行袭的病情，说："好好地晓谕朕的心意，不要让他们乱了朕的邻近藩镇。"李珽到达许州，对将领官吏们说："皇上掌管着百万大军，离这里并不算远，冯公对朝廷忠诚纯真，不要使皇上有所怀疑。你们赤胆忠心报效国家，何愁不会富贵！"从此众人不敢再有其他的想法。

冯行袭想派人代替自己接受诏书，李珽说："你只要头朝东方穿上朝服，这就算是尽礼了。"于是就在冯行袭的卧室内宣读诏书，对冯行袭说："你好好调养身体，不要忙着处理政事，这是你子孙的福气。"冯行袭哭着谢恩，于是解下节度使、观察使的大印交给李珽，让他代掌军府事务。梁太祖听到这情况，说："我原本就知道李珽会办事，冯行袭一族也不会灭亡了。"六月二十二日庚辰，冯行袭去世。二十六日甲申，任命李珽暂时代理匡国留后，把冯行袭的士兵全都分别归属其他各部队，冒冯姓的养子全都恢复原姓回归本宗。

楚王马殷请求成为天策上将，梁太祖下诏加封他为天策上将军。马殷开始设置天策府，任命弟弟马賨为左相，马存为右相。马殷又派遣将领率军侵犯荆南，驻扎在油口。高季昌打败了他们，斩首五千人，乘胜追击一直到白田才返回。

【段旨】

以上为第十段，写天雄节度使罗绍威卒，诏以子代，嘉其忠直，匡国节度使冯行袭病笃，诏以大臣更代，控制跋扈之镇自为留后。

【注释】

㉘⑤偶人：土木等制成的人像，即“俑”。有的内装机械，手、足、耳、目都可以动，像活人一样。㉘⑥起复：徐温居丧致仕，夺情起用称为起复。㉘⑦巴、剑：皆州名，巴州治所在今四川巴中，剑州治所在今四川剑阁。㉘⑧己亥：五月十一日。㉘⑨癸丑：五月二十五日。㉙⓪匡国：方镇名，开平二年（公元九〇八年），改许州忠武军为匡国军。㉙①长乐忠敬王：冯行袭封长乐郡王，谥忠敬。㉙②庚戌：六月己未朔，无庚戌，疑为庚申，六月初二日。㉙③崇政院直学士：官名，开平二年（公元九〇八年）十一月置崇政院直学士二名，选有政术文学者为之，后改为直崇政院。㉙④舍：三十里为一舍。许州至洛阳三百一十五里。㉙⑤东首加朝服：《论语·乡党》，“疾，君视之，东首，加朝服，拖绅”。东首，古人

【原文】

吴水军指挥使敖骈围吉州刺史彭玕[305]弟瑊于赤石[306]，楚兵救瑊，虏骈以归。

秋，七月戊子朔[307][16]，蜀门下侍郎兼吏部尚书、同平章事韦庄卒。

吴越王镠表：“宦者周延诰等二十五人，唐末避祸[308]至此，非刘、韩[309]之党，乞原之。”上曰：“此属吾知其无罪，但今革弊[310]之初，不欲置之禁掖[311]，可且留于彼，谕以此意。”

岐王与邠、泾二帅[312]各遣使告晋，请合兵攻定难节度使李仁福。晋王遣振武节度使周德威将兵会之，合五万众围夏州，仁福婴城拒守。

八月，以刘守光兼义昌节度使。

镇、定自帝践阼[313][17]以来虽不输常赋，而贡献甚勤。会赵王镕[314]母何氏卒，庚申[315]，遣使吊之，且授起复官。时邻道吊客皆在馆，使者见晋使，归，言于帝曰：“镕潜与晋通，镇、定势强，恐终难制。”帝深然之。

卧榻一般设在南窗的西面，国君来，从东边台阶走上来，所以患者面朝东来迎接他。加朝服，拖绅，患者卧病在床，不能穿朝服，只能盖在身上。绅是束在腰间的大带。此言卧病在床东首加朝服受诏，如见君。㉙⑥两使印：节度使、观察使印。㉙⑦庚辰：六月二十二日。㉙⑧甲申：六月二十六日。㉙⑨冒冯姓：冒冯姓者皆为冯行袭之养子。冒，假充。㉚⓪还宗：恢复原姓归本宗，用以消散冯氏之党。㉚①天策上将：官名，唐高祖武德四年（公元六二一年），以唐太宗功高，古官号不足以称，故加封为天策上将，位在王公之上。终唐之世未再以此官授人。㉚②油口：镇名，在今湖北公安境内。㉚③逐北：追逐败军。㉚④白田：镇名，在湖南岳阳北。

【校记】

［14］马步：原作“马步军”。据章钰校，十二行本、乙十一行本、孔天胤本皆无“军”字，今据删。［15］耳：原无此字。据章钰校，十二行本、乙十一行本、孔天胤本皆有此字，张敦仁《通鉴刊本识误》同，今据补。

【语译】

吴水军指挥使敖骈在赤石洞包围了吉州刺史彭玕的弟弟彭瑊，楚军前去解救彭瑊，俘虏了敖骈后返回。

秋，七月初一日戊子，蜀国的门下侍郎兼吏部尚书、同平章事韦庄去世。

吴越王钱镠上表说：“宦官周延诰等二十五人，唐末避祸来到这里，他们不是刘季述、韩全诲的党羽，请求宽恕他们。”梁太祖说：“这些人我知道他们是无罪的，但如今刚开始革除弊端，我不想把他们安置在宫中，可暂且让他们留在那里，把我的这个意思告诉他们。”

岐王李茂贞与邠州李继徽、泾州刘知俊两帅各派使者通告晋王李存勖，请求合兵攻打定难节度使李仁福。李存勖派振武节度使周德威率军和他们会合，一共五万人包围夏州，李仁福据城抵御防守。

八月，任命刘守光兼任义昌节度使。

镇州、定州自梁太祖登基以来，虽然不曾缴送过日常的赋税，但进献物品很殷勤。适逢赵王王镕的母亲何氏去世，初三日庚申，梁太祖派使者去吊唁，并且在王镕守丧期间恢复他原来的官职。当时邻近各道去吊唁的客人都住在馆舍，梁太祖的使者见到了晋王李存勖派去的使者，回到洛阳后，对梁太祖说：“王镕暗中与晋王往来，镇州、定州势力强大，恐怕最终难以控制。”梁太祖认为他说得很对。

壬戌⑯，李仁福来告急。甲子⑰，以河南尹兼中书令张宗奭[18]为西京留守。帝恐晋兵袭西京，以宣化⑱留后李思安为东北面行营都指挥使，将兵万人屯河阳⑲。丙寅⑳，帝发洛阳。己巳㉑，至陕。辛未㉒，以镇国节度使杨师厚为西路行营招讨使，会感化㉓节度使康怀贞将兵三万屯三原㉔。帝忧晋兵出泽州逼怀州，既而闻其在绥、银㉕碛㉖中，曰："无足虑也。"甲申㉗，遣夹马㉘指挥使李遇、刘绾自鄜、延趋银、夏，邀㉙其归路。

吴越王镠筑捍海石塘㉚[19]，广杭州城，大修台馆。由是钱唐㉛富庶盛于东南。

九月己丑㉜，上发陕。甲午㉝，至洛阳，疾复作。

李遇等至夏州，岐、晋兵皆解去。

【段旨】

以上为第十一段，写岐、晋两王与邠、泾二帅联兵五万攻梁夏州，不胜退兵。吴越王钱镠筑捍海石塘，拓广杭州城，从此钱唐富庶甲于东南。

【注释】

⑮吉州刺史彭玕：彭玕本为赤石洞蛮酋，锺传用为吉州刺史。吉州治所在今江西吉安。⑯赤石：即吉州之赤石洞，为彭氏巢穴。⑰戊子朔：七月初一日。⑱避祸：唐昭宗天复三年（公元九〇三年），李茂贞诛宦官韩全诲等二十多人，请朱全忠奉帝还京，昭宗还长安后大诛宦官。此处言"唐末避祸"即指此。⑲刘、韩：指宦官刘季述、韩全诲。⑳革弊：革除积弊。㉑禁掖：宫中。㉒邠、泾二帅：邠帅指李继徽，泾帅指刘知俊。㉓践阼：登基。天子、诸侯、大夫、士皆以阼为主人之位，临朝觐、揖宾客、承祭祀，升降皆由此，故天子登位曰践阼。阼，东阶。㉔赵王镕：梁初封武顺军节度使王镕为赵王。㉕庚申：八月初三日。⑯壬戌：八月初五日。⑰甲子：八月初七日。⑱宣化：方镇名，梁以邓州为宣化军。⑲河阳：县名，县治在今河南孟州。屯

初五日壬戌，李仁福前来告急。初七日甲子，任命河南尹兼中书令张宗奭为西京留守。梁太祖担心晋王李存勖的军队袭击西京洛阳，任命宣化留后李思安为东北面行营都指挥使，率军万人屯驻在河阳。初九日丙寅，梁太祖从洛阳出发。十二日己巳，到达陕州。十四日辛未，任命镇国节度使杨师厚为西路行营招讨使，会同感化节度使康怀贞率军三万屯驻在三原。梁太祖担心晋王的军队出泽州进逼怀州，后来听说晋军还在绥州、银州的沙漠里，说："不必忧虑了。"二十七日甲申，派夹马指挥使李遇、刘绾从鄜州、延州赶往银州、夏州，阻截晋军的归路。

吴越王钱镠修筑防止海潮的石头塘堤，扩大杭州城，大规模修建楼台馆舍。从此，钱唐在东南一带最为富庶。

九月初三日己丑，梁太祖从陕州出发。初八日甲午，回到洛阳，病又发作。

李遇等到了夏州，岐王、晋王的军队都解围离开了。

兵河阳目的是保卫洛阳。㉜丙寅：八月初九日。㉜己巳：八月十二日。㉜辛未：八月十四日。㉜感化：方镇名，唐末因徐州数经叛乱，废武宁军，不久又以徐州为感化军。天复二年（公元九〇二年）罢感化军节度。据《新五代史》卷六十《职方考》，梁置感化军于华州。㉜三原：县名，治所在今陕西三原。㉜绥、银：皆州名，绥州治所在今陕西绥德，银州治所在今陕西榆林南。㉜碛：沙漠；不生草木的沙石地。㉜甲申：八月二十七日。㉜夹马：梁置左、右坚锐夹马突将。㉜邀：阻截。㉝捍海石塘：杭州城外濒钱塘江皆有石塘，上起六和塔，下抵艮山门外，皆为钱氏所筑。㉝钱唐：即钱塘。㉝己丑：九月初三日。㉝甲午：九月初八日。

【校记】

［16］戊子朔：原无此三字。据章钰校，十二行本、乙十一行本、孔天胤本皆有此三字，今据补。［17］践阼：原作"践祚"。胡三省注云："'祚'当作'阼'。"据章钰校，十二行本、孔天胤本皆作"践阼"，今从改。［18］张宗奭：原作"张全义"。据章钰校，十二行本、乙十一行本、孔天胤本皆作"张宗奭"，张敦仁《通鉴刊本识误》、张瑛《通鉴校勘记》同，今从改。［19］石塘：原作"石唐"。张敦仁《通鉴刊本识误》作"石塘"，今从改。

【原文】

冬，十月，遣镇国节度使杨师厚、相州刺史李思安将兵屯泽州以图上党。

吴越王镠之巡湖州也，留沈行思为巡检使[334]，与盛师友俱归。行思谓同列陈瓌曰："王若以师友为刺史，何以处我？"时瓌已得镠密旨遣行思诣府[335]，乃绐之曰："何不自诣王所论之！"行思从之。既至数日，瓌送其家亦至，行思恨瓌卖己。镠自衣锦军[336]归，将吏迎谒，行思取锻槌[337]击瓌，杀之，因诣镠，与师友论功[338]，夺左右槊[339]，欲刺师友，众执之。镠斩行思，以师友为婺州刺史。

十一月己丑[340]，以宁国节度使、同平章事王景仁[341]充北面行营都指挥招讨使，潞州副招讨使韩勍副之，以李思安为先锋将，趣上党。寻遣景仁等屯魏州[342]，杨师厚还陕。

蜀主更太子宗懿[343]名曰元坦。庚戌[344]，立假子宗裕为通王，宗范为夔王，宗鐬为昌王，宗寿[345]为嘉王，宗翰为集王。立其子宗仁为普王，宗辂为雅王，宗纪为褒王，宗智为荣王，宗泽为兴王，宗鼎为彭王，宗杰为信王，宗衍[346]为郑王。

初，唐末宦官典兵者多养军中壮士为子以自强，由是诸将亦效之。而蜀主尤多，惟宗懿等九人及宗特、宗平真其子，宗裕、宗鐬、宗寿皆其族人。宗翰姓孟，蜀主之姊子；宗范姓张，其母周氏为蜀主妾；自余假子百二十人皆功臣，虽冒姓连名而不禁婚姻。

上疾小愈，辛亥[347]，校猎[348]于伊、洛[349]之间。

上疑赵王镕贰[350]于晋，且欲因[351]邺王绍威卒除移镇、定。会燕王守光发兵屯涞水[352]，欲侵定州，上遣供奉官[353]杜廷隐、丁延徽监魏博兵三千分屯深[354]、冀[355]，声言恐燕兵南寇，助赵守御。又云分兵就食[356]。赵将石公立戍深州，白赵王镕，请拒之。镕遽[357]命开门，移公立于外以避之。公立出门[358]，指城而泣曰："朱氏灭唐社稷，三尺童子知其为人。而我王犹恃姻好[359]，以长者期[360]之，此所谓开门揖盗[361]者也。惜乎，此城之人今为虏矣！"

【语译】

冬，十月，派遣镇国节度使杨师厚、相州刺史李思安率军屯驻在泽州，准备进攻上党。

吴越王钱镠巡视湖州时，留下沈行思担任巡检使，与盛师友一起回杭州。沈行思对他的同僚陈瓌说：“吴越王如果任命盛师友为刺史，会怎么来安置我？”当时陈瓌已经得到吴越王钱镠的密旨，要派沈行思到镇海军府去，就欺骗沈行思说：“为什么不亲自到吴越王那里去说明！”沈行思听从了陈瓌的话。到达军府后几天，陈瓌把沈行思的家人也送到了，沈行思怨恨陈瓌出卖了自己。钱镠从家乡衣锦军回来，将领官吏前去迎接谒见，沈行思取出打铁的槌击打陈瓌，把陈瓌打死了；又跑到钱镠那里，与盛师友争论起功劳来，乃至夺下左右侍从的长矛，想要刺杀盛师友，大家把沈行思抓住了。钱镠杀了沈行思，任命盛师友为婺州刺史。

十一月初三日己丑，梁太祖任命宁国节度使、同平章事王景仁担任北面行营都指挥招讨使，潞州副招讨使韩勍做他的副手，又任命李思安为先锋将，奔赴上党。不久又派王景仁等屯驻魏州，杨师厚回到陕州。

蜀主王建把太子王宗懿改名为元坦。二十四日庚戌，立养子王宗裕为通王，王宗范为夔王，王宗鐬为昌王，王宗寿为嘉王，王宗翰为集王。立自己的儿子王宗仁为普王，王宗辂为雅王，王宗纪为褒王，王宗智为荣王，王宗泽为兴王，王宗鼎为彭王，王宗杰为信王，王宗衍为郑王。

当初，唐朝末年掌管军队的宦官大多收养军中的壮士做儿子来加强自己的实力，从此军中各将领也仿效起来。而蜀主王建的养子尤其多，只有王宗懿等九人以及王宗特、王宗平是他的亲生儿子，王宗裕、王宗鐬、王宗寿都是他的族人。王宗翰姓孟，是蜀主姐姐的儿子，王宗范姓张，他的母亲周氏是蜀主的妾；其余养子一百二十人都是功臣，虽然冒称王姓并且兄弟连名，但不禁止彼此间又结为姻亲。

梁太祖的病稍微好了一些。十一月二十五日辛亥，在伊水、洛水间设围打猎。

梁太祖怀疑赵王王镕有二心，私自结交晋王，并且想乘邺王罗绍威去世而调动镇州、定州两处节度使。适逢燕王刘守光出动军队屯驻涞水，想要侵犯定州，梁太祖派供奉官杜廷隐、丁延徽监督魏博军队三千人分别屯驻深州、冀州，声称担心燕军南侵，帮助赵王防守。又说分出部分军队到那里是为了就地取得给养。赵王的将领石公立戍守深州，向赵王王镕报告，请求拒绝他们屯驻。王镕却急忙下令打开城门，把石公立调到城外以避开梁军。石公立出了深州城门，指着深州城流泪说：“姓朱的灭了唐朝社稷，三尺高的孩童都知道他的为人。但是我们赵王还仗着和他联姻通好，把他当长者看待，这就是所谓的开门请强盗进来。可惜啊，这城里的人如今都要成为俘虏了！”

梁人有亡奔真定㊷，以其谋告镕者，镕大惧，又不敢先自绝㊸，但遣使诣洛阳，诉称："燕兵已还，与定州㊹讲和如故，深、冀民见魏博兵入，奔走惊骇，乞召兵还。"上遣使诣真定慰谕之。未几，廷隐等闭门尽杀赵戍兵，乘城拒守。镕始命石公立攻之，不克，乃遣使求援于燕、晋。

镕使者至晋阳，义武节度使王处直使者亦至，欲共推晋王为盟主，合兵攻梁。晋王会将佐谋之，皆曰："镕久臣朱温㊺，岁输重赂，结以婚姻，其交深矣。此必诈也，宜徐观之。"王曰："彼亦择利害而为之耳。王氏在唐世犹或臣或叛㊻，况肯终为朱氏之臣乎？彼朱温之女何如寿安公主㊼！今救死不赡㊽，何顾婚姻！我若疑而不救，正堕朱氏计中。宜趣㊾发兵赴之，晋、赵叶㊿力，破梁必矣。"乃发兵，遣周德威将之，出井陉(371)，屯赵州(372)。

镕使者至幽州，燕王守光方猎(373)，幕僚孙鹤驰诣野谓守光曰："赵人来乞师，此天欲成王之功业也。"守光曰："何故？"对曰："比(374)常患其与朱温胶固。温之志非尽吞河朔(375)不已，今彼自为雠敌，王若与之并力破梁，则镇、定(376)皆敛衽(377)而朝燕矣。王不早[20]出师，但恐晋人先我矣。"守光曰："王镕数负约，今使之与梁自相弊(378)，吾可以坐承(379)其利，又何救焉！"赵使者交错于路，守光竟不为出兵[21]。自是镇、定复称唐天祐年号(380)，复以武顺为成德军(381)。

【段旨】

以上为第十二段，写蜀主王建收功臣壮士一百二十人为养子以自强。梁太祖朱晃疑心而杀深州赵王戍兵，逼反赵王王镕与晋连合。

梁朝有人逃亡到真定，把梁太祖的谋划告诉了王镕。王镕非常恐惧，又不敢先由自己来断绝和梁朝的关系，只好派遣使者到洛阳，向梁太祖诉说："燕军已经退回去了，我和定州的王处直讲和如故。深州、冀州的百姓见魏博军队进城，四处奔跑，深受惊吓，乞求皇上把魏博军队召回去。"梁太祖派使者到真定慰抚宣谕。不久，杜廷隐等关闭城门把戍守的赵兵全部杀死，登上城墙进行防守。王镕这才命令石公立攻打，没有攻下来。于是派使者向燕王、晋王求援。

王镕的使者到达晋阳，义武节度使王处直的使者也到了，想共同推举晋王李存勖为盟主，合兵攻打梁朝。晋王召集将领佐吏商量，都说："王镕长期向朱温称臣，每年都缴纳大量财物，还结为儿女姻亲，他们的交情太深了。这次一定有诈，应该慢慢观察一番再说。"晋王说："王镕也是选择过利害后才这样做的。王氏在唐朝尚且有时归顺，有时叛变，那如今怎么肯始终做朱氏的臣子呢？那个朱温的女儿怎么比得上寿安公主！如今救命都来不及，哪里还顾得上婚姻关系！我如果心存疑虑而不去救援，正好落入朱温的诡计之中。应该急速发兵赶到那里去，晋、赵合力，打败梁朝军队是肯定的了。"于是发兵，派周德威率领，从井陉出发，屯驻在赵州。

王镕的使者到达幽州，燕王刘守光正在打猎，幕僚孙鹤驰往野外打猎地对刘守光说："赵王派人来请求援兵，这是上天想要成全大王的功业了。"刘守光说："为什么这么说？"孙鹤回答说："近来常常担心王镕与朱温关系牢固。朱温的志向不吞并完河朔这片地方是不会罢休的。如今他们自己成为仇敌，大王假如和王镕并力打败梁朝军队，那么镇州、定州都要提起衣襟恭恭敬敬地朝见您了。如果大王不早日出兵，只怕晋王会抢在我们前面了。"刘守光说："王镕多次背弃约定，如今让他与梁自己相斗消耗受损，我可以坐收其利，救他干什么！"赵王王镕的使者往来交错于道路，刘守光最终还是没有为他出兵。从此以后，镇州、定州又恢复使用唐朝天祐的年号，重新把武顺军改回为成德军。

【注释】

㉞巡检使：官名，掌训练甲兵，巡逻州邑。㉟府：指镇海军府。㊱衣锦军：钱镠生于临安石镜镇。里中有大树，钱镠小时候和小孩们常在大树下玩耍，钱镠坐在大石头上指挥群儿为队伍，号令有法。及富贵之后，唐昭宗改钱镠所居乡为广义乡，里为勋贵里，营为衣锦营，石镜山为衣锦山。钱镠每游衣锦军宴故老，山林都覆以锦。号幼时常在下边玩的大树叫"衣锦将军"。㊲锻椎：打铁的椎。㊳论功：论逐高澧之功。㊴槊：兵器，即长矛。㊵己丑：十一月初三日。㊶王景仁：即淮南名将王茂章，归梁后为避朱晃曾祖朱茂琳讳，改名王景仁。传见《旧五代史》卷二十三、《新五代史》卷二十三。㊷屯魏州：

朱晃派王景仁屯魏州，意在图镇、定州。[343]宗懿：王建次子。据《新五代史》卷六十三《前蜀世家》，更名宗坦后，王建得一铜牌，上有二十余字，王建以为符谶，取其字为诸子名，又改宗坦为元膺。元膺于武成三年（公元九一〇年）杀太子少保作乱，被卫兵杀死，王建又立幼子郑王宗衍为太子。[344]庚戌：十一月二十四日。[345]宗寿：许州人，王建养为假子，为镇江军节度使。喜道家之术。王宗衍立，淫乱胡为，只有宗寿切谏。后唐伐蜀，独宗寿不降，亡入熊耳山。传见《新五代史》卷六十三。[346]宗衍（？至公元九二六年）：字化源，王建幼子，以其母徐贤妃得宠立为太子。公元九一九年即位，年少荒淫。公元九二五年，后唐庄宗派魏王李继岌攻蜀，王宗衍出降。次年被杀。传见《旧五代史》卷一百三十六、《新五代史》卷六十三。[347]辛亥：十一月二十五日。[348]校猎：设栅栏圈围野兽以猎取。[349]伊、洛：伊水、洛水。伊水出于河南卢氏东南，流经河南嵩县、伊川、洛阳，至偃师入洛水。洛水源出陕西洛南北，东入河南，经河南卢氏、洛宁、宜阳、洛阳，至偃师与伊水汇合，到巩县的洛口入黄河。[350]贰：有二心。[351]因：趁。[352]涞水：县名，县治在今河北涞水。[353]供奉官：官名，在皇帝左右供职的人。唐末置东头供奉官、西头供奉官。[354]深：州名，治所在今河北深州。[355]冀：州名，治所在今河北衡水市冀州区。[356]分兵就食：分出部分军队到粮多之处就地取养。[357]遽：急。[358]出门：出深州城门。因石公立力主拒绝梁兵，王镕命他离开深州城，以免发生摩擦。[359]姻好：指王镕子昭祚娶朱全忠之女为妻。[360]期：看待。[361]开门揖盗：打开门请强盗进来。喻接纳坏

【原文】

司天[382]言："来月[383]太阴[384]亏[385]，不利宿兵于外。"上召王景仁等还洛阳。十二月己未[386]，上闻赵与晋合，晋兵已屯赵州，乃命王景仁等将兵击之。庚申[387]，景仁等自河阳渡河，会罗周翰兵，合四万，军于邢、洺。

虔州刺史卢光稠疾病[388]，欲以位授谭全播[389]，全播不受。光稠卒，其子韶州刺史延昌来奔丧，全播立而事之。吴遣使拜延昌虔州刺史，延昌受之，亦因[390]楚王殷通密[22]表于梁，曰："我受淮南官，以缓其谋耳，必为朝廷经略[391]江西。"丙寅[392]，以延昌为镇南留后。延昌表其将廖爽为韶州刺史，爽，赣人也。吴淮南节度判官严可求请置制置使于新淦县[393]，遣兵戍之，以图虔州。每更代[394]，辄潜益[395]其兵，虔人不之觉也。

庚午[396]，蜀主以御史中丞周庠，户部侍郎、判度支庾传素并为中书侍郎、同平章事。

人，自取其祸。揖，拱手行礼。㊷真定：镇州治所。在今河北正定。㊸自绝：自己主动断绝。㊹定州：指义武节度使王处直。㊺久臣朱温：王镕于唐昭宗光化三年（公元九〇〇年）服于朱温，至今已十年。㊻或臣或叛：指王武俊、王承宗及王庭凑。㊼寿安公主：王镕曾祖王元逵尚唐绛王悟之女寿安公主。意谓元逵尚唐公主，王氏尚且叛唐；今娶梁女，不能作为王氏不反梁的依据。㊽赡：足。㊾趣：通"促"，急、迫切。㊿叶：通"协"，合。(371)井陉：县名，县治在今河北井陉西北。(372)赵州：州名，治所在今河北赵县。(373)方猎：正在打猎。(374)比：近来。(375)河朔：泛指黄河以北地区。(376)镇、定：镇指王镕，定指王处直。(377)敛衽：提起衣襟夹于带间，表示敬意。(378)弊：败坏。(379)承：受；收。(380)复称唐天祐年号：镇、定向梁称臣，则用开平年号。现复用唐年号，表示不臣于梁。天祐为唐哀帝年号。(381)复以武顺为成德军：镇州号成德军，为避梁讳，改为武顺军，现亦复旧为成德军。

【校记】

［20］早：原无此字。据章钰校，十二行本、乙十一行本、孔天胤本皆有此字，张敦仁《通鉴刊本识误》同，今据补。［21］赵使者交错于路二句：原无此二句。据章钰校，十二行本、乙十一行本、孔天胤本皆有此二句，张敦仁《通鉴刊本识误》、张瑛《通鉴校勘记》同，今据补。

【语译】

司天监说："下个月月亮亏缺，不利于在外驻军。"梁太祖召王景仁等返回洛阳。十二月初三日己未，梁太祖听说赵王与晋王联合，晋兵已经屯驻在赵州，于是命令王景仁等率军前去攻打。初四日庚申，王景仁等从河阳渡过黄河，会合罗周翰的军队共四万人，驻扎在邢州、洺州。

虔州刺史卢光稠病重，想把职位交给谭全播，谭全播不肯接受。卢光稠去世，他的儿子韶州刺史卢延昌前来奔丧，谭全播立他为刺史并侍奉他。吴王杨隆演派使者任命卢延昌为虔州刺史，卢延昌接受了，又通过楚王马殷向梁朝上密表，说："我接受淮南的官职，是为了延缓他们的图谋，我一定会为朝廷治理好江西。"十二月初十日丙寅，梁太祖任命卢延昌为镇南留后。卢延昌上表奏请任命他的部将廖爽为韶州刺史。廖爽是赣州人。吴淮南节度判官严可求请求在新淦县设立制置使，派兵戍守，以便谋取虔州。每次换防，就暗中增加兵员数目，虔州的人却并没有察觉。

十二月十四日庚午，蜀主王建任命御史中丞周庠，户部侍郎、判度支庾传素同为中书侍郎、同平章事。

太常卿李燕等刊定《梁律令格式》[397]，癸酉[398]，行之。

丁丑[399]，王景仁等进军柏乡[400]。

辛巳[401]，蜀大赦，改明年元[402]曰永平。

赵王镕复告急[403]于晋，晋王以蕃汉副总管李存审守晋阳，自将兵自赞皇[404]东下，王处直遣将将兵五千[23]以从。辛巳，晋王至赵州，与周德威合，获梁刍荛者[405]二百人，问之曰："初发洛阳，梁主有何号令？"对曰："梁主戒上将[406]云：'镇州反覆，终为子孙之患。今悉以精兵付汝，镇州虽以铁为城，必为我取之。'"晋王命送于赵[407]。

壬午[408]，晋王进军，距柏乡三十里，遣周德威等以胡骑迫[409]梁营挑战，梁兵不出。癸未[410]，复进，距柏乡五里，营于野河之北，又遣胡骑迫梁营驰射，且诟[411]之。梁将韩勍等将步骑三万，分三道追之，铠胄[412]皆被缯绮[413]，镂金银[414]，光彩炫耀，晋人望之夺气[415]。周德威谓李存璋曰："梁人志不在战，徒欲曜[416]兵耳。不挫其锐，则吾军不振。"乃徇[417]于军曰："彼皆汴州天武军[418]，屠酤[419]佣贩[420]之徒耳，衣铠虽鲜，十不能当汝一。擒获一夫，足以自富，此乃奇货，不可失也！"德威自帅[24]精骑[421]千余[25]击其两端[422]，左驰右[26]突[423]，出入数四[424]，俘获百余人，且战且却，距野河而止。梁兵亦退。

德威言于晋王曰："贼势甚盛，宜按兵以待其衰。"王曰："吾孤军远来，救人之急，三镇[425]乌合[426]，利于速战，公乃欲按兵持重，何也？"德威曰："镇、定之兵，长于守城，短于野战。且吾所恃者骑兵，利于平原广野，可以驰突。今压贼垒门[427]，骑无所展其足。且众寡不敌，使彼知吾虚实，则事危矣。"王不悦，退卧帐中，诸将莫敢言。德威往见张承业曰："大王骤胜[428]而轻敌，不量力而务速战。今去贼咫尺[429]，所限者一水[430]耳，彼若造桥以薄[431]我，我众立尽矣。不若退军高邑[432]，诱贼离营，彼出则归，彼归则出[433]，别以轻骑掠其馈饷，不过逾月，破之必矣。"承业入，褰[434]帐抚王曰："此岂王安寝时耶！周德威老将知兵，其言不可忽也！"王蹶然[435]而[27]兴曰："予方思之。"时梁兵闭垒不出，

太常卿李燕等人刊定《梁律令格式》。十七日癸酉，正式颁行。

二十一日丁丑，王景仁等进军柏乡。

二十五日辛巳，蜀国实行大赦，将明年年号更改为永平。

赵王王镕再次向晋王告急。晋王李存勖命令蕃汉副总管李存审守卫晋阳，亲自率军从赞皇县向东进发，王处直派部将率军五千跟从。二十五日辛巳，晋王到达赵州，与周德威的军队会合，俘获割草打柴的梁军士兵二百人，问他们说："你们刚从洛阳出发时，梁主有什么号令？"回答说："梁太祖告诫大将：'镇州王镕反复无常，终究要成为子孙的祸患。如今我把精锐部队全部交给你，镇州即使是用铁铸的城，你也一定要为我夺取它。'"晋王命令把这些俘虏送到赵王那里去。

二十六日壬午，晋王的军队向前进发，距离柏乡还有三十里时，派遣周德威等率领胡人骑兵逼近梁军军营挑战，梁军不出来应战。二十七日癸未，又向前推进，距离柏乡只有五里了，在野河的北面扎营，又派遣胡人骑兵逼近梁军军营纵马射箭，并且辱骂梁军。梁军将领韩勍等率领步兵、骑兵三万人，分三路出来追击晋军。梁军的铠甲头盔上都披着丝绸，雕刻着金银，光彩照耀；晋军望见后再也没了胆气。周德威对李存璋说："梁军的意图不在交战，只是想炫耀军力罢了。不挫伤他们的锐气，我军就振作不起来。"于是在军中宣布说："梁军都是汴州的天武军，是些杀猪的、卖酒的以及佣工、小贩而已，军服铠甲虽然鲜明，但十个人也抵不上你们一个人。擒获他们一个人，就足以让自己发财，这是奇货，不可以失去机会啊！"周德威亲自率领精锐骑兵一千多人攻击梁军的两头，纵马左冲右突，进出多次，俘获一百多人，一边战斗一边后退，一直到野河才停止。梁军也退回去了。

周德威对晋王说："敌人的声势很盛，应当按兵不动以等待他们士气衰退。"晋王说："我们是孤军远道而来，解救别人的危急；三个镇的军队仓促组合，利于速战，你却要按兵求稳，这是为什么？"周德威说："镇州、定州的军队，擅长守城，而不擅长野外作战。再说我们所倚仗的是骑兵，利于在平原旷野展开兵力，可以纵马奔驰，左冲右突。如今逼近敌人的营垒寨门，战马没有地方来伸展它的四足。况且敌我军队人数一多一少，并不相当，假如对方知道了我军的虚实，那么事情就危险了。"晋王很不高兴，退入帐中卧床休息，众将没有人敢再说什么。周德威前去见张承业，说："大王因迅速取胜而轻敌了，不认真估量双方的力量而务求速战。如今我们离敌人只有咫尺的距离，中间所隔只是一条野河罢了。他们如果造桥逼近我们，我们的部众即刻就会被消灭。不如退兵到高邑县，引诱敌人离开营寨，他们出战我们就退回去，他们退回去我们就出战；另外派轻骑兵去夺取他们的粮饷，不过一个多月，一定可以打败他们了。"张承业进去，撩起帐子拍着晋王身子说："现在哪里是大王安稳睡觉的时候啊！周德威是老将，通晓军事，他的话不能忽视啊！"晋王猛一下子起身说："我正在考虑这件事。"当时梁军紧闭营垒不出战，有来投降的，便询问他们，

有降者，诘之，曰："景仁方多造浮桥。"王谓德威曰："果如公言。"是日，拔营，退保高邑。

辰州㊱蛮酋宋邺，溆州㊲蛮酋潘金盛，恃其所居深险，数扰楚边。至是，邺寇湘乡㊳，金盛寇武冈㊴。楚王殷遣昭州㊵刺史吕师周将衡山㊶兵五千讨之。

宁远㊷节度使庞巨昭、高州㊸防御使刘昌鲁，皆唐官也。黄巢之寇岭南也，巨昭为容管观察使，昌鲁为高州刺史，帅群蛮据险以拒之，巢众不敢入境。唐嘉其功，置宁远军于容州，以巨昭为节度使㊹，以昌鲁为高州防御使。及刘隐据岭南，二州不从。隐遣弟岩[28]攻高州，昌鲁大破之，又攻容州，亦不克。昌鲁自度终非隐敌，是岁，致书请自归于楚，楚王殷大喜，遣横州㊺刺史姚彦章将兵迎之。彦章至容州，裨将莫彦昭说巨昭曰："湖南兵远来疲乏，宜撤储偫㊻，弃城，潜于山谷以待之。彼必入城，我以全军掩㊼之，彼外无继援，可擒也。"巨昭曰："马氏方兴，今虽胜之，后将何如！不若具牛酒㊽迎之。"彦昭不从，巨昭杀之，举州迎降。彦章进至高州，以兵援送巨昭、昌鲁之族及士卒千余人归长沙。楚王殷以彦章知容州事，以昌鲁为永顺㊾节度副使。昌鲁，邺人也。

【段旨】

以上为第十三段，写梁、晋两军相持于赵州。梁颁行《梁律令格式》。唐宁远节度使庞巨昭、高州防御使刘昌鲁附于楚王马殷。

【注释】

㊳司天：唐有司天台，有监一人为之长，主管观察天象，稽定历数。后梁承唐旧制。㊳来月：下个月。㊳太阴：月亮。㊳亏：蚀。㊳己未：十二月初三日。㊳庚申：十二月初四日。㊳疾病：病重。轻者为疾，重者为病。㊳谭全播：南康（今江西赣州市南康区）人，唐末与卢光稠一起起事，占据虔、韶、潮等州，梁以光稠为百胜军防御使、五岭开通使，后拜谭全播为防御使，为吴杨隆演所灭。传见《新五代史》卷四十一。㊳因：

回答说："王景仁正在造许多浮桥。"晋王对周德威说："果然像你说的那样。"这一天，转移营地，退守高邑县。

辰州蛮的首领宋邺、溆州蛮的首领潘金盛，倚仗他们所居住的地方在深山险要之处，多次侵扰楚的边境。到这时候，宋邺又侵犯湘乡县，潘金盛侵犯武冈县。楚王马殷派昭州刺史吕师周率领衡山的军队五千人去讨伐他们。

宁远节度使庞巨昭、高州防御使刘昌鲁，都是唐朝的官员。黄巢侵犯岭南时，庞巨昭是容管观察使，刘昌鲁是高州刺史，他们率领各蛮族占据险要的地方进行抵抗，黄巢的部队不敢进入他们的辖境。唐朝嘉奖他们的功劳，在容州设置宁远军，任命庞巨昭为节度使，又任命刘昌鲁为高州防御使。到刘隐占据岭南时，这两个州不肯服从他。刘隐派弟弟刘岩攻打高州，被刘昌鲁打得大败，又攻打容州，也没有攻下来。刘昌鲁自己估计终究不是刘隐的对手，就在这一年，写信给楚王请求归附。楚王马殷大喜，派横州刺史姚彦章率军前去迎接他。姚彦章到了容州，副将莫彦昭劝庞巨昭说："湖南的军队远道而来十分疲乏，我们最好撤走储备的物资，放弃容州城，隐藏在山谷里等待他们。他们一定会进入容州城，我们再出动全军乘其不备袭击他们，他们外面没有后继的援军，是可以擒获的。"庞巨昭说："马殷正在兴起，现在即使打赢了他，以后将怎么办！不如准备牛酒饭食迎接他们。"莫彦昭不肯听从，庞巨昭就把他杀了，率领容州军民向姚彦章投降。姚彦章继续进发到达高州，派军队护送庞巨昭、刘昌鲁的族人及士兵一千多人回长沙。楚王马殷任命姚彦章掌管容州的事务，任命刘昌鲁为永顺节度副使。刘昌鲁是邺人。

通过；借助。㊴①经略：治理。卢延昌经略江西是企图得到镇南军旌节。㊴②丙寅：十二月初十日。㊴③新淦县：县名，县治在今江西新干。时属吉州。㊴④更代：换防。㊴⑤益：增加。㊴⑥庚午：十二月十四日。㊴⑦《梁律令格式》：梁代法律。据《五代会要》，为《大梁新定格式律令》，包括《新删定令》三十卷，《式》二十卷，《格》十卷，《律并目录》十三卷，《律疏》三十卷，共一百零三卷。㊴⑧癸酉：十二月十七日。㊴⑨丁丑：十二月二十一日。㊵⓪柏乡：县名，县治在今河北柏乡。㊵①辛巳：十二月二十五日。㊵②改明年元：由武成改元为永平。㊵③告急：因王景仁之军侵逼，故一再告急。㊵④赞皇：县名，县治在今河北赞皇。㊵⑤刍荛者：打柴割草的人。割草曰刍，打柴曰荛。㊵⑥上将：指王景仁。㊵⑦送于赵：李存勖将俘获的梁兵送于赵，目的是让赵人听到梁兵这番话，坚定依附于晋的决心。㊵⑧壬午：十二月二十六日。㊵⑨迫：逼近。㊶⓪癸未：十二月二十七日。㊶①诟：辱骂，以示挑战。㊶②铠胄：盔甲。胄，作战时戴的帽子。㊶③缯绮：丝绸锦缎。㊶④镂金银：镂刻金银以为装饰。㊶⑤夺气：慑于声威，丧失胆气。㊶⑥曜：炫耀。㊶⑦徇：向众宣示。㊶⑧天

武军：梁禁卫军名。开平二年（公元九〇八年）十二月，改左、右龙虎军为左、右天武军，前朝六军号皆有改易。⑲屠酤：杀猪的和卖酒的。⑳佣贩：雇工和小贩。㉑精骑：精锐骑兵。㉒击其两端：军阵力量有厚有薄，通常来说，中军坚厚，不可冲击；两端力薄，故击之。㉓左驰右突：左右疾驱冲突。㉔数四：三四次；多次。㉕三镇：指晋兵及镇州、定州之兵。㉖乌合：仓促集合之众。如乌鸦之忽聚忽散。此言三镇之兵仓促集合，应当趁刚刚到阵时的锐气破敌，旷日持久，实情暴露，气势衰减，则会军心离散。㉗垒门：军营之门。㉘骤胜：迅速地取得了胜利。㉙咫尺：比喻距离很近。八寸为咫。㉚一水：指野河。㉛薄：迫近。㉜高邑：县名，县治在今河北高邑。时属赵州，在柏乡县北三十多里。㉝彼出则归二句：意谓敌进我退，敌退我打。㉞褰：撩起。㉟蹶然：疾起的样子。㊱辰州：州名，治所在今湖南沅陵。㊲溆州：州名，治所在今湖南洪江西北。㊳湘乡：县名，县治在今湖南湘乡，时属潭州。㊴武冈：县名，县治在今湖南城步。㊵昭州：州名，治所在今广西平乐西北。㊶衡山：县名，县治在今湖南衡山北，时属潭州。㊷宁远：方镇名，唐昭宗乾宁四年（公元八九七年）升容管观察使为宁远军节度。治所容州，在今广西北流。㊸高州：州名，治所在今广东高州东北。㊹巨昭为节度使：乾宁四

【原文】

乾化元年（辛未，公元九一一年）

春，正月丙戌朔㊿，日有食之。

柏乡比不储刍[451]，梁兵刈刍自给，晋人以[29]游军抄之，梁兵不出。周德威使胡骑环营驰射而诟之，梁兵疑有伏，愈不敢出，锉屋茅坐席以饲马[452]，马多死。丁亥[453]，周德威与别将史建瑭、李嗣源将精骑三千压梁垒门而诟之，王景仁、韩勍怒，悉众而出。德威等转战而北[30]至高邑南，李存璋以步兵陈于野河之上，梁军横亘数里，竞前夺桥，镇、定步兵御之，势不能支[454]。晋王谓匡卫都指挥使李建及[455]曰："贼过桥则不可复制矣。"建及选卒二百，援枪[456][31]大噪，力战却之。建及，许州人，姓王，李罕之之假子也。晋王登高丘以望曰："梁兵争进而嚣，我兵整而静，我必胜。"战自巳[457]至午[458]，胜负未决。晋王谓周德威曰："两军已合，势不可离，我之兴亡，在此一举。我为公先登，公可继之。"德威叩马[459]而谏曰："观梁兵之势，可以劳逸[460]制

年置宁远军时，是以李克用的大将盖寓为节度使。庞巨昭为节度使在天祐二年（公元九〇五年）。⑮横州：州名，治所在今广西横州南。⑯储偫：储备。⑰掩：乘其不备而袭取之。⑱牛酒：牛肉酒食。⑲永顺：马殷并朗州，奏改武贞军为永顺军。

【校记】

［22］通密：原作“密通”。据章钰校，十二行本、乙十一行本、孔天胤本二字皆互乙，今从改。［23］五千：原无此二字。据章钰校，十二行本、乙十一行本、孔天胤本皆有此二字，张敦仁《通鉴刊本识误》同，今据补。［24］帅：原作“引”。据章钰校，十二行本、乙十一行本、孔天胤本皆作“帅”，今从改。［25］精骑千余：原作“千余精骑”。据章钰校，十二行本、乙十一行本、孔天胤本皆作“精骑千余”，今从改。［26］驰右：原作“右驰”。据章钰校，十二行本、乙十一行本、孔天胤本二字皆互乙，今从改。［27］而：原无此字。据章钰校，十二行本、乙十一行本、孔天胤本皆有此字，张敦仁《通鉴刊本识误》同，今据补。［28］岩：原作“严”。据章钰校，十二行本、乙十一行本、孔天胤本皆作“岩”，张敦仁《通鉴刊本识误》同，今从改。

【语译】

乾化元年（辛未，公元九一一年）

春，正月初一日丙戌，发生日食。

柏乡近来没有储备喂马的草料，梁军只能割草自给。晋军用游击部队抢劫他们，梁军不敢出来。周德威派胡人骑兵围着梁军营寨驰马射箭并且辱骂他们，梁军怀疑有埋伏，更加不敢出来，只好铡碎屋上的茅草和坐的席垫来喂马，马多有饿死的。初二日丁亥，周德威和别将史建瑭、李嗣源率精锐骑兵三千人迫近梁军的营门叫骂，王景仁、韩勍大怒，率领全体部众出战。周德威等向北转战到了高邑南边，李存璋率步兵在野河岸边列阵，梁军绵延几里，争着向前抢夺桥梁，镇州、定州的步兵抵御他们，从势头上看快支撑不住了。晋王李存勖对匡卫都指挥使李建及说：“贼人过了桥就不能再遏制他们了。”李建及挑选士兵两百人，手执长枪大声呼喊着迎上前去，奋力作战把梁军打退。李建及是许州人，本姓王，是李罕之的养子。晋王登上高丘观察战场态势后说：“梁军争着向前却喧闹杂乱，我军严整而沉稳，我军必胜。”战斗从上午九时一直打到中午一时，还没有分出胜负。晋王对周德威说：“双方军队已经战在一起，其势不可再分开了。我们的兴亡，在此一举。我替你先上阵，你可随后跟上。”周德威抓住晋王的马缰劝告说：“我看梁军的态势，可以以逸待劳地制

之，未易以力胜也。彼去[461]营三十余里，虽挟[462]糗粮[463]，亦不暇食，日昳[464]之后，饥渴内迫，矢刃外交，士卒劳倦，必有退志。当是时，我以精骑乘[465]之，必大捷。于今未可也。”王乃止。

时魏、滑之兵陈于东，宋、汴之兵陈于西。至晡[466]，梁军未食，士无斗志，景仁等引兵稍却，周德威疾呼曰：“梁兵走矣！”晋兵大噪争进，魏、滑兵先退，李嗣源帅众噪于西陈[467]之前曰：“东陈已走，尔何久留！”梁兵互相惊怖，遂大溃[468]。李存璋引步兵乘之，呼曰：“梁人亦吾人也，父兄子弟饷军者[469]勿杀。”于是战士悉解甲投兵而弃之，嚣声动天地。赵人以深、冀之憾[470]，不顾剽掠，但奋白刃追之，梁之龙骧、神捷[471]精兵殆尽，自野河至柏乡，僵尸蔽地。王景仁、韩勍、李思安以数十骑走。晋兵夜至柏乡，梁兵已去，弃粮食、资财、器械不可胜计，凡斩首二万级。李嗣源等追奔至邢州[472]，河朔大震。保义[473]节度使王檀严备，然后开城纳败卒，给以资粮，散遣归本道。晋王收兵屯赵州。

杜廷隐等闻梁兵败，弃深、冀而去，悉驱二州丁壮为奴婢，老弱者坑[474]之，城中存者坏垣[475]而已。

癸巳[476]，复以杨师厚为北面都招讨使，将兵屯河阳，收集散兵，旬余，得万人。己亥[477]，晋王遣周德威、史建瑭将三千骑趣澶[478]、魏，张承业、李存璋以步兵攻邢州，自以大军继之，移檄河北州县，谕以利害。帝遣别将徐仁溥将兵千人，自西山[479]夜入邢州，助王檀城守。己酉[480]，罢王景仁招讨使，落平章事[481]。

【段旨】

以上为第十四段，写晋军在柏乡大破梁军，斩杀二万人，梁军弃粮食、资财、器械，不可胜计。

服他们，难以拼死力去战胜他们。他们离开营垒三十多里，即使随身带着干粮，也没有空闲去吃。太阳偏西以后，腹内饥渴交迫，外部兵刃箭矢交加，士兵劳累疲倦，一定会有退兵的打算。到那个时候，我们用精锐骑兵乘机袭杀过去，必定大胜。现在还未可出击。”晋王于是不再冲上阵去。

当时魏州、滑州的梁军在东边列阵，宋州、汴州的梁军在西边列阵。到下午三点至五点时，梁军还没有进食，士兵没有斗志，王景仁等带领士兵逐渐退却。周德威急速呼喊道：“梁军逃跑了！”晋军大声呼喊着争先恐后向前。魏州、滑州的梁军先退，李嗣源率领部众在西边阵前高喊道：“东边的梁军已经退走了，你们为什么还要久留！”梁军彼此都十分惊恐，于是大败溃散。李存璋率领步兵乘胜追击，大喊道：“梁人也是我们的人，父兄子弟给军队运送粮饷的不要杀。”于是梁军士兵全都脱下铠甲，扔掉兵器，吵闹声震动天地。赵人因为深州、冀州两城的守军全被梁军所杀而怀恨在心，顾不上掠夺财物，只是挥舞利刃追杀梁军。梁朝的龙骧、神捷两支精兵几乎全部被歼，从野河至柏乡，僵卧的尸体遍地都是。王景仁、韩勍、李思安只带着几十名骑兵逃走。晋军夜里到达柏乡，梁军已经逃走，丢下的粮食、资财、器械多得数不清，总共斩杀梁军两万人。李嗣源等追击败逃的梁军，一直追到邢州，河朔一带大为震动。保义节度使王檀严密戒备，然后打开城门接纳败退下来的梁兵，给他们路费粮食，让他们分别返回原来的驻地。晋王李存勖收兵屯驻在赵州。

杜廷隐等听说梁军战败，丢下深州、冀州撤了回去。走时，把两个州所有的丁壮作为奴仆全部带走，老弱没有用的则被活埋，城里留下的只有断墙残壁而已。

初八日癸巳，梁太祖再任命杨师厚为北面都招讨使，率军屯驻在河阳，收拢会集失散的士兵，十多天，收得一万人。十四日己亥，晋王李存勖派周德威、史建瑭率领三千骑兵奔赴澶州、魏州，派张承业、李存璋率步兵攻打邢州，自己统率大军在后面跟随，发布文告晓示河北各州县，向他们说明利害关系。梁太祖派遣别将徐仁溥率军千人，从西山趁夜进入邢州城，帮助王檀守城。二十四日己酉，罢免王景仁招讨使的职务，并削去平章事之职。

【注释】

㊿ 丙戌朔：正月初一日。451 比不储刍：最近一个时期赵人不在柏乡储备草料，怕梁兵来了反而资助了敌人。比，近。452 锉屋茅坐席以饲马：梁兵不能出去打草，只能把屋上的茅草和坐席铡碎喂马。锉，铡碎。453 丁亥：正月初二日。454 支：支持；支撑。455 李建及（公元八六三至九二〇年）：许州人，本姓王，少事李罕之，从李罕之奔晋，为匡卫指挥使。以战功授天雄军教练使，迁辽州刺史、代州刺史。传见《旧五代史》卷六十

五、《新五代史》卷二十五。㊻ 援枪：持枪。㊼ 巳：巳时，上午九时至十一时。㊽ 午：午时，中午十一时至一时。㊾ 叩马：勒住马。㊿ 劳逸：劳苦和安逸。[461] 去：离。[462] 挟：携带。[463] 糗粮：干粮。[464] 日昳：日昃，午后日偏斜。昳，过午的太阳。[465] 乘：乘机袭击。梁、晋争天下，周德威以勇敢善战闻名。看他对战争形势的分析，以计不以勇，是智勇双全的将才。[466] 晡：申时，午后三时至五时。[467] 西陈：指魏、滑兵。[468] 大溃：溃散退逃。梁兵置阵横亘数里，东西不相知，晋军大噪，故惊怖而溃。[469] 饷军者：运送军饷的人。[470] 深、冀之憾：指梁遣杜廷隐杀深、冀戍兵事。[471] 龙骧、神捷：梁的两支精锐部队。开平二年（公元九〇八年），梁以尹皓部下五百人为神捷军。[472] 追奔至邢州：自柏乡西南至邢州一百五十多里。[473] 保义：方镇名，领邢、洺、磁三州，治所邢州，在今河北邢台。[474] 坑：活埋；坑陷；杀害。[475] 坏垣：断壁残垣。[476] 癸巳：正月初八日。[477] 己亥：正月十四日。[478] 澶：州名，治所顿丘，在今河南内黄东南。[479] 西山：即太行山连延至上党诸山。[480] 己酉：正月二十四日。[481] 落平章事：因王景仁大败于周德威，故被免去平章事。落，落职、罢免。

【原文】

蜀主之女普慈公主[482]嫁岐王从子秦州节度使继崇，公主遣宦者宋光嗣以绢书遗蜀主，言继崇骄矜[483]嗜酒，求归成都，蜀主召公主归宁[484]。辛亥[485]，公主至成都，蜀主留之，以宋光嗣为阁门南院使[486]。岐王怒，始与蜀绝。光嗣，福州人也。

吕师周引兵[32]攀藤缘崖[487]入飞山[488]洞袭潘金盛，擒送武冈，斩之。移兵击宋邺[33]。

二月己未[489]，晋王至魏州，攻之，不克。上以罗周翰年少，且忌其旧将佐[490]，庚申[491]，以户部尚书李振为天雄[492]节度副使，命杜廷隐将兵千人卫之，自杨刘[493]济河，间道夜入魏州，助周翰城守。癸亥[494]，晋王观河于黎阳[495]，梁兵万余将渡河，闻晋王至，皆弃舟而去[496]。

帝召蔡州刺史张慎思[497]至洛阳，久未除代[498]。蔡州右厢指挥使刘行琮作乱，纵兵焚掠，将奔淮南。顺化指挥使王存俨诛行琮，抚遏[499]其众，自领州事，以众情[500]驰奏。时东京留守博王友文不先请[501]，遽发兵讨之，兵至鄢陵[502]，帝曰："存俨方惧，若临之以兵，则飞去矣。"驰使

【校记】

［29］以：原作"日以"。据章钰校，十二行本、乙十一行本皆无"日"字，今据删。［30］而北：原无此二字。据章钰校，十二行本、乙十一行本、孔天胤本皆有此二字，张敦仁《通鉴刊本识误》同，今据补。［31］枪：原作"鎗"。据章钰校，十二行本、乙十一行本、孔天胤本皆作"槍"，今从改。

【语译】

蜀主王建的女儿普慈公主嫁给岐王李茂贞的侄子秦州节度使李继崇。普慈公主派宦官宋光嗣带着写在绢上的书信送给蜀主，说李继崇骄傲自大，又嗜酒成性，要求返回成都。蜀主于是召普慈公主回娘家省亲。正月二十六日辛亥，普慈公主到达成都，蜀主让她留了下来，任命宋光嗣为阁门南院使。岐王李茂贞知道了大怒，开始与蜀国断绝交往。宋光嗣是福州人。

吕师周带领军队攀着藤条沿山崖进入飞山洞袭击潘金盛，擒获潘金盛并押送到武冈斩首。调动军队攻击宋邺。

二月初四日己未，晋王李存勖到达魏州，开始攻城，没有攻下。梁太祖认为天雄留后罗周翰年纪轻，并且对他身边的那些旧日的将领佐吏也不信任，初五日庚申，任命户部尚书李振为天雄节度副使，命令杜廷隐率领一千士兵保卫他，从杨刘镇渡过黄河，走小路在夜晚进入魏州，帮助罗周翰守城。初八日癸亥，晋王李存勖到黎阳观看黄河。梁军一万多人正准备渡河，听说晋王到来，都抛下船只逃走了。

梁太祖把蔡州刺史张慎思召到洛阳，过了很久也没有派人接替他的职位。蔡州右厢指挥使刘行琮发动叛乱，放纵士兵放火劫掠，准备投奔淮南。顺化指挥使王存俨诛杀刘行琮，安抚遏制了他的部众，自己主持蔡州事务，并且以受众人拥护为由向朝廷飞速奏报。当时东京留守博王朱友文没有先请示朝廷，就急忙发兵讨伐王存俨，军队到了鄢陵。梁太祖说："王存俨正内心恐惧，假如用军队去威逼他，那他就会迅速脱离我们走掉了。"于是派使者飞驰前去召回朱友文。二月初九

召还。甲子[503]，授存俨权知蔡州事。

乙丑[504]，周德威自临清[505]攻贝州[506]，拔夏津[507]、高唐[508]。攻博州[509]，拔东武[510]、朝城[511]。攻澶州，刺史张可臻弃城走，帝斩之。德威进攻黎阳，拔临河[512]、淇门[513]。逼卫州，掠新乡[514]、共城[515]。庚午[516]，帝帅亲[34]军屯白司马阪[517]以备之。

卢龙、义昌节度使兼中书令燕王守光既克沧州[518]，自谓得天助，淫虐[519]滋甚。每刑[520]人，必置诸铁笼[521]，以火逼之。又为铁刷刷人面。闻梁兵败于柏乡，使人谓赵王镕及王处直曰："闻二镇与晋王破梁兵，举军南下，仆亦有精骑三万，欲自将之为诸公启行[522]。然四镇[523]连兵，必有盟主，仆若至彼，何以处之[524]？"镕患之，遣使告于晋王，晋王笑曰："赵人告急，守光不能出一卒以救之。及吾成功，乃复欲以兵威离间二镇，愚莫甚焉！"诸将曰："云、代与燕接境，彼若扰我城戍[525]，动摇人情，吾千里出征，缓急难应，此亦腹心之患也。不若先取守光，然后可以专意南讨[526]。"王曰："善！"会杨师厚自磁、相引兵救邢、魏。壬申[527]，晋解围去，师厚追之，逾漳水[528]而还，邢州围亦解。师厚留屯魏州。

赵王镕自来谒晋王于赵州，大犒将士，自是遣其养子德明将三十七都常从晋王征讨。德明本姓张，名文礼[529]，燕人也。

壬午[530]，晋王发赵州，归晋阳，留周德威等将三千人戍赵州。

【段旨】

以上为第十五段，写蜀主召回普慈公主，岐王怒，始与蜀绝。燕王刘守光扬言领兵南下讨梁，欲为盟主。晋王退兵，决意先除刘守光，然后专意南讨。

日甲子，任命王存俨暂时掌管蔡州事务。

二月初十日乙丑，周德威从临清攻打贝州，攻克夏津、高唐。又攻打博州，攻克东武、朝城；又攻打澶州，澶州刺史张可臻弃城逃跑，梁太祖把张可臻杀了。周德威进攻黎阳，攻克临河、淇门。进逼卫州，抢掠新乡、共城。十五日庚午，梁太祖率领亲兵屯驻在白司马阪以防备晋军。

卢龙、义昌节度使兼中书令燕王刘守光攻克沧州后，自以为得到上天佑助，荒淫暴虐日益严重。每次对人行刑，一定要把人放在铁笼子里，用火来逼烤。又做了铁刷子来刷人的脸。刘守光听说梁军在柏乡战败，派人去对赵王王镕和王处直说："听说你们两镇与晋王击败了梁军，正率军南下，我也有精锐骑兵三万人，想亲自率领他们替各位开路。但是四镇连兵，一定要有盟主，我如果到了那里，你们怎么安排我呢?"王镕很担忧，派使者向晋王报告。晋王笑着说："赵人告急时，刘守光不出一兵一卒前去救援。等到我们成功了，却又想用军队的威势来离间二镇和我们，真是愚蠢到极点了!"各将领说："云州、代州与燕交界，他们如果侵扰我们的城堡，动摇人心，我们千里出征，一旦事情急迫就难以应付，这也是心腹之患。不如先去攻打刘守光，然后就可以专心南下讨伐了。"晋王说："好!"适逢杨师厚从磁州、相州率军前来救援邢州、魏州。二月十七日壬申，晋军解除包围离去。杨师厚发动追击，越过漳水后才返回，邢州的包围也被解除了。杨师厚留在魏州屯驻。

赵王王镕亲自到赵州来谒见晋王，大大地犒赏了将士，从此以后派遣他的养子王德明率领三十七都的军队经常跟随晋王出征讨伐。王德明本来姓张，名叫文礼，是燕人。

二月二十七日壬午，晋王李存勖从赵州出发，返回晋阳，留下周德威等率军三千人守卫赵州。

【注释】

㊽普慈公主：蜀主以南朝梁时郡名封其女。普慈，梁郡名，治所在普州安岳县，即今四川安岳。㊾骄矜：骄横自大。㊿归宁：已嫁女子回娘家省亲。485辛亥：正月二十六日。486阁门南院使：官名，掌供奉乘舆，朝会游幸，大宴引赞，引接亲王、宰相、百僚、藩国朝见等。487攀藤缘崖：抓住树藤沿着悬崖而上。488飞山：山名，在今湖南靖州北，山高峻，四面绝壁千仞，环山有壕堑。489己未：二月初四日。490旧将佐：指罗绍威原来随从的将佐。491庚申：二月初五日。492天雄：唐哀帝天祐元年（公元九〇四年）赐魏博节度号天雄军。493杨刘：镇名，在今山东东阿北，黄河南岸。494癸亥：二月初八日。495黎

阳：县名，县治在今河南浚县北，黄河北岸。㊾弃舟而去：足见梁兵惧怕晋王之甚。㊿张慎思：清河（今河北清河）人，唐末任匡国军节度使。入梁，为左金吾大将军。开平三年（公元九〇九年）冬，除蔡州刺史，因贪货诏追赴阙。传见《旧五代史》卷十五。(498)久未除代：指蔡州刺史长久空缺。除代，授官代替。(499)抚遏：安抚阻止。(500)众情：王存俨自领州事，要求朝廷承认，假托是群众的情绪和要求。(501)先请：先请示朝廷。(502)鄢陵：县名，县治在今河南鄢陵。(503)甲子：二月初九日。(504)乙丑：二月初十日。(505)临清：县名，县治在今河北临西。(506)贝州：州名，治所在今河北清河西。(507)夏津：县名，县治在今山东夏津。(508)高唐：县名，县治在今山东高唐。(509)博州：州名，治所在今山东聊城东北。(510)东武：镇名，在魏州朝城县境。(511)朝城：县名，县治在今山东莘县西南朝城镇。(512)临河：县名，县治在今河南浚县东北。(513)淇门：镇名，在今河南卫辉东北五十里。(514)新乡：县名，县治在今河南新乡。(515)共城：县名，县治在今河南辉县。(516)庚午：二月十五日。(517)白司马阪：亦作白司马坂，即白马山，在今河南洛阳东北三十里。(518)克沧州：上年正月攻克沧州。(519)淫虐：荒淫残暴。(520)刑：刑杀。(521)置诸铁笼：把被刑之人放在铁笼里。(522)启行：开路。(523)四镇：指并、幽、镇、定。(524)何以处之：如何来安排我。这是刘守光以精骑三万威胁二镇，企图充当盟主。(525)城戍:城堡。这里指边境守城。(526)南讨：伐梁。(527)壬申：二月十七日。(528)漳水：水名，源出山西东南部，有清漳河、浊漳河二源，在河北南部边境汇合后称漳河，东南流入卫河。(529)文礼：张文礼（？至公元九二一年），燕人，初为刘仁恭裨将，为人阴险。后奔王镕，被收为养子，改名王德明。公元九二一年尽灭王氏之族，自为成德留后。是年八月惊惧而死。传见《旧五代史》卷六十二、《新五代史》卷三十九。(530)壬午：二月二十七日。

【校记】

［32］引兵：原无此二字。据章钰校，十二行本、乙十一行本、孔天胤本皆有此二字，张敦仁《通鉴刊本识误》同，今据补。［33］移兵击宋郸：原无此五字。据章钰校，十二行本、乙十一行本、孔天胤本皆有此五字，张敦仁《通鉴刊本识误》、张瑛《通鉴校勘记》同，今据补。［34］帅亲：原作“亲帅”。据章钰校，十二行本、孔天胤本皆作“帅亲”，今从改。

【研析】

本卷研析梁震不受高氏辟署，南平王刘隐建功于岭南，梁太祖猜疑逼反刘知俊，刘守光囚父杀兄四件史事。

第一，梁震不受高氏辟署。梁震，唐末进士，邛州依政县人。依政在今四川邛崃东南。后梁开平二年（公元九〇八年）十月，梁震不仕后梁而归蜀，路过江陵，荆南节度使高季昌赏识梁震才华，强留之以为判官。高季昌，陕州硖石人。入唐，避唐隐帝李国昌讳改名季兴。硖石，在今河南孟州西。少从朱全忠征伐，官至毅勇军指挥使。天复二年（公元九〇二年），朱全忠攻凤翔，李茂贞坚壁不出，高季昌献计诱岐兵出战而败，朱全忠奇之。及至篡唐，后梁逐走荆南节度使赵匡凝，朱全忠委高季昌为荆南节度使。梁震鄙薄高季昌侍奉朱梁，耻为其官。如果强行拒绝，又恐遭毒手。梁震于是对高季昌说："我梁震一向淡泊名利，不愿做官，如果明公认为震还有可取，震愿意以一个平民身份在明公身边传递杯盘，何必一定要在幕府任职呢！"梁震效法唐德宗朝李泌，以布衣为帝王宾客，合则留，不合则去。个人没有名利，不遭受猜疑，既安全又自重。梁震在高氏幕府始终称前进士，不接受高氏的辟署，受到高季昌的礼敬。高季昌在荆南，招抚安缉，人士归之，保境安民，使一个处四战之地而残破的荆南日渐富庶起来。梁震也尽心辅佐。梁亡，唐庄宗入洛，高季昌要入朝京师，梁震认为不可，劝其不行。高季昌没有听从，差点被唐庄宗幽囚。郭崇韬劝谏唐庄宗要示信于天下，要优礼高季昌以讽劝后来者。唐庄宗这才放归高季昌还镇，随即后悔，想劫杀之于半道。高季昌回到荆南，心有余悸地向梁震致谢。梁震的劝阻，使高季昌提高了警惕，行动迅疾才没有被暗害。高季昌朝见唐庄宗，亲眼看见唐庄宗的为人，自矜功伐，荒于游畋，不会有大作为了，荆南的前途没有危险了。

梁震处于乱世，既坚持了原则，不仕伪朝，不做梁臣，只称前进士，依旧为大唐之臣，又有灵活性，以宾友为高氏谋主而尽职守以酬知己，明哲保身，可以说是一个智士。

第二，南平王刘隐建功于岭南。刘隐，祖父上蔡人，后徙闽中，因经商而居广州。隐父刘谦为广州牙将，有三子，长子即刘隐，次子刘台、刘岩。刘谦官至封州刺史，谦死，刘隐继其位。唐昭宗乾宁三年（公元八九六年），任命薛王李知柔为岭南东道节度使，行至湖南，广州牙将抗拒朝命，阻止李知柔入境。刘隐以封州之众杀叛将，迎李知柔入广州，李知柔任刘隐为行军司马。其后徐彦若代李知柔为岭南东道节度使，公元九〇五年徐彦若死，众推刘隐为节度使。公元九〇七年，朱温代唐，刘隐奉后梁年号，梁太祖封刘隐为大彭郡王，兼静海军节度使、安南都护。刘隐父子兴起于封州，能审时度势，建功于岭南。刘隐重视人才，中原士人避难岭南者，或唐名臣谪死南方而子孙在岭南者，或任官岭南因中原纷乱而不得还者，皆受到刘隐礼遇。刘隐保境岭南，不参加扩张的战争，维持一方安宁，是南汉国的奠基人。后梁乾化元年（公元九一一年），刘隐死，弟刘岩继位，改名龑。梁末帝贞明三年（公元九一七年），刘龑称帝，岭南成为一割据小国。

第三，梁太祖猜忌逼反刘知俊。刘知俊，字希贤，徐州沛县人。姿貌雄杰，倜傥有大志，起初为徐帅时溥列校，亦因以勇略为时溥所忌。唐昭宗大顺二年（公元八九一年），刘知俊率所部两千人投附朱全忠，勇冠诸将，朱全忠任为左开道指挥使，故时人称他叫“刘开道”。刘知俊从朱全忠征讨秦宗权、时溥，多立战功，天复元年（公元九〇一年），因功授同州节度使，朱全忠倚为干城腹心。唐哀帝天祐三年（公元九〇六年），刘知俊以五千之众，大破岐兵六万于美原，进克鄜、延等五州，加官检校太傅、平章事。入梁，开平二年（公元九〇八年）六月，刘知俊大破岐兵于幕谷，李茂贞仅以身免。开平三年六月，刘知俊加官检校太尉，兼侍中，封大彭郡王。

刘知俊功高震主，威望日隆，引起梁太祖的猜忌。恰好佑国军节度使王重师亦因猜忌无罪被诛，刘知俊心不自安，于是以同州叛附李茂贞。李茂贞厚给刘知俊俸禄，加官检校太尉兼中书令。不久，刘知俊率师救灵武，打败梁兵，李茂贞署为泾州节度使。李茂贞左右谗毁刘知俊，刘知俊被猜疑，解除兵权。后蜀、岐大交兵，刘知俊奔蜀，王建最初待之甚厚，署刘知俊为武信军节度使。王建厚待刘知俊，貌恭而心忌，曾经对近侍说：“我王建日渐衰老，五年后没人能驾驭刘知俊，要趁早安排他的去处。”蜀天汉元年（公元九一七年）冬十二月，王建捕斩刘知俊于成都府的炭市中。可怜一世雄杰以悲剧终。

刘知俊雄略善战，未尽其才。前后历仕时溥、朱全忠、李茂贞、王建四主，均遭猜疑，当时世风，过于恶劣，贤才遭忌是一个普遍现象。贤俊自保，一有机会就逐杀主人，自为主帅。于是跋扈与猜疑形成恶性循环，像刘知俊这样的大才无立身之地，发人深思。

第四，刘守光囚父杀兄。刘守光，刘仁恭次子，兄刘守文。刘仁恭，深州人，其父刘晟客居范阳为李可举巡属镇将。李可举死，众推牙将李全忠为范阳留后，唐僖宗光启元年（公元八八五年），李全忠进为节度使，未几卒，其子李匡威代为留后，进为节度使。刘仁恭为李匡威蔚州镇将，逾期未代，刘仁恭借士卒愤怒，反叛李匡威，拥众攻幽州，为李匡威之弟李匡筹所败，逃奔晋阳，投靠李克用。李克用优礼待之，任为寿阳镇将。李克用灭李匡筹，取幽州，留刘仁恭为守将。唐昭宗乾宁二年（公元八九五年），李克用表奏朝廷以刘仁恭为检校司空、卢龙节度使。第二年，李克用攻魏州，征兵幽州，刘仁恭托词不往，又明年（公元八九七年），李克用救朱瑄、朱瑾，再次征兵幽州，刘仁恭不应，使客数十往，刘仁恭执其以叛。李克用往讨，大败而归，刘仁恭献馘于朱全忠，朱全忠表刘仁恭同中书门下平章事。

刘仁恭战胜李克用，兵马日益强盛。昭宗兴化元年（公元八九八年），刘仁恭使其长子刘守文逐走沧州节度使卢彦威，刘守文自为沧州节度使，拥有沧、景、德三州之地，幽州形势益张。幽、沧合计步骑十万，号三十万，南徇魏镇，屠贝州，清水为之不流。

刘仁恭性凶残，反复无常，为李匡威将，反叛李匡威，为李克用将，反叛李克用。有其父必有其子。刘仁恭次子刘守光比其父更加无行无耻，烝嬖父妾，事觉而恼羞成怒，以兵攻劫其父，囚于别室，杀左右婢媵，自称卢龙节度使。刘守文致讨，刘守光战场落马，刘守文恐乱兵伤其弟，立马往救，反被刘守光擒获。刘守文攻守光，一是救其父，二是训教守光，未想灭其弟。结果是，对敌人的仁慈，就是对自己的凶残。刘守光逼父致仕，用暗杀手段灭其兄刘守文。刘守光之凶暴，禽兽不如，其子刘继威凶虐类其父。刘守光兼并沧、景之地，令刘继威主留务，刘继威淫乱于僚属张万进之家，被张万进所杀，刘守光得了现世报。刘守光并未从子死事件中吸取教训，凶狡人不懂得付学费，刘守光继续为恶，晋人虎视其旁，刘守光的现世报将及其身。晋王李存勖报不共戴天之父仇，虐杀刘守光及其父刘仁恭，为凶狡人的最后下场画上句号。此是后话，兹不赘。

卷第二百六十八　后梁纪三

起重光协洽（辛未，公元九一一年）三月，尽昭阳作噩（癸酉，公元九一三年）十一月，凡二年有奇。

【题解】

本卷记事起公元九一一年三月，迄公元九一三年十一月，载述史事凡两年又九个月，当梁太祖开平四年三月至梁末帝乾化三年十一月。此时期后梁国势气数急剧衰落。梁太祖朱晃晚年暴戾荒淫，声威下跌，人心崩离。朱晃两次北讨，梁军败北，朱晃愧恨交加，疾病沉重。义子朱友珪惧怕朱晃传位朱友文而弑父自立。护国军节度使朱友谦不服朱友珪而反，附晋求救，呼晋王李存勖为舅舅。大梁钧王朱友贞联合禁军杀友珪，在大梁即位，是为末帝，大权旁落武臣杨师厚之手。后梁一年之间两次宫廷政变，父子相杀，兄弟相残，君臣不肃，已非晋王敌手。晋王李存勖趁机灭了幽州狂愚而称帝的燕主刘守光，势力大振，已有问鼎中原取梁而代之志。蜀、岐大交兵，岐王李茂贞落败，残存力量已不堪一击。南方已呈割据态势，淮南杨氏、杭州钱氏、福州王氏、潭州马氏，无大变故。荆南高季昌兴起，梁加爵为勃海王。

【原文】

太祖神武元圣孝皇帝下

乾化元年（辛未，公元九一一年）

三月乙酉朔①，以天雄留后罗周翰为节度使。

清海、静海节度使兼中书令南平襄王刘隐②病亟③，表其弟节度副使岩权知留后，丁亥④，卒。岩袭位。

岐王聚兵临蜀东鄙⑤，蜀主谓群臣曰：“自茂贞为朱温所困，吾常振⑥其乏绝，今乃负恩为寇，谁为吾击之？”兼中书令王宗侃请行。蜀主以宗侃为北路行营都统。司天少监⑦赵温珪谏曰：“茂贞未犯边，诸将贪功深入，粮道阻远，恐非国家之利。”蜀主不听，以兼侍中王宗祐、太子少师王宗贺、山南节度使唐道袭为三招讨使⑧，左金吾大将军王宗绍为宗祐之副，帅步骑十二万伐岐。壬辰⑨，宗侃等发成都，旌旗数百里。

【语译】

太祖神武元圣孝皇帝下

乾化元年（辛未，公元九一一年）

三月初一日乙酉，任命天雄留后罗周翰为节度使。

清海、静海节度使兼中书令南平襄王刘隐病势危急，上表奏请让他的弟弟节度副使刘岩暂时代理留后的职务。初三日丁亥，刘隐去世，刘岩继位。

岐王李茂贞聚集军队临近蜀国东部边界，蜀主王建对群臣说："自从李茂贞受困于朱温之后，在他困乏和难以为继时，我常常给以接济，如今他竟辜负恩德来侵犯我，你们谁替我去击败他？"兼中书令王宗侃请求出征。蜀主任命王宗侃为北路行营都统。司天少监赵温珪劝谏说："李茂贞目前还没有侵犯我们边界，各将领贪功率军深入，运粮的道路既多险阻又十分遥远，这恐怕不是对国家有利的事。"蜀主不听，任命兼侍中王宗祐、太子少师王宗贺、山南节度使唐道袭为三路兵马的招讨使，左金吾大将军王宗绍为王宗祐的副手，率领步兵、骑兵十二万人讨伐岐王李茂贞。初八日壬辰，王宗侃等从成都出发，旌旗前后绵延有几百里长。

岐王募华原贼帅温韬以为假子，以华原为耀州⑩，美原为鼎州⑪。置义胜军⑫，以韬为节度使，使帅邠、岐兵寇长安。诏感化节度使康怀贞、忠武节度使牛存节以同华、河中兵讨之。己酉⑬，怀贞等奏击韬于车度⑭，走之。

夏，四月乙卯朔⑮，岐兵寇蜀兴元，唐道袭击却之。

上以久疾，五月甲申朔⑯，大赦⑰。

甲辰⑱，以清海留后刘岩为节度使。岩多延⑲中国⑳士人置于幕府，出为刺史，刺史无武人。

蜀主如利州，命太子监国㉑。六月癸丑朔㉒，至利州㉓。

【段旨】

以上为第一段，写清海、静海节度使南平王刘隐死，弟刘岩袭位。五月，梁改元乾化。蜀、岐大交兵，蜀主亲临利州督战。

【注释】

①乙酉朔：三月初一日。②南平襄王刘隐：开平三年（公元九〇九年）封刘隐为南平王，卒后谥襄。卒年三十八。③病亟：病危。④丁亥：三月初三日。⑤鄙：边。⑥振：

【原文】

燕王守光尝衣赭袍㉔，顾谓将吏曰："今天下大乱，英雄角逐，吾兵强地险，亦欲自帝，何如?"孙鹤曰："今内难新平㉕，公私困竭，太原㉖窥吾西，契丹伺㉗吾北，遽谋自帝，未见其可。大王但养士爱民，训兵积谷，德政㉘既修，四方自服矣。"守光不悦。

又使人讽㉙镇、定，求尊己为尚父㉚，赵王镕以告晋王。晋王怒，欲伐之，诸将皆曰："是㉛为恶极矣，行当族灭，不若阳为推尊㉜以

岐王李茂贞招募华原的强盗头子温韬作为养子，在华原设置耀州，在美原设置鼎州。又设立义胜军，任命温韬为节度使，派他率领邠州、岐州的军队侵犯长安。梁太祖下诏命令感化节度使康怀贞、忠武节度使牛存节率领同州、华州、河中的军队前去讨伐。三月二十五日己酉，康怀贞等奏报在车度攻打温韬，把他打跑了。

夏，四月初一日乙卯，岐王的军队侵犯蜀国的兴元，唐道袭击退了他们。

梁太祖因为长期患病的缘故，五月初一日甲申，大赦天下，改元乾化。

二十一日甲辰，任命清海留后刘岩为节度使。刘岩聘请了中原地区不少读书人安置在自己的幕府里，也有派出去担任刺史的，岭南的刺史中没有武人。

蜀主王建前往利州，命令太子监国。六月初一日癸丑，王建到达利州。

通“赈”，救济。⑦司天少监：官名，掌天象历数。司天台设监一人，少监二人。少监为监之副佐。⑧三招讨使：分三路进兵以伐岐，各路置一招讨使。王宗侃都统三招讨之兵。⑨壬辰：三月初八日。⑩耀州：州名，治所在今陕西铜川市耀州区。⑪鼎州：州名，治所在今陕西铜川市东南。⑫义胜军：李茂贞置，治所岐州，在今陕西宝鸡市凤翔区南。⑬己酉：三月二十五日。⑭车度：镇名，在今陕西蒲城东南。⑮乙卯朔：四月初一日。⑯甲申朔：五月初一日。⑰大赦：据欧阳修《新五代史》，此下当有“改元”二字，改开平为乾化。⑱甲辰：五月二十一日。⑲延：聘请。⑳中国：指中原地区。㉑监国：君王外出，太子留守，代行处理国政，谓之监国。㉒癸丑朔：六月初一日。㉓至利州：王建至利州，欲亲自统兵伐岐。

【语译】

燕王刘守光曾经穿着赭红色的皇帝所穿的袍子看着将吏们说：“如今天下大乱，群雄争鹿，我这里兵马强壮，地势险要，我也想自己称帝，怎么样?”孙鹤说：“如今内部危难刚刚平定，公家私人都困乏到极点，太原的晋王窥伺我们的西部，契丹王阿保机窥伺我们的北部，这样急急忙忙地谋划自己称帝，我看不到它可行的地方。大王只要好好培养士人，爱护百姓，训练士兵，贮备粮食，德政建立起来之后，四方自然就归服了。”刘守光听了很不高兴。

刘守光又派人去暗示镇州王镕、定州王处直，要求他们尊奉自己为尚父，赵王王镕把这件事告诉晋王李存勖。晋王大怒，准备讨伐刘守光，各将领都说：“这种做法真是可恶到极点了，很快就会遭灭族的，不如假装推尊他让他的恶行得以实现。”

稔㉝之。"乃与镕及义武王处直、昭义李嗣昭、振武周德威、天德㉞宋瑶六节度使㉟共奉册推守光为尚书令、尚父。

守光不寤㊱，以为六镇实畏己，益骄，乃具表㊲其状曰："晋王等推臣，臣荷㊳陛下厚恩，未之敢受。窃思其宜㊴，不若陛下授臣河北都统㊵，则并、镇㊶不足平矣。"上亦知其狂愚，乃以守光为河北道采访使㊷，遣阁门使王瞳、受旨㊸史彦群册命㊹之。

守光命僚属草尚父、采访使受册仪㊺。乙卯㊻，僚属取唐册太尉仪㊼献之，守光视之，问何得无郊天㊽、改元之事，对曰："尚父虽贵，人臣也，安有郊天、改元者乎?"守光怒，投之于地，曰："我地方二千里，带甲三十万，直㊾作河北天子，谁能禁我！尚父何足为哉!"命趣㊿具(51)即帝位之仪，械系(52)瞳、彦群及诸道使者于狱，既而(53)皆释之。

帝命杨师厚将兵三万屯邢州(54)。

蜀诸将击岐兵，屡破之。秋，七月，蜀主西还，留御营使(55)昌王宗鏦屯利州。

【段旨】

以上为第二段，写燕王刘守光狂愚欲称帝，晋王、赵王及义武王处直等六节度使尊奉守光为尚父以骄其志，梁太祖加守光为河北道采访使。

【注释】

㉔赭袍：红褐色的袍，唐代天子之服。㉕内难新平：指新近平定沧州、德州。㉖太原：指晋王李存勖。㉗伺：窥伺，暗中注视，找机会而有所图谋。㉘德政：好的政绩。㉙讽：暗示；婉言劝说。㉚尚父：周武王尊崇吕尚为尚父，后世亦有皇帝尊礼大臣称之为尚父者。意谓可尊尚的父辈。㉛是：这。指刘守光的这些做法。㉜阳为推尊：表面上推尊。㉝稔：谷物成熟。引申为待其恶贯满盈。㉞天德：方镇名，本安德都护，治受降城。唐玄宗天宝年间于大同川西筑城。唐肃宗乾元年间改为天德军。治所在今内蒙古乌拉特前旗北。㉟六节度使：成德、义武、昭义、振武、天德并河东共六节度。但

于是和赵王王镕、义武节度使王处直、昭义节度使李嗣昭、振武节度使周德威、天德节度使宋瑶六个节度使共同奉上册文推尊刘守光为尚书令、尚父。

刘守光没有醒悟，以为六镇节度使确实畏惧自己，更加骄横，于是向梁太祖上表报告这一情况说："晋王等推尊我，我蒙受陛下厚恩，没敢接受。我私下考虑过如何做才更适宜，不如陛下授予我河北都统之职，那么并州、镇州都不值得去平定了。"梁太祖也知道刘守光狂妄愚蠢，于是任命刘守光为河北道采访使，派阁门使王瞳、受旨史彦群前去颁赐册命。

刘守光命令属官草拟接受册封尚父、采访使的礼仪。六月初三日乙卯，属官取唐朝册封太尉的礼仪进献，刘守光看了以后，问怎么能没有南郊祭天、改元这些礼仪。属官回答说："尚父虽然尊贵，但还是臣子，怎么能有南郊祭天、改元这些礼仪呢？"刘守光发怒了，把礼仪册扔在地上，说："我控制的土地方圆两千里，全副武装的士兵有三十万，径直做河北的天子，又有谁能禁止我！尚父哪里值得去做！"命令赶快准备即皇帝位的礼仪，对王瞳、史彦群和各道来的使者加上刑具拘禁在狱中，不久又把他们都释放了。

梁太祖命令杨师厚率军三万人屯驻在邢州。

蜀国各将领攻击岐王的军队，多次打败他们。秋，七月，蜀主王建西还成都，留下御营使昌王王宗鐬屯驻在利州。

自昭义以下皆属河东。㊱寤：醒悟。㊲具表：撰写表章。㊳荷：承受。㊴窃思其宜：自己私下里考虑最妥善的办法。㊵都统：官名，即诸道行营都统，掌征伐，兵罢则省。㊶并、镇：指晋王李存勖和赵王王镕。㊷河北道采访使：官名，唐玄宗开元二十一年（公元七三三年）分全国为十五道，每道置采访处置使，简称采访使，掌管检查刑狱和监察州县官吏，安史之乱后不复置。河北道为十五道之一，辖境相当于今北京、河北、辽宁大部、河南、山东古黄河以北地区，治所魏州，在今河北大名东北。㊸受旨：官名，崇政院官属。过去枢密院有承旨，梁避朱晃父朱诚讳，改为受旨。㊹册命：帝王封立太子、皇后、王妃及诸王的命令。㊺受册仪：接受册命的仪式。㊻乙卯：六月初三日。㊼册太尉仪：册命太尉的仪式。㊽郊天：郊外祭祀上天。㊾直：径直。㊿趣：急促。(51)具：准备。(52)械系：用脚镣、手铐等刑具拘禁起来。(53)既而：不久。(54)屯邢州：目的在于攻赵。(55)御营使：官名，五代时帝王多亲自出征，设御营使以掌行营守卫。

【原文】

辛丑[56]，帝避暑于张宗奭第[57]，乱其妇女殆遍。宗奭子继祚[58]不胜[59]愤耻，欲弑之。宗奭止之曰："吾家顷[60]在河阳，为李罕之所围，啖[61]木屑以度朝夕，赖其救我，得有今日，此恩不可忘也。"乃止。甲辰[62]，还宫。

赵王镕以杨师厚在邢州，甚惧[63]，会晋王于承天军[64]。晋王谓镕父友[65]也，事之甚恭。镕以梁寇为忧，晋王曰："朱温之恶极矣，天将诛之，虽有师厚辈不能救也。脱[66]有侵轶[67]，仆自帅众当之，叔父勿以为忧。"镕捧卮[68]为寿，谓晋王为四十六舅[69]。镕幼子昭诲[70]从行，晋王断衿[71]为盟，许妻以女。由是晋、赵之交遂固。

八月庚申[72]，蜀主至成都。

燕王守光将称帝，将佐多窃议以为不可，守光乃置斧锧[73][1]于庭曰："敢谏者斩！"孙鹤曰："沧州之破，鹤分[74]当死，蒙王生全[75]，以至今日[2]，敢爱死而忘恩乎！窃以为今日之帝未可也。"守光怒，伏诸质上，令军士冎[76]而啖[77]之。鹤呼曰："百日之外，必有急兵[3]！"守光命以土窒[78]其口，寸斩[79]之。

甲子[80]，守光即皇帝位，国号大燕，改元应天。以梁使王瞳为左相，卢龙判官齐涉为右相，史彦群为御史大夫。受册[81]之日，契丹陷平州[82]，燕人惊扰。

【段旨】

以上为第三段，写刘守光称帝，国号大燕，改元应天。

【语译】

七月二十日辛丑，梁太祖到张宗奭的宅第里避暑，把张家的妇女几乎都奸淫遍了。张宗奭的儿子张继祚无法忍受内心的愤怒和耻辱，想要杀死梁太祖。张宗奭阻止他说：“我家前不久在河阳，被李罕之包围，靠吃木屑勉强度日，靠着他来救我，才能有今天，这个恩情不可以忘记。”张继祚这才作罢。二十三日甲辰，梁太祖回宫。

赵王王镕因为杨师厚在邢州，深感恐惧，就到承天军去会见晋王。晋王认为王镕是父亲李克用的朋友，很恭敬地接待他。王镕为梁朝的侵犯感到忧虑，晋王说：“朱温的罪恶已经到了极点，上天将会诛灭他，即使有杨师厚等人也不能救他。如果他来侵扰袭击，我亲自率军抵挡他，叔父不要因为这事忧虑。”王镕捧起酒杯向晋王敬酒，祝他长寿，称他为四十六舅。王镕幼子王昭诲随行，晋王撕断衣襟订下盟约，答应把女儿嫁给王昭诲。从此晋、赵的交情就更加稳固了。

八月初九日庚申，蜀主回到成都。

燕王刘守光将要称帝，将领佐吏大多私下议论认为不可。刘守光于是在庭院里放置斧头和砧板，说：“有敢劝谏的斩首！”孙鹤说：“沧州被攻破的时候，我本就该死了，蒙大王保全性命，一直到今天，我岂敢因吝惜死而忘掉恩情呢！我私下认为今天称帝是不可以的。”刘守光大怒，把孙鹤按倒伏在砧板上，命令军士把他的肉一块块割下来吃掉。孙鹤大声呼喊说：“百日之后，一定会有突发的战乱！”刘守光命令军士用土塞住他的嘴，把他一寸寸地斩杀。

十三日甲子，刘守光即皇帝位，国号大燕，改年号为应天。任命梁朝的使者王瞳为左相，卢龙判官齐涉为右相，史彦群为御史大夫。受册封的那一天，契丹攻陷平州，燕国人都惊恐骚动。

【注释】

㊱辛丑：七月二十日。㊲张宗奭第：开平元年（公元九〇七年）赐张全义名宗奭，张宗奭私第在洛阳会节坊。㊳继祚：张全义之子张继祚（？至公元九三六年），官至蔡州刺史、西卫上将军。晋高祖天福初，与张从宾反于河阳被杀。传见《旧五代史》卷九十六，并附《新五代史》卷四十五《张全义传》。㊴不胜：受不住。㊵顷：不久前。唐僖宗文德元年（公元八八八年）李罕之为河阳节度使，张全义为河南尹。由于李罕之苛求无厌，张全义袭河阳，兼领节度使。李罕之求救于李克用，兵围河阳，张全义求救于朱全忠解围。事见本书卷二百五十七僖宗文德元年。㊶啖：吃。㊷甲辰：七月二十三日。㊸甚

惧：邢州北至赵州只有一百四十四里，兵临其境，故极为恐惧。㊿④承天军：在今山西平定东北八十五里，后名承天寨。⑥⑤父友：王镕与李克用曾并肩事唐，且通好。李存勖把他当作父亲的朋友。⑥⑥脱：倘或；假如。⑥⑦侵轶：侵扰袭击。⑥⑧卮：酒器。⑥⑨四十六舅：李存勖本族兄弟大排行第四十六。⑦⓪昭诲：王镕幼子王昭诲。公元九二一年王镕被亲兵所杀，昭诲为军人所救，逃至湖南为僧，后唐明宗授朝议大夫，迁少府监。传见《旧五代史》卷五十四《王镕传》。⑦①衿：通"襟"，衣襟。⑦②庚申：八月初九日。⑦③斧锧：斧用以砍人。锧即砧板，用以载人。⑦④分：本该；应当。⑦⑤生全：保全性命。刘守光囚父杀兄，孙鹤时为沧州节度判官，曾推守文之子延祚为帅，乘城拒守。开平四年（公元九一〇年）正月，刘延祚力尽出降，刘守光释孙鹤。⑦⑥冎：通"剐"，分割人肉体的酷刑，即凌迟。⑦⑦噉：通"啖"，吃。⑦⑧窒：堵塞。⑦⑨寸斩：斩成一寸一寸的。⑧⓪甲子：八月十三日。⑧①受册：指王瞳、齐涉等受刘守光册封。⑧②平州：州名，治所在今河北卢龙。

【原文】

岐王使刘知俊、李继崇将兵击蜀。乙亥[83]，王宗侃、王宗贺、唐道袭、王宗绍与之战于青泥岭[84]，蜀兵大败，马步使王宗浩奔兴州[85]，溺死于江[86]，道袭奔兴元。先是，步军都指挥使王宗绾城西县[87]，号安远军，宗侃、宗贺等收散兵走保之，知俊、继崇追围之。众议欲弃兴元，道袭曰："无兴元则无安远，利州[88]遂为敌境矣。吾必以死守之。"蜀主以昌王宗鐬为应援招讨使，定戎团练使王宗播为四招讨[89]马步都指挥使，将兵救安远军，壁[90]于廉、让[91]之间，与唐道袭合击岐兵，大破之于明珠曲[92]。明日又战于皀口[93]，斩其成州[94]刺史李彦琛。

九月，帝疾稍愈，闻晋、赵谋入寇，自将拒之。戊戌[95]，以张宗奭为西都[96]留守。庚子[97]，帝发洛阳。甲辰[98]，至卫州，方食，军前奏晋军已出井陉。帝遽命辇[99]北趣邢、洺，昼夜倍道[100]兼行。丙午[101]，至相州[102]，闻晋兵不出，乃止。相州刺史李思安不意[103]帝猝[104]至，落然无具[105]，坐[106]削官爵。

湖州刺史钱镖酗酒[107]杀人，恐吴越王镠罪之。冬，十月辛亥朔[108]，杀都监潘长、推官[109]钟安德，奔于吴。

晋王闻燕主守光称帝，大笑曰："俟彼卜年[110]，吾当问其鼎[111]矣。"

【校记】

［1］斧锧：原作“斧质”。据章钰校，乙十一行本作“斧锧”，今从改。［2］今日：“今日”原重。据章钰校，十二行本、乙十一行本、孔天胤本二字皆不重，今据删。［3］百日之外，必有急兵：原作“不出百日，大兵当至”。据章钰校，十二行本、乙十一行本皆作“百日之外，必有急兵”，张敦仁《通鉴刊本识误》同，今从改。

【语译】

岐王李茂贞派刘知俊、李继崇率军攻打蜀国。八月二十四日乙亥，王宗侃、王宗贺、唐道袭、王宗绍在青泥岭与他们交战，蜀军大败，马步使王宗浩逃往兴州，淹死在嘉陵江中，唐道袭逃往兴元。在此之前，步军都指挥使王宗绾在西县筑城驻防，号称安远军。王宗侃、王宗贺等收拢逃散的士兵退保西县，刘知俊、李继崇又追击包围了他们。将领们商议想要放弃兴元，唐道袭说：“没有兴元就没有安远，利州就会成为敌人的地方了。我们一定要拼死来守卫兴元。”蜀主王建任命昌王王宗鐬为应援招讨使，定戎团练使王宗播为四招讨马步都指挥使，率军救援安远军，在廉水、让水之间修筑军垒，与唐道袭合击岐王的军队，在明珠曲把他们打得大败。第二天又在凫口交战，斩杀了岐王的成州刺史李彦琛。

九月，梁太祖的病稍微好一些，听说晋、赵图谋进犯，亲自率军抵御。十八日戊戌，任命张宗奭为西都留守。二十日庚子，梁太祖从洛阳出发。二十四日甲辰，到达卫州，正在吃饭，先头部队报告说晋军已出井陉关。梁太祖马上命令所乘坐的辇车向北奔赴邢州、洺州，日夜加倍赶路。二十六日丙午，到达相州，听说晋军没有出来，这才停止前进。相州刺史李思安没有料到梁太祖突然到来，冷冷清清，什么都没有准备，因此获罪被削去官职爵位。

湖州刺史钱镖酗酒杀人，害怕吴越王钱镠治他的罪。冬，十月初一日辛亥，杀死都监潘长、推官锺安德，逃到吴王杨隆演那里。

晋王李存勖听说燕王刘守光称帝，大笑着说：“等他卜算在位年数时，我就该取

张承业请遣使致贺以骄之⑫，晋王遣太原少尹⑬李承勋⑭往。承勋至幽州，用邻藩⑮通使⑯之礼。燕之典客⑰者曰："吾主[4]帝矣，公当称臣庭见。"承勋曰："吾受命于唐朝为太原少尹，燕王自可臣其境内⑱，岂可臣他国之使乎！"守光怒，囚之数日，出而问之曰："臣我乎？"承勋曰："燕王能臣我王，则我请为臣，不然，有死而已！"守光竟不能屈。

蜀主如利州⑲，命太子监国。决云军⑳虞候㉑王琮败岐兵，执其将李彦太，俘斩三千五百级。乙卯㉒，捉生将㉓彭君集破岐二寨，俘斩三千级。王宗侃遣裨将林思谔自中巴㉔间行至泥溪㉕，见蜀主告急，蜀主命开道都指挥使王宗弼将兵救安远，及刘知俊战于斜谷㉖，破之。

甲寅㉗夜，帝发相州。乙卯㉘，至洹水㉙。是夜，边吏言晋、赵兵南下，帝即时进军。丙辰㉚，至魏县㉛。或告云："沙陀至矣！"士卒恟惧，多逃亡，严刑不能禁。既而复告云无寇㉜，上下始定。戊午㉝，贝州奏晋兵寇东武㉞，寻引去。帝以夹寨、柏乡㉟屡失利，故力疾㊱北巡，思一雪其耻，意郁郁㊲，多躁忿，功臣宿将往往以小过被诛㊳，众心益惧。既而晋、赵兵竟不出。十一月壬午㊴，帝南还。

【段旨】

以上为第四段，写岐兵击蜀，大破蜀兵于青泥岭。梁太祖举兵北巡至相州，晋兵、赵兵不出，还至洛阳。

【注释】

⑧③乙亥：八月二十四日。⑧④青泥岭：山名，在兴州长举县西北五十里，今甘肃徽县境内。悬崖万仞，上多云雨，行者多逢泥淖。⑧⑤兴州：州名，治所在今陕西略阳。⑧⑥江：嘉陵江。⑧⑦城西县：城，用如动词，筑城。西县，县名，在兴元府西一百里，今陕西勉县西。⑧⑧利州：州名，治所在今四川广元。兴元西至西县百里，西县抵利州界四十五里。自州界至利州二百六十余里。⑧⑨四招讨：蜀主原已派王宗祐、王宗贺、唐道袭为三招讨使，现又以王宗鐬为应援招讨使，合为四招讨。⑨⓪壁：用如动词，修筑军垒。⑨①廉、

而代之了。”张承业请求派使者前去致贺，让他更加骄横，于是晋王派太原少尹李承勋前往。李承勋到达幽州，用的是相邻藩镇互通使者的礼仪。燕国的礼宾官员说：“我君王已经称帝了，你应该称臣在朝廷上觐见。”李承勋说：“我受唐朝的任命担任太原少尹，燕王自可让他境内的人称臣，怎么可以让其他国家的使者称臣呢！”刘守光大怒，把李承勋关了好几天，然后放出来问他：“向我称臣吗？”李承勋说：“燕王如果能让我们晋王称臣，那么我请求称臣，不然，唯有一死而已！”刘守光最终也不能使李承勋屈服。

蜀主王建前往利州，命令太子监国。决云军虞候王琮打败了岐王的军队，抓获其将领李彦太，俘获斩杀岐兵三千五百人。十月初五日乙卯，捉生将彭君集攻破了岐军的两个营寨，俘获斩杀岐兵三千人。王宗侃派副将林思谔从中巴走小路到达泥溪，面见蜀主告急。蜀主命令开道都指挥使王宗弼率军救援安远，与刘知俊遭遇，在斜谷交战，打败了刘知俊。

十月初四日甲寅夜里，梁太祖从相州出发。初五日乙卯，到达洹水镇。这天夜里，边境上的官吏报告说晋、赵的军队南下，梁太祖立即进军。初六日丙辰，到达魏县。有人报告说：“沙陀军队到了！”士兵们震惊恐惧，很多人逃跑了，用严刑惩罚也不能禁止。不久又报告说没有敌人入侵，上上下下才安定下来。初八日戊午，贝州奏报晋军侵犯东武，但不久之后又撤离了。梁太祖因在潞州夹寨、柏乡多次失利，所以竭力支撑着病体巡视北部地区，想要洗刷当年的耻辱，心情忧郁烦闷，时常暴躁愤怒，功臣老将往往因为小的过失而被斩杀，大家心里更加恐惧。后来晋、赵的军队一直没有出来。十一月初二日壬午，梁太祖南下返回。

让：二水名，廉水出大巴山北谷中，让水源起于廉水，溉田之余，东南流至古廉水城之侧，二水在南郑东南。⑫ 明珠曲：地名，在今陕西勉县西。⑬ 凫口：地名，去明珠曲不远。确切地点不详。⑭ 成州：州名，治所在今甘肃西和西。⑮ 戊戌：九月十八日。⑯ 西都：梁以洛阳为西都。⑰ 庚子：九月二十日。⑱ 甲辰：九月二十四日。⑲ 辇：天子所乘的车。⑳ 倍道：兼程而行。㉑ 丙午：九月二十六日。㉒ 相州：州名，治所在今河南安阳。㉓ 不意：没想到。㉔ 猝：突然。㉕ 落然无具：冷落没有准备。㉖ 坐：获罪。㉗ 酗酒：饮酒无节，撒酒疯。㉘ 辛亥朔：十月初一日。㉙ 推官：官名，节度使、观察使的属官。㉚ 卜年：以占卜预测传国的年数。㉛ 问其鼎：图谋王位。《左传》宣公三年：“楚子伐陆浑之戎，遂至于雒，观兵于周疆。定王使王孙满劳楚子，楚子问鼎之大小轻重焉。”三代以九鼎为传国宝，楚子问鼎，有取而代之之意。㉜ 以骄之：促使其骄横。㉝ 少尹：官名，唐代诸郡皆置司马，开元元年（公元七一三年）改为少尹，是府州长官的副

职。⑭李承勋（？至公元九一一年）：善于奉命出使，名闻军中。传见《旧五代史》卷五十五。⑮邻藩：相邻的藩镇。⑯通使：互通使者往来。⑰典客：官名，掌郊庙祭祀和朝觐的赞礼事务。⑱臣其境内：意谓使境内的人称臣。臣，使动用法。⑲如利州：王建闻王宗侃为岐兵所败，故再去利州，以为增援。如，去、到。⑳决云军：蜀部队名。㉑虞候：官名，军中戒严执法官。㉒乙卯：十月初五日。㉓捉生将：武官称号，言其能活捉敌人。㉔中巴：指巴郡，因巴郡在三巴，即巴西、巴郡、巴东之中，故谓之中巴。㉕泥溪：地名，在剑州北利州界。㉖斜谷：在今陕西眉县西南三十里。㉗甲寅：十月初四日。㉘乙卯：十月初五日。㉙洹水：县名，县治在今河北魏县西南，时属魏州。㉚丙辰：十月初六日。㉛魏县：县名，县治在今河北魏县东南。㉜无寇：无敌人入寇。㉝戊午：十月初

【原文】

燕主守光集将吏谋攻易、定，幽州参军[140]景城[141]冯道[142]以为未可。守光怒，系狱，或救之，得免。道亡奔晋，张承业荐于晋王，以为掌书记。丁亥[143]，王处直告难于晋。

怀州[144]刺史开封段明远妹为美人[145]。戊子[146]，帝至获嘉[147]，明远馈献丰备，帝悦。

庚寅[148]，保塞节度使高万兴奏遣都指挥使高万金[149]将兵攻盐州[150]，刺史高行存降。

壬辰[151]，帝至洛阳，疾复作。

蜀王宗弼败岐兵于金牛[152]，拔十六寨，俘斩六千余级，擒其将郭存等。丙申[153]，王宗鐬、王宗播败岐兵于黄牛川[154]，擒其将苏厚等。丁酉[155]，蜀主自利州如兴元。援军既集，安远军望其旗[156]，王宗侃等鼓噪而出，与援军夹攻岐兵，大破之，拔二十一寨，斩其将李廷志等。己亥[157]，岐兵解围[158]遁去。唐道袭先伏兵于斜谷邀击，又破之。庚子[159]，蜀主西还。

岐王左右[160]石简颙谗[161]刘知俊于岐王，王夺其兵。李继崇言于王曰："知俊壮士，穷来归我[162]，不宜以谗废之。"王为之诛简颙以安之。继崇召知俊举族居于秦州[163]。

戊申[164]，燕主守光将兵二万寇易、定，攻容城[165]。王处直告急于晋。

八日。⑬④ 东武：县名，汉置东武城县，晋去东字曰武城，县治在今山东武城西。⑬⑤ 夹寨、柏乡：夹寨之败见本书卷二百六十六开平二年（公元九〇八年），柏乡之败见本书卷二百六十七乾化元年（公元九一一年）。⑬⑥ 力疾：勉强支撑病体。⑬⑦ 郁郁：忧闷。⑬⑧ 宿将句：据《旧五代史》本纪，朱晃至相州，左龙骧都教练使邓季筠、魏博马军都指挥使何令稠、右厢马军都指挥使陈令勋，因部下马瘦，并腰斩于军门。至魏县，先锋指挥使黄文靖亦被诛。宿将，老将。⑬⑨ 壬午：十一月初二日。

【校记】

［4］主：原作“王”。据章钰校，乙十一行本作“主”，张敦仁《通鉴刊本识误》同，今从改。

【语译】

燕主刘守光召集将领官吏商量攻打易州、定州，幽州参军景城人冯道认为不可行。刘守光大怒，把他关进大牢，有人出面营救，这才得以免去治罪。冯道逃奔到晋，张承业把他推荐给晋王，晋王任命他为掌书记。十一月初七日丁亥，王处直向晋王告急求救。

怀州刺史开封人段明远的妹妹是宫中被封的美人。初八日戊子，梁太祖到达获嘉，段明远进献的物品丰盛完备，梁太祖非常高兴。

初十日庚寅，保塞节度使高万兴上奏说派遣都指挥使高万金率军攻打盐州，盐州刺史高行存投降。

十二日壬辰，梁太祖回到洛阳，病又发作了。

蜀国的王宗弼在金牛打败了岐王的军队，攻下十六个营寨，俘获斩杀六千多人，擒获岐军将领郭存等。十六日丙申，王宗鐬、王宗播在黄牛川又打败了岐军，擒获岐军将领苏厚等。十七日丁酉，蜀主王建从利州前往兴元。救援的军队已经集结，安远军望见蜀主的旗帜，王宗侃等人便击鼓呼喊着冲了出去，与援军夹攻岐军，把岐军打得大败，攻下二十一个营寨，斩杀岐军将领李廷志等。十九日己亥，岐军解除对安远军的包围逃走。唐道袭预先在斜谷埋伏军队截击，又打败了他们。二十日庚子，蜀主西返成都。

岐王李茂贞身边的近臣石简颙向岐王说刘知俊的坏话，岐王削夺了刘知俊的兵权。李继崇对岐王说：“刘知俊是一位壮士，处境困窘来投靠我们，不应该因为谗言而遭废弃。”李茂贞为此杀了石简颙以安抚刘知俊。李继崇召请刘知俊带着他全族迁居到自己的驻地秦州。

二十八日戊申，燕主刘守光率军两万人侵犯易州、定州，攻打容城。王处直向晋王告急。

十二月乙卯⑯，以朗州留后马赍⑰为永顺⑱节度使、同平章事。

镇南留后卢延昌游猎无度，百胜军指挥使黎球杀之，自立。将杀谭全播，全播称疾请老，乃免。丙辰⑲，以球为虔州⑳防御使。未几，球卒，牙将李彦图代知州事，全播愈称疾笃⑰。刘岩闻全播病，发兵攻韶州⑫，破之，刺史廖爽奔楚，楚王殷表为永州⑬刺史。

丁巳⑭，蜀主至成都⑮。

戊午⑯，以静海⑰留后曲美为节度使。

癸亥⑱，以静江⑲行军司马姚彦章为宁远⑳节度副使，权知容州，从楚王殷之请也。刘岩遣兵攻容州，殷遣都指挥使许德勋以桂州兵救之。彦章不能守，乃迁容州士民及其府藏奔长沙，岩遂取容管及高州⑧。

甲子⑫，晋王遣蕃汉马步总管周德威将兵三万攻燕，以救易、定。

是岁，蜀主以内枢密使潘炕为武泰⑬节度使，炕从弟宣徽南院使峭为内枢密使。

【段旨】

以上为第五段，写蜀兵大破岐兵，岐王先后损四将、三十余寨退军。燕王刘守光南犯易定，晋王发兵三万攻燕以救易定。

【注释】

⑭参军：官名，刺史属官。唐代州之组织，以参军为僚属之长，总揽内部一切事务，参谋军务。⑭景城：县名，县治在今河北沧州西。⑭冯道（公元八八一至九五四年）：字可道，初事刘守光为参军，为人刻苦俭约，历后唐、后晋、契丹、后汉、后周五朝，入周为太师、中书令。传见《旧五代史》卷一百二十六、《新五代史》卷五十四。⑭丁亥：十一月初七日。⑭怀州：州名，治所在今河南沁阳。⑭美人：妃嫔称号。⑭戊子：十一月初八日。⑭获嘉：县名，县治在今河南获嘉。⑭庚寅：十一月初十日。⑭高万金（？至公元九一八年）：高万兴之弟，入梁为保大军节度使。传见《新五代史》卷四十《高万兴传》。⑮盐州：州名，治所在今陕西定边。⑮壬辰：十一月十二日。⑮金牛：县名，县治在今陕西宁强东北金牛驿。⑮丙申：十一月十六日。⑮黄牛川：地名，在今陕西勉县

十二月初五日乙卯，梁朝任命朗州留后马赍为永顺节度使、同平章事。

镇南留后卢延昌出游打猎毫无节制，百胜军指挥使黎球把他杀了，自立为留后。还准备杀谭全播，谭全播称说有病请求致仕，这才免去了杀身之祸。初六日丙辰，任命黎球为虔州防御使。不久，黎球去世，牙将李彦图代理主持虔州事务，谭全播声称病势加重。刘岩听说谭全播病重，发兵攻打韶州，把韶州攻了下来。韶州刺史廖爽逃到楚王那里，楚王马殷上表奏请任命廖爽为永州刺史。

初七日丁巳，蜀主王建回到成都。

初八日戊午，梁朝任命静海留后曲美为静海节度使。

十三日癸亥，梁朝任命静江行军司马姚彦章为宁远节度副使，暂时掌管容州事务，这是依从楚王马殷的请求。刘岩派兵攻打容州，马殷派都指挥使许德勋率桂州的军队前去救援。姚彦章守不住了，便迁移容州士民和府库中的财物逃到长沙，刘岩于是取得了容管和高州。

十四日甲子，晋王李存勖派蕃汉马步总管周德威率军三万攻燕，以此来救援易州、定州。

这一年，蜀主王建任命内枢密使潘炕为武泰节度使，潘炕的堂弟宣徽南院使潘峭为内枢密使。

西。⑮丁酉：十一月十七日。⑯旗：蜀主之旗。⑰己亥：十一月十九日。⑱解围：解安远之围而逃。⑲庚子：十一月二十日。⑳左右：身边近臣。⑯谗：说别人的坏话。⑯穷来归我：刘知俊原为忠武节度使兼侍中，因功高受朱晃猜忌，以同州归附于岐。穷，困厄。⑯秦州：州名，治所在今甘肃秦安西北。时李继崇镇秦州。⑯戊申：十一月二十八日。⑯容城：县名，县治在今河北容城。⑯乙卯：十二月初五日。⑯马赍：马殷之弟。⑯永顺：方镇名，梁太祖时，马殷请升朗州为永顺军。⑯丙辰：十二月初六日。⑰虔州：州名，治所在今江西赣州。⑰疾笃：病重。⑰韶州：州名，治所在今广东韶关。⑰永州：州名，治所在今湖南永州市零陵区。⑰丁巳：十二月初七日。⑰至成都：蜀主自兴元还至成都。⑰戊午：十二月初八日。⑰静海：方镇名，唐懿宗咸通七年（公元八六六年）升安南都护为静海军节度使。治所交州，在今越南河内。⑰癸亥：十二月十三日。⑰静江：方镇名，唐昭宗光化三年（公元九〇〇年）升桂管经略使为静江军节度使。治所桂州，在今广西桂林。⑱宁远：方镇名，唐昭宗乾宁四年（公元八九七年）升容管观察使为宁元军节度使。治所容州，在今广西北流。⑱高州：州名，治所在今广东高州北。⑱甲子：十二月十四日。⑱武泰：方镇名，唐昭宗大顺元年（公元八九〇年）赐黔州观察使号武泰军节度。治所黔州，在今重庆市彭水苗族土家族自治县。

【原文】

二年（壬申，公元九一二年）

春，正月，德威东出飞狐[184]，与赵王[185]将王德明、义武[186]将程岩会于易水[187]。丙戌[188]，三镇[189]兵进攻燕祁沟关[190]，下之。戊子[191]，围涿州[192]。刺史刘知温城守[193]，刘守奇[194]之客刘去非大呼于城下，谓知温曰："河东小刘郎[195]来为父讨贼，何豫[196]汝事而坚守邪?"守奇免胄[197]劳[198]之，知温拜于城上，遂降。周德威疾[199]守奇之功，谮[200]诸晋王，王召之。守奇恐获罪，与去非及进士赵凤来奔，上以守奇为博州[201]刺史。去非、凤，皆幽州人也。先是，燕主守光籍[202]境内丁壮，悉文面[203]为兵，虽士人亦[5]不免，凤诈为僧奔晋，守奇客之[204]。

丁酉[205]，德威至幽州城下，守光来求救。二月，帝疾小愈，议自将击镇、定以救之。

帝闻岐、蜀相攻。辛酉[206]，遣光禄卿[207]卢玭等使于蜀，遗蜀主书，呼之为兄[208]。

甲子[209]，帝发洛阳。从官以帝诛戮无常，多惮行[210]，帝闻之，益怒。是日，至白马顿[211]，赐从官食，多未至，遣骑[212]趣之于路。左散骑常侍[213]孙骘、右谏议大夫张衍、兵部郎中[214]张儁最后至，帝命扑杀之。衍，宗奭之侄也。

丙寅[215]，帝至武陟[216]。段明远供馈有加于前。丁卯[217]，至获嘉，帝追思李思安去岁供馈有阙[218]，贬柳州司户，告辞[219]称明远之能曰："观明远之忠勤如此，见思安之悖慢[220]何如!"寻长流思安于崖州，赐死。明远后更名凝。

乙亥[221]，帝至魏州，命都招讨使、宣义节度使杨师厚，副使、前河阳节度使李周彝围枣强[222]，招讨应接使、平卢节度使贺德伦，副使、天平留后袁象先围蓨县[223]。德伦，河西胡人。象先，下邑[224]人也。

戊寅[225]，帝至贝州[226]。

辰州蛮酋宋邺、昌师益皆帅众降于楚，楚王殷以邺为辰州刺史，师益为溆州刺史。

【语译】

二年（壬申，公元九一二年）

春，正月，周德威率军东出飞狐县，与赵王王镕的部将王德明、义武节度使王处直的部将程岩在易水会合。初七日丙戌，三镇军队进攻燕国的祁沟关，把它攻了下来。初九日戊子，包围了涿州。涿州刺史刘知温据城防守，刘守奇的门客刘去非在城下大声呼喊，对刘知温说："河东的刘守奇来为他的父亲讨伐贼人，和你有什么关系，你为什么还要坚守呢？"刘守奇脱下头盔问候刘知温，刘知温在城上叩拜，于是投降。周德威妒忌刘守奇的功劳，在晋王面前诬陷刘守奇，晋王召见刘守奇。刘守奇担心获罪，与刘去非及进士赵凤逃到梁太祖那里。梁太祖任命刘守奇为博州刺史。刘去非、赵凤都是幽州人。此前，燕主刘守光登记境内的成年男子，全部在他们脸上刺上字，让他们当兵，即使是读书人也不能幸免。赵凤假装是僧人骗了过去，逃奔晋地，刘守奇收下他为门客。

正月十八日丁酉，周德威率军到达幽州城下，刘守光派人去求救。二月，梁太祖的病稍有好转，商议要亲自率军攻打镇州、定州以解救刘守光。

梁太祖听说岐王、蜀主互相攻打。二月十二日辛酉，派光禄卿卢玭等出使蜀国，给蜀主王建书信，称他为兄。

二月十五日甲子，梁太祖从洛阳出发。随从的官员因为梁太祖随意杀戮，捉摸不定，大多害怕随行，梁太祖听到这件事，更加动怒。这一天，到达白马顿，赏赐随从的官员进食，却大多还没到达，于是派骑兵在路上催促。左散骑常侍孙骘、右谏议大夫张衍、兵部郎中张儁最后到达，梁太祖命令把他们杀死。张衍是张宗奭的侄子。

十七日丙寅，梁太祖到达武陟。段明远进献的物品比先前更加丰盛。十八日丁卯，到达获嘉，梁太祖回想李思安去年进献的物品有短缺，就把他贬为柳州司户，写在官员告身上的文辞称赞段明远的能力说："看到段明远如此忠诚勤勉，更可以想见李思安是何等违逆怠慢了！"不久又把李思安长期流放到崖州，赐他自尽。段明远后来改名段凝。

二十六日乙亥，梁太祖到达魏州，命令都招讨使、宣义节度使杨师厚，副使、前河阳节度使李周彝包围枣强，招讨应接使、平卢节度使贺德伦，副使、天平留后袁象先包围蓨县。贺德伦是河西胡人。袁象先是下邑人。

二十九日戊寅，梁太祖到达贝州。

辰州蛮首领宋邺、昌师益都率领部众降于楚王马殷。楚王马殷任命宋邺为辰州刺史，昌师益为溆州刺史。

【段旨】

以上为第六段，写晋、赵联兵攻燕，梁太祖朱晃亲自率众往救。

【注释】

⑱飞狐：县名，县治在今河北涞源。⑱赵王：指王镕。⑱义武：指王处直。⑱易水：水名，在今河北西部，大清河上源支流，有北、中、南三支，均源出易县境，汇合后入南拒马河。⑱丙戌：正月初七日。⑱三镇：指并、镇、定州。⑲祁沟关：关名，或作“岐沟关”，在今河北涞水东。⑲戊子：正月初九日。⑲涿州：州名，治所在今河北涿州。⑲城守：据城守御。⑲刘守奇：刘守光之弟，梁太祖开平元年（公元九〇七年）奔晋。事见本书卷二百六十六。⑲河东小刘郎：即刘守奇。⑲豫：通“与”，参与。⑲免胄：脱去头盔。⑲劳：问候。⑲疾：妒忌。⑳谮：诬陷。⑳博州：州名，治所在今山东聊城东北。⑳籍：登记。⑳文面：脸上刺字或记号，防止士兵逃走。⑳客之：以为门客。⑳丁酉：正月十八

【原文】

帝昼夜兼行，三月辛巳㉗，至下博㉘南，登观津冢㉙。赵将符习㉚引数百骑出[6]巡逻，不知是帝，遽㉛前逼之。或告曰：“晋兵大至矣！”帝弃行幄㉜，亟引兵趣枣强㉝，与杨师厚军合。习，赵州人也。

枣强城小而坚，赵人聚精兵数千人守之，师厚急攻之，数日不下，城坏复修，死伤者㉞以万数。城中矢石将竭，谋出降，有一卒奋曰：“贼自柏乡丧败已来，视我镇人裂眦㉟，今往归之，如自投虎狼之口耳。困穷如此，何用身为㊱！我请独往试之。”夜，缒㊲城出，诣梁军诈降，李周彝召问城中之备，对曰：“非半月未易下也。”因谋㊳[7]曰：“某既归命㊴，愿得一剑，效死㊵先登，取守城将首。”周彝不许，使荷担㊶[8]从军。卒得间㊷举担击周彝首，踣㊸地，左右救至，得免。帝闻之，愈怒，命师厚昼夜急攻。丙戌㊹，拔之，无问老幼皆杀之，流血盈城㊺。

初，帝引兵渡河，声言五十万。晋忻州㊻刺史李存审屯赵州，患兵少，裨将赵行实请入土门㊼避之，存审不可。及贺德伦攻蓨县，存审谓史建瑭、李嗣肱㊽曰：“吾王方有事幽蓟，无兵此来，南方之事委

日。㉖辛酉：二月十二日。㉗光禄卿：官名，专管皇室祭品、膳食及招待酒宴之官。㉘呼之为兄：朱晃与王建均出身贫贱，现王建据四川，兵强地险，朱晃虽称帝中原，自度无力控制四川，故以国与国之间的礼节，呼之为兄。㉙甲子：二月十五日。㉚惮行：害怕随行。㉛白马顿：地名，在河南洛阳东北。㉜遣骑：派骑兵。㉝左散骑常侍：官名，在皇帝左右掌侍奉规谏，备顾问应对。唐时隶门下省。㉞兵部郎中：官名。兵部以尚书为长官，侍郎为尚书的佐官。其下置郎中、员外郎为兵部主要吏员。㉟丙寅：二月十七日。㊱武陟：县名，县治在今河南武陟。㊲丁卯：二月十八日。㊳阙：通“缺”。㊴告辞：写在告身上的文辞。㊵悖慢：违逆傲慢。㊶乙亥：二月二十六日。㊷枣强：县名，县治在今河北枣强东。㊸蓨县：亦作“条县”“莜县”“脩县”。县名，县治在今河北景县。㊹下邑：县名，县治在今河南夏邑。㊺戊寅：二月二十九日。㊻贝州：州名，治所在今河北清河西。

【校记】

［5］亦：原无此字。据章钰校，十二行本、乙十一行本皆有此字，今据补。

【语译】

梁太祖日夜兼程而进，三月初二日辛巳，到达下博县南，登上观津冢。赵王的部将符习带领几百骑兵出外巡逻到这里，不知道是梁太祖，迅速向前逼近。有人报告说：“晋军大队人马到了！”梁太祖丢下行军时使用的帷帐，赶紧率领军队奔赴枣强，与杨师厚的军队会合。符习是赵州人。

枣强城比较小，但很坚固，赵人聚集了几千名精兵防守。杨师厚猛攻枣强，几天都没有攻下来，城墙打坏了又被修好，攻城梁军死伤的数以万计。城里防守用的箭矢石块快要用完，官兵们商量出城投降。有一个士兵激奋地说：“贼人自从柏乡失败以来，见到我们镇州人恨得眼眶都要裂开，现在去归降他们，如同自己投入虎狼之口。局势已困窘到如此地步，留着这个身子还有什么用！我请求独自前去试试。”夜里，用绳索缒出城外，到梁军那里假装投降。李周彝召他来询问城中守备情况，他回答说：“不用半个月时间是不容易攻下的。”于是建议说：“我既然来归顺你们了。希望能得到一把剑，拼死效力去抢先登城，取下守城将领的首级。”李周彝没有答应他，让他挑着担子跟随军队。这个士兵得到机会举起扁担猛击李周彝的脑袋，李周彝跌倒在地，左右前来营救的人迅速赶到，才免被击死。梁太祖听到这件事，更加愤怒，命令杨师厚日夜猛攻。三月初七日丙戌，把城攻了下来，城中人不分老幼全都杀死，鲜血流遍全城。

当初，梁太祖率军渡过黄河，声称有五十万人。晋忻州刺史李存审屯驻在赵州，担心守军人数少，副将赵行实请求退入土门避开梁军，李存审认为不可。等到贺德伦攻打蓨县，李存审对史建瑭、李嗣肱说：“我王正在幽州、蓟州有事，派不出军队

吾辈数人。今蓨县方急，吾辈安得坐而视之！使贼得蓨县，必西侵深、冀，患益深矣。当与公等以奇计破之。”存审乃引兵扼㊾下博桥㊿，使建瑭、嗣肱分道擒生[251]。建瑭分其麾下为五队，队各百人，一之[252]衡水[253]，一之南宫[254]，一之信都[255]，一之阜城[256]，自将一队深入，与嗣肱遇梁军之樵刍者[257]皆执之，获数百人。明日会于下博桥，皆杀之，留数人断臂纵去，曰：“为我语朱公：晋王大军至矣！”时蓨县未下，帝引杨师厚兵五万，就贺德伦共攻之。丁亥[258]，始至县西，未及置营，建瑭、嗣肱各将三百骑，效[259]梁军旗帜服色，与樵刍者杂行，日且暮，至德伦营门。杀门者[260]，纵火大噪，弓矢乱发，左右驰突，既暝[261]，各斩馘[262]执俘而去。营中大扰，不知所为。断臂者复来曰：“晋军大至矣！”帝大骇，烧营夜遁[263]，迷失道，委曲[264]行百五十里，戊子旦[265]乃至冀州[266]。蓨之耕者皆荷锄[267]奋梃[268]逐之，委弃[269]军资器械不可胜计，既而复遣骑觇[270]之，曰：“晋军实未来，此乃史先锋[271]游骑耳。”帝不胜惭愤[272]，由是病增剧，不能乘肩舆[273]。留贝州旬余，诸军始集[274]。

【段旨】

以上为第七段，写梁太祖朱晃连战损兵，惶惧退军至冀州，疾甚。

【注释】

㉗辛巳：三月初二日。㉘下博：县名，县治在今河北深州东南。㉙观津冢：地名，在今河北武邑东南。观津为汉县名。古城东南有青山，为汉文帝窦后之父冢。窦后父少遭秦乱，渔钓隐身，坠渊而死。汉景帝时，窦后遣使者填深渊葬之，起大坟于观津城东南，时人谓之窦氏青山。㉚符习：赵州人，少事赵王王镕为军校，入晋为天平、平卢等镇节度使。传见《旧五代史》卷五十九、《新五代史》卷二十六。㉛遽：仓促；急速。㉜行幄：行军帐篷。㉝趣枣强：自下博至枣强六十余里。㉞死伤者：指攻城之卒死伤者。㉟裂眦：形容极其愤怒的神态。眦，眼眶。㊱何用身为：意谓还要这个身体干什么。㊲縋：用绳子悬人从城上坠下。㊳因谋：趁机出谋划策。㊴归命：归顺。㊵效死：尽死效力。㊶荷担：挑担子。㊷得间：得空；得机会。㊸踣：跌倒。㊹丙戌：三月初七日。㊺盈城：满城。㊻忻州：州名，治所在今山西忻州。㊼土门：即井陉。入土门则退

到这里来，南方的战事委托给我们这几个人。如今蓨县正形势紧急，我们怎么能坐视不管！假如贼兵夺得蓨县，必然会西进侵犯深州、冀州，祸患就更加严重了。应当和你们用奇计去打败他们。”李存审于是率军扼守下博桥，派史建瑭、李嗣肱分路去捉拿梁军俘虏。史建瑭把自己的部下分为五队，每队各一百人，一队前往衡水，一队前往南宫，一队前往信都，一队前往阜城，自己亲率一队深入敌境，与李嗣肱遇到外出砍柴割草的梁军士兵，将他们全都抓起来，抓获了几百人。第二天在下博桥会合，把这些俘虏都杀了，只留下几个人砍断手臂后放他们离开，说："替我告诉朱公，晋王的大军到了！"当时蓨县还没有攻下来，梁太祖率领杨师厚的军队五万人，会同贺德伦一起攻城。三月初八日丁亥，刚到蓨县的西边，还没有来得及安营，史建瑭、李嗣肱各自率领三百骑兵，仿用梁军的旗帜服色，和砍柴割草的梁军士兵混杂行走。太阳快要落山时，到达贺德伦的营门，杀死守门人，到处放火并大声叫嚷，弓箭乱射，左冲右突。天黑以后，各自斩下敌人首级割去左耳带着俘虏离去。梁朝军营大乱，不知道发生了什么事。被晋军砍断手臂的梁军士兵回来报告："晋军大队人马到了！"梁太祖大惊，烧毁营垒连夜逃跑，又迷失了道路，曲折辗转行走了一百五十里，初九日戊子清晨才到达冀州。蓨县种田的百姓都拿着锄头举着棍棒追逐梁军，梁军丢弃的军用物资和器械多得数不清。不久梁太祖又派出骑兵窥探，回来报告说："晋军大队人马其实并没有来，这些只是先锋指挥使史建瑭的流动骑兵而已。"梁太祖听了心中极其羞愧而又气愤，从此病情加重，连轿子都不能乘坐。梁太祖在贝州停留了十多天，溃散的各支军队才聚集到了一起。

归晋阳了。㉔⑧李嗣肱（？至公元九二三年）：李克脩之子，从周德威数立战功，为马步军都虞候，累迁蔚、泽、代州刺史。传见《旧五代史》卷五十、《新五代史》卷十四《李克脩传》。㉔⑨扼：控制。㉕⓪下博桥：漳水流经下博县，县人在漳水上所架之桥。㉕①擒生：活捉俘虏。㉕②之：往；去。㉕③衡水：县名，县治在今河北衡水西。㉕④南宫：县名，县治在今河北南宫西。㉕⑤信都：县名，县治在今河北衡水市冀州区。时为冀州治所。㉕⑥阜城：县名，县治在今河北阜城。㉕⑦樵刍者：打柴草的士兵。㉕⑧丁亥：三月初八日。㉕⑨效：仿照。㉖⓪门者：守门的人。㉖①暝：天黑。㉖②馘：割取敌人的耳朵。㉖③夜遁：夜间逃跑。朱晃乘夜狼狈逃跑，说明主将上下先有畏晋之心。㉖④委曲：曲折辗转。㉖⑤戊子旦：三月初九日清晨。㉖⑥冀州：州名，治所在今河北冀州。㉖⑦荷锄：扛着锄头。㉖⑧奋梃：举起棍棒。㉖⑨委弃：丢弃于地。㉗⓪觇：窥探。㉗①史先锋：史建瑭时为先锋指挥使，故称。㉗②惭愤：惭愧、气愤。惭愧是因为亲御六军，见敌人游兵而遁；气愤是因为军队屡出屡败。㉗③肩舆：用人力抬扛的代步工具。㉗④诸军始集：溃散的各支部队方才集合起来。

【校记】

［6］出：原无此字。据章钰校，十二行本、乙十一行本皆有此字，张敦仁《通鉴刊本识误》同，今据补。［7］谋：严衍《通鉴补》改作“请”。“谋”字义长。［8］荷担：原作“荷檐”。据章钰校，十二行本、乙十一行本皆作“荷担”，今从改。

【原文】

义昌节度使刘继威年少，淫虐类㉗⑤其父㉗⑥，淫于都指挥使张万进家，万进怒，杀之。诘旦㉗⑦，召大将周知裕，告其故。万进自称留后，以知裕为左都押牙㉗⑧。庚子㉗⑨，遣使奉表请降，亦遣使降于晋，晋王命周德威安抚之。知裕心不自安，求为景州㉘⓪刺史［9］，遂来奔㉘①，帝为之置归化军，以知裕为指挥使，凡军士自河朔来者皆隶之㉘②。辛丑㉘③，以万进为义昌留后。甲辰㉘④，改义昌为顺化军，以万进为节度使。

乙巳㉘⑤，帝发贝州。丁未㉘⑥，至魏州。

戊申㉘⑦，周德威遣裨将李存晖等攻瓦桥关㉘⑧，其将吏及莫州㉘⑨刺史李严㉙⓪皆降。严，幽州人也，涉猎㉙①书传，晋王使傅㉙②其子继岌，严固辞。王［10］怒，将斩之，教练使㉙③孟知祥㉙④徒跣㉙⑤入谏曰：“强敌未灭，大王岂宜以一怒戮向义之士㉙⑥乎！”乃免之。知祥，迁㉙⑦之弟子，李克让㉙⑧之婿也。

吴镇南节度使刘威，歙州观察使陶雅，宣州观察使李遇，常州刺史李简，皆武忠王㉙⑨旧将，有大功，以徐温自牙将㉚⓪秉政，内不能平。李遇尤甚，常言：“徐温何人，吾未尝识面，一旦乃当国㉚①邪！”

馆驿使㉚②徐玠使于吴越，道过宣州，温使玠说遇入见新王㉚③，遇初许之。玠曰：“公不尔㉚④，人谓公反。”遇怒曰：“君言遇反，杀侍中㉚⑤者非反邪！”侍中，谓威王㉚⑥也。温怒，以淮南节度副使王檀为宣州制置使㉚⑦，数㉚⑧遇不入朝之罪，遣都指挥使柴再用帅昇、润、池、歙兵纳㉚⑨檀于宣州，昇州副使徐知诰为之副。遇不受代㉛⓪，再用攻宣州，逾月不克。

【语译】

义昌节度使刘继威年纪轻，荒淫暴虐程度与其父刘守光相当。他在都指挥使张万进家淫乱，张万进大怒，把刘继威杀了。第二天早上，张万进召请大将周知裕，告诉他杀死刘继威的缘故。张万进自称义昌留后，任命周知裕为左都押牙。三月二十一日庚子，张万进派使者带着奏表向梁太祖请求投降，同时也派使者向晋王李存勖投降，晋王命令周德威去安抚他。周知裕心里不安，请求担任景州刺史，于是就来投奔梁朝。梁太祖为他设置了归化军，任命周知裕为指挥使，凡是从河朔来归顺的将士都隶属于归化军。二十二日辛丑，任命张万进为义昌留后。二十五日甲辰，改义昌军为顺化军，任命张万进为节度使。

二十六日乙巳，梁太祖从贝州出发。二十八日丁未，到达魏州。

二十九日戊申，周德威派副将李存晖等进攻瓦桥关，守关的将领官吏及莫州刺史李严都投降了。李严是幽州人，广泛阅读过各种著作和传述。晋王让他辅导自己的儿子李继岌，李严坚决推辞。晋王发怒，要杀死李严。教练使孟知祥赤脚进王府劝谏说："强敌还没有消灭，大王怎么能因一时的愤怒而杀了向慕道义来归顺的士人呢！"于是赦免了李严。孟知祥是孟迁弟弟的儿子，李克用弟弟李克让的女婿。

吴镇南节度使刘威，歙州观察使陶雅，宣州观察使李遇，常州刺史李简，都是武忠王杨行密的旧将，立有大功，因为徐温是由牙将一路升迁直至主持国政的，他们内心都愤愤不平。李遇尤其严重，常常说："徐温是什么人，我还没有见过面；有一天竟然主持国事了！"

馆驿使徐玠出使吴越，路过宣州，徐温让徐玠劝李遇到广陵去朝见新王杨隆演，李遇一开始答应了。徐玠说："您不这样做，别人会说您谋反的。"李遇发怒说："您说我谋反，难道杀死侍中的人不是谋反吗！"侍中，指的是威王杨渥。徐温也发怒了，任命淮南节度副使王檀为宣州制置使，列举了李遇不入朝的罪过，派遣都指挥使柴再用率领昇州、润州、池州、歙州的军队把王檀送进宣州上任，昇州副使徐知诰担任王檀的副手。李遇不接受替代。柴再用攻打宣州，攻了一个多月也没有攻下来。

夏，四月癸丑[311]，以楚王殷为武安、武昌、静江、宁远[312]节度使，洪、鄂四面行营都统。

乙卯[313]，博王友文来朝[314]，请帝还东都。丁巳[315]，发魏州。己未[316]，至黎阳[317]，以疾淹留[318]。乙丑[319]，至滑州。

维州[320]羌胡董琢反，蜀主遣保銮军使[321]赵绰讨平之。

己巳[322]，帝至大梁。

帝闻岭南与楚相攻，甲戌[323]，以右散骑常侍韦戬等为潭、广和叶使[324]，往解之。

戊寅[325]，帝发大梁。

周德威白晋王，以兵少不足攻城[326]，晋王遣李存审将吐谷浑[327]、契苾[328]骑兵会之。李嗣源攻瀛州[329]，刺史赵敬降。

五月甲申[330]，帝至洛阳，疾甚。

司空、门下侍郎、同平章事薛贻矩卒。

燕主守光遣其将单廷珪将精兵万人出战，与周德威遇于龙头冈[331]。廷珪曰："今日必擒周杨五以献。"杨五[11]，德威小名也。既战，见德威于陈，援[332]枪单骑[333]逐之，枪及德威背，德威侧身避之，奋楇反击廷珪坠马[334]，生擒，置于军门。燕兵退走，德威引骑乘[335]之，燕兵大败，斩首三千级。廷珪，燕骁将也，燕人失之，夺气[336]。

【段旨】

以上为第八段，写昌义军将张万进杀刘守光子、节度使刘继威，自为留后，梁改昌义军为顺化军，以张万进为节度使。周德威大破燕军，生擒其骁将单廷珪，燕人夺气。

夏，四月初五日癸丑，梁太祖任命楚王马殷为武安、武昌、静江、宁远节度使，洪、鄂四面行营都统。

初七日乙卯，博王朱友文前来朝见梁太祖，请梁太祖返回东都大梁。初九日丁巳，梁太祖从魏州出发。十一日己未，到达黎阳，因为生病停留了几天。十七日乙丑，到达滑州。

维州羌胡董琢反叛，蜀主王建派保銮军使赵绰前去讨伐，把他平定了。

二十一日己巳，梁太祖到达大梁。

梁太祖听说岭南刘岩和楚王马殷互相攻伐，二十六日甲戌，任命右散骑常侍韦戬等为潭、广和叶使，前往调解。

三十日戊寅，梁太祖从大梁出发。

周德威向晋王李存勖报告说，因兵力太少不足以攻打幽州城，晋王派李存审率领吐谷浑、契苾的骑兵前去与周德威会合。李嗣源攻打瀛州，刺史赵敬投降。

五月初六日甲申，梁太祖到了洛阳，病情加重。

司空、门下侍郎、同平章事薛贻矩去世。

燕主刘守光派他的部将单廷珪率精兵一万出战，在龙头冈与周德威相遇。单廷珪说："今天一定要活捉周杨五回去献捷。"杨五是周德威的小名。双方交战后，在战场上看到了周德威，单廷珪单枪匹马就追了过来，枪尖刺向周德威的后背，周德威侧身避开，奋力挥动马鞭回身把单廷珪打下马来，活捉了他，把他放在军营门前。燕军退走，周德威率骑兵乘胜追击，燕军大败，被斩杀的有三千人。单廷珪是燕国的勇将，燕军失去他以后，再也没了胆气。

【注释】

㉗⑤类：相像；相当。㉗⑥其父：刘守光。㉗⑦诘旦：明早。㉗⑧左都押牙：武官名，管领仪仗侍卫。㉗⑨庚子：三月二十一日。㉘⓪景州：州名，治所在今河北东光。㉘①来奔：谓周知裕投奔梁朝。㉘②隶之：隶属于归化军。㉘③辛丑：三月二十二日。㉘④甲辰：三月二十五日。㉘⑤乙巳：三月二十六日。㉘⑥丁未：三月二十八日。㉘⑦戊申：三月二十九日。㉘⑧瓦桥关：在今河北雄县。㉘⑨莫州：州名，治所在今河北雄县南。㉙⓪李严（？至公元九二七年）：初名让坤，幽州人，事刘守光为莫州刺史，后事唐庄宗为客省使。同光三年（公元九二五年）使于蜀。唐明宗天成二年（公元九二七年）出任西川监军，为孟知祥所杀。传见《旧五代史》卷七十、《新五代史》卷二十六。㉙①涉猎：广泛阅读。㉙②傅：辅导。㉙③教练使：官名，掌训练习武之事。㉙④孟知祥（公元八七四至九三四年）：字保胤，邢州龙冈（今河北邢台西南）人，后蜀国的建立者。唐庄宗时为太原留守。同光三年唐

灭前蜀，为成都尹，充西川节度使。唐明宗长兴三年（公元九三二年）攻杀东川节度使董璋，次年为东、西川节度使，封蜀王。应顺元年（公元九三四年）称帝，国号蜀，史称后蜀。传见《旧五代史》卷一百三十六、《新五代史》卷六十四。㉙5跣：光着脚。形容其着急之状。㉙6向义之士：指李严。向，向慕。㉙7迁：指孟迁。唐昭宗大顺元年（公元八九〇年）以邢州降晋。传见《新唐书》卷一百八十七。㉙8李克让：李克用之弟。㉙9武忠王：指杨行密。㉚0牙将：指右牙指挥使，徐温曾任此职。见本书卷二百六十六开平元年（公元九〇七年）。㉚1当国：执政；主持国事。㉚2馆驿使：官名，馆驿为供邮传行旅食宿的旅舍驿站。唐代自代宗大历十四年（公元七七九年）起，两京各以御史一人知驿，号馆驿使。㉚3新王：指杨隆演。㉚4不尔：不如此。这里谓不入见新王。㉚5杀侍中：开平二年（公元九〇八年）五月，徐温与张颢谋杀淮南节度使兼侍中杨渥。㉚6威王：杨渥谥威王。㉚7制置使：官名，负责经营谋划边防军务。㉚8数：列举。㉚9纳：接纳。这里指护送。㉛0受代：官吏去职，被人替代。㉛1癸丑：四月初五日。㉛2武安、武昌、静江、宁远：皆方镇名，武安治潭州，武昌治鄂州，静江治桂州，宁远治容州。以马殷为四镇节度使和洪、鄂四面行营都统，欲使之攻杨氏。㉛3乙卯：四月初七日。㉛4来朝：朝于魏州行宫。㉛5丁巳：四月初九日。㉛6己未：四月十一日。㉛7黎阳：县名，县治在今河南浚县。㉛8淹留：滞留；停留。㉛9乙丑：四月十七日。㉜0维州：州名，治所在今四川理县北。㉜1保

【原文】

己丑[337]，蜀大赦。

李遇少子为淮南牙将，遇最爱之，徐温执之，至宣州城下示之，其子啼号求生，遇由是不忍战。温使典客[338]何荛入城，以吴王命说之，曰：“公本志果反，请斩荛以徇[339]，不然，随荛纳款[340]。”遇乃开门请降，温使柴再用斩之，夷其族。于是诸将[341]始畏温，莫敢违其命。

徐知诰以功迁昇州刺史。知诰事温甚谨，安于劳辱[342]，或通夕不解带，温以是特爱之，每谓诸子曰：“汝辈事我能如知诰乎？”时诸州长吏多武夫，专以军旅为务，不恤[343]民事。知诰在昇州，独选用廉吏[344]，修明政教[345]，招延[346]四方士大夫，倾家赀[347]无所爱。洪州进士宋齐丘，好纵横之术[348]，谒知诰，知诰奇之，辟[349]为推官[350]，与判官[351]王令谋、参军[352]王翃专主谋议，以牙吏[353]马仁裕、周宗、曹悰为腹心。仁裕，彭城[354]人。宗，涟水[355]人也。

銮军使：官名，统领皇帝的近卫部队。皇帝的车驾叫銮驾，保銮即谓皇帝的卫士。㉜己巳：四月二十一日。㉝甲戌：四月二十六日。㉞和叶使：临时派出调解岭南和楚之间争端的使者。㉟戊寅：四月三十日。㊱攻城：攻幽州城。㊲吐谷浑：我国古代鲜卑族所建立的王朝名。㊳契苾：民族名，敕勒诸部之一。㊴瀛州：州名，治所在今河北河间。㊵甲申：五月初六日。㊶龙头冈：亦云羊头冈，在今北京市东南。㊷援：执；持。㊸单骑：一人一马。㊹坠马：从马上坠下。单廷珪的马正在急驰，势不可止。周德威侧身避其锋，奋楇反击，廷珪无法躲避，所以坠马。㊺乘：乘胜追击。㊻夺气：丧失士气。

【校记】

［9］求为景州刺史：原无此六字。据章钰校，十二行本、乙十一行本、孔天胤本皆有此六字，张瑛《通鉴校勘记》同，今据补。［10］王：原作“晋王”。据章钰校，十二行本、乙十一行本皆无“晋”字，今据删。［11］杨五：原作“杨五者”。据章钰校，十二行本、乙十一行本皆无“者”字，今据删。

【语译】

五月十一日己丑，蜀国大赦。

李遇的小儿子担任淮南的牙将，李遇最喜欢他，徐温把他抓了起来，押到宣州城下给李遇看；李遇的小儿子大声痛哭求父亲救他一命，李遇因此不忍心再战。徐温派典客何荛入城，用吴王杨隆演的命令劝说他，说：“您如果本意真要造反，请杀了我示众，如果不是这样，请跟随我出城归顺。”李遇于是打开城门请求投降。徐温派柴再用把李遇斩首，灭了他全族。于是各将领开始畏惧徐温，没有人敢违抗他的命令。

徐知诰因功升任昇州刺史。徐知诰侍奉徐温很恭谨，安于劳苦，有时通宵都不解衣休息，徐温因此特别喜爱他，经常对儿子们说：“你们侍奉我能像徐知诰那样吗?”当时各州长官大多是武人，致力于征战，不顾念老百姓的事情。徐知诰在昇州，独独选用清廉的官吏，修明政治教化，招揽聘请四方贤士大夫，用尽所有家财也毫不吝惜。洪州进士宋齐丘，喜好纵横家游说之术，前来拜谒徐知诰，徐知诰认为他不同寻常，征召为推官，与判官王令谋、参军王翃专门负责替他出主意，把牙吏马仁裕、周宗、曹悰当作自己的心腹。马仁裕是彭城人。周宗是涟水人。

闰月壬戌[356]，帝疾增甚，谓近臣曰："我经营天下三十年[357]，不意太原余孽[358]更昌炽[359]如此！吾观其志不小，天复夺我年[360]，我死，诸儿非彼敌也，吾无葬地矣！"因哽咽，绝[361]而复苏[362]。

高季昌潜[363]有据荆南[364]之志，乃奏筑江陵外郭[365]，增广之。

丙寅[366]，蜀门下侍郎、同平章事王锴罢为兵部尚书。

帝长子郴王友裕早卒。次假子博王友文[367]，帝特爱之，常留守东都，兼建昌宫[368]使。次郢王友珪，其母亳州营倡[369]也，为左右控鹤都指挥使，无宠[12]。次均王友贞，为东都马步都指挥使。

初，元贞[370]张皇后严整多智，帝敬惮之。后殂[371]，帝纵意声色，诸子虽在外，常征[372]其妇入侍，帝往往乱[373]之。友文妇王氏色美，帝尤宠之，虽未以友文为太子，帝意常属[374]之。友珪心不平。友珪尝有过，帝挞[375]之，友珪益不自安。帝疾甚，命王氏召友文于东都[376]，欲与之诀[377]，且付以后事。友珪妇张氏亦朝夕侍帝侧，知之，密告友珪曰："大家[378]以传国宝付王氏怀[379]往东都，吾属死无日矣。"夫妇相泣。左右或说之曰："事急计生，何不改图，时不可失！"

六月丁丑朔[380]，帝命敬翔[381]出友珪为莱州[382]刺史，即令之官[383]。已宣旨，未行敕[384]。时左迁[385]者多追赐死，友珪益恐。

戊寅[386]，友珪易服微行[387]入左龙虎军[388]，见统军韩勍，以情告之。勍亦见功臣宿将多以小过被诛，惧不自保，遂相与合谋。勍以牙兵五百人从友珪杂[389]控鹤[390]士入，伏于禁中[391]，中夜[392]斩关[393]入，至寝殿，侍疾者[394]皆散走。帝惊起，问："反者为谁？"友珪曰："非他人也。"帝曰："我固疑此贼，恨不早杀之。汝悖逆[395]如此，天地岂容汝乎！"友珪曰："老贼万段[396]！"友珪仆夫冯廷谔刺帝腹，刃出于背。友珪自以败毡[397]裹之，瘗[398]于寝殿，秘不发丧[399]。遣供奉官丁昭溥驰诣东都，命均王友贞杀友文。

己卯[400]，矫诏[401]称："博王友文谋逆[402]，遣兵突入殿中，赖郢王友珪

闰五月十五日壬戌，梁太祖的病情更加严重了，对亲近的大臣们说："我经营天下三十年，没想到太原李克用的余孽竟猖獗到如此地步！我看李存勖的志向不小，上天又夺去我的年寿，我死后，我的儿子们不是他的对手，我将死无葬身之地了！"于是哽咽失声，一度气绝，而后才苏醒过来。

高季昌暗中有占据荆南的意图，于是上奏说要修筑江陵的外城，扩大城的范围。

十九日丙寅，蜀国的门下侍郎、同平章事王锴被免去原职，降为兵部尚书。

梁太祖的长子郴王朱友裕早死。其次是养子博王朱友文，梁太祖特别喜爱他，常命他留守东都大梁，兼任建昌宫使。再次是郢王朱友珪，他的母亲是亳州的营伎，他担任左右控鹤都指挥使，不受宠爱。接下来是均王朱友贞，担任东都马步都指挥使。

起初，元贞张皇后严谨而多智，梁太祖既敬重她而又怕她。张皇后去世以后，梁太祖纵情于歌舞女色；他的儿子们就是在外地，他也常常征召他们的妻子入宫侍奉，梁太祖往往和她们发生淫乱。朱友文的妻子王氏面容貌美，梁太祖尤其宠爱她，虽然没有立朱友文为太子，梁太祖的心意却常常放在朱友文身上。朱友珪内心很不平。朱友珪曾经有过失，梁太祖用鞭子打他，朱友珪更加感到不安。梁太祖的病越来越严重，命令王氏把朱友文从东都大梁召回来，想要和他诀别，并且托付后事。朱友珪的妻子张氏也日夜侍奉在梁太祖身边，知道了这件事，秘密地告诉朱友珪，说："皇上把传国宝玺交给王氏带在身上前往东都大梁去了，我们不久就会没命了。"夫妻两人相拥哭泣。左右有人劝他们说："事情一急迫，办法就会产生，为什么不另做打算呢，时机不可失去啊！"

六月初一日丁丑，梁太祖命敬翔把朱友珪调出京城去当莱州刺史，立即让他赴任。已经宣布梁太祖的旨意了，但还没有颁发敕书。当时贬官的大多随后就赐死，朱友珪更加害怕。

初二日戊寅，朱友珪换上便装，在不暴露身份的情况下进入左龙虎军，会见统军韩勍，把情况告诉他。韩勍也看到功臣老将往往因为小的过失而被诛杀，害怕不能保全自己，于是与朱友珪共同谋划。韩勍派牙兵五百人跟着朱友珪混杂在侍卫亲军控鹤军的士兵中入宫，埋伏在宫内，等到半夜，斩断门闩入内，到达梁太祖的寝殿，侍候护理病人的人都逃散了。梁太祖惊起，问："谋反的人是谁？"朱友珪说："不是别人。"梁太祖说："我原本就怀疑你这个贼子，只恨没有早把你杀掉。你如此抗命作乱，天地岂能容你！"朱友珪说："老贼你该碎尸万段！"朱友珪的仆人冯廷谔刺梁太祖的腹部，刀尖从背上穿出。朱友珪自己用一条破毯子把梁太祖包起来，埋在寝殿里，对外封锁消息不公布梁太祖的死讯。又派遣供奉官丁昭溥快马赶往东都大梁，命令均王朱友贞杀死博王朱友文。

初三日己卯，朱友珪假传梁太祖诏书宣称："博王朱友文谋反，派军队冲入殿忠孝，将兵诛之，保全朕躬[403]。然疾因震惊，弥[404]致危殆[405]，宜令友珪权[406]主军国之务。”韩勍为友珪谋，多出府库金帛赐诸军及百官以取悦。

辛巳[407]，丁昭溥还，闻友文已死，乃发丧，宣遗制[408]，友珪即皇帝位。

时朝廷新有内难[409]，中外人情恟恟[410]，许州[411]军士更相告变，匡国节度使韩建皆不之省[412]，亦不为备。丙申[413]，马步都指挥使张厚作乱，杀建，友珪不敢诘[414]。甲辰[415]，以厚为陈州[416]刺史。

秋，七月丁未[417]，大赦。

【段旨】

以上为第九段，写梁太祖次子郢王朱友珪弑父自立，又矫诏杀博王朱友文。

【注释】

㉝⑦己丑：五月十一日。㉝⑧典客：官名，掌管郊庙祭祀和朝觐的赞礼事务。㉝⑨徇：示众。㉞⓪纳款：归顺；降服。㉞①诸将：谓刘威、陶雅等人。㉞②劳辱：劳苦。㉞③恤：顾及；体念。㉞④廉吏：清廉的官吏。㉞⑤政教：政治教化。㉞⑥招延：招揽聘请。㉞⑦倾家赀：拿出全部家中资财。㉞⑧好纵横之术：喜欢纵横家游说之术。㉞⑨辟：征召。㉟⓪推官：官名，唐代节度使、观察使、团练使、防御使的僚属，职掌审讯，推鞫狱讼。徐知诰为刺史，亦置此官，所职应同旧制。㉟①判官：朝廷外任大臣可自置判官，以资佐助政务。属中级官吏。㉟②参军：官名，刺史僚属中的主要官吏，职掌参谋军务。㉟③牙吏：即衙吏。㉟④彭城：郡名，治所在今江苏徐州。㉟⑤涟水：县名，县治在今江苏涟水。㉟⑥壬戌：闰五月十五日。㉟⑦三十年：自唐僖宗中和三年（公元八八三年）朱温镇宣武，为创业之始，至此时已三十一年。㉟⑧太原余孽：指晋王李存勖。余孽，残余的徒众。㉟⑨昌炽：猖獗。㊱⓪天复夺我年：老天爷又要我的命。夺年，夺去生命，为死亡的委婉语。㊱①绝：气绝。㊱②苏：苏醒。㊱③潜：暗中。㊱④荆南：方镇名，治所在今湖北江陵。㊱⑤外郭：外城。㊱⑥丙寅：闰五月十九日。㊱⑦友文：本名康勤，朱温养以为子，改名朱友文。㊱⑧建昌宫：朱温以大梁旧第为建昌宫。㊱⑨其母亳州营倡：营倡即营伎，古代军中官伎。据《旧五代史》卷十二《朱友珪传》：友珪小字遥喜，母失其姓，本亳州营伎。唐光启中，朱温夺取亳州，召而侍寝。月余，舍之而去，伎以娠告。时元贞张皇后贤而有宠，朱温素畏之，故不敢将友

中，幸赖郢王朱友珪忠孝，率军诛杀了他，保全了朕的性命。然而朕的病因为受到惊吓，更加危险了，应该让朱友珪暂时来主持军国事务。”韩勍为朱友珪出主意，多多取出府库里的金帛赐给各路军队和文武百官以博取他们的欢心。

初五日辛巳，丁昭溥从东都大梁返回，朱友珪听说朱友文已死，这才发丧，宣布先帝的遗诏，朱友珪即位当皇帝。

当时朝廷因内部新近发生不幸的事情，内外人心骚动不安。许州军士轮番报告发生变乱，匡国节度使韩建都不去了解，也不做防备。六月二十日丙申，马步都指挥使张厚作乱，杀死韩建，朱友珪也不敢追查。二十八日甲辰，任命张厚为陈州刺史。

秋，七月初二日丁未，大赦天下。

珪母子携归大梁，而留亳州。及期，伎以生男相告，朱温喜，故取名“遥喜”。⑰元贞：张氏初封魏国夫人，唐哀帝天祐元年（公元九〇四年）以疾卒。朱温即位，追册为贤妃。末帝立，追谥元贞皇太后。㊱殂：死。㊲征：征召。㊳乱：淫乱。㊴属：专注。㊵挞：用鞭棍等打人。㊶东都：梁以大梁为东都，朱友文为东都留守。㊷诀：永别。㊸大家：宫中近臣和后妃对皇帝的称呼。㊹怀：用如动词。怀揣。㊺丁丑朔：六月初一日。㊻敬翔：时为宣政使。㊼莱州：州名，治所在今山东烟台。㊽之官：去赴任。㊾行敕：正式颁发诏书。敬翔辅佐朱晃多年，军国大事无不参与。现朱晃于弥留之际出朱友珪于外，如果敬翔能妥善处理这件事，不至于酿成大祸。㊿左迁：贬官。(386)戊寅：六月初二日。(387)易服微行：换便衣出行，不使人知道身份。(388)左龙虎军：禁卫军之一。(389)杂：夹杂；混杂。(390)控鹤：梁以侍卫亲军为控鹤军。(391)禁中：宫中。(392)中夜：半夜。(393)斩关：斩断门闩。(394)侍疾者：侍奉朱晃疾病的人。(395)悖逆：犯上作乱。(396)万段：碎尸万段。(397)败毡：破毯子。(398)瘗：埋。(399)秘不发丧：保守秘密，不将死讯公之于众。(400)己卯：六月初三日。(401)矫诏：诈称朱晃之诏书。(402)谋逆：谋反。(403)朕躬：皇帝自称。(404)弥：更加。(405)危殆：危险。(406)权：代理。(407)辛巳：六月初五日。(408)宣遗制：宣布朱晃的遗诏。(409)内难：指朱晃之死。(410)恟恟：纷乱不安。(411)许州：州名，治所在今河南许昌。(412)省：明白。(413)丙申：六月二十日。(414)诘：责问。(415)甲辰：六月二十八日。(416)陈州：州名，治所在今河南周口市淮阳区。(417)丁未：七月初二日。

【校记】

［12］无宠：原无此二字。据章钰校，十二行本、乙十一行本、孔天胤本皆有此二字，张敦仁《通鉴刊本识误》同，今据补。

【原文】

天雄[418]节度使罗周翰[419]幼弱，军府事皆决于牙内都指挥使潘晏。北面都招讨使、宣义[420]节度使杨师厚军于魏州，久欲图之，惮太祖威严，不敢发。至是，师厚馆于铜台驿[421]，潘晏入谒，执而杀之，引兵入牙城，据位视事[422]。壬子[423]，制以师厚为天雄节度使，徙周翰为宣义节度使。

以侍卫诸军使韩勍领匡国节度使[424]。

甲寅[425]，加吴越王镠尚父[426]。

甲子[427]，以均王友贞为开封尹、东都留守。

蜀太子元坦更名元膺[428]。

丙寅[429]，废建昌宫使，以河南尹张宗奭为国计使[430]，凡天下金谷旧隶建昌宫者悉主之。

八月，龙骧军三千人戍怀州[431]者，溃乱东走，所过剽掠。戊子[432]，遣东京马步军都指挥使霍彦威[433]、左耀武指挥使杜晏球[434]讨之，庚寅[435]，击破乱军。执其都将刘重遇于鄢陵[436]。甲午[437]，斩之。

郢王友珪既篡立，诸宿将多愤怒，虽曲[438]加恩礼，终不悦。告哀使[439]至河中，护国[440]节度使冀王朱友谦泣曰："先帝数十年开创基业，前日变起宫掖[441]，声闻甚恶，吾备位[442]藩镇，心窃耻[443]之。"友珪加友谦侍中、中书令，以诏书自辨[444]，且征[445]之。友谦谓使者曰："所立者为谁？先帝晏驾[446]不以理[447]，吾且至洛阳问罪，何以征为！"戊戌[448]，以侍卫诸军使韩勍为西面行营招讨使，督诸军讨之[449]。友谦以河中附于晋以求救。九月丁未[450]，以感化节度使康怀贞为河中都招讨使，更以韩勍副之。

友珪以兵部尚书、知崇政院事敬翔，太祖腹心，恐其不利于己，欲解其内职[451]，恐失人望。庚午[452]，以翔为中书侍郎、同平章事。壬申[453]，以户部尚书李振充崇政院使。翔多称疾不预事[454]。

康怀贞等与忠武节度使牛存节合兵五万屯河中城西，攻之甚急。晋王遣其将李存审、李嗣肱、李嗣恩[455]将兵救之，败梁兵于胡壁[456]。嗣恩，本骆氏子也。

吴武忠王[457]之疾病也，周隐[458]请召刘威，威由[13]是为帅府[459]所

【语译】

天雄节度使罗周翰年幼懦弱，军府事务都由牙内都指挥使潘晏决定。北面都招讨使、宣义节度使杨师厚率军驻扎在魏州，很久以来一直想要谋取天雄，只是忌惮害怕梁太祖的威严，不敢动手。到此时，杨师厚在铜台驿暂住，潘晏进去谒见，杨师厚把他抓起来杀了，领兵进入牙城，占了天雄节度使的职位主持事务。七月初七日壬子，下制书任命杨师厚为天雄节度使，调任罗周翰为宣义节度使。

任命侍卫诸军使韩勍兼领匡国节度使。

初九日甲寅，加封吴越王钱镠为尚父。

十九日甲子，任命均王朱友贞为开封尹、东都留守。

蜀国太子王元坦改名为元膺。

二十一日丙寅，废除建昌宫使，任命河南尹张宗奭为国计使，凡是天下金银钱谷过去归建昌宫管理的都由张宗奭掌管。

八月，戍守怀州的龙骧军三千人，溃散作乱后向东流窜，沿途抢劫掠夺。十三日戊子，派遣东京马步军都指挥使霍彦威、左耀武指挥使杜晏球讨伐他们。十五日庚寅，霍彦威等打败了乱军，在鄢陵抓获他们的都将刘重遇。十九日甲午，将刘重遇斩首。

郢王朱友珪篡位当了皇帝后，各老将大多内心愤怒；虽然朱友珪极力给他们施以恩赏礼遇，但他们始终不高兴。告哀使到了河中，护国节度使冀王朱友谦哭着说："先帝几十年间开创了这个基业，前些日子宫中发生变乱，名声很坏，我位居藩镇虽说只是充数，内心也暗自感到耻辱。"朱友珪加封朱友谦为侍中、中书令，用诏书替自己辩解，并且征召他入朝。朱友谦对使者说："继位的人是谁？先帝去世很多事情不合常理，我正准备到洛阳去问罪，要他征召干什么！"八月二十三日戊戌，朱友珪任命侍卫诸军使韩勍为西面行营招讨使，监督指挥各路军队去讨伐朱友谦。朱友谦把河中归附于晋向晋王李存勖求救。九月初三日丁未，朱友珪任命感化节度使康怀贞为河中都招讨使，改命韩勍为他的副手。

朱友珪因兵部尚书、知崇政院事敬翔是太祖的心腹，害怕他对自己不利，想要解除他知崇政院事的职务，又怕因此引起众人失望。九月二十六日庚午，任命敬翔为中书侍郎、同平章事。二十八日壬申，任命户部尚书李振充任崇政院使。敬翔便常常称病而不再参与政事。

康怀贞等与忠武节度使牛存节合兵五万人屯驻在河中城西，攻城很猛。晋王李存勖派他的部将李存审、李嗣肱、李嗣恩率军解救朱友谦，在胡壁镇打败了梁军。李嗣恩原本是吐谷浑部骆氏的儿子。

在吴武忠王杨行密病势加重的时候，周隐请求召回刘威，刘威由此受到广陵帅

忌。或谮之于徐温，温将讨之。威幕客黄讷说威曰："公受谤虽深，反本无状[460]，若轻舟入觐[461]，则嫌疑皆亡[462]矣。"威从之。陶雅闻李遇败，亦惧，与威偕诣广陵，温待之甚恭，如事武忠王[463]之礼，优加官爵，雅等悦服，由是人皆重温。讷，苏州人也。温与威、雅帅将吏请于李俨[464]，承制加嗣吴王隆演太师、吴王，以温领镇海节度使、同平章事，淮南行军司马如故，温遣威、雅还镇[465]。

【段旨】

以上为第十段，写后梁冀王朱友谦附晋。淮南与楚、荆南相攻。

【注释】

⑱天雄：方镇名，治所魏州，在今河北大名。⑲罗周翰（公元八九八至九一二年）：罗绍威次子，袭父位为天雄节度使，为杨师厚所逐，徙为宣义军节度使。传见《旧五代史》卷十四、《新五代史》卷三十九《罗绍威传》。⑳宣义：方镇名，治所滑州，在今河南滑县东。㉑铜台驿：驿站名，因铜雀台而得名。㉒视事：办理公务。㉓壬子：七月初七日。㉔领匡国节度使：韩建为张厚所杀，韩勍因与朱友珪同谋弑朱晃有功，领节。㉕甲寅：七月初九日。㉖尚父：皇帝尊礼大臣所加的尊号。㉗甲子：七月十九日。㉘元膺：初名宗懿，更名元坦，见本书卷二百六十七开平四年（公元九一〇年）。据《新五代史》卷六十三《王建世家》，蜀主王建于什仿县得铜牌子，有文二十余字，王建以为符谶，取之以名诸子，故元坦又更名为元膺。㉙丙寅：七月二十一日。㉚国计使：官名，掌天下金、谷。朱晃即位后，以博王友文领建昌宫使，专领金、谷。现朱友珪既杀友文，故废建昌宫使而置国计使。㉛怀州：州名，治所在今河南沁阳。怀州是防止晋人南下，屏卫洛阳的门户。㉜戊子：八月十三日。㉝霍彦威（？至公元九二八年）：字子重，洺州曲周（今河北曲周东北）人，梁将霍存养子。以功拜邠宁节度使。后唐庄宗灭梁，赐姓名李绍真，为武宁节度使。庄宗崩，从明宗入洛阳，首率群臣劝进，徙镇平卢。传见《旧五代史》卷六十四、《新五代史》卷四十六。㉞杜晏球（公元八六七至九二九年）：字莹之，洛阳人，原姓王，少为汴州富人杜氏养以为子，遂改姓杜。朱全忠镇宣武时，为厅子都指挥使。朱友珪立，以功迁龙骧第一指挥使。末帝即位，拜澶州刺史。后降唐，庄宗赐名李绍虔，拜齐州防御使。明宗时拜归德军节度使、天平军节度使。传见《旧五代史》卷六十四、《新五代史》卷四十六。㉟庚寅：八月十五日。㊱鄢陵：县名，县治在

府里人的忌恨。有人在徐温面前诬陷刘威，徐温准备讨伐他。刘威的幕客黄讷劝说刘威道："您受到诽谤伤害虽然很深，但说您谋反原本就没有事实依据，如果您乘坐轻便小船到广陵去晋见，那么嫌疑就都消除了。"刘威听从了他的话。陶雅听说李遇败亡，也很害怕，与刘威一起前往广陵。徐温待他们很恭敬，礼节如同侍奉武忠王杨行密一样，并且优厚地给他们封赏官职爵位。陶雅等心悦诚服，从此大家都推崇徐温。黄讷是苏州人。徐温与刘威、陶雅率领将领官吏向李俨请求，请他秉承皇帝旨意加封吴王继承人杨隆演为太师、吴王，任命徐温兼任镇海节度使、同平章事，淮南行军司马的职务如旧。徐温派刘威、陶雅各回本镇。

今河南鄢陵。㊲甲午：八月十九日。㊳曲：委曲己意。㊴告哀使：朝廷派出报丧的使者。㊵护国：方镇名，治所蒲州，在今山西永济西南。㊶宫掖：宫禁之中。掖，宫中旁舍，妃嫔居住的地方。㊷备位：谦辞，意谓聊以充数，徒占其位。㊸窃耻：心中暗自以为耻。朱友谦原本陕州牙将朱简，唐末归附朱温，赐名友谦，列于诸子，故以友珪弑逆而不能诛之为耻。㊹自辨：为自己辩解。㊺征：征召入朝。㊻晏驾：帝王卒，古人讳言，称为晏驾。㊼不以理：不合情理。㊽戊戌：八月二十三日。㊾讨之：讨伐朱友谦。㊿丁未：九月初三日。(451)内职：在朝廷内担任的官职。此指知崇政院事。(452)庚午：九月二十六日。(453)壬申：九月二十八日。(454)翔多称疾不预事：敬翔、李振皆为先朝佐命之臣。李振代敬翔为崇政院使，则与朱友珪同恶。敬翔虽故意称病不参与朝政，亦难逃罪责。不预事，不参与朝政。(455)李嗣恩（？至公元九一八年）：本姓骆，吐谷浑部人。少事李克用，为突阵指挥使，赐姓名，养为子。庄宗时为天雄军马步都指挥使、代州刺史、振武节度使。传见《旧五代史》卷五十二、《新五代史》卷三十六。(456)胡壁：镇名，在今山西万荣西南。(457)武忠王：指杨行密。(458)周隐：时为节度判官。杨行密病危，使周隐召杨渥，周隐认为杨渥非保家之王，建议召刘威。刘威时为庐州刺史。事见本书卷二百六十五昭宣帝天祐二年（公元九〇五年）。(459)帅府：指广陵帅府。(460)反本无状：本无反叛的情况。(461)觐：诸侯朝见天子。此指晋见吴王。(462)亡：通"无"。(463)如事武忠王：如事杨行密。因刘威、陶雅皆为与杨行密同时起事的将领，徐温贵而不敢忘旧。(464)李俨：昭宗天复二年（公元九〇二年）唐室所遣江淮宣谕使。(465)还镇：返回本镇。时刘威镇洪州，陶雅镇歙州。

【校记】

［13］由：原作"曰"。据章钰校，十二行本、乙十一行本、孔天胤本皆作"由"，今从改。

【原文】

辛巳[466]，蜀改剑南东川曰武德军。

朱友谦复告急于晋。冬，十月，晋王自将自泽、潞[467]而西，遇康怀贞于解县[468]，大破之，斩首千级，追至白径岭[469]而还。梁兵解围，退保陕州。友谦身自至猗氏[470]谢晋王，从者数十人，撤武备[471]，诣晋王帐，拜之为舅。晋王夜置酒张乐[472]，友谦大醉。晋王留宿帐中，友谦安寝，鼾息自如[473]。明旦复置酒而罢。

杨师厚既得魏博之众，又兼都招讨使，宿卫劲兵[474]多在麾下，诸镇兵皆得调发[475]，威势甚重，心轻郢王友珪，遇事往往专行不顾。友珪患之，发诏召之，云："有北边军机[476]，欲与卿面议。"师厚将行，其腹心皆谏曰："往必不测[477]。"师厚曰："吾知其为人，虽往，如我何！"乃帅精兵万余人，渡河趣洛阳，友珪大惧。丁亥[478]，至都门[479]，留兵于外，与十余人入见，友珪喜，甘言逊词[480]以悦之，赐与巨万。癸巳[481]，遣还。

十一月，赵将王德明将兵三万掠武城[482]，至于临清[483]，攻宗城[484]，下之。癸丑[485]，杨师厚伏兵唐店[486]，邀击，大破之，斩首五千余级。

甲寅[487]，葬神武元圣孝皇帝于宣陵[488]，庙号太祖。

吴淮南节度副使陈璋等将水军袭楚岳州。执刺史苑玫[489]。楚王殷遣水军都指挥使杨定真救岳州。璋等进攻荆南，高季昌遣其将倪可福拒之。吴恐楚人救荆南，遣抚州刺史刘信帅江、抚、袁、吉、信[490]五州兵屯吉州[491]，为璋声援。

十二月戊寅[492]，蜀行营都指挥使王宗汾攻岐文州[493]，拔之，守将李继夔走。

是岁，隰州[494]都将刘训[495]杀刺史，以州降晋，晋王以为瀛州刺史。训，永和人也。

虔州防御使李彦图卒，州人奉谭全播知州事，遣使内附[496]，诏以全播为百胜[497]防御使，虔、韶二州节度开通使[498]。

高季昌出兵，声言助梁伐晋，进攻襄州[499]，山南东道节度使孔勍[500]击败之。自是朝贡路绝[501]。勍，兖州人也。

【语译】

十月初七日辛巳，蜀国把剑南、东川改称为武德军。

朱友谦再次向晋王李存勖告急。冬，十月，晋王亲自率军从泽州、潞州西进，在解县遇到康怀贞的军队，把康怀贞打得大败，斩杀一千人，一直追到白径岭才返回。梁军解除了对河中的包围，退守陕州。朱友谦亲自到猗氏县去感谢晋王，跟随的只有几十个人，撤去武装，来到晋王的营帐，拜晋王为舅舅。晋王在晚上设置酒宴演奏音乐加以招待，朱友谦喝得大醉。晋王留他在自己的营帐中住宿，朱友谦睡得很安稳，鼾声自然如常。第二天早晨晋王又设酒宴招待后才离开。

杨师厚得到魏博的军队后，又兼任都招讨使，宫中值宿警卫的精壮士兵大多在他的手下，各镇的军队他也都能调遣发动，声威权势很盛，心里轻视郢王朱友珪，遇事往往独断专行而不把朱友珪放在眼里。朱友珪对他很担忧，发诏书召他进京，说："有关于北边的军事机要，想与卿当面商议。"杨师厚准备启程，他的心腹都劝谏说："去了一定会有意外的灾祸发生。"杨师厚说："我知道朱友珪的为人，即使去了，他能拿我怎么样!"于是率领精兵一万多人，渡过黄河直奔洛阳，朱友珪大为恐惧。十月十三日丁亥，杨师厚到达洛阳外城的都门，把部队留在城外，只带着十多个人入城进见。朱友珪很高兴，对杨师厚说了许多好听的话，用词谦恭，以讨取他的欢心，赏赐的财物上万。十九日癸巳，让他返回。

十一月，赵将王德明率军三万人抢掠武城县，直到临清县，并攻打宗城县，把它攻了下来。初九日癸丑，杨师厚在唐店设下伏兵，进行拦击，大败赵军，斩杀五千多人。

初十日甲寅，梁朝安葬神武元圣孝皇帝于宣陵，庙号太祖。

吴淮南节度副使陈璋等率领水军袭击楚的岳州，抓获岳州刺史苑玫。楚王马殷派水军都指挥使杨定真救援岳州。陈璋等进攻荆南，高季昌派其部将倪可福抵御。吴国担心楚人救援荆南，又派抚州刺史刘信率领江、抚、袁、吉、信五个州的军队屯驻在吉州，声援陈璋。

十二月初五日戊寅，蜀国的行营都指挥使王宗汾攻打岐王的文州，把它攻了下来，文州守将李继夔逃走。

这一年，隰州都将刘训杀死刺史，献出隰州投降晋王，晋王任命刘训为瀛州刺史。刘训是永和人。

虔州防御使李彦图去世，州里的人拥举谭全播掌管州中事务，派遣使者请求归附梁朝。朱友珪下诏任命谭全播为百胜防御使，虔、韶二州节度开通使。

高季昌出兵，扬言帮助梁朝讨伐晋王。进攻襄州，山南东道节度使孔勍打败了高季昌。从此高季昌到梁朝进贡的道路被切断。孔勍是兖州人。

【段旨】

以上为第十一段，写晋王李存勖亲自率军救朱友谦，大破梁军，友谦拜晋王为舅。隰州附于晋。虔州将士奉谭全播知州事。

【注释】

⑯辛巳：十月初七日。⑰泽、潞：泽州和潞州。⑱解县：县名，县治在今山西运城西南解县镇。⑲白径岭：在今山西运城东北。⑳猗氏：县名，县治在今山西临猗。㉑武备：武装戒备；警卫。㉒张乐：奏乐。㉓鼾息自如：朱友谦以此向晋王表示委心晋王，无所猜忌。㉔宿卫劲兵：精锐的警卫部队。㉕调发：调遣发动。㉖军机：军中机要之事。㉗不测：意外的事。㉘丁亥：十月十三日。㉙都门：城外郭门。㉚甘言逊词：好听的话，谦逊的言辞。㉛癸巳：十月十九日。㉜武城：县名，县治在今山东武城西，属贝州。㉝临清：县名，县治在今河北临西，属贝州。㉞宗城：县名，县治在今河北威县东，属贝州。㉟癸丑：十一月初九日。㊱唐店：镇名，在唐宗城县南。㊲甲寅：十一月初十

【原文】

均王[502]上上

乾化三年（癸酉，公元九一三年）

春，正月丁巳[503]，晋周德威拔燕顺州[504]。

癸亥[505]，郢王友珪朝享[506]太庙。甲子[507]，祀圜丘[508]，大赦，改元凤历。

吴陈璋攻荆南[509]，不克而还，荆南兵与楚兵会于江口[510]以邀之。璋知之，舟二百艘骈[511]为一列，夜过，二镇兵遽出追之，不能及。

晋周德威拔燕安远军[512]，蓟州将成行言等降于晋。

二月壬午[513]，蜀大赦。

郢王友珪既得志，遽为荒淫，内外愤怒，友珪虽啖[514]以金缯，终莫之附[515]。驸马都尉[516]赵岩[517]，犨[518]之子，太祖之婿也。左龙虎统军、侍卫亲军都指挥使袁象先，太祖之甥[519]也。岩奉使至大梁，均王友贞密与之谋诛友珪，岩曰：“此事成败，在招讨杨令公[520]耳。得其一言[521]谕禁军，吾事立办。”均王乃遣腹心马慎交之魏州说杨师厚

日。⑱宣陵：在唐河南伊阙县，县治在今河南伊川西南。⑲苑玫：梁太祖开平三年（公元九〇九年）苑玫自江西降楚，楚使之守岳州。⑳江、抚、袁、吉、信：皆州名，江州治所在今江西九江，抚州治所在今江西抚州市临川区，袁州治所在今江西宜春，吉州治所在今江西吉安，信州治所在今江西上饶。㉑屯吉州：屯兵吉州以张声势，表面上好像要进兵攻打潭、衡二地，以此来牵制楚兵。㉒戊寅：十二月初五日。㉓文州：州名，治所在今甘肃文县。㉔隰州：州名，治所在今山西隰县。㉕刘训：字遵范，隰州永和（今山西永和）人，初事李克用为马军队长，后隶河中，为隰州防御都将，归李存勖后，历瀛州刺史、襄州节度使、建雄军节度使。传见《旧五代史》卷六十一。㉖内附：指归附梁。㉗百胜：虔州原有百胜军指挥使，现以百胜为军州名。㉘开通使：官名，负责开通道路，南达交州、广州。㉙襄州：州名，治所在今湖北襄阳。高季昌时为荆南节度使。㉚孔勍（公元八四七至九二六年）：字鼎文，兖州人，初事朱全忠，渐至太守，贞明中授山南东道节度使。传见《旧五代史》卷六十四。㉛朝贡路绝：高季昌既与孔勍争战，入梁之路断绝，不复朝贡。

【语译】

均王上上

乾化三年（癸酉，公元九一三年）

春，正月十四日丁巳，晋周德威攻下了燕国的顺州。

二十日癸亥，郢王朱友珪祭祀太庙。二十一日甲子，在圜丘祭天，实行大赦，改年号为凤历。

吴国的陈璋攻打荆南，没有攻下就退了回去。荆南的军队和楚王马殷的军队在荆江口会合准备拦击。陈璋得知这一情况，把两百艘船并排连在一起，趁夜过江。荆南、楚二镇的军队急忙出来追赶，没能追上。

晋周德威攻下了燕国的安远军，蓟州将领成行言等向晋王投降。

二月初九日壬午，蜀国实行大赦。

郢王朱友珪得志以后，迅即大行荒淫之事，朝廷内外都很愤怒。朱友珪虽然用金银丝帛引诱拉拢，最终还是没有人依附于他。驸马都尉赵岩是赵犨的儿子，梁太祖朱温的女婿。左龙虎统军、侍卫亲军都指挥使袁象先，是梁太祖朱温的外甥。赵岩奉命出使到大梁，均王朱友贞秘密与他谋划诛杀朱友珪。赵岩说："这件事的成败，就在于都招讨使杨令公的态度。只要得到他一句话来晓谕禁军，我们的事立即就可以办成。"均王于是派心腹马慎交到魏州去劝说杨师厚道："郢王朱友珪杀父篡位，天

曰："郢王篡弑[522]，人望[523]属[524]在大梁[525]，公若因[526]而成之，此不世之功[527]也！"且许事成之日赐犒军钱五十万缗。师厚与将佐谋之，曰："方郢王弑逆，吾不能即讨。今君臣之分[528]已定，无故改图，可乎？"或曰："郢王亲弑君父，贼也。均王举兵复雠，义也。奉义讨贼，何君臣之有[529]！彼若一朝破贼，公将何以自处乎？"师厚惊[14]曰："吾几[530]误计。"乃遣其将王舜贤至洛阳，阴与袁象先谋，遣招讨马步都虞候谯[531]人朱汉宾[532]将兵屯滑州[533]为外应。赵岩归洛阳，亦与象先密定计。

友珪治龙骧军溃乱者[534]，搜捕其党，获者族之，经年不已[535]。时龙骧军有戍大梁者，友珪征之，均王因使人激怒其众曰："天子[536]以怀州屯兵叛，追汝辈欲尽坑[537]之。"其众皆惧，莫知所为。丙戌[538]，均王奏龙骧军疑惧，未肯前发。戊子[539]，龙骧将校见均王，泣请可生之路[540]，王曰："先帝与汝辈三十余年征战，经营王业。今先帝尚为人所弑，汝辈安所逃死乎！"因出太祖画像示之而泣曰："汝能自趣洛阳雪雠耻，则转祸为福矣。"众皆踊跃呼万岁，请兵仗[541]，王给之。

庚寅旦[542]，袁象先等帅禁兵数千人突入宫中。友珪闻变，与妻张氏及冯廷谔[543]趋北垣[544]楼下，将逾城，自度不免，令廷谔先杀妻，次[15]杀己，廷谔亦自刭。诸军[545]十余万大掠都市，百司[546]逃散，中书侍郎、同平章事杜晓、侍讲学士[547]李珽皆为乱兵所杀，门下侍郎、同平章事于兢、宣政使李振被伤。至晡[548]乃定。

象先、岩赍[549]传国宝诣大梁迎均王，王曰："大梁国家创业之地[550]，何必洛阳！"乃即帝位于大梁，复称乾化三年，追废友珪为庶人，复博王友文官爵。

丙申[551]，晋李存晖等[16]攻燕檀州[552]，刺史陈确以城降。

蜀唐道袭自兴元罢归，复为枢密使。太子元膺廷疏[553]道袭过恶，以为不应复典[554]机要，蜀主不悦。庚子[555]，以道袭为太子少保[17]。

三月甲辰朔[556]，晋周德威拔燕卢台军[557]。

丁未[558]，帝更名锽。久之，又名瑱。

庚戌[559]，加杨师厚兼中书令，赐爵邺王，赐诏不名[560]，事无巨细必咨[561]而后行。

下人的期望归于大梁的均王。您如果顺应人心助成此事，这是当世无双的功劳啊!”并且答应事成之日赏赐给他犒劳军队的钱五十万缗。杨师厚与将领佐吏商量这件事，说:“当郢王杀父篡位时，我不能立即去讨伐。如今君臣的名分已经定了，无缘无故地再改变主意，这样可以吗?”有人说:“郢王亲自杀死君王父亲，这是贼人。均王兴兵复仇，这是合乎道义的。尊奉道义去讨伐贼人，哪里还考虑什么君臣的名分！他们要是有一天打败了贼人，您将怎样安顿自己呢?”杨师厚大惊说:“我差一点谋虑失误。”于是派他的部将王舜贤到洛阳，暗中与袁象先谋划，又派招讨马步都虞候谯人朱汉宾率军屯驻在滑州作为外应。赵岩回到洛阳，也与袁象先秘密制订计策。

朱友珪惩治龙骧军中溃散作乱的人，搜捕他们的余党，抓获的人都被灭族，历时一年仍不停止。当时龙骧军有戍守大梁的，朱友珪征召他们回洛阳，均王朱友贞于是派人去激怒他们说:“天子因为屯驻怀州的龙骧军反叛，所以追捕你们想要全部坑杀掉。”龙骧军的士兵都十分恐惧，不知道应该怎么办。二月十三日丙戌，均王上奏说大梁的龙骧军士兵疑虑恐惧，不肯出发前往洛阳。十五日戊子，龙骧军的将领们进见均王，哭着请求指示一条生路。均王说:“先帝和你们征战三十多年，经营帝王事业。如今先帝尚且被人所杀，你们还能到哪里去逃避死亡呢!”于是拿出梁太祖的画像给他们看，并且流着泪说:“你们如果能自己到洛阳去为先帝报仇雪耻，就可以转祸为福了。”大家都跳跃高呼万岁，请求发给兵器，均王给了他们。

二月十七日庚寅早上，袁象先等率领禁兵几千人突然冲入宫中。朱友珪听说发生变乱，与妻子张氏及冯廷谔跑到北垣墙楼下，准备翻城墙出去。朱友珪估计自己终究不免一死，于是命令冯廷谔先杀死他妻子张氏，再杀死他，冯廷谔也自杀了。各路军队十多万人在街市上大肆抢掠，百官都逃散了，中书侍郎、同平章事杜晓，侍讲学士李珽都被乱兵所杀，门下侍郎、同平章事于兢，宣政使李振也受了伤。一直到太阳落山时才安定下来。

袁象先、赵岩带着传国宝玺前往大梁迎接均王朱友贞，均王说:“大梁是国家创业之地，何必要到洛阳去呢!”于是在大梁即皇帝位，年号重又改称乾化三年，追废朱友珪为平民，恢复博王朱友文的官职爵位。

二月二十三日丙申，晋将李存晖等攻打燕国的檀州，檀州刺史陈确献城投降。

蜀国的唐道袭从兴元罢兵回到成都，又担任枢密使的职务。太子王元膺在朝廷上历数唐道袭的过失罪恶，认为不应当让他再掌管国家的机要，蜀主王建很不高兴。二十七日庚子，任命唐道袭为太子少保。

三月初一日甲辰，晋周德威攻下了燕国的卢台军。

初四日丁未，梁帝朱友贞改名为锽。过了很久，又改名为瑱。

初七日庚戌，加封杨师厚兼任中书令，赐爵邺王，下诏书给他时不直呼他的名字以示尊重，事无巨细一定要先征求他的意见然后才施行。

帝遣使招抚朱友谦。友谦复称藩[562]，奉梁年号。

丙辰[563]，立皇弟友敬为康王。

乙丑[564]，晋将刘光濬克古北口[565]，燕居庸关[566]使胡令圭等奔晋。

戊辰[567]，以保义[568]留后戴思远为节度使，镇邢州。

【段旨】

以上为第十二段，写后梁均王朱友贞灭朱友珪，即帝位于大梁，改名锽，后又改名瑱，是为梁末帝。

【注释】

502 均王：后梁末帝。朱晃第三子，原名友贞，即位改名为锽，后又改名为瑱。开平元年（公元九〇七年）封均王。乾化三年讨兄友珪而即帝位。公元九一三至九二二年在位。传见《旧五代史》卷九、卷十和《新五代史》卷三。503 丁巳：正月十四日。504 顺州：州名，治所在今北京市顺义区。505 癸亥：正月二十日。506 朝享：宗庙之祭。507 甲子：正月二十一日。508 圜丘：古时祭天的圆形高坛。509 荆南：方镇名，治所荆州，在今湖北江陵。510 江口：荆江口，洞庭水入江处，在今湖南岳阳北。511 骈：并列。512 安远军：在蓟州（今天津市蓟州区）北。513 壬午：二月初九日。514 啖：以利诱人。515 终莫之附：意谓朱友珪虽以金帛拉拢人，但最终没有人依附于他。516 驸马都尉：官名，掌副车之马，多以宗室及外戚与诸公子孙任之。魏晋以后，帝婿例加驸马都尉称号，简称驸马。517 赵岩（？至公元九二七年）：赵犨次子，尚朱晃女长乐公主，梁末帝时为户部尚书、租庸使。传见《旧五代史》卷十四、《新五代史》卷四十二《赵犨传》。518 犨：赵犨，青州人，世为陈州牙将，后事朱全忠为忠武军节度使。519 袁象先二句：袁象先之父袁敬初，尚朱晃妹万安大长公主。520 招讨杨令公：指杨师厚。杨当时官中书令，为北面都招讨使，故称之为令公。521 得其一言：意谓只要有杨师厚的一句话。杨时握梁之重兵，勋名为众所服，所以赵岩企图得杨师厚的话号令禁军。522 篡弑：杀君父篡位。523 人望：众人所仰望。524 属：归属。525 大梁：指朱友贞。时为开封尹、东都留守。526 因：依靠；顺应。527 不世之功：非常之功；世上罕有之功。528 分：名分。529 何君臣之有：哪里还有什么君臣的名分。530 几：几乎；差一点。531 谯：县名，县治在今安徽亳州。532 朱汉宾（公元八七一至九三五年）：字绩臣，朱全忠养子。为落雁都指挥使、天威军使、安远军节度使。入唐为昭义军节度使。传见《旧五代史》卷六十四、《新五代史》卷四十五。533 滑州：州名，梁帝派使者招抚朱友谦。朱友谦重又自称藩臣，并奉行梁朝的年号。

十三日丙辰，立皇弟朱友敬为康王。

二十二日乙丑，晋将刘光濬攻克古北口，燕国的居庸关使胡令圭等人投奔晋王。

二十五日戊辰，任命保义留后戴思远为节度使，镇守邢州。

治所在今河南滑县。㉞龙骧军溃乱者：怀州龙骧军乱发生在上一年。㉟经年不已：历时一年还不停止。㊱天子：此指朱友珪。㊲坑：坑杀；活埋。㊳丙戌：二月十三日。㊴戊子：二月十五日。㊵可生之路：可以保全性命的途径。㊶兵仗：武器。㊷庚寅旦：二月十七日天亮。㊸冯廷谔：朱友珪仆夫。㊹垣：墙。㊺诸军：汴兵尚未到洛阳，禁兵已杀朱友珪，诸军至而掠都市。㊻百司：朝廷大臣、王公以下百官的总称。㊼侍讲学士：官名，侍读皇帝，讲论经史。㊽晡：申时，即下午三时至五时。㊾赍：携带。㊿创业之地：梁太祖朱晃以大梁为基地，由宣武节度使兼并诸镇。551丙申：二月二十三日。552檀州：州名，治所在今北京市密云区。553廷疏：朝会时在殿廷分条列举。554典：掌管。555庚子：二月二十七日。556甲辰朔：三月初一日。557卢台军：在今北京西南。558丁未：三月初四日。559庚戌：三月初七日。560不名：不直呼其名。表示优礼或尊重。561咨：咨询；征求意见。562称藩：自称藩臣。朱友谦上年附晋，现虽称梁藩臣，其实仍然阴附于晋。563丙辰：三月十三日。564乙丑：三月二十二日。565古北口：长城要口之一。在今北京市密云区东北。关口两旁山势陡峭，极为险要。566居庸关：长城要口之一。在今北京市昌平区西北。因控军都山隘道中枢，故又称“军都关”。567戊辰：三月二十五日。568保义：方镇名，唐昭义军原统潞、泽、邢、洺、磁五州。唐末混战，晋得潞州，仍以为昭义军。从孟方立以至于梁，皆以邢、洺、磁三州为昭义军。所以有两个昭义军，现梁改邢、洺、磁为保义军，而以原来治陕州的保义军改名为镇国军。

【校记】

［14］惊：原无此字。据章钰校，十二行本、乙十一行本、孔天胤本皆有此字，今据补。［15］次：原作“后”。据章钰校，十二行本、乙十一行本、孔天胤本皆作“次”，今从改。［16］等：原无此字。据章钰校，十二行本、乙十一行本、孔天胤本皆有此字，今据补。［17］少保：原作“太保”。据章钰校，十二行本、乙十一行本皆作“少保”，今从改。

【原文】

燕主守光命大将元行钦将骑七千，牧马于山北[569]，募山北兵以应契丹[570]。又以骑将高行珪[571]为武州[572]刺史，以为外援。晋李嗣源分兵徇[573]山后八军，皆下之。晋王以其弟存矩为新州[574]刺史使[18]总之[575]，以燕纳降军使卢文进[576]为裨将。李嗣源进攻武州，高行珪以城降。元行钦闻之，引兵攻行珪。行珪使其弟行周[577]为[19]质于晋军以求救，李嗣源引兵救之，行钦解围去。嗣源与行周追至广边军[578]，凡八战，行钦力屈而降，嗣源爱其骁勇，养以为子。嗣源进攻儒州[579]，拔之，以行珪为代州[580]刺史。行周留事嗣源，常与嗣源假子从珂[581]分将牙兵以从。从珂母魏氏，镇州人，先适[582]王氏，生从珂，嗣源从晋王克用战河北，得魏氏，以为妾，故从珂为嗣源子，及长，以勇健善战[20]知名，嗣源爱之。

吴行营招讨使李涛帅众二万出千秋岭[583]，攻吴越衣锦军[584]。吴越王镠以其子湖州刺史传瓘为北面应援都指挥使以救之，睦州[585]刺史传璙为招讨收复都指挥使，将水军攻吴东洲[586]以分其兵势。

夏，四月癸未[587]，以袁象先领镇南节度使[588]、同平章事。

晋周德威进军逼幽州南门，壬辰[589]，燕主守光遣使致书于德威以请和，语甚卑而哀。德威曰："大燕皇帝尚未郊天[590]，何雌伏[591]如是邪！予受命讨有罪者，结盟继好，非所闻也。"不答书。守光惧，复遣人祈哀[592]，德威乃以闻于晋王。

千秋岭道险狭，钱传瓘使人伐木以断吴军之后而击之，吴军大败，虏李涛及士卒三千余人以归。

己亥[593]，晋刘光濬拔燕平州[594]，执刺史张在吉。五月，光濬攻营州[595]，刺史杨靖降。

乙巳[596]，蜀主以兵部尚书王锴为中书侍郎、同平章事。

杨师厚与刘守奇将汴、滑、徐、兖、魏、博、邢、洺之兵十万大掠赵[597]境，师厚自柏乡入攻土门，趣赵州，守奇自贝州入趣冀州，所过焚掠。庚戌[598]，师厚至镇州，营于南门外，燔[599]其关城。壬子[600]，师厚自九门[601]退军下博[602]，守奇引兵与师厚会攻下博，拔之。晋将李存审、史建瑭戍赵州，兵少，赵王告急于周德威。德威遣骑将李绍衡会

【语译】

燕主刘守光命令大将元行钦率骑兵七千人，在山北牧马，招募山北的士兵以接应契丹的援军。又任命骑兵将领高行珪为武州刺史，作为外援。晋将李嗣源分出一部分兵力攻打山后的八军，全部攻了下来。晋王李存勖任命他的弟弟李存矩为新州刺史来总管山后的八军，任命燕纳降军使卢文进为副将。李嗣源进攻武州，高行珪献城投降。元行钦听到此事后，率军攻打高行珪。高行珪派他的弟弟高行周到晋军中当人质以求援。李嗣源率军救援，元行钦解除包围离开了。李嗣源与高行周一路追到广边军，总共打了八仗，元行钦力竭而降，李嗣源喜爱元行钦骁勇，收他为养子。李嗣源攻打儒州，把它攻了下来，任命高行珪为代州刺史。高行周留下侍奉李嗣源，常常与李嗣源的养子李从珂分别率领牙兵跟随李嗣源。李从珂的母亲魏氏是镇州人，先嫁给王氏，生下从珂。李嗣源跟随晋王李克用在河北作战，得到魏氏，收为妾，所以从珂成为李嗣源的儿子，长大以后，以英勇强健善于作战而知名，李嗣源很喜爱他。

吴国行营招讨使李涛率军二万人出千秋岭，攻打吴越的衣锦军。吴越王钱镠任命他的儿子湖州刺史钱传瓘为北面应援都指挥使前往救援，睦州刺史钱传璙为招讨收复都指挥使，率水军攻打吴国的东洲来分散吴军的兵力。

夏，四月十一日癸未，任命袁象先兼领镇南节度使、同平章事。

晋将周德威进军逼近幽州南门。二十日壬辰，燕主刘守光派使者送信给周德威请求讲和，言辞谦卑而哀伤。周德威说："大燕皇帝还没有来得及到南郊祭天，为什么像这样屈居人下呢！我奉命前来讨伐有罪的人，至于结盟修好，我没有听说过。"不答复他的来信。刘守光十分害怕，又派人前去哀求，周德威这才把这件事向晋王报告。

千秋岭道路险峻狭窄，钱传瓘派人砍伐树木以切断吴军的后路，然后发动攻击。吴军大败，钱传瓘俘虏了李涛和士兵三千多人返回。

二十七日己亥，晋将刘光濬攻克燕国的平州，抓获平州刺史张在吉。五月，刘光濬攻打营州，营州刺史杨靖投降。

五月初四日乙巳，蜀主王建任命兵部尚书王锴为中书侍郎、同平章事。

杨师厚与刘守奇率领汴州、滑州、徐州、兖州、魏州、博州、邢州、洺州的军队总共十万人大肆掠夺赵地。杨师厚从柏乡入攻土门，赶往赵州，刘守奇从贝州进来赶赴冀州，所过之处纵火抢掠。初九日庚戌，杨师厚到达镇州，在南门外扎营，放火烧了镇州的关城。十一日壬子，杨师厚从九门退兵到下博，刘守奇领兵与杨师厚会合进攻下博，把它攻了下来。晋将李存审、史建瑭戍守赵州，兵力少，赵王王镕向周德威告急。周德威派骑兵将领李绍衡会合赵王部将王德明一起抵御梁军。杨

赵将王德明同拒梁军。师厚、守奇自弓高[603]渡御河[604]而东，逼沧州，张万进惧，请迁于河南。师厚表徙万进镇青州，以守奇为顺化[605]节度使。

吴遣宣州副指挥使花虔将兵会广德镇遏使涡[606]信屯广德[607]，将复寇衣锦军。吴越钱传瓘就攻之。

六月壬申朔[608]，晋王遣张承业诣幽州，与周德威议军事。

丙子[609]，蜀主以道士杜光庭为金紫光禄大夫[610]、左谏议大夫，封蔡国公，进号广成先生。光庭博学善属文[611]，蜀主重之，颇与议政事。

吴越钱传瓘拔广德，虏花虔、涡信以归。

戊子[612]，以张万进为平卢节度使。

辛卯[613]，燕主守光遣使诣张承业，请以城降。承业以其无信，不许。

【段旨】

以上为第十三段，写吴越军大败淮南军于千秋岭。燕王刘守光力屈，请降于晋，不许。

【注释】

569 山北：燕山之北。570 应契丹：刘守光求救于契丹，故使元行钦招募山北兵士与契丹相呼应。571 高行珪：高思继兄之子。刘仁恭初以为牙将，守光时为武州刺史。后降晋为大同节度使。明宗入立，徙镇威胜、安远。传见《旧五代史》卷六十五、《新五代史》卷四十八《高行周传》。572 武州：州名，治所在今河北张家口市宣化区。573 徇：攻取；略地。574 新州：州名，治所在今河北涿鹿。575 总之：总领山后八军。576 卢文进：字大用，范阳人，初为刘守光骑将，降唐为寿州刺史。后杀李存矩反，奔契丹。明宗即位又归唐，为义成军节度使。后投李升，为天雄统军、宣润节度使。传见《旧五代史》卷九十七、《新五代史》卷四十八。577 行周：高行周，字尚质，妫州（今河北怀来东）人，思继之子，高怀德之父。随高行珪降晋，以功领端州刺史，后迁振武军节度使。石敬瑭时为西京留守，徙镇天雄。后汉高祖刘嵩入京师，加守中书令，徙镇天平军，封临清王。传见《旧五代史》卷一百二十三、《新五代史》卷四十八。578 广边军：即故白云城，在妫州北一百三十里。高行周兄弟原籍广边军雕窠村。579 儒州：州名，治所在今北京市延庆区。580 代州：州名，治所在今山西代县。581 从珂：唐废帝、唐末帝李从珂（公元八九二至九三六年），镇州平山（今河北平山东）人，本姓王，明宗养以为子，取名从珂。以师厚、刘守奇从弓高渡过御河东进，逼近沧州，张万进害怕了，请求迁到河南。杨师厚上表请求调张万进镇守青州，任命刘守奇为顺化节度使。

吴国派宣州副指挥使花虔率军会同广德镇遏使涡信屯驻在广德，准备再次侵犯衣锦军。吴越钱传瓘接近发动攻击。

六月初一日壬申，晋王李存勖派张承业到幽州，与周德威商议军事。

初五日丙子，蜀主王建任命道士杜光庭为金紫光禄大夫、左谏议大夫，封蔡国公，进号广成先生。杜光庭学识广博，善写文章，蜀主很看重他，常常和他商议政事。

吴越的钱传瓘攻下广德，俘虏了花虔、涡信返回。

十七日戊子，梁朝任命张万进为平卢节度使。

二十日辛卯，燕主刘守光派使者前往张承业那里，请求献城投降。张承业认为刘守光没有信用，没有答应。

战功拜河中节度使，封潞王，后为凤翔节度使。闵帝即位后，徙为河东节度使，拒命起兵，公元九三四年入洛阳，即皇帝位，改元清泰。公元九三六年，河东节度使石敬瑭反，勾结契丹引兵南下，从珂自焚。传见《旧五代史》卷四十六、《新五代史》卷七。㊿582适：嫁。583千秋岭：山名，在今浙江杭州市临安区西北，与安徽宁国相连。584衣锦军：钱镠出生地，为临安县广义乡，梁开平二年（公元九〇八年）改名衣锦乡，又名衣锦军。585睦州：州名，治所在今浙江建德东。586东洲：又名东布洲，在今江苏启东市北吕泗镇一带。本为长江口沙洲，后并入北岸。587癸未：四月十一日。588领镇南节度使：袁象先遥领镇南节度使，即所谓名号节度使。镇南，方镇名，治所洪州。时属吴。589壬辰：四月二十日。590郊天：于郊外祭祀上天。591雌伏：谓屈居人下。《后汉书》卷二十七《赵典传》引赵温之语云："大丈夫当雄飞，安能雌伏！"592祈哀：祈求；哀求。593己亥：四月二十七日。594平州：州名，治所在今河北卢龙。595营州：州名，治所在今辽宁朝阳。596乙巳：五月初四日。597掠赵：杨师厚趁燕、晋交兵，乘虚掠赵。598庚戌：五月初九日。599燔：焚烧。600壬子：五月十一日。601九门：县名，县治在今河北正定东。602下博：县名，县治在今河北深州东南。603弓高：县名，县治在今河北东光西北。604御河：即永济渠。隋炀帝大业四年（公元六〇八年）穿永济渠，引沁水南达于黄河，北通涿郡，后人谓之御河。605顺化：方镇名，乾化二年（公元九一二年）改沧州义昌军为顺化军。606涡：姓。607广德：县名，县治在今安徽广德。608壬申朔：六月初一日。609丙子：六月初五日。610金紫光禄大夫：正三品文散官。魏、晋以后，左右光禄大夫、光禄大夫皆银章青绶，其重者，诏加金章紫绶，谓之金紫光禄大夫。611属文：写作。612戊子：六月十七日。613辛卯：六月二十日。

【校记】

［18］使：原无此字。据章钰校，十二行本、孔天胤本皆有此字，张敦仁《通鉴刊本识误》同，今据补。［19］为：原无此字。据章钰校，十二行本、乙十一行本、孔天胤本皆有此字，张敦仁《通鉴刊本识误》同，今据补。［20］善战：原无此二字。据章钰校，十二行本、乙十一行本、孔天胤本皆有此二字，今据补。

【原文】

蜀太子元膺，豭喙齙齿[614]，目视不正，而警敏知书，善骑射，性狷急猜忍[615]。蜀主命杜光庭选纯静有德者使侍东宫，光庭荐儒者许寂[616]、徐简夫，太子未尝与之交言，日与乐工群小嬉戏无度，僚属莫敢谏。

秋，七月，蜀主将以七夕[617]出游。丙午[618]，太子召诸王大臣宴饮，集王宗翰、内枢密使潘峭、翰林学士承旨高阳[619]毛文锡不至，太子怒曰："集王不来，必峭与文锡离间也。"大昌军使徐瑶、常谦，素为太子所亲信，酒行，屡目少保[620]唐道袭，道袭惧而起。丁未旦[621]，太子入白蜀主曰："潘峭、毛文锡离间兄弟。"蜀主怒，命贬逐峭、文锡，以前武泰节度使兼侍中潘炕为内枢密使。

太子出，道袭入，蜀主以其事告之，道袭曰："太子谋作乱，欲召诸将、诸王，以兵锢[622]之，然后举事耳。"蜀主疑焉，遂不出[623]。道袭请召屯营兵[624]入宿卫，许之。内外戒严。

太子初不为备，闻道袭召兵，乃以天武[625]甲士自卫，捕潘峭、毛文锡至，棰[626]之几死，囚诸东宫。又捕成都尹潘峤，囚诸得贤门。戊申[627]，徐瑶、常谦与怀胜军[628]使严璘等各帅所部兵奉太子攻道袭。至清风楼，道袭引屯营兵出拒战，道袭中流矢，逐至城西，斩之。杀屯营兵甚众，中外惊扰。

潘炕言于蜀主曰："太子与唐道袭争权耳，无他志也。陛下宜面谕大臣以安社稷。"蜀主乃召兼中书令王宗侃、王宗贺、前利州团练使王宗鲁等［21］，使发兵讨为乱者徐瑶、常谦等。宗侃等陈[629]于西球场门，兼侍中王宗黯自大安门梯城而入，与瑶、谦战于会同殿前，杀数十人，

【语译】

蜀国的太子王元膺，嘴如公猪，牙齿突出在嘴唇外面，目光不正，但机警敏捷，通晓诗书，擅长骑马射箭，性情急躁，多疑而残忍。蜀主王建命令杜光庭选择性情恬静、道德品行好的人去侍奉太子。杜光庭推荐了儒生许寂、徐简夫，但太子从未与他们交谈过，成天与乐工下人玩乐，毫无节制，属官没有人敢劝谏。

秋，七月，蜀主准备在七夕出游。初六日丙午，太子召集各王和大臣宴饮，集王王宗翰、内枢密使潘峭、翰林学士承旨高阳人毛文锡没有到，太子大怒，说："集王不来，一定是潘峭和毛文锡在中间挑拨离间。"大昌军使徐瑶、常谦，平素就受到太子的亲近信任，饮酒的时候，多次盯着少保唐道袭，唐道袭心里害怕而起身告退。初七日丁未早上，太子入宫禀报蜀主说："潘峭、毛文锡离间我们兄弟。"蜀主大怒，命令将潘峭、毛文锡贬官放逐出去，任命前武泰节度使兼侍中潘炕为内枢密使。

太子出宫后，唐道袭入宫进见，蜀主把这件事告诉他。唐道袭说："太子阴谋作乱，想要召集各将领和各王，派兵把他们都监禁起来，然后发动叛乱。"蜀主听了心生疑虑，七夕就不出游了。唐道袭请求召集屯营兵进入宫中值宿警卫，蜀主答应了。宫内外严密戒备。

太子起初没有什么防备，听说唐道袭召集军队，于是用天武甲士进行自卫，把潘峭、毛文锡抓来，把他们打得几乎要断气了，囚禁在东宫内。又抓捕了成都尹潘峤，囚禁在得贤门。七月初八日戊申，徐瑶、常谦与怀胜军使严璘等各率所属部队随从太子攻打唐道袭。到了清风楼，唐道袭带领屯营兵出来迎战抵御，唐道袭被乱箭射中，太子等一直追杀到城西，把他杀了，并且杀死很多屯营兵，朝廷内外惊慌骚乱。

潘炕向蜀主王建进言说："太子是与唐道袭争权而已，没有其他的心思。陛下应该当面晓谕大臣以安定社稷。"蜀主于是召兼中书令王宗侃、王宗贺、前利州团练使王宗鲁等人，命他们发兵讨伐作乱的徐瑶、常谦等人。王宗侃等在西球场门列阵。兼侍中王宗黯从大安门搭梯翻过城墙进入宫中，与徐瑶、常谦在会同殿前交战，杀

余众皆溃[22]。瑶死，谦与太子奔龙跃池⑩，匿于舰中，及暮稍定[23]。己酉⑪旦[24]，太子出就舟人丐⑫[25]食，舟人以告蜀主，遣[26]集王宗翰往慰抚之。比至⑬，太子已为卫士所杀。蜀主疑宗翰杀之，大恸不已。左右恐事变，会张格⑭呈慰谕军民榜，读至"不行斧钺⑮之诛，将误社稷之计"，蜀主收涕曰："朕何敢以私害公！"于是下诏废太子元膺为庶人。宗翰奏诛手刃太子者，元膺左右坐诛死者数十人，贬窜者甚众。

庚戌⑯，赠唐道袭太师，谥忠壮。复以潘峭为枢密使。

【段旨】

以上为第十四段，写蜀太子王元膺日与群小嬉戏无度，与大臣唐道袭交恶，两人相攻，俱亡。

【注释】

⑭豭喙龅齿：一副公猪嘴脸。豭，公猪。喙，嘴。龅齿，露齿。⑮狷急猜忍：性情褊狭急躁，猜疑残忍。⑯许寂：（？至公元九三六年）字闲闲，少有山水之好，泛览经史。蜀主王建待以师礼，位至蜀相。蜀亡，卜居洛。传见《旧五代史》卷七十一。⑰七夕：农历七月初七夜。⑱丙午：七月初六日。⑲高阳：县名，县治在今河北高阳东。⑳少保：官名，与少师、少傅称三孤或三少。只作为荣衔，无职事。㉑丁未旦：七月初七日晨。㉒锢：禁锢。㉓不出：不以七夕出游。㉔屯营兵：驻守在军营中的部队。㉕天武：军队名。㉖棁：击；敲打。㉗戊申：七月初八日。㉘怀胜军：军队名。㉙陈：同"阵"，

【原文】

甲子⑰，晋五院军使⑱李信[27]拔莫州⑲，擒燕将毕元福。八月乙亥⑳，李信拔瀛州。

赐高季昌爵勃海王。

晋王与赵王镕会于天长㉑。

死几十人，其他人都溃散了。徐瑶战死，常谦与太子逃往龙跃池，藏身在战船中，到傍晚才稍微安定下来。初九日己酉早上，太子从藏身处出来向船夫讨食物吃，船夫把这事报告了蜀主。蜀主派集王王宗翰前往慰问安抚。等到了那里，太子已经被卫士杀死。蜀主怀疑是王宗翰杀了太子，痛哭不止。左右的官员担心发生事变，恰好这时张格把拟好的安慰晓谕军民的告示献上来，当读到“不对叛逆作乱的人实行诛杀，就要贻误国家的大事”这一句时，蜀主收住眼泪说：“朕怎么敢因私情危害公事!”于是颁下诏书把太子王元膺废为庶人。王宗翰上奏请求诛杀动手杀太子的人，王元膺左右侍从获罪被诛杀的有几十人，被降职流放的人更多。

初十日庚戌，蜀主王建追赠唐道袭为太师，谥号忠壮。重又任命潘峭为枢密使。

列阵。㉚龙跃池：即摩诃池。今湮。原在四川成都城内。隋开皇中欲伐陈，筑此池以教水战。㉛己酉：七月初九日。㉜丐：乞求。㉝比至：此谓等王宗翰到达。㉞张格：时为宰相。㉟斧钺：杀人的斧子。此指刑杀。㊱庚戌：七月初十日。

【校记】

［21］等：原无此字。据章钰校，十二行本、乙十一行本、孔天胤本皆有此字，张敦仁《通鉴刊本识误》同，今据补。［22］余众皆溃：原无此四字。据章钰校，十二行本、乙十一行本、孔天胤本皆有此四字，张敦仁《通鉴刊本识误》同，今据补。［23］及暮稍定：原无此四字。据章钰校，十二行本、乙十一行本、孔天胤本皆有此四字，张瑛《通鉴校勘记》同，今据补。［24］旦：原无此字。据章钰校，十二行本、乙十一行本、孔天胤本皆有此字，张敦仁《通鉴刊本识误》同，今据补。［25］丐：原作“匄”。据章钰校，十二行本、乙十一行本皆作“丐”，张瑛《通鉴校勘记》同，今从改。［26］遣：原作“亟遣”。据章钰校，十二行本、乙十一行本、孔天胤本皆无“亟”字，今据删。

【语译】

七月二十四日甲子，晋五院军使李信攻克莫州，擒获燕国将领毕元福。八月初六日乙亥，李信又攻克瀛州。

梁朝赐高季昌爵位为勃海王。

晋王李存勖与赵王王镕在天长镇会面。

楚宁远[642]节度使姚彦章将水军侵吴鄂州，吴以池州团练使吕师造为水陆行营应援使，未至，楚兵引去。

九月甲辰[643]，以御史大夫姚洎为中书侍郎、同平章事。

燕主守光引兵夜出，复取顺州[644]。

吴越王镠遣其子传瓘、传璙及大同节度使传瑛攻吴常州，营于潘葑[645]。徐温曰："浙人轻而怯。"帅诸将倍道[646]赴之。至无锡，黑云都将陈祐言于温曰："彼谓吾远来罢倦，未能战[28]，请以所部乘其无备击之。"乃自他道出敌后，温以大军当其前，夹攻之，吴越大败，斩获甚众。

高季昌造战舰五百艘，治城堑，缮器械，为攻守之具，招聚亡命[647]，交通吴、蜀，朝廷浸[648]不能制。

【段旨】

以上为第十五段，写梁封荆南节度使高季昌为勃海王。吴人在常州大败来犯的吴越兵。高季昌招聚亡命之徒，交通吴、蜀，梁不能制。

【注释】

[637]甲子：七月二十四日。[638]五院军使：五院军为军队名。五院谓监察、殿中、侍御史、中丞、大夫。五院子弟多顽劣之徒。《旧唐书》卷一百四十《刘辟传》载辟谋反，死前回答宪宗说："臣不敢反，五院子弟为恶，臣不能制。"疑五院军是以五院子弟为骨干的军队，五院军使领之。[639]莫州：州名，治所在今河北雄县南。[640]乙亥：八月初六日。[641]天

【原文】

冬，十月己巳朔[649]，燕主守光帅众五千夜出，将入檀州[650]。庚午[651]，周德威自涿州[652]引兵邀击，大破之。守光以百余骑逃归幽州，其将卒降者相继。

蜀潘炕屡请立太子，蜀主以雅王宗辂类己[653]，信王宗杰才敏，欲

楚宁远节度使姚彦章率水军进犯吴国的鄂州。吴国任命池州团练使吕师造为水陆行营应援使，吴援军还没有到达，楚军就退回去了。

九月初五日甲辰，梁朝任命御史大夫姚洎为中书侍郎、同平章事。

燕主刘守光率领军队在夜晚出击，又夺回了顺州。

吴越王钱镠派他的儿子钱传瓘、钱传璙及大同节度使钱传瑛攻打吴国的常州，在潘葑扎营。徐温说："浙人轻浮而且怯懦。"率领众将领兼程急行，赶去迎战。到了无锡，黑云都将陈祐对徐温说："他们以为我们远道赶来十分疲惫，不可能马上打仗。请允许我带领我的部队乘他们没有戒备去攻击他们。"于是从另外的一条路绕到了敌人后面，徐温则率领大军在前面迎敌，前后夹攻。吴越的军队大败，被杀死、俘获的吴越士兵很多。

高季昌建造战舰五百艘，修筑城墙挖掘沟堑，整治器械，作为进攻和守卫的工具，招集亡命之人，和吴国、蜀国往来沟通，梁朝渐渐不能控制高季昌了。

长：镇名，在今河北井陉西，时属镇州。㊷宁远：方镇名，治所容州，在今广西容县。开平四年（公元九一〇年）宁远节度使庞巨昭附于马殷。㊸甲辰：九月初五日。㊹顺州：州名，治所在今北京市顺义区。是年春正月，晋周德威拔燕顺州。㊺潘葑：镇名，在今江苏无锡西北。㊻倍道：兼程。㊼亡命：逃亡在外的人。㊽浸：渐渐。

【校记】

［27］李信：原无此二字。据章钰校，十二行本、乙十一行本、孔天胤本皆有此二字，张敦仁《通鉴刊本识误》同，今据补。［28］战：原作"决战"。据章钰校，十二行本、乙十一行本、孔天胤本皆无"决"字，今据删。

【语译】

冬，十月初一日己巳，燕主刘守光率领部众五千人在夜里出发，准备进入檀州。初二日庚午，周德威从涿州率军拦击，把刘守光打得大败。刘守光带领一百多名骑兵逃回幽州，他的将领、士兵向晋军投降的接连不断。

蜀国的潘炕多次请求蜀主王建册立太子。蜀主认为雅王王宗辂像自己，信王王

择一人立之。郑王宗衍[654]最幼，其母徐贤妃有宠，欲立其子，使飞龙使[655]唐文扆讽张格上表请立宗衍。格夜以表示功臣王宗侃等，诈云受密旨，众皆署名。蜀主令相者[656]视诸子，亦希旨[657]言郑王相最贵。蜀主以为众人实欲立宗衍，不得已许之，曰："宗衍幼懦，能堪[658]其任乎?"甲午[659]，立宗衍为太子。受册毕，潘炕以朝廷无事，称疾请老，蜀主不许，涕泣固请，乃许之。国有大疑[660]，常遣使就第[661]问之。

岭南节度使刘岩求婚于楚，楚王许以女妻之。

卢龙巡属[662]皆入于晋，燕主守光独守幽州城，求援于契丹。契丹以其无信，竟不救。守光屡请降于晋，晋人疑其诈，终不许。至是，守光登城谓周德威曰："俟晋王至，吾则开门泥首[663]听命。"德威使白晋王。十一月甲辰[664]，晋王以监军张承业权知军府事，自诣幽州。辛酉[665]，单骑抵城下，谓守光曰："朱温篡逆，余本欲[29]与公合河朔五镇[666]之兵兴复唐祚。公谋之不臧[667]，乃效彼狂僭[668]。镇、定二帅[669]皆俯首[670]事公，而公曾不之恤[671]，是以有今日之役。丈夫成败须决所向，公将何如?"守光曰："今日俎上肉[672]耳，惟王所裁[673]。"王悯之，与折弓矢为誓，曰："但出相见，保无他也[674]。"守光辞以他日。

先是，守光爱将李小喜多赞成守光之恶，言听计从，权倾[675]境内。至是，守光将出降，小喜止之。是夕，小喜逾城诣晋军降[30]，且言城中力竭。壬戌[676]，晋王督诸军四面攻城，克之，擒刘仁恭及其妻妾，守光帅妻子亡去。癸亥[677]，晋王入幽州。

以宁国[678]节度使王景仁为淮南西北行营招讨应接使，将兵万余侵庐、寿。

宗杰才思敏捷，想要选择一人立为太子。郑王王宗衍年龄最小，他的母亲徐贤妃受到王建宠幸，想立自己的儿子，让飞龙使唐文扆暗示张格上表奏请册立王宗衍为太子。张格在夜里把写好的奏表给功臣王宗侃等人看，欺骗他们说是接受了蜀主的密旨而写的，王宗侃等人都在奏表上署了名。蜀主让相面的人看各个儿子的面相，相面的人也迎合说郑王王宗衍的面相最尊贵。蜀主以为大家确实想要立王宗衍为太子，不得已而答应了，说："王宗衍年幼懦弱，能够胜任他的职务吗？"十月二十六日甲午，立王宗衍为太子。受册完毕，潘炕认为朝廷不会再有什么大事了，就声称自己有病，请求告老去职，蜀主不答应，潘炕流着眼泪坚决请求，蜀主这才答应了他。但国家有了重大的疑难事情，蜀主还是常常派使者到潘炕家里去征询他的意见。

岭南节度使刘岩向楚王马殷求婚，楚王马殷答应把女儿嫁给他。

卢龙所辖的州县全都落入晋王手中，燕主刘守光只据守着幽州一城，向契丹求援。契丹因为刘守光没有信用，最终也不来救援。刘守光屡次请求向晋投降，晋人怀疑他有诈，最终没有答应。到这时候，刘守光登上城楼对周德威说："等晋王到了，我就打开城门俯首听命。"周德威派使者禀报晋王。十一月初六日甲辰，晋王任命监军张承业暂时代理主持军府事务，亲自来到幽州。二十三日辛酉，晋王单骑直抵幽州城下，对刘守光说："朱温叛逆篡位，我本来想要和你会合潞、镇、定、幽、沧五镇的军队一起复兴唐朝的皇统，可是你图谋不轨，竟然效法朱温狂妄僭越。镇州王镕、定州王处直二帅都俯首侍奉你，而你从不体恤他们，所以才有了今天这一场仗。男子汉大丈夫无论成败都必须决定去向，你打算怎么办？"刘守光说："今天我不过是块砧板上的肉罢了，全凭大王处置。"晋王怜悯刘守光，与刘守光折断弓箭起誓，说："只要你出城相见，我保你无事。"刘守光推辞说改日再谈。

此前，刘守光的爱将李小喜多佐助促成刘守光的恶行，刘守光对李小喜言听计从，李小喜的权势超过燕国其他人。到这时候，刘守光准备出城投降，李小喜阻止了他。当晚，李小喜翻越城墙到晋军那里投降，并且说幽州城中的人已精疲力竭了。二十四日壬戌，晋王李存勖督率各军从四面攻城，攻下了幽州城，擒获刘仁恭和他的妻妾，刘守光带着妻子儿女逃跑了。二十五日癸亥，晋王进入幽州城。

梁朝任命宁国节度使王景仁为淮南西北行营招讨应接使，率领军队一万多人进犯庐州、寿州。

【段旨】

以上为第十六段，写晋王李存勖克幽州，擒刘仁恭，刘守光逃亡，燕亡。

【注释】

㊾己巳朔：十月初一日。㊿檀州：州名，治所在今北京市密云区。(651)庚午：十月初二日。(652)涿州：州名，治所在今河北涿州。(653)类己：很像自己。(654)宗衍（？至公元九二六年）：王建之子，本名宗衍，后去“宗”字，字化源。继承王建帝位之后，纵情声色，朝政委于宦官宋光弼等，李存勖于公元九二五年命将入蜀，衍迎降，后被杀。传见《旧五代史》卷一百三十六、《新五代史》卷六十三。(655)飞龙使：官名，掌飞龙厩，即皇宫养马之所。(656)相者：相面的人。(657)希旨：迎合在上者的意旨。(658)堪：承当。(659)甲午：十月二十六日。(660)大疑：重大的难以决策的问题。(661)就第：到府第。(662)巡属：所属州郡。(663)泥首：以泥涂首，自辱服罪。(664)甲辰：十一月初六日。(665)辛酉：十一月二十三日。(666)五镇：指潞、镇、定、幽、沧。(667)臧：善。(668)狂僭：狂妄僭越。此指刘守光称帝。(669)镇、定二帅：指镇帅王镕，定帅王处直。(670)俯首：低头。(671)恤：顾惜。刘守光于公元九一一年攻易州、定州，义武节度使王处直向晋告急，晋王遣周德威将兵三万攻燕以救之。(672)俎上肉：比喻任人宰割。俎，切肉用的砧板。(673)裁：决断；处置。(674)但出相见二句：意谓只管出来相见，保证不杀。但，只。(675)倾：超越。(676)壬戌：十一月二十四日。(677)癸亥：十一月二十五日。(678)宁国：方镇名，治所宣州，在今安徽宣城。

【校记】

［29］欲：原无此字。胡三省注云：“‘本’下当有‘欲’字。”据章钰校，十二行本、孔天胤本皆有此字，今据补。［30］降：原无此字。据章钰校，十二行本、孔天胤本皆有此字，张敦仁《通鉴刊本识误》同，今据补。

【研析】

本卷研析蜀、岐大交兵，李遇救子遭灭全族，梁太祖为子所弑三件史事。

第一，蜀、岐大交兵。蜀王王建、岐王李茂贞，陇蜀地望相接，列强争雄，势不两立。李茂贞据陇挡住了蜀王王建的出路。王建扩张，李茂贞成为首要之敌。李茂贞只守陇地，唐王室在关中，地处边陲，狭小人寡，死路一条。李茂贞自雄，兼吞巴蜀，是首选的攻击目标。蜀、岐交兵，形势必然。当朱全忠围攻凤翔之时，王建乘机夺取李茂贞山南之地。当昭宗东迁，朱全忠篡唐之志明朗，一是列镇受唐昭宗诏令勤王，二是列镇要自保，适应形势，蜀、岐为唇齿之邦，不宜自相攻伐。李茂贞释嫌与王建交好，结为婚姻，一致共讨朱全忠。李茂贞在前沿，王建为之后援，供给岐兵衣粮器械。不久，朱全忠篡唐，忙于内务，随即受到晋王李存勖进攻，梁朝减轻了西向的压力，蜀、岐蜜月结束，双方爆发了更大的争斗，蜀、岐大交兵。李茂贞向王建索取山南之地，无异于虎口夺食，甚至是与虎谋皮，这是最不理智的妄动。李茂贞兴兵强夺，王建亲率大军与之争。岐兵弱小，本就不是蜀兵对手，先胜而后大败，被迫和解，李茂贞势力进一步衰落。

第二，李遇救子遭灭全族。李遇，淮南宣州观察使，杨行密旧将，位在牙将徐温之上。杨行密旧将镇南使刘威，歙州观察使陶雅，常州刺史李简，位亦在徐温之上。杨行密死，徐温秉政，历杨渥、杨隆演，贵重日隆，甚至操废立大权，四人心内不平，李遇尤甚，散布言论说："徐温是什么人，我们这些旧人连徐温的面都没有见过，他凭什么主持政务。"徐温派馆驿使徐玠出使吴越，路过宣州，劝李遇入淮南面见新主杨隆演。李遇已经答应了，徐玠多说了一句："公不入见新主，落下话柄，说你造反。"李遇大怒说："你凭什么说我李遇造反，杀侍中的人反而不是造反的人!"侍中，指杨渥，杀侍中的人指徐温。李遇直斥徐温是造反者，徐温大怒，委派淮南节度副使王檀为宣州制置使，宣布李遇不入见新主之罪，令柴再用率升、润、池、歙诸州之兵送王檀到宣州赴任，李遇反叛，起兵相拒。柴再用围攻宣州一月有余，没能取胜。李遇的小儿子为淮南牙将，李遇最疼爱。徐温执送李遇少子到宣州城下啼号求生，李遇为了救子，不战而降，徐温族灭李遇一门。

李遇才薄，不服徐温当政，取死之道。既然反叛，宜举义旗声讨徐温弑主之罪，传檄诸州共同清君之侧，或有侥幸，即使败亡，也留得英名。争天下者不顾家，岂能以不战而得救子者乎？三尺童子皆知，李遇不知，可见其无能为也。李遇救子出降，父子俱死。李遇不出降，子死父存，激励全军一战，不失为大丈夫。李遇使性大言，轻率反叛，临事而惧，是一个无智无勇的小丑，祸害全家，虽死不足悲也!

第三，梁太祖为子所弑。梁太祖朱晃，晚年猜忌，多杀功臣，又纵情声色，诸子在外，令儿媳入侍，乱伦纵淫。梁太祖长子朱友裕早卒，次子博王朱友文为义子，梁太祖绝爱之，于是属意立朱友文为太子。郢王朱友珪亦梁太祖义子，年次朱友文。朱友珪任控鹤都指挥使，侍奉在梁太祖左右。乾化二年（公元九一二年）六月，梁太祖病重，召博王朱友文欲托付后事，郢王朱友珪妇侍侧，知其事以告朱友珪说："大家把传国玺交给王氏怀揣着到东都，我们不知哪一天就要死了。"夫妻相向哭泣。朱友珪身边的人说："事情紧急，赶快拿定主意找出路，机会不可丧失。"一句话点醒朱友珪，他赶紧去联络那些被梁太祖诛杀的功臣子弟，又召来亲信左龙虎军统军韩勍，告以实情，趁朱友文还在东都，立即发动政变。韩勍率领五百名牙兵，在朱友珪及其亲兵控鹤士的带领下埋伏在宫中。到了夜半，伏兵齐出，杀死守门卫士，朱友珪带头冲入梁太祖寝殿，守卫的人全都逃走。梁太祖惊惧起身，问："是谁造反？"朱友珪应声回答说："不是别人，是我朱友珪。"梁太祖说："我本来就怀疑你，恨早没有杀你，你犯上作乱，天地不容。"朱友珪反唇相讥说："天地不容的是老贼，应该碎尸万段。"随着朱友珪的骂声，朱友珪仆人冯廷谔狠狠一刀从梁太祖腹部刺入，刀尖穿透到背部。朱友珪用破毡包裹梁太祖，就地掩埋在寝殿内，秘不发丧。朱友珪矫诏杀了朱友文，这才发丧，宣布遗诏，朱友珪继承帝位。

朱友珪之母，原本是军伎，友珪受到的是不良教育，更以凶残荒淫的朱晃为榜样，所以用残忍的手段弑父弑君。朱友珪非法夺取帝位，毫不珍惜，即位伊始不为一善政，效其父荒淫好杀，内外愤怒，不久就被均王朱友贞诛杀。

梁太祖病重之时，曾对左右亲近说:“我经营天下三十多年，想不到太原贼势更加猖獗，我看李存勖小儿志向不小，老天又要夺我的命，我死，儿子们没有一个是李存勖的对手，我死无葬身之地啊!”梁太祖万万没有想到，死无葬身之地，遭的是儿子的毒手。

乱唐天下的安禄山、史思明，夺唐天下的朱晃，都死于儿子之手。这帮凶残的人渣，无道无义，天地不容，人神共愤，悲惨下场，天理最当。

卷第二百六十九　后梁纪四

起昭阳作噩（癸酉，公元九一三年）十二月，尽强圉赤奋若（丁丑，公元九一七年）六月，凡三年有奇。

【题解】

本卷记事起于公元九一三年十二月，迄于公元九一七年六月，凡三年又七个月，当后梁末帝乾化三年十二月至末帝贞明三年六月。后梁势衰，南与吴交战不胜，岭南刘岩绝贡，宫廷政变未遂削弱梁室政治力。晋王李存勖破幽州，杀燕主刘守光父子，势力大增，全力攻梁。恰在此时，梁末帝趁天雄节度使杨师厚之死欲削弱魏博大镇，一分为二，魏博反叛投晋，晋王亲临魏州受降与梁名将刘鄩对峙。当时，势均力敌。后梁末帝听小人蛊惑，遥控前线军事，多次督促刘鄩出战。刘鄩坚守以疲晋师的策略遭受干扰，在不利的形势下屡战屡败，刘鄩一败于偷袭晋阳，再败于莘县，三败于魏州城下，全军覆没，后梁河北之地尽失，国势动摇。蜀主王建趁晋梁交兵，大举进攻岐王，岐国土地大部丧失。王建又大败高季昌及南诏之军，前蜀国势力达于鼎盛。南方吴越与闽通婚交好。北方契丹兴起，助梁攻晋，兵围幽州。吴徐知诰无意得镇润州，为南唐建立张本。

【原文】

均王①上[1]

乾化三年（癸酉，公元九一三年）

十二月，吴镇海②节度使徐温③、平卢④节度使朱瑾⑤帅诸将拒之，遇于赵步⑥。吴征兵未集⑦，温以四千余人与景仁⑧战，不胜而却⑨。景仁引兵乘之⑩，将及于隘⑪，吴吏士皆失色⑫，左骁卫大将军⑬宛丘陈绍⑭援枪⑮大呼曰："诱敌太深，可以进矣！"跃马还斗，众随之，梁兵乃退。温拊⑯其背曰："非子之智勇，吾几困矣。"赐之金帛，绍悉以分麾下⑰。吴兵既集，复战于霍丘⑱，梁兵大败。王景仁以数骑殿⑲，吴人不敢逼⑳。梁之渡淮而南也，表其可涉之津㉑。霍丘守将朱景㉒浮表于木㉓，徙置深渊。及梁兵败还，望表而涉，溺死者大半，吴人聚梁尸为京观㉔于霍丘。

庚午㉕，晋王㉖以周德威㉗为卢龙㉘节度使兼侍中，以李嗣本㉙为

【语译】

均王上

乾化三年（癸酉，公元九一三年）

十二月，吴国镇海节度使徐温、平卢节度使朱瑾率众将迎战王景仁，两军在赵步相遇。吴国征召的军队还没有集结，徐温率四千多人与王景仁交战，没能取胜，军队撤退。王景仁率兵追击，快追到隘口时，吴国的官兵们因恐惧而脸色都变了，这时左骁卫大将军宛丘人陈绍挺枪大叫说："我们把敌人引诱得很深入了，可以反击了！"说完，跃马冲回去继续战斗，众人也都跟着他往回冲，梁兵这才往后退去。事后，徐温拍着陈绍的背说："如果不是你有智有勇，我们几乎被困住了。"徐温赐给他很多金帛，陈绍把这些赏赐全都拿出来分给部下。吴国的军队集结完毕后，又与王景仁部在霍丘交战，梁兵大败。王景仁率数骑殿后，吴军不敢逼得太近。梁军渡过淮河南下的时候，在可以涉水而过的浅水区设立了标记。吴国霍丘守将朱景把这些标记下面用木头相接，移置深水处。等到梁兵败退回来时，看到标记就涉水而过，结果淹死了一大半，吴国人把梁军的尸体聚拢在一起封土，在霍丘做了一座炫耀战功的大冢。

十二月初三日庚午，晋王任命周德威为卢龙节度使兼侍中，任命李嗣本为振武

振武[30]节度使。

燕主守光[31]将奔沧州就刘守奇，涉寒[32]足肿，且迷失道，至燕乐[33]之境，昼匿坑谷，数日不食，令妻祝氏乞食于田父张师造家。师造怪妇人异状，诘知守光处，并其三子[34]擒之。癸酉[35]，晋王方宴，将吏擒守光适至，王语之曰："主人何避客之深邪!"并仁恭置之馆舍，以器服膳饮赐之。王命掌书记[36]王缄[37]草露布[38]，缄不知故事，书之于布，遣人曳之。

晋王欲自云、代[39]归，赵王镕[40]及王处直[41]请由中山、真定趣井陉[42]，王从之。庚辰[43]，晋王发幽州，刘仁恭父子皆荷校[44]于露布之下。守光父母唾[45]其面而骂之曰："逆贼，破我家至此!"守光俯首[46]而已。甲申[47]，至定州[48]，舍[49]于关城。丙戌[50]，晋王与王处直谒北岳庙[51]。是日，至行唐[52]，赵王镕迎谒[53]于路。

【段旨】

以上为第一段，写淮南吴国大败梁兵，晋王李存勖破幽州，俘获燕主刘守光及其父而归。

【注释】

①均王：后梁末帝朱友贞（公元八八八至九二三年），朱温第四子。本为第三子，并朱温养子友文而数，则为第四子。开平元年（公元九〇七年）五月封均王。乾化三年（公元九一三年）二月十七日，在杨师友支持下杀朱友珪即帝位。初名友贞，即位后更名锽，贞明中又改名瑱。公元九一三至九二三年在位。事见《旧五代史》卷八、《新五代史》卷三。②镇海：方镇名，唐德宗建中二年（公元七八一年）赐号镇海军节度。治所润州，在今江苏镇江市。③徐温（公元八六七至九二七年）：字敦美，海州朐山（今江苏连云港市西南海州区）人，吴国丞相，久专朝政，能尊贤御将，保境安民。传见《十国春秋》卷十三。④平卢：方镇名，唐开元七年（公元七一九年）始置。治所营州，在今辽宁朝阳。朱瑾系遥领。⑤朱瑾（公元八六七至九一八年）：宋州下邑（今河南夏邑）人，官至吴行营副都统，名重江、淮，诛徐知训后自刎。传见《十国春秋》卷八。⑥赵

节度使。

燕主刘守光准备逃奔到沧州去依靠刘守奇，因涉水受寒，脚都冻肿了，又迷了路，到了燕乐县境内，白天藏匿在土坑或山谷中，几天没吃饭，便叫他的妻子祝氏到一个名叫张师造的农夫家去讨饭。张师造看到这个女人的样子不像是个讨饭人，感到奇怪，追问之下，知道了刘守光藏身的地方，于是就把他和三个儿子一并活捉。初六日癸酉，晋王正在宴客，这时将吏们恰好把刘守光押到，晋王对刘守光说："主人回避客人为什么藏得这样深呀！"把他和刘仁恭一起安置在馆舍里，并赐给他们器物、衣服、饮食。晋王命令掌书记王缄草拟告捷露布，王缄不知露布的掌故，竟然把它写在布上，然后再让人拉着。

晋王准备从云州、代州回晋阳去，赵王王镕和王处直都请求从中山、真定等地去往井陉，晋王答应了。十三日庚辰，晋王一行从幽州出发，刘仁恭父子都戴着刑具站在露布之下。刘守光的父母把口水吐到刘守光脸上并骂他说："逆贼，你把我家败坏到这种地步！"刘守光只是低着头。十七日甲申，到达定州，住在关城。十九日丙戌，晋王和王处直一起去拜谒北岳庙。当天，到达行唐县，赵王王镕在路上迎候拜见。

步：地名，在今安徽凤台东北淮河北岸，南直紫金山。⑦征兵未集：征召的军队没有集结。⑧景仁：王景仁（？至公元九一三年），本名茂章，避后梁王曾祖茂琳讳改今名，庐州合肥（今安徽合肥）人，骁勇强悍，官淮南招讨使。传见《旧五代史》卷二十三、《新五代史》卷二十三。⑨却：后退。⑩乘之：追逐他。⑪隘：险狭之处。⑫失色：变了脸色。指军士惊慌失措，面带恐惧之色。⑬左骁卫大将军：吴禁卫军统领官，分左、右，位在左、右卫上将军之下。⑭陈绍：宛丘（今河南周口市淮阳区）人，骁勇善战，勇而多谋，官至吴左骁卫大将军。传见《十国春秋》卷九。⑮援枪：举枪；挺枪。⑯拊：拍。⑰绍悉以分麾下：陈绍把赏金全部分给部下。麾下，帅旗之下，即部众、部下。⑱霍丘：县名，县治在今安徽霍邱。⑲殿：走在最后面。⑳逼：追击；追逼。㉑表其可涉之津：在可以涉水而过的浅水区设立标志。表，设立辨路的标志。㉒朱景：霍山土豪，吴用以为将，守霍丘。传见《九国志》。㉓浮表于木：将王景仁所立的渡河标志，其下接以木，移到深水区以误之。㉔京观：积尸封土其上，筑为高丘。以此炫耀战功。㉕庚午：十二月初三日。㉖晋王：指李存勖，公元九〇八年嗣晋王位。㉗周德威（？至公元九一八年）：字镇远，小字阳五，亦作杨五，朔州马邑（今山西朔州）人，初从李克用，积功至幽州、卢龙等军节度使。公元九一八年十二月二十四日与后梁军激战中阵亡。传见《旧五代史》卷五十六、《新五代史》卷二十四。㉘卢龙：方镇名，唐开元元年（公元七一三

年）置，治所幽州，在今北京西南。㉙李嗣本（？至公元九一六年）：本姓张，雁门（今山西代县）人，幼从李克用，赐名李嗣本，为养子。积功至振武节度使。公元九一六年六月，契丹攻蔚州，战殁。传见《旧五代史》卷五十二、《新五代史》卷三十六。㉚振武：方镇名，唐乾元元年（公元七五八年）始置，治所镇北大都护府，在今内蒙古和林格尔西北。㉛守光：即刘守光（？至公元九一四年），深州乐寿（今河北献县西南）人，囚父杀兄，割据幽州藩镇。传见《旧五代史》卷一百三十五、《新五代史》卷三十九。㉜涉寒：渡水受寒。㉝燕乐：县名，县治在今北京市密云北七十里。㉞三子：指刘守光子继珣、继方、继祚。㉟癸酉：十二月初六日。㊱掌书记：节度使属官，协助节度使处理政务。㊲王缄（？至公元九一八年）：原为刘仁恭故吏，为李克用留用。胡柳之战，殁于乱兵。传见《旧五代史》卷六十。㊳露布：也称露板。魏晋以来将报捷文书挂在竿上，公开张布，使天下皆知。并不是写在布上令人拖着走。㊴云、代：皆州名。云州，治所在今山西大同。代州，治所在今山西代县。㊵赵王镕（？至公元九二一年）：世袭镇州

【原文】

四年（甲戌，公元九一四年）

春，正月戊戌朔㊹，赵王镕诣㊺晋王行帐上寿㊻置酒。镕愿识刘太师㊼面，晋王命吏脱刘[2]仁恭及守光械㊽，引㊾就席同宴。镕答其拜，又以衣服鞍马酒馔赠之。己亥㊿，晋王与镕畋(61)于行唐之西，镕送至[3]境上而别。

丙子(62)，蜀主(63)命太子(64)判六军(65)，开崇勋府(66)，置僚属，后更谓之天策府。

壬子(67)，晋王以练(68)刘仁恭父子，凯歌入于晋阳(69)。丙辰(70)，献于太庙，自临斩(71)刘守光。守光呼曰："守光死不恨，然教守光不降者，李小喜(72)也！"王召小喜证之，小喜瞋目叱守光曰："汝内乱禽兽行，亦我教邪！"王怒其无礼，先斩之。守光曰："守光善骑射，王欲成霸业，何不留之使自效？"其二妻李氏、祝氏让(73)之曰："皇帝，事已如此，生亦何益！妾请先死[4]。"即伸颈就戮。守光至死号泣哀祈不已。王命节度副使卢汝弼(74)等械仁恭至代州，刺其心血以祭先王墓(75)，然后斩之。

节度使。其先没诺干，本回鹘人，为镇州王武俊骑将，武俊养以为子，遂冒姓王氏。传见《旧唐书》卷一百四十二、《新唐书》卷二百十一、《旧五代史》卷五十四、《新五代史》卷三十九。㊶王处直：字允明，京兆万年县（今陕西西安市长安区）人，义武军节度使。传见《旧唐书》卷一百八十二、《新唐书》卷一百八十六、《旧五代史》卷五十四、《新五代史》卷三十九。㊷井陉：县名，县治在今河北井陉。㊸庚辰：十二月十三日。㊹荷校：戴着刑具。校，木绞。㊺唾：吐出唾液。㊻俯首：低着头。㊼甲申：十二月十七日。㊽定州：州名，治所卢奴，在今河北定州。㊾舍：住宿。㊿丙戌：十二月十九日。51北岳庙：在河北恒山的大茂山。恒山古称北岳。52行唐：县名，县治在今河北西部行唐。53谒：拜见；晋见。

【校记】

［1］均王上："上"字下原有一"下"字，显为误衍，今删去。

【语译】

四年（甲戌，公元九一四年）

春，正月初一日戊戌，赵王王镕到晋王的营帐中摆设酒宴，向晋王敬酒祝颂长寿。王镕希望见一下刘仁恭太师，晋王令官员卸下刘仁恭和刘守光的枷锁，带他们到席上一起宴饮；王镕对他们的下拜答了礼，又把衣服、鞍马、酒食等赠送给他们。初二日己亥，晋王和王镕在行唐县西边打猎，王镕把晋王一直送到边境上才告别。

丙子日，蜀主王建命令太子兼掌六军，开设崇勋府，设置属官，后来又改称为天策府。

正月十五日壬子，晋王用绳索捆绑牵着刘仁恭父子，高奏凯歌进入晋阳城。十九日丙辰，到太庙祭祖告捷，并亲自到刑场监斩刘守光。刘守光大叫说："我刘守光死了没有什么遗憾，但是教唆我不要投降的，是李小喜！"晋王把李小喜召来验证，李小喜瞪着眼睛呵斥刘守光说："你像禽兽一样在宫内乱来，难道也是我教的吗！"晋王见他这般无礼，十分愤怒，就先把他斩杀了。刘守光说："我擅长骑马射箭，大王想要成就霸业，何不留下我让我为你效力呢？"他的两个妻子李氏和祝氏责备他说："皇上，事情已经到了这般地步，活着又有什么益处！我们请求先行赴死。"说完，伸长了脖子等待就刑。而刘守光却一直到死都在不停地哭喊哀求。晋王命令节度副使卢汝弼等人给刘仁恭戴上枷锁押解到代州，刺取他的心血祭奠先王墓，然后把他斩杀。

或说赵王镕曰："大王所称尚书令⑯，乃梁官也。大王既与梁为仇，不当称其官。且自太宗践阼⑰已来，无敢当其名者。今晋王为盟主，勋高位卑，不若⑱以尚书令让之。"镕曰："善！"乃与王处直各遣使推晋王为尚书令，晋王三让，然后受之。始开府⑲置行台，如太宗故事⑳。

高季昌㉑以蜀夔、万、忠、涪㉒四州旧隶荆南㉓，兴兵取之。先以水军攻夔州。时镇江㉔节度使兼侍中嘉王宗寿㉕镇忠州，夔州刺史王成先㉖请甲㉗，宗寿但以白布袍给之。成先帅之逆战，季昌纵火船焚蜀浮桥，招讨副使张武㉘举铁缅㉙拒之，船不得进。会风反㉚，荆南兵焚、溺㉛死者甚众。季昌乘战舰，蒙以牛革㉜，飞石中之，折其尾，季昌易小舟而遁。荆南兵大败，俘斩五千级。成先密遣人奏宗寿不给甲之状㉝，宗寿获之，召成先，斩之。

【段旨】

以上为第二段，写晋王斩杀刘仁恭父子，高季昌兵败于蜀。

【注释】

⑭戊戌朔：正月初一日。⑮诣：前往。⑯上寿：敬酒，表示祝贺。⑰刘太师：指刘仁恭。因刘守光囚其父，请于后梁，后梁命刘仁恭以太师致仕，故称太师。⑱械：刑具。⑲引：招致。⑳己亥：正月初二日。㉑畋：打猎。㉒丙子：是月戊戌朔，无丙子。㉓蜀主：指王建。㉔太子：指王衍。㉕判六军：统率全国军队。《周礼·夏官·司马》："王六军，大国三军，次国二军，小国一军。"㉖崇勋府：《蜀梼杌》作崇贤府。㉗壬子：正月十五日。㉘练紼：用绳索捆缚牵引。练，绳索。紼，牵引。㉙晋阳：河东节度使治所，晋王李克用国都，在今山西太原。㉚丙辰：正月十九日。㉛自临斩：亲自到刑场监斩。㉜李小喜：本晋之小校，先奔于燕，刘守光以为爱将。城围将陷，小喜劝守光不降，而自己则于当晚叛降于晋军。㉝让：责备。㉞卢汝弼：字子谐，范阳（今河北定兴）人，唐昭宗朝进士，任祠部郎中，知制诰。入晋仍掌制诰，死后赠兵部尚书。传见《旧唐书》卷一百六十三、《新唐书》卷一百七十七、《旧五代史》卷六十、《新五代史》卷二十八。㉟刺其心血以祭先王墓：因刘仁恭叛李克用，故刺其心血以祭之。先

有人向赵王王镕建议说："大王的官职称为尚书令，这是梁朝的官名。大王既然与梁朝成为仇敌，就不应该再称它的官名。况且自唐朝太宗登基以来，没有再敢用这个官名的人。现在晋王成为盟主，功勋很高而职位却低，不如把尚书令让给他。"王镕说："很好！"于是与王处直分别派遣使者推举晋王为尚书令，晋王再三推辞，然后才接受。于是开始按照唐太宗的旧例，建府署设立行台。

高季昌认为蜀国的夔州、万州、忠州、涪州四个州从前隶属于荆南，于是出动军队想要攻取这四处。他先用水军进攻夔州。当时蜀国的镇江节度使兼侍中嘉王王宗寿镇守忠州，夔州刺史王成先向他请求调拨些盔甲，王宗寿却只把一些白布袍给了他。王成先率领军队迎战，高季昌放出火船想要烧毁蜀军的浮桥，蜀招讨副使张武在江中设置大铁索拦阻，火船无法前行。适逢风向倒转，荆南的水军被烧死和落水淹死的非常多。高季昌乘一艘战舰，舰上蒙着牛皮，一块飞来的石块击中战舰，把舰尾打断了，高季昌只好换上另一条小船逃走。荆南的军队大败，被俘虏和斩杀的达五千人。事后，王成先秘密派人向蜀主奏报王宗寿不肯调拨盔甲这件事，派出的人被王宗寿抓获，王宗寿把王成先召来斩杀了。

王，指李克用。⑯ 尚书令：唐代宰相之一，唐太宗未即位时曾任此职，即位后此官不再授人。正如下文所说，"自太宗践阼已来，无敢当其名者。"唐将亡时，始将此授藩帅作为荣誉兼职，不理政事。⑰ 践阼：皇帝即位。⑱ 不若：不如。⑲ 开府：指成立府署，辟置僚属。⑳ 故事：成例。㉑ 高季昌（公元八五八至九二八年）：字贻孙，陕州硖石（今河南三门峡市陕州区）人，避后唐献祖讳更名季兴，任荆南节度使，晋封南平王。传见《旧五代史》卷一百三十三、《新五代史》卷六十九。㉒ 夔、万、忠、涪：皆州名，夔州治所在今重庆奉节，万州治所在今重庆市万州区，忠州治所在今重庆忠县，涪州治所在今重庆市涪陵区。㉓ 荆南：十国之一。辖境在今湖北江陵一带。㉔ 镇江：方镇名，唐至德元载（公元七五六年）初置，治所夔州。㉕ 嘉王宗寿：字永年，王建以其同姓，收养为子，武成中赐爵嘉王，领镇江节度使。传见《十国春秋》卷三十八。㉖ 王成先（？至公元九一四年）：《十国春秋》作王先成。蜀州新津（今四川新津）人，本书生，乱为兵。为王宗寿所杀。传见《十国春秋》卷四十二。㉗ 请甲：请求发给士兵盔甲。㉘ 张武：石照（今重庆市合川区）人，事王建，积功至镇江军节度使。传见《十国春秋》卷四十三。㉙ 举铁絙：张武在两岸立木栅，拴铁索横贯江中，叫作锁峡。举，设置。铁絙，粗的铁索。㉚ 风反：风向逆转。㉛ 焚、溺：焚烧和落水。㉜ 蒙以牛革：用牛皮遮着。㉝ 状：申奏的文书。

【校记】

[2]刘：原无此字。据章钰校，十二行本、乙十一行本、孔天胤本皆有此字，今据补。[3]送至：原无“至”字。据章钰校，十二行本、乙十一行本、孔天胤本皆有此字，

【原文】

帝以岐人㉔数为寇，二月甲戌㉕[5]，徙感化㉖节度使康怀英㉗为永平㉘节度使，镇长安。怀英即怀贞也，避帝名改焉。

夏，四月丙子㉙，蜀主徙镇江军⑩治夔州。

丁丑⑩，司空⑩兼门下侍郎、同平章事⑩于兢坐⑩挟私⑩迁补军校，罢为工部侍郎⑩，再贬莱州⑩司马⑩。

吴袁州⑩刺史刘崇景⑩叛，附于楚。崇景，威之子也。楚将许贞将⑪万人援之，吴都指挥使⑫柴再用⑬、米志诚⑭帅诸将讨之。

楚岳州⑮刺史许德勋⑯将水军巡边，夜分⑰，南风暴起，都指挥使王环⑱乘风趣黄州⑲，以绳梯登城，径趣州署，执吴刺史马邺，大掠而还。德勋曰：“鄂州⑳将邀㉑我，宜备之。”环曰：“我军入黄州，鄂人不知，奄㉒过其城，彼自救不暇，安敢邀我！”乃展旗鸣鼓㉓而行，鄂人不敢逼。

五月，朔方㉔节度使兼中书令颍川王韩逊卒，军中推其子洙为留后㉕。癸丑㉖，诏以洙为节度使。

吴柴再用等与刘崇景、许贞战于万胜冈㉗，大破之，崇景、贞弃袁州遁去。

张敦仁《通鉴刊本识误》同，今据补。[4] 妾请先死：此四字原无。据章钰校，十二行本、乙十一行本、孔天胤本皆有此四字，张敦仁《通鉴刊本识误》、张瑛《通鉴校勘记》同，今据补。

【语译】

梁末帝因岐人屡次入侵，于是在二月初七日甲戌把感化节度使康怀英调任为永平节度使，镇守长安。康怀英就是康怀贞，为避梁末帝的名讳而改名。

夏，四月初十日丙子，蜀主把镇江军的治所迁移到夔州。

十一日丁丑，司空兼门下侍郎、同平章事于兢因为升迁将校时有私心而被治罪，免去原职降为工部侍郎，后又被贬为莱州司马。

吴国的袁州刺史刘崇景反叛，归附楚国。刘崇景，是刘威的儿子。楚将许贞率军万人去接应他，吴国的都指挥使柴再用和米志诚则率领众将前往讨伐刘崇景。

楚国的岳州刺史许德勋率水军巡防边境，到了夜半时分，忽然刮起了猛烈的南风，都指挥使王环乘着风势一直进逼到吴国的黄州，利用绳梯登上城墙，直奔州署，抓获吴国刺史马邺，大肆掠夺之后撤退。许德勋说："鄂州的敌军将会拦击我们，应注意防备。"王环说："我军攻入黄州，鄂州的人并不知道，现在忽然间从他们的城外经过，他们自救都还来不及，哪里敢拦击我们！"于是迎风扬旗，擂响战鼓，浩浩荡荡地行进，鄂州城里的人果然没敢进逼。

五月，朔方节度使兼中书令颍川人王韩逊去世，军中的将领推举他的儿子韩洙为留后。十七日癸丑，梁末帝下诏任命韩洙为节度使。

吴国的柴再用等人与刘崇景、许贞在万胜冈交战，把他们打得大败，刘崇景、许贞放弃袁州逃走。

【段旨】

以上为第三段，写梁将康怀英守长安，楚将王环顺风掠吴黄州，吴将柴再用平定袁州之乱。

【注释】

⑭ 岐人：指凤翔陇右节度使岐王李茂贞的军队。⑮ 甲戌：二月初七日。⑯ 感化：方镇名，唐咸通十一年（公元八七〇年）始置。治所徐州，在今江苏徐州。⑰ 康怀英：兖州（今山东济宁市兖州区）人，本名怀贞，避后梁末帝朱友贞讳改名。本为朱瑾列校，投降朱温，积功至永平军节度使，卒于镇。传见《旧五代史》卷二十三、《新五代史》卷二十二。⑱ 永平：方镇名，梁初徙佑国军于长安，不久改为永平军。⑲ 丙子：四月初十日。⑳ 镇江军：蜀节镇，领夔、忠、万三州，原治所忠州，现移治于夔州。㉑ 丁丑：四月十一日。㉒ 司空：三公之一，五代时赠给大臣的荣誉衔。㉓ 门下侍郎、同平章事：为门下省长官侍中之副，唐时为宰相称号，掌机要，审查诏令，驳正违失等。㉔ 坐：被指控犯罪。㉕ 挟私：营私；夹带私心。㉖ 工部侍郎：官名，工部的副长官，协助工部尚书掌工程、工匠、水利、营造等事。㉗ 莱州：州名，治所掖县，在今山东莱州。㉘ 司马：唐、五代时为州、郡、府佐吏之一，一般用来安置被贬斥官员，是徒有虚名而无实权的闲职。㉙ 袁州：州名，治所宜春，在今江西宜春。㉚ 刘崇景：慎县（今安徽合肥）人，其父刘威，与杨行密同起于合肥。崇景官袁州刺史，叛附于楚，为柴再用所破，弃袁州遁去。传见《十国春秋》卷五。㉛ 将：率领。㉜ 都指挥使：所统非一都，当是尽统诸

【原文】

晋王既克幽州，乃谋入寇。秋，七月，会赵王镕及周德威于赵州[128]，南寇邢州[129]，李嗣昭[130]引昭义兵会之。杨师厚[131]引兵救邢州，军于漳水之东。晋军至张公桥[132]，裨将曹进金来奔。晋军退，诸镇兵[133]皆引归。八月，晋王还晋阳。

蜀武泰[134]节度使王宗训[135]镇黔州，贪暴不法，擅还成都。庚辰[136]，见蜀主，多所邀求，言辞狂悖[137]。蜀主怒，命卫士殴杀之。戊子[138]，以内枢密使[139]潘峭[140]为武泰节度使、同平章事，翰林学士承旨[141]毛文锡[142]为礼部尚书、判枢密院。峡上有堰[143]，或劝蜀主乘夏秋江涨，决之以灌江陵[144]。毛文锡谏曰："高季昌不服，其民何罪！陛下方以德怀天下[145]，忍以邻国之民为鱼鳖食乎！"蜀主乃止。

帝以福王友璋[146]为武宁[147]节度使。前节度使王殷[148]，友珪[149]所置也，惧不受代，叛附于吴。九月，命淮南西北面招讨应接使牛存

将。⑬ 柴再用（？至公元九三五年）：汝阳（今河南汝阳）人，积功至德胜军节度使兼中书令。敦尚俭素，车马导从不过十人。传见《十国春秋》卷六。⑭ 米志诚（？至公元九一八年）：勇敢有膂力，以善射闻名，积功至泰宁军节度使，为徐温所杀。传见《十国春秋》卷七。⑮ 岳州：州名，治所巴陵，在今湖南岳阳。⑯ 许德勋：蔡州朗山（今河南确山）人，积功至侍中。传见《十国春秋》卷七十二。⑰ 夜分：午夜。⑱ 王环：为人勇悍，善兵法，爱士卒。传见《十国春秋》卷七十二。⑲ 黄州：州名，治所黄冈，在今湖北黄冈。⑳ 鄂州：州名，治所江夏，在今武汉市武昌区。㉑ 邀：拦击。㉒ 奄：迅速地。㉓ 展旗鸣鼓：迎风扬旗，擂响战鼓。㉔ 朔方：方镇名，唐开元九年（公元七二一年）始置。治所灵州，在今宁夏灵武西南。㉕ 留后：官名，唐中期后，节度使之子弟或亲信将吏代行职务者称节度使留后，事后由朝廷补行任命为正式节度使。㉖ 癸丑：五月十七日。㉗ 万胜冈：地名，在江西宜春市袁州区。

【校记】

［5］甲戌：原无此二字。据章钰校，十二行本、乙十一行本、孔天胤本皆有此二字，张敦仁《通鉴刊本识误》、张瑛《通鉴校勘记》同，今据补。

【语译】

晋王攻克幽州之后，便计划入侵梁朝。秋，七月，在赵州与赵王王镕及周德威会师，南侵邢州，李嗣昭也率领昭义的部队前来会合。杨师厚率军来解救邢州，屯驻在漳水东边。晋军到达张公桥，副将曹进金前来投奔梁朝。晋军于是撤退，各路兵马也都回到自己原先的驻地去了。八月，晋王回到晋阳。

蜀国的武泰节度使王宗训镇守黔州，贪婪残暴，横行不法，又擅自回到成都。十六日庚辰，觐见蜀主，提出了多项要求，言辞狂妄悖逆。蜀主大怒，命令左右卫士把他当场打死。二十四日戊子，任命内枢密使潘峭为武泰节度使、同平章事，又任命翰林学士承旨毛文锡为礼部尚书，并兼管枢密院事务。长江峡上有水坝，有人劝蜀主乘夏秋时节江水上涨，决开水坝淹灌江陵。毛文锡进谏说："高季昌不肯归服，但他的百姓又有什么罪过呢？陛下正要以德来怀柔天下，难道忍心让邻国的百姓成为鱼鳖的食物吗！"蜀主于是作罢。

梁末帝任命福王朱友璋为武宁节度使。前任节度使王殷，是朱友珪任命的，内心害怕不敢接受替代的制命，反叛投靠了吴国。九月，梁末帝命令淮南西北面招讨

节[150]及开封尹刘鄩[151]将兵讨之。冬，十月，存节等军于宿州[152]。吴平卢节度使朱瑾等将兵救徐州，存节等逆击，破之，吴兵引归。

十一月乙巳[153]，南诏[154]寇黎州[155]，蜀主以夔王宗范[156]、兼中书令宗播[157]、嘉王宗寿为三招讨以击之。丙辰[158]，败之于潘仓嶂[159]，斩其酋长赵嵯政等。壬戌[160]，又败之于山口城[161]。十二月乙亥[162]，破其武侯岭[163]十三寨。辛巳[164]，又败之于大渡河[165]，俘斩数万级。蛮争走渡水，桥绝[166]，溺死者数万人。宗范等将作浮梁[167]济大渡河攻之，蜀主召之令还[168]。

癸未[169]，蜀兴州[170]刺史兼北路制置指挥使王宗铎[171]攻岐[172]阶州[173]及固镇[174]，破细砂等十一寨，斩首四千级。甲申[175]，指挥使王宗俨[176]破岐长城关等四寨，斩首二千级。

岐静难[177]节度使李继徽为其子彦鲁所毒而死，彦鲁自为留后。

【段旨】

以上为第四段，写梁与吴，蜀与岐交兵。蜀主王建大败南诏军。

【注释】

⑫⑧赵州：州名，治所平棘，在今河北赵县。⑫⑨邢州：州名，治所龙冈，在今河北邢台。⑬⓪李嗣昭（？至公元九二二年）：汾州太谷（今山西晋中市太谷区）人，本姓韩，为李克用弟克柔养子，屡立战功，官至中书令。传见《旧五代史》卷五十二、《新五代史》卷三十六。⑬①杨师厚（？至公元九一五年）：颍州斤沟（今安徽太和北）人，纯谨敏干，尤擅骑射，积功至魏博节度使。传见《旧五代史》卷二十二、《新五代史》卷二十三。⑬②张公桥：地名，晋军出青山口至此，在今河北邢台南。⑬③诸镇兵：指燕、赵、潞之兵。⑬④武泰：方镇名，唐昭宗大顺元年（公元八九〇年）始置。治所黔州，在今重庆彭水。⑬⑤王宗训：本名茂权。传见《十国春秋》卷三十九。⑬⑥庚辰：八月十六日。⑬⑦狂悖：狂妄无礼。⑬⑧戊子：八月二十四日。⑬⑨内枢密使：掌军国机务，出纳密命等。⑭⓪潘峭：其先河西人，官至武泰节度使、同平章事。传见《十国春秋》卷四十一。⑭①翰林学士承旨：官名，掌起草诏令。承旨不常置，以学士久次者为之。⑭②毛文锡：字平珪，高阳（今河南

应接使牛存节和开封府尹刘鄩率军前往讨伐。冬，十月，牛存节等把军队屯驻在宿州。吴国的平卢节度使朱瑾等率军援救徐州，牛存节等迎战，打败了朱瑾，吴军撤退回去了。

十一月十三日乙巳，南诏入侵黎州，蜀主任命夔王王宗范、兼中书令王宗播、嘉王王宗寿三人为三路招讨使前去迎击。二十四日丙辰，在潘仓嶂击败南诏军，斩杀了南诏军的酋长赵嵯政等人。三十日壬戌，又在山口城再次击败南诏军。十二月十三日乙亥，攻破了南诏军在武侯岭的十三个营寨。十九日辛巳，又在大渡河击败南诏军，俘虏、斩杀南诏军数万人。南诏军争着逃跑渡河，河上的桥断了，被河水淹死的有好几万人。王宗范等准备搭浮桥渡过大渡河继续追击，蜀主下令召他们班师回去。

十二月二十一日癸未，蜀国的兴州刺史兼北路制置指挥使王宗铎进攻岐国的阶州和固镇，攻破细砂等十一个营寨，斩杀了四千人。二十二日甲申，指挥使王宗俨攻破岐国长城关等四个营寨，斩杀了两千人。

岐国静难节度使李继徽被他的儿子李彦鲁毒死，李彦鲁自立为留后。

杞县西南）人，善文学，与欧阳炯等五人以小辞为后蜀主所赏识。所著有《前蜀纪事》二卷、《茶谱》一卷。尤工艳语，所撰《巫山一段云》词，为当世传咏。传见《十国春秋》卷四十一。⑭③ 堰：节制水流并能溢洪的水坝。⑭④ 江陵：城邑名，在今湖北荆州。为南平国都，地处蜀国三峡之下。⑭⑤ 方以德怀天下：正在用德政来使天下人从内心悦服。⑭⑥ 友璋：朱温第五子，封福王。传见《旧五代史》卷十二。⑭⑦ 武宁：方镇名，唐元和二年（公元八〇七年）始置。治所徐州，在今江苏徐州。⑭⑧ 王殷：《新五代史》《旧五代史》均作蒋殷，因王瓒言其本姓蒋，末帝令其还本姓。传见《旧五代史》卷十三。⑭⑨ 友珪：朱温子，小字遥喜。封郢王，乾化二年（公元九一二年），杀朱温篡位。末帝以兵讨之，自杀，追废为庶人。传见《旧五代史》卷十二、《新五代史》卷十三。⑮⓪ 牛存节：字赞正，青州博昌（今山东博兴）人，后梁大将。传见《旧五代史》卷二十二、《新五代史》卷二十二。⑮① 刘鄩（公元八五七至九二〇年）：密州安丘（今山东安丘）人，后梁大将。幼有大志，好兵略。官至河东道招讨使，末帝逼令饮鸩自杀。传见《旧五代史》卷二十三、《新五代史》卷二十二。⑮② 宿州：州名，治所符离，在今安徽宿州北。⑮③ 乙巳：十一月十三日。⑮④ 南诏：唐时以今云南大理为中心的少数民族政权。原有六诏，开元年间，皮逻阁统一六诏，为南诏王，迁都太和城（今云南大理南）。唐末衰落。前蜀对它严加防备，恐其骚扰。⑮⑤ 黎州：州名，治所汉源，在今四川汉源北。⑮⑥ 宗范：从母张氏归王建，冒

姓张。王建蓄为子，赐名王宗范。⑰宗播：本名许存，王建为其改名王宗播，列为诸子。传见《十国春秋》卷三十九。⑱丙辰：十一月二十四日。⑲潘仓嶂：南诏城寨名，在黎州南界，位邛崃关之南。⑳壬戌：十一月三十日。⑴山口城：地名，在潘仓嶂南面。⑵乙亥：十二月十三日。⑶武侯岭：南诏城寨名，在黎州南界，当在山口城之南。⑷辛巳：十二月十九日。⑸大渡河：古称沫水。岷江最大支流，在四川西部。黎州南、东南、西南三面受大渡河包围。⑹桥绝：桥断。⑺浮梁：浮桥。⑻召之令还：下令三帅班师。因

【原文】

贞明元年⑰（乙亥，公元九一五年）

春，正月己亥⑲，蜀主御得贤门受蛮俘，大赦。初，黎、雅蛮⑳酋刘昌嗣、郝玄鉴、杨师泰，虽内属于唐⑴，受爵赏，号𤞑⑵金堡三王，而潜通南诏，为之诇导⑶。镇蜀者多文臣，虽知其情，不敢诘。至是，蜀主数以漏泄军谋，斩于成都市，毁𤞑金堡。自是南诏不复敢[6]犯边。

二月，牛存节等拔彭城⑷，王殷举族自焚⑸。

三月丁卯⑹，以右仆射兼门下侍郎、同平章事⑺赵光逢⑻为太子太保⑼，致仕⑽。

天雄⑴节度使兼中书令邺王杨师厚卒。师厚晚年矜功恃众，擅割财赋，选军中骁勇，置银枪[7]效节都⑵数千人，给赐优厚，欲以复故时牙兵之盛⑶。帝虽外加尊礼，内实忌之，及卒，私于宫中受贺。租庸使⑷赵岩⑸、判官⑹邵赞言于帝曰："魏博为唐腹心之蠹⑺，二百余年不能除去者，以其地广兵强之故也。罗绍威⑻、杨师厚据之，朝廷皆不能制。陛下不乘此时为之计，所谓'弹疽不严，必将复聚⑼'，安知来者不为师厚乎？宜分六州为两镇以弱其权。"帝以为然，以平卢节度使贺德伦⑽为天雄节度使，置昭德军于相州，割澶、卫二州隶焉，以宣徽使⑴张筠⑵为昭德节度使，仍分魏州将士、府库之半于相州。筠，海州人也。二人既赴镇，朝廷恐魏人不服，遣开封尹刘鄩将兵六万自白马⑶济河，以讨镇、定⑷为名，实张形势以胁之⑸。

前蜀对南诏方针是严加防范，驱之出境而不穷追，以免兵连祸结，国困民贫。⑯癸未：十二月二十一日。⑰兴州：州名，治所在今陕西略阳。⑱王宗铎：少为王建假子。传见《十国春秋》卷三十九。⑲岐：指岐王李茂贞。⑳阶州：州名，治所皋兰镇，在今甘肃陇南市武都区东。㉑固镇：位于青泥岭东北，在今甘肃徽县境内。㉒甲申：十二月二十二日。㉓王宗俨：王建养子，降后唐被杀。传见《十国春秋》卷三十九。㉔静难：方镇名，唐僖宗光启元年（公元八八五年）始置。治所邠州，在今陕西彬州。

【语译】

贞明元年（乙亥，公元九一五年）

春，正月初八日己亥，蜀主登上得贤门举行接受蛮俘投降的仪式，下令实行大赦。起先，黎、雅两州蛮酋刘昌嗣、郝玄鉴、杨师泰等人，虽然归附唐朝，接受了爵位赏赐，号称“䌹金堡三王”，却暗中勾结南诏，为他们侦察引导。过去镇守蜀地的多是文臣，虽然知道这一情况，但不敢责问他们。到这时，蜀主列举他们泄露军情的罪状，在成都街市上把他们斩首，并毁掉䌹金堡。从此南诏再也不敢来侵犯边境了。

二月，牛存节等攻下彭城，王殷全族自焚而死。

三月初七日丁卯，任命右仆射兼门下侍郎、同平章事赵光逢为太子太保，并准许他告老还乡。

天雄节度使兼中书令邺王杨师厚去世。杨师厚晚年自恃有功和部属众多，擅自分割国家的钱财赋税，挑选军中的骁勇之士，设置银枪效节都达几千人，给予优厚的待遇和赏赐，想要恢复过去牙兵的盛况。梁末帝虽然表面上对他尊敬礼遇，内心实际对他充满疑忌，等到杨师厚去世，梁末帝私下在宫中接受近臣的祝贺。租庸使赵岩、判官邵赞向梁末帝进言说：“魏博之所以成为唐朝的心腹大患，两百多年都没能除去，是因为他土地广而兵马强。罗绍威、杨师厚先后盘踞这个地方，朝廷都没有办法控制他们。陛下如果不乘这个时候作好打算，那就是古语所说的‘弹疽不严，必将复聚’，你怎么能知道后继者不会成为第二个杨师厚呢？现在应该把魏博六州分为两个镇，以削弱他的权力。”梁末帝觉得他们说得对，于是任命平卢节度使贺德伦为天雄节度使，在相州设置昭德军，把澶、卫两州划出来归它管辖，任命宣徽使张筠为昭德节度使，并分出魏州的将士人马和府库财物的一半给相州。张筠，是海州人。两人上任以后，朝廷担心魏州的人不服，派开封尹刘鄩率军六万从白马津渡过黄河，名义上是要讨伐镇州、定州，实际是摆出架势对魏州人形成威慑。

魏兵皆父子相承数百年[206]，族姻磐结[207]，不愿分徙。德伦屡趣之，应行者皆嗟怨，连营聚哭。己丑[208]，刘鄩屯南乐[209]，先遣澶州[210]刺史王彦章[211]将龙骧五百骑入魏州，屯金波亭。魏兵相与谋曰："朝廷忌吾军府强盛，欲设策使之残破耳。吾六州历代藩镇，兵未尝远出河门[212]，一旦骨肉流离，生不如死。"是夕，军乱，纵火大掠，围金波亭，王彦章斩关而走。诘旦[213]，乱兵入牙城[214]，杀贺德伦之亲兵五百人，劫德伦置楼上。有效节军校张彦者，自帅其党，拔白刃[215]，止剽掠[216]。

夏，四月，帝遣供奉官[217]扈异抚谕魏军，许张彦以刺史。彦请复相、澶、卫三州如旧制。异还，言张彦易与[218]，但遣刘鄩加兵，立当传首。帝由是不许，但以优诏[219]答之。使者再返，彦裂诏书抵于地，戟手[220]南向诟[221]朝廷，谓德伦曰："天子愚暗，听人穿鼻[222]。今我兵甲虽强，苟无外援，不能独立，宜投款于晋。"遂逼德伦以书求援于晋[223]。

李继徽假子保衡[224]杀李彦鲁，自称静难留后，举邠、宁[225]二州来附。诏以保衡为感化节度使，以河阳[226]留后霍彦威[227]为静难节度使。

吴徐温以其子牙内都指挥使[228]知训[229]为淮南行军副使、内外马步诸军副使。

晋王得贺德伦书，命马步副总管李存审[230]自赵州引兵[8]进据临清[231]。五月，存审至临清，刘鄩屯洹水[232]。贺德伦复遣使告急于晋，晋王引大军自黄泽岭东下，与存审会于临清，犹疑魏人之诈，按兵不进。德伦遣判官司空颋[233]犒军，密言于晋王曰："除乱当除根。"因言张彦凶狡之状，劝晋王先除之，则无虞矣。王默然[234]。颋，贝州人也。

晋王进屯永济[235]。张彦选银枪效节五百人，皆执兵[236]自卫，诣永济谒见。王登驿楼语之曰："汝陵胁[237]主帅，残虐百姓，数日中迎马诉冤[238]者百余辈[239]。我今举兵而来，以安百姓，非贪人土地。汝虽有功于我，不得不诛以谢[240]魏人。"遂斩彦及其党七人，余众股栗[241]。王召谕之曰："罪止八人，余无所问。自今当竭力为吾爪牙[242]。"众皆拜伏，

魏博的军队都是父子相承历经几百年，相互之间的宗族、姻亲关系盘根错节，都不愿意分开调走。贺德伦屡次催促他们，应该出发的人都在嗟叹怨恨，一座座军营里到处有人聚在一起大哭。三月二十九日己丑，刘鄩率军屯驻南乐，先派澶州刺史王彦章率龙骧骑兵五百人进入魏州，屯驻在金波亭。魏州的军人们相互商量说："朝廷忌恨我们军府力量强盛，想方设法要使我们残破罢了。我们这六个州历代都是藩镇，军队从来没有远出到河门以外的地方，一旦骨肉离散，真是生不如死。"当晚，军中发生骚乱，乱兵公然放火大肆抢劫，并包围金波亭，王彦章砍开大门逃走。第二天一早，乱兵攻进牙城，杀了贺德伦的亲兵五百人，劫持了贺德伦并把他安置在城楼上。有个名叫张彦的效节军校，率领他的部属，拔出白刃，制止乱兵们继续抢掠。

夏，四月，梁末帝派供奉官扈异去安抚晓谕魏州的军人，并答应要任命张彦为刺史。张彦请求恢复相、澶、卫三州旧日归天雄军管辖的建制。扈异回朝后，向梁末帝报告说张彦这个人容易对付，只要让刘鄩再加派些兵力，立刻就可以把张彦斩首传送到京师来。梁末帝由此就没有答应张彦的请求，只是颁发了一道充满褒扬之意的诏书答复他。朝廷的使者再次回到魏州，张彦把诏书撕裂了丢在地上，用手指着南方大骂朝廷，并且对贺德伦说："天子愚昧，任凭别人牵着鼻子走。现在我们兵力虽强，如果没有外援，还是不能独立出来，我看最好还是向晋国投诚。"于是逼迫贺德伦写信向晋国求援。

李继徽的养子李保衡杀了李彦鲁，自称为静难留后，率领邠、宁两州前来归附梁朝。梁末帝下诏任命李保衡为感化节度使，任命河阳留后霍彦威为静难节度使。

吴国的徐温任命他的儿子牙内都指挥使徐知训为淮南行军副使、内外马步诸军副使。

晋王收到贺德伦的信后，命令马步副总管李存审从赵州率兵占据临清。五月，李存审到达临清，刘鄩则屯驻在洹水。贺德伦又派使者向晋国告急，晋王于是率大军从黄泽岭向东进兵，与李存审在临清会师，但还是怀疑魏州人是不是在使诈，因此让军队不再前进。贺德伦派判官司空颋前去犒劳晋军，秘密向晋王表示："除乱应当消除其根本。"于是报告了张彦凶狠狡诈的情状，劝晋王先把他除掉，这样就没有什么可担心的事了。晋王听了之后没有说话。司空颋，是贝州人。

晋王进兵屯驻在永济。张彦挑选了银枪效节五百人，都拿着兵器自卫，前往永济谒见晋王。晋王登上驿楼，对张彦说："你欺凌威胁主帅，残忍虐待百姓，几天来拦着我的马前来诉说冤情的已有一百多批人了。我这次兴兵前来，就是为了安定百姓，而不是贪取土地。你虽然对我有功，但我也不得不杀了你以向魏州的人致歉。"于是杀了张彦和他的死党七个人，其余的人都吓得两腿发抖。晋王把他们召来告诉他们说："有罪的只有这八个人，其余的人不再追究。从今以后你们应该竭力为我效

呼万岁。明日，王缓带轻裘㉔㉓而进，令张彦之卒擐甲执兵㉔㉔，翼马而从㉔㉕，仍以为帐前银枪都㉔㉖。众心由是大服。

刘鄩闻晋军至，选兵万余人，自洹水趣魏县。晋王留李存审屯临清，遣史建瑭㉔㉗屯魏县以拒之。王自引亲军至魏县，与鄩夹河㉔㉘为营。

帝闻魏博叛，大悔惧㉔㉙，遣天平㉕⓪节度使牛存节将兵屯㉕①杨刘㉕②，为鄩声援。会存节病卒，以匡国㉕③节度使王檀㉕④代之。

岐王遣彰义㉕⑤节度使刘知俊㉕⑥围邠州，霍彦威固守拒之。

【段旨】

以上为第五段，写梁魏博叛附晋，晋王提兵亲赴魏州与梁将刘鄩对峙。

【注释】

⑱贞明元年：后梁末帝是年十一月方改元贞明。⑲己亥：正月初八日。⑱⓪黎、雅蛮：指居住在黎州、雅州的蛮人。⑱①内属于唐：归附唐朝。⑱②䌷：蛮语，意谓多、大。⑱③诇导：侦察引导。⑱④彭城：徐州节镇治所，在今江苏徐州。⑱⑤王殷举族自焚：据《通鉴考异》所引《朱友贞传》："乾化四年（公元九一四年）十一月拔徐州，殷自燔死。"《五代通录》和《旧五代史·王殷传》皆云贞明元年春，《通鉴》从之。⑱⑥丁卯：三月初七日。⑱⑦右仆射兼门下侍郎、同平章事：唐、五代时宰相官名，是总揽政务的最高行政长官。⑱⑧赵光逢：字延吉，在唐以文行知名，时人称之为"玉界尺"。传见《旧唐书》卷一百七十八、《新唐书》卷一百八十二、《旧五代史》卷五十八、《新五代史》卷三十五。⑱⑨太子太保：为亲王、宰相的加官，表示恩宠，无实际职务。⑲⓪致仕：退休。⑲①天雄：方镇名，即魏博镇节度使。唐代宗广德元年（公元七六三年）置，唐昭宗天祐六年（公元九〇四年）赐号天雄军节度。治所魏州，在今河北大名东北。天雄地处战略要地，为富饶之区，魏晋以来一直是兵家必争之地。⑲②银枪效节都：杨师厚所置牙兵名号。⑲③复故时牙兵之盛：魏博牙兵自唐中叶田承嗣建节起设置，百余年来异常骄横，甚至左右节度使之立。公元九〇五年，罗绍威在朱温配合下大杀牙兵；至此杨师厚又准备恢复。⑲④租庸使：官名，掌钱谷等事。⑲⑤赵岩（？至公元九二三年）：原名霖，唐末忠武军节度使赵犨之次子，尚朱温女长乐公主，权势熏灼，人皆阿附。传见《旧五代史》卷十四、《新五代史》卷四十二。⑲⑥判官：这里指租庸使判官，掌文书、案牍。⑲⑦蠹：蛀虫。⑲⑧罗绍威

劳。”众人都拜伏在地，高呼万岁。第二天，晋王穿着宽松轻便的服装继续行军，命令张彦的部属们穿着甲胄，手执兵器，在坐骑两侧随行，并且仍然重用他们为帐前银枪都。众人由此对晋王大为佩服。

刘鄩听说晋军到了，挑选了一万多名军士，从洹水赶赴魏县。晋王留李存审屯驻临清，派史建瑭屯驻魏县以抵御梁军。自己率领亲军到达魏县，与刘鄩隔着漳河相对扎营。

梁末帝听说魏博叛变了，极为后悔恐惧，于是派天平节度使牛存节率军屯驻杨刘，声援刘鄩。恰遇牛存节生病去世，于是另外任命匡国节度使王檀代替他。

岐王派彰义节度使刘知俊围攻邠州，霍彦威坚守城池抵御。

（公元八四三至九一〇年）：字端己，魏州贵乡（今河北大名）人，继其父弘信为天雄军节度使，因被牙兵压制，大杀牙兵。传见《旧唐书》卷一百八十一、《新唐书》卷二百十、《旧五代史》卷十四、《新五代史》卷三十九。⑲⑨弹疽不严二句：原出《韩非子》，患疽者必尽弹去其脓血，始能生新肉而病愈。言去掉祸患，必要忍痛。⑳⓪贺德伦（？至公元九一六年）：河西（今甘肃河西走廊）人，积功至平卢军节度使。传见《旧五代史》卷二十一、《新五代史》卷四十四。㉑宣徽使：官名，总领宫内诸司及三班内侍的名籍和郊祀、朝会、宴享、供帐等事。㉒张筠：海州（今江苏连云港）人，积功至永平军节度使。后梁亡事后唐，官左骁卫上将军。传见《旧五代史》卷九十、《新五代史》卷四十七。㉓白马：白马津，在今河南滑县北。㉔镇、定：镇州和定州。镇州为王镕割据，定州为王处直割据。㉕胁之：威胁魏人。㉖数百年：言其时间之久，并非实经数百年。自唐大历田承嗣在魏博建牙兵起，实历一百五十年。㉗磐结：盘根错节。磐，通“盘”。㉘己丑：三月二十九日。㉙南乐：县名，县治在今河南南乐。㉚澶州：州名，治所顿丘，在今河南浚。㉛王彦章（公元八六三至九二三年）：字贤明，郓州寿张（今山东阳谷）人，骁勇异常，人称王铁枪，积功为北面招讨使。后被晋将夏鲁奇所擒，遇害死。传见《旧五代史》卷二十一、《新五代史》卷三十二。㉜河门：据《旧唐书》，魏州城外有河门旧堤，乐彦祯筑罗城，约河门旧堤周八十里。㉝诘旦：第二天早晨。㉞牙城：唐代藩镇主帅围绕衙府所筑之城。牙，通“衙”。㉟白刃：锋利的刀。㊱止剽掠：制止掠夺抢劫。㊲供奉官：官名，在皇帝左右供职，专备宫中差遣。㊳易与：容易对付。㊴优诏：优容的诏书。指用好言慰抚。㊵戟手：徒手屈肘如戟形，指点人或怒骂人时常作如此形状。㊶诟：骂。㊷穿鼻：被人牵着鼻子走。㊸求援于晋：向晋王李存勖请求出兵援助。㊹保衡：《通鉴考异》引《蜀书·刘知俊传》作“李彦康”。㊺邠、宁：皆州名。邠州治所新平，在今陕西彬州。宁州治所安定，在今甘肃宁县。㊻河阳：方镇名，唐德宗建中二年（公元七

八一年）置河阳三城。治所河阳，在今河南孟州。南临黄河，向为洛阳外围重镇。㉗霍彦威（公元八七二至九二八年）：字子重，洺州曲周（今河北曲周）人，初为后梁将，后为后唐臣，积功至平卢节度使。传见《旧五代史》卷六十四、《新五代史》卷四十六。㉘牙内都指挥使：节度使府武官名，权重，掌控兵马。㉙知训（？至公元九一八年）：徐温长子，靠温权势，多为不法，为朱瑾所杀。传见《十国春秋》卷十三。㉚李存审（公元八六一至九二四年）：字德详，陈州宛丘（今河南周口市淮阳区）人，本姓符，从李克用，赐姓李，典义儿军。积功至宣武节度使。传见《旧五代史》卷五十六。㉛临清：县名，县治在今山东临清南，地处魏州北面。㉜洹水：亦称安阳河，在魏州西面。㉝司空颋（？至公元九一五年）：贝州清阳（今河北清河县东）人。传见《旧五代史》卷七十一、《新五代史》卷五十四。㉞默然：表示晋王嘴上不说，心里已经会意。㉟永济：县名，县治在今山东冠县北。㊱执兵：拿着武器。㊲陵胁：欺凌威胁。㊳迎马诉冤：拦着马头诉说冤屈。㊴百余辈：一百多批。辈，批。㊵谢：致歉；道歉。㊶股栗：两腿发抖，形容恐惧到极点。㊷爪牙：得力的助手或党羽。㊸缓带轻裘：腰带宽松，衣裘轻便。即轻装便服，表示气氛缓和、融洽。㊹擐甲执兵：穿着盔甲，拿着武器。㊺翼马而从：左右相拥，随从而行。表示对银枪效节的信任。㊻帐前银枪都：藩帅的卫队、亲军。㊼史建瑭（公元八八〇至九二一年）：常为晋军先锋，积功至贝、相二州刺史。传见《旧五代

【原文】

六月庚寅朔㉗，贺德伦帅将吏请晋王入府城慰劳。既入，德伦上印节㉘，请王兼领天雄军，王固辞曰："比闻㉙汴寇侵逼贵道，故亲董师徒㉚，远来相救。又闻城中新罹涂炭㉛，故暂入存抚。明公㉜不垂鉴信，乃以印节见推，诚非素怀㉝！"德伦再拜曰："今寇敌密迩㉞，军城新有大变，人心未安。德伦腹心[9]纪纲㉟为张彦所杀殆尽，形孤势弱，安能统众！一旦生事，恐负大恩。"王乃受之。德伦帅将吏拜贺，王承制以德伦为大同㊱节度使，遣之官㊲。德伦至晋阳㊳，张承业㊴留之。

时银枪效节都在魏城犹骄横，晋王下令："自今有朋党流言及暴掠百姓者，杀无赦！"以沁州刺史李存进㊵为天雄都巡按使，有讹言摇众及强取人一钱已㊶上者，存进皆枭首磔尸㊷于市。旬日，城中肃然，无敢喧哗者。存进本姓孙，名重进，振武人也。

史》卷五十五、《新五代史》卷二十五。㉔⑧河：指漳河。㉔⑨大悔惧：非常悔恨和惧怕。㉕⓪天平：方镇名，唐宪宗元和十四年（公元八二〇年）赐郓、曹、濮节度使号天平军节度使。治所郓州，在今山东东平西北。㉕①屯：驻扎。㉕②杨刘：杨刘镇，在今山东东阿东北。㉕③匡国：方镇名，唐肃宗乾元元年（公元七五八年）置，治所同州，在今陕西大荔。后梁移治所于许州。㉕④王檀（公元八六六至九一六年）：字众美，京兆（今陕西西安）人，后梁大将，卒赠太师，谥忠毅。传见《旧五代史》卷二十二、《新五代史》卷二十三。㉕⑤彰义：方镇名，唐昭宗乾宁元年（公元八九四年）泾原节度赐号彰义军节度。治所泾州，在今甘肃泾川。㉕⑥刘知俊（？至公元九一七年）：字希贤，徐州沛（今江苏沛县）人。传见《旧五代史》卷十三、《新五代史》卷四十四。

【校记】

［6］敢：原无此字。据章钰校，十二行本、乙十一行本、孔天胤本皆有此字，今据补。［7］银枪：原作“银鎗”。据章钰校，十二行本、乙十一行本“鎗”皆作“枪”，熊罗宿《胡刻资治通鉴校字记》同，今据改。［8］引兵：原无此二字。据章钰校，十二行本、乙十一行本、孔天胤本皆有此二字，张敦仁《通鉴刊本识误》、张瑛《通鉴校勘记》同，今据补。

【语译】

六月初一日庚寅，贺德伦率文臣武将请晋王进入府城慰劳军队。晋王进入府城后，贺德伦奉上府印旌节，请求晋王兼领天雄军，晋王坚决推辞说：“最近听说汴梁的贼寇进逼你们，所以亲率将士，远道前来救援。又听说城中百姓最近陷入困苦境地，所以暂时入城来慰抚。您不能体察和相信我的诚意，竟然要把府印和旌节让给我，这实在不是我的本意啊！”贺德伦再拜请求说：“如今敌寇逼近，军城中新近又发生过大的变乱，人心不安。德伦的亲信和仆人几乎被张彦杀光了，我处境孤单，力量微弱，怎么能够统率部众呢！一旦发生变故，恐怕会辜负您的大恩。”晋王这才接受。贺德伦率领文臣武将向晋王行礼道贺，晋王则以唐朝天子的名义，任命贺德伦为大同节度使，让他前往任所。贺德伦到达晋阳，张承业把他留住了。

当时银枪效节都在魏州城还十分骄横，晋王下令：“从今以后有敢结党、散布流言及抢劫百姓的，杀无赦！”并任命沁州刺史李存进为天雄都巡按使，凡是有谣言惑众及强行索取别人钱一文以上者，李存进都把他们抓来在街市上斩首分尸示众。十来天之间，城中便恢复了秩序，没有人再敢喧哗了。李存进本姓孙，名重进，是振武人。

晋王多出征讨，天雄军府事皆委判官司空颋决之。颋恃才挟势，睚眦必报[273]，纳贿骄侈。颋有从子[274]在河南，颋密使人召之，都虞候[275]张裕执其使者以白王，王责颋曰："自吾得魏博，庶事悉以委公，公何得见欺如是！独不可先相示邪！"揖令归第。是日，族诛于军门，以判官王正言[276]代之。正言，郓州人也。

魏州孔目吏[277]孔谦[278]，勤敏多计数，善治簿书[279]，晋王以为支度务使[280]。谦能曲事权要，由是宠任弥固。魏州新乱之后，府库空竭，民间疲弊，而聚三镇之兵[281]，战于河上，殆将十年，供亿军须[282]，未尝有阙，谦之力也。然急征重敛，使六州[283]愁苦，归怨于王，亦其所为也。

张彦之以魏博归晋也，贝州[284]刺史张源德[285]不从，北结沧德[286]，南连刘鄩以拒晋，数断[287]镇、定粮道。或说晋王："请先发兵万人取源德，然后东兼沧景[288]，则海隅之地皆为我有。"晋王曰："不然。贝州城坚兵多，未易猝攻[289]。德州隶于沧州而无备，若得而戍之，则沧、贝不得往来。二垒[290]既孤，然后可取。"乃遣骑兵五百，昼夜兼行，袭德州。刺史不意晋兵至，逾城走[291]，遂克之。以辽州守捉将[292]马通为刺史。

秋，七月，晋人夜袭澶州，陷之。刺史王彦章在刘鄩营，晋人获其妻子，待之甚厚。遣间使[293]诱彦章，彦章斩其使，晋人尽灭其家。晋王以魏州[294]将李岩[295]为澶州刺史。

晋王劳军于魏县，因帅百余骑循河而上，觇刘鄩营。会天阴晦，鄩伏兵五千于河曲丛林间，鼓噪而出，围王数重。王跃马大呼，帅骑驰突，所向披靡。裨将[296]夏鲁奇[297]等操短兵力战，自午至申，乃得出，亡其七骑，鲁奇手杀百余人，伤夷遍体，会李存审救兵至，乃得免。王顾谓从骑曰："几为虏嗤[298]。"皆曰："适足使敌人见大王之英武耳。"鲁奇，青州人也，王以是益爱之，赐姓名曰李绍奇。

晋王经常外出征讨，天雄军府的事务都委托给判官司空颋去决定。司空颋仗着有点才气又有权势，别人只要跟他有小的仇怨他都要实行报复，又收受贿赂，十分骄横奢侈。司空颋有个侄子在黄河以南的梁朝境内，司空颋秘密派人把他召来，都虞候张裕抓到了司空颋的使者，并报告了晋王，晋王责备司空颋说："自从我得到了魏博，众多事务全都委托给你，你怎么能这样欺骗我呢！难道不可以先让我知道吗！"于是作揖相别让司空颋回到府第。当天，就下令把司空颋全族的人都抓到军门前斩首，另外任命判官王正言代替他的职务。王正言，是郓州人。

魏州孔目吏孔谦，勤劳敏捷，长于计算，善于管理簿册文书，晋王任命他为支度务使。孔谦能曲意侍奉权贵要臣，因此受到的宠信更加稳固。魏州在新近的变乱之后，府库空虚，百姓也疲惫不堪，但是，会集三镇的兵马，在黄河一带作战，前后将近十年，军需粮饷的供应，不曾有过短缺，这些都是孔谦的功劳。然而征收急赋敛重，使得六州的百姓穷愁困苦，怨恨晋王，这些也是孔谦所造成的。

张彦以魏博归附晋国的时候，贝州刺史张源德不肯服从，他北面结交沧州、德州，南面联合刘鄩，以抵御晋军，并且几次切断镇州、定州的粮道。有人向晋王建议说："请先派一万多军队攻取张源德，然后往东兼并沧州、景州，那么直到海边的这一片土地都将归我们所有了。"晋王说："并非如此。贝州城池坚固，兵力众多，仓促之间不容易攻下来。德州隶属于沧州而又没有什么戒备，如果能拿下来并派军队戍守，那么沧州、贝州之间就不能往来。两个城被孤立之后，就可以把他们攻下来了。"于是派出骑兵五百名，日夜兼程，袭击德州。德州刺史没想到晋兵会来，翻越城墙逃走，于是晋军攻下了德州。任命辽州守捉将马通为刺史。

秋，七月，晋王军队夜袭澶州，把它攻了下来。刺史王彦章当时在刘鄩的军营中，晋军抓到了他的妻子儿女，待他们很优厚。派密使前去诱降王彦章，王彦章把晋王的使者杀了，于是晋王灭了王彦章全家。晋王任命魏州的部将李岩为澶州刺史。

晋王到魏县劳军，就此机会率百余名骑兵沿漳河往上游走去以侦察刘鄩的营地。碰上那天天气阴沉昏暗，刘鄩在河道转弯处的丛林里埋伏了五千名士兵，鼓噪而出，把晋王团团围了好几层。晋王跃马大声呼喊，率领骑兵左冲右突，所向披靡。副将夏鲁奇等人手执短刀奋力作战，从午时一直战到申时，才冲出重围，共损失了七名骑兵，夏鲁奇亲手杀了一百多名敌兵，自己也遍体鳞伤，恰好李存审率救兵赶到，这才得以脱身。晋王回头对随从的骑兵们说："差一点被贼人们笑话。"大家都说："这正好让敌人见识一下大王的英武罢了。"夏鲁奇，是青州人，晋王因此次交战而更加喜爱他，赐他姓名为李绍奇。

【段旨】

以上为第六段，写晋王李存勖兼领天雄节度使，智取德州、澶州。

【注释】

㉗庚寅朔：六月初一日。㉘上印节：呈上天雄军府印和旌节。意即交出权力。㉙比闻：近来听说。㉚亲董师徒：亲自督领军队。㉛新罹涂炭：新近遭到极其困苦之事。㉜明公：尊称，指贺德伦。㉝素怀：本意；原来的想法。㉞寇敌密迩：指刘鄩梁兵离魏州很近。㉟腹心纪纲：亲信、仆人，即指亲军。纪纲，这里指奴仆。㊱大同：方镇名，唐僖宗乾符五年（公元八七八年）升大同防御使为节度使。治所云州，在今山西大同。辖云、朔、蔚三州。㊲遣之官：派德伦到大同节度使任所。㊳晋阳：治所太原，在今山西太原，为晋国都。㊴张承业（公元八四六至九二二年）：字继元，本姓康，同州（今陕西大荔）人，本为唐中使监军，佐李克用，受顾命，官至开府仪同三司、左卫上将军。传见《旧五代史》卷七十二、《新五代史》卷三十八。㊵李存进（公元八五七至九二二年）：振武（今内蒙古和林格尔西北）人，为李克用养子，战功卓著，李存勖誉之“吾之杜预也”。传见《旧五代史》卷五十三、《新五代史》卷三十六。㊶已：通“以”。㊷枭首磔尸：砍头分尸的酷刑。㊸睚眦必报：指不肯忍让，小怨小忿一定要报复。睚眦，瞪眼睛，怒目而视，引申为小怨、小忿。㊹从子：侄子。㊺都虞候：虞候，节度使所置军法官，其主官称都虞候。㊻王正言：郓州（今山东郓城）人，居官小心端慎，与物无竞。后唐庄宗时，守礼部尚书。传见《旧五代史》卷六十九。㊼孔目吏：州府属吏，掌文书档案。

【原文】

刘鄩以晋兵尽在魏州，晋阳必虚，欲以奇计袭取之，乃潜引兵自黄泽㉙西去。晋人怪鄩军数日不出，寂无声迹，遣骑觇㉚之，城中无烟火，但时见旗帜循堞㉛往来。晋王曰：“吾闻刘鄩用兵，一步百计，此必诈也。”更使觇之，乃缚刍为人㉜，执旗乘驴在城上耳。得城中老弱者诘之，云军去已二日矣。晋王曰：“刘鄩长于袭人，短于决战，计彼行才及山下。”亟发骑兵追之。会阴雨积旬，黄泽道险，堇泥㉝深尺余，士卒援藤葛而进，皆腹疾足肿，或坠崖谷[10]，死者什二三。晋事无大小，均经其手，一孔一目，无不综理，故名。㉗⑧孔谦（？至公元九二六年）：魏州（今河北大名）人，任后唐租庸使，以聚敛搜刮为能事。为明宗所杀。传见《旧五代史》卷七十三、《新五代史》卷二十六。㉗⑨簿书：簿册文书。㉘⓪支度务使：节度使幕职官，协助节度使处理政务。㉘①三镇之兵：指晋攻梁时的魏、并、镇三镇之兵。㉘②军须：军需。须，通“需”。㉘③六州：指魏博所属魏、博、相、澶、卫、贝六州。㉘④贝州：魏博的属州，治所清河，在今河北南宫东南。㉘⑤张源德（？至公元九一六年）：为后梁守贝州，不屈死。传见《新五代史》卷三十三。㉘⑥北结沧德：北面结援横海军。㉘⑦数断：多次截断。㉘⑧沧景：即横海军。唐德宗贞元三年（公元七八七年）置，治所沧州，在今河北沧州。㉘⑨猝攻：出其不意地攻击。㉙⓪二垒：指沧州和贝州。㉙①逾城走：越过城墙逃跑。㉙②守捉将：军官名，掌州军事。㉙③间使：做离间、策反工作的使者。㉙④魏州：州名，治所贵乡，在今河北大名东北。㉙⑤李岩（？至公元九三一年）：《旧五代史》卷七十、《新五代史》卷二十六作“李严”。幽州（今北京）人，为人明敏，多艺能，习骑射，颇知书而辩，为后唐收蜀有功，官至泗州防御使兼客省使。被孟知祥所杀。㉙⑥裨将：副将。㉙⑦夏鲁奇（公元八八三至九三一年）：字邦杰，青州（今山东潍坊）人，后唐大将，通吏道，抚民有术。传见《旧五代史》卷七十、《新五代史》卷三十三。㉙⑧几为虏嗤：李存勖引汉光武的话自嘲，强作轻松、诙谐。嗤，嗤笑。

【校记】

［9］腹心：原作“心腹”。据章钰校，十二行本、乙十一行本、孔天胤本皆作“腹心”，今据改。

【语译】

刘鄩认为晋国的军队都在魏州，晋阳一定空虚，就想用奇计来攻取晋阳，于是暗自率军从黄泽西进。晋军正在奇怪刘鄩的军队几天都没出战，营中静悄悄的毫无活动，便派骑兵前去侦察，发现城中没有烟火，只是常能见到旗帜沿着城堞来回游动。晋王说：“我听说刘鄩用兵，走一步路都会想出一百种计谋，这里面一定有诈。”再次派人前去侦察，原来是把草把扎成人形，让它拿着旗帜坐在驴子上在城墙上来回走动。又抓到城中的老弱，追问之下，说刘鄩的军队离开这里已经两天了。晋王说：“刘鄩带兵擅长偷袭，不擅长决战，估计他此行也才走到山下。”便急忙派出骑兵追赶。此时适逢十几天都是阴雨，黄泽一带道路很险，烂泥巴有一尺多深，士兵们只能抓着藤葛行进，许多人都肚子闹病，脚也肿了起来，有的甚至坠落山崖、坠入

将李嗣恩[304]倍道[305]先入晋阳，城中知之，勒兵为备[306]。鄩至乐平[307]，糗粮[308]且尽，又闻晋有备，追兵在后，众惧，将溃[309]，鄩谕[310]之曰："今去家千里，深入敌境，腹背有兵，山谷高深，如坠井中，去将何之！惟力战庶几[311]可免，不则以死报君亲耳。"众泣而止。周德威闻鄩西上，自幽州引千骑救晋阳，至土门[312]，鄩已整众下山，自邢州陈宋口逾漳水[313]而东，屯于宗城[314]。鄩军往还，马死殆半[315]。

时晋军乏食，鄩知临清有蓄积，欲据之以绝晋粮道。德威急追鄩，再宿，至南宫[316]，遣骑擒其斥候[317]者数十人，断腕而纵之，使言曰："周侍中[318]已据临清矣！"鄩军大骇。诘朝[319]，德威略鄩营而过，入临清，鄩引军趋贝州。时晋王出师屯博州[320]，刘鄩军[321]堂邑[322]，周德威攻之，不克。翌日，鄩军于莘县[323]，晋军踵之[324]。鄩治莘城，堑[325]而守之，自莘及河筑甬道[326]以通馈饷[327]。晋王营于莘西三十里，烟火相望[328]，一日数战。

晋王爱元行钦[329]骁健，从代州刺史李嗣源求之。嗣源不得已献之，以为散员[330]都部署[331]，赐姓名曰李绍荣。绍荣尝力战深入，剑中其面，未解[332]，高行周[333]救之得免。王复欲求行周，重于发言[334]，密使人以官禄啖[335]之，行周辞曰："代州[336]养壮士，亦为大王耳，行周事代州，亦犹事大王也。代州脱行周兄弟于死，行周不忍负之。"乃止。

绛州[337]刺史尹皓攻晋之隰州[338]，八月，又攻慈州[339]，皆不克。王檀与昭义[340][11]留后贺瓌[341]攻澶州[342]，拔之，执李岩，送东都[343]。帝以杨师厚故将杨延直为澶州刺史，使将兵万人助刘鄩，且招诱魏人。

晋王遣李存审将兵五千击贝州。张源德有卒三千，每夕分出剽掠，州民苦之，请堑其城[344]以安耕耘。存审乃发八县[345]丁夫堑而围之。

刘鄩在莘久，馈运不给[346]。晋人数抵其寨下挑战，鄩不出。晋人乃攻绝其甬道，以千余斧斩寨木，梁人惊扰而出，因俘获而还。

山谷，死的人有十分之二三。晋将李嗣恩兼程赶路先行进入晋阳，晋阳城内知道了这一情况，便部署兵力做好了防备。刘鄩到达乐平，部队的干粮快要用完了，又听说晋军已经有了防备，且追兵就在后面，大家都感到恐惧，整个部队几乎就要溃散了，刘鄩训勉他们说："如今离家千里，深入敌境，前后都有敌军，山高谷深，就像掉在井里一样，我们又能到哪里去呢！现在只有奋力作战，或许还有一线希望，要不然的话就只能用死来报答皇上和亲人们了。"大家听后都掉下了眼泪，这才停止骚动。周德威听说刘鄩率军西进，就从幽州率领千余名骑兵前去救援晋阳，到达土门时，刘鄩已经整顿部队撤退下山，从邢州的陈宋口渡过漳河向东，屯驻在宗城。刘鄩军队这次往返，马匹死了将近一半。

当时晋军缺乏粮食，刘鄩知道临清有蓄积的粮食，就想占据该地以断绝晋军的粮道。周德威火速追赶刘鄩，两天之后赶到南宫，派骑兵抓了刘鄩侦察部队的几十个人，砍断了他们的手腕放他们回去，让他们告诉刘鄩说："周侍中已经占领临清了！"刘鄩的军队大吃一惊。第二天清晨，周德威的军队从刘鄩的营边掠过，进入临清，刘鄩只好率领部队前往贝州。当时晋王出兵屯驻在博州，刘鄩则驻扎在堂邑，周德威向刘鄩发起攻击，没能攻下。第二天，刘鄩的军队在莘县扎营，晋军紧跟着追了上来。刘鄩于是整治莘县城防，挖掘壕沟加以守备，又从莘县至黄河边修筑了甬道以运输粮饷。晋王的大营扎在莘县西边三十里，两军彼此都可以看见对方的炊烟和灯火，一日之内数次交战。

晋王喜爱元行钦骁勇壮健，要求代州刺史李嗣源把他调来。李嗣源不得已只好把他献给晋王，晋王任命元行钦为散员都部署，赐姓名为李绍荣。李绍荣曾经奋力作战深入敌境，被剑砍中了面部，未能脱身，高行周解救了他，他才得以保住性命。晋王想再向李嗣源要高行周，但难以启齿，便私下里派人以高官厚禄引诱高行周，高行周推辞说："李嗣源在代州蓄养壮士，也是为了大王，我高行周侍奉李嗣源，也如同侍奉大王一样。李嗣源曾经救我们兄弟免于一死，我实在不忍心辜负他。"晋王这才作罢。

绛州刺史尹皓进攻晋国的隰州，八月，又进攻慈州，都没能攻下。王檀与昭义留后贺瓌进攻澶州，攻了下来，活捉李岩，解送到东都大梁。梁末帝任命杨师厚的旧将杨延直为澶州刺史，让杨延直率军万人去帮助刘鄩，并且招降魏州人。

晋王派李存审率军五千进攻贝州。张源德在贝州有三千名士兵，每晚都分头外出抢劫，贝州的百姓深以为苦，请求挖掘壕沟把州城和城外阻隔开来，以便他们安心耕耘。李存审于是发动贝州所属八个县的百姓挖掘壕沟，把贝州城围了起来。

刘鄩驻扎在莘县已经很久了，粮饷的运送时常接济不上。晋人多次进逼到营寨前挑战，刘鄩一直坚守不出。晋军于是攻击并截断梁军运送粮饷的甬道，又用千余把斧子砍斫梁军营寨的木栏，梁军受惊扰而冲出寨门，晋军乘机俘获他们而回。

【段旨】

以上为第七段，写梁名将刘鄩偷袭晋阳兵败，退守莘县与晋王对峙。

【注释】

㉙⁹黄泽：地名，在今山西左权东南，山道险峻、曲折，凡十八盘。㊱⁰觇：侦察。㉛¹堞：城上的矮墙，亦称女墙。㉛²缚刍为人：扎草把成人形。刍，草把。㉛³堇泥：黏土。㉛⁴李嗣恩（？至公元九一八年）：本姓骆，吐谷浑部人。为李克用养子，赐姓名，积功至振武节度使。传见《旧五代史》卷五十二、《新五代史》卷三十六。㉛⁵倍道：用加倍的速度赶路。犹言兼程。㉛⁶勒兵为备：部署兵力，做好守备。㉛⁷乐平：县名，县治在今山西昔阳，距晋阳二百五十里。㉛⁸糗粮：泛指军用干粮。糗，炒熟的米麦等谷物。㉛⁹溃：崩溃；离散。㉛⁰谕：教育；开导。㉛¹庶几：差不多；或许可以。㉛²土门：即河北井陉。㉛³逾漳水：渡过漳水。㉛⁴宗城：县名，县治威县，在今河北威县。㉛⁵殆半：将近一半。㉛⁶南宫：县名，在今河北南宫，至临清约数十里。㉛⁷斥候：旧时军队中负责侦察敌情的兵卒。㉛⁸周侍中：指周德威，因破幽州授检校侍中。㉛⁹诘朝：第二天早晨。㉜⁰博州：州名，治所聊城，在今山东聊城。㉜¹军：驻扎。㉜²堂邑：县名，县治在今山东聊城西北。㉜³莘县：县名，县治在今山东莘县。㉜⁴踵之：继踵其后。谓晋军紧紧咬住刘鄩军追击。踵，脚后跟。此处用作动词。㉜⁵堑：壕沟；护城河。㉜⁶甬道：夹筑垣墙，以防晋军冲突、偷袭。㉜⁷馈饷：粮饷。㉜⁸烟火相望：指相距很近，彼此能看得见对方的炊烟和灯火。㉜⁹元行钦（？至公元九二六年）：本幽州刘守光之爱将，降后唐，李存勖赐姓名为李绍荣，骁勇善战，

【原文】

帝以诏书让[347]鄩老师费粮[348]，失亡多，不速战，鄩奏："臣比[349]欲以奇兵捣[350]其腹心，还取镇、定[351]，期以旬时再清河朔[352]。无何天未厌乱[353]，淫雨积旬，粮竭士病。又欲据临清断其馈饷，而周杨五奄至[354]，驰突如神[355]。臣今退保莘县，享士训兵[356]，以俟进取。观其兵数甚多，便习骑射，诚为勍敌，未易轻也。苟有隙可乘，臣岂敢偷安养寇！"帝复问鄩决胜之策，鄩曰："臣今无策，惟愿人给十斛[357]粮，贼可破矣。"帝怒，责鄩曰："将军蓄米，欲破贼邪，欲疗饥邪？"乃遣中使往督战。

积功为邺都行营招抚使。传见《旧五代史》卷七十、《新五代史》卷二十五。㉚散员：后唐设散指挥都头，名为散员。㉛都部署：武官名，即后之行军统帅。㉜未解：未能解围。㉝高行周（？至公元九五一年）：字尚质，妫州（今河北怀来）人，官至后唐振武军节度使，后晋归德军节度使，后汉天平军节度使，后周封齐王。传见《旧五代史》卷一百二十三、《新五代史》卷四十八。㉞重于发言：难以启齿。㉟啖：利诱。㊱代州：指李嗣源。㊲绛州：州名，治所龙头城，在今山西闻喜东北。㊳隰州：州名，治所隰川，在今山西隰县。㊴慈州：州名，治所在今山西吉县。㊵昭义：方镇名，唐代宗大历元年（公元七六六年）相卫六州节度使赐号昭义军节度，治所相州，在今河南安阳。㊶贺瓌：（公元八五八至九一九年）字光远，濮阳（今河南濮阳）人，投降朱温，积功至宣义军节度使。传见《旧五代史》卷二十三、《新五代史》卷二十三。㊷澶州：州名，唐置，五代时州治濮阳，即今河南濮阳。㊸东都：后梁首都，在今河南开封。㊹堑其城：挖壕沟包围贝州城，使贝州兵不得出来抢劫。㊺八县：指贝州下辖清河、清阳、武城、经城、临清、漳南、历亭、夏津等八县。㊻馈运不给：粮食物资的运送不能满足需求。

【校记】

［10］或坠崖谷：原无此四字。据章钰校，十二行本、乙十一行本、孔天胤本皆有此四字，张敦仁《通鉴刊本识误》、张瑛《通鉴校勘记》同，今据补。［11］昭义：胡三省考“昭义”当为“宣义”。严衍《通鉴补》据改“宣义”。查《旧五代史·贺瓌传》，瓌以天祐四年（公元九〇七年）充昭义留后，至贞明三年（公元九一七年）授宣义节度使。故此处疑仍当作“昭义”，然以地望言，宣义似更近澶州。

【语译】

梁末帝下诏书责备刘鄩使军队久战疲困，耗费粮食，损失伤亡很多，不与敌人速战速决，刘鄩上奏说：“臣近来想用奇兵直捣敌人的腹心，然后回头攻取镇州、定州，预计用十天左右的时间再来扫清河朔地区。怎奈老天似乎还没有厌烦纷乱，接连下了十来天雨，我军粮食供应不上，士卒也疲惫不堪。后来又打算占据临清以切断敌人的粮饷供应，不料周杨五突然赶到，其奔驰冲击如有神助。臣如今退守莘县，宴享将士，训练士兵，以等待时机再有所进取。臣观察到敌军人数众多，熟习骑马射箭，确实是一支劲敌，不能轻易看低他们。假如有隙可乘的话，臣又怎敢苟且偷安而姑息纵容敌寇呢！”梁末帝又问他有什么取胜的计谋，刘鄩回奏说：“臣如今还没有什么计谋，只希望能给每个士兵供应十斛粮饷，那么敌人就可以击败了。”梁末帝一听大怒，责问刘鄩说：“将军积攒这些粮米，是想要破敌呢，还是想要救饥？”于是派中使前往督战。

鄩集诸将问曰："主上深居禁中，不知军旅，徒与少年新进辈谋之。夫兵㊱在临机制变㊲，不可预度。今敌尚强，与战必不利，奈何？"诸将皆曰："胜负须[12]一决，旷日何待㊳！"鄩默然不悦，退谓所亲曰："主暗臣谀㊴，将骄卒惰，吾未知死所矣！"他日，复集诸将于军门㊵，人置河水一器于前㊶，令饮之，众莫之测㊷。鄩谕之曰："一器犹难，滔滔之河，可胜尽乎！"众失色。后数日，鄩将万余人薄㊸镇、定营，镇、定人惊扰。晋李存审以骑兵二千横击㊹之，李建及㊺以银枪千人助之，鄩大败，奔还㊻。晋人逐之，及寨下㊼，俘斩千计。

刘岩㊽逆㊾妇于楚，楚王殷遣永顺㊿节度使存(373)送之。

【段旨】

以上为第八段，写梁将刘鄩与晋军决战，再次败北。

【注释】

(347)让：责备。(348)老师费粮：使军队久战疲困，靡费粮食。(349)比：近来。(350)捣：打击。(351)镇、定：两州名。镇州治所镇定，在今河北正定。定州治所卢奴，在今河北定州。(352)河朔：泛指华北平原黄河以北之地。(353)天未厌乱：天还没有厌恨纷乱，向往太平。意谓天不遂人愿。(354)奄至：突然到来。(355)驰突如神：奔驰冲突非常活跃，犹如神助。(356)享士训兵：宴享将士，训练士兵。(357)斛：量器名，古时以十斗为一斛。(358)兵：战争；打仗。(359)临机制变：遇到不同情况，随时采取措施，适应变化的形势。(360)旷日何待：荒废了这么长时间，等待什么呢。(361)主暗臣谀：君主昏庸，臣子阿谀奉承。(362)军门：营门。这里指主帅办公的地方。(363)人置河水一器于前：在每人面前放一碗河水。(364)众莫之测：大家猜想不到为了什么。(365)薄：靠近；迫近；侵入。(366)横击：拦腰冲击。(367)李建及刘鄩召集众将问道:“主上深居宫禁之中，不了解军旅之事，只是与几个年轻新进之辈商议。打仗这件事关键在于掌握时机灵活应对变化的形势，这是不可预测的。如今敌人还很强盛，与他们交战对我们肯定不利，这事该怎么办呢?”众将都说:“谁胜谁负还须做一次决战，如今耗费了这样长的时间不知究竟在等什么!”刘鄩默不作声，心里很不高兴，回来后对自己的亲信们说:“主上昏庸，臣下阿谀奉承，将领骄傲气盛，而士卒又怠惰偷安，这样下去我都不知道会死在哪里了!”另一天，刘鄩再次把众将召集到主帅营门前，在每个人的面前摆上一碗河水，让大家喝下去，大家都猜不透这是怎么一回事。刘鄩告诉他们说:“一碗水尚且难以喝下去，滔滔的河水，难道可以喝完吗!”众人一听，脸色都变了。几天后，刘鄩率领万余名军队逼近镇州、定州的营寨，镇州、定州之人深受惊扰。晋国的李存审率领两千名骑兵拦腰冲击梁军，李建及又率领一千名银枪效节军前来助战，刘鄩的军队大败，逃了回去。晋军乘胜追击，一直追到梁军的营寨下，俘虏和斩杀的梁军数以千计。

刘岩到楚国去迎娶媳妇，楚王马殷派永顺节度使马存护送刘岩回去。

(公元八六四至九二〇年):许州(今河南许昌)人，本姓王，李克用赐今名。庄宗时，领魏博内外衙银枪效节帐前亲军，屡立战功。传见《旧五代史》卷六十五、《新五代史》卷二十五。㊳奔还:逃回。㊴及寨下:直到刘鄩莘县军营前。㊵刘岩(公元八八九至九四二年):南汉高祖，贞明三年(公元九一七年)即皇帝位，国号大越，改元乾亨。八年(公元九二四年)，改名为陟，九年(公元九二五年)，又改名为龑，公元九一七至九四二年在位。传见《旧五代史》卷一百三十五、《新五代史》卷六十五。㊶逆:迎。㊷永顺:方镇名，唐昭宗光化元年(公元八九八年)置武贞军节度使，领沣、朗、溆三州，治沣州，后梁改永顺军，治朗州，在今湖南常德。㊸存:马存，马殷之弟。传见《十国春秋》卷七十一。

【校记】

[12]须:原作“当”。据章钰校，十二行本、乙十一行本皆作“须”，张敦仁《通鉴刊本识误》同，今据改。

【原文】

乙未[374]，蜀主[375]以兼中书令王宗绾为北路行营都制置使，兼中书令王宗播为招讨使，攻秦州[376]；兼中书令王宗瑶[377]为东北面招讨使，同平章事王宗翰[378]为副使，攻凤州[379]。

庚戌[380]，吴以镇海节度使徐温为管内水陆马步诸军都指挥使[381]、两浙都招讨使、守侍中、齐国公，镇润州，以昇、润、常、宣、歙、池六州[382]为巡属[383]，军国庶务参决如故[384]，留徐知训居广陵[385]秉政[386]。

初，帝为均王娶河阳节度使张归霸[387]女为妃，即位，欲立为后。后以帝未南郊[388]，固辞。九月壬午[389]，妃疾甚，册为德妃，是夕，卒。

康王友敬[390]，目重瞳子[391]，自谓当为天子，遂谋作乱。冬，十月辛亥[392]夜，德妃将出葬，友敬使腹心数人匿于寝殿[393]。帝觉之，跣足逾垣而出，召宿卫兵索殿中，得而手刃之。壬子[394]，捕友敬，诛之。

帝由是疏忌[395]宗室，专任赵岩及德妃兄弟汉鼎、汉杰，从兄弟汉伦、汉融[396]，咸居近职，参预谋议，每出兵必使之监护。岩等依势弄权，卖官鬻狱，离间旧将相，敬翔[397]、李振[398]虽为执政，所言多不用。振每称疾不预事，以避赵、张之族。政事日紊，以至于亡。

【段旨】

以上为第九段，写后梁政局不稳，宫廷发生政变未遂。

【注释】

[374]乙未：八月初七日。[375]蜀主：前蜀高祖王建，公元九〇八至九一八年在位。传见《旧五代史》卷一百三十六、《新五代史》卷六十三、《十国春秋》卷三十五。[376]秦州：州名，治所在今甘肃秦安北。[377]王宗瑶：王建义子。传见《十国春秋》卷三十九。[378]王宗翰：本姓孟，王建义子。传见《十国春秋》卷三十九。[379]凤州：州名，治所在今陕西凤县东。[380]庚戌：八月二十二日。[381]管内水陆马步诸军都指挥使：武官名，掌全国军政的最高长官。[382]昇、润、常、宣、歙、池六州：昇州治所上元，在今江苏南京。润州治所在今江苏镇江。常州治所在今江苏常州。宣州治所在今安徽宣城。歙州治所在今安徽歙县。池州治所在今安徽池州市贵池区。[383]巡属：管辖属区。[384]如故：像过去一样。[385]广陵：吴国都城，在今江苏扬州。[386]秉政：掌握政权。[387]张归霸（？至公元九〇八年）：字正臣，清河（今河北清河县）

【语译】

八月初七日乙未，蜀主任命兼中书令王宗绾为北路行营都制置使，兼中书令王宗播为招讨使，进攻秦州；兼中书令王宗瑶为东北面招讨使，同平章事王宗翰为副使，进攻凤州。

二十二日庚戌，吴国任命镇海节度使徐温为管内水陆马步诸军都指挥使、两浙都招讨使、守侍中、齐国公，镇守润州，把昇、润、常、宣、歙、池六州作为管辖属区，并且仍旧参与军国各种事务的决策，而把徐知训留在广陵主持政务。

当初，梁末帝当均王的时候，娶了河阳节度使张归霸的女儿为王妃，均王登基后，想要立她为皇后。王妃认为梁末帝还没有到南郊去祭天，就坚决推辞。九月二十四日壬午，妃子病得很重，梁末帝册封她为德妃，当晚，她就去世了。

康王朱友敬，眼睛里有两个瞳孔，自认为应当成为皇帝，于是阴谋作乱。冬，十月二十四日辛亥夜晚，德妃将要出殡安葬，朱友敬派了几个心腹躲在梁末帝的寝宫内。梁末帝发觉了，光着脚翻墙逃了出去，召唤值宿禁卫的士兵搜索寝宫中，抓到刺客后亲手把他们杀死。二十五日壬子，逮捕朱友敬，并且诛杀了他。

梁末帝由此事件而疏远顾忌宗室，只信任赵岩和德妃的兄弟张汉鼎、张汉杰，堂兄弟张汉伦、张汉融等人，这些人都在皇帝身边官居要职，参与军国事务的谋划商议，每当有军队出征，也一定指派他们监护。赵岩等人依仗得势，把持并滥用权力，收钱卖官，因讼得贿，离间旧日的将相大臣，敬翔和李振虽然担任执政大臣，但所提出的建议大多不被采用。李振时常推说有病，不参与国事，以避开赵、张两家的势力。从此梁朝的国政一天比一天混乱，直到灭亡为止。

人，初投黄巢，后归朱温，积功至河阳节度使。传见《旧五代史》卷十六、《新五代史》卷二十二。㊳㊱帝未南郊：后梁末帝未举行过南郊祭天大典。㊳㊴壬午：九月二十四日。㊴⓪友敬：《新五代史》《旧五代史》均作“友孜”。梁太祖朱温第八子。传见《旧五代史》卷十二、《新五代史》卷十三。㊴①目重瞳子：眼中有两个瞳子。㊴②辛亥：十月二十四日。㊴③寝殿：天子的卧室。㊴④壬子：十月二十五日。㊴⑤疏忌：疏远顾忌。㊴⑥德妃兄弟汉鼎、汉杰二句：为张归霸子、侄。后梁末帝时分掌权柄，藩镇除拜多出其门。汉鼎早死，汉杰、汉伦、汉融同日被唐庄宗杀死。传见《旧五代史》卷十六、《新五代史》卷二十二《张归霸传》。㊴⑦敬翔（？至公元九二三年）：字子振，同州冯翊（今陕西大荔）人，好读书，尤长刀笔，应用敏捷，为后梁宰相近三十年，梁亡，自杀，著有《大梁编遗录》三十卷。传见《旧五代史》卷十八、《新五代史》卷二十一。㊴⑧李振（？至公元九二三年）：字兴绪，积功至后梁户部尚书。传见《旧五代史》卷十八、《新五代史》卷四十三。

【原文】

刘郛遣卒诈降[399]于晋，谋赂膳夫[400]以毒晋王。事泄，晋王杀之，并其党五人。

十一月己未[401]夜，蜀宫火。自得成都[402]以来，宝货贮于百尺楼[403]，悉为煨烬[404]。诸军都指挥使[405]兼中书令宗侃[406]等帅卫兵欲入救火，蜀主闭门不内[407]。庚申旦[408]，火犹未熄，蜀主出义兴门见群臣，命有司[409]聚太庙神主[410]，分巡都城[411]，言毕[13]，复入宫闭门。将相皆献帷幕[412]、饮食[413]。

壬戌[414]，蜀大赦。

乙丑[415]，改元[416]。

己巳[417]，蜀王宗翰引兵出青泥岭[418]，克固镇[419]，与秦州将郭守谦战于泥阳川[420]，蜀兵败，退保鹿台山。辛未[421]，王宗绾等败秦州兵于金沙谷[422]，擒其将李彦巢等，乘胜趣[423]秦州。兴州[424]刺史王宗铎克阶州，降其刺史李彦安。甲戌[425]，王宗绾克成州[426]，擒其刺史李彦德[427]。蜀军至上染坊[428]，秦州节度使李继崇遣其子彦秀奉牌印迎降。宗绾[14]入秦州，表排陈使[429]王宗俦[430]为留后。刘知俊攻霍彦威于邠州[431]，半岁不克，闻秦州降蜀，知俊妻子皆迁成都，知俊解围还凤翔[432]。终惧及祸，夜帅亲兵七十人，斩关而出。庚辰[433]，奔于蜀军。王宗绾自河池[434]、两当[435]进兵，会王宗瑶攻凤州。癸未[436]，克之。

岐[437]义胜[438]节度使、同平章事[439]李彦韬[440]知岐王衰弱，十二月，举耀[441]、鼎[442]二州来降。彦韬即温韬也。乙未[443]，诏改耀州为崇州，鼎州为裕州，义胜军为静胜军，复彦韬姓温氏，名昭图，官任如故。

丁未[444]，蜀大赦，改明年元曰通正[445]。置武兴军[446]于凤州，割文、兴二州[447]隶之，以前利州[448]团练使王宗鲁[449]为节度使。

是岁，清海[450]、建武[451]节度使兼中书令刘岩，以吴越王镠为国王而己独为南平王[452]，表求封南越王及加都统，帝不许。岩谓僚属曰："今中国纷纷[453]，孰[454]为天子！安能梯航[455]万里，远事伪庭[456]乎！"自是贡使遂绝。

【语译】

刘鄩派士兵假装投降晋国，阴谋收买厨师毒杀晋王。事情败露，晋王把厨师和同党五人全都杀了。

十一月初三日己未夜晚，蜀国的宫中发生火灾。蜀自从占领成都以来，宝物都贮藏在宫中的百尺楼里，全被这次大火烧为灰烬。诸军都指挥使兼中书令王宗侃等人率领卫兵想入宫救火，蜀主却关闭宫门不放他们进来。初四日庚申早晨，大火还没有熄灭，蜀主从义兴门出来和群臣见面，又命令主管官员把太庙的神主集中到一起，并分头到都城各处去巡查以加强警卫，说完，又进宫把门关上。将相大臣们纷纷献上帷幕、饮食等物品。

初六日壬戌，蜀国实行大赦。

初九日乙丑，梁朝改年号为贞明。

十三日己巳，蜀国的王宗翰率军出青泥岭，攻克固镇，与秦州的将领郭守谦在泥阳川交战，蜀军大败，退守到鹿台山。十五日辛未，王宗绾等人在金沙谷击败了秦州的军队，擒获其将领李彦巢等人，并乘胜直奔秦州。兴州刺史王宗铎攻下了阶州，阶州刺史李彦安投降。十八日甲戌，王宗绾攻下了成州，擒获其刺史李彦德。蜀军到达上染坊，秦州节度使李继崇派他的儿子李彦秀捧着牌印迎降。王宗绾进入秦州，上表请求蜀主任命排陈使王宗俦为留后。刘知俊在邠州攻打霍彦威，半年没攻下来，听说秦州投降了蜀国，自己的妻子、儿子都被迁往成都，刘知俊便解除了对邠州的包围回到凤翔。最终还是害怕会惹上灾祸，于是趁夜率领七十名亲兵，闯开关门逃出。二十四日庚辰，投奔了蜀军。王宗绾从河池、两当进军，会同王宗瑶一起进攻凤州。二十七日癸未，攻下了凤州。

岐国的义胜节度使、同平章事李彦韬知道岐王的势力已日渐衰弱，十二月，率耀、鼎二州前来向梁朝投降。李彦韬就是温韬。初九日乙未，梁末帝下诏改称耀州为崇州，鼎州为裕州，义胜军为静胜军，并且让李彦韬恢复温姓，改名叫昭图，所任的官职照旧。

十二月二十一日丁未，蜀国实行大赦，改明年的年号为通正。又在凤州设置了武兴军，划出文、兴二州归它管辖，任命前利州团练使王宗鲁为节度使。

这一年，清海、建武节度使兼中书令刘岩，认为吴越王钱镠做了国王，而唯独自己还是南平王，于是上表请求封他为南越王并加都统的称号，梁末帝没有答应。刘岩对僚属说："如今中原动荡纷乱，哪一个人能算是真正的天子呢！我们怎么能跋山涉水不远万里地去侍奉一个伪政权呢！"从此就不再向梁朝通使入贡了。

【段旨】

以上为第十段，写蜀国宫中大火。蜀兵两路攻岐，岐王李茂贞势衰。刘岩绝梁不入贡。

【注释】

㊴⑨诈降：假投降。㊵⓪膳夫：厨师。㊵①己未：十一月初三日。㊵②自得成都：王建于公元八九一年八月二十五日攻占成都。㊵③百尺楼：蜀宫中楼名。㊵④煨烬：灰烬；燃烧后的残余。㊵⑤诸军都指挥使：蜀军各部的总指挥官。㊵⑥宗侃：本姓田，王建义子。传见《十国春秋》卷三十九。㊵⑦闭门不内：关闭宫门不许入内，恐借救火为名发动政变。内，通"纳"。㊵⑧庚申旦：十一月初四早晨。㊵⑨有司：各主管部门。㊶⓪聚太庙神主：把太庙的祖宗神主牌位集中在一起。㊶①分巡都城：分头巡视首都城防，加强警卫。㊶②帷幕：帐幔；帐子。㊶③饮食：食物。㊶④壬戌：十一月初六日。㊶⑤乙丑：十一月初九日。㊶⑥改元：指后梁改元贞明。据《通鉴考异》引《吴越备史》，改元贞明在正月初一日。㊶⑦己巳：十一月十三日。㊶⑧青泥岭：又名泥公山，在今甘肃徽县南，为甘、陕入蜀要路。㊶⑨固镇：在今甘肃徽县。㊷⓪泥阳川：水名，汉水支流，源出甘肃徽县西北。㊷①辛未：十一月十五日。㊷②金沙谷：在今甘肃天水市东南。㊷③趣：通"趋"。赶快奔向。㊷④兴州：州名，治所在今陕西略阳。㊷⑤甲戌：十一月十八日。㊷⑥成州：州名，治所在今甘肃成县。㊷⑦李彦德：素骁勇，常戴牛皮帽，披漆甲，跨黑马，执斫刺刀，军中目为"薄地鸦"。传见《十国春秋》卷四十二。㊷⑧上染坊：地名，在今甘肃天水市南。㊷⑨排陈使：武官名，掌布列军营、阵地等事。陈，"阵"的古字。㊸⓪王宗俦：王建养子，官至山南节度使。传见《十国春秋》卷三十九。㊸①邠州：州名，治所在今陕西彬州。㊸②凤翔：府名，唐肃宗至德二载（公元七五七年）升凤翔郡为府。治所天兴，在今陕西宝鸡市凤翔区。唐末李茂贞为凤翔节度

【原文】

二年（丙子，公元九一六年）

春，正月，宣武[457]节度使、守中书令、广德靖王全昱[458]卒。

帝闻前河南府参军[459]李愚学行[460]，召为左拾遗[461]，充崇政院直学士[462]。衡王友谅[463]贵重，李振等见，皆拜之，愚独长揖。帝闻而让之，曰："衡王于朕，兄也。朕犹拜之，卿长揖，可乎？"对曰："陛下以家人礼见衡王，拜之宜也。振等陛下家臣，臣于王无素[464]，不敢妄有所

使，称岐王。刘知俊还凤翔，即还兵李茂贞。㊸庚辰：十一月二十四日。㊹河池：县名，县治在今甘肃徽县西。㊺两当：县名，县治在今甘肃两当东。两当之名本有两说，一说县有两当山而命名，一说县有两当水而命名。㊻癸未：十一月二十七日。㊼岐：指岐王李茂贞。㊽义胜：方镇名，唐昭宗天祐三年（公元九〇六年）置，治所耀州，在今陕西铜川市耀州区。㊾同平章事：为宰相专称。藩镇节度使带此号则称使相，为荣衔，不理事。㊿李彦韬：即温韬（？至公元九二六年），少为盗，为耀州节度使时，盗挖唐代皇帝陵墓，取所藏金宝。为后唐明宗所杀。传见《旧五代史》卷七十三、《新五代史》卷四十。441耀：州名，治所在今陕西铜川市耀州区。442鼎：州名，治所在今陕西富平北。443乙未：十二月初九日。444丁未：十二月二十一日。445通正：前蜀王建称帝后所改的第三个年号，仅一年，当公元九一六年。446武兴军：方镇名，前蜀永平五年（公元九一五年）置。治所凤州，在今陕西凤县东。447文、兴二州：文州治所在今甘肃文县，兴州治所在今陕西略阳。448利州：州名，治所在今四川广元。449王宗鲁：王建养子。传见《十国春秋》卷三十九。450清海：方镇名，唐昭宗乾宁二年（公元八九五年）赐岭南东道节度号清海军节度。治所广州，在今广东广州。451建武：方镇名，南汉升邕州为建武军节度。治所邕州，在今广西南宁。452南平王：为郡王，地位低于国王。453纷纷：指藩镇割据，动荡不安。454孰：谁；哪一个。455梯航：指梯山航海。即长途跋山涉水之意。梯，登、跋。456伪庭：指后梁政权。

【校记】

［13］毕：原作“讫”。据章钰校，十二行本、乙十一行本皆作“毕”，今据改。［14］宗绾：原作“宗绛”。胡三省注云：“当作‘宗绾’。”严衍《通鉴补》据改，当是，今据改。

【语译】

二年（丙子，公元九一六年）

春，正月，宣武节度使、守中书令、广德靖王朱全昱去世。

梁末帝听说前河南府参军李愚的学问人品都很好，就征召他为左拾遗，充任崇政院直学士。衡王朱友谅地位尊贵，李振等大臣见到他，都行拜见之礼，唯有李愚见到他拱手作揖。梁末帝听说后责备他，说：“衡王是朕的兄长。朕都向他行拜见之礼，而你只是拱手作揖，合适吗？”李愚回答说：“陛下用家里人的礼节见衡王，拜他是合适的。李振等人也是陛下的家臣，而臣与衡王素无来往，不敢随便地表示过分

屈。”久之，竟以抗直[465]罢为邓州[466]观察判官[467]。

蜀主以李继崇为武泰[468]节度使、兼中书令、陇西王。

二月辛丑[469]夜，吴宿卫将[470]马谦、李球劫吴王登楼，发库兵[471]讨徐知训。知训将出走，严可求[472]曰：“军城[473]有变，公先弃众自去，众将何依[474]！”知训乃止。众犹疑惧，可求阖户[475]而寝，鼾息[476]闻于外，府中稍安。壬寅[477]，谦等陈[478]于天兴门[479]外。诸道副都统[480]朱瑾自润州至，视之，曰：“不足畏也。”返顾[481]外众，举手大呼，乱兵皆溃[482]，擒谦、球，斩之。

帝屡趣[483]刘鄩战，鄩闭壁[484]不出。晋王乃留副总管[485]李存审守营，自劳军[486]于贝州，声言[487]归晋阳。鄩闻之，奏请袭魏州，帝报曰：“今扫境内以属将军[488]，社稷[489]存亡，系[490]兹一举，将军勉之[491]！”鄩令澶州刺史杨延直引兵万人会于魏州，延直夜半至城南，城中选壮士五百潜出击之，延直不为备，溃乱而走。诘旦，鄩自莘县悉众[492]至城东，与延直余众合。李存审引营中兵踵其后[493]，李嗣源以城中兵出战，晋王亦自贝州至，与嗣源当[494]其前。鄩见之，惊曰：“晋王邪!”引兵稍却[495]，晋王蹑[496]之，至故元城[497]西，与李存审遇。晋王为方陈[498]于西北，存审为方陈于东南，鄩为圆陈[499]于其中间，四面受敌。合战良久[500]，梁兵大败，鄩引数十骑突围走。梁步卒凡七万，晋兵环而击之[501]，败卒登木[502]，木为之折，追至河上，杀溺殆尽。鄩收散卒自黎阳[503]渡河，保滑州[504]。

匡国节度使王檀密疏请发关西[505]兵袭晋阳，帝从之，发河中[506]、陕[507]、同[508]、华[509]诸镇兵合三万，出阴地关[510]，奄至[511]晋阳城下，昼夜[512]急攻。城中无备，发诸司丁匠[513]及驱市人[514]乘城拒守，城几陷者数四，张承业[515]大惧。代北故将安金全[516]退居太原，往见承业曰：“晋阳根本之地，若失之，则大事去矣。仆虽老病，忧兼家国[517]，请以库甲[518]见授，为公击之。”承业即与之。金全帅其子弟及退将[519]之家得数百人，夜出北门，击梁兵于羊马城内。梁兵大惊，引却。昭义[520]节度使李嗣昭闻晋阳有寇，遣牙将[521]石君立[522]将五百骑救之。君立朝发

的谦卑。”时间一长，李愚终因性情耿直不屈被贬为邓州观察判官。

蜀主任命李继崇为武泰节度使，兼中书令、陇西王。

二月十六日辛丑夜晚，吴国的宿卫将马谦、李球劫持吴王登上城楼，打开武器库房分发武器以讨伐徐知训。徐知训准备逃走，严可求对他说：“军城发生事变，你抛弃大家自己先离开，大家还能依靠谁呢！”徐知训这才放弃逃走的念头。大家还是有些疑虑害怕，严可求却关起门来睡大觉，鼾声在门外都能听得见，看到他这样，府中才渐渐安定下来。十七日壬寅，马谦等人在天兴门外摆开了阵势。这时诸道副都统朱瑾从润州赶到，看了一下阵势，说：“没有什么好害怕的。”回过头对着城外的兵众们，抬起手大声呼喊，乱兵都溃散了，活捉了马谦、李球，将两人斩首。

梁末帝多次催促刘鄩出战，刘鄩关闭营垒，不出来交战。晋王于是留下副总管李存审守卫大营，自己在贝州慰劳军队，声称返回晋阳。刘鄩听到这一消息，就向梁末帝上奏请求袭击魏州，梁末帝回复他说：“如今把全国的兵力物力都集中起来归属将军，国家的存亡，在此一举了，将军你要努力做好啊！”刘鄩命令澶州刺史杨延直率军万人到魏州会合，杨延直半夜赶到魏州城南，城中守军挑选了五百名壮士悄悄地出城攻杀梁军，杨延直没做防备，结果梁军溃乱逃走。第二天清晨，刘鄩从莘县率领全部兵力到达魏县城东，与杨延直的残余部队会合。李存审率军营中的士卒跟在刘鄩的后面，李嗣源率城中士卒出来交战，晋王也从贝州赶到，与李嗣源一起在梁军前面抵敌。刘鄩看到后，大吃一惊，说：“这是晋王吧！”于是率军渐渐后退，晋王则率军跟在后面，一直到了旧元城的西边，与李存审的军队遭遇。晋王在西北面布下方阵，李存审在东南面布下方阵，刘鄩在二者之间布下圆阵，四面都受敌。双方混战了很长时间，梁兵大败，刘鄩率数十名骑士突围逃走。梁军的步兵共有七万人，被晋兵团团围住四面攻击，败兵们爬到树上，树都被压断了，一路被追杀到了黄河边，梁兵几乎全被杀死或淹死了。刘鄩收罗逃散的残兵从黎阳渡过黄河，退守滑州。

匡国节度使王檀秘密上疏，请求调发关西地区的军队袭击晋阳，梁末帝允许了，于是调发河中、陕、同、华各镇的军队合计三万人，经过阴地关，突然出现在晋阳城下，日夜不停地猛烈攻城。晋阳城中没有防备，临时征发各衙门中的工匠，并且驱赶城里的商人登城应战防守，有好几次城池几乎要被攻陷，张承业感到非常害怕。代北的旧将安金全退居在太原，前去面见张承业说：“晋阳是国家的根本之地，如果失守，大势就去了。老奴虽然年老多病，但也忧国忧家，请您把武器库房中的盔甲、武器交给我，我愿意替您去击退梁兵。”张承业当即就把武器装备给了他。安金全率领他的子弟以及退役将领们家里的人员共有几百人，乘着夜色从北门出击，进攻羊马城内的梁兵。梁兵大吃一惊，便往后撤退。昭义节度使李嗣昭听说晋阳有敌寇，派牙将石君立率五百骑兵前去救援。石君立早晨从上党出发，晚上就到了晋阳。梁

上党，夕至晋阳。梁兵扼[523]汾河桥[524]，君立击破之，径至城下大呼曰：“昭义侍中[525]大军至矣。”遂入城。夜与安金全等分出诸门击梁兵，梁兵死伤什二三。诘朝，王檀引兵大掠而还。晋王性矜伐[526]，以策非己出，故金全等赏皆不行[527]。梁兵之在晋阳城下也，大同节度使贺德伦部兵多逃入梁军，张承业恐其为变[528]，收[529]德伦，斩之。

帝闻刘鄩败，又闻王檀无功，叹曰：“吾事[530]去矣！”

【段旨】

以上为第十一段，写梁将刘鄩兵败魏州，全军覆没。

【注释】

㊺宣武：方镇名，唐德宗建中二年（公元七八一年）置，治宋州。兴元元年（公元七八四年）徙治汴州，在今河南开封。㊻广德靖王全昱：即朱全昱（？至公元九一六年），后梁太祖朱全忠长兄，戆朴无能。封广王，谥德靖。传见《旧五代史》卷十二、《新五代史》卷十三。㊼参军：官名，州府、王府均置。州府参军，为诸曹长官。㊽学行：学问好，人品好。㊾左拾遗：属门下省，掌对皇帝规谏、纠正违失、举荐人员等。㊿崇政院直学士：在正职外别加职名，备顾问。463友谅（？至公元九二三年）：广王朱全昱子，初封衡王，后嗣广王。传见《旧五代史》卷十二、《新五代史》卷十三。464无素：平常无交往。465抗直：刚直不屈。466邓州：州名，治所在今河南邓州。467观察判官：观察使司的属官，佐观察使处理政务。468武泰：方镇名，前蜀王建以黔州为武泰军。治所黔州，在今重庆市彭水苗族土家族自治县。后治所迁涪州，在今重庆市涪陵。469辛丑：二月十六日。470宿卫将：在宫廷中值勤的警卫军将领。471发库兵：打开武器库，分发武器。472严可求（？至公元九三〇年）：同州（今陕西大荔）人，少聪敏、有心计，为徐温谋臣，长于谋略。官至左仆射。传见《十国春秋》卷十。473军城：节度使府城。这里指扬州府城。474何依：依靠谁。475阖户：关门。户，门扇。476鼾息：打呼噜声。477壬寅：二月十七日。478陈：列阵；将军队排列开来。479天兴门：杨行密以扬州牙城南门为天兴门。480诸道副都统：都统，行营都统之省称，战时为统兵元帅，节制诸道出征之兵，故称诸道都统。有正、副都统。481返顾：回头。482乱兵皆溃：乱兵全部溃散。足见吴兵畏服朱瑾。483趣：催促；敦促。484闭壁：坚守营垒。485副总管：武官名，职掌副指挥。486劳军：慰劳军队。指慰劳包围贝州张源德的晋军。487声言：扬言。488今扫境内以

兵扼守在汾河桥，石君立把他们击溃了，一直冲到城下，大声喊道："昭义侍中的大军来了。"于是进入城中。夜晚石君立和安金全等人分别从各城门出击梁兵，梁兵死伤了十分之二三。第二天一早，王檀率军大肆抢劫一番后就撤退回去了。晋王生性自负其才能，因为晋阳解围的计策不是他自己谋划的，所以对于安金全等人都没有给予奖赏。梁军兵临晋阳城下的时候，大同节度使贺德伦部的士兵很多都逃到梁军那里去了，张承业担心大同会发生变乱，就逮捕了贺德伦，并把他杀了。

梁末帝听说刘鄩吃了败仗，又听说王檀无功而返，叹气说："我的帝王事业大势已去了！"

属将军：现今把全国兵力物力都集中起来归属将军。㊽㊾社稷：社，土神。稷，谷神。此指国家。㊿系：缚，引申为寄托。491 勉之：努力做好。指战胜敌人。492 悉众：全部军队。493 踵其后：跟在刘鄩军队的后面。494 当：遭遇；对峙。495 稍却：稍稍退却。496 蹑：追踪；跟踪。497 故元城：这里指隋所置元城县，县治古殷城，在今河南商城西。498 方陈：方形军阵。499 圆陈：圆形军阵，以便于四面八方迎敌。500 合战良久：接战很长时间。501 环而击之：包围起来攻打它。502 登木：爬到树上。503 黎阳：县名，县治在今河南浚县东。504 滑州：州名，治所白马，在今河南滑县东。505 关西：地区名，即关中，泛指函谷关或潼关以西地区。506 河中：方镇名，唐肃宗至德二载（公元七五七年）置。治所蒲州，在今山西永济。507 陕：陕州，治所陕县，在今河南陕县。508 同：同州，治所武乡，在今陕西大荔。509 华：华州，治所华山，在今陕西华县。510 阴地关：关名，在今山西灵石西南。511 奄至：突然到达。512 昼夜：日夜。513 丁匠：工匠。514 市人：商人。515 张承业：留守晋阳监军。516 安金全（？至公元九二八年）：代北（今山西雁门以北）人，骁勇果敢，工骑射，号能擒生踏伏，官至振武军节度使、同中书门下平章事。传见《旧五代史》卷六十一、《新五代史》卷二十五。517 忧兼家国：晋阳若陷，国破家亡，所以安金全忧家忧国。518 库甲：兵库中的盔甲、武器装备。519 退将：退役在家的将领。520 昭义：方镇名，唐代宗大历元年（公元七六六年）相卫六州节度赐号昭义节度。治所潞州，在今山西长治。521 牙将：率领牙兵（亲兵）的军官。522 石君立（？至公元九二三年）：又名石家财，赵州昭庆（今河北隆尧东）人，素骁勇，李嗣昭每出征，常以君立为前锋。传见《旧五代史》卷六十五。523 扼：把守。524 汾河桥：在晋阳城东南汾河上。525 昭义侍中：指李嗣昭。因李嗣昭以节度使兼侍中为使相，故称之。526 矜伐：自以为能而加以夸耀。源出《尚书·大禹谟》："汝惟不矜，天下莫与汝争能；汝惟不伐，天下莫与汝争功。"527 赏皆不行：有功而全不给奖赏。528 为变：指发动兵变。529 收：逮捕。530 事：指帝王的事业。

【原文】

三月乙卯朔[531]，晋王攻卫州[532]，壬戌[533]，刺史米昭降之。又攻惠州[534]，刺史靳绍走，擒斩之，复以惠州为磁州。晋王还魏州。

上屡召刘鄩不至，己巳[535]，即以鄩为宣义[536]节度使，使将兵屯黎阳[537]。

夏，四月，晋人拔洺州[538]，以魏州都巡检使[539]袁建丰[540]为洺州刺史。

刘鄩既败，河南[541]大恐，鄩复不应召，由是将卒皆摇心[542]。帝遣捉生都指挥使[543]李霸帅所部千人戍杨刘[544]，癸卯[545]，出宋门[546]。其夕，复自水门入，大噪，纵火剽掠，攻建国门[547]。帝登楼拒战。龙骧四军[548]都指挥使杜晏球[549]以五百骑屯球场[550]，贼以油沃幕[551]，长木揭之[552]，欲焚楼，势甚危。晏球于门隙窥之，见贼无甲胄[553]，乃出骑击之，决力死战，俄而贼溃走。帝见骑兵击贼，呼曰："非吾龙骧之士乎？谁为乱首？"晏球曰："乱者惟李霸一都[554]，余军不动。陛下但帅控鹤[555]守宫城，迟明[556]，臣必破之。"既而晏球讨乱者，阖营皆族之[557]，以功除[558]单州[559]刺史。

五月，吴越王镠[560]遣浙西安抚判官皮光业[561]自建、汀、虔、郴、潭、岳、荆南道入贡。光业，日休之子也。

六月，晋人攻邢州[562]，保义[563]节度使阎宝[564]拒守。帝遣捉生都指挥使张温[565]将兵五百救之，温以其众降晋。

秋，七月甲寅朔[566]，晋王至魏州。

上嘉吴越王镠贡献之勤，壬戌[567]，加镠诸道兵马元帅。朝议[568]多言镠之入贡，利于市易[569]，不宜过以名器假之[570]。翰林学士窦梦徵[571]执麻以泣[572]，坐贬蓬莱尉。梦徵，棣州人也。

甲子[573]，吴润州牙将周郊作乱，入府，杀大将秦师权等，大将陈祐[574]等讨斩之。

八月丁酉[575]，以太子太保[15]致仕赵光逢为司空兼门下侍郎、同平章事。

丙午[576]，蜀主以王宗绾为东北面都招讨[577]，集王宗翰、嘉王宗寿为第一、第二招讨，将兵十万出凤州；以王宗播为西北面都招讨，武

【语译】

三月初一日乙卯，晋王攻打卫州，初八日壬戌，刺史米昭投降。接着晋王又攻打惠州，刺史靳绍逃走，晋军把他擒获后斩首，又重新把惠州改称为磁州。晋王返回魏州。

梁末帝屡次召刘鄩入朝不到，十五日己巳，就任命刘鄩为宣义节度使，让他率军屯驻在黎阳。

夏，四月，晋人攻下洺州，任命魏州都巡检使袁建丰为洺州刺史。

刘鄩战败以后，黄河以南地区大为恐慌，刘鄩又不遵照梁末帝的召唤入朝，因此将士们都人心动摇。梁末帝派捉生都指挥使李霸率其部下一千人前去戍守杨刘，四月十九日癸卯，他们从宋门出发。当晚，又从水门进入都城，大喊大叫，放火抢劫，攻打皇宫的建国门。梁末帝登上城楼抵御交战。龙骧四军都指挥使杜晏球率五百骑兵屯驻在球场，乱兵们把油浇在幕布上，再用长竿挑着，想要放火烧楼，情势十分危急。杜晏球从门缝里向外察看，见乱兵们都没有穿戴盔甲，便率领骑兵出击，奋力死战，不一会儿乱兵溃逃。梁末帝看见骑兵在击杀乱兵，大声喊叫说："那不是我龙骧军的战士吗？带头作乱的人是谁？"杜晏球回答说："作乱的只有李霸那一部，其余的都没有动。陛下只管率领控鹤军士守住宫城，等到黎明时分，臣一定能打败乱兵。"接着杜晏球讨伐乱军，把乱军全营的人都灭族治罪，因为这次功劳，杜晏球被任命为单州刺史。

五月，吴越王钱镠派浙西安抚判官皮光业从建州、汀州、虔州、郴州、潭州、岳州、荆南这一条路线前来入贡。皮光业，是皮日休的儿子。

六月，晋军攻打邢州，保义节度使阎宝坚守抵御。梁末帝派捉生都指挥使张温率五百名军士前往救援，张温却率领他的部众投降了晋国。

秋，七月初一日甲寅，晋王到达魏州。

梁末帝嘉许吴越王钱镠能殷勤入贡，初九日壬戌，加封钱镠为诸道兵马元帅。朝臣们的议论多认为钱镠的入贡，只是为了加强商贸交易以有利可图，不应该过分地给他官爵名号。翰林学士窦梦徵甚至拿着钱镠的任命书前来泣谏，因此被贬为蓬莱县尉。窦梦徵，是棣州人。

七月十一日甲子，吴国的润州牙将周郊作乱，攻进州府，杀死大将秦师权等人，大将陈祐等人讨伐叛乱，并把周郊斩首。

八月十五日丁酉，梁末帝任命以太子太保退休的赵光逢为司空兼门下侍郎、同平章事。

二十四日丙午，蜀主任命王宗绾为东北面都招讨，集王王宗翰、嘉王王宗寿分别为第一、第二招讨，率军十万从凤州出发；任命王宗播为西北面都招讨，武信节

信[16]节度使刘知俊、天雄⑱节度使王宗俦、匡国军使唐文裔⑲为第一、第二、第三招讨，将兵十二万出秦州，以伐岐。

晋王自将攻邢州，昭德⑳节度使张筠弃相州走。晋人复以相州隶天雄军，以李嗣源为刺史。晋王遣人告阎宝以相州已拔，又遣张温帅援兵至城下谕之，宝举城降。晋王以宝为东南面招讨使、领天平节度使、同平章事，以李存审为安国㉑节度使，镇邢州。

契丹㉒王阿保机㉓帅诸部兵三十万，号百万，自麟㉔、胜㉕攻晋蔚州㉖，陷之，虏振武节度使李嗣本。遣使以木书㉗求货于大同防御使李存璋㉘，存璋斩其使。契丹进攻云州，存璋悉力拒之。

九月，晋王还晋阳。王性仁孝，故虽经营河北，而数还晋阳省曹夫人㉙，岁再三焉。

晋人以兵逼沧州㉚，顺化㉛节度使戴思远㉜弃城奔东都㉝，沧州将毛璋㉞据城降晋。晋王命李嗣源将兵镇抚之，嗣源遣璋诣晋阳。晋王徙李存审为横海节度使，镇沧州，以嗣源为安国节度使。嗣源以安重诲㉟为中门使㊱，委以心腹㊲，重诲亦为嗣源尽力。重诲，应州胡人也。

晋王自将兵救云州。行至代州，契丹闻之，引去，王亦还。以李存璋为大同节度使。

晋人围贝州逾年，张源德闻河北诸州皆为晋有，欲降，谋于其众。众以穷而后降，恐不免死，不从，共杀源德，婴城㊳固守。城中食尽，啖人为粮，乃谓晋将曰："出降惧死，请擐甲执兵㊴而降，事定而释之㊵。"晋将许之，其众三千出降，既释甲，围而杀之，尽殪。晋王以毛璋为贝州刺史。于是河北皆入于晋，惟黎阳为梁守。

晋王如魏州。

吴光州㊶将王言杀刺史载肇[17]，吴王遣楚州㊷团练使㊸李厚㊹讨之。庐州㊺观察使㊻张崇㊼不俟命，引兵趣光州，言弃城走。以李厚权知光州。崇，慎县人也。

度使刘知俊、天雄节度使王宗侍、匡国军使唐文裔分别为第一、第二、第三招讨，率军十二万从秦州出发，前去讨伐岐国。

晋王亲自率军攻打邢州，昭德节度使张筠放弃相州逃走。晋国重又把相州隶属于天雄军府，任命李嗣源为刺史。晋王派人告诉邢州的阎宝说相州已被攻下，又派降将张温率原来的援军到城下劝谕阎宝，阎宝于是开城投降。晋王任命阎宝为东南面招讨使，领天平节度使、同平章事，任命李存审为安国节度使，镇守邢州。

契丹王耶律阿保机率各部落的军队三十万人，号称百万，从麟州、胜州进攻晋国的蔚州，攻陷了他，并俘虏了振武节度使李嗣本。还派使者拿着木板文书到大同防御使李存璋处索要财货，李存璋斩杀了来使。契丹进攻云州，李存璋奋力抵御。

九月，晋王回到晋阳。晋王天性仁孝，所以虽然经营河北，但仍多次回到晋阳探望生母曹夫人，每年总有好几次。

晋国派军队进逼沧州，顺化节度使戴思远放弃城池逃往东都，沧州的部将毛璋占据城池投降了晋国。晋王命令李嗣源率兵镇守安抚沧州，李嗣源派毛璋前往晋阳。晋王迁任李存审为横海节度使，镇守沧州，任命李嗣源为安国节度使。李嗣源任命安重诲为中门使，把他当作心腹，安重诲也为李嗣源尽心尽力。安重诲，是应州的胡人。

晋王亲自率军救援云州。军队行进到代州的时候，契丹人听到了消息，就率军撤走，晋王也随即回师。晋王任命李存璋为大同节度使。

晋国的军队围困贝州一年多，张源德听说河北各州都已被晋国占据，就打算投降，他和部属们商议。大家认为走投无路之后再投降，恐怕仍免不了一死，都不赞成，随后大家一起杀了张源德，继续坚守城池。城中的粮食吃光了，就吃人肉充饥，于是他们对晋军将领说："我们想出城投降但又怕被杀死，请让我们穿着盔甲拿着武器出来投降，等事情平定之后我们再解除武装。"晋军将领答应了他们的要求，城内的梁军部众三千人出来投降，但等他们解除武装之后，晋军把他们围起来屠杀，一个不留地全部杀光。晋王任命毛璋为贝州刺史。到此时，黄河以北地区全都归入晋国版图，只有黎阳还在梁军手中。

晋王前往魏州。

吴国的光州将领王言杀了刺史载肇，吴王派楚州团练使李厚前往讨伐。庐州观察使张崇不等吴王下令，就率兵赶赴光州，王言丢下城池逃走。吴王任命李厚临时掌管光州事务。张崇，是慎县人。

【段旨】

以上为第十二段，写晋王尽有梁河北之地，北退契丹。

【注释】

㉛乙卯朔：三月初一日。㉜卫州：州名，治所朝歌，在今河南淇县。㉝壬戌：三月初八日。㉞惠州：即磁州，后梁改惠州。治所釜阳，在今河北磁县。因州西北有慈石山，出磁石，州治又为磁石集散地而得名。㉟己巳：三月十五日。㊱宣义：方镇名，唐僖宗光启二年（公元八八六年）朱全忠请改义成军节度使为宣义军节度使，以避父朱诚之讳。治所滑州，在今河南滑县。㊲黎阳：县名，县治在今河南浚县东北。㊳洺州：州名，治所广年，在今河北邯郸市永年区东南。㊴都巡检使：官名，为节度使之副贰，掌监察军政诸事。㊵袁建丰（公元八七三至九二八年）：后唐大将，积功至镇南节度使。传见《旧五代史》卷六十一、《新五代史》卷二十五。㊶河南：指后梁朝廷。㊷摇心：思想动摇。㊸捉生都指挥使：武官名，五代营一级统兵官称指挥使，都指挥使为其统领。㊹杨刘：地名，故址在今山东东阿北杨柳村。㊺癸卯：四月十九日。㊻宋门：汴梁城东面南来第二门。㊼建国门：后梁王城南为建国门。㊽龙骧四军：皇帝仪仗队，即禁卫军。㊾杜晏球（公元八六八至九二九年）：字莹之，洛阳人，本姓王，为汴州富户杜氏在乱中所得，冒姓杜。有机略，爱士卒，积功至平卢节度使。传见《旧五代史》卷六十四、《新五代史》卷四十六。㊿球场：当时宫内踢球的运动场，也用以练武。(551)以油沃幕：把油浇在幕布上。(552)揭之：举着。(553)甲胄：铠甲和头盔。(554)一都：五代禁军的一级组织，共百人。五代军制，以厢为军队编制单位，厢下有军，军下有指挥，指挥下有都。一厢辖十军，一军辖五至十指挥，一指挥辖五都，一都百人。(555)控鹤：控鹤军。禁军名称，即皇宫警卫队。(556)迟明：将近天明。(557)阖营皆族之：全营均处死。五代军法极严，凡将校战死，所部兵都要斩首，叫作拔队斩。(558)除：任命。(559)单州：州名，治所单父，在今山东单县。(560)吴越王镠：钱镠（公元八五二至九三二年），字具美，杭州临安（今浙江杭州市临安区）人，唐末从石镜镇将董昌镇压黄巢军起家，占有两浙十三州之地，后梁开平元年封为吴越王，公元九〇七至九三二年在位。传见《旧五代史》卷一百三十三、《新五代史》卷六十七。(561)皮光业（公元八七七至九四三年）：字文通，襄阴竟陵（今湖北天门）人，父皮日休，唐代文学家。光业十岁能属文，积功至吴越国丞相。著有《皮氏见闻录》十三卷。传见《十国春秋》卷八十六。(562)邢州：州名，治所龙冈，在今河北邢台。(563)保义：方镇名，唐文宗大和元年（公元八二七年）升晋慈观察使为保义军节度，为后梁朱温所有。治所邢州，在今河北邢台。(564)阎宝（公元八六三至九二二年）：字琼美，郓州（今山东郓城）人，后梁大将，降后唐，积功至天平军节度使。传见《旧五代史》卷五十九、《新五代史》卷四十四。(565)张温（？至公元九三五年）：字德润，魏州魏县（今河北

魏县）人，积功至晋州镇将。传见《旧五代史》卷五十九。566 甲寅朔：七月初一日。567 壬戌：七月初九日。568 朝议：群臣的议论。569 利于市易：有利于市场交易。570 不宜过以名器假之：不应以过高的名位赐人。名器，爵位与车服礼器。这里指诸道兵马元帅官爵。假之，赐人。571 窦梦徵：同州（今陕西大荔）人，少苦心为文，登进士第。官至后唐工部侍郎。著有《东堂集》。传见《旧五代史》卷六十八。572 执麻以泣：拿着钱镠的任命书而哭泣。麻，白麻纸。五代承唐制，立后妃、建太子、拜免将相、宣布大赦等重要诏令用白麻纸书写，由翰林学士起草。573 甲子：七月十一日。574 陈祐：少有勇力，积功为吴大将，镇润州。传见《十国春秋》卷九。575 丁酉：八月十五日。576 丙午：八月二十四日。577 都招讨：总指挥。578 天雄：方镇名，唐懿宗咸通五年（公元八六四年）升秦、成两州经略，天雄军使为天雄军节度。此系前蜀王建所置天雄军。治所秦州，在今甘肃天水市西南。579 唐文裔：唐文扆之弟，官至后蜀天雄节度使。后主嗣位，与兄同时被杀。传附《十国春秋》卷四十六《唐文扆传》。580 昭德：方镇名，原为天雄军，后梁末帝贞明元年（公元九一五年）分天雄军为天雄、昭德两军镇。昭德辖相、澶、卫三州，治所相州，在今河北临漳西南。581 安国：方镇名，原为唐代宗大历元年（公元七六六年）所建昭义军节度。后唐改为安国军，治所邢州，在今河北邢台。582 契丹：我国古代东北少数民族之一，其名始见于北魏。曾建立辽朝。583 阿保机（公元八七二至九二六年）：即辽太祖。姓耶律，建立契丹国，公元九一六年称帝，年号神册，公元九〇七至九二六年在位。事见《旧五代史》卷一百三十七、《新五代史》卷七十二、《辽史》卷一。584 麟：州名，唐开元间始置，治所新秦，在今陕西神木北，五代周移治小堡，其地亦当在神木附近。585 胜：州名，治所榆林，在今内蒙古准格尔旗东北十二连城。586 蔚州：州名，治所在今河北蔚县。胡三省注认为从麟州、胜州至蔚州，中间悬隔云州、朔州，“蔚州”疑为“朔州”之误。587 木书：契丹将文字刻在木板上以为凭信，故称木书。588 李存璋（？至公元九二二年）：字德璜，为李克用义子，任义儿军使，积功至大同军节度使。传见《旧五代史》卷五十三、《新五代史》卷三十六。589 曹夫人：李克用次妃，李存勖生母。李存勖称帝，册尊为皇太后。传见《新五代史》卷十四。590 沧州：州名，治所清池，在今河北沧州东南。591 顺化：方镇名，原属唐横海军节度使，后梁置顺化军，治所沧州，在今河北沧州。592 戴思远（？至公元九三五年）：后梁大将，降后唐为洋州节度使。传见《旧五代史》卷六十四。593 东都：梁朝国都开封府，在今河南开封。594 毛璋：（？至公元九二六年）性凶悖，有胆略，后梁为小校，降后唐，积功至邠州节度使。传见《旧五代史》卷七十三、《新五代史》卷二十六。595 安重诲（？至公元九三一年）：应州（今山西应县）人，少事明宗，为人明敏谨恪，参与机务，位至宰相。后被谗冤死。传见《旧五代史》卷六十六、《新五代史》卷二十四。596 中门使：后唐制度，晋王封内，凡节镇皆设中门使，与枢密使相类似，职掌枢密机要职务。597 委以心腹：当作心腹看待，机密的军政事务委托他处理。598 婴城：环城。婴，绕城。599 擐甲执兵：穿着盔甲，拿着武器。即全副武装。⑥⑩事定而释之：接受投降的事完成之后再解除武装。〖按〗此事《新五代史·死事传》所记有异。《死事传》谓："源德既坚守，而贝人闻晋已尽有河北，城中食且尽，乃劝源德出降，源德不从，遂见杀。"⑥⑪光州：州名，治所定城，今河南潢川。⑥⑫楚州：治所山阳，在今江苏淮安。⑥⑬团练使：唐中叶以后，在不设节度使地区置之，掌本州军事。常与观察使、防御使互兼。⑥⑭李厚：蔡州（今河南汝阳）人，骁悍，善用兵，为杨行密黑云都队长。传见《十国春秋》卷六。⑥⑮庐州：州名，治所在今安徽合肥。⑥⑯观察使：为一州的行政长官。⑥⑰张崇：慎县（今安徽合肥）人，居官贪婪枉法。任庐州节度使时，入觐，庐人以为改任，庆贺说"渠伊不复来矣"，崇归闻之，计口征收"渠伊钱"。第二年再入朝，人不敢言，唯捋髭相庆，崇归后，又征"捋髭钱"。传见《十国春秋》卷九。

【原文】

庚申[608]，蜀新宫成，在旧宫之北。

天平节度使兼中书令琅邪忠毅王王檀，多募群盗，置帐下为亲兵。己卯[609]，盗乘檀无备，突入府杀檀。节度副使[610]裴彦帅府兵讨诛之，军府由是获安。

冬，十月甲申[611]，蜀王宗绾等出大散关[612]，大破岐兵[613]，俘斩万计，遂取宝鸡[614]。己丑[615]，王宗播等出故关[616]，至陇州[617]。庚寅[618][18]，保胜节度使兼侍中李继岌畏岐王猜忌，帅其众二万，弃陇州奔于蜀军。蜀兵进攻陇州，以继岌为西北面行营第四招讨[619]。刘知俊会王宗绾等围凤翔[620]，岐兵不出。会大雪，蜀主召军还。复李继岌姓名曰桑弘志[621]。弘志，黎阳人也。

丁酉[622]，以礼部侍郎[623]郑珏为中书侍郎、同平章事[624]。珏，綮[625]之侄孙也。

己亥[626]，蜀大赦。

晋王遣使如吴，会兵以击梁。十一月，吴以行军副使徐知训为淮北行营都招讨使[627]，及朱瑾等将兵趣宋、亳[628]，与晋相应。既渡淮，移檄州县，进围颍州[629]。

十二月戊申[630]，蜀大赦，改明年元曰天汉[631]，国号大汉。

【校记】

［15］太保：原作“少保”。据章钰校，十二行本、乙十一行本、孔天胤本皆作“太保”，今据改。［16］武信：原作“武信军”。据章钰校，十二行本、乙十一行本、孔天胤本皆无“军”字，今据删。［17］载肇：胡三省注以为“‘载’恐当作‘戴’”。严衍《通鉴补》据改。

【语译】

九月初八日庚申，蜀国的新王宫落成，位置在旧王宫的北面。

天平节度使兼中书令琅邪忠毅王王檀，招募了很多强盗，安置在自己帐下做亲兵。二十七日己卯，这些强盗乘王檀没有防备，冲进军府杀死了王檀。节度副使裴彦率领府兵讨伐诛杀了这些强盗，军府从此才安定下来。

冬，十月初二日甲申，蜀国王宗绾等从大散关出兵，大破岐国的军队，俘获和斩杀了数以万计的敌兵，随即夺取了宝鸡。初七日己丑，王宗播等人出故关，到达陇州。初八日庚寅，保胜节度使兼侍中李继岌害怕岐王猜忌他，率其部属两万人，放弃陇州投奔了蜀军。蜀军进攻陇州，任命李继岌为西北面行营第四招讨。刘知俊会同王宗绾等人包围凤翔，岐国的军队不出来交战。适逢天降大雪，蜀主把军队召回去了。蜀主恢复了李继岌原来的姓名桑弘志。桑弘志，是黎阳人。

十五日丁酉，梁末帝任命礼部侍郎郑珏为中书侍郎、同平章事。郑珏，是郑綮的侄孙。

十七日己亥，蜀国实行大赦。

晋王派使者前往吴国，希望与吴军联合攻打梁国。十一月，吴国任命行军副使徐知训为淮北行营都招讨使，和朱瑾等人率军赶赴宋州、亳州，与晋军相呼应。吴军渡过淮河以后，移送檄文到各个州县，进军围攻颍州。

十二月二十七日戊申，蜀国实行大赦，并改明年的年号为天汉，国号为大汉。

楚王殷[632]闻晋王平河北，遣使通好，晋王亦遣使报之。

是岁，庆州[633]叛附于岐，岐将李继陟据之。诏以左龙虎统军贺瓌[634]为西面行营马步都指挥使，将兵讨之，破岐兵，下宁、衍[635]二州。

河东[636]监军[637]张承业[638]既贵用事，其侄瓘等五人自同州往依之，晋王以承业故，皆擢用之。承业治家甚严，有侄为盗，杀贩牛者，承业闻[19]，立斩之。王亟使救之，已不及。王以瓘为麟州刺史，承业谓瓘曰："汝本车度一民，与刘开道为贼，惯为不法。今若不悛[639]，死无日矣！"由此瓘所至不敢贪暴。

吴越牙内先锋都指挥使[640]钱传珦[641]逆妇[642]于闽，自是闽与吴越通好。

闽铸铅钱[643]，与铜钱并行。

初，燕人苦刘守光残虐，军士多亡归[20]契丹。及守光被围于幽州，其北边士民多为契丹所掠，契丹日益强大。契丹王阿保机自称皇帝，国人谓之天皇王，以妻述律氏为皇后，置百官。至是，改元神册[644]。

【段旨】

以上为第十三段，写蜀主王建趁晋梁大战，侵夺岐国大部分土地。河东监军张承业严于治家。吴越与闽通婚交好。

【注释】

⑥⑧ 庚申：九月初八日。⑥⑨ 己卯：九月二十七日。⑥⑩ 节度副使：节度使之副。常用以安置贬谪官员，无执掌。⑥⑪ 甲申：十月初二日。⑥⑫ 大散关：也称崤谷，在今陕西宝鸡西南。因关设于大散岭上，故名。为秦蜀往来要道。⑥⑬ 岐兵：指李茂贞军队。⑥⑭ 宝鸡：县名，属凤翔府，县治在今陕西宝鸡。⑥⑮ 己丑：十月初七日。⑥⑯ 故关：关名，指陇关，即大震关，在今陕西陇县西境陇山之上。⑥⑰ 陇州：州名，治所在今陕西陇县。⑥⑱ 庚寅：十月初八日。⑥⑲ 招讨：地区统兵官，掌招抚讨伐事务。⑥⑳ 凤翔：府名，在今陕西宝鸡市凤翔区，为李茂贞根据地。⑥㉑ 桑弘志：黎阳（今河南浚县）人，李茂贞义子，赐名李继岌，为保胜军节度使。后降前蜀，积功至武定军节度使。传见《十国春秋》卷四十二。⑥㉒ 丁

楚王马殷听说晋王平定了黄河以北地区，派使者前去联络交好，晋王也派使者回报楚王。

这一年，庆州背叛梁朝投靠了岐国，岐国将领李继陟占据了该地。梁末帝下诏任命左龙虎统军贺瓌为西面行营马步都指挥使，率军前去讨伐，梁军击败了岐军，攻下了宁、衍两州。

河东监军张承业在晋国有了尊贵的地位并且掌权以后，他的侄子张瓘等五人从同州前去投靠他，晋王因张承业的缘故也都提拔重用了他们。张承业治家很严，他有个侄子当强盗，杀了贩牛的人，张承业知道后，立即将他斩首。晋王急忙派人去说情，已经来不及了。晋王任命张瓘为麟州刺史，张承业对张瓘说："你原本是车度地方的一个百姓，与刘开道一起当过盗贼，总是干些不法的勾当。现今你如果还不悔改，死期就不远了！"从此张瓘不管到了哪里，再也不敢贪婪残暴了。

吴越的牙内先锋都指挥使钱传珦到闽国迎娶妻室，从此闽和吴越往来交好。

闽国铸造铅钱，与铜钱同时使用。

起初，燕国人苦于刘守光的残暴狠毒，很多军士都逃奔了契丹。到了刘守光被晋军围困在幽州的时候，燕国北面边境地区的士民又多被契丹所劫掠，契丹日益强大。契丹王耶律阿保机自称皇帝，阿保机的国人称他为天皇王，阿保机册封他的妻子述律氏为皇后，并且设置了百官。到这时候，改年号为神册。

酉：十月十五日。㉓礼部侍郎：礼部尚书之副贰，协助尚书掌礼乐、祭祀、学校、贡举等事。㉔中书侍郎、同平章事：唐、五代中书省不置令，中书侍郎即为中书省长官，加同平章事，行宰相职权。㉕綮：郑綮，字蕴武，唐僖宗时官至宰相。传见《旧唐书》卷一百七十九、《新唐书》卷一百八十三。㉖己亥：十月十七日。㉗淮北行营都招讨使：淮北，地区名，指淮河以北地区。行营，征讨时临时设置的军事长官办事处。都招讨使，节制诸路讨伐军的统兵官，负责征讨事务，事罢即省。㉘宋、亳：二州名。宋州治所宋城，在今河南商丘。亳州治所谯县，在今安徽亳州。㉙颍州：州名，治所汝阴，在今安徽阜阳。㉚戊申：十二月二十七日。㉛天汉：前蜀王建第四个年号（公元九一六至九一七年），仅一年。㉜楚王殷：马殷（公元八五二至九三〇年），五代时楚国的建立者，公元九〇七至九三〇年在位。传见《十国春秋》卷六十七。㉝庆州：州名，治所安化，在今甘肃庆阳。㉞贺瓌（公元八五八至九一九年）：字光远，濮阳（今河南濮阳）人，后梁大将，积功至宣义军节度使。传见《旧五代史》卷二十三、《新五代史》卷二十三。㉟宁、衍：二州名，宁州治所在今甘肃宁县，衍州治所在今甘肃宁县南六十里。为

李茂贞所置。⑯河东：地区名，指山西境内黄河以东之地。⑰监军：官名，五代承唐制，在各镇及派遣征讨军队中，皇帝往往派宦官为监军，与统帅分庭抗礼。⑱张承业（公元八四六至九二二年）：唐僖宗时宦官，本姓康，字继元，为李克用河东监军，受顾命奉侍庄宗。传见《旧五代史》卷七十二、《新五代史》卷三十八。⑲不悛：不悔改。悛，悔改。⑳牙内先锋都指挥使：官名，藩镇亲军统兵官。㉑钱传璛：钱镠子，封淮阴侯。传见《十国春秋》卷八十三。㉒逆妇：迎娶妻室。㉓铅钱：铅铸的钱，质劣。㉔神册：辽太祖阿保机年号（公元九一六至九二一年）。阿保机称皇帝，前史不见年月。

【原文】

述律后[645]勇决多权变，阿保机行兵御众，述律后常预其谋。阿保机尝度碛[646]击党项[647]，留述律后守其帐。黄头、臭泊[648]二室韦[649]乘虚合兵掠之，述律后知之，勒兵以待其至，奋击，大破之，由是名震诸夷[650]。述律后有母有姑[651]，皆踞榻[652]受其拜，曰："吾惟拜天，不拜人也。"晋王方经营河北，欲结契丹为援，常以叔父事阿保机，以叔母事述律后。

刘守光末年衰困，遣参军韩延徽[653]求援于契丹，契丹主怒其不拜，留之[21]，使牧马于野。延徽，幽州人，有智略，颇知属文。述律后言于契丹主曰："延徽能守节不屈，此今之贤者，奈何辱以牧圉[654]！宜礼而用之。"契丹主召延徽与语，悦之，遂以为谋主，举动访焉[655]。延徽始教契丹建牙开府[656]，筑城郭[657]，立市里[658]，以处汉人[659]，使各有配偶，垦艺荒田。由是汉人各安生业，逃亡者益少。契丹威服诸国，延徽有助焉。

顷之[660]，延徽逃奔晋阳。晋王欲置之幕府[661]，掌书记[662]王缄疾[663]之。延徽不自安，求东归省母，过真定[664]，止于乡人王德明[665]家。德明问所之，延徽曰："今河北皆为晋有，当复诣契丹耳。"德明曰："叛而复往，得无取死乎？"延徽曰："彼自吾来，如丧手目，今往诣之，彼手目复完，安肯害我！"既省母，遂复入契丹。契丹主闻其至，大喜，如自天而下，拊其背曰："向者[666]何往？"延徽曰："思母，欲告归，恐不

【校记】

［18］庚寅：原作“丙寅”。十月癸未朔，无丙寅。据《十国春秋·前蜀本纪二》，应为“庚寅”。四库馆臣校天启陈仁锡本亦作“庚寅”，今据改。［19］闻：原无此字。据章钰校，十二行本、乙十一行本、孔天胤本皆有此字，今据补。［20］亡归：原作“归于”。据章钰校，十二行本、乙十一行本皆作“亡归”，张敦仁《通鉴刊本识误》同，今据改。

【语译】

述律皇后勇敢果断，经常能随机应变，阿保机行军打仗统御部众，述律皇后经常参与谋划。阿保机曾经横越沙漠去攻打党项，留下述律皇后守卫后方营帐。这时黄头、臭泊两个室韦部落乘契丹后方空虚合兵前来掳掠，述律皇后得知了消息，部署兵力等待他们的到来，交战中奋力杀敌，把他们打得大败，由此她的声名威震各个夷族部落。述律皇后有母亲也有婆婆，她都坐在榻上接受她们跪拜，她说：“我只拜天，不拜人。”晋王当时正在经营河北，想结交契丹作为后援，所以时常以叔父的礼节侍奉阿保机，以叔母的礼节侍奉述律皇后。

刘守光末年势力衰败，曾派遣参军韩延徽到契丹去求援，契丹主对韩延徽不肯下拜非常恼怒，于是强留下他，罚他到郊野去牧马。韩延徽是幽州人，有智慧谋略，又懂得写文章。述律皇后对契丹主说：“韩延徽能坚守节操而不屈服，这是当今的贤者，为什么用牧马来侮辱他！应该礼遇重用他。”契丹主把韩延徽召来交谈，对他很欣赏，便把他当作智囊，有什么行动都要向他咨询。韩延徽开始教契丹建立牙帐，设置府署，修筑城郭，建立街市里巷，用来安置汉族人，让他们各有配偶，开垦种植荒地。从此以后，汉族人都各自安居乐业，逃亡的人更加少了。契丹能够威慑各国，韩延徽对此是出了不少力的。

不久，韩延徽逃到晋阳。晋王想把他安排在幕府，掌书记王缄妒忌他。韩延徽觉得很不安，请求东归看望母亲，路过真定，投宿在同乡王德明的家中。王德明问他今后到哪里去，韩延徽说：“如今黄河以北都归晋国所有，我准备再回到契丹去。”王德明说：“你背叛了他们而又重新回去，这不是找死吗？”韩延徽说：“他们自从我来到晋国以后，就像失去了手和眼一样；现在我再回去，他们的手和眼就又完整了，怎么肯害我呢！”看望了母亲之后，他便再次进入契丹。契丹主听说他到了，十分高兴，就像他是自天而降，拍着他的背问道：“前些日子你到哪里去了？”韩延徽说：“思念老母，想要告假回去，又怕大王不允许，所以我就私自回去了。”从此，契丹

听，故私归耳。”契丹主待之益厚。及称帝，以延徽为相，累迁至中书令[667]。

晋王遣使至契丹，延徽寓书[668]于晋王，叙所以北去之意，且曰：“非不恋英主，非不思故乡，所以不留，正惧王缄之谗耳。”因以老母为托，且曰：“延徽在此，契丹必不南牧[669]。”故终同光之世，契丹不深入为寇，延徽之力也。

【段旨】

以上为第十四段，写契丹兴起，汉人韩延徽为相，加速契丹人的文明进程。

【注释】

⑮645 述律后（公元八七九至九五三年）：姓述律，契丹名月理朵。简重果断，有雄略。阿保机死，称制摄军国事。传见《辽史》卷七十一。646 碛：沙漠。647 党项：羌人的一支，后五代时居于甘肃、宁夏、陕北一带。648 黄头、臭泊：属于室韦的两个部落。649 室韦：居住在东北的少数民族。北魏时始见于史书记载，在契丹建辽过程中，部分被并入辽。650 诸夷：指居住在东北的各少数民族。651 姑：婆婆。652 踞榻：坐或蹲在小床上。653 韩延徽（公元八八二至九五九年）：字藏明，幽州安次（今河北廊坊市安次区）人，为辽太祖、太宗、世宗朝谋臣。辽朝典章制度，皆出其手。传见《辽史》卷七十四。654 牧圉：放牧牲口的奴隶。655 举动访焉：有什么行动都要向他咨询。举动，一举一动。656 建牙开

【原文】

三年（丁丑，公元九一七年）

春，正月，诏宣武[670]节度使袁象先[671]救颍州，既至，吴军引还。

二月甲申[672]，晋王攻黎阳，刘鄩拒之。数日，不克而去。

晋王之弟威塞军[673]防御使存矩[674]在新州，骄惰不治，侍婢预政。晋王使募山北部落骁勇者及刘守光亡卒以益南讨之军[675]，又率其民出

主待他更好了。等到契丹主称帝时，就任命韩延徽为宰相，后来一直升到中书令的职位。

晋王派使者到契丹，韩延徽托他们带信给晋王，解释了自己当初之所以离开而到北方契丹的原因，并且说："不是我不留恋英明的主公，也不是我不思念故乡，之所以不愿留在那里，正是害怕王缄的谗言而已。"同时又把老母亲拜托给晋王照顾，并且在信中说道："只要我韩延徽在这里，契丹一定不会南下侵边。"所以在晋王称帝的整个同光年间，契丹都没有深入进来侵扰，这也是韩延徽出的力。

府：建立牙帐，成立府署。牙，军前或军帐前所置大旗。这里所说"建牙"，即谓设置牙旗，建立军帐。㊾筑城郭：泛指建造城墙。内为城，外为郭。㊿立市里：建立基层行政区划。659以处汉人：用来安置汉族民众。660顷之：过了一段时间。661幕府：古代将军的府署。这里指任晋王府的参议官。662掌书记：节度使幕职官名，辅助节度使分掌簿书、案牍等事。663疾：嫉妒；忌恨。664真定：府名，治所在今河北正定。665王德明：即张文礼，为赵王镕养子，为人狡狯，杀王镕，自为留后。传见《新五代史》卷三十九《王镕传》。666向者：前些日子。667中书令：中书省长官，掌行政决策。与尚书令、侍中同为宰相。668寓书：寄信。669南牧：指侵略南方。

【校记】

［21］留之：原无此二字。据章钰校，十二行本、乙十一行本、孔天胤本皆有此二字，张敦仁《通鉴刊本识误》、张瑛《通鉴校勘记》同，今据补。

【语译】

三年（丁丑，公元九一七年）

春，正月，梁末帝下诏命令宣武节度使袁象先救援颍州，袁象先到达颍州后，吴国的军队就撤退了。

二月初五日甲申，晋王进攻黎阳，刘鄩率兵抵抗。交战数日，未能攻克，晋军便撤走了。

晋王的弟弟威塞军防御使李存矩驻守在新州，骄横怠惰，不理政事，却让手下的侍从奴婢干预政事。晋王让他招募燕山北面部落中骁勇善战的人以及刘守光的逃

马，民或鬻十牛易一战马，期会[676]迫促，边人嗟怨。存矩得五百骑，自部送之，以寿州[677]刺史卢文进[678]为裨将[679]。行者皆惮远役，存矩复不存恤[680]。甲午[681]，至祁沟关[682]，小校宫彦璋与士卒谋曰："闻晋王与梁人确斗[683]，骑兵死伤不少。吾侪[684]捐父母妻子，为人客战，千里送死，而使长[685]复不矜恤，奈何？"众曰："杀使长，拥卢将军还新州，据城自守，其如我何[686]！"因执兵大噪[687]，趣传舍[688]。诘朝，存矩寝未起，就杀之。文进不能制，抚膺[689]哭其尸曰："奴辈既害郎君，使我何面复见晋王！"因为众所拥，还新州，守将杨全章拒之。又攻武州[690]，雁门以北都知防御兵马使李嗣肱[691]击败之。周德威亦遣兵追讨，文进帅其众奔契丹。晋王闻存矩不道以致乱[692]，杀侍婢及幕僚数人。

初，幽州北七百里有渝关[693]，下有渝水通海。自关东北循海有道，道狭处才数尺，旁皆乱山，高峻不可越。比[694]至进牛口，旧置八防御军，募土兵[695]守之，田租皆供军食，不入于蓟[696]，幽州岁致[697]缯纩[698]以供战士衣。每岁早获，清野坚壁[699]以待契丹。契丹至，则[22]闭壁不战，俟其去，选骁勇据隘[700]邀[701]之，契丹常失利走。土兵皆自为田园[702]，力战有功则赐勋[703]加赏，由是契丹不敢轻[704]入寇。及周德威为卢龙[705]节度使，恃勇不修边备，遂失渝关之险，契丹每刍牧于营、平[706]之间。德威又忌幽州旧将有名者，往往杀之。

【段旨】

以上为第十五段，写晋将李存矩守新州，不恤士卒，激起兵变；周德威守幽州，疏于守备，又猜疑杀贤，丢失渝关，契丹主乘势南侵。

兵，以增补讨伐南方的兵员，李存矩又向百姓强征马匹，百姓中有的人卖十头牛才能换得一匹战马，加上期限紧迫，边境的百姓怨声载道。李存矩征得五百匹战马，亲自押送，并任命寿州刺史卢文进为他的副将。前去送马的人都畏惧这趟长途差役，而李存矩对他们又不加抚慰体恤。二月十五日甲午，到达祁沟关，小校官彦璋与士兵们商议说："听说晋王正和梁国人在旗鼓相当地苦战，骑兵死伤不少。我们撇下父母妻子儿女，替别人在异乡作战，到千里之外送死，而使长又不体恤我们，我们该怎么办?"大家都说："杀掉使长，拥护卢将军回新州，占据城池防守，别人能把我们怎么样!"于是拿起武器，大声呼喊，直奔驿站而去。第二天清晨，李存矩睡觉还没有起床，这些人就到房里把他杀了。卢文进控制不了这一局面，捶着胸对着李存矩的尸首大哭说："奴才们害死了郎君，让我还有什么脸面再去见晋王啊!"接着卢文进被大家簇拥着回新州，新州守将杨全章不让他们进城。于是他们又去攻打武州，雁门以北都知防御兵马使李嗣肱把他们击败了。周德威也派遣军队追击讨伐他们，卢文进只好率领众人投奔契丹去了。晋王得知是李存矩暴虐无道才招致祸乱，便杀掉了李存矩的侍从奴婢以及幕僚等数人。

当初，在幽州北面七百里处有渝关，关下有一条渝水通大海。从渝关的东北沿着海有一条路，路的狭窄处只有几尺宽，两旁都是乱山，山势高峻不可攀越。一直到进牛口，过去曾设置有八防御军，招募当地士兵把守，这里的田租都供给军队食用，不需送缴到蓟州，幽州每年都往这里运送布匹和棉絮以供战士们制作衣服。当地每年都提早收割，坚壁清野等待契丹的来犯。契丹的军队一到，他们就紧闭壁垒不出来交战，等到契丹军离开的时候，他们就挑选骁勇善战的士兵占据隘口拦击他们，契丹军队常常失利逃走。这些当地的士兵都自己耕种田园，奋力作战立了功的，则赐给勋官称号并给予奖赏，从此契丹人不敢轻易来犯。到了周德威任卢龙节度使的时候，他依仗自己勇敢而不重视边境防备，于是丧失了渝关这个天险，契丹人也时常来营州、平州一带割草放牧。周德威又妒忌幽州旧将领中有名望的人，往往找借口把他们杀掉。

【注释】

⑹⑽宣武：方镇名，唐德宗建中二年（公元七八一年）置，治宋州。兴元元年（公元七八四年）徙治汴州，在今河南开封。⑹⑾袁象先（公元八六四至九二四年）：宋州下邑（今安徽砀山）人，为朱温外甥，典掌亲军。降后唐。传见《旧五代史》卷五十九、《新五代史》卷四十五。⑹⑿甲申：二月初五日。⑹⒀威塞军：方镇名，晋置威塞军，治新州。后唐庄宗同光二年（公元九二四年）升新州为威塞军节度使，在今河北涿鹿。⑹⒁存矩（？

至公元九一七年）：李存勖之弟。治民失政，御下无恩，被部下杀死。⑮以益南讨之军：用以补充南下讨伐后梁的兵员。⑯期会：规定的期限。⑰寿州：州名，治所寿春，在今安徽寿县，属吴国领地。卢文进系遥领刺史。⑱卢文进：字国用，少为刘守光骑将，首降晋王，此时遥领寿州刺史。卢文进奔契丹，后回归唐明宗，最后奔南唐。传见《旧五代史》卷九十七、《新五代史》卷四十八。⑲裨将：副将。⑳存恤：慰问救济。㉑甲午：二月十五日。㉒祁沟关：即岐沟关。在今河北涿州西南。㉓确斗：势均力敌，用实力相争，是一场比耐力、比兵技的战斗。确，坚。㉔吾侪：我们。㉕使长：指李存矩。防御使为一州之长，故称使长。㉖其如我何：他能把我们怎么样。㉗执兵大噪：拿着武器，大声呼喊。㉘传舍：驿站；旅舍。㉙抚膺：扪着胸口。㉚武州：州名，治所文德，在今河北张家口。㉛李嗣肱（公元八七九至九二三年）：李克脩次子。少有胆气，屡立战功。官至山北都团练使。传见《旧五代史》卷五十、《新五代史》卷十四。㉜不道以致乱：没有道德，不行德政而招致祸乱。㉝渝关：即山海关，在今河北秦皇岛市，为长城起点。北倚角山，南临渤海，联结华北与东北地区，形势险要，自古为交通要冲，有天下第一

【原文】

吴王[707]遣使遗[708]契丹主以猛火油[709]，曰："攻城，以此油然火焚楼橹[710]，敌以水沃[711]之，火愈炽[712]。"契丹主大喜，即选骑三万欲攻幽州，述律后哂[713]之曰："岂有试油而攻一国乎！"因指帐前树谓契丹主曰："此树无皮，可以生乎？"契丹主曰："不可。"述律后曰："幽州城亦犹是[714]矣。吾但[715]以三千骑伏其旁，掠其四野，使城中无食，不过数年，城自困矣，何必如此躁动轻举！万一不胜，为中国笑，吾部落亦解体矣。"契丹主乃止。

三月，卢文进引契丹兵急攻新州，刺史安金全[716]不能守，弃城走。文进以其部将刘殷为刺史，使守之。晋王使周德威合河东、镇、定之兵[717]攻之，旬日不克。契丹主帅众三十万救之，德威众寡不敌[718]，大为契丹所败，奔归。

楚王殷遣其弟存攻吴上高[719]，俘获而还。

契丹乘胜进围幽州，声言有众百万，毡车毳幕[720]弥漫山泽。卢文进教之攻城，为地道，昼夜四面俱进，城中穴地然膏[721]以邀[722]之；又为土山以临城，城中镕铜以洒之，日杀千计，而攻之不止。周德威遣

关之称。694 比：胡三省注认为当作“北”。695 募土兵：招募当地人为兵。696 蓟：州名，治所渔阳，在今天津市蓟州区。697 致：送。698 缯纩：泛指做衣服的丝绸和丝绵。缯，古代丝织品的总称。纩，亦作絖，絮衣服的新丝绵。699 清野坚壁：清野，将周围地区的粮食、牲口等重要物品转移或收藏起来，使入侵之敌不能掠夺和利用。坚壁，坚守营垒或据点。壁，营垒。700 据隘：占据险要的隘口。701 邀：伏击。702 田园：田地和园林。703 赐勋：赐给勋官称号。勋官十二级，由唐始，以后历代沿用。704 轻：轻易；轻率。705 卢龙：方镇名，唐代宗宝应元年（公元七六二年）范阳节度使复为幽州节度使，及平卢陷，又兼卢龙节度使。治所幽州，在今北京。706 营平：均州名。营州治所广宁，在今河北昌黎。平州治所卢龙，在今河北卢龙。

【校记】

［22］则：原作“辄”。据章钰校，十二行本、乙十一行本、孔天胤本皆作“则”，今据改。

【语译】

吴王派使者把猛火油送给契丹主，说：“攻城的时候，用这种油点火焚烧城楼，敌人如果用水浇它，火会烧得更旺。”契丹主听后大喜，立即挑选三万名骑兵准备攻打幽州，述律皇后讥笑他说：“哪里有为试验油的效果而去攻打一个国家的道理呢！”于是指着军帐前的树向契丹主问道：“这棵树没有了树皮，还能生长吗？”契丹主回答说：“不能。”述律皇后说：“幽州城也和这一样。我们只要用三千名骑兵埋伏在城的旁边，抢掠它的四周郊野，使城里没有粮食吃，不用几年，幽州城自然就会陷入困境，何必要这样轻举妄动呢！万一不能取胜，被中原国家嘲笑，我们的部落也就要解体了。”契丹主这才打消了原先的想法。

三月，卢文进带领契丹军队猛攻新州，新州刺史安金全无法防守，弃城逃走。卢文进任命他的部将刘殷为新州刺史，让他镇守新州。晋王派周德威会合河东、镇州、定州的军队攻打新州，十几天时间都没能攻下。契丹主率领三十万大军前来救援新州，周德威寡不敌众，被契丹打得大败，逃了回去。

楚王马殷派他的弟弟马存进攻吴国的上高，俘获了很多人口、财物而回。

契丹乘胜进军包围幽州，扬言有百万大军，裹着毡毯的大车和篷帐漫山遍野。卢文进教他们攻城的方法，挖地道，不分昼夜从四面一起掘进，城里则挖地穴点燃膏油来阻截他们；攻城的人又在城边堆起土山居高临下，城里的人则用熔化了的铜汁泼洒敌人，每天杀敌数以千计，但契丹仍攻城不止。周德威派出密使到晋王那里

间使⑬诣晋王告急，王方与梁相持河上⑭，欲分兵则兵少，欲勿救恐失之，忧形于色[23]。谋于诸将，独李嗣源、李存审、阎宝劝王救之。王喜曰："昔太宗得一李靖⑮犹擒颉利⑯，今吾有猛将三人，复何忧哉！"存审、宝以为虏无辎重⑰，势不能久，俟其野无所掠，食尽自还，然后踵以[24]击之。李嗣源曰："周德威社稷之臣⑱，今幽州朝夕不保，恐变生于中⑲，何暇⑳待虏之衰！臣请身为前锋以赴之㉑。"王曰："公言是也。"即日，命治兵㉒。夏，四月，晋王命嗣源将兵先进，军于涞水㉓，阎宝以镇、定之兵继之。

【段旨】

以上为第十六段，写吴王北联契丹，加之卢文进勾引，契丹主大发兵三十万南犯幽州。

【注释】

⑦吴王：指吴王杨隆演。⑧遗：赠送。⑨猛火油：石油。⑩楼橹：古时军中用以侦察、防御或攻城的活动高台。⑪沃：灌；浇。⑫炽：火势炽盛。⑬哂：讥笑。⑭亦犹是：也像它那样。⑮但：只；仅。⑯安金全：因保卫晋阳有功，时为新州刺史。⑰合河东、镇、定之兵：会合河东节度使及镇、定二州所辖之兵。⑱众寡不敌：敌兵众多，我兵寡少，不能抵挡。⑲上高：县名，南唐改望察县为上高县，县治在今江西吉安。⑳毡车毳幕：毡布包裹的军车和毡帐。毡，毛制厚布。毳，粗糙毛织物。㉑然膏：烧油脂。

【原文】

吴昇州㉞刺史徐知诰㉟治城市府舍甚盛。五月，徐温行部㊱至昇州，爱其繁富。润州司马陈彦谦㊲劝温徙镇海军治所于昇州，温从之，徙知诰为润州团练使。知诰求宣州㊳，温不许，知诰不乐。宋齐丘㊴密言于知诰曰："三郎骄纵，败在朝夕。润州去广陵㊵隔一水耳，此天授也。"知诰悦，即之官。三郎，谓温长子知训也。温以陈彦谦为镇海

告急，当时晋王正和梁军在黄河流域相持不下，想分兵去救又怕这里的兵力太少了不行，如果不去救又担心会失去幽州，忧心忡忡。于是与众将商议，只有李嗣源、李存审、阎宝劝晋王派兵去救。晋王高兴地说："从前唐太宗得到一个李靖尚且能活捉颉利，如今我有三位猛将，还有什么好担心的呢！"李存审、阎宝认为敌人没有随军携带的军械粮草补给，进攻的势头不可能持久，等到野外再也没有什么可供他们掠夺的时候，粮食吃完了他们自己就会撤回去，然后再紧跟其后攻击他们。李嗣源说："周德威是国家重臣，如今幽州城朝不保夕，恐怕城中要发生变乱，哪有时间去等待敌人的衰弱呢！臣请求担任前锋立刻赶赴幽州。"晋王说："你说得很对。"当天就让李嗣源调兵遣将。夏，四月，晋王命令李嗣源率军先行出发，驻扎在涞水。阎宝则率领镇州、定州的兵马随后赶去。

然，通"燃"。㉒邀：拦截。㉓间使：秘密出行的使者。㉔相持河上：指沿着黄河夹岸相攻。㉕李靖：唐开国大将。㉖颉利：突厥可汗。李靖擒颉利事见本书卷一百九十三唐太宗贞观四年（公元六三〇年）。㉗辎重：指军用器械、粮食、营帐、服装等。㉘社稷之臣：关系国家安危的重臣。㉙恐变生于中：恐怕内部有人叛变投敌。㉚何暇：哪有时间。㉛赴之：参战；赴战。㉜治兵：统率军队。㉝涞水：县名，因涞水而得名，县治在今河北保定，扼岐沟诸关。

【校记】

［23］忧形于色：此四字原无。据章钰校，十二行本、乙十一行本、孔天胤本皆有此四字，张敦仁《通鉴刊本识误》同，今据补。［24］以：原作"而"。据章钰校，十二行本、乙十一行本、孔天胤本皆作"以"，今据改。

【语译】

吴国的昇州刺史徐知诰把州城街市和府署房屋建造得非常壮观。五月，徐温巡视到达昇州，喜欢上了这里的繁盛和富庶。润州司马陈彦谦劝说徐温把镇海军的治所迁到昇州，徐温听从了他的意见，就把徐知诰调任为润州团练使。徐知诰请求到宣州任职，徐温没有答应，徐知诰很不高兴。宋齐丘秘密地对徐知诰说："三郎骄傲放纵，旦夕之间便要败亡。润州离广陵仅隔了一条江，这是天赐良机啊。"徐知诰听了这话很高兴，立即去上任。三郎，指的是徐温的长子徐知训。徐温任命陈彦谦为节度判官[741]。温但举大纲，细务悉委彦谦，江、淮称治。彦谦，常州人也。

高季昌与孔勍[742]修好，复通贡献。

【段旨】

以上为第十七段，写徐知诰无意得镇润州，为南唐建立张本。

【注释】

[734]昇州：州名，治所上元，在今江苏南京。[735]徐知诰（公元八八八至九四三年）：原姓李名昪，字正伦，小字彭奴，今江苏徐州人，为徐温养子。公元九三七年受吴禅，是谓南唐烈祖，公元九三七至九四三年在位。传见《十国春秋》卷十五。[736]行部：视察部属。[737]陈彦谦：今江苏常州人，为人多智略，徐温倚为亲信。传见《十国春秋》卷十。[738]宣州：州名，治所宛陵，在今安徽宣城。[739]宋齐丘（公元八八七至九五九年）：字子嵩，初字昭回。庐陵（今江西吉安）人，善机变，官至南唐宰相。著有文集六卷、《增补玉管照神经》十卷。传见《十国春秋》卷二十。[740]广陵：吴国都，在今江苏扬州。[741]节度判官：幕职官，协助节度使处理簿书、案牍、文移等事。[742]孔勍（约公元八五〇至九二八年）：字鼎文，兖州（今山东兖州）人，官至河阳节度使。传见《旧五代史》卷六十四。

【研析】

本卷研析刘仁恭父子之死、梁将刘鄩不敌晋王李存勖、毛文锡明大义、蜀主王建丧胆四件史事。

第一，刘仁恭父子之死。刘仁恭，深州乐寿县（在今河北献县）人。刘仁恭初事幽州节镇李可举为军校，勇猛善战，性奸巧机智，处世八面玲珑，成为李可举及其子李匡威爱将。刘仁恭及其次子刘守光均是凶狡人，父子两人都野心勃勃，贪于权势，发展到极致，为了达到目的，不只是不择手段，而且背离做人原则。刘仁恭恩将仇报，先是背叛李匡威，投靠李克用谋得了幽州镇，既而背叛李克用，助梁为虐。刘守光生性之凶残胜过乃父，真可谓青出于蓝而胜于蓝。刘守光囚父杀兄，狂妄称帝，猜忍好杀，众叛亲离，他的灭亡是注定的。父子两人显赫时乖张暴戾，不可一世，当刘守光用铁刷刷人之脸、寸斩孙鹤之时，是何等的英雄气概，当刘守光成为阶下囚时，摇尾乞怜，又是何等的不知羞耻，正如柏杨所说："无耻的程度，即令在人渣中，也属下品。"（柏杨《现代语文版资治通鉴》）在中国大混乱，尤其是大镇海节度判官。徐温只抓大事情，具体事务全部委托给陈彦谦去处理，江、淮地区被治理得井井有条。陈彦谦是常州人。

高季昌与孔勍重新和好，又恢复了过去的进奉。

黑暗时代，刘仁恭父子一类的人渣总是大批出笼，黑白颠倒，阴阳错位，给社会带来无穷灾难。天道好还，刘仁恭父子这对人渣的结局也至为悲惨，从幽州押解到晋阳，千里示众，最终被处以极刑。刘仁恭父子之死，大快人心，他们被永远地钉在历史的耻辱柱上，为忘恩负义者戒。

第二，梁将刘鄩不敌晋王李存勖。刘鄩是一位天才将领，其智慧勇略，在梁军中无人可比，也是后梁的一根顶梁柱。晋王李存勖，英勇果敢，天下无敌。梁魏博镇反叛投晋，晋王李存勖亲临魏州受降与刘鄩对阵，当时形势，势均力敌，双方胜败，各百分之五十。刘鄩坚守以疲晋师的策略使梁军占了上风。可惜梁末帝听信小人蛊惑，遥控前线军事，屡屡强令刘鄩出城，刘鄩无奈地选择冒险战术，于是接连败北，一败于偷袭晋阳，再败于莘县，三败于魏州城下，全军覆没，梁河北之地尽失，国势急剧衰落。刘鄩之败，非败于战，而是败于后梁的腐朽政治。

第三，毛文锡明大义。荆南高季昌认为夔、万、忠、涪四州之地，原来隶属荆南，兴兵代蜀，欲用武力夺取。荆南本非蜀国之敌，损兵折将，大败而回，高季昌乘小舟逃走，差点成了俘虏。当时蜀国四面受敌，北面遭受岐王李茂贞的压力，南面与南诏大战，也无力灭荆南。于是有人建言，趁夏秋江水上涨，决峡江水坝，引江水灌江陵城。蜀国翰林学士承旨毛文锡劝谏说："荆南高季昌一个人不归附皇上，他所属人民有什么罪过，皇上正用仁德来号召天下，怎么忍心让邻国的人民成为鱼鳖呢！"蜀主王建听取了毛文锡的谏言，没有水灌江陵城。毛文锡不仅明大义，而且善谏，以仁德来劝谏王建，化解了一场大战。

第四，蜀主王建丧胆。梁贞明元年（公元九一五年）十一月初三日，蜀国宫中发生火灾，蜀宫中的百尺楼化为灰烬。蜀主王建贪财货，把聚敛来的珍宝都收藏在百尺楼，一场大火化为乌有。禁军指挥使兼中书令王宗侃率领警卫宫门的卫兵入宫救火，王建不允许，紧闭宫门，让百尺楼的大火自生自灭，大火烧了整整一夜，到第二天早上，还没有完全熄灭。蜀主王建在义兴门召见群臣，命令主管部门收拢太庙的神主，分派使者巡察都城各处，加强戒备，如临大敌。王建害怕入宫救火的禁军乘机作乱，胆战心惊。第二天，采取戒严措施后仍禁闭宫门。出身行伍的王建，一旦走到权力顶峰，也就脱离了军民大众，没有一个可以让他信赖的人，真正成了孤家寡人。但王建的果决措施，也十分得当，不给有野心的人有下手的机会，显示了一个创业之主的勇略智慧。

卷第二百七十　后梁纪五

起强圉赤奋若（丁丑，公元九一七年）七月，尽屠维单阏（己卯，公元九一九年）九月，凡二年有奇。

【题解】

本卷记事起于公元九一七年七月，迄于公元九一九年九月，凡两年又三个月，当梁末帝贞明三年七月至五年九月。此时期晋、梁双方进行大规模主力决战，势均力敌，晋兵南渡黄河，及于梁郊而还。晋王李存勖失误于轻躁冒进，死拼硬打，梁兵人众，双方打消耗战，晋兵丧失了优势，还折了一个大将周德威。但梁末帝昏庸无能，忠奸不分，大将内讧，自毁长城，总是在优势中打败仗。契丹南下攻晋幽州，长达半年，梁未能乘势收复河北，反而让晋王从容北退契丹，南进渡河。晋王受挫北还，后梁只是获得了苟延残喘的时间，梁之灭亡，不可避免。蜀主王建猜疑杀害功臣，晚年嬖于群小，大臣争权，太子王衍荒淫，继位后，大权旁落，蜀国急剧衰落。南方吴与吴越大战，先败后胜，徐温得胜退兵，两国和好，江南黎民此后数十年免于兵祸。徐温乘胜和好吴越，保境安民，是一个有远见的政治家。

【原文】

均王中

贞明三年（丁丑，公元九一七年）

秋，七月庚戌[①]，蜀主以桑弘志[②]为西北面第一招讨[③]，王宗宏[④]为东北面第二招讨。己未[⑤]，以兼中书令王宗侃为东北面都招讨，武信[⑥]节度使刘知俊为西北面都招讨。

晋王以李嗣源、阎宝兵少，未足以敌契丹，辛未[⑦]，更命李存审将兵益之。

蜀飞龙使[⑧]唐文扆[⑨]居中用事[⑩]，张格[⑪]附之，与司徒、判枢密院事[⑫]毛文锡争权。文锡将以女适[⑬]左仆射兼中书侍郎、同平章事庾传素[⑭]之子，会亲族于枢密院用乐[⑮]，不先表闻[⑯]。蜀主闻乐声，怪之，文扆从而谮之[⑰]。八月庚寅[⑱]，贬文锡茂州司马，其子司封员外郎[⑲]询流维州[⑳]，籍没其家。贬文锡弟翰林学士文晏为荣经[㉑]尉[㉒]。传素罢为工部尚书，以翰林学士承旨庾凝绩[㉓]权判内枢密院事。凝绩，传素之再从弟[㉔]也。

【语译】

均王中

贞明三年（丁丑，公元九一七年）

秋，七月初三日庚戌，蜀主任命桑弘志为西北面第一招讨，王宗宏为东北面第二招讨。十二日己未，任命兼中书令王宗侃为东北面都招讨，武信节度使刘知俊为西北面都招讨。

晋王认为李嗣源、阎宝的兵力太少，不足以与契丹对抗，二十四日辛未，另外命令李存审率军前去增援。

蜀国的飞龙使唐文扆在内廷掌权，张格依附他，与司徒、判枢密院事毛文锡争夺权力。毛文锡准备把女儿嫁给左仆射兼中书侍郎、同平章事庾传素的儿子，于是把亲戚族人们聚集在枢密院演奏舞乐，没有事先上奏禀告蜀主。蜀主听到了乐声，感到很奇怪，唐文扆乘机诋毁毛文锡。八月十三日庚寅，下诏贬毛文锡为茂州司马，他的儿子司封员外郎毛询被流放到维州，抄没了他的全部家产。贬毛文锡的弟弟翰林学士毛文晏为荣经县尉。庾传素被降为工部尚书，任命翰林学士承旨庾凝绩暂时兼任内枢密院事务。庾凝绩，是庾传素同曾祖的堂弟。

癸巳㉕[1]，清海、建武节度使刘岩㉖即皇帝位于番禺㉗，国号大越。大赦，改元乾亨。以梁使㉘赵光裔㉙为兵部尚书，节度副使杨洞潜㉚为兵部侍郎，节度判官李殷衡㉛为礼部侍郎，并同平章事。建三庙㉜，追尊祖安仁曰太祖文皇帝，父谦曰代祖圣武皇帝，兄隐曰烈宗襄皇帝。以广州为兴王府。

【段旨】

以上为第一段，写蜀大臣争权，刘岩建立南汉国。

【注释】

①庚戌：七月初三日。②桑弘志：黎阳（今河南浚县东北）人，岐王李茂贞养为义子，赐姓名李继岌。降蜀，官至蜀武定军节度使。传见《十国春秋》卷四十二。③招讨：官名，即招讨使，为临时军事长官，掌招抚讨伐事务，事罢则废。④王宗宏：王建养子。传见《十国春秋》卷三十九。⑤己未：七月十二日。⑥武信：方镇名，唐昭宗光化二年（公元八九九年）始置。前蜀因之，治所遂州，在今四川遂宁。⑦辛未：七月二十四日。⑧飞龙使：蜀内侍监属官，由宦官担任。⑨唐文扆（？至公元九一八年）：前蜀官官。传见《十国春秋》卷四十六。⑩居中用事：在内廷掌握实权。⑪张格：字义师，河间（今河北河间）人，为人矫谲，官至蜀中书侍郎、同平章事。传见《十国春秋》卷四十一。⑫判枢密院事：官名，掌军政。唐玄宗时始置，代宗时用宦官担任，为内枢密使。五代用士人。判，暂时担任。⑬适：嫁。⑭庾传素：官至前蜀宰相，尸位厚禄，无所作

【原文】

契丹围幽州且㉝二百日，城中危困。李嗣源、阎宝、李存审步骑七万会于易州㉞，存审曰："虏众、吾寡，虏多骑、吾多步。若平原相遇，虏以万骑蹂吾陈，吾无遗类㉟矣。"嗣源曰："虏无辎重，吾行必载粮食自随㊱，若平原相遇，虏抄吾粮，吾不战自溃矣。不若自山中潜行㊲趣㊳幽州，与城中合势。若中道遇虏，则据险拒之。"甲午㊴，自易

八月十六日癸巳，清海、建武节度使刘岩在番禺称帝，国号大越。大赦，改年号为乾亨。任命梁朝的使者赵光裔为兵部尚书，节度副使杨洞潜为兵部侍郎，节度判官李殷衡为礼部侍郎，三人都为同平章事。修建三座宗庙，追尊祖父刘安仁为太祖文皇帝，父亲刘谦为代祖圣武皇帝，哥哥刘隐为烈宗襄皇帝。改广州为兴王府。

为，蜀亡降后唐。传见《十国春秋》卷四十一。⑮用乐：演奏舞乐。⑯表闻：上奏使蜀主知道。闻，使动用法。⑰从而谮之：乘机说他的坏话。⑱庚寅：八月十三日。⑲司封员外郎：官名，吏部属官，掌封爵、袭荫、褒赠等事。⑳维州：州名，治所保宁，在今四川理县东北。㉑荣经：县名，在今四川荥经。㉒尉：县尉，掌全县军政。㉓庾凝绩：庾传素同曾祖之弟，官至蜀内枢密使。传见《十国春秋》卷四十一。㉔再从弟：同曾祖之弟。㉕癸巳：八月十六日。㉖刘岩（公元八八九至九四二年）：南汉国建立者，初名岩，一名陟。贞明三年（公元九一七年）称帝，改名龑，都广州，国号大越，改元乾亨，公元九一七至九四二年在位。㉗番禺：县名，县治在今广东广州南部。㉘梁使：后梁派往南汉的使者。㉙赵光裔（？至公元九三九年）：字焕业，京兆奉天（今陕西蒲城）人，任南汉宰相二十余年，府库充实，政事清明，辑睦四邻，边境无恐，号称贤相。传见《十国春秋》卷六十二。㉚杨洞潜：字昭元，始兴（今广东韶关）人，南汉宰相，请立学校、开贡举、设铨选，重视教化。传见《十国春秋》卷六十二。㉛李殷衡：赵郡（今河北邯郸）人，唐宰相李德裕之孙。官南汉同平章事。传见《十国春秋》卷六十二。㉜三庙：祭祀三位追尊的南汉祖宗太庙。即太祖刘安仁、代祖刘谦、烈宗刘隐三人之庙。

【校记】

［1］癸巳：此二字原无。据章钰校，十二行本、乙十一行本、孔天胤本皆有此二字，张敦仁《通鉴刊本识误》、张瑛《通鉴校勘记》同，今据补。

【语译】

契丹包围幽州城将近二百天，城中危急困窘。李嗣源、阎宝、李存审率步兵骑兵七万人在易州会集，李存审说：“敌众、我寡，敌方骑兵多、我方步兵多。如果在平原地区相遇，敌人用万名骑兵践踏我们阵地，我们就一个也活不成了。”李嗣源说：“敌人没有随军携带的军需，而我们行军一定会拉着粮食随行。如果在平原地区相遇，敌人抢我们的粮食，我军就不战自溃了。不如从山中秘密行进赶赴幽州，与城里的军队里应外合，如果半路上遇到敌人，我们就占据险要地势抵御他们。”八月十七日甲午，

州北行。庚子[40]，逾大房岭[41]，循涧而东[42]。嗣源与养子从珂[43]将三千骑为前锋，距幽州六十里，与契丹遇。契丹惊却，晋兵翼而随之[44]。契丹行山上，晋兵行涧下，每至谷口，契丹辄邀之[45]，嗣源父子力战，乃得进。至山口，契丹以万余骑遮其前[46]，将士失色。嗣源以百余骑先进，免胄扬鞭[47]，胡语[48]谓契丹曰："汝无故犯我疆埸[49]，晋王命我将百万众直抵西楼[50]，灭汝种族！"因跃马奋挝[51]，三入其陈，斩契丹酋长一人。后军齐进，契丹兵却，晋兵始得出。李存审命步兵伐木为鹿角[52]，人持一枝，止则成寨。契丹骑环寨而过，寨中发万弩射之，流矢蔽日，契丹人马死伤塞路。将至幽州，契丹列陈待之。存审命步兵陈于其后[53]，戒勿动。先令羸兵[54]曳柴然草[55]而进，烟尘蔽天，契丹莫测其多少。因[56]鼓噪合战，存审乃趣[57]后陈起乘之，契丹大败，席卷[58]其众自北山[59]去，委弃车帐铠仗羊马满野。晋兵追之，俘斩万计。辛丑[60]，嗣源等入幽州，周德威见之，握手流涕。

契丹以卢文进为幽州留后，其后，又以为卢龙节度使。文进常居平州，帅奚骑[61]岁入北边，杀掠吏民。晋人自瓦桥[62]运粮输蓟城[63]，虽以兵援之，不免抄掠。契丹每入寇，则文进帅汉卒为乡导[64]，卢龙巡属诸州为之残弊。

【段旨】

以上为第二段，写晋将李嗣源破契丹，解幽州之围。

晋军从易州向北行进。二十三日庚子，翻越大房岭，沿着山涧向东。李嗣源和他的养子李从珂率领三千名骑兵为前锋，在离幽州还有六十里的地方，与契丹军队相遇。契丹军队感到十分意外而向后退去，晋军在两侧紧随其后。契丹军在山上行进，晋军则在山涧下行进，每到一处谷口，契丹军都要拦截晋军，李嗣源父子奋力拼杀，才能够继续行进。到达山口时，契丹人用一万余名骑兵挡在前面，晋军将士吓得脸色都变了。李嗣源率领一百多名骑兵率先前行，他脱去头盔，舞着马鞭，用契丹语对契丹人说："你们无缘无故地侵犯我们的疆土，晋王命令我率领百万大军直捣你们的老巢西楼，灭绝你们的种族!"随即跃马挥挝，多次冲进敌阵，斩杀契丹酋长一人。后面的晋军一齐向前推进，契丹军向后退却，晋军这才得以走出山口。李存审命令步兵砍伐树木，做成鹿角状，每人拿着一枝，部队停下时插下鹿角围成一个营寨。契丹骑兵绕营寨而过，寨中的晋军万箭齐发射向敌人，飞出的箭镞遮天蔽日，契丹军死伤的人马把路都堵塞了。快要到达幽州城时，契丹军已摆好阵势等着他们。李存审命令步兵在契丹军后面摆好阵势，告诫他们不要轻举妄动。先让一些老弱士兵拖着柴火并点燃枯草在前面走，一时烟尘遮天，契丹人摸不清晋军到底有多少人马。晋军乘势擂鼓呐喊，与敌战成一团，这时李存审催促在契丹军身后的步兵冲上前去加入拼杀，契丹军被打得大败，收拾全体残余人马从北山逃走，丢弃的战车、帐篷、铠甲、兵仗、羊、马等漫山遍野。晋军乘胜追击，俘虏和斩杀的敌人数以万计。二十四日辛丑，李嗣源等进入幽州城，周德威看到他们，握着他们的手流出了眼泪。

契丹任命卢文进为幽州留后，后来，又任命他为卢龙节度使。卢文进经常居住在平州，每年率领奚族骑兵进入晋国北部边境，对当地的官吏百姓实施杀戮抢劫。晋国人从瓦桥关运送粮食到蓟城，虽然有军队为援，仍免不了要遭契丹军抢夺。每当契丹入侵，卢文进就率领汉族士兵给他们当向导，卢龙所属各州因此都残破不堪。

【注释】

㉝且：将近。㉞易州：州名，治所易县，在今河北易县。㉟无遗类：指全军覆没，无一人遗存。遗类，遗种。㊱载粮食自随：运载粮食随军行动。㊲潜行：秘密行军。㊳趣：通"趋"，赶往。㊴甲午：八月十七日。㊵庚子：八月二十三日。㊶大房岭：在今北京市良乡西北。㊷循涧而东：沿涧水东行。㊸从珂（公元八八五至九三六年）：李嗣源养子。后唐闵帝应顺元年（公元九三四年），自凤翔率军入洛阳篡位称帝，是谓唐末帝。公元九三四至九三六年在位。事见《旧五代史》卷四十六至四十八、《新五代史》卷七。㊹翼而随之：晋军分左右两翼，紧逼退却契丹军。㊺辄邀之：每每拦击晋军。㊻遮其前：在晋军的前面阻挡着。遮，遮拦、阻挡。㊼免胄扬鞭：脱去盔甲，策马向前。㊽胡语：指

用契丹语说话。以下的话是用汉语翻译的胡语。㊾疆埸：疆界；边界。㊿西楼：契丹以其所居为上京，起楼其间，号西楼。又于其东千里起东楼，北三百里起北楼，南木叶起南楼。[51]挝：唐宋间一种战场上用的击打兵器，又称"骨朵"。[52]鹿角：砍木成鹿角状，扎营时钉在地上，以阻挡骑兵冲阵。[53]陈于其后：用步兵在契丹军阵后布阵。前用骑兵迎敌，后用步兵布阵，夹击契丹军。陈，"阵"的古字。[54]羸兵：老弱疲惫的士兵。[55]然草：点燃柴草。然，通"燃"。[56]因：乘势。[57]趣：通"促"，催促。[58]席卷：像卷席子一样包括无余。[59]北山：山名，在古北口，契丹从古北口退兵。[60]辛丑：八月二十四日。[61]奚骑：奚族人组成的骑兵。[62]瓦桥：瓦桥关，在今河北雄县西南。[63]蓟城：即蓟县城。故城在今北京西南。[64]乡导：指路或引路的人。乡，通"向"。

【原文】

刘鄩自滑州入朝，朝议[65]以河朔失守[66]责之。九月，落[67]鄩平章事，左迁[68]亳州团练使[69]。

冬，十月己亥[70]，加吴越王镠天下兵马元帅。

晋王还晋阳。王连岁出征，凡军府政事一委监军使张承业。承业劝课农桑，畜积金谷，收市[71]兵马，征租行法不宽贵戚。由是军城[72]肃清，馈饷不乏。王或时须钱蒱博[73]及给赐伶人[74]，而承业靳[75]之，钱不可得。王乃置酒钱库[76]，令其子继岌[77]为承业舞[78]，承业以宝带及币马赠之。王指钱积呼继岌小名谓承业曰："和哥[79]乏钱，七哥[80]宜以钱一积[81]与之，带马未为厚也！"承业曰："郎君缠头[82]皆出承业俸禄。此钱，大王所以养战士也，承业不敢以公物为私礼。"王不悦，凭酒[83]以语侵之，承业怒曰："仆老敕使[84]耳，非为子孙计！惜此库钱，所以佐王成霸业也。不然，王自取用之，何问仆为！不过财尽民[2]散，一无所成耳。"王怒，顾李绍荣[85]索剑[86]。承业起，挽[87]王衣，泣曰："仆受先王[88]顾托之命[89]，誓为国家诛汴贼，若以惜库物死于王手，仆下见先王无愧矣。今日就王请死！"阎宝从旁解承业手令退，承业奋拳殴宝踣地[90]，骂曰："阎宝，朱温之党，受晋大恩，曾不尽忠为报，顾欲以谄媚自容[91]邪！"曹太夫人[92]闻之，遽[93]令召王。王

【语译】

刘鄩从滑州进京朝见，朝廷公议追究了他失守河朔的责任。九月，免除刘鄩的平章事，降职为亳州团练使。

冬，十月二十三日己亥，梁末帝加封吴越王钱镠为天下兵马元帅。

晋王回到晋阳。晋王连年出征，凡是军府中的政事一概委托给监军使张承业处理。张承业鼓励督促农桑生产，储积钱粮，招兵买马，他征收租税，执行法令，就是对皇亲国戚也无所宽宥。从此军城内外秩序井然，军队粮饷从不缺乏。晋王有时需要钱去赌博或者赏赐给歌舞艺人，而张承业舍不得，晋王也拿不到钱。晋王于是在钱库里摆酒设宴，让他的儿子李继岌给张承业表演舞蹈，张承业赠送给他镶有珠宝的带子和一匹当作礼物的马作为答谢。晋王指着钱库里的钱堆喊着李继岌的小名对张承业说:“和哥缺钱，七哥应该给他一堆钱，宝带和马匹可不算厚礼啊!”张承业说:“给公子的谢礼都出自我的俸禄。库里的这些钱，是大王用来供养战士的，我张承业不敢拿公家的财物作为私人的谢礼。”晋王听了很不高兴，借着几分酒意出言冒犯他，张承业生气地说道:“我不过是个年老的为皇上传令的差官罢了，我不是为自己的儿孙在作打算！我珍惜这些库钱，是为了帮助大王成就霸业。不然的话，大王您自己拿去用好了，何必还来问我呢！大不了钱财用完了，百姓散伙了，一事无成而已。”晋王听后十分恼怒，回过头来向李绍荣要剑。张承业站了起来，拉着晋王的衣服，流着泪说:“我受先王临终嘱托遗命，发誓要为国家诛灭汴梁贼子，如果因为珍惜国库中的钱物而死在大王手里，我在九泉之下见到先王心里也无愧了。今日就在大王这里请求一死!”阎宝在一旁掰开张承业的手叫他退下去，张承业挥起拳头把阎宝打倒在地，骂道:“阎宝，你这个朱温的同党，受了我们晋国的大恩，却不去尽忠报国，反而想用谄媚来求安身吗!”曹太夫人听到这件事，急忙下令召见晋王。晋

惶恐[94]叩头，谢承业曰："吾以酒失忤[95]七哥，必且得罪于太夫人，七哥为吾痛饮以分其过[96]。"王连饮四卮[97]，承业竟不肯饮。王入宫，太夫人使人谢承业曰："小儿忤特进[98]，适[99]已笞[100]之矣。"明日，太夫人与王俱至承业第谢之。未几，承制授承业开府仪同三司[101]、左卫上将军[102]、燕国公。承业固辞不受，但[103]称唐官，以至终身。

掌书记卢质[104]，嗜酒轻傲，尝呼王诸弟为豚犬，王衔[105]之。承业恐其及祸，乘间[106]言曰："卢质数无礼，请为大王杀之。"王曰："吾方招纳贤才以就[107]功业，七哥何言之过也[108]？"承业起立贺曰："王能如此，何忧不得天下！"质由是获免。

晋王元妃[109]卫国韩夫人，次燕国伊夫人，次魏国刘夫人。刘夫人最有宠，其父成安[110]人，以医卜[111]为业。夫人幼时，晋将袁建丰掠得之，入于王宫。性狡悍淫妒[112]，从王在魏。父闻其贵，诣魏宫上谒[113]，王召袁建丰示之[114]。建丰曰："始得夫人时，有黄须丈人[115]护之，此是也。"王以语夫人，夫人方与诸夫人争宠，以门地相高[116]，耻其家寒微[117]，大怒曰："妾去乡[118]时略可记忆，妾父不幸死乱兵，妾守尸哭之而去，今何物田舍翁[119]敢至此！"命笞刘叟[120]于宫门。

【段旨】

以上为第三段，写张承业尽心于国事，为晋之萧何。晋王宠信狡悍淫妇刘夫人，为不保英雄晚节张本。

【注释】

⑥⑤朝议：廷议；公卿大臣会议。⑥⑥河朔失守：刘鄩失守河朔事见上卷。河朔，地区名，泛指黄河以北之地。⑥⑦落：免除。⑥⑧左迁：降职。⑥⑨团练使：官名，不设节度使之州，设团练使，掌一州政务与军权。⑦⓪己亥：十月二十三日。⑦①收市：收购。⑦②军城：指晋王李存勖国都晋阳府城。⑦③王或时须钱蒱博：晋王李存勖有时需用钱赌博。或时，有时。蒱博，赌博。⑦④伶人：歌舞艺人。⑦⑤靳：吝惜。⑦⑥置酒钱库：在钱库摆酒设宴。⑦⑦继岌（？至公元九二六年）：李存勖长子。同光三年（公元九二五年）九月二十

王惶恐不安地赶忙磕头，向张承业赔罪说："我因为饮酒失态冒犯了七哥，一定会得罪太夫人，请七哥为我痛饮几杯来分担点我的罪过。"晋王一连喝了四大杯，张承业最终连一杯也不肯喝。晋王入宫后，曹太夫人派人来向张承业道歉说："小儿冒犯了特进，刚才我已经责打他了。"第二天，曹太夫人又和晋王一道到张承业府上赔罪。不久，晋王又代行唐朝天子的旨意授予张承业开府仪同三司、左卫上将军、燕国公。张承业坚决推辞不接受，终其一生只自称是唐朝的官员。

掌书记卢质，爱好喝酒，举止轻佻傲慢，曾经称呼晋王的弟弟们为猪狗，晋王怀恨在心。张承业怕他遭祸，便找机会对晋王说："卢质多次对大王无礼，请让我为大王杀了他。"晋王说："我正在招纳贤才来成就功业，七哥为什么说这样的过头话呢？"张承业站起来向晋王祝贺说："大王能够如此，还愁得不到天下吗！"卢质因此得以免祸。

晋王的元妃是卫国的韩夫人，其次是燕国的伊夫人，又其次是魏国的刘夫人。刘夫人最受晋王宠爱，她的父亲是成安人，以行医占卜为业。刘夫人年幼之时，被晋国将领袁建丰抢了回来，进了王宫。刘夫人生性狡诈凶悍、放荡，好妒忌人，这时跟随晋王在魏州。她的父亲听说她地位显贵，到魏地的王宫来请求晋见，晋王召袁建丰来辨认。袁建丰说："当初得到刘夫人的时候，有一个黄胡子老汉保护着她，就是这个人。"晋王把这些情况告诉了刘夫人，刘夫人当时正与其他几位夫人争宠，彼此都在炫耀自己的门第地望，刘夫人对自己贫寒低微的出身感到耻辱，于是十分生气地说："我离开家乡时的情景大概还可记得，我的父亲不幸死于乱兵，我曾守着他的尸体大哭一番后才离开，今天这个农家翁是个什么东西，竟敢到这里胡言乱语！"下令把刘老汉在宫门口鞭打了一顿。

三日封魏王。定蜀班师，被杀。传见《旧五代史》卷五十一、《新五代史》卷十四。⑺舞：表演舞蹈。意在求得赏赐。⑼和哥：继岌小名。⑽七哥：指张承业，因张承业排行第七，晋王以兄事之，故称其为七哥。㉛一积：一处贮钱的府库。㉜缠头：唐时凡为人舞，人则以钱、彩、宝货谢之，叫作缠头。㉝凭酒：使酒；耍酒疯。㉞老敕使：张承业自称，指皇帝的使者。㉟李绍荣：即元行钦。㊱索剑：讨宝剑。㊲挽：牵引；拉着。㊳先王：指晋王李克用。㊴顾托之命：临死前托付辅佐幼子的遗命。㊵踣地：仆倒在地。㊶以谄媚自容：用拍马奉承的办法来保全自己。㊷曹太夫人：李存勖的生母。㊸遽：急忙。㊹惶恐：惊慌惧怕。㊺忤：违逆；冒犯。㊻以分其过：用来分担我的过失。㊼四卮：四大杯酒。卮，大酒杯。㊽特进：官名，唐文散官的第二阶，正二品，为荣誉加官。此指代张承业。㊾适：刚才。⑽笞：用竹板责打。⑽开府仪同三司：官名，唐文散官的第一阶，从一品，为荣誉加官。可开府治事，仪仗相等于司徒、司马、司空。⑽左卫上将军：官

名，禁卫军高级将领。⑩但：只；仅。⑭卢质（公元八六一至九三六年）：字子征，河南（今河南）人，幼聪慧，善属文，积功至后唐匡国节度使。传见《旧五代史》卷九十三、《新五代史》卷五十六。⑩衔：怀恨。⑩乘间：找机会。⑩就：成就。⑩何言之过也：为什么说这样的过头话。⑩元妃：君主或诸侯的元配。⑩成安：县名，县治在今河北成安。⑪医卜：行医和卜卦。⑫狡悍淫妒：狡黠、凶悍、淫乱、嫉妒。⑬谒：晋见；谒见。⑭示之：给他看；让他辨认。⑮黄须丈人：长黄胡须的老人。⑯以门地相高：用出身的门第、地望的高尚来炫耀自己。门，门第。地，地望、所在州郡。⑰寒微：贫寒而地位低微。⑱去乡：离开家乡。⑲何物田舍翁：一个农家翁算什么东西。⑳刘叟：即黄须刘老头，晋王刘夫人之父，史失其名而称叟。

【原文】

越主岩遣客省使[121]刘瑭[122]使于吴，告即位，且劝吴王称帝。

闰月戊申[123]，蜀主以判内枢密院庾凝绩为吏部尚书、内枢密使。

十一月丙子朔[124]，日南至[125]，蜀主祀圜丘[126]。

晋王闻河冰合[127]，曰："用兵数岁，限[128]一水不得渡，今冰自合，天赞我也。"亟[129]如魏州。

蜀主以刘知俊为都招讨使，诸将皆旧功臣，多不用其命[130]，且疾[131]之，故无成功。唐文扆数毁之[132]，蜀主亦忌其才，尝谓所亲曰："吾老矣，知俊非尔辈所能驭[133]也。"十二月辛亥[134]，收[135]知俊，称其谋叛，斩于炭市[136]。

癸丑[137]，蜀大赦，改明年元曰光天[138]。

壬戌[139]，以张宗奭[140]为天下兵马副元帅。

帝论平庆州功[141]，丁卯[142]，以左龙虎统军[143]贺瓌为宣义节度使、同平章事。寻[144]以为北面行营招讨使。

戊辰[145]，晋王畋[146]于朝城[147]。是日，大寒，晋王视河冰已坚，引步骑稍度[148]。梁甲士三千戍杨刘城[149]，缘河[150]数十里，列栅[151]相望。晋王急攻，皆陷之。进攻杨刘城，使步兵斩其鹿角，负葭苇[152]塞堑[153]，四面进攻。即日拔之，获其守将安彦之。

【校记】

［2］民：据章钰校，十二行本、乙十一行本、孔天胤本皆作“人”。

【语译】

大越国主刘岩派客省使刘瑭出使吴国，告知自己已经即位，并且劝吴王也称帝。

闰十月初二日戊申，蜀主任命判内枢密院庾凝绩为吏部尚书、内枢密使。

十一月初一日丙子，冬至，蜀主在圜丘祭天。

晋王听说黄河河面上已经全部结上了冰，说道：“用兵多年，被一水阻隔而不能渡过去，现在河面上的冰自已结满了，这是上天在帮助我们。”于是他急忙赶往魏州。

蜀主任命刘知俊为都招讨使，所统帅的各位将领都是旧日的功臣，很多人都不听从他的指挥，而且妒忌他，所以他没建立什么功绩。唐文扆多次诋毁他；蜀主也妒忌他的才能，曾经对所亲近的人说：“我老了，刘知俊不是你们这些人所能驾驭的。”十二月初六日辛亥，逮捕了刘知俊，说他阴谋叛乱，在炭市将他斩首。

初八日癸丑，蜀国实行大赦，把明年的年号改为光天。

十二月十七日壬戌，梁末帝任命张宗奭为天下兵马副元帅。

梁末帝论平定庆州的战功，二十二日丁卯，任命左龙虎统军贺瓌为宣义节度使、同平章事。不久又任命他为北面行营招讨使。

二十三日戊辰，晋王在朝城打猎。这一天，天气特别寒冷，晋王看到黄河上的冰已经冻得很结实了，就率领步兵骑兵逐渐渡河。梁国有甲士三千人驻守杨刘城，沿河数十里建立了一座座营栅，彼此都能望见。晋王发起猛攻，把梁军营栅全都攻了下来。接着进攻杨刘城，派步兵砍去梁军在城外设置的鹿角，然后背着芦苇去填塞壕沟，从四面发起进攻。当天就攻下了杨刘城，俘虏了杨刘城守将安彦之。

先是，租庸使⑭、户部尚书赵岩言于帝曰："陛下践阼⑮以来，尚未南郊。议者以为无异藩侯⑯，为四方⑰所轻。请幸西都⑱行郊礼，遂谒宣陵⑲。"敬翔谏曰："自刘鄩失利以来，公私困竭，人心惴恐⑳。今展礼㉑圜丘，必行赏赉㉒，是慕虚名而受实弊也。且勍敌㉓近在河上，乘舆㉔岂宜轻动！俟北方既平，报本㉕未晚。"帝不听。己巳㉖，如㉗洛阳，阅车服㉘，饰宫阙㉙。郊祀有日㉚，闻杨刘失守，道路讹言㉛晋军已入[3]大梁，扼汜水㉜矣。从官㉝皆忧其家，相顾涕泣。帝惶骇失图㉞，遂罢郊祀，奔归大梁。甲戌㉟，以河南尹张宗奭为西都留守㊱。

是岁，闽王审知㊲为其子牙内都指挥使延钧㊳娶越主岩之女。

【段旨】

以上为第四段，写蜀主王建猜疑杀功臣，梁末帝在大敌当前时祀南郊，昏庸之至。

【注释】

⑫客省使：官名，掌别国使臣朝见、宴请、接受贡物等外交事务。⑫刘瑭：官南汉客省使，曾聘于吴，劝吴王杨隆演称帝。传见《十国春秋》卷六十三。⑫戊申：闰十月初二日。⑫丙子朔：十一月初一日。⑫日南至：冬至日。⑫祀圜丘：举行祭祀天地的仪式。圜丘，古时祭天的坛。⑫河冰合：黄河结冰而水不流，成为坦途。⑫限：限制；阻隔。⑫亟：急。⑬多不用其命：大多不听从刘知俊的命令和指挥。⑬疾：通"嫉"。妒忌。⑬数毁之：多次诽谤刘知俊。数，多次。⑬驭：驾驭；掌握。⑬辛亥：十二月初六日。⑬收：逮捕。⑬炭市：成都卖柴炭的市场。⑬癸丑：十二月初八日。⑬光天：前蜀王建第四个年号（公元九一八年）。⑬壬戌：十二月十七日。⑭张宗奭：即张全义。宗奭之名为梁太祖朱温所赐。⑭平庆州功：贺瓌平庆州，事见本书卷二百六十九贞明二年（公元九一六年），至此时论功。⑭丁卯：十二月二十二日。⑭左龙虎统军：后梁禁卫军高级将领。⑭寻：不久。⑭戊辰：十二月二十三日。⑭畋：打猎。⑭朝城：县名，县治在今山东莘县西南。⑭稍度：逐渐渡河。⑭杨刘城：地名，在今山东东阿北，濒临黄河。⑮缘河：沿黄河。⑮列栅：建立营栅。⑮葭苇：芦苇。葭，小苇。苇，芦。⑮堑：壕沟。⑮租庸使：官名，管理钱谷等事。往往因战事而设，兵罢则止。由宰相兼领。⑮践

此前，租庸使、户部尚书赵岩对梁末帝说："陛下即位以来，还没有去南郊祭天。谈起这件事人们都认为这样就和地方诸侯没有什么区别了，会被天下所轻视。希望陛下临幸西都举行郊祀礼，顺便拜谒宣陵。"敬翔却劝谏说："自从刘鄩征战失利以来，朝廷和百姓都非常穷困，人心惴惴不安。如今在圜丘举行大礼，势必要进行赏赐，这样做是贪慕虚名而在实际上遭受弊害。况且强敌就近在黄河边上，皇上的大驾哪能轻易出动！等到北方的形势平定之后，再去报答王业的根本也不算晚。"梁末帝不听他的劝谏。十二月二十四日己巳，梁末帝前往洛阳，视察车驾礼服，修饰宫殿。离郊祀的日子没有几天了，突然听说杨刘城失守，路人谣传晋军已经进入大梁，扼守住汜水了。随行的官员们都在担忧自己的家人，大家相对垂泪。梁末帝也惊慌害怕而没了主意，于是停止郊祀，急忙赶回大梁。二十九日甲戌，梁末帝任命河南尹张宗奭为西都留守。

这一年，闽王王审知为儿子牙内都指挥使王延钧娶了越主刘岩的女儿。

阼：即位。⑯藩侯：藩镇；一般的诸侯王。⑰四方：全国；天下。⑱西都：后梁以洛阳为西都。⑲宣陵：朱温墓。在今河南洛阳附近伊阙。⑳惴恐：担心害怕。㉑展礼：大规模地行祭祀礼。㉒赏赉：赏赐。㉓劲敌：强劲的敌人，指晋军。㉔乘舆：借指皇帝。舆，皇帝出行所乘之车辆。㉕报本：报答王业之根本。此处指郊祀上天及先帝朱温。㉖己巳：十二月二十四日。㉗如：到。㉘阅车服：检阅车驾、服饰等仪仗队。㉙饰宫阙：装饰、修缮宫殿。⑰⓪有日：指离郊祀的日子没有几天了。⑰①讹言：谣言；传言。⑰②扼汜水：扼守虎牢关，拒末帝东归开封。汜水，在今河南荥阳。⑰③从官：跟从后梁末帝到洛阳郊天的官员。⑰④惶骇失图：惊惶害怕，没有了主意。⑰⑤甲戌：十二月二十九日。⑰⑥西都留守：官名，负责洛阳军政的长官。⑰⑦审知：王审知（公元八六二至九二五年），字信通，光州固始（今河南固始）人，其兄王潮死后，他袭爵威武军节度使，割据福建。后梁开平三年（公元九〇九年）封为闽王。为人俭约，对福建多所建树。公元九〇九至九二五年在位。传见《旧五代史》卷一百三十四、《新五代史》卷六十八。⑰⑧延钧（？至公元九三五年）：王审知次子，审知死，于公元九二六年与王延禀杀兄延翰继闽王位，改名璘，公元九三三年称帝，改元龙启。公元九二六至九三五年在位。传见《旧五代史》卷一百三十四、《新五代史》卷六十八、《十国春秋》卷九十一。

【校记】

［3］入：原作"至"。据章钰校，十二行本、乙十一行本、孔天胤本皆作"入"，熊罗宿《胡刻资治通鉴校字记》同，今据改。

【原文】

四年（戊寅，公元九一八年）

春，正月乙亥朔[179]，蜀大赦，复国号曰蜀。

帝至大梁。晋兵侵掠至郓[180]、濮[181]而还。敬翔上疏曰："国家连年丧师，疆土日蹙[182]。陛下居深宫之中，所与计事者皆左右近习[183]，岂能量[184]敌国之胜负乎！先帝之时，奄有[185]河北，亲御豪杰之将，犹不得志。今敌至郓州，陛下不能留意。臣闻李亚子[186]继位以来，于今十年[187]，攻城野战，无不亲当矢石。近者攻杨刘，身负束薪[188]，为士卒先，一鼓拔之[189]。陛下儒雅守文，晏安自若[190]，使贺瓌辈敌之，而望攘逐[191]寇仇，非臣所知也。陛下宜询访黎老[192]，别求异策。不然，忧未艾也。臣虽驽怯，受国重恩，陛下必若乏才，乞于边垂自效。"疏奏，赵、张之徒言翔怨望，帝遂不用。

吴以右都押牙[193]王祺为虔州[194]行营都指挥使，将洪、抚、袁、吉[195]之兵击谭全播[196]。严可求以厚利募赣石水工[197]，故吴兵奄至虔州城下，虔人始知之。

蜀太子衍[198]好酒色，乐游戏。蜀主尝自夹城[199]过，闻太子与诸王斗鸡击球喧呼之声，叹曰："吾百战以立基业，此辈其能守之乎！"由是恶张格。而徐贤妃[200]为之内主[201]，竟不能去也。信王宗杰[202]有才略，屡陈时政，蜀主贤之，有废立意。二月癸亥[203]，宗杰暴卒，蜀主深疑之。

河阳节度使、北面行营排陈[204]使谢彦章[205]将兵数万攻杨刘城。甲子[206]，晋王自魏州轻骑诣河上。彦章筑垒自固[207]，决河水，弥浸[208]数里，以限[209]晋兵，晋兵不得进。彦章，许州人也。安彦之散卒多聚于兖[210]、郓山谷为群盗，以观二国成败。晋王招募之，多降于晋。

己亥[211]，蜀主以东面招讨使王宗侃为东、西两路[212]诸军都统。

三月，吴越王镠初立元帅府，置官属。

夏，四月癸卯朔[213]，蜀主立子宗平[214]为忠王，宗特[215]为资王。

岐王复遣使求好[216]于蜀。

【语译】

四年（戊寅，公元九一八年）

春，正月初一日乙亥，蜀国大赦，恢复国号为蜀。

梁末帝到达大梁。晋军入侵掠夺一直到了郓州、濮州一带才撤回去。敬翔向梁末帝上奏章说："国家连年军队战败受损，疆土一天天缩小。陛下深居宫中，与您一起商量大事的都是您左右亲信之人，这怎么能估量敌我的胜负呢！先帝在世的时候，拥有黄河以北广大地区，亲自统帅豪杰猛将，尚且不能处处如意。如今敌人已经到了郓州，陛下仍不太在意。我听说李存勖继位以来，至今十年，不论攻城还是野战，无不亲自冲锋陷阵。近日进攻杨刘城时，他身背成束的芦苇，冲在士卒的前面，所以能一鼓作气攻下杨刘城。陛下却儒雅斯文，像往常一样过着安逸的日子，只派贺瓌这种人去抵御敌人，而指望他们驱逐敌寇，这真不是我所能理解的。陛下应当去咨询一下老人们，另外寻求一种不同的御敌之策。否则的话，忧患是不会停止的。我虽然无能而又怯弱，但也受过国家的厚恩，陛下如果实在缺少人才的话，我请求到边疆去为国效力。"奏章呈上去以后，赵岩、张汉鼎这帮人说敬翔是在发泄不满，于是梁末帝没有采纳他的意见。

吴国任命右都押牙王祺为虔州行营都指挥使，让他率领洪州、抚州、袁州、吉州的军队去攻打谭全播。严可求用重金招募熟悉水道的赣石水工，所以直到吴军突然到达虔州城下时，虔州人才发觉。

蜀国太子王衍嗜酒好色，喜欢游乐嬉戏。一次蜀主从夹城路过，听到墙内太子与诸王斗鸡击球的喧闹呼喊之声，慨叹道："我历经百战创立的这份基业，这些人能守得住吗！"从此蜀主厌恶当初主张拥立王衍的张格。但内宫有徐贤妃为他做主，所以到底也没能把他赶走。信王王宗杰有才干有谋略，屡次上表陈述对时政的看法，蜀主很器重他，曾经有过废王衍立王宗杰的想法。二月二十日癸亥，王宗杰突然病死，蜀主对他的死深感怀疑。

梁河阳节度使、北面行营排陈使谢彦章率军数万进攻杨刘城。二月二十一日甲子，晋王从魏州率轻骑赶到黄河边。谢彦章筑起营垒固守，并且决堤放出黄河水，淹没了方圆好几里，以阻挡晋军，晋军无法前进。谢彦章，是许州人。安彦之的溃散士卒大多聚集在兖州、郓州的山谷当强盗，坐观梁、晋两国的胜负。晋王招募他们，他们大多归顺了晋国。

己亥日，蜀主任命东面招讨使王宗侃为东、西两路诸军都统。

三月，吴越王钱镠开始设立元帅府，并设置僚属。

夏，四月初一日癸卯，蜀主册立他的儿子王宗平为忠王，王宗特为资王。

岐王又派遣使者到蜀国请求和好。

己酉[217]，以吏部侍郎萧顷[218]为中书侍郎、同平章事。

保大[219]节度使高万金卒。癸亥[220]，以忠义[221]节度使高万兴兼保大节度使，并镇鄜、延。

司空兼门下侍郎、同平章事赵光逢告老，己巳[222]，以司徒致仕。

【段旨】

以上为第五段，写梁末帝拒谏，临事偏听小人之言。蜀太子王衍沉湎酒色。

【注释】

⑰⑨乙亥朔：正月初一日。⑱⓪郓：郓州，治所须昌，在今山东东平西北。⑱①濮：濮州，治所鄄城，在今山东鄄城北。⑱②日蹙：一天天缩小。⑱③近习：皇帝身边的亲信嬖臣。⑱④量：估计；预料。⑱⑤奄有：占有。⑱⑥李亚子：指李存勖。⑱⑦十年：言其大数。其实晋王李存勖从开平元年（公元九〇七年）嗣位以来，至此已经十一年。⑱⑧身负束薪：亲自背负填壕沟的芦苇。⑱⑨一鼓拔之：一鼓作气，攻占杨刘城。⑲⓪晏安自若：生活安逸，像往常一样。⑲①攘逐：抵抗；驱逐。⑲②黎老：黎民百姓中之老者。这里指那些德高望重的贤人。⑲③右都押牙：官名，亲军统领官，位在上军使之下。⑲④虔州：州名，治所赣县，在今江西赣州。⑲⑤洪、抚、袁、吉：皆州名。洪州治所豫章，在今江西南昌。抚州治所临川，在今江西抚州西。袁州治所宜春，在今江西宜春。吉州治所庐陵，在今江西吉安。⑲⑥谭全播（约公元八三五至九一九年）：南康（今江西赣州市南康区）人，治虔州七年，有善政。传见《十国春秋》卷八。⑲⑦赣石水工：赣石，地名。水工，水手。从吉州水行到虔州有赣石之险，严可求用重金招募熟悉赣水之险的水手做向导，故能绕开险滩，迅速到达虔州城下。⑲⑧蜀太子衍（公元八九八至九二五年）：蜀之太子王衍，字化源，旧名宗衍，及即位，去宗字，单名衍。王建第十一子。公元九一八

【原文】

蜀主自永平末得疾昏瞀[223]，至是增剧[224]。以北面行营招讨使兼中书令王宗弼[225]沉静有谋[226]，五月，召还，以为马步都指挥使。乙亥[227]，召大臣入寝殿[228]，告之曰："太子仁弱[229]，朕不能违诸公之请，逾次[230]而

初七日己酉，梁末帝任命吏部侍郎萧顷为中书侍郎、同平章事。

梁保大节度使高万金去世。二十一日癸亥，任命忠义节度使高万兴兼任保大节度使，同时镇守鄜州和延州。

梁司空兼门下侍郎、同平章事赵光逢告老辞官，二十七日己巳，同意他以司徒的官位退休。

至九二五年在位。传见《旧五代史》卷一百三十六、《新五代史》卷六十三、《十国春秋》卷三十七。⑲⑨夹城：蜀仿效长安都城建制，在诸王宅建夹城。⑳⓪徐贤妃（？至公元九二六年）：蜀顺圣皇太后，王衍之母，交结宦官，干预朝政，为唐庄宗所杀。传见《十国春秋》卷三十八。㉑⓪¹内主：在宫内做主。⑳²宗杰（？至公元九一八年）：王建第八子。有才略，武成三年（公元九一〇年）封信王。传见《十国春秋》卷三十八。⑳³癸亥：二月二十日。⑳⁴陈："阵"之古字。⑳⁵谢彦章（？至公元九一八年）：许州（今河南许昌）人，后梁骑将，积功至许州节度使，为贺瓌所害。传见《旧五代史》卷十六、《新五代史》卷二十三。⑳⁶甲子：二月二十一日。⑳⁷筑垒自固：建筑堡垒，自己固守。⑳⁸弥浸：弥漫淹浸。决河水以阻遏幽并突骑。⑳⁹限：阻止；阻挡。㉑⓪兖：兖州，治所瑕丘城，在今山东兖州。㉑¹己亥：二月甲辰朔，无己亥。疑为己巳，二月二十六日。㉑²两路：指两路伐岐之兵。东路出宝鸡，西路出秦陇。㉑³癸卯朔：四月初一日。㉑⁴宗平：王建第九子。㉑⁵宗特：王建第十子（一作第六子）。传见《十国春秋》卷三十八。㉑⁶求好：要求和好。据本书乾化元年（公元九一一年）载，蜀主之女普慈公主嫁岐王从子继宗，普慈公主不满继宗骄矜嗜酒，归宁成都，蜀主留之，岐王怒，与蜀断绝关系。至是，岐王又求好于蜀。㉑⁷己酉：四月初七日。㉑⁸萧顷（约公元八六〇至九二八年）：字子澄，京兆万年（今陕西西安）人。传见《旧五代史》卷五十八。㉑⁹保大：方镇名，唐僖宗中和二年（公元八八二年）渭北节度赐号保大军节度。治所鄜州，在今陕西富县。㉒⓪癸亥：四月二十一日。㉒¹忠义：方镇名，即唐之保塞军，朱温改名为忠义军，治所延州，在今陕西延安西北。㉒²己巳：四月二十七日。

【语译】

蜀主自永平末年得了头昏目眩的毛病，到现在更加厉害了。因为北面行营招讨使兼中书令王宗弼沉着冷静有谋略，五月，把他召了回来，任命他为马步都指挥使。初三日乙亥，蜀主召大臣们到他的寝殿，告诉他们说："太子仁慈而懦弱，朕当年不

立之。若其不堪大业，可置诸别宫，幸勿杀之。但王氏子弟，诸公择而辅之。徐妃兄弟，止可优其禄位，慎勿使之掌兵预政，以全其宗族㉛。”

内飞龙使唐文扆久典禁兵，参预机密，欲去诸大臣，遣人守宫门。王宗弼等三十余人日至朝堂，不得入见。文扆屡以蜀主之命慰抚之，伺蜀主殂，即作难㉜。遣其党内皇城使㉝潘在迎㉞侦察外事，在迎以其谋告宗弼等。宗弼等排闼㉟入，言文扆之罪。以天册府㊱掌书记崔延昌权判六军事㊲，召太子㊳入侍疾。丙子㊴，贬唐文扆为眉州刺史。翰林学士承旨王保晦㊵坐附会㊶文扆，削官爵，流泸州。在迎，炕之子也。

丙申㊷，蜀主诏中外财赋、中书除授、诸司刑狱案牍专委庾凝绩，都城及行营军旅之事委宣徽南院使㊸宋光嗣㊹。丁酉㊺，削唐文扆官爵，流雅州㊻。辛丑㊼，以宋光嗣为内枢密使，与兼中书令王宗弼、宗瑶㊽、宗绾、宗夔并受遗诏辅政。初，蜀主虽因唐制置枢密使，专用士人㊾。及唐文扆得罪，蜀主以诸将多许州故人㊿，恐其不为幼主用，故以光嗣代之。自是宦者始用事(251)。

六月壬寅朔(252)[4]，蜀主殂(253)。癸卯(254)，太子即皇帝位。尊徐贤妃为太后，徐淑妃(255)为太妃。以宋光嗣判六军诸卫事。乙卯(256)，杀唐文扆、王保晦。命西面招讨副使王宗昱(257)[5]杀天雄节度使唐文裔于秦州，免左保胜军使(258)领右街使唐道崇官。

吴内外马步都军使、昌化节度使、同平章事徐知训，骄倨淫暴(259)。威武节度使、知抚州李德诚(260)有家妓(261)数十，知训求之，德诚遣使谢(262)曰：“家之所有皆长年，或有子，不足以侍贵人(263)，当更(264)为公求少而美者。”知训怒，谓使者曰：“会当杀德诚，并其妻取之！”

能拒绝诸位的请求，超越长幼的次序而立了他。如果他今后不堪继承大业，你们可以把他安置到别宫去，希望不要杀了他。只要是王氏子弟，诸位可以从中选择一人辅佐他。徐妃的兄弟，只能给他们优厚的俸禄和爵位，千万不能让他们执掌军队参与政事，以保全他们宗族。”

内飞龙使唐文扆长期掌管禁卫军，参与国家机密大事，他打算除掉诸位大臣，于是派人守住宫门。王宗弼等三十多人每天都到朝堂，但都不能入宫看望蜀主。唐文扆多次以蜀主的旨意安抚他们，等蜀主一死，他就发难。他还派他的同党内皇城使潘在迎侦察宫外的动静，潘在迎把他的谋划报告了王宗弼等人。王宗弼等人于是夺门而入，向蜀主述说了唐文扆的罪状。蜀主任命天册府掌书记崔延昌暂时掌管六军事，召太子入宫服侍。五月初四日丙子，把唐文扆贬为眉州刺史。翰林学士承旨王保晦犯有迎合唐文扆之罪，被削去官爵，流放泸州。潘在迎，是潘炕的儿子。

五月二十四日丙申，蜀主下诏，把朝廷内外的财赋、中书人事的任免、各官署的刑狱案件公文全部委托给庾凝绩办理，把都城和行营军旅等事务委托给宣徽南院使宋光嗣负责。二十五日丁酉，削去唐文扆的官爵，把他流放到雅州。二十九日辛丑，任命宋光嗣为内枢密使，并与兼中书令王宗弼、王宗瑶、王宗绾、王宗夔四人一同受遗诏辅政。当初，蜀主虽然依照唐代的官制设置了枢密使，但专门用文人担任此职。到了唐文扆获罪以后，蜀主因诸将大多是家乡在许州的故人，怕他们将来不听从幼主的使唤，所以任命宦官宋光嗣取代文人做枢密使。从此宦官开始掌权。

六月初一日壬寅，蜀主去世。初二日癸卯，太子王衍即皇帝位。尊奉徐贤妃为皇太后，徐淑妃为皇太妃。任命宋光嗣兼管六军诸卫的事务。十四日乙卯，杀唐文扆、王保晦。命令西面招讨副使王宗昱在秦州杀掉天雄节度使唐文裔，免去左保胜军使领右街使唐道崇的官职。

吴国的内外马步都军使、昌化节度使、同平章事徐知训，骄横傲慢，荒淫而又暴虐。威武节度使、知抚州李德诚家中有歌舞伎几十人，徐知训向他要，李德诚派人前去推辞说：“我家的所有女伎年纪都大了，有的还有孩子，实在不够格来侍奉贵人，我再另外为您寻找年轻美貌的。”徐知训十分生气，对来使说：“我以后会杀了李德诚，连他的老婆也一起要过来！”

【段旨】

以上为第六段，写蜀国发生不流血宫廷政变，太子王衍即位。

【注释】

㉓昏瞀：头昏目眩。㉔增剧：病情加重。㉕王宗弼（？至公元九二五年）：本姓魏，名宏夫，王建假子，蜀后主时专权。传见《新五代史》卷六十三、《十国春秋》卷三十九。㉖沉静有谋：沉着冷静而有谋略。㉗乙亥：五月初三日。㉘寝殿：君主的卧室。㉙仁弱：仁慈而柔弱，指无所作为。㉚逾次：不按次序。因王衍为王建幼子，以母徐贤妃有宠而立。㉛全其宗族：保全徐氏的宗族。指不使外戚徐氏掌兵权，使其不致作乱而族诛。㉜作难：即发难，发动政变。㉝内皇城使：掌禁卫皇城的军事长官。㉞潘在迎：潘炕之子，以财贿交结权贵，以谗言蛊惑后主。传见《十国春秋》卷四十六。㉟排闼：推开门户。闼，宫中小门。㊱天册府：即天策府。为蜀永平四年（公元九一四年）所建宫府。㊲权判六军事：暂时担任禁卫军总指挥职务。㊳太子：指王衍。㊴丙子：五月初四日。㊵王保晦（？至公元九一八年）：阆州（今四川阆中）人。传见《十国春秋》卷四十四。㊶附会：迎合。㊷丙申：五月二十四日。㊸宣徽南院使：官名，总领宫内诸司及三班内侍名籍和郊祀、朝会等，常以宦官担任。㊹宋光嗣（？至公元九二五年）：宦官，福州（今福建福州）人，善迎合王衍，为其所宠。传见《十国春秋》卷四十

【原文】

知训狎侮[265]吴王，无复[266]君臣之礼。尝与王为优[267]，自为参军[268]，使王为苍鹘[269]，总角弊衣[270]，执帽以从。又尝泛舟浊河，王先起，知训以弹弹之。又尝赏花于禅智寺[271]，知训使酒悖慢[272]，王惧而泣，四座股栗[273]。左右扶王登舟，知训乘轻舟逐之，不及，以铁挝杀王亲吏。将佐无敢言者，父温皆不之知[274]。

知训及弟知询皆不礼[275]于徐知诰，独季弟知谏以兄礼事之。知训尝召兄弟饮，知诰不至，知训怒曰："乞子[276]不欲酒，欲剑乎[277]！"又尝与知诰饮，伏甲[278]欲杀之，知谏蹑[279]知诰足，知诰阳起如厕[280]，遁去。知训以剑授左右刁彦能[281]使追杀之。彦能驰骑及于中涂，举剑示知诰而还，以不及告[282]。

平卢节度使、同平章事、诸道副都统朱瑾遣家妓通候问[283]于知训，

六。㉔⑤丁酉：五月二十五日。㉔⑥雅州：州名，治所严道，在今四川雅安。㉔⑦辛丑：五月二十九日。㉔⑧宗瑶：王建义子，积功封临淄王。传见《十国春秋》卷三十九。㉔⑨专用士人：唐制，枢密使任用宦官，蜀主则改用士大夫。㉕⓪诸将多许州故人：蜀主王建为许州舞阳（今河南舞阳）人，所以他的将领大多来自许地。㉕①用事：掌权。㉕②壬寅朔：六月初一日。㉕③殂：死。㉕④癸卯：六月初二日。㉕⑤徐淑妃（？至公元九二六年）：徐贤妃之妹，宫中称为花蕊夫人，能诗。传见《十国春秋》卷三十八。㉕⑥乙卯：六月十四日。㉕⑦王宗昱：王建义子，蜀亡，降后唐。传见《十国春秋》卷三十九。㉕⑧左保胜军使：官名，禁卫军统领官。㉕⑨骄倨淫暴：骄横、傲慢、淫乱、暴虐。㉖⓪李德诚（公元八六三至九四〇年）：广陵（今江苏扬州）人，谦恭沉厚，官镇南军节度使，晋封赵王。传见《十国春秋》卷七。㉖①家妓：家中乐伎。㉖②谢：推辞。㉖③贵人：指徐知训。㉖④更：再。

【校记】

［4］朔：原无此字。据章钰校，十二行本、乙十一行本、孔天胤本皆有此字，张敦仁《通鉴刊本识误》同，今据补。［5］王宗昱：原作“王全昱”。据章钰校，十二行本、乙十一行本、孔天胤本皆作“王宗昱”，《新五代史》《十国春秋》亦作“王宗昱”，今据改。

【语译】

徐知训对吴王轻慢戏弄，不再顾及君臣之礼。他曾经和吴王一起演戏，他自己扮演主角参军，却让吴王扮演苍鹘，把头发扎成两个丫角，穿着破衣，拿着帽子跟在他的后边。又曾经在浊河划船游玩，吴王先上了岸，徐知训用弹弓打吴王。又有一次在禅智寺赏花，徐知训借着酒劲狂悖傲慢，把吴王吓得哭了起来，在座的其他人也都吓得两腿发抖。吴王的侍从扶着吴王登船先回去，徐知训就乘坐一艘轻便的船在后面追赶，没追上，就用铁挝打死吴王身边的亲信。将领佐吏没有敢上前说话的，徐知训的父亲徐温对此也一无所知。

徐知训和弟弟徐知询都对徐知诰很不礼貌，唯独三弟徐知谏以兄长之礼对待徐知诰。徐知训曾经召集兄弟们一起喝酒，徐知诰没有到，徐知训十分生气地说：“这个叫花子不想喝酒，想吃我的剑吗！”又有一次与徐知诰一起喝酒，徐知训埋伏了甲士想乘机杀死徐知诰，徐知谏暗地里踩徐知诰的脚示意，徐知诰假装起身上厕所，逃走了。徐知训把剑交给身边的人刁彦能让他追上去把徐知诰杀掉。刁彦能骑马飞速赶去，在半路追上了徐知诰，举起剑来让徐知诰看了看就回去了，回来后报告徐知训说是没有追上。

平卢节度使、同平章事、诸道副都统朱瑾派家里的女伎到徐知训处请安问候，

知训强欲私之[284]，瑾已不平[285]。知训恶[286]瑾位加己上，置静淮军[287]于泗州，出瑾为静淮节度使，瑾益恨之，然外[288]事知训愈谨。瑾有所爱马，冬贮于幄[289]，夏贮于帱[290]，宠妓有绝色[291]。知训过别瑾[292]，瑾置酒，自捧觞[293]，出宠妓使歌，以所爱马为寿[294]，知训大喜。瑾因延[295]之中堂，伏壮士于户内，出妻陶氏拜之，知训答拜，瑾以笏[296]自后击之踣地，呼壮士出斩之。瑾先系二悍马于庑下[297]，将图知训，密令人解纵之，马相蹄啮[298]，声甚厉，以是外人莫之闻。瑾提知训首出，知训从者数百人皆散走。瑾驰入府[299]，以首示吴王曰："仆已为大王除害。"王惧，以衣障面[300]，走入内，曰："舅自为之[301]，我不敢知！"瑾曰："婢子[302]不足与成大事！"以知训首击柱，挺[303]剑将出。子城使[304]翟虔[305]等已阖府门，勒兵[306]讨之。乃自后逾城，坠而折足[307]，顾追者曰："吾为万人除害，以一身任患[308]。"遂自刭[309]。

徐知诰在润州闻难[310]，用宋齐丘策，即日引兵济江[311]。瑾已死，因抚定军府[312]。时徐温诸子皆弱，温乃以知诰代知训执吴政，沉[313]朱瑾尸于雷塘而灭其族。瑾之杀知训也，泰宁[314]节度使米志诚从十余骑问瑾所向，闻其已死，乃归。宣谕使李俨贫困[6]，寓居海陵[315]。温疑其与瑾通谋，皆杀之。严可求恐志诚不受命[316]，诈称袁州大破楚兵，将吏皆入贺，伏壮士于戟门[317]，擒志诚，斩之，并其诸子。

【段旨】

以上为第七段，写吴国发生政变，徐知诰执吴政。

徐知训想要强行霸占她，朱瑾对此已经有所不满了。徐知训讨厌朱瑾的地位在自己之上，于是在泗州设立了静淮军，派朱瑾出去担任静淮节度使，朱瑾因此更加仇恨徐知训，但是在外表上对徐知训更加恭敬。朱瑾有一匹非常喜爱的马，冬天把它圈在篷帐里，夏天把它养在纱帐中，还有个宠伎长得非常漂亮。徐知训到朱瑾家中来向他道别，朱瑾设了酒宴，亲自举杯向徐知训敬酒，让那位漂亮的宠伎出来献歌，还把自己所喜爱的马送给徐知训祝福，徐知训大为高兴。朱瑾随后邀请徐知训到中堂，在门内埋伏下壮士，让他的妻子陶氏出来拜见客人，徐知训回拜，朱瑾乘机用笏板从后面把徐知训击倒在地，喊壮士出来砍下了他的头。朱瑾事先在廊下拴了两匹凶悍的马，在准备对徐知训下手的时候，偷偷地让家人把马解开放它们活动，这两匹凶悍的马互相踢咬着，声音很大，所以外面的人没有谁听见里面的动静。朱瑾提着徐知训的脑袋走出门外，徐知训的随从数百人全都逃散了。朱瑾骑快马来到吴王府，把徐知训的脑袋拿给吴王看，说："我已经为大王除掉了祸害。"吴王很害怕，用衣服遮着脸不敢看，快步往里屋走，说："舅舅你自己看着办吧，我不想知道这件事！"朱瑾骂道："这奴才真是不足以和他共成大事！"说完把徐知训的脑袋向柱子上掼去，拔出剑来准备走出吴王府。这时子城使翟虔等人已经关上了王府的大门，并正调集卫队讨伐他。朱瑾于是从后面翻越城墙，不料跳下去时把脚骨摔断，他回过头对追赶的人说："我替万人除害，而由我一个人承担祸患。"说完就刎颈自杀了。

徐知诰在润州听到徐知训被杀，采用宋齐丘的计策，当天率兵渡过长江。当时朱瑾已死，于是前去安抚稳定军府。当时徐温的几个儿子都没有什么能耐，徐温就让徐知诰代替徐知训执掌吴国的大政，把朱瑾的尸体沉到了雷塘里，并且诛灭了他的家族。朱瑾杀徐知训的时候，泰宁节度使米志诚带着十来名骑兵打听朱瑾的去向，听说他已死，就回去了。宣谕使李俨贫穷困窘，寓居在海陵。徐温怀疑他们与朱瑾同谋，就把他们都杀了。严可求担心米志诚不服从命令，就谎称在袁州把楚军打得大败，各地的将吏都入宫祝贺，同时在戟门内埋伏了壮士，于是擒获米志诚，并把他杀了，同时被杀的还有米志诚的几个儿子。

【注释】

㉖㉕狎侮：轻慢。狎，轻佻。侮，怠慢、不尊重。㉖㉖无复：不再有。㉖㉗为优：演戏。㉖㉘参军：这里指扮演参军。幞头衣绿，为主人。㉖㉙苍鹘：奴仆。这里指扮演奴仆。㉗⓪总角弊衣：绾起头发，穿着破衣。弊，通"敝"。㉗①禅智寺：在扬州城东，寺前有桥，跨旧官河。㉗②使酒悖慢：指徐知训仗着酒势欺凌吴王杨隆演，既悖理，又傲慢。㉗③股栗：两腿发抖。形容极其害怕。㉗④不之知：不知道其子徐知训的行为。㉗⑤不礼：没有礼貌。㉗⑥乞

子：乞丐。轻蔑之词。因知诰是徐温养子，为知训所轻视。㉗欲剑乎：要想尝宝剑的滋味吗？㉘伏甲：埋伏士兵。甲，指代士兵。㉙蹑：暗暗地踢、踏。㉚阳起如厕：假装起身上厕所。㉛刁彦能（公元八九〇至九五七年）：字德明，上蔡（今河南上蔡）人，好读书，曾请筑堤为斗门疏秦淮河水，有益于民。传见《十国春秋》卷二十一。㉜以不及告：用追赶不上为理由向徐知训报告。㉝通候问：遣使请安。㉞强欲私之：想强迫家伎与自己私通。㉟不平：不满。㊱恶：厌恨。㊲静淮军：方镇名，吴天祐十五年（公元九一八年）置。治所泗州，在今江苏盱眙西北。㊳外：表面上。㊴幄：帷幕。㊵帱：葛纱，隔蚊蝇而透风。㊶绝色：异常漂亮。㊷知训过别瑾：徐知训到朱瑾家告别。㊸觞：大的酒杯。㊹为寿：为礼祝福。㊺延：请。㊻笏：上朝用的朝笏，可记事以备忘，用玉或竹、木制成。㊼庑下：廊下。㊽蹄啮：互相踢咬。㊾入府：进入吴王杨隆演王府。㊿以衣障面：用衣服遮住面孔，谓其非常害怕。⑤①舅自为之：舅舅，你自己决定吧。吴王杨行密先娶朱氏，与朱瑾同姓，故杨隆演称朱瑾为舅。⑤②婢子：奴才。骂人的话。⑤③挺：

【原文】

壬戌[318]，晋王自魏州劳军于杨刘，自泛舟测河水，其深没枪。王谓诸将曰："梁军非有战意，但欲阻水以老我师[319]，当涉水攻之。"甲子[320]，王引亲军先涉，诸军随之，褰甲横枪[321]，结陈而进[322]。是日水落，深才及膝。匡国节度使、北面行营排陈使谢彦章帅众临岸拒之，晋兵不得进，乃稍引却[323]，梁兵从之[324]。及中流[325]，鼓噪复进，彦章不能支，稍退登岸。晋兵因而乘之，梁兵大败，死伤不可胜纪，河水为之赤，彦章仅以身免。是日，晋人遂陷滨河四寨[326]。

蜀唐文扆既死，太傅、门下侍郎、同平章事张格内不自安[327]，或劝格称疾俟命[328]。礼部尚书杨玢[329]自恐失势，谓格曰："公有援立大功，不足忧也。"庚午[330]，贬格为茂州刺史，玢为荣经尉。吏部侍郎许寂[331]、户部侍郎潘峤皆坐格党贬官。格寻再贬维州司户，庾凝绩又[7]奏徙格于合水镇[332]，令茂州刺史顾承郾伺格阴事[333]。王宗侃妻以格同姓，欲全之，谓承郾母曰："戒汝子，勿为人报仇，他日将归罪于汝。"承郾从之。凝绩怒，因公事抵承郾罪[334]。

拔。㉞子城使：即皇城使，掌管王宫的禁卫军。㉟翟虔：彭城（今江苏徐州）人，徐温亲信，奉命监视吴王。传见《十国春秋》卷十。㊱勒兵：率领卫兵。㊲折足：跌断脚骨。㊳任患：承担祸患。㊴自刭：自杀。㊵闻难：听到知训被杀的消息。㊶济江：渡江。宋齐丘为知诰谋划，早已做好应变准备，故闻变当日渡江。㊷抚定军府：安抚稳定节度使军府。㊸沉：沉没。㊹泰宁：方镇名，唐僖宗乾符中赐号泰宁军。光启初，朱瑾占有其地。治所兖州，在今山东济宁市兖州区。㊺海陵：县名，县治在今江苏泰州。㊻不受命：不接受命令。㊼戟门：宫门。古代宫门立戟，故称戟门，也称棘门。

【校记】

［6］贫困：原作“贫而困”。据章钰校，十二行本、乙十一行本、孔天胤本皆无“而”字，今据删。

【语译】

六月二十一日壬戌，晋王从魏州到杨刘去慰劳军队，他亲自坐船到黄河中测量水的深浅，当时河水的深度仅能淹没一支枪。晋王对众将说：“梁军无意作战，只是想凭借黄河阻隔拖垮我们，我们应该涉水过河去攻打他们。”二十三日甲子，晋王率领亲信部队先行过河，其他部队紧随其后，大家都提起甲衣，横拿着枪，组成军阵向前推进。这一天河水下落，水深刚到膝盖。匡国节度使、北面行营排陈使谢彦章率领士卒在河对面的岸边阻击晋军，晋军不能继续前进，于是稍稍退却，梁军下河追击。到了河中央的时候，晋军突然击鼓呐喊，回头反击，谢彦章顶不住了，渐渐后退登上河岸。晋军乘势进攻，梁军大败，死伤的士卒不可胜数，黄河的水都被血染红了，谢彦章只是本人逃了一条命。这一天，晋军便攻下了黄河边梁军的四座营寨。

蜀国的唐文扆死后，太傅、门下侍郎、同平章事张格心里感到不安，有人劝张格称病待在家里等待蜀主的命令。礼部尚书杨玢害怕自己因此失去权势，便对张格说：“您有拥立皇上的大功劳，不必担忧。”六月二十九日庚午，蜀主把张格贬为茂州刺史，把杨玢贬为荣经县尉。吏部侍郎许寂、户部侍郎潘峤都因为是张格的同党而被贬官。张格不久再被贬为维州司户，庾凝绩又奏请把张格迁移到合水镇，并且命令茂州刺史顾承郾侦察张格那些隐秘的不可告人的事。王宗侃的妻子因为和张格是同姓，想要保全张格，就对顾承郾的母亲说：“告诫你的儿子，别替别人报仇，有朝一日别人会归罪于你。”顾承郾听从了她的话。庾凝绩知道后十分生气，便借着公事的名义治了顾承郾的罪。

秋，七月壬申朔[335]，蜀主以兼中书令王宗弼为钜鹿王，宗瑶为临淄王，宗绾[336]为临洮王，宗播为临颍王，宗裔、宗夔及兼侍中宗黯[337]皆为琅邪郡王[338]。甲戌[339]，以王宗侃为乐安王。丙子[340]，以兵部尚书庾传素为太子少保兼中书侍郎、同平章事。蜀主不亲政事，内外迁除[341]皆出于王宗弼。宗弼纳贿多私，上下咨怨[342]。宋光嗣通敏善希合[343]，蜀主宠任之，蜀由是遂衰。

【段旨】

以上为第八段，写晋军渡过黄河。蜀主王衍垂拱，大权旁落王宗弼之手，上下咨怨，蜀由此衰落。

【注释】

[318]壬戌：六月二十一日。[319]以老我师：使我军旷日持久而丧失战斗力。[320]甲子：六月二十三日。[321]褰甲横枪：撩起甲衣，横拿着枪。[322]结陈而进：组成队形前进。陈，通“阵”。[323]引却：退却。[324]从之：跟着晋军。[325]中流：河流中央。[326]滨河四寨：后梁所筑靠近黄河防御晋兵渡河的四座营寨。[327]内不自安：心里不安。[328]称疾俟命：假装有病，等待命令。[329]杨玢：王建时附宰相张格，贬荣经尉。王衍时复为太常少卿。传见《十国春秋》卷四十一。[330]庚午：六月二十九日。[331]许寂：会稽（今浙江绍兴）人，官至前蜀

【原文】

吴徐温入朝于广陵[344]，疑诸将皆预朱瑾之谋，欲大行诛戮[345]。徐知诰、严可求具陈[346]徐知训过恶[347]，所以致祸之由。温怒稍解，乃命网瑾骨于雷塘而葬之，责知训将佐不能匡救[348]，皆抵罪[349]。独刁彦能屡有谏书，温赏之。戊戌[350]，以知诰为淮南节度行军副使、内外马步都军副使、通判府事[351]，兼江州团练使。以徐知谏权润州团练事。温还镇金陵，总吴朝大纲，自余庶政[352]，皆决于知诰。

知诰悉反知训所为，事吴王尽恭[353]，接士大夫以谦，御众以宽[354]，

秋，七月初一日壬申，蜀主册封兼中书令王宗弼为巨鹿王，王宗瑶为临淄王，王宗绾为临洮王，王宗播为临颍王，王宗裔、王宗夔及兼侍中王宗黯都为琅邪郡王。初三日甲戌，册封王宗侃为乐安王。初五日丙子，任命兵部尚书庾传素为太子少保兼中书侍郎、同平章事。蜀主不亲自处理政事，朝廷内外官员的任免都由王宗弼决定。王宗弼收受贿赂营私舞弊，上下叹恨。宋光嗣机灵，善于揣摩迎合，蜀主宠爱信任他，蜀国从此便衰弱了。

中书侍郎、同平章事。传见《十国春秋》卷四十一。㉜合水镇：地名，在当时邛州蒲江县境内。蒲江县今名依旧，属四川。㉝阴事：隐秘的、不可告人的事。㉞因公事抵承郾罪：借着公事治了承郾的罪。㉟壬申朔：七月初一日。㊱宗绾：王建义子，本姓李，名绾。为人宽厚谨慎，功高不矜，封临洮王。传见《十国春秋》卷三十九。㊲宗黯：王建义子，本姓吉，名谏。官侍中，封琅邪郡王。传见《十国春秋》卷三十九。㊳琅邪郡王：封爵名，当时琅邪之王为衣冠甲族，封琅邪郡王表示高贵。㊴甲戌：七月初三日。㊵丙子：七月初五日。㊶迁除：官员的调动和任免。㊷咨怨：叹息怨愤。㊸希合：揣摩人主的意图而迎合之。

【校记】

［7］又：原无此字。据章钰校，十二行本、乙十一行本、孔天胤本皆有此字，今据补。

【语译】

吴国的徐温到广陵入朝，他怀疑诸将都参与了朱瑾的谋划，准备大开杀戒。徐知诰、严可求两人详细地向他报告了徐知训的罪过与恶行以及导致被杀的缘由。徐温的怒气这才稍微缓解了一些，于是让人用渔网把朱瑾的尸骨从雷塘里打捞出来加以安葬，并且追究徐知训左右的将领佐吏没能及时匡正补救，把他们都治了罪。唯独刁彦能因多次上书劝谏徐知训，徐温特别奖赏了他。七月二十七日戊戌，任命徐知诰为淮南节度行军副使、内外马步都军副使、通判府事，兼江州团练使。又任命徐知谏暂时代理润州团练事务。徐温仍然回到金陵镇守，总掌吴国的大政，其他的具体事务，都由徐知诰去决定。

徐知诰的所作所为与徐知训完全相反，他侍奉吴王竭尽恭敬，对待士大夫谦和，

约身以俭[355]。以吴王之命，悉蠲[356]天祐十三年[357]以前逋税[358]，余俟丰年乃输之。求贤才，纳规谏，除奸猾，杜请托[359]。于是士民翕然归心[360]，虽宿将悍夫[361]，无不悦服，以宋齐丘为谋主[8]。先是，吴有丁口钱[362]，又计亩输钱[363]，钱重物轻[364]，民甚苦之。齐丘说知诰，以为“钱非耕桑所得，今使民输钱，是教民弃本逐末[365]也。请蠲丁口钱。自余税悉输谷帛，䌷绢匹直千钱者当税三千”。或曰：“如此，县官[366]岁失钱亿万计。”齐丘曰：“安有民富而国家贫者邪！”知诰从之。由是江、淮间旷土[367]尽辟，桑柘[368]满野，国以富强。

知诰欲进用齐丘而徐温恶之[369]，以为殿直[370]、军判官[371]。知诰每夜引齐丘于水亭屏语[372]，常至夜分[373]。或居高堂，悉去屏障[374]，独置大炉，相向坐[375]，不言，以铁箸[376]画灰为字，随以匙[377]灭去之。故其所谋，人莫得而知[378]也。

虔州险固，吴军攻之，久不下。军中大疫，王祺病。吴以镇南[379]节度使刘信[380]为虔州行营招讨使，未几，祺卒。谭全播求救于吴越、闽、楚。吴越王镠以统军使[381]传球[382]为西南面行营应援使，将兵二万攻信州[383]。楚将张可求将万人屯古亭[384]，闽兵屯雩都[385]以救之。信州兵才数百，逆战[386]，不利。吴越兵围其城。刺史周本[387]，启关张虚幕[388]于门内，召僚佐登城楼作乐宴饮，飞矢雨集[389]，安坐不动。吴越疑有伏兵，中夜[390]，解围去。吴以前舒州[391]刺史陈璋[392]为东南面应援招讨使，将兵侵苏、湖[393]，钱传球自信州南屯汀州[394]。晋王遣间使持帛书[395]会兵于吴，吴人辞以虔州之难。

统御部下宽容，对自己加以约束，生活俭朴。他以吴王的名义下令，全部免除百姓在天祐十三年以前的欠税，其余的欠税等到年景丰收时再缴纳。他访求贤才，接受规劝诤谏，铲除奸猾，杜绝请托。于是士民们都一致诚心拥护他，即使是那些功臣老将和强悍的武夫们，也无不心悦诚服，以宋齐丘作为他的谋主。此前，吴国有按人口征收的丁口钱，又要按照田亩的数量缴纳税钱，这样钱就贵了，货物反而轻贱，百姓都深以为苦。宋齐丘劝说徐知诰，认为“钱不是耕田种桑所能直接得到的，现在让百姓缴纳现钱，这是教他们去舍本逐末。请求能免除丁口钱。其余的税钱全部用谷物、布帛等实物缴纳，绸绢每匹值一千钱的可以抵交税金三千钱。”有人说：“这样的话，朝廷每年要损失数以亿万计的钱。”宋齐丘说：“哪有百姓富足了而君主还贫穷的道理呢！”徐知诰采纳了他的建议。从此江、淮间荒芜的土地都被开垦了出来，漫山遍野都种上了桑树和柘树，国家因此也富强了起来。

徐知诰想提拔重用宋齐丘而徐温很厌恶他，只任命他为殿直、军判官。徐知诰每天晚上都把宋齐丘领到水亭中屏退左右密谈，常常谈到半夜。有时候在高大的厅堂上，把堂中屏风之类遮蔽物全部撤去，只摆上一个大火炉，两人相对而坐，谁都不说话，用拨火用的铁筷子在灰烬上写字，随即又用灰勺子把字抹掉。所以他俩谋划的事情，外人不得而知。

虔州城险要坚固，吴国军队攻打虔州，很久没能攻下。这时军中瘟疫流行，王祺病了。吴国任命镇南节度使刘信为虔州行营招讨使，没过多久，王祺去世。谭全播向吴越、闽、楚三国求救。吴越王钱镠任命统军使钱传球为西南面行营应援使，率军二万进攻吴国的信州。楚国将领张可求率领一万士兵屯驻在古亭，闽国军队则屯驻在于都以援救谭全播。信州的守军只有几百人，出来迎战吴越军，不利。吴越军包围了信州城。信州刺史周本，打开城门，在城门里面支起了空帐篷，然后召集幕僚、将佐们登上城楼奏乐饮酒，城外射来的飞箭像雨点一样密集，周本等依然安坐不动。吴越军怀疑他们另有伏兵，到了半夜，便解除包围撤了回去。吴国任命前舒州刺史陈璋为东南面应援招讨使，率军入侵吴越境内的苏州、湖州，钱传球从信州南下屯驻在汀州。晋王派密使带着帛书到吴国请求会师攻梁，吴国以虔州有战事而推辞。

【段旨】

以上为第九段，写徐知诰执吴政，一反徐知训之所为以结人心。

【注释】

㉞广陵：吴之国都，在今江苏扬州。㉟大行诛戮：大规模地杀戮有牵连的人。㊱具陈：详细地陈述。㊲过恶：罪过与恶行。㊳匡救：匡正缺失而加以补救。㊴抵罪：判罪。㊵戊戌：七月二十七日。㊶通判府事：官名，处理吴王府日常事务。㊷庶政：一般性的政务。㊸尽恭：竭尽恭敬、谨慎。㊹宽：宽大；宽容。㊺约身以俭：用俭朴来约束自己。㊻蠲：免除。㊼天祐十三年：后梁篡唐，淮南仍称唐天祐年号，是年为天祐十五年。㊽逋税：拖欠的租税。天祐十三年（公元九一六年）以前的逋税，徐知诰悉数免除，天祐十四年以来的逋税仍然征收。㊾杜请托：杜绝请托人情。㊿翕然归心：言行一致地拥护。[361]宿将悍夫：建立功勋的老将和强悍的武夫。[362]丁口钱：按丁征钱。即汉代之算赋。唐制，成丁则服役，不服役计日而收庸钱。唐末、五代时丁口钱即本此而出。[363]计亩输钱：按亩收税款。[364]钱重物轻：钱价贵而物价便宜。[365]弃本逐末：放弃农业，追逐商业。本，农业。末，商业。[366]县官：指代天子、国家。[367]旷土：荒芜的土地。[368]桑柘：桑树和柘树，叶可喂蚕。[369]徐温恶之：徐温看不起宋齐丘轻浮急躁，尚不知宋齐丘为徐知诰谋划夺徐氏之政。[370]殿直：官名，入直朝廷，为皇帝的侍从官。[371]军判官：官名，行军判官。[372]屏语：摒除左右，以防窃听，与宋齐丘密语。[373]夜分：午夜；深夜。[374]屏

【原文】

晋王谋大举入寇，周德威将幽州步骑三万，李存审将沧、景步骑万人，李嗣源将邢、洺步骑万人，王处直遣将将易、定步骑万人，及麟、胜、云、蔚、新、武等州诸部落奚、契丹、室韦、吐谷浑[396]，皆以兵会之。八月，并河东、魏博之兵，大阅[397]于魏州。

蜀诸王皆领军使[398]，彭王宗鼎[399]谓其昆弟[400]曰："亲王典兵，祸乱之本。今主少臣强，谗间[401]将兴。缮甲训士[402]，非吾辈所宜为也。"因固辞军使，蜀主许之，但营书舍、植松竹自娱而已。

泰宁节度使张万进[403]，轻险好乱[404]。时嬖幸[405]用事，多求赂于万进，万进闻晋兵将出，己酉[406]，遣使附于晋，且求援。以亳州团练使刘鄩为兖州安抚制置使，将兵讨之。

甲子[407]，蜀顺德皇后[408]殂。

障：屏风等遮蔽物。㉟相向坐：面对面坐着。376铁箸：铁筷子，即拨火铁棍。377匙：撬灰勺子。378莫得而知：没有办法知道；无从知晓。379镇南：方镇名，唐懿宗咸通六年（公元八六五年）始置。治所洪州，在今江西南昌。380刘信：兖州中都（今山东汶上）人，积功至吴镇南大将军。传见《十国春秋》卷七。381统军使：官名，吴越国置，禁军统领官。382传球：钱镠之子，封大彭县侯。传见《十国春秋》卷八十三。383信州：州名，治所上饶，在今江西上饶。384古亭：地名，在今江西崇义西南。385于都：地名，古城在今江西于都东北。386逆战：迎战。387周本（公元八六一至九三七年）：舒州宿松（今安徽宿松）人，积功至吴平西王。传见《十国春秋》卷七。388启关张虚幕：打开城门，在城内支起空帐篷。即摆下空城计。389飞矢雨集：射来的箭像雨一样密集。390中夜：半夜。391舒州：州名，治所怀宁，在今安徽潜山。392陈璋：初从钱镠为衢州刺史，后降吴，官至吴右龙武统军。传见《十国春秋》卷八十八。393苏、湖：均州名，即今江苏苏州和浙江湖州。394汀州：州名，治所长汀，在今福建长汀。395帛书：古人用缣帛写书叫帛书。这里指书信。

【校记】

［8］以宋齐丘为谋主：原无此七字。据章钰校，十二行本、乙十一行本、孔天胤本皆有此七字，张敦仁《通鉴刊本识误》、张瑛《通鉴校勘记》同，今据补。

【语译】

晋王准备大举入侵梁国，周德威率领幽州的步兵、骑兵三万人，李存审率领沧州、景州的步兵、骑兵一万人，李嗣源率领邢州、洺州的步兵、骑兵一万人，王处直派遣部将率领易州、定州的步兵、骑兵一万人，以及麟、胜、云、蔚、新、武等州的奚、契丹、室韦、吐谷浑各部落，都出兵会合。八月，连同河东、魏博的军队，在魏州举行了盛大的检阅仪式。

蜀国的各亲王都担任军使，彭王王宗鼎对自己的兄弟们说："亲王掌管军队，是引起祸乱的根源。如今主上年少而臣子势力强大，挑拨离间的事情会很多。修缮武器训练士兵，这不是我们这些人所适宜做的。"于是他坚决请求辞去军使的职务，蜀主答应了他的请求，他就只干些营建书房、种植松竹的事来自寻其乐而已。

梁泰宁节度使张万进，轻佻奸险喜欢作乱。当时朝廷正是受宠信的小人在专权，很多人向张万进索求贿赂，张万进听说晋国快要出兵了，八月初九日己酉，他派使者前去表示归附晋国，并且请求救援。梁末帝任命亳州团练使刘鄩为兖州安抚制置使，率军讨伐张万进。

八月二十四日甲子，蜀国顺德皇后去世。

乙丑㊴⁹，蜀主以内给事㊵⁰王廷绍、欧阳晃、李周辂、宋光葆[9]、宋承蕴、田鲁俦等为将军及军使，皆干预政事，骄纵贪暴㊵¹，大为蜀患。周庠㊵²切谏，不听。晃患所居之隘，夜，因风纵火，焚西邻军营数百间。明旦，召匠广其居，蜀主亦不之问。光葆，光嗣之从弟㊵³也。

晋王自魏州如杨刘，引兵略㊵⁴郓、濮㊵⁵而还，循河而上，军于麻家渡㊵⁶。贺瓌、谢彦章将梁兵屯濮州北行台村㊵⁷，相持不战。

晋王好自引轻骑迫㊵⁸敌营挑战，危窘者㊵⁹数四㊶⁰，赖李绍荣㊶¹力战翼卫㊶²之，得免。赵王镕及王处直皆遣使致书曰："元元㊶³之命系㊶⁴于王，本朝中兴系于王，奈何自轻如此！"王笑谓使者曰："定天下者，非百战何由得之！安可但[10]深居帷房㊶⁵以自肥乎！"一旦㊶⁶，王将出营，都营使李存审扣马㊶⁷泣谏曰："大王当为天下自重。彼㊶⁸先登陷陈，将士之职也，存审辈宜为之，非大王之事也。"王为之揽辔㊶⁹而还。他日，伺存审不在，策马急出，顾谓左右曰："老子妨人戏㊷⁰！"王以数百骑抵梁营，谢彦章伏精甲㊷¹五千于堤下㊷²。王引十余骑度[11]堤，伏兵发，围王数十重，王力战于中，后骑继至者攻之于外，仅得出。会㊷³李存审救至，梁兵乃退，王始以存审之言为忠。

【段旨】

以上为第十段，写晋王李存勖轻躁逞强，冒冲敌阵，几乎丧身。

【注释】

㊴⁶吐谷浑：少数民族，原为鲜卑的一支，五代时散居于蔚州。㊴⁷大阅：举行盛大的阅兵式。㊴⁸军使：军职。这里指掌握军权。㊴⁹宗鼎（？至公元九二六年）：王建第七子，乾德六年徙封鲁王。传见《十国春秋》卷三十八。㊵⁰昆弟：即兄和弟。包括近房和远房的兄弟。㊵¹谗间：进谗言，挑拨离间。㊵²缮甲训士：修缮甲兵，训练士卒，这里指统率军队。㊵³张万进（？至公元九一九年）：云州（今山西大同）人，初为刘守光裨将，降梁，为兖州节度使，赐名守进。传见《旧五代史》卷十三。㊵⁴轻险好乱：轻率阴险，喜

二十五日乙丑，蜀主任命内给事王廷绍、欧阳晃、李周辂、宋光葆、宋承蕴、田鲁俦等为将军及军使，让他们都干预政事，这些人骄横放纵又贪婪残暴，成了蜀国的大害。周庠向蜀主直言劝谏，蜀主不听。欧阳晃嫌自己的住所不够宽广，在一天夜里，借着风势放火，烧掉了宅第西边军营的几百间房。第二天一早，他就召来工匠扩建他的房子，蜀主对此不加过问。宋光葆，是宋光嗣的堂弟。

晋王从魏州前往杨刘，率军抢掠了郓州、濮州之后返回驻地，接着又沿黄河向上游进军，驻扎在麻家渡。贺瓌、谢彦章率领梁军屯驻在濮州北面的行台村，与晋军相持而不主动出战。

晋王喜好亲自率领轻装骑兵迫近敌营挑战，有好几次都陷入危险窘迫的境地，多亏有李绍荣拼力死战保护他，他才得以脱身。赵王王镕和王处直都派使者送信对他说："百姓的命运寄托在大王身上，我们唐朝的中兴也寄托在大王身上，大王怎能这样不重视自身的安全呢！"晋王笑着对来使说："平定天下，不是身经百战哪能办得到呢！怎么可以只是深居帷房中把自己养得肥肥胖胖呢?"有一天，晋王准备出营挑战，都营使李存审拉住他的马缰哭着劝谏说："大王应当为天下的百姓而自己保重。那种率先攻城冲锋陷阵的事，是将士们的职责，是我李存审这类人所应该做的，不是大王的事。"晋王因为他的这番话而不得不拉着马缰绳掉头回来。另外一天，晋王趁李存审不在，骑上马急忙跑出营外，回过头对身边的人说："那老家伙就会妨碍别人出去游玩！"晋王率领数百名骑兵来到梁军营寨，谢彦章在河堤下埋伏了五千名精兵。晋王率领十余名骑兵正要过河堤，梁军的伏兵冲了出来，把晋王一行团团围了几十重，晋王在重围中拼力死战，后面跟上来的晋王所率骑兵在包围圈外拼杀，这样晋王才得以冲了出来。刚好李存审率领的救兵也赶到了，梁兵于是退了回去，晋王这才认识到李存审原先讲的那一番话完全是出自忠心。

欢作乱。㊵㊎嬖幸：受君主宠信的近臣群小。㊵㊏己酉：八月初九日。㊵㊐甲子：八月二十四日。㊵㊑顺德皇后：周氏（？至公元九一八年），许州（今河南许昌）人，武成元年（公元九〇八年）册封为皇后，卒谥顺德。传见《十国春秋》卷三十八。㊵㊒乙丑：八月二十五日。⑩内给事：官名，内侍省宦官。⑪骄纵贪暴：骄横、放纵、贪婪、暴虐。⑫周庠（？约公元九二一年）：从王建定蜀，谋划为多，官至蜀同平章事。传见《十国春秋》卷四十。⑬从弟：堂弟。⑭略：侵掠。⑮郓、濮：郓州、濮州。郓州在今山东郓城，濮州在今山东鄄城北，两地接壤，濮州邻近黄河。⑯麻家渡：地名，在濮州（今山东鄄城北）界内黄河边上。⑰行台村：地名，在今山东鄄城境内。⑱迫：迫近；靠近。⑲危窘者：处于危险窘迫的境地。⑳数四：多次。㉑李绍荣：即元行钦。㉒翼卫：保卫。㉓元元：

老百姓。㊶系：寄托。㊷帷房：帐幕。这里指宫殿。用以嘲笑王镕，守祖父业而无大志。此时晋王李存勖志在灭梁以雪耻，亲冒矢石，驰骋疆埸，及梁既灭，志满意得，畋猎无度，甚于王镕居帷自肥。㊸一旦：有一天。㊹扣马：拉住马缰。㊺彼：那个。㊻揽辔：拉着马缰绳。㊼老子妨人戏：老家伙妨碍人家游戏。㊽精甲：精锐的部队。甲，指代军队。㊾堤下：河堤之下。㊿会：刚好。

【原文】

吴刘信遣其将张宣[434]等夜将兵三千袭楚将张可求于古亭，破之。又遣梁诠等将兵[12]击吴越及闽兵，二国闻楚兵败，俱引归。

梅山蛮[435]寇邵州，楚将樊须击走之。

九月壬午[436]，蜀内枢密使宋光嗣以判六军让兼中书令王宗弼，蜀主许之。

吴刘信昼夜急攻虔州，斩首数千级，不能克。使人说[437]谭全播，取质纳赂[438]而还。徐温大怒，杖[439]信使者。信子英彦典亲兵[440]，温授英彦兵三千，曰："汝父居上游之地[441]，将十倍之众[442]，不能下一城[443]，是反也！汝可以此兵往，与父同反！"又使升州牙内指挥使[444]朱景瑜与之俱[445]，曰："全播守卒皆农夫，饥窘逾年[446]，妻子在外。重围既解，相贺而去，闻大兵再往，必皆逃遁。全播所守者空城耳，往必克之。"

冬，十一月壬申[447]，蜀葬神武圣文孝德明惠皇帝于永陵[448]，庙号高祖。

越主岩祀南郊，大赦，改国号曰汉。

刘信闻徐温之言，大惧，引兵还击虔州。先锋始至，虔兵皆溃，谭全播奔于都，追执之。吴以全播为右威卫将军[449]，领百胜[450]节度使。

先是，吴越王镠常自虔州入贡，至是道绝[451]，始自海道出登、莱[452]，抵大梁。

初，吴徐温自以权重而位卑，说吴王曰："今大王与诸将皆为节度

【校记】

［9］宋光葆：原作“朱光葆”。据胡三省注云：“‘朱’当作‘宋’。”严衍《通鉴补》改作“宋光葆”，当是，今据改。〖按〗宋光葆字季正，随其从兄宋光嗣为宦官，《十国春秋》卷四十六有传。［10］但：原无此字。据章钰校，十二行本、乙十一行本、孔天胤本皆有此字，今据补。［11］度：据章钰校，十二行本、乙十一行本、孔天胤本皆作“发”。

【语译】

吴国的刘信派部将张宣等人在夜间率领三千名士兵在古亭偷袭楚国将领张可求，击败了楚军。刘信又派梁诠等人率军进攻吴越和闽国的军队，两国听说楚军已被打败，都把军队撤了回去。

梅山蛮人入侵邵州，楚将樊须率兵把他们击退了。

九月十二日壬午，蜀国的内枢密使宋光嗣把兼管六军的职务让给兼中书令王宗弼，蜀主同意了。

吴国的刘信不分昼夜猛攻虔州城，斩杀了数千人，但还是没能攻下。于是派人游说谭全播，让他送来人质交出财货后就撤军了。徐温知道后大怒，责打了刘信的使者。刘信的儿子刘英彦当时正统领亲兵，徐温派给他三千名士兵，对他说：“你的父亲处在上游的地方，率领着十倍于敌人的兵力，居然攻不下虔州这一座城池，这是存心要造反！你可以率领这些人马前去，也和你父亲一起造反吧！”又派升州牙内指挥使朱景瑜和他一同前往，并对他们说：“谭全播那些守城的士兵都是农夫，被围后饥饿困窘已经超过一年，妻子儿女又都在城外。现在重重包围已经解除，他们相互庆贺后都已离城回家，如果听到大军又杀了回去，肯定都四散逃命。谭全播所守卫的只是一座空城而已，你们前去一定能够攻下来。”

冬，十一月初三日壬申，蜀国在永陵安葬神武圣文孝德明惠皇帝王建，庙号为高祖。

越主刘岩在南郊祭祀，并实行大赦，把国号改为汉。

刘信听到徐温所说的话以后，十分害怕，立即率军回头攻打虔州。先头部队刚刚到达，虔州的守兵便溃逃了，谭全播逃到于都，吴军追上去擒获了他。吴国任命谭全播为右威卫将军，领百胜节度使。

此前，吴越王钱镠经常取道虔州到梁朝入贡，至此这条入贡之路断绝了，便开始从海路在登州或莱州上岸，然后抵达大梁。

起初，吴国的徐温认为自己权力虽大，但是地位低下，他就劝吴王说：“如今大

使，虽有都统[453]之名，不足相临制[454]，请建吴国，称帝而治。”王不许。严可求屡劝温以次子知询[455]代徐知诰知[456]吴政，知诰与骆知祥[457]谋，出可求为楚州刺史。可求既受命，至金陵，见温，说之曰：“吾奉唐正朔[458]，常以兴复为辞[459]。今朱、李方争，朱氏日衰，李氏日炽。一旦李氏有天下，吾能北面为之臣乎？不若先建吴国以系民望[460]。”温大悦，复留可求，参总庶政[461]，使草具礼仪[462]。知诰知可求不可去，乃以女妻其子续。

【段旨】

以上为第十一段，写吴兵攻破虔州。徐知诰结好严可求。

【注释】

㊴张宣：字致用，少从杨行密为军校，官至武昌军节度使。严于为政，境内大治。传见《十国春秋》卷九。㊵梅山蛮：在当时邵州地域的少数民族。邵州治所邵阳县，在今湖南邵阳。㊶壬午：九月十二日。㊷说：游说。㊸取质纳赂：经过谈判，取得人质和贿赂。㊹杖：责打。㊺典亲兵：统率王府禁卫军。㊻上游之地：刘信镇洪州，地处扬州上游。㊼十倍之众：指刘信之兵多于虔州谭全播十倍。㊽下一城：攻破一座城池。㊾牙内指挥使：掌节度使军府亲兵。㊿与之俱：同刘英彦一起去。446饥窘逾年：饥饿窘困超过一年。447壬申：十一月初三日。448永陵：蜀主王建坟墓名。449右威卫将军：官名，禁军将领，分左右，位在威卫大将军下。450百胜：方镇名，五代吴置，治所虔州，在今江

【原文】

晋王欲趣大梁，而梁军扼其前，坚壁[463]不战百余日。十二月庚子朔[464]，晋王进兵，距梁军十里而舍[465]。

初，北面行营招讨使贺瓌善将步兵，排陈使谢彦章[466]善将骑兵，瓌恶[467]其与己齐名。一日，瓌与彦章治兵[468]于野，瓌指一高地曰：“此可以立栅。”至是，晋军适置栅于其上，瓌疑彦章与晋通谋。瓌屡欲

王和各位将领都是节度使，大王虽然还有都统的名分，但仍不足以辖制他们；希望大王建立吴国，即位称帝，进行治理。”吴王没有答应。严可求多次劝说徐温用次子徐知询来取代徐知诰掌管吴国的大政，徐知诰与骆知祥商议，决定把严可求派出去担任楚州刺史。严可求接受命令后，来到金陵，晋见徐温，对徐温劝说道：“我们尊奉唐朝的正朔，常常以兴复唐室为号召。如今朱、李两家正在争斗，朱氏正一天天衰落，而李氏却一天天兴旺。有朝一日李氏取得了天下，我们能向他北面称臣吗？不如抢先一步建立吴国以维系民心。”徐温听了这一番话非常高兴，又把严可求留了下来，让他参与总管各项具体政务，并且让他草拟建立国家所需的各项礼仪。徐知诰由此知道严可求是不可能被排挤出去的，于是就把自己的女儿嫁给了严可求的儿子严续。

西赣州。㊿①道绝：吴越取道虔州向梁朝进贡，事见本书卷二百六十九贞明二年（公元九一六年）。今虔州被吴占领，陆路通道被阻断。㊿②登、莱：均州名。登州，治所在今山东烟台市蓬莱区。莱州，治所在今山东莱州。㊿③都统：唐授吴王杨行密为诸道行营都统，统率境内各节度使。其子渥、隆演嗣位，均带都统衔。㊿④临制：制约；驾驭。㊿⑤知询（？至公元九三四年）：徐温第二子，素暗弱。传见《十国春秋》卷十三。㊿⑥知：执掌。㊿⑦骆知祥：合肥（今安徽合肥）人，善理财赋，与严可求齐名，号称“严骆”。传见《十国春秋》卷十。㊿⑧奉唐正朔：尊奉唐朝为正统。㊿⑨以兴复为辞：以复兴唐朝为口实。㊿⑩以系民望：用以维系民心。㊿⑪参总庶政：参与总管国家具体政务。㊿⑫草具礼仪：草拟国家礼仪制度。

【校记】

［12］将兵：原无此二字。据章钰校，十二行本、乙十一行本、孔天胤本皆有此二字，张敦仁《通鉴刊本识误》同，今据补。

【语译】

晋王想要直捣大梁，而梁军阻挡在他的前面，坚守壁垒不肯出战已经有一百多天了。十二月初一日庚子，晋王进军，在距离梁军十里的地方扎了营。

当初，北面行营招讨使贺瓌擅长指挥步兵，排陈使谢彦章擅长指挥骑兵，贺瓌厌恶谢彦章与自己齐名。一天，贺瓌和谢彦章在野外练兵，贺瓌指着一块高地说：“此处可以设立栅寨。”到达高地后发现，晋军恰好就在那上面设置了栅寨，于是贺瓌怀疑谢彦章跟晋军通谋。贺瓌多次想要出战，对谢彦章说：“主上把国家的军队全

战，谓彦章曰:“主上悉以国兵授吾二人，社稷是赖[469]。今强寇压吾门，而逗遛[470]不战，可乎!”彦章曰:“强寇凭陵[471]，利在速战。今深沟高垒，据其津要，彼安敢深入!若轻与之战，万一蹉跌[472]，则大事去矣。”瓌益疑之，密谮之于帝，与行营马步都虞候曹州刺史朱珪谋[473]，因享士[474]，伏甲，杀彦章及濮州刺史孟审澄、别将侯温裕，以谋叛闻[475]。审澄、温裕，亦骑将之良者也。丁未[476]，以朱珪为匡国留后。癸丑[477]，又以为平卢节度使兼行营马步副指挥使以赏之。

晋王闻彦章死，喜曰:“彼将帅自相鱼肉[478]，亡无日矣[479]。贺瓌残虐，失士卒心，我若引兵直指其国都[480]，彼安得坚壁不动!幸而一与之战，蔑[481]不胜矣。”王欲自将万骑直趣大梁，周德威曰:“梁人虽屠上将，其军尚全，轻行徼利[482]，未见其福。”不从。戊午[483]，下令军中老弱悉归魏州，起师趋汴。庚申[484]，毁营而进，众号十万。

【段旨】

以上为第十二段，写梁将贺瓌不识大体，不懂战略，擅杀大将，自毁长城，招致速败。

【注释】

[463]坚壁：坚守壁垒。[464]庚子朔：十二月初一日。[465]舍：驻扎；住宿。即自麻家渡进军，逼近行台村。[466]谢彦章:(？至公元九一八年)许州(今河南许昌)人，为后梁骑将，懂阵法，行阵整肃，骑士乐为其用，被贺瓌害死。传见《旧五代史》卷十六、《新五代史》

【原文】

辛酉[485]，蜀改明年元曰乾德[486]。

贺瓌闻晋王已西[487]，亦弃营而踵之[488]。晋王发魏博白丁[489]三万从军，以供营栅之役[490]。所至，营栅立成。壬戌[491]，至胡柳陂[492]。癸亥[493]旦，候

都交给了我们两人，国家的命运都依靠我们了。如今强敌压迫到我们家门口，而我们却停留在这里不出战，这可以吗！”谢彦章回答说：“强敌入侵，速战速决最有利于他们。如今我们深沟高垒，占据着冲要之地，敌人怎么敢深入！如果轻率地与他们交战，万一有个什么闪失，那么大势就全完了。”贺瓌听了这话对他更加怀疑，秘密地在梁末帝面前诬陷谢彦章，并和行营马步都虞候曹州刺史朱珪谋划，趁犒劳士兵之机，埋伏下甲士，杀了谢彦章和濮州刺史孟审澄、别将侯温裕，以这些人阴谋叛乱的罪名向梁末帝奏报。孟审澄、侯温裕也都是骑兵将领中的佼佼者。十二月初八日丁未，梁末帝任命朱珪为匡国留后。十四日癸丑，又任命他为平卢节度使兼行营马步副指挥使，作为对他的奖赏。

晋王听说谢彦章死了，高兴地说：“他们的将帅自相残杀，要不了多少天就灭亡了。贺瓌凶残暴虐，已经失去了士卒的心，我们如果率兵直捣他的国都，他们怎么能坚守壁垒不出来呢！如果能有幸和他们打一仗，没有不取胜的。”晋王准备亲自率领一万名骑兵直捣大梁，周德威劝他说：“梁人虽然杀了他们的大将，但是军队还是完好的，如果我们轻率行动求取利益，未必能有好处。”晋王没有听从他的意见。十二月十九日戊午，下令军中的老弱将士全部回到魏州去，然后发兵直奔汴梁。二十一日庚申，拆毁军营，大举进军，兵力号称十万。

卷二十三。㊻⑦恶：厌恨；嫉妒。㊻⑧治兵：训练士兵。㊻⑨社稷是赖：国家命运都依靠我们。㊼⓪逗遛：停留。指观望不战，贻误军机。㊼①凭陵：侵扰。㊼②蹉跌：失误；失败。谢彦章以持久疲弊晋师，贺瓌冒险决战，智略高下显而易见。贺瓌不如谢彦章远甚。㊼③谋：策划。㊼④因享士：乘着宴请将士的机会。㊼⑤以谋叛闻：给谢彦章等加上谋叛的罪名，向皇帝报告。㊼⑥丁未：十二月初八日。㊼⑦癸丑：十二月十四日。㊼⑧自相鱼肉：自相残杀。㊼⑨亡无日矣：要不了多少天就灭亡了。㊽⓪国都：指后梁首都大梁。㊽①蔑：没有；无。㊽②轻行徼利：轻率行动，追求利益。徼，通“邀”。㊽③戊午：十二月十九日。㊽④庚申：十二月二十一日。

【语译】

十二月二十二日辛酉，蜀国把明年的年号改为乾德。

贺瓌听说晋王已经率军西行了，也放弃营寨跟踪其后。晋王征调了魏博三万名平民百姓随军，让他们从事修筑营垒栅寨的劳务，所以晋军到了哪里，营垒栅寨马

者[494]言梁兵自后至矣。周德威曰:“贼倍道[495]而来，未有所舍[496]。我营栅已固，守备有余。既深入敌境，动须万全[497]，不可轻发。此去大梁至近，梁兵各念其家，内怀愤激[498]，不以方略制之，恐难得志。王宜按兵勿战，德威请以骑兵扰之，使彼不得休息，至暮营垒未立，樵爨[499]未具，乘其疲乏，可一举灭也。”王曰:“前在河上[500]，恨不见贼。今贼至不击，尚复何待[501]？公何怯也!”顾李存审曰:“敕[502]辎重先发，吾为尔殿后[503]，破贼而去!”即以亲军先出。德威不得已，引幽州兵从之，谓其子曰:“吾无死所矣[504]。”

贺瓌结陈[505]而至，横亘[506]数十里。王帅银枪都[507]陷其陈[508]，冲荡击斩[509]，往返十余里。行营左厢马军都指挥使、郑州防御使王彦章军先败，西走趣濮阳。晋辎重在陈西[510]，望见梁旗帜，惊溃，入幽州陈[511]。幽州兵亦扰乱，自相蹈藉[512]。周德威不能制，父子皆战死。魏博节度副使王缄与辎重俱行，亦死。

晋兵无复部伍[513]。梁兵四集，势甚盛。晋王据高丘收散兵，至日中，军复振。陂中有土山，贺瓌引兵据之。晋王谓将士曰:“今日得此山者胜[514]，吾与汝曹[515]夺之。”即引骑兵先登，李从珂与银枪大将王建及[516]以步卒继之，梁兵纷纷而下，遂夺其山。

日向晡[517]，贺瓌陈于山西，晋兵望之有惧色。诸将以为诸军未尽集，不若敛兵[518]还营，诘朝[519]复战。天平节度使、东南面招讨使阎宝曰:“王彦章骑兵已入濮阳[520]，山下惟步卒，向晚皆有归志，我乘高趣下[521]击之，破之必矣。今王深入敌境，偏师[522]不利，若复引退[523]，必为所乘。诸军未集者[524]，闻梁再克，必不战自溃。凡决胜料敌，惟观情势，情势已得，断在不疑[525]。王之成败，在此一战。若不决力取胜[526]，纵收余众北归，河朔非王有也。”昭义节度使李嗣昭曰:“贼无营垒，日晚思归，但以精骑扰之，使不得夕食[527]，俟其引退，追击可破也。我

上就修起来了。十二月二十三日壬戌，晋军到达胡柳陂。二十四日癸亥清晨，探子报告说梁军从后面追上来了。周德威说："敌人兼程赶来，还没有住的地方。而我们的营栅已很牢固，用来守备是足够的。我们已经深入敌境，一举一动必须万无一失，不能轻举妄动。这里离大梁很近，梁军士兵都很思念他们的家人，内心愤慨而又激动，如果不能采用好的策略来对付他们，恐怕很难如愿。大王最好按兵不动，请求让我周德威率领骑兵去骚扰他们，使他们不能休息，一直拖到黄昏营垒还建立不起来，打柴烧饭也没准备好，那时乘他们疲乏不堪之机，可以一举把他们消灭。"晋王说："前一阵子在黄河边上，就遗憾没能和贼军正面交手。如今贼军来了又不打，还要等待什么？您为什么这么胆小了啊！"晋王回过头来对李存审说："下令让运粮草的车子先出发，我替你们殿后，打败贼军后我就离开这里！"说完，就率领亲兵先行冲了出去。周德威没有办法，率领幽州的军队跟随在后面，他对自己的儿子说："我今天不知道会死在什么地方了。"

贺瓌率领梁军列成阵势赶到，队伍连绵几十里。晋王率领银枪都攻入梁军战阵，前后冲杀，来来回回跑了十多里。梁军的行营左厢马军都指挥使、郑州防御使王彦章所率部队先被击败，向西逃往濮阳。晋军运粮草的车队在阵地的西面，他们望见梁军的旗帜向这边奔来，吓得四处逃散，散兵冲入幽州军的战阵中。幽州军也受搅扰而乱作一团，自相践踏。周德威无法控制，父子二人都在混乱中战死。魏博节度副使王缄与运粮草的车队一起走，也阵亡了。

晋军乱得不再有队形了。梁军又从四面围了过来，攻势很猛。晋王占据一个高丘搜集散兵，到了中午时分，晋军才又重新振作起来。坡中有一座土山，贺瓌率兵占领了它。晋王对他的将士们说："今天能得到这座山的人就能取得胜利，我和你们把它夺下来。"说完，就率骑兵先攻了上去，李从珂和银枪大将李建及率领步兵紧跟其后，梁军纷纷退下，于是晋军夺取了这座山。

临近黄昏时分，贺瓌的军队在土山西面摆好了阵势，晋兵远远望去脸上露出了恐惧的神色。晋军的很多将领认为各路部队还没有完全集结，不如先收兵回营，明天一早再战。天平节度使、东南面招讨使阎宝说："王彦章的骑兵已经逃到濮阳，山下的梁军只有步兵，天快黑了都想收兵回去，我们如果居高临下发起攻击，一定能把他们打败。如今大王深入敌境，侧翼部队已经失利，如果再率军撤退，一定会被敌人乘机攻击。我们那些还没有完成集结的部队，听说梁军又打了胜仗，一定会不战自溃。凡是在决定胜负的时候判断敌情，只能认真观察敌我双方的情势，情势搞清楚了，心里不疑惑才能作出正确的判断。大王的成功与失败，就在这一战了。如果不竭力死战夺取胜利的话，即使收拾残兵北返，恐怕河朔一带也不归大王所有了。"昭义节度使李嗣昭说："梁贼还没有修好营垒，天一黑就想收兵回去，我们只要用精锐的骑兵去骚扰他们，使他们吃不上晚饭，等他们撤退的时候，我们发起追击，

若敛兵还营，彼归整众复来，胜负未可知也。”王建及擐甲横槊[528]而进曰：“贼大将已遁[529]，王之骑军一无所失，今击此疲乏之众，如拉朽耳。王但登山，观臣为王破贼。”王愕然曰：“非公等言，吾几误计[530]。”嗣昭、建及以骑兵大呼陷陈，诸军继之，梁兵大败。元城[531]令吴琼，贵乡[532]令胡装[533]，各帅白丁万人，于山下曳柴扬尘[534]，鼓噪以助其势。梁兵自相腾藉[535]，弃甲山积，死亡者几三万人。装，证之曾孙也。是日，两军所丧士卒各三之二，皆不能振。

晋王还营，闻周德威父子死，哭之恸[536]，曰：“丧吾良将，是吾罪也。”以其子幽州中军兵马使光辅[537]为岚州[538]刺史。

李嗣源与李从珂相失[539]，见晋军挠败[540]，不知王所之，或曰：“王已[13]北渡河矣。”嗣源遂乘冰北渡，将之相州[541]。是日，从珂从王夺山、晚战皆有功。甲子[542]，晋王进攻濮阳，拔之。李嗣源知晋军之捷，复来见王于濮阳。王不悦，曰：“公以吾为死邪？渡河安之[543]！”嗣源顿首谢罪。王以从珂有功，但赐大钟酒以罚之，然[14]自是待嗣源稍薄。

初，契丹主之弟撒剌阿拨[544]号北大王，谋作乱于其国。事觉，契丹主数[545]之曰：“汝与吾如手足，而汝兴此心，我若杀汝，则与汝何异[546]！”乃囚之，期年[547]而释之[548]。撒剌阿拨帅其众奔晋，晋王厚遇之，养为假子[549]，任为刺史。胡柳之战，以其妻子来奔。

晋军至德胜渡[550]，王彦章败卒有走[551]至大梁[552]者，曰：“晋人战胜，将至矣。”顷之，晋兵有先至大梁问次舍者[553]，京城大恐。帝驱市人[554]登城，又欲奔洛阳，遇夜而止。败卒至者不满千人，伤夷[555]逃散，各归乡里，月余，仅能成军。

就可以打败他们。我们如果收兵回营，他们就会回去整顿好军队再向我们杀来，到那时谁胜谁负就很难说了。”李建及穿着盔甲横握长矛上前说道：“梁贼的大将已经逃了，而大王的骑兵则毫无损失，现在去攻打这些疲乏不堪的敌军，简直就像折断一根朽木那样。大王只管待在山上，看臣等为大王破贼。”晋王恍然大悟说：“不是诸位提醒，我几乎决策失误。”李嗣昭、李建及率领骑兵呐喊着冲向山下的梁军阵地，其他部队也紧跟着冲了下去，梁军大败。元城县令吴琼、贵乡县令胡装，各率一万名平民百姓，在山下拖着柴草扬起漫天尘土，大声喊叫着为晋军助威。梁军士兵自相推撞践踏，丢弃的盔甲堆得像小山一样，死亡士卒有将近三万人。胡装，是胡证的曾孙。这一天，两军各自损失了三分之二的士卒，都难以再振作起来。

晋王回到军营，听说周德威父子二人都战死了，哭得非常伤心地说：“损折了我的好将领，这是我的罪过啊。”于是任命周德威的另一个儿子幽州中军兵马使周光辅为岚州刺史。

李嗣源与李从珂彼此失去了联系，李嗣源看见晋军战败，也不知道晋王到了哪里，有人说：“大王已经北渡黄河了。”于是李嗣源也趁着河面结冰渡河北上，准备前往相州。这一天，李从珂跟随晋王攻夺土山，在傍晚的战斗中也都立有战功。十二月二十五日甲子，晋王进攻濮阳，攻了下来。李嗣源得知晋军打了胜仗，又到濮阳来见晋王。晋王很不高兴，说道：“您以为我死了吗？您渡过黄河准备去哪里呢！”李嗣源赶忙磕头请罪。晋王因为他的儿子李从珂立有战功，只是赐给他一大杯酒惩罚他，但是从此以后晋王对待李嗣源逐渐冷淡了。

起初，契丹主的弟弟撒剌阿拨号称北大王，在他们国内阴谋作乱。事情败露之后，契丹主责备他说：“我与你是手足之亲，而你竟然起了这种念头，我如果杀了你，那与你又有什么区别呢！”于是把撒剌阿拨囚禁起来，一年之后又释放了他。撒剌阿拨率领他的部众投奔晋国，晋王对他待遇优厚，把他收养为义子，任命他为刺史。在这次胡柳陂之战时，他又带领妻子儿女前来投奔后梁。

晋军到了德胜渡，王彦章部队的败兵有逃到大梁的，他们说：“晋国的人打胜了，即将到达这里。”不久，晋军也有率先到达大梁打听住处的，京城里的人大为恐慌。梁末帝驱赶京城的平民登城防守，同时又想逃到洛阳去，因为已经入夜而只好作罢。梁军的败兵回来的不到一千人，作战中受伤的士兵逃散了，各自回到家乡，过了一个多月，才勉强再凑集成一支军队。

【段旨】

以上为第十三段，写晋、梁两军大战，晋王侥幸取胜，丧失大将周德威。

【注释】

485 辛酉：十二月二十二日。486 乾德：前蜀王衍年号。487 已西：已经西进。自行台村到开封的方位是自东向西。488 踵之：跟踪晋军之后。489 白丁：农民、平民。没有地位、文化的人。490 营栅之役：干作战和止宿时立营寨的劳务。491 壬戌：十二月二十三日。492 胡柳陂：地名，在当时濮州西临濮县界内。临濮治所在今山东鄄城西南临濮集。493 癸亥：十二月二十四日。494 候者：侦察兵。495 倍道：兼程。496 舍：住宿的地方。497 动须万全：行动必须保证绝对安全。498 内怀愤激：对于敌军入侵，内心怀着激烈愤慨的情绪。499 樵爨：打柴烧饭。500 河上：黄河上。501 尚复何待：还要再等什么。502 敕：命令。503 殿后：走在最后面压阵。504 吾无死所矣：我没有死的地方了。意思是面临死亡的绝境，必死无疑。周德威若不以兵追随晋王出击，按军法叫作顾望不进，故明知处境危险仍不得不从。505 结陈：排成阵势。陈，通"阵"。506 横亘：由此到彼横贯不断。507 银枪都：李存勖在取得魏州后创建的亲军。508 陷其陈：攻入贺瓌的阵营。509 冲荡击斩：往来冲杀。510 陈西：在战阵的西面。因晋军辎重奉命先行。511 入幽州陈：溃兵窜入周德威幽州军阵。512 蹈藉：践踏。513 无复部伍：没有队形，一片混乱。514 得此山者胜：用兵之势，据高以临下者胜。晋、梁两军争土山。515 汝曹：你们。516 王建及：即李建及。本姓王，为李克用义子，率领义儿军，赐姓李。517 日向晡：红日西沉，临近黄昏。晡，下午三时至五时。518 敛兵：收兵。519 诘朝：第二天。520 濮阳：县名，南临黄河，在今河南濮阳。521 乘高趣下：居高临下。522 偏师：掩护主力的侧翼部队。此指周德威部。523 若复引退：如果再引军退却。524 诸军未集者：尚未赶到集合地点的晋军。525 断在不疑：内心不疑惑，才能作出正

【原文】

五年（己卯，公元九一九年）

春，正月辛巳556，蜀主祀南郊557，大赦。

晋李存审于德胜南北，夹河[15]筑两城558而守之。晋王以存审代周德威为内外蕃汉马步总管559。晋王还魏州，遣李嗣昭权知560幽州军府事。

汉主岩立越国夫人马氏561为皇后，殷之女也。

三月丙戌562，蜀北路行营都招讨、武德563节度使王宗播等自散关击岐，度渭水564，破岐将孟铁山。会大雨而还，分兵戍兴元565、凤州及威

确的判断。㉖若不决力取胜：如果不全力以赴去取得胜利。㉗夕食：晚餐。㉘擐甲横槊：穿着盔甲，横拿着槊，准备战斗的样子。槊，古代兵器。㉙大将已遁：指后梁大将王彦章败退濮阳。㉚误计：失策。㉛元城：县名，县治在今河北大名东。㉜贵乡：县名，县治在今河北大名东北。㉝胡装（？至公元九二六年）：官至后唐给事中。传见《旧五代史》卷六十九。㉞曳柴扬尘：拖着柴草，使灰尘飞扬，以为疑兵。㉟腾藉：推撞践踏。㊱哭之恸：哭得非常伤心。恸，哀痛至极。㊲光辅：周德威子，官后唐汾、汝州刺史。传见《旧五代史》卷九十一。㊳岚州：州名，治所在今山西岚县。㊴相失：互相失去联系。㊵桡败：战败；挫败。桡，通“挠”，势屈为挠。㊶相州：州名，治所在今河南安阳。㊷甲子：十二月二十五日。㊸渡河安之：你李嗣源渡过黄河准备去哪里。之，往。㊹撒剌阿拨：耶律阿保机弟，《辽史》称撒剌。㊺数：数落；教训。㊻与汝何异：同你有什么区别。㊼期年：一年。㊽释之：释放了他。㊾假子：义子。㊿德胜渡：地名，在今河南濮阳北面，为黄河重要渡口，为兵家所必争。⑤51走：逃。⑤52大梁：后梁首都开封府。⑤53问次舍者：问住宿地方的人。次，停留。停留三宿以上为次。舍，一宿为舍。⑤54市人：居住在城里的平民。⑤55伤夷：指受伤的梁军士兵。

【校记】

［13］已：原作“以”。据章钰校，十二行本、乙十一行本、孔天胤本皆作“已”，今据改。［14］然：原无此字。据章钰校，十二行本、乙十一行本、孔天胤本皆有此字，张敦仁《通鉴刊本识误》同，今据补。

【语译】

五年（己卯，公元九一九年）

春，正月十二日辛巳，蜀主到南郊祭天，实行大赦。

晋国的李存审在德胜渡的南、北夹河两岸修筑了两座城并驻守在那里。晋王任命李存审代替周德威为内外蕃汉马步总管。晋王回到魏州，派李嗣昭暂时主持幽州军府事务。

汉主刘岩册立越国夫人马氏为皇后，马氏是楚王马殷的女儿。

三月十八日丙戌，蜀国的北路行营都招讨、武德节度使王宗播等从散关攻打岐国，他们渡过渭水，打败了岐国将领孟铁山。遇上下大雨，部队返回，分兵戍守兴

武城[566]。戊子[567]，天雄节度使、同平章事王宗昱攻陇州[568]，不克。

蜀主奢纵无度，日与太后、太妃游宴于贵臣之家，及游近郡名山，饮酒赋诗，所费不可胜纪。仗内教坊使[569]严旭强取士民女子内宫中，或得厚赂而免之，以是累迁至蓬州[570]刺史。太后、太妃各出教令[571]，卖刺史、令、录[572]等官。每一官阙，数人争纳赂，赂多者得之。

晋王自领卢龙节度使[573]，以中门使[574]李绍宏提举[575]军府事，代李嗣昭。绍宏，宦者也，本姓马，晋王赐姓名，使与知岚州事孟知祥[576]俱为河东、魏博[16]中门使。知祥又荐教练使雁门郭崇韬[577]能治剧[578]，王以为中门副使。崇韬倜傥[579]有智略，临事敢决，王宠待日隆[580]。先是，中门使吴珪、张虔厚相继获罪，及绍宏出幽州，知祥惧祸，称疾辞位[581]，王乃以知祥为河东马步都虞候[582]。自是崇韬专典机密。

诏吴越王镠大举讨淮南[583]。镠以节度副大使传瓘[584]为诸军都指挥使，帅战舰五百艘，自东洲[585]击吴。吴遣舒州刺史彭彦章[586]及裨将陈汾拒之。

吴徐温帅将吏藩镇请吴王称帝，吴王不许。夏，四月戊戌朔[587]，即吴国王位。大赦，改元武义。建宗庙社稷，置百官，宫殿文物皆用天子礼。以金继土[588]，腊用丑[589]。改谥武忠王曰孝武王，庙号太祖，威王曰景王，尊母为太妃。以徐温为大丞相，都督中外诸军事，诸道都统，镇海、宁国[590]节度使，守太尉兼中书令，东海郡王。以徐知诰为左仆射、参政事兼知内外诸军事，仍领江州团练使。以扬府左司马王令谋[591]为内枢使，营田副使严可求为门下侍郎，盐铁判官骆知祥为中书侍郎，前中书舍人卢择[592]为吏部尚书兼太常卿，掌书记殷文圭[593]为翰林学士，馆驿巡官游恭[594]为知制诰，前驾部员外郎杨迢[595]为给事中。择，醴泉人。迢，敬之之孙也。

钱传瓘与彭彦章遇。传瓘命每船皆载灰、豆及沙，乙巳[596]，战于狼山江[597]。吴船乘风而进，传瓘引舟避之，既过，自后随之。吴回船与战，传瓘使顺风扬灰，吴人不能开目。及船舷[598]相接，传瓘使散沙于己船，而散豆于吴船。豆为战血所渍[599]，吴人践之皆僵仆[600]。传瓘因纵

元、凤州和威武城三地。二十日戊子，天雄节度使、同平章事王宗昱进攻陇州，没有攻下来。

蜀主奢侈放纵毫无节制，每天与太后、太妃在显贵的大臣家游玩饮宴，以及到附近的名山去游览、饮酒赋诗，所耗费的财物简直无法计算。仗内教坊使严旭强行征取士民家的女子送入宫中，有时拿到别人送上的丰厚财物也可免于征取，因此他的官职一直升到蓬州刺史。太后、太妃也各自下令，出卖刺史、县令、录事参军等官职。所以每当有一个官位空缺，就有几个人争着去送财物，所送财物多的人能得到官职。

晋王自己兼领卢龙节度使，任命中门使李绍宏管理军府的事务，以代替李嗣昭。李绍宏是宦官，本来姓马，晋王赐给了他现在的姓名，让他与主持岚州事务的孟知祥一同担任河东、魏博中门使。孟知祥又推荐教练使雁门人郭崇韬。郭崇韬善于处理繁杂难办的事务，晋王就任命郭崇韬为中门副使。郭崇韬为人倜傥，富有才智谋略，处理政事十分果断，晋王对他的恩宠一天比一天隆重。在此之前，中门使吴珪、张虔厚相继获罪，等到李绍宏出任幽州，孟知祥害怕祸及自身，就推说生病辞去职务，晋王于是改派孟知祥担任河东马步都虞候。从此郭崇韬就独自掌管国家的机密大事。

梁末帝下诏，命令吴越王钱镠大举讨伐淮南。钱镠任命节度副大使钱传瓘为诸军都指挥使，率领五百艘战船，从东洲出发攻打吴国。吴国派遣舒州刺史彭彦章和副将陈汾抵御吴越军队。

吴国徐温率领将帅官吏和各路藩镇请求吴王称帝，吴王不答应。夏，四月初一日戊戌，吴王登吴国王位。大赦境内，改年号为武义。修建了宗庙和社稷坛，设置百官，宫中的礼乐制度都采用天子的礼制。以金德继承唐代的土德，在十二月初八日辛丑举行腊祭。改谥武忠王杨行密为孝武王，庙号为太祖，改谥威王杨渥为景王，尊奉母亲为太妃。任命徐温为大丞相，都督中外诸军事，诸道都统，镇海、宁国节度使，仍担任太尉兼中书令、东海郡王。任命徐知诰为左仆射、参政事兼知内外诸军事，仍兼任江州团练使。任命扬府左司马王令谋为内枢使，营田副使严可求为门下侍郎，盐铁判官骆知祥为中书侍郎，前中书舍人卢择为吏部尚书兼太常卿，掌书记殷文圭为翰林学士，馆驿巡官游恭为知制诰，前驾部员外郎杨迢为给事中。卢择，是醴泉人。杨迢，是杨敬之的孙子。

钱传瓘与彭彦章两军相遇。钱传瓘命令每艘船都装上灰土、豆子和沙子。四月初八日乙巳，两军在狼山江交战。吴国的船队乘风前进，钱传瓘率领船只避开吴船，等到吴国的船队过去之后，他又从后面跟了上去。吴国船队掉转头来与他们交战，钱传瓘下令士卒们顺风扬灰，吴国士卒睁不开眼睛。等到两军的船舷靠在一起的时候，钱传瓘又让士卒们在自己的船上撒上沙子，而向吴军的船上撒豆子。豆子火焚吴船，吴兵大败。彦章战甚力，兵尽，继之以木⑥⁰¹，身被数十创。陈汾按兵不救。彦章知不免，遂自杀。传瓘俘吴裨将⑥⁰²七十人，斩首千余级，焚战舰四百艘[17]。吴人诛汾，丛没家赀⑥⁰³，以其半赐彦章家，禀⑥⁰⁴其妻子终身。

【段旨】

以上为第十四段，写蜀国主淫奢政荒，吴杨隆演即王位。吴越王钱镠伐吴，大败吴师。

【注释】

556 辛巳：正月十二日。557 祀南郊：在城南市郊行祭天大礼。558 于德胜南北二句：指在德胜渡的南北夹河筑两城，谓之“夹寨”。559 内外蕃汉马步总管：官名，统领全国军队。560 权知：暂时代理。561 越国夫人马氏（？至公元九三四年）：马殷之女，乾亨元年（公元九一七年）封越国夫人。传见《十国春秋》卷六十一。562 丙戌：三月十八日。563 武德：方镇名，前蜀永平二年（公元九一二年）改剑南东川节度使为武德节度使。治所梓州，在今四川三台。564 渭水：渭河。这里指处在宝鸡的一段渭河。565 兴元：府名，治所南郑，在今陕西汉中东。566 威武城：地名，在凤州以北，为前蜀所筑。567 戊子：三月二十日。568 陇州：州名，治所汧阳，在今陕西陇县东南。569 仗内教坊使：内廷官属，教宫女歌舞，供君主欣赏。570 蓬州：州名，治所在今四川仪陇。571 教令：太后、太妃、皇后、太子所发的命令。572 令、录：令，县令。录，录事参军，州郡属官。573 自领卢龙节度使：自己兼任卢龙节度使。因卢龙为北边大镇，士马强锐，周德威死，无适当人选，故晋王自领。574 中门使：官名，宫廷属官，一般由宦官担任。575 提举：管理。576 孟知祥（公元八七四至九三四年）：字保胤，邢州龙冈（今河北邢台）人，后蜀创建者，公元九三四年称帝。是时从后唐李存勖，为中门使。传见《旧五代史》卷一百三十六、《新五代史》卷六十四。577 郭崇韬（？至公元九二六年）：字安时，代州雁门（今山西代县）人，临事机警，应付裕如，为后唐庄宗所器重，官至侍中兼枢密使，专典机要，权倾中外。传见《旧五代史》卷五十七、《新五代史》卷二十四。578 治剧：善于处理繁难棘手的问题。剧，繁难、繁重。579 倜傥：卓异、豪爽，不同寻常。580 宠待日隆：恩宠一天比一天隆重。581 称疾辞位：借口有病，辞去职务。582 马步都虞候：官名，马步军指挥官，位在都指挥使下。583 淮南：地区名，泛指淮河以南的地方，这里指代吴国。584 传瓘（公被战斗中流的血所浸湿，吴军士卒踩上这些豆子纷纷摔倒。钱传瓘乘势放火焚烧吴国船队，吴军大败。彭彦章作战十分尽力，兵器用没了，接着用木棒，身上数十处受伤。陈汾却按兵不动，不来救援。彭彦章知道不免一死，便自杀身亡。钱传瓘俘虏了吴军副将七十人，斩杀了一千多人，焚毁战舰四百艘。吴国人后来诛杀了陈汾，没收了他的家产，将其中的一半赐给了彭彦章的家属，并给彭彦章的妻子儿女以终生抚恤。

元八八七至九四一年）：字明宝，钱镠第七子。钱镠死，袭吴越王位，改名元瓘。公元九二三至九四一年在位。传见《旧五代史》卷一百三十三、《新五代史》卷六十七、《十国春秋》卷七十九。㉟585东洲：地名，在今江苏常州。吴越军自常州东洲出海，再溯长江击吴。586彭彦章（？至公元九一九年）：庐陵（今江西吉安）人。传见《十国春秋》卷八。587戊戌朔：四月初一日。588以金继土：按古代五行说，土生金，金在土后。唐于五行为土，吴继唐，五行为金，以金继土。589腊用丑：在丑日举行腊祭。古时以十二月为祭祖先的时间。腊，阴历十二月祭祀祖先的祭名，一般以十二月初八为腊日。是岁十二月初八为辛丑，故曰“腊用丑”。590宁国：方镇名，吴升宣州为宁国节度。治所宣州，在今安徽宣城。591王令谋（？至公元九三七年）：徐知诰谋士，官至忠武军节度使。传见《十国春秋》卷十。592卢择：醴泉（今陕西礼泉）人，居官无所短长，充位而已。传见《十国春秋》卷九。593殷文圭：小字桂郎，池州（今安徽池州）人。传见《十国春秋》卷十一。594游恭：建安（今福建建瓯）人。传见《十国春秋》卷十一。595杨迢：唐杨敬之之孙，官至吴给事中。传见《十国春秋》卷九。596乙巳：四月初八日。597狼山江：狼山附近长江。当时静海县南五里有狼山，唐曾在此置狼山镇遏使，狼山外即长江。静海县在今江苏南通南。598船舷：船边。599渍：浸湿。600僵仆：直挺挺地倒在地上。601继之以木：继续用木棒作武器战斗。602裨将：副将。603籍没家赀：抄没家财。赀，财产。604禀：通“廪”。公家发给的粮食。

【校记】

［15］夹河：原无此二字。据章钰校，十二行本、乙十一行本、孔天胤本皆有此二字，张敦仁《通鉴刊本识误》、张瑛《通鉴校勘记》同，今据补。［16］河东、魏博：此四字原无。据章钰校，十二行本、乙十一行本、孔天胤本皆有此四字，张敦仁《通鉴刊本识误》、张瑛《通鉴校勘记》同，今据补。［17］焚战舰四百艘：原无此六字。据章钰校，十二行本、乙十一行本、孔天胤本皆有此六字，张敦仁《通鉴刊本识误》同，今据补。

【原文】

贺瓌攻德胜南城[605]，百道俱进[606]，以竹笮[607]联艨艟十余艘，蒙以牛革，设睥睨[608]、战格[609]如城状，横于河流，以断晋之救兵，使不得渡。晋王自引兵驰往救之，陈[610]于北岸，不能进。遣善游者马破龙入南城，见守将氏延赏，延赏言矢石将尽，陷在顷刻。晋王积金帛于军门，募能破艨艟者，众莫知为计[611]。亲将李建及曰："贺瓌悉众而来，冀此一举。若我军不渡，则彼为得计。今日之事，建及请以死决之。"乃选效节敢死士[612]得三百人，被铠操斧，帅之乘舟而进。将至艨艟，流矢[613]雨集，建及使操斧者入艨艟间，斧其竹笮。又以木罂[614]载薪，沃油然火[615]，于上流纵之。随以巨舰实[616]甲士，鼓噪攻之。艨艟既断，随流而下，梁兵焚溺者殆半[617]，晋兵乃得渡。瓌解围走，晋兵逐之，至濮州而还。瓌退屯行台村。

蜀主命天策府诸将无得擅离屯戍。五月丁卯朔[618]，左散旗军使王承谔、承勋、承会违命[619]，蜀主皆原[620]之。自是禁令不行。

楚人攻荆南，高季昌求救于吴，吴命镇南[621]节度使刘信等帅洪、吉、抚、信步兵自浏阳[622]趣潭州[623]，武昌[624]节度使李简[625]等帅水军攻复州[626]。信等至潭州东境，楚兵释荆南引归。简等入复州，执其知州鲍唐[627]。

六月，吴人败吴越兵于沙山。

秋，七月，吴越王镠遣钱传瓘将兵三万攻吴常州，徐温帅诸将拒之，右雄武统军陈璋以水军下海门[628]出其后。壬申[629]，战于无锡[630]。会温病热[631]，不能治军[632]。吴越攻中军，飞矢雨集，镇海节度判官陈彦谦迁中军旗鼓于左，取貌类温者[633]，擐甲胄，号令军事，温得少息。俄顷[634]，疾稍间[635]，出拒之。时久旱草枯，吴人乘风纵火，吴越兵乱，遂大败，杀其将何逢、吴建，斩首万级。传瓘遁去，追至山南，复败之。

【语译】

贺瓌攻打德胜南城，兵分多路同时推进，用竹索把十多艘战船连在一起，蒙上生牛皮，并且像城墙一样在上面设置瞭望孔和木栅栏，把它们横在黄河上，用以阻断晋军救兵，使他们无法渡过黄河。晋王亲自率兵迅速赶去救援，在黄河北岸摆开阵势，却无法前进。于是派遣善于游泳的马破龙泅过河去进入南城，见到守将氏延赏，氏延赏说这里的弓箭和石块即将用尽，城池很快就会陷落。晋王在军营门前堆了许多金银布帛，悬赏招募能够击破梁军战船的人，但大家都想不出破敌之计。这时晋王的亲军将领李建及说："贺瓌率领他的全部人马前来，就是希望能打胜这一仗。如果我们的大军不去渡河，那么他们就要得逞。今天的事态，我李建及请求拼死与他们决一胜负。"于是他从晋王亲军效节都中挑选了敢死的士卒共三百人，都披上铠甲，拿着斧子，李建及带领他们乘船向江中进发。快接近梁军战船的时候，乱箭像雨点一样密集射来，李建及让拿斧子的士兵冲入敌方战船之间，砍断连接战船的竹索。又用木罂装上柴草，浇上油点燃，从上游顺流漂下来。随后又用大战船载满士卒，擂鼓呐喊向梁军战船发起进攻。梁军战船间相互连接的竹索被砍断以后，战船顺着河水往下漂，士卒被烧死和淹死的将近有一半，晋军这才得以渡过了黄河。贺瓌解除围困逃走，晋军在后面追击，一直追到濮州才收兵回来。贺瓌撤退后屯驻在行台村。

蜀主命令天策府的各位将领不得擅自离开驻防之地。五月初一日丁卯，左散旗军使王承谔、王承勋、王承会违反命令，蜀主都宽恕了他们。从此蜀主的禁令就行不通了。

楚人进攻荆南，高季昌向吴国求救，吴国命令镇南节度使刘信等率领洪州、吉州、抚州、信州的步兵从浏阳进逼潭州，命令武昌节度使李简等率领水军进攻复州。刘信等大军到达潭州的东部地区，楚军就停止了对荆南的进攻而撤退回去。李简等攻入复州，抓获知州鲍唐。

六月，吴军在沙山打败吴越军。

秋，七月，吴越王钱镠派钱传瓘率军三万攻打吴国的常州，徐温率众将进行抵御，右雄武统军陈璋率水军从海门入海绕到敌人后方。初七日壬申，两军在无锡交战。适逢这时徐温发高烧，不能指挥军队。吴越军向徐温所在的中军发起进攻，飞箭像雨点一样密集，镇海节度判官陈彦谦把中军的旗鼓转移到了左军，又找了一个长相酷似徐温的人，穿上盔甲，在那里发号施令，这样徐温才得以稍作休息。过了一会儿，徐温的病稍好了一点，便又出来指挥作战抵御。当时久旱草枯，吴军借着风势放起火来，吴越的军队乱作一团，结果被打得大败。吴军杀死了吴越军的将领何逢、吴建，斩杀吴越士兵万名。钱传瓘逃走了，吴军一直追到山南，又把他们

陈璋败吴越于香弯。温募生获[636]叛将陈绍者赏钱百万，指挥使崔彦章获之。绍勇而多谋，温复使之典兵[637]。

初，衣锦之役[638]，吴马军指挥[639]曹筠[640]叛奔吴越，徐温赦其妻子，厚遇之。遣间使告之曰："使汝不得志而去，吾之过也，汝无以妻子为念。"及是役，筠复奔吴。温自数[641]昔日不用筠言者三，而不问筠去来之罪，归其田宅，复其军职。筠内愧而卒。

知诰请帅步卒二千，易吴越旗帜[18]铠仗，蹑[642]败卒而东，袭取苏州。温曰："尔策固善，然吾且求息兵，未暇如汝言也[643]。"诸将皆以为："吴越所恃者舟楫，今大旱，水道涸，此天亡之时也。宜尽步骑之势，一举灭之。"温叹曰："天下离乱久矣，民困已甚，钱公亦未易可轻。若连兵不解，方为诸君之忧。今战胜以惧之，戢兵[644]以怀之，使两地之民各安其业，君臣高枕，岂不乐哉！多杀何为！"遂引还。

吴越王镠见何逢马，悲不自胜[645]，故将士心附[646]之。宠姬郑氏父犯法当死，左右为之请[647]，镠曰："岂可以一妇人乱我法！"出其女而斩之[648]。镠自少在军中，夜未尝寐[649]，倦极则就圆木小枕，或枕大铃，寐熟辄欹[650]而寤[651]，名曰"警枕"。置粉盘于卧内，有所记则书盘中，比老[652]不倦。或寝方酣[653]，外有白事[654]者，令侍女振纸[655]即寤。时弹铜丸于楼墙之外，以警直更[656]者。尝微行[657]，夜叩北城门，吏不肯启关[658]，曰："虽大王来亦不可启。"乃自他门入。明日，召北门吏，厚赐之。

丙戌[659]，吴王立其弟濛[660]为庐江郡公，溥[661]为丹阳郡公，浔[662]为新安郡公，澈[663]为鄱阳郡公，子继明[664]为庐陵郡公。

打败。陈璋在香弯也打败了吴越军队。徐温招募能够活捉叛将陈绍的人，赏钱是一百万，结果指挥使崔彦章捉住了陈绍。陈绍这个人作战勇敢而又富有谋略，徐温又让他统领军队。

当初，在衣锦战役中，吴国的马军指挥曹筠叛变逃往吴越，徐温赦免了他的妻子儿女，厚待他们。派密使告诉曹筠说："让你不得志而离开吴国，这是我的过错，你不必顾念妻子儿女。"在这次战役中，曹筠又回到了吴军。徐温再三责备自己过去没有采纳曹筠的建议，而不提曹筠叛逃的罪过，归还了他的田地房宅，恢复了他的军职。曹筠内心惭愧而死。

徐知诰请求率领两千名步兵，换上吴越军的旗帜、铠甲和仪仗，跟在吴越的败兵后面向东进发，偷袭夺取苏州。徐温说："你的计策固然是好，但是我现在只想休兵，没有时间照你说的去做。"将领们都认为："吴越军队所依靠的是舟船，如今大旱，河道干涸，这是老天要灭亡他们的时候了。我们应该充分发挥步兵和骑兵的优势，一举消灭他们。"徐温慨叹道："天下离乱已经很久了，百姓贫困至极，而且钱公也不是轻易小看的。如果战争再延续不停，这才正是各位所应该忧虑的事。如今我们打胜了让他们有所畏惧，我们又停止军事行动来怀柔他们，使两国的百姓各自能够安居乐业，君臣们都高枕无忧，难道不是值得高兴的事吗！打仗多杀人又为的是什么呢！"于是就率军回去了。

吴越王钱镠看到何逢的战马，十分悲伤，难以自制，所以将士们都衷心服从他。他的宠姬郑氏的父亲犯了法应当处死，身边的人替他求情，钱镠说："怎么能因为一个妇人就乱了我的国法！"于是把郑氏逐出宫去，斩杀了她的父亲。钱镠从小就在军旅中生活，夜里未曾卧睡，困倦极了枕在圆木小枕头上，或者枕在一个大铃上，睡熟后圆木小枕或大铃倾斜，他也就醒过来了，他把这种枕头叫作"警枕"。又在卧房内放置一个粉盘，有什么事情需要记下来就写在盘子里，一直到老都不懈怠。有时候睡得正熟，外面有人来报告事情，让侍女抖动一下纸张就能醒过来。他经常把铜丸弹射到楼墙外面去，以使打更的人提高警觉。有一次他微服出行，夜里回来要叫开北城门，守门的官吏不肯开门，说："就是大王来了也不能开。"于是他只好从另一个城门进城。第二天，把守北城门的官吏召来，给了他很丰厚的赏赐。

七月二十一日丙戌，吴王封他的弟弟杨濛为庐江郡公，杨溥为丹阳郡公，杨浔为新安郡公，杨澈为鄱阳郡公，儿子杨继明为庐陵郡公。

【段旨】

以上为第十五段，写吴徐温大败吴越王钱镠，得胜退兵，和合两国。

【注释】

⑥⑤德胜南城：晋军筑在德胜渡黄河南岸的夹寨。⑥⑥百道俱进：多路同时进攻，即全线进攻。百道，极言多道。⑥⑦竹笮：竹索。⑥⑧睥睨：城上的短墙，这里指瞭望孔。⑥⑨战格：即战栅。防御障碍物。⑥⑩陈：布阵陈兵。⑥⑪众莫知为计：众将没有人能献出破敌之计。⑥⑫效节敢死士：在银枪效节军中选拔的敢死队员。⑥⑬流矢：乱箭。⑥⑭木罂：口小腹大的木罐。罂，盛酒器。⑥⑮沃油然火：浸上油，点着火。沃，浸。然，通“燃”。⑥⑯实：盛满；装满。⑥⑰殆半：差不多一半；近半。⑥⑱丁卯朔：五月初一日。⑥⑲违命：违反命令。这里指擅自撤离屯戍地。⑥⑳原：原谅；宽恕。⑥㉑镇南：方镇名，唐懿宗咸通六年（公元八六五年）升江南西道团练观察使为镇南军节度使，吴因之。治所洪州，在今江西南昌。⑥㉒浏阳：县名，县治在今湖南浏阳。⑥㉓潭州：州名，治所长沙，在今湖南长沙。⑥㉔武昌：方镇名，唐宪宗元和元年（公元八〇六年）升鄂岳观察使为武昌军节度使，吴因之。治所鄂州，在今武汉。⑥㉕李简（？至公元九二九年）：上蔡（今河南上蔡）人，官至吴武昌节度使。传见《十国春秋》卷五。⑥㉖复州：州名，治所竟陵，在今湖北天门。⑥㉗鲍唐：人名，后梁复州知州。传见《十国春秋》卷一百二。⑥㉘海门：县名，县治在今江苏南通市海门区，长江入海处，舟行入太湖，可达常州的东洲。⑥㉙壬申：七月初七日。⑥㉚无锡：县名，县治在今江苏无锡。⑥㉛病热：发高烧。⑥㉜治军：指挥军队。⑥㉝貌类温者：相貌像徐温的人。⑥㉞俄顷：一会儿。⑥㉟疾稍间：疾病稍许好转。⑥㊱生获：活捉。⑥㊲典兵：领兵。⑥㊳衣

【原文】

晋王归晋阳，以巡官冯道[665]为掌书记。中门使郭崇韬以诸将陪食[666]者众，请省其数。王怒曰：“孤为效死者[667]设食，亦不得专[668]，可令军中别择河北帅，孤自归太原！”即召冯道令草词以示众。道执笔，逡巡[669]不为，曰：“大王方平河南，定天下，崇韬所请未至大过。大王不从可矣，何必以此惊动远近？使敌国闻之，谓大王君臣不和，非所以隆威望[670]也。”会崇韬入谢，王乃止。

初，唐灭高丽[671]。天祐初，高丽石窟寺眇僧[672]躬乂[673]，聚众据[674]开州[675]称王，号大封国。至是，遣佐良尉金立奇入贡于吴。

八月乙未朔[676]，宣义节度使贺瓌卒。以开封尹王瓒[677]为北面行营招讨使。瓒将兵五万，自黎阳渡河掩击澶、魏，至顿丘[678]，遇晋兵而旋。

锦之役：公元九一三年三月吴军攻打吴越国临安县衣锦乡钱镠老家的战役。事见本书卷二百六十八乾化三年。㊴ 马军指挥：胡三省注认为"指挥"下当有"使"字。㊵ 曹筠（？至公元九一九年）：传见《十国春秋》卷九。㊶ 自数：自我责备。㊷ 蹑：暗中跟踪。㊸ 未暇如汝言也：没有时间按你的意见去做。㊹ 戢兵：停战；休战。㊺ 悲不自胜：不能抑制内心的悲痛。㊻ 心附：从内心服从。㊼ 请：求情。㊽ 出其女而斩之：将宠姬郑氏逐出宫，并斩其犯法之父。㊾ 寐：睡觉。㊿ 攲：通"敧"。倾斜。651 寤：醒来。652 比老：及至年老。653 或寝方酣：有时睡得正熟。654 白事：报告事情。655 振纸：抖动纸张，发出声音。656 直更：打更。657 微行：微服出行。658 启关：开城门。659 丙戌：七月二十一日。660 濛：杨濛（？至公元九三七年），字志龙，杨行密第三子，封临川王。传见《十国春秋》卷四。661 溥：杨溥（公元八九九至九三七年），杨行密第四子，武义二年（公元九二〇年）即吴王位。乾贞元年（公元九二七年）称帝，天祚三年（公元九三七年）为徐知诰所杀。公元九二〇至九三七年在位，谥睿帝。传见《旧五代史》卷一百三十四、《新五代史》卷六十一、《十国春秋》卷三。662 浔：杨浔，杨行密第五子。传见《十国春秋》卷四。663 澈：杨澈，杨行密第六子。传见《十国春秋》卷四。664 继明：杨继明，杨隆演子。传见《十国春秋》卷四。

【校记】

［18］旗帜：原作"旗蠘"。据章钰校，十二行本、乙十一行本、孔天胤本皆作"旗帜"，今据改。

【语译】

晋王回到晋阳，任命巡官冯道为掌书记。中门使郭崇韬认为陪晋王吃饭的将领太多了，请求减少一些人数。晋王听了生气地说："我为舍命报效我的将领们准备一点饭菜，这种小事我都不能自己做主，那么可以让军中另外推选一个河北的主帅，我自己回太原去好了！"晋王立即召来冯道让他草拟告示通知大家。冯道拿起笔，犹豫着一直不写，说："大王正要平定黄河以南，安定天下，郭崇韬所请求的也不算太过分。大王不听他的也就算了，何必因为这件小事去惊动远近的人呢？如果让敌国知道了，说大王君臣不和，这恐怕不是扩大威望的做法。"正巧郭崇韬也进来谢罪，晋王于是作罢。

当初，唐朝灭了高丽。天祐初年，高丽石窟寺的独眼和尚躬乂聚集民众占据开州称王，国号叫大封国。到了这时，派佐良尉金立奇来向吴国入贡。

八月初一日乙未，宣义节度使贺瓌去世。梁末帝任命开封尹王瓒为北面行营招讨使。王瓒率军五万，从黎阳渡过黄河准备袭击澶州、魏州，到达顿丘时，遭遇晋瓒为治严，令行禁止，据晋人上游十八里杨村⑥⑦⑨，夹河筑垒，运洛阳竹木造浮梁[19]，自滑州馈运相继。晋蕃汉马步副总管、振武节度使李存进亦造浮梁于德胜。或曰："浮梁须竹笮⑥⑧⓪、铁牛⑥⑧①、石囷⑥⑧②，我皆无之，何以能成！"存进不听，以苇笮⑥⑧③[20]维巨舰，系于土山巨木，逾月而成，人服其智。

吴徐温遣使以吴王书归无锡之俘于吴越，吴越王镠亦遣使请和⑥⑧④于吴。自是吴国休兵息民，三十余州⑥⑧⑤民乐业者二十余年。吴王及徐温屡遗⑥⑧⑥吴越王镠书，劝镠自王其国，镠不从。

九月丙寅⑥⑧⑦，诏削刘岩官爵，命吴越王镠讨之。镠虽受命，竟不行⑥⑧⑧。

吴庐江公濛⑥⑧⑨有材气⑥⑨⓪，常叹曰："我国家而为他人⑥⑨①所有，可乎！"徐温闻而恶之。

【段旨】

以上为第十六段，写梁、晋双方大战后各自休整。吴与吴越两国和好。

【注释】

⑥⑥⑤冯道（公元八八二至九五四年）：字可道，瀛州景城（今河北沧州西景城）人，后唐、后晋时任宰相。契丹灭晋，附契丹任太傅。后汉时任太师。后周时任太师中书令。历仕四朝五姓，自号"长乐老"。传见《旧五代史》卷一百二十六、《新五代史》卷五十四。⑥⑥⑥陪食：李存勖与诸将共甘苦，进食时，召诸将陪食，人数甚多。⑥⑥⑦效死者：能以死命报效的人。⑥⑥⑧不得专：不能自己做主。⑥⑥⑨逡巡：犹豫不安的样子。⑥⑦⓪隆威望：提高威望。⑥⑦①高丽：高句丽的另一称呼，居朝鲜半岛。始见于六世纪初北魏正始中，唐高宗时灭之。唐末，其王姓高氏，公元九一八年，王建建国。后唐明宗封其为高丽国王。⑥⑦②眇僧：瞎了一只眼睛的和尚。眇，一只眼瞎。⑥⑦③躬乂：眇僧名字。⑥⑦④据：占据。⑥⑦⑤开州：即今朝鲜平壤之东的开城。⑥⑦⑥乙未朔：八月初一日。⑥⑦⑦王瓒（？至公元九二三年）：后梁大将，官至开封尹，降后唐，忧悸而卒。传见《旧五代史》卷五十九、《新五代史》卷四十二。⑥⑦⑧顿丘：县名，县治在今河南浚县。⑥⑦⑨杨村：地名，在德胜渡上游。⑥⑧⓪竹笮：竹索。⑥⑧①铁牛：大铁块。⑥⑧②石囷：大石盘。铁块、石盘用以维系竹索，固定浮桥。⑥⑧③苇笮：芦苇搓成的索子。⑥⑧④请和：请求和好。⑥⑧⑤三十余州：史称当时吴国占有扬、楚、泗、

军而把军队撤了回来。王瓒治军非常严格，令行禁止，占据了晋军德胜城上游十八里处的杨村，在黄河的两岸修筑营垒，运来洛阳竹子、木材建造浮桥，从滑州接连不断地运来粮饷。晋国的蕃汉马步副总管、振武节度使李存进也要在德胜渡建造浮桥。有人劝他说："建浮桥需要竹索、大铁块和大石盘，这些东西我们都没有，怎么能建成！"李存进不听，他用芦苇做成的绳索把大战船连起来，另一头则固定在土山的大树上，过了一个月建成了浮桥，大家都很佩服他的智慧。

吴国的徐温派使者带着吴王的信把无锡战役中抓获的俘虏送回吴越，吴越王钱镠也派使者来吴国请求和好。从此吴国停止了作战，百姓得以休养生息，三十多个州的百姓安居乐业长达二十多年。吴王和徐温多次写信给吴越王钱镠，劝钱镠在吴越称王，钱镠没有听从他们的意见。

九月初二日丙寅，梁末帝下诏书削去刘岩的官爵，命令吴越王钱镠去讨伐他。钱镠虽然接受了命令，最终并没有采取行动。

吴国的庐江郡公杨濛很有才气，他常常感叹道："我们的国家竟被外姓人所把持，这怎么可以呢！"徐温听到这话后，对杨濛怀恨在心。

滁、和、光、黄、舒、蕲、庐、寿、濠、海、润、常、升、宣、歙、池、饶、信、江、鄂、洪、抚、袁、吉、虔等州。⑱遗：送；致。⑱丙寅：九月初二日。⑱竟不行：结果没有执行。因不肯损耗自己实力，得罪别国。⑱濛：杨濛，杨行密第三子。⑲材气：才气。材，通"才"。⑲他人：指徐温。因徐温专吴国政。

【校记】

［19］浮梁：原作"浮桥"。据章钰校，十二行本、乙十一行本、孔天胤本皆作"浮梁"，今据改。［20］苇笮：原作"苇苲"。据章钰校，十二行本、乙十一行本、孔天胤本皆作"苇笮"，今据改。

【研析】

这一卷所叙述的年份是公元九一七至九一九年，距离五代十国时代的开始，即九〇七年，正好十年有余。可以说，在这两三年内，五代十国南北分裂的局面已经趋于稳定，只有在南北各自内部稍有变化。短时间内的这种变化，虽然不明显，却也能让我们细细看出历史的走向。当然，我们如今看历史，一定程度上都是结局决定过程的。不过，正是因为我们看到了结局，才会明白过程中的一些事情为何会发生。

在北方，晋王李存勖作为继承其父李克用的沙陀人首领，在他周围所形成的是一个集合了众多民族成分的社会集团。有学者根据其地域特征，称之为“代北集团”，实际上并不精确。特别是在李存勖时期，不仅所统治的范围屡有变迁，加入其统治集团的成员成分也变化颇大。在这一卷中，李存勖进攻后梁所能动员的军队，就有幽州步骑三万、沧景步骑万人、邢洺步骑万人、易定步骑万人，及“麟、胜、云、蔚、新、武等州诸部落奚、契丹、室韦、吐谷浑”等，加上河东和魏博的军队，“众号十万”。也就是说，在这一时期，其实从所能动员的政治势力来说，后梁已经在下风了。此后，不出五年，后梁灭亡，天平遂完全倾向了李存勖一方。

值得一提的是，后梁政权的衰亡，和沙陀人为主导的晋·后唐政权的兴起，分别代表了唐末黄巢集团残余势力的失势，以及晚唐以来北方游牧民族的兴盛。黄巢集团从黄巢本人来说，他出身盐贩，是游离于政权之外的自由民，加入黄巢集团随后又投降唐朝的朱温，则是生逢乱世的农村无赖。这样的组合，在一段时间内掀起了声势浩大的叛乱，打破了晚唐藩镇割据之下动乱局限于藩镇内部的局面，最终横行全国，乃至建立政权。但如果要做到长治久安，不得不处理好与各种地缘性、民族性、阶层性政治势力的关系。地缘性方面，河北藩镇一直是中晚唐以来重要的政治势力，后梁政权从征服河北到丧失河北，极大影响了政权的稳定。民族性方面，沙陀人的势力游离于帝国政治核心之外，是一个巨大的隐患，最终成了后梁政权的掘墓人。阶层性的政治势力，主要是指晚唐以来一直式微的世族阶层，虽然经过各种动乱，世族的延续性所剩无几，但即便是白马之祸，也只是那些牵连到政治斗争的世族遭到毁灭，并未触及整个世族社会。因此，当晋国政权开始拉拢世族，乃至本卷所载晋王刘夫人都开始“以门地相高”时，后梁政权的统治基础已然十分薄弱。

在蜀地，本卷记载了王建的去世和王衍的继位，以及围绕这一权力传递所进行的人事安排和政治斗争。从整体来说，这一过程大致反映了两个层面的变化。

首先，在古代社会，父死子继的权力传递模式，以及通常而言需要嫡长子来继承的原则，使得权力传递经常出现两种情况，即没有儿子来继承，或者不以长子来继承。两种情况任何一种都会导致政权在一定程度上的不稳定。就前者而言，没有儿子继承，势必涉及从宗室内选择养子过继的问题，等到被选择的养子继位之后，又会涉及对养父和生父的祭祀问题，这在东汉、两宋、明朝皆造成了影响很大的政治斗争。就后者而言，不以长子来继承的情况，整个古代更为普遍，比如本卷所记载的王衍继承王建的例子，王衍其实是王建最小的儿子，如果按照嫡长子继承原则，怎么都不会轮到他。所以，他是依靠他母亲受到年老昏耄的王建宠爱，才得以当上皇帝的。由此造成了两个恶果：第一，随着王衍的即位，其母亲一族开始卖官鬻爵，其所信任的宦官开始把持朝政；第二，治国能力不足的他需要王宗弼这样的娴于政治的人来“辅佐”，从而导致权臣误国。

另一个层面，则是跟随王建打天下的许州元从将领，逐渐被王衍及其周围的新贵们排挤出权力中心。在历史上，但凡一个政权的建立，特别是依靠武力创建的政权，必定会在第一代统治者周围形成一个武力集团。而这样一个集团，在到了第二代的时候，又基本上会岌岌可危。在王建周围形成的许州元从，就是如此。

在本卷中涉及的杨吴政权里，同样存在这种情况，围绕在杨吴开国君主杨行密周围的、以淮南武将为主的集团，在杨行密于九〇五年去世之后，逐渐失去影响力，被处于权力核心的徐温父子所取代。徐温虽然也是所谓“三十六英雄”之一，但他出身海州盐贩，与杨行密等出身淮南军将的人结合度不高，而且也没有显赫的战功，所以一直待在杨行密身边掌握衙军。而他正借助这一便利，才得以接近权力中心，并在杨行密去世后迅速控制了政局。有趣的是，到了徐温已经坐镇金陵掌握杨吴政权之后，他的第二代又被别人给边缘化了，即留在扬州“辅佐”吴王的亲子徐知训，因恃骄而为大将朱瑾所杀，导致徐温的养子徐知诰乘虚而入，掌握了入主扬州“辅佐”吴王的便利。当然，徐知诰的掌权，一定程度上与王衍的继位相似，即导致兄弟辈的其他成员失势，甚至面临随时被杀的危险。不过在前蜀和吴·南唐政权，都没有像南汉、马楚、王闽那样出现兄弟之间反目成仇的情况。

除了以上的内容，本卷还涉及两件比较重要的事情，即：杨吴政权最终攻下虔州，统一江南西道，奠定了此后半个世纪的版图；杨吴政权与吴越国一胜一负，最终各保疆域，从此维持了半个世纪的安定。这两件事，共同反映了五代时期南方政权（不包括蜀地）进入了第一个稳定期，即自九一九年起，至九四五年南唐灭闽。第二个稳定期则从九五〇年左右南唐灭楚后又退出楚地，至九六三年荆南高氏、楚地周保权相继被宋朝所灭。从时间上看，第一个稳定期持续的时间较长，说明各国之间实力达到了平衡，即便蜀地于九二五至九三五年间归属北方政权统治，也没有影响到这一平衡。

能够出现这样的情况，一定程度上与各国的内政外交政策有关。内政方面，这一时期创业君主正向下一代移交权力，需要一个稳定的外部环境，随之而来的内争也是如此。外交方面，经过唐末五代初几十年的战争，原先仅仅保有一州或数州地域的政治势力已经没有什么地盘可以扩张，在已经扩张的版图内，民众也需要休养生息。因此，在这两个方面的影响下，南方政权之间才能得以维持较长的一个稳定期。

综合而言，在本卷的这几年里，北方、蜀地、南方三大区域的政治动向，基本将历史进程导向了五代的第二个阶段。第一个阶段是唐末五代时期，南北方诸政权的版图奠定期。第二个阶段，在北方，以沙陀人为主的政治集团取代黄巢残余势力所建立的政权，随后又在内部斗争不已，甚至导致契丹的一度介入；在蜀地，前蜀、后唐、后蜀在短短的十年之内轮番登场；在南方，各国进入第一个稳定期。第三个阶段，北方政权开始进行全国统一战争，蜀地的后蜀政权维持了较长时间的统治，南方数个政权经过短暂的战争后进入第二个稳定期。

卷第二百七十一　后梁纪六

起屠维单阏（己卯，公元九一九年）十月，尽玄黓敦牂（壬午，公元九二二年），凡三年有奇。

【题解】

本卷记事起公元九一九年十月，迄公元九二二年，凡三年又三个月，当后梁末帝贞明五年十月至龙德三年。此三年间，主战场仍是晋梁双方夹河大战，势均力敌。梁末帝甘听群小之言，处事不当，逼反冀王朱友谦，失河中之地，国势日衰。河北成德镇将杀赵王镕，投附后梁，后梁末帝坐视不救，丧失了收复河北诸镇的一次大好时机。契丹南下为晋王所败，晋王乘势破镇州，打破均势，晋王取得了对后梁压倒性优势，谋称帝位，张承业因谏不听，忧郁而死。南方吴、闽、南汉、吴越诸国保境安民。吴徐温忠于旧主，奉杨溥即吴王位，祀南郊。蜀主王衍轻启边衅伐岐，骄奢淫逸，荒于政务，民心尽失。

【原文】

均王下

贞明五年（己卯，公元九一九年）

冬，十月，出濛为楚州团练使。

晋王如魏州，发徒①数万，广②德胜北城。日与梁人争，大小百余战，互有胜负。左射军使③石敬瑭④与梁人战于河壖⑤。梁人击敬瑭，断其马甲⑥，横冲兵马使⑦刘知远⑧以所乘马授之，自乘断甲者徐行为殿⑨。梁人疑有伏，不敢迫，俱得免，敬瑭以是亲爱之。敬瑭、知远，其先皆沙陀人。敬瑭，李嗣源之婿也。

刘鄩围张万进于兖州经年⑩，城中危窘⑪。晋王方与梁人战河上，力不能救。万进遣亲将刘处让⑫乞师于晋，晋王未之许。处让于军门截耳⑬，曰："苟不得请，生不如死！"晋王义之⑭，将为出兵，会鄩已屠兖州，族万进，乃止。以处让为行台左骁卫将军。处让，沧州人也。

【语译】

均王下

贞明五年（己卯，公元九一九年）

冬，十月，吴国派杨濛出任楚州团练使。

晋王前往魏州，征调了几万名囚犯，扩建德胜北城。天天与梁军争战，大仗小仗打了一百多场，互有胜负。左射军使石敬瑭与梁军在黄河边交战。梁军攻击石敬瑭，砍断了他战马所披的甲衣，横冲兵马使刘知远把自己所乘的战马交给石敬瑭，自己骑上那匹被砍断甲衣的马慢慢地走在队伍的最后面进行掩护。梁军怀疑有埋伏，不敢逼近，于是两人都幸免于难，石敬瑭因此亲近并喜爱刘知远。石敬瑭、刘知远，他们的祖先都是沙陀人。石敬瑭是李嗣源的女婿。

刘鄩把张万进围在兖州已经一年了，城中的情况十分危险窘迫。晋王正与梁军在黄河边作战，其兵力不能前去救援。张万进派亲信将领刘处让来向晋王请求援兵，晋王没有答应。刘处让在军营门口割下自己的耳朵，说："如果请不到救兵，生不如死！"晋王认为他的这一举动很有义气，准备为他出兵，适逢此时刘鄩已对兖州屠城，并且杀了张万进全族，晋王才停止出兵。晋王任命刘处让为行台左骁卫将军。刘处让是沧州人。

十一月，吴武宁节度使张崇寇安州⑮。

丁丑⑯，以刘鄩为泰宁节度使、同平章事。

辛卯⑰，王瓒引兵至戚城⑱，与李嗣源战，不利。

梁筑垒贮粮于潘张⑲，距杨村五十里。十二月，晋王自将骑兵自河南岸西上，邀其饷者⑳，俘获而还。梁人伏兵于要路，晋兵大败。晋王以数骑走，梁数百骑围之，李绍荣识其旗㉑，单骑奋击救之，仅免。戊戌㉒，晋王复与王瓒战于河南㉓，瓒先胜，获晋将石君立等。既而大败，乘小舟渡河，走保北城，失亡万计。帝闻石君立勇，欲将之㉔，系于狱而厚饷㉕之，使人诱㉖之。君立曰："我晋之败将，而为用于梁，虽竭诚效死㉗，谁则信之！人各有君，何忍㉘反为仇雠用哉！"帝犹惜之，尽杀所获晋将，独置㉙君立。晋王乘胜遂拔濮阳。帝召王瓒还，以天平节度使戴思远㉚代为北面招讨使，屯河上以拒晋人。

己酉㉛，蜀雄武㉜节度使兼中书令王宗朗㉝有罪，削夺官爵，复其姓名曰全师朗，命武定㉞节度使兼中书令桑弘志讨之。

吴禁民私畜兵器，盗贼益繁。御史台主簿㉟京兆卢枢㊱上言："今四方分㊲争，宜教民战。且善人畏法禁而奸民弄干戈，是欲偃㊳武而反招盗也。宜团结民兵，使之习战，自卫乡里。"从之。

【段旨】

以上为第一段，写梁、晋两军夹黄河两岸拉锯大战，互有胜败。

【注释】

①徒：服劳役的犯人。②广：扩大；扩建。③左射军使：官名，统领射手。④石敬瑭（公元八九二至九四二年）：太原人，后晋高祖。石敬瑭在后唐末帝清泰三年（公元九三六年）勾结契丹灭后唐，并受契丹册封为帝，建都开封。割燕云十六州给契丹，年献帛三十万匹，称比自己小十岁的耶律德光为"父皇帝"。公元九三六至九四二年在位。传见《旧五代史》卷七十五。⑤河壖：河边。⑥马甲：马披的甲衣。⑦横冲兵马使：军官名。⑧刘知远（公元八九五至九四八年）：后汉高祖，即位后改名暠，沙陀人。后晋出

十一月，吴国的武宁节度使张崇入侵安州。

十三日丁丑，梁末帝任命刘鄩为泰宁节度使、同平章事。

二十七日辛卯，王瓒率兵到达戚城，与李嗣源交战，没有取得胜利。

梁军在潘张修筑营垒，储备粮食，这里距杨村五十里。十二月，晋王亲自率骑兵从黄河南岸西上，拦截梁军运送粮食的人，俘虏敌军缴获粮食后返回。梁军在他们返回的要道上设下伏兵，晋军大败。晋王带着几名骑兵逃走，被梁军的几百名骑兵团团围住，李绍荣认出晋王的旗帜，单枪匹马奋力冲上去搭救，晋王这才得以脱身。初五日戊戌，晋王又与王瓒在黄河南岸交战，王瓒先是获胜，俘虏了晋军将领石君立等人。不久又被打得大败，乘小船渡过黄河，逃往杨村北城坚守，损失的兵马数以万计。梁末帝听说石君立作战勇敢，想让他做梁军的将领，于是虽然把他关在监狱里，但给他丰厚的招待，并派人劝说他归顺。石君立说："我是晋国的败将，而在梁国被起用，即使是竭尽忠诚以死报效，又有谁能相信我呢！人各有自己的君主，我怎能忍心反被仇敌所任用呢！"梁末帝还是很爱惜他，把所俘虏的晋军将领全都杀了，唯独留下了石君立。晋王乘胜进兵攻下了濮阳。梁末帝把王瓒召了回来，任命天平节度使戴思远代替他担任北面招讨使，屯驻在黄河边以抵御晋军。

十二月十六日己酉，蜀国雄武节度使兼中书令王宗朗犯了罪，被削去官职爵位，蜀主恢复了他原来的姓名叫全师朗，命令武定节度使兼中书令桑弘志前去讨伐他。

吴国禁止百姓私藏兵器，但盗贼却越来越多。御史台主簿京兆人卢枢上奏说："如今天下纷争，应该教老百姓作战。况且善良的人害怕犯法不敢藏有兵器，而奸邪之徒却在那里舞刀弄枪，这是想停止武力争斗却反而招致盗贼横行。应该把民间的兵力组织起来，让他们熟悉战斗，各自保卫家乡。"吴王采纳了他的建议。

帝开运四年（公元九四七年）契丹灭后晋，他在太原称帝，建都开封。公元九四七至九四八年在位。事见《旧五代史》卷九十九、《新五代史》卷八。⑨徐行为殿：慢慢地走在最后面。⑩经年：历经一年。⑪危窘：危险、窘迫。⑫刘处让（公元八八一至九四三年）：字德谦，沧州（今河北沧州）人，勤于公务，累官至后唐彰德军节度使。传见《旧五代史》卷九十四、《新五代史》卷四十七。⑬截耳：削去外耳。⑭义之：认为他有义气。⑮安州：州名，治所在今湖北安陆。⑯丁丑：十一月十三日。⑰辛卯：十一月二十七日。⑱戚城：地名，在今河南濮阳。⑲潘张：地名，在山西河曲。⑳邀其饷者：拦截梁军运粮饷的人。㉑识其旗：认识晋王的旗帜。凡行军，主将各有旗帜以为标志。㉒戊戌：十二月初五日。㉓河南：这里指黄河南岸。㉔欲将之：想拜他为将军。㉕厚饷：丰厚地招待他。㉖诱：劝说。㉗竭诚效死：竭尽忠诚，以死报效。㉘何忍：怎么忍心。㉙置：

放；留。此谓留下石君立，让他活命。㉚戴思远：（？至公元九三五年）后梁将领，降后唐，授洋州节度使，太子少保致仕。传见《旧五代史》卷六十四。㉛己酉：十二月十六日。㉜雄武：方镇名，蜀王建天复五年（公元九〇五年）置，治所金州，在今陕西安康。㉝王宗朗：本名全师朗，王建义子。传见《十国春秋》卷三十九。㉞武定：方镇名，唐僖宗光启元年（公元八八五年）置。治所洋州，在今陕西洋县。㉟御史台主簿：官名，掌御史台印，核查台务等事。㊱卢枢：京兆（今陕西西安）人。传见《十国春秋》卷十。㊲分：通“纷”。㊳偃：止息。

【原文】

六年（庚辰，公元九二〇年）

春，正月戊辰㊴，蜀桑弘志克金州，执全师朗。献于成都，蜀主释之。

吴张崇攻安州，不克而还。崇在庐州㊵，贪暴不法。庐江㊶民讼县令受赇，徐知诰遣侍御史知杂事㊷杨廷式㊸往按㊹之，欲以威崇㊺。廷式曰：“杂端推事㊻，其体至重㊼，职业不可不行㊽。”知诰曰：“何如？”廷式曰：“械系张崇㊾，使吏如升州㊿，簿责都统(51)。”知诰曰：“所按者县令耳，何至于是！”廷式曰：“县令微官，张崇使之取民财转献都统耳，岂可舍大而诘小(52)乎！”知诰谢之曰：“固知小事不足相烦。”以是益重之(53)。廷式，泉州人也。

晋王自得魏州，以李建及为魏博内外牙都将(54)，将银枪效节都。建及为人忠壮(55)，所得赏赐，悉分士卒，与同甘苦，故能得其死力，所向立功。同列(56)疾之。宦者韦令图监建及军，谮(57)于晋王曰：“建及以私财骤施(58)，此其志不小，不可使将牙兵。”王疑之。建及知之，自恃无他[1]，行之自若(59)。三月，王罢建及军职，以为代州(60)刺史。

汉杨洞潜(61)请立学校，开贡举，设铨选(62)。汉主岩从之。

夏，四月乙亥(63)，以尚书左丞(64)李琪(65)为中书侍郎、同平章事。琪，珽之弟也，性疏俊(66)，挟赵岩、张汉杰之势，颇通贿赂(67)。萧顷(68)与琪同为相，顷谨密而阴伺琪短(69)。久之，有以摄官(70)求仕(71)者，

【语译】

六年（庚辰，公元九二〇年）

春，正月初五日戊辰，蜀国的桑弘志攻克了金州，擒获全师朗，送到成都，蜀主把他释放了。

吴国的张崇进攻安州，没能攻下而撤了回去。张崇在庐州任职期间，贪婪残暴，不守法纪。庐江县的百姓控告县令受贿，徐知诰派侍御史知杂事杨廷式前往查处，准备以此震慑张崇。杨廷式说："杂端出面查处案件，这件事情极其重大，职分应做的工作不能不认真履行。"徐知诰问道："准备如何进行?"杨廷式说："把张崇戴上刑具押起来，派官员前往升州，依据文书所列罪状逐一责问都统。"徐知诰说："所查处的不过是个县令罢了，何至于这样!"杨廷式说："县令只是个小官，张崇让他榨取民财是要转献给都统，怎么可以放下大官而去追究小吏呢!"徐知诰抱歉地说："本来我就知道小事情是不应该麻烦你的。"因为这件事，徐知诰就更加器重杨廷式了。杨廷式是泉州人。

晋王自从取得魏州以后，就任命李建及为魏博内外牙都将，统率禁卫军银枪效节都。李建及为人忠诚豪壮，自己所得到的赏赐，全都分给部下士卒，与士卒同甘共苦，所以能得到士卒为他拼死效力，每次出战都能立功，同僚对他心怀妒忌。宦官韦令图任李建及部的监军，在晋王面前诬陷李建及说："李建及把自己的财物很快地分给部下，这表明他的野心不小，不能让他统率禁卫军。"从此晋王对李建及起了怀疑。李建及知道这件事后，仗着自己并无他念，仍像往常一样行事。三月，晋王免去了李建及的军职，任命他为代州刺史。

汉国杨洞潜奏请建立学校，开设贡举，设立铨叙选拔官吏制度。汉主刘岩听从了他的建议。

夏，四月乙亥日，梁末帝任命尚书左丞李琪为中书侍郎、同平章事。李琪是李珽的弟弟，性情放达超逸，依仗着赵岩、张汉杰的权势，大肆接受贿赂。萧顷和李琪一同担任宰相，萧顷处事谨慎细密，在暗地里调查李琪的短处。过了很长一段时

琪辄改摄为守，顷奏之。帝大怒，欲流琪远方，赵、张左右[72]之，止罢为太子少保。

河中[73]节度使冀王友谦[74]以兵袭取同州[75]，逐忠武[76]节度使程全晖，全晖奔大梁。友谦以其子令德为忠武留后，表求节钺[77]。帝怒，不许。既而惧友谦怨望，己酉[78]，以友谦兼忠武节度使。制下，友谦已求节钺于晋王，晋王以墨制[79]除令德忠武节度使。

【段旨】

以上为第二段，写晋王听宦者之言而猜疑忠臣，梁末帝纲纪不整。

【注释】

㊴戊辰：正月初五日。㊵庐州：州名，治所合肥，在今安徽合肥。㊶庐江：县名，在今安徽庐江县。㊷知杂事：唐御史台置侍御史六人，以任职长久的一人为负责人，称知杂事，也叫杂端。㊸杨廷式：字宪臣，泉州（今福建泉州）人，为人正直，不畏强御。传见《十国春秋》卷十。㊹按：按问。即调查了解。㊺威崇：威慑张崇，使之惧惮。㊻推事：处理事务。㊼其体至重：这件事体极其重大。㊽职业不可不行：本职工作不能不履行。㊾械系张崇：用刑具加在张崇身上，逮系来国都。㊿使吏如升州：派官员前往升州。(51)簿责都统：据文书所列罪状责问审理徐温。(52)舍大而诘小：丢下大官而追究小官。(53)益重之：更加器重他。(54)内外牙都将：军官名，统领节度使亲军。(55)忠壮：忠勇、豪壮。(56)同列：同僚。(57)谮：进谗言。(58)私财骤施：将私人的财物很快地分给部下。(59)行之自若：内心很踏实地仍旧这样做。(60)代州：州名，治所广武，在今山西代县。(61)杨洞潜：字昭元，始兴（今广东始兴）人，南汉刘龑谋臣，官至同平章事。传见《十国春秋》卷六十二。(62)铨选：考核和选拔官吏。(63)乙亥：四月癸巳朔，无乙亥，疑为己亥之误，己亥，四月初七日。(64)尚书左丞：与右丞总领尚书省六部事务。左丞领

【原文】

吴宣王重厚恭恪[80]，徐温父子专政，王未尝有不平之意形于言色，温以是安之[81]。及建国称制，尤非所乐[82]，多沉饮鲜食[83]，遂成寝疾[84]。

间，有个担任代理官职的人请求改为实授，李琪受贿之后就把代理改成了“守”，萧顷把这件事上奏给了梁末帝。梁末帝大怒，准备把李琪流放到远方去，赵岩、张汉杰袒护李琪，最后才只是降为太子少保。

河中节度使冀王朱友谦率军袭取同州，赶走了忠武节度使程全晖，程全晖逃往大梁。朱友谦让他的儿子朱令德担任忠武节度留后，上表请求梁末帝赐给他符节和斧钺。梁末帝很生气，没有答应。不久又害怕朱友谦怨恨，四月十七日己酉，任命朱友谦兼任忠武节度使。就在梁末帝宣布任命的制书下达的时候，朱友谦已经另外向晋王请求符节和斧钺了，晋王直接发出手令任命朱令德为忠武节度使。

吏、户、礼三部。㊺ 李琪（公元八七〇至九三〇年）：字台秀，博学多才，官至后梁宰相。著有《金门集》十卷。传见《旧五代史》卷五十八、《新五代史》卷五十四。㊻ 疏俊：疏阔、俊逸。㊼ 颇通贿赂：大肆接受贿赂。㊽ 萧顷（公元八六〇至九三〇年）：字子澄，京兆万年（今陕西西安）人，官至后梁宰相。传见《旧五代史》卷五十八。㊾ 顷谨密而阴伺琪短：萧顷谨慎细密，暗中调查他的短处。㊿ 摄官：试用官；见习官。⑪ 求仕：要求改为实授官。⑫ 左右：通“佐佑”，即袒护、包庇。⑬ 河中：方镇名，唐肃宗至德二载（公元七五七年）置，治所蒲坂，在今山西永济。⑭ 友谦（？至公元九二六年）：字德光，许州（今河南许昌）人，本名简，先从朱温，后归李存勖，官至后唐河中节度使。同光四年（公元九二六年），因谗被杀。传见《旧五代史》卷六十三、《新五代史》卷四十五。⑮ 同州：州名，治所武乡，在今陕西大荔。⑯ 忠武：方镇名，唐德宗贞元十年（公元七九四年）陈许节度赐号忠武军节度使，治所同州。⑰ 表求节钺：上表请求节度使的符节和斧钺。斧钺为仪仗。⑱ 己酉：四月十七日。⑲ 墨制：不经中书省盖印，而由皇帝直接颁下的敕书。用斜封交中书省执行。

【校记】

［1］自恃无他：原无此四字。据章钰校，十二行本、乙十一行本、孔天胤本皆有此四字，张敦仁《通鉴刊本识误》、张瑛《通鉴校勘记》同，今据补。

【语译】

吴宣王为人厚道谦恭而谨慎，徐温父子把持朝政，吴宣王在言谈神色上从来没有表露过不满的意思，徐温因此颇为安心。及至建国称制，这尤非吴宣王所乐意的事，所以他经常沉溺于饮酒，很少吃饭，终于导致卧病在床。

五月，温自金陵入朝，议当为嗣者。或希[85]温意言曰："蜀先主谓武侯：'嗣子不才，君宜自取。'"温正色[86]曰："吾果有意取之，当在诛张颢[87]之初，岂至今日邪！使杨氏无男，有女亦当立之。敢妄言者斩！"乃以王命迎丹杨公溥[88]监国[89]，徙[90]溥兄濛为舒州团练使。己丑[91]，宣王殂。六月戊申[92]，溥即吴王位。尊母王氏[93]曰太妃。

丁巳[94]，蜀以司徒兼门下侍郎、同平章事周庠同平章事，充永平[95]节度使。

帝以泰宁节度使刘鄩为河东道招讨使，帅感化节度使尹皓、静胜[96]节度使温昭图[97]、庄宅使段凝[98]攻同州。

闰月庚申朔[99]，蜀主作高祖原庙[100]于万里桥[101]，帅[102]后妃、百官，用亵味[103]、作鼓吹祭之。华阳[104]尉张士乔上疏谏，以为非礼。蜀主怒，欲诛之，太后以为不可，乃削官[2]流[105]黎州。士乔感愤[106]，赴水[107]死。

刘鄩等围同州，朱友谦求救于晋。秋，七月，晋王遣李存审、李嗣昭、李建及、慈州刺史李存质将兵救之。

乙卯[108]，蜀主下诏北巡，以礼部尚书[109]兼成都尹长安韩昭[110]为文思殿大学士，位在翰林承旨上。昭无文学[111]，以便佞得幸[112]，出入宫禁。就蜀主乞通、渠、巴、集数州刺史卖之以营居第[113]，蜀主许之。识者[114]知蜀之将亡。

八月戊辰[115]，蜀主发[116]成都，被金甲、冠珠帽、执弓矢而行。旌旗兵甲，亘[117]百余里。雒令[118]段融[119]上言："不宜远离都邑，当委大臣征讨。"不从。九月，次[120]安远城[121]。

【段旨】

以上为第三段，写吴国徐温忠于旧主，立杨溥即吴王位。蜀主王衍亲任小人，荒于政务。

五月，徐温从金陵入京朝见，商议谁可以为嗣君。有人迎合徐温的心思说："蜀先主刘备曾对诸葛武侯说：'嗣子如果不成器，先生可以自取王位。'"徐温神情严肃地说："我如果真有心取代王位，那应当在当初诛杀张颢的时候，哪里还要等到今天呢！假如杨氏没有儿子，就是有女儿也应该拥立她。谁敢胡言乱语，一律处斩！"于是以吴宣王之命迎接丹杨公杨溥入京监国，调任杨溥的哥哥杨濛为舒州团练使。二十八日己丑，吴宣王去世。六月十八日戊申，杨溥登上吴王之位，尊奉他的母亲王氏为太妃。

六月二十七日丁巳，蜀国任命司徒兼门下侍郎、同平章事周庠参议国事，并充任永平节度使。

梁末帝任命泰宁节度使刘鄩为河东道招讨使，率领感化节度使尹皓、静胜节度使温昭图、庄宅使段凝一起攻打同州。

闰六月初一日庚申，蜀主在万里桥修建了高祖原庙，带领后妃、百官，供奉平日喜欢吃的美味，演奏乐曲来祭祀高祖。华阳县尉张士乔上疏劝谏，认为这样做不合礼仪。蜀主听后很生气，要杀他，太后认为不能杀，于是把他削去官职，流放黎州。张士乔十分感慨激愤，投水而死。

刘鄩等包围了同州，朱友谦向晋国求救。秋，七月，晋王派李存审、李嗣昭、李建及、慈州刺史李存质率兵前去救援。

七月二十六日乙卯，蜀主下达诏书要亲自北征，任命礼部尚书兼成都尹长安人韩昭为文思殿大学士，地位在翰林承旨之上。韩昭没有什么才学，只是因为巧言善辩、阿谀逢迎而博得蜀主的宠信，能出入宫禁。他向蜀主乞求通州、渠州、巴州、集州几个州的刺史官职拿来卖钱，用以修建自己的住宅，蜀主竟然答应了他的要求。有识之士都意识到蜀国快要灭亡了。

八月初十日戊辰，蜀主从成都出发，他身披金甲、头戴珠帽、手执弓箭而行，随从的旌旗兵马，连绵一百多里。雒县县令段融上奏说："大王不宜远离京城，应当委派大臣前去征讨。"蜀主没有听从。九月，军队驻扎在安远城。

【注释】

⑧⓪ 重厚恭恪：厚道谦恭而又谨慎。⑧① 安之：安心；放心。⑧② 乐：喜欢。⑧③ 沉饮鲜食：沉湎于酒而很少吃饭食，意在借酒浇愁，压抑心中不平。沈，鲜、少。⑧④ 寝疾：卧病在床。⑧⑤ 希：迎合。⑧⑥ 正色：神气严肃。⑧⑦ 诛张颢：事见本书卷二百六十九梁太祖开平二年（公元九〇八年）。⑧⑧ 丹杨公溥：杨行密第四子杨溥，封丹杨公。⑧⑨ 监国：君主外出、卧病时，由太子或兄弟代行国事。⑨⓪ 徙：迁。徙杨濛楚州团练使为舒州团练使。⑨① 己丑：

五月二十八日。⑫戊申：六月十八日。⑬王氏（？至公元九二八年）：吴王杨溥生母。传见《十国春秋》卷四。⑭丁巳：六月二十七日。⑮永平：方镇名，唐僖宗文德元年（公元八八八年）置，治所邛州。蜀以雅州为永平节度，治所雅州，在今四川雅安。⑯静胜：方镇名，唐哀帝天祐三年（公元九〇六年）置义胜军，后梁改静胜军，治所耀州，在今陕西铜川市耀州区。⑰温昭图：温韬。⑱段凝（？至公元九二七年）：开封（今河南开封）人，本名明远。后梁大将，降后唐，为明宗所杀。传见《旧五代史》卷七十三、《新五代史》卷四十五。⑲庚申朔：闰六月初一日。⑳原庙：已立太庙而再立庙叫原庙。原庙起于汉代。原，再也。㉑万里桥：地名，在今四川成都。㉒帅：通“率”，带领。㉓亵味：嗜好常吃的食品。㉔华阳：县名，在今四川成都市双流区。㉕流：古代刑罚名，把罪人放逐到远方服劳役，俗称充军。㉖感愤：感慨而愤激。㉗赴水：投水。㉘乙卯：七月二十六日。㉙礼部尚书：礼部长官，掌典章法度、典礼、祭祀、学校、科举和接待四

【原文】

李存审等至河中，即日济河[122]。梁人素轻河中兵，每战必穷追不置[123]。存审选精甲二百，杂河中兵，直压刘鄩垒。鄩出千骑逐之，知晋人已至[124]，大惊，自是不敢轻出。晋人军[125]于朝邑[126]。

河中事[127]梁久，将士皆持两端[128]。诸军大集，刍粟踊贵[129]，友谦诸子说[130]友谦且归款[131]于梁，以退其师。友谦曰：“昔晋王亲赴吾急，秉烛夜战。今方与梁相拒，又命将星行[132]，分我资粮，岂可负邪！”

晋人分兵攻华州[133]，坏其外城。李存审等按兵累旬[134]，乃进逼刘鄩营。鄩等悉众出战，大败，收余众退保罗文寨[135]。又旬余，存审谓李嗣昭曰：“兽穷则搏[136]，不如开其走路，然后击之。”乃遣人牧马于沙苑[137]。鄩等宵遁[138]，追击至渭水，又破之，杀获甚众。存审等移檄[139]告谕关右[140]，引兵略地[141]至下邽[142]，谒唐帝陵[143]，哭之而还。

河中兵进攻崇州[144]，静胜[145]节度使温昭图甚惧。帝使供奉官[146]窦维说之曰：“公所有者，华原[147]、美原[148]两县耳。虽名节度使，实一镇

方宾客等事。⑩ 韩昭（？至公元九二五年）：字德华，长安（今陕西西安）人，蜀后主狎客。传见《十国春秋》卷四十六。⑪ 无文学：没有学问。⑫ 以便佞得幸：因为巧言善辩阿谀逢迎而得到宠信。⑬ 就蜀主句：意谓向蜀主请求用出卖通、渠、巴、集等数州刺史的钱来建造住宅。就，向。⑭ 识者：有见识的人。⑮ 戊辰：八月初十日。⑯ 发：出发；启程。⑰ 亘：连绵不断。⑱ 雒令：雒县县令。雒，古县名，唐时属汉州，为州治所，县治在今四川广汉北。⑲ 段融：雒县令，治县多惠政。传见《十国春秋》卷四十三。⑳ 次：停留。㉑ 安远城：疑即秦州治所成纪，因部署伐岐而取佳名。成纪在今甘肃秦安西北。

【校记】

［2］削官：原作“削官爵”。据章钰校，十二行本、乙十一行本、孔天胤本皆无“爵”字，今据删。

【语译】

李存审等人到达河中，当天就渡过黄河。梁军素来轻视河中的军队，每次交战定要穷追不舍。李存审于是挑选了二百名精兵，混杂在河中军中，直逼刘鄩的营垒。刘鄩出动千名骑兵出营追击。交战中发现晋军已经到达，大为吃惊，从此不敢轻易出动了。晋军驻扎在朝邑。

河中归顺梁朝已经很久了，将士们在归顺梁还是晋这件事上态度摇摆不定。现在各路兵马云集在这里，马料和粮食价格飞涨，朱友谦的几个儿子劝说朱友谦暂且归顺梁朝，以使梁军撤退。朱友谦说：“当初晋王亲自率军赶来解救我们的急难，挑灯夜战。如今我们正与梁军对阵，晋王又命令将帅们星夜赶来支援，还把他们的物资粮食分给我们，我们怎么能够有负于他们呢！”

晋军分兵攻打华州，毁掉了华州的外城。李存审等人按兵不动几十天后，出兵进逼刘鄩的营垒。刘鄩等率领全部人马出战，被打得大败，只好收拾剩余部队退守罗文寨。又过了十来天，李存审对李嗣昭说：“野兽走投无路了就会拼死一搏，我们不如放开一条让他们逃走的路，然后再从后面追击他们。”于是派出人到沙苑去牧马。刘鄩等乘夜色逃走，晋军一路追击到渭水，又把梁军打败了，斩杀和俘虏了很多人。李存审等移送檄文通告关右，并率军攻城略地，直至下邽，拜谒了唐朝皇帝的陵墓，在陵前哭祭了一番之后才回去。

河中的军队进攻崇州，静胜节度使温昭图十分害怕。梁末帝派供奉官窦维向他游说说：“您所管辖的，只有华原、美原两县而已。虽然名义上是节度使，其实只是

将⑭⑨，比之雄藩，岂可同日语也！公有意欲之乎？”昭图曰：“然。”维曰[3]：“当为公图之。”即教昭图表求移镇⑮⓪，帝以汝州⑮①防御使华温琪⑮②权知静胜留后。

【段旨】

以上为第四段，写冀王朱友谦叛梁附晋，梁国势益衰。

【注释】

⑫②济河：渡河。⑫③穷追不置：尽力追赶而不停止。⑫④知晋人已至：当时刘鄩出兵千骑追击河中兵，晋骑兵反击，俘获梁骑兵五十人，刘鄩知道晋军已至。⑫⑤军：驻扎。⑫⑥朝邑：县名，县治在今陕西大荔东。⑫⑦事：侍奉；服侍。⑫⑧持两端：在事梁和事唐上摇摆不定。⑫⑨刍粟踊贵：马料和粮食的价格飞涨。⑬⓪说：劝说。⑬①归款：归顺；归附。⑬②命将星行：命令大将星夜赶路。⑬③华州：州名，治所华山，在今陕西渭南市华州区，历来为关中军事重地。⑬④累旬：数旬。⑬⑤罗文寨：地名，在今陕西渭南市华州区境内。⑬⑥兽穷则搏：野兽走投无路，就要拼死搏斗，以求生存。⑬⑦沙苑：地名，在陕西大荔南，接旧朝邑县界。宜放牧。⑬⑧宵遁：乘夜逃跑。⑬⑨移檄：移送檄文；张贴声讨文告。⑭⓪关右：

【原文】

冬，十月辛酉⑮③，蜀主如⑮④武定军。数日，复还安远。

十一月戊子朔⑮⑤，蜀主以兼侍中王宗俦⑮⑥[4]为山南⑮⑦节度使、西北面都招讨、行营安抚使，天雄节度使、同平章事王宗昱⑮⑧，永宁军使⑮⑨王宗晏⑯⓪，左神勇军使⑯①王宗信⑯②为三招讨以副之，将兵伐岐⑯③。出故关⑯④，壁于咸宜⑯⑤，入良原⑯⑥。丁酉⑯⑦，王宗俦攻陇州，岐王自将万五千人屯汧阳⑯⑧。癸卯⑯⑨，蜀将陈彦威出散关⑰⓪，败岐兵于箭筈岭⑰①。蜀兵食尽，引还。宗昱屯秦州[5]，宗俦屯上邽⑰②，宗晏、宗信屯威武城⑰③。

庚戌⑰④，蜀主发安远城⑰⑤。十二月庚申⑰⑥，至利州。阆州⑰⑦团练使林思谔⑰⑧来朝，请幸所治，从之。癸亥⑰⑨，泛江⑱⓪而下，龙舟画舸⑱①，

一名镇将，比起别的大藩镇，哪能同日而语呢！您是否有意换个大藩镇呢?”温昭图说:“是这样的。”窦维说:“我来为您想个办法。”随即就教温昭图上表请求换个地方镇守，梁末帝于是任命汝州防御使华温琪暂时代理静胜节度留后。

古地区名，即关西。指函谷关以西地区，今陕、甘二省。⑭略地：攻城略地。⑭下邽：古县名，县治在今陕西渭南市北下邽镇。⑭唐帝陵:在同州奉先县，即今陕西乾县。⑭崇州：州名，五代梁改耀州为崇州，治所在今陕西铜川市耀州区。⑭静胜：方镇名，唐哀帝天祐三年（公元九〇六年）置义胜军节度使，领耀、鼎二州。后梁改义胜为静胜，改耀州为崇州，治所在今陕西铜川市耀州区。⑭供奉官：官名，在皇帝左右供职。⑭华原：县名，故城在今陕西铜川市耀州区东南。⑭美原：县名，故城在今陕西富平东北美原镇。⑭镇将：镇守一地的将领。⑮表求移镇：上表皇帝请求调动驻防地。⑮汝州：州名，治所梁县，在今河南汝州。⑮华温琪（公元八六二至九三六年）：字德润，宋州下邑（今安徽砀山）人。传见《旧五代史》卷九十、《新五代史》卷四十七。

【校记】

［3］曰：原作“白”。据章钰校，十二行本、乙十一行本、孔天胤本皆作“曰”，张瑛《通鉴校勘记》同，今据改。

【语译】

冬，十月初三日辛酉，蜀主前往武定军。几天后，又回到安远城。

十一月初一日戊子，蜀主任命兼侍中王宗俦为山南节度使、西北面都招讨、行营安抚使，任命天雄节度使、同平章事王宗昱，永宁军使王宗晏，左神勇军使王宗信为三位招讨以辅佐王宗俦，率军讨伐岐国。部队出故关，在咸宜修筑壁垒，进入良原县。初十日丁酉，王宗俦进攻陇州，岐王亲自率领一万五千人屯驻在汧阳。十六日癸卯，蜀将陈彦威从散关出兵，在箭筈岭打败了岐军。但因蜀军的粮食吃完了，只好撤军回去。王宗昱屯驻在秦州，王宗俦屯驻在上邽，王宗晏和王宗信屯驻在威武城。

十一月二十三日庚戌，蜀主从安远城出发。十二月初三日庚申，到达利州。阆州团练使林思谔前来朝见，请求蜀主巡幸他所管地区，蜀主答应了。初六日癸亥，

辉映江渚[182]，州县供办[183]，民始愁怨。壬申[184]，至阆州。州民何康女色美，将嫁，蜀主取之，赐其夫家帛百匹，夫一恸[185]而卒。癸未[186]，至梓州[187]。

【段旨】

以上为第五段，写蜀主王衍轻启边衅伐岐，又骄奢淫逸，军民怨愤。

【注释】

⑬ 辛酉：十月初三日。⑭ 如：到。⑮ 戊子朔：十一月初一日。⑯ 王宗俦（？至公元九二四年）：传见《十国春秋》卷三十九。⑰ 山南：方镇名，唐肃宗至德元载（公元七五六年）置山南西道防御守捉使，唐代宗广德元年（公元七六三年）升为节度使。前蜀王建置山南节度使，治所兴元，在今陕西汉中东。⑱ 王宗昱：王建假子。传见《十国春秋》卷三十九。⑲ 永宁军使：禁卫军军官。⑳ 王宗晏：王建养子。传见《十国春秋》卷三十九。㉑ 左神勇军使：禁卫军军官。㉒ 王宗信：王建假子。传见《十国春秋》卷三十九。㉓ 伐岐：攻讨岐王李茂贞。岐，岐州，治所在今陕西宝鸡市凤翔区。㉔ 故关：关名，即安戎关，在今陕西陇县西，时属陇州汧源。㉕ 壁于咸宜：在咸宜筑壁垒以屯军。咸宜，地名，在故关北汧源界。㉖ 良原：县名，故城在今甘肃灵台西北。㉗ 丁酉：十一月初十日。㉘ 汧阳：县名，县治在今陕西千阳西。㉙ 癸卯：十一月十六日。㉚ 散关：关名，亦

【原文】

赵王镕自恃累世[188]镇成德、得赵人心，生长富贵，雍容自逸[189]。治府第园沼，极一时之盛。多事嬉游，不亲政事，事皆仰成[190]于僚佐，深居府第，权移左右[191]。行军司马[192]李蔼、宦者李弘规用事于中外，宦者石希蒙尤以谄谀得幸。

初，刘仁恭使牙将[193]张文礼[194]从其子守文镇沧州。守文诣幽州省其父，文礼于后据城作乱。沧人讨之，奔镇州。文礼好夸诞[195]，自言知兵，赵王镕奇之，养以为子，更名德明，悉以军事委之。德明将行营

乘船顺嘉陵江而下，龙舟与彩船在江渚间交相辉映，所经州县操办供给沿途所需，百姓们开始愁苦抱怨起来。十五日壬申，蜀主到达阆州。州民何康的女儿长得漂亮，马上就要出嫁了，蜀主把她强夺了过来，赏赐她的未婚夫家一百匹丝帛，那个未婚夫痛哭而死。二十六日癸未，蜀主到达梓州。

称大散关、崤谷，在今陕西宝鸡西南。⑰ 箭筈岭：即岐山。其山两岐，俗称箭筈岭，在今陕西岐山。⑰ 上邽：古县名，在今甘肃天水。⑰ 威武城：军镇名，在凤州境内。⑰ 庚戌：十一月二十三日。⑰ 蜀主发安远城：蜀主八月至安远城，因伐岐兵食尽退还，蜀主出发还成都。⑰ 庚申：十二月初三日。⑰ 阆州：州名，治所阆中，在今四川阆中。⑰ 林思谔：官至蜀昭武军节度使，谄媚逢迎，后降后唐。传见《十国春秋》卷四十三。⑰ 癸亥：十二月初六日。⑱ 泛江：乘船嘉陵江上。⑱ 舸：大船。⑱ 江渚：指江水和沙洲。渚，水中的小块陆地。⑱ 州县供办：指后蜀主巡游所经过的州县要供应置办所需饮食器用。⑱ 壬申：十二月十五日。⑱ 恸：痛哭。⑱ 癸未：十二月二十六日。⑱ 梓州：治所郪县，在今四川三台。

【校记】

［4］王宗俦：原作“王宗涛”。据章钰校，十二行本、乙十一行本、孔天胤本皆作“王宗俦”，今据改。［5］秦州：原作“泰州”。据章钰校，十二行本、乙十一行本、孔天胤本皆作“秦州”，张敦仁《通鉴刊本识误》、张瑛《通鉴校勘记》同，今据改。

【语译】

赵王王镕依仗着几代都镇守成德、深得赵地的人心，他生长在富贵的环境中，仪态温雅大方，身心安逸自适。他所修建的府第园池，在当时都是第一流的。他经常沉迷于嬉戏游玩，不亲自参与政事，一切政事都依靠属官去处理，他深居在府第中，权力落到了身边的大臣们手中。行军司马李蔼、宦官李弘规掌管王府内外的事务，而宦官石希蒙尤其因善于谄媚阿谀而得到赵王的宠爱。

当初，刘仁恭派部将张文礼跟随他的儿子刘守文去镇守沧州。刘守文到幽州去看望父亲时，张文礼随后就占据了沧州城发动叛乱。沧州的人讨伐他，他逃到了镇州。张文礼喜好吹牛说大话，自称通晓军事，赵王王镕认为他是个奇才，把他收为养子，改名叫王德明，把军队事务全都委托给他。王德明率行营的军队跟随晋王

兵从晋王，镕欲寄以腹心，使都指挥使符习⑯代还，以为防城使。

镕晚年好事佛及求仙，专讲佛经，受符箓⑰，广斋醮⑱，合炼仙丹。盛饰馆宇于西山⑲，每往游之，登山临水，数月方归。将佐士卒陪从者常不下万人，往来供顿⑳，军民皆苦之。是月，自西山还，宿鹘营庄㉑，石希蒙劝王复之他所㉒。李弘规言于王曰："晋王夹河血战，栉风沐雨㉓，亲冒矢石。而王专以供军之资㉔，奉不急之费。且时方艰难，人心难测，王久虚府第，远出游从，万一有奸人为变，闭关相距，将若之何？"王将归，希蒙密言于王曰："弘规妄生猜间㉕，出不逊语以劫胁王，专欲夸大于外，长威福㉖耳。"王遂留，信宿㉗无归志。弘规乃教内牙都将㉘苏汉衡帅亲军，擐甲拔刃㉙，诣帐前白王曰："士卒暴露已久，愿从王归！"弘规因进言曰："石希蒙劝王游从不已，且闻欲阴谋为逆[6]，请诛之以谢众。"王不听，牙兵遂大噪，斩希蒙首，诉于前。王怒且惧，亟归府。是夕，遣其长子副大使昭祚㉚与王德明将兵围弘规及李蔼之第，族诛之，连坐者数十家。又杀苏汉衡，收其党与㉛，穷治反状。亲军大恐。

【段旨】

以上为第六段，写成德赵王镕骄奢纵欲，亲佞滥杀。

【注释】

⑱累世：数代。⑲雍容自逸：仪态温雅大方，安逸自适。⑳仰成：依赖下属来完成。㉑权移左右：权力落在近臣手中。㉒行军司马：节度使副职，职掌军政，权任甚重。㉓牙将：即衙将，节度府亲军将领。㉔张文礼（？至公元九二一年）：河北人，王镕赐姓名为王德明。传见《旧五代史》卷六十二、《新五代史》卷三十九。㉕夸诞：说荒诞不经的大话，俗谓吹牛皮。⑯符习：赵州昭庆（今河北隆尧）人，官至后唐汴州节度使。传见《旧五代史》卷五十九、《新五代史》卷二十六。⑰符箓：道士用来驱鬼召神或治病延年的秘密文书。⑱斋醮：道教设坛祭祷的一种仪式。⑲西山：河北镇州（今河

南征，王镕想把他当作心腹，于是派都指挥使符习前去把他替代回来，任命他为防城使。

王镕晚年喜好事佛求仙，专心讲习佛经，接受道家的符箓，广设斋坛祭祷，修炼仙丹。在西山把馆宇装饰得非常华丽，每次前往那里游玩，登山临水，往往几个月才回来。随行陪从的将领佐吏士卒常常不下万人，来往中供应食宿及行旅所需耗费巨大，军民们都深受其苦。这个月，王镕从西山回来，住宿在鹘营庄，石希蒙劝说赵王再到别的地方去玩。李弘规对赵王说："晋王正在黄河两岸血战，栉风沐雨，亲自冒着飞箭石块上阵交战。而大王您却把供应军需的物资，挪用于不急的花费上面。况且眼下时势正处在艰难时期，人心难测，大王让府第长久空着，远出游玩，万一有奸人乘机发动变乱，关闭城门和我们对抗，那该怎么办呢?"赵王听了这番话后准备回去，石希蒙却偷偷地对赵王说："李弘规胡乱产生猜疑，挑拨离间，出言不逊以胁迫大王，一心想在外面夸大其词，只是为了增加自己的威望罢了。"赵王于是又留了下来，连住两夜仍没有回去的意思。李弘规于是让内牙都将苏汉衡率领亲兵，穿好铠甲拔出兵刃，到军帐前对赵王说："士卒们在外风吹日晒已经很久了，都想跟着大王回去!"李弘规随即向赵王进言说："石希蒙劝大王出游不止，而且还听说他阴谋叛逆，请求把他杀了以平民愤。"赵王不听，于是亲兵们就大声喧闹起来，砍下了石希蒙的头，在赵王面前控诉。赵王又生气又害怕，急忙赶回府第。当天晚上，赵王就派他的长子副大使王昭祚和王德明率兵包围了李弘规和李蔼的住宅，把他们整个家族全都杀了，受株连入罪的有几十家。又杀了苏汉衡，逮捕了他的同党，彻底追究他们谋反的情况。赵王的亲兵们都十分恐惧。

北正定）西房山，上有西王母祠。⑳⓪供顿：供应食宿及行旅所需之物。⑳①鹘营庄：村庄名。⑳②复之他所：再到其他胜景地游乐。⑳③栉风沐雨：以风梳发，以雨洗头，形容征战奔波的辛苦。⑳④供军之资：供应军队作战的费用。⑳⑤妄生猜间：没有根据地猜疑。⑳⑥长威福：树立自己的威信。⑳⑦信宿：连宿两夜。⑳⑧内牙都将：节度使衙内统领亲军将领。⑳⑨擐甲拔刃：穿好盔甲，拔出利刃。即全副武装。㉑⓪昭祚（？至公元九二一年）：王镕之子，娶朱温之女，为张文礼所杀。传见《旧五代史》卷五十四。㉑①党与：即党羽，同党。与，通"羽"。

【校记】

［6］为逆：原作"杀逆"。据章钰校，十二行本、乙十一行本、孔天胤本皆作"为逆"，今据改。

【原文】

吴金陵城成，陈彦谦上费用之[7]籍，徐温曰："吾既任公，不复会计㉑²。"悉焚之。

初，闽王审知㉑³承制加其从子泉州刺史延彬㉑⁴领平卢节度使。延彬治泉州十七年㉑⁵，吏民安之。会得白鹿及紫芝，僧浩源以为王者之符，延彬由是骄纵，密遣使浮海入贡㉑⁶，求为泉州节度使。事觉，审知诛浩源及其党，黜延彬归私第。

汉主岩遣使通好于蜀。

吴越王镠遣使为其子传琇㉑⁷求昏于楚，楚王殷㉑⁸许之。

【段旨】

以上为第七段，写南方吴、闽、南汉、吴越诸国事务。

【注释】

㉑²会计：记账核算。㉑³闽王审知：五代时闽国的建立者，公元九〇九至九二五年在位。传见《旧五代史》卷一百三十四、《新五代史》卷六十八、《十国春秋》卷九十四。㉑⁴延彬：王审邽长子，工诗歌，擅与海商贸易，时人称之为"招宝侍郎"。传见《十国春秋》卷

【原文】

龙德元年（辛巳，公元九二一年）

春，正月甲午㉑⁹，蜀主还成都。

初，蜀主之为太子，高祖为聘兵部尚书高知言女为妃，无宠。及韦妃㉒⁰入宫，尤见疏薄，至是遣还家。知言惊仆，不食而卒。韦妃者，徐耕之孙也，有殊色。蜀主适徐氏，见而悦之，太后因纳于后宫。蜀主不欲娶于母族，托云韦昭度㉒¹之孙。初为婕妤，累加元妃。

【语译】

吴国的金陵城竣工，陈彦谦把修城费用的账簿交给徐温审查，徐温说："我既然委托阁下操办，不需要再行审核。"于是把账册全都烧了。

当初，闽王王审知以秉承梁末帝意旨的名义加封他的侄子泉州刺史王延彬兼领平卢节度使。王延彬治理泉州十七年，官民都能安居乐业。恰好此时王延彬得到了白鹿和紫芝两件祥瑞之物，和尚浩源认为这是要称王的征兆，王延彬由此而骄傲放纵起来，秘密派使者从海路向梁朝入贡，请求封他为泉州节度使。事情败露后，王审知诛杀了浩源及其同党，罢免了王延彬的职务，打发他回家。

汉主刘岩派使者到蜀国去互通友好。

吴越王钱镠派使者到楚国去为他的儿子钱传琇求婚，楚王马殷答应了他的请求。

九十四。㉑⑤十七年:《十国春秋》作二十六年。㉑⑥浮海入贡：从海道北上向后梁朝贡。㉑⑦传琇：钱镠第十四子，封新安侯。传见《十国春秋》卷八十三。㉑⑧楚王殷：马殷，五代时楚国的建立者，后梁开平元年（公元九〇七年）封为楚王。公元九〇七至九三〇年在位。传见《旧五代史》卷一百三十三、《新五代史》卷六十六、《十国春秋》卷六十七。

【校记】

［7］之：原作"册"。据章钰校，十二行本、乙十一行本、孔天胤本皆作"之"，今据改。

【语译】

龙德元年（辛巳，公元九二一年）

春，正月初七日甲午，蜀主回到成都。

当初，蜀主王衍还是太子的时候，高祖王建为他聘娶了兵部尚书高知言的女儿为太子妃，太子妃不受宠爱。等到韦妃入宫后，太子妃尤其被疏远受到冷遇，到了此时蜀主把她送回娘家。高知言十分惊恐瘫倒在地，不吃不喝而亡。韦妃是徐耕的孙女，长得特别漂亮。一次蜀主到徐家去，见到了她而非常喜欢，太后于是把她接到后宫。蜀主不想娶母亲家族的人为妻，就假称她是唐代名臣韦昭度的孙女。她入宫之初做过婕妤，后来逐渐升为元妃。

蜀主常列锦步障[222]，击球其中，往往远适而外人不知。爇[223]诸香，昼夜不绝。久而厌之，更爇皂荚[224]以乱[225]其气。结缯[226]为山，及宫殿楼观于其上，或为风雨所败，则更以新者易之。或乐饮缯山，涉旬不下。山前穿渠通禁中，或乘船夜归，令宫女秉蜡炬千余居前船，却立[227]照之，水面如昼。或酣饮禁中，鼓吹沸腾，以至达旦。以是为常。

甲辰[228]，徙静胜节度使温昭图为匡国节度使，镇许昌[229]。昭图素[230]事赵岩，故得名藩[231]。

【段旨】

以上为第八段，写蜀主荒淫不成体统。

【注释】

⑲甲午：正月初七日。⑳韦妃：唐眉州刺史徐耕孙女，入宫为婕妤，累封至元妃。传见《十国春秋》卷三十八。㉑韦昭度：历仕僖宗、昭宗两朝宰相。曾从僖宗幸蜀。昭宗即位，又为行营招讨伐蜀陈敬瑄。故徐氏女托言之。传见《旧唐书》卷一百七

【原文】

蜀主、吴主屡以书劝晋王称帝。晋王以书示僚佐曰："昔王太师[232]亦尝遗先王[233]书，劝以唐室已亡，宜自帝一方。先王语余云：'昔天子幸石门[234]，吾发兵诛贼臣，当是之时，威振天下。吾若挟天子据关中，自作九锡禅文[235]，谁能禁我！顾吾家世忠孝，立功帝室，誓死不为耳。汝他日当务以复唐社稷为心，慎勿效此曹[236]所为！'言犹在耳，此议非所敢闻也。"因泣。

既而将佐及藩镇劝进不已，乃令有司市玉造法物[237]。黄巢之破长安也，魏州僧传真[238]之师得传国宝，藏之四十年。至是，传真以为常玉，

蜀主经常支起用锦缎制成的屏障，在里面打球，往往已经离开到远处去了，而屏障外边的人还不知道。又经常燃烧各种香料，昼夜不断。时间一久，他对这种香气厌烦了，又改烧皂荚来调节原有的气味。他用缯帛结成山形，其上又结出宫殿楼阁等形状，有时被风雨所坏，就再用新的换上。有时在缯山上饮酒作乐，十来天都不下来。在缯山前面挖了一条水渠直通宫中，有时夜晚乘船回宫，命令宫女们手拿着千余支蜡烛在前面一艘船上，面朝后站着照路，水面如同白天一样。有时在宫中畅饮，鼓乐喧腾，通宵达旦。这些事情都习以为常。

正月十七日甲辰，梁末帝调静胜节度使温昭图担任匡国节度使，镇守许昌。温昭图一向侍奉巴结赵岩，所以能得到匡国这个名藩。

十九、《新唐书》卷一百八十五。㉒锦步障：用锦缎制成的用以遮蔽风尘或视线的一种屏幕。㉓爇：焚烧。㉔皂荚：豆科，落叶乔木。其形如猪牙者最良，气味酷烈。燃皂荚用以调节屏幕内燃香的气味。㉕乱：混合；调节。㉖缯：丝织品。㉗却立：退立。即背对前进方向，持千余蜡烛照路。㉘甲辰：正月十七日。㉙许昌：古县名，县治在今河南许昌东。㉚素：一向。㉛名藩：即大藩、强藩，此指匡国节度使。温昭图原为静胜节度使，只领华原、美原两县，为梁之边镇，因谄事赵岩得移镇匡国节度使，领河南许、陈、汝三州，故为名藩。

【语译】

蜀主、吴主多次写信劝晋王称帝。晋王把这些来信向僚属们出示，并且说道："从前王太师也曾经给先王写信，劝先王说唐室已亡，应该占据一方自己称帝。先王对我说：'当年天子驾临石门，我出兵诛杀贼臣，在那个时候，声威震动天下。我如果挟持天子占据关中，自己起草九锡和禅让的诏书，又有谁能阻止我！只是我们家世代忠孝，要为朝廷立功，所以誓死也不干这种事情。你以后一定要立志恢复唐朝社稷，千万不要仿效这帮人的做法！'先王的话还在耳边回响，这类建议不是我敢听到的。"说着就流下了眼泪。

不久，将领佐吏和各路藩镇又不停地劝晋王称帝，于是他下令主管部门购买玉石制作传国的宝物。黄巢当年攻破长安的时候，魏州和尚传真的师父得到了一块传国之宝，收藏了四十年。到此时，传真以为它只是一块普通的玉石，准备卖掉。有

将鬻之㉓⑨。或识之㉔⓪，曰："传国宝也。"传真乃诣行台㉔①献之，将佐皆奉觞称贺。

张承业在晋阳闻之，诣魏州谏曰："吾王世世忠于唐室，救其患难，所以老奴三十余年为王捃拾㉔②财赋，召补兵马，誓灭逆贼，复本朝㉔③宗社耳。今河北甫定㉔④，朱氏尚存，而王遽㉔⑤即大位，殊非从来㉔⑥征伐之意，天下其谁不解体乎！王何不先灭朱氏，复列圣㉔⑦之深仇，然后求唐后而立之，南取吴，西取蜀，汛扫㉔⑧宇内，合为一家。当是之时，虽使高祖、太宗复生，谁敢居王上者？让之愈久，则得之愈坚矣。老奴之志无他，但以受先王大恩，欲为王立万年之基㉔⑨耳。"王曰："此非余所愿，奈群下意何！"承业知不可止，恸哭曰："诸侯血战，本为唐家。今王自取之，误老奴矣！"即归晋阳，邑邑㉕⓪成疾[8]，不复起。

【段旨】

以上为第九段，写晋王李存勖谋称帝。

【注释】

㉓② 王太师：指蜀主王建。㉓③ 先王：指李克用。㉓④ 石门：地名，在今四川巴中市北。㉓⑤ 九锡禅文：九锡，古代帝王赐给有大功或有权势的诸侯、大臣的九种物品，即车马、衣服、乐则、朱户、纳陛、虎贲、弓矢、斧钺、秬鬯。禅文，禅位的文告。㉓⑥ 此曹：他们，指篡逆者。㉓⑦ 法物：指传国八宝等。㉓⑧ 传真：魏州开元寺和尚。㉓⑨ 将鬻之：将要

【原文】

二月，吴改元顺义㉕①。

赵王既杀李弘规、李蔼，委政于其子昭祚。昭祚性骄愎㉕②，既得大权，向时㉕③附弘规者皆族之。弘规部兵五百人欲逃，聚泣偶语㉕④，未知

人认出了这块宝玉，说:“这是传国之宝啊!”传真于是到行台把传国之宝献给了晋王，将领佐吏们都举杯向晋王祝贺。

张承业在晋阳听到了这件事，前往魏州劝谏晋王说:“大王世世代代忠于唐室，拯救唐室危难，所以老奴我三十多年来为大王搜集财赋，招兵买马，誓灭逆贼，只是为了恢复唐朝的宗庙社稷罢了。如今河北刚刚平定，朱氏逆贼还在，而大王却要马上即位称帝，这绝不是我们历来出兵征讨的本意，这样一来天下的人谁能不离散呢！大王何不先消灭朱氏，报了唐朝各位圣王的深仇，然后再访求唐宗室的后裔拥立为帝，向南攻取吴国，向西攻取蜀国，扫清天下，归于统一。到那个时候，即使让高祖、太宗复生，又有谁敢居于大王之上呢？谦让的时间越久，那么将来所得到的也就越牢固。老奴我没有别的意思，只是因为受过先王的大恩，想为大王建立万年不可动摇的基业而已。”晋王说:“这样做并不是我所愿意的，只是群臣们有这个意愿我又能怎么办呢!”张承业知道不可能让这件事中止，痛哭着说:“诸侯血战，本是为了恢复唐室天下。如今大王自己就攫取了帝位，实在是误了老奴我啊!”随即返回晋阳，忧郁成疾，再也没有起来。

卖掉它。㉔⓪ 或识之：有人认识它是传国宝玺。㉔① 行台：在都城之外临时设置的代表中央政府的机构叫行台。这里指晋王为尚书令，置行台于魏州。㉔② 捃拾：拾取；搜集。㉔③ 本朝：指唐朝。㉔④ 甫定：刚刚平定。㉔⑤ 遽：骤然。㉔⑥ 从来：一贯以来。㉔⑦ 列圣：指唐王。㉔⑧ 汛扫：扫除；清除。㉔⑨ 万年之基：长久而不可动摇的基业。㉕⓪ 邑邑：即悒悒，忧闷不畅的样子。

【校记】

［8］即归晋阳，邑邑成疾：原作“即归晋王邑成疾”。据章钰校，十二行本、乙十一行本、孔天胤本“晋王”皆作“晋阳”，并重“邑”字，张瑛《通鉴校勘记》同，今据改。

【语译】

二月，吴国改年号为顺义。

赵王王镕杀了李弘规、李蔼之后，把政务都交给了他的儿子王昭祚。王昭祚生性骄横刚愎，大权在握之后，以往依附李弘规的人整个家族都被诛杀。原李弘规部下的五百名士兵打算逃走，他们聚在一起边哭边相对私语，但不知道逃到哪里才好。

所之[255]。会诸军有给赐，赵王忿[256]亲军之杀石希蒙，独不时与[257]，众益惧。王德明[258]素蓄异志，因其惧而激之曰："王命我尽坑尔曹。吾念尔曹无罪并命[259]，欲从王命则不忍。不然，又获罪于王。奈何？"众皆感泣[260]。是夕[261]，亲军有宿于潭城西门者，相与饮酒而谋之。酒酣，其中骁健者曰："吾曹识[262]王太保[263]意，今夕富贵决矣！"即逾城入。赵王方焚香受箓[264]，二人断其首而出，因焚府第。军校张友顺帅众诣德明第，请为留后。德明复姓名曰张文礼，尽灭王氏之族。独置昭祚之妻普宁公主[265]，以自托于梁[266]。

三月，吴人归吴越王镠从弟龙武统军[267]镒[268]于钱唐，镠亦归吴将李涛于广陵。徐温以涛为右雄武统军[269]，镠以镒为镇海节度副使。

张文礼遣使告乱[270]于晋王，且奉笺劝进，因求节钺[271]。晋王方置酒作乐，闻之，投杯悲泣，欲讨之。僚佐以为："文礼罪诚大，然吾方与梁争，不可更立敌于肘腋[272]。宜且从其请以安之。"王不得已，夏，四月，遣节度判官卢质[273]承制授文礼成德留后。

陈州[274]刺史惠王友能[275]反，举兵趣大梁。诏陕州[276]留后霍彦威、宣义节度使王彦章、控鹤指挥使[277]张汉杰[278]将兵讨之。友能至陈留[279]，兵败，走还陈州[280]。诸军围之。

五月丙戌朔[281]，改元[282]。

初，刘鄩与朱友谦为婚。鄩之受诏讨友谦也，至陕州，先遣使移书，谕以祸福[283]。待之月余，友谦不从，然后进兵。尹皓、段凝素忌鄩，因谮[284]之于帝曰："鄩逗遛养寇，俾俟援兵[285]。"帝信之。鄩既败归，以疾请解兵柄，诏听于西都[286]就医，密令留守张宗奭鸩之[287]。丁亥[288]，卒。

六月乙卯朔[289]，日有食之。

秋，七月，惠王友能降。庚子[290]，诏赦其死，降封房陵侯。

晋王既许藩镇之请，求唐旧臣，欲以备[291]百官。朱友谦遣前礼部

刚好这时各部队都得到了赏赐，赵王对自己的亲兵杀了石希蒙这件事依然十分生气，因此独独没有把赏赐及时给他们发下来，大家更加感到恐惧了。王德明素来怀有谋叛之心，他利用大家感到恐惧之机而刺激他们说：“大王命令我把你们这些人全部坑杀。我觉得你们并没有罪却要丢掉性命，想服从大王的命令却又不忍心。但不杀你们，我又得罪了大王。这该怎么办呢？”大家听了他的话都心怀感激而流下了眼泪。这天晚上，亲兵中有人住在潭城的西门，他们聚在一起喝酒并进行谋划。酒喝到兴头上，当中有骁勇壮健的人说：“我们都明白王太保的意思，今晚可以决定能否富贵了！”说完他们就翻越城墙进入城内。这时赵王正在府内烧香接受符箓，两个人进去砍下了他的脑袋后退了出来，接着放火烧了王府。军校张友顺率领大家来到王德明的宅第，请求他担任节度留后。王德明恢复了他原先的姓名叫张文礼，把王氏家族全都灭了。唯独留下王昭祚的妻子普宁公主，为的是使自己在梁朝有所依托。

三月，吴国把吴越王钱镠的堂弟龙武统军钱镒送回钱唐，钱镠也把吴国将领李涛送回广陵。徐温任命李涛为右雄武统军，钱镠任命钱镒为镇海节度副使。

张文礼派使者向晋王报告发生变乱的情况，并且奉表劝晋王称帝，乘机请求晋王授予他符节和斧钺。晋王当时正设宴饮酒演奏音乐，听到这消息后，扔掉酒杯悲痛地哭了起来，准备兴兵讨伐张文礼。左右僚属们都认为：“张文礼罪恶确实大，然而我们晋国正与梁朝相对抗，不能在自己的附近再树立一个敌人，应该暂且答应他的请求以安抚他。”晋王不得已，夏，四月，派节度判官卢质以秉承唐朝天子旨意的名义任命张文礼为成德节度留后。

陈州刺史惠王朱友能反叛，兴兵直逼大梁。梁末帝下诏书命令陕州留后霍彦威、宣义节度使王彦章、控鹤指挥使张汉杰率军前往讨伐。朱友能率军到达陈留后，被打败，于是逃回陈州。各路讨伐大军随即包围了陈州。

五月初一日丙戌，梁末帝改年号为龙德。

当初，刘鄩与朱友谦有姻亲关系。后来刘鄩奉诏讨伐朱友谦的时候，部队到达陕州，刘鄩先派使者带信给朱友谦，向他讲明利害祸福。等了一个多月，朱友谦没有听从他的劝告，然后刘鄩进兵。尹皓、段凝一向忌恨刘鄩，乘机向梁末帝毁谤他说：“刘鄩逗留不进是在姑息纵容乱臣贼子，让他们有时间等待援兵的到来。”梁末帝听信了他们的谗言。刘鄩战败回来后，以有病为理由请求解除兵权，梁末帝下诏书准许他到西都洛阳就医，暗地里命令西都留守张宗奭用毒酒把他害死。初二日丁亥，刘鄩死去。

六月初一日乙卯，发生日食。

秋，七月，惠王朱友能投降。十七日庚子，梁末帝下诏赦免朱友能死罪，把他降为房陵侯。

晋王答应藩镇要他称帝的请求之后，就开始访求唐朝的旧臣，准备将来充任朝

尚书苏循诣行台。循至魏州，入牙城，望府廨即拜，谓之拜殿。见王呼万岁舞蹈，泣而称臣。翌日，又献大笔三十枚，谓之“画日笔[292]”。王大喜，即命循以本官为河东节度副使。张承业深恶之。

张文礼虽受晋命[293]，内不自安[294]，复遣间使因卢文进求援于契丹。又遣间使来告曰：“王氏为乱兵所屠，公主无恙[295]。今臣已北召契丹，乞朝廷发精甲[296]万人相助，自德、棣[297]渡河，则晋人遁逃不暇[298]矣。”帝疑未决。敬翔曰：“陛下不乘此衅[299]以复河北，则晋人不可复破矣。宜徇[300]其请，不可失也！”赵、张辈[301]皆曰：“今强寇近在河上，尽吾兵力以拒之，犹惧不支，何暇[302]分万人以救张文礼乎！且文礼坐持两端[303]，欲以自固，于我何利焉！”帝乃止。

【段旨】

以上为第十段，写张文礼杀赵王镕，叛晋附梁，梁末帝不趁机取河北，又忌杀良将刘鄩，再次自毁长城，梁之亡不可救药。

【注释】

㉛顺义：吴杨溥第二个年号。㉜骄愎：骄纵而执拗。㉝向时：过去；从前。㉞聚泣偶语：聚在一起哭泣，相对私语。㉟未知所之：不知道到哪里去才好。㊱忿：恼怒。㊲独不时与：独独没有按时给予赏赐。㊳王德明：即张文礼。因其为王镕义子而改姓名为王德明。㊴并命：指一时均处死。㊵感泣：内心感激而流下热泪。㊶是夕：当晚。㊷识：知道；理解。指鼓励他们作乱。㊸王太保：指王德明。㊹受箓：接受道教的符箓。㊺普宁公主：梁太祖朱温之女，嫁王昭祚。㊻自托于梁：使自己在梁朝有所依托。㊼龙武统军：官名，吴越国禁卫军统领官。㊽镒：钱镒，钱镠堂弟，官镇海军节度副使。传见《十国春秋》卷八十三。㊾右雄武统军：官名，吴禁卫军统兵官。㊿告乱：报告亲军作乱的情况。[271]节钺：符节和斧钺。节度使权力的标志。[272]肘腋：胳膊肘与腋窝。喻近身处。[273]卢质（公元八七一至九四二年）：字子征，河南人，官至右仆射。传见《旧五代

廷百官。朱友谦派前礼部尚书苏循前往晋王的行台。苏循到了魏州，进入牙城，看到行台官府就拜了起来，称这是拜殿。看到晋王就高呼万岁、手舞足蹈，激动得流下眼泪而自称臣下。第二天，苏循又献上三十管大笔，称之为“画日笔”。晋王大喜，当即命苏循以原礼部尚书的身份担任河东节度副使。张承业对苏循非常厌恶。

张文礼虽然接受了晋王的任命，内心却惶恐不安，于是又派密使通过卢文进向契丹求援。同时派密使告诉梁朝说：“王氏被乱兵所杀，但普宁公主安然无恙。如今臣下我已经从北面召来了契丹人，在此也恳请朝廷调发一万名精兵前来相助，从德州、棣州一线渡过黄河，那么晋军要逃都来不及了。”梁末帝犹豫不决。敬翔说：“陛下如果不趁此机会收复黄河以北地区，那么晋人就不可能再被打败了。最好答应他的请求，机不可失啊！”赵岩、张汉杰等人却都说：“现在强敌逼近，就在黄河边上，派出我们全部兵力来抵抗他们，尚且担心难以支持，哪里还有闲工夫分出一万人马去救张文礼呢！况且张文礼在梁、晋之间态度摇摆观望，他请求我们出兵是想借此稳固自己的势力，对于我们又有什么好处呢?”梁末帝于是作罢。

史》卷九十三、《新五代史》卷五十六。㉗④陈州：州名，治所宛丘，在今河南周口市淮阳区。㉗⑤友能：朱友能，朱全昱子。传见《旧五代史》卷十二、《新五代史》卷十三。㉗⑥陕州：州名，治所今河南三门峡市陕州区。㉗⑦控鹤指挥使：官名，禁卫军统领官。㉗⑧张汉杰：张归霸子。传见《旧五代史》卷十六、《新五代史》卷二十二。㉗⑨陈留：在今河南开封东南陈留城。㉘⓪走还陈州：指朱友能从陈留逃回陈州。走，逃跑。㉘①丙戌朔：五月初一日。㉘②改元：后梁末帝朱瑱改元龙德，为第三个年号。㉘③谕以祸福：将叛乱的利害关系告诉他，希望他归降。㉘④谮：进谗言挑拨离间。尹皓、段凝与刘鄩同攻朱友谦，尹、段二人忌鄩之能，鄩遇晋兵又打了败仗，于是两人进谗言。㉘⑤俾俟援兵：使朱友谦有时间等待援兵。援兵，指晋军。㉘⑥西都：洛阳。㉘⑦鸩之：用毒酒药死他。㉘⑧丁亥：五月初二日。㉘⑨乙卯朔：六月初一日。㉙⓪庚子：七月十七日。㉙①备：备位。㉙②画日笔：唐制敕皆天子画日，其笔称“画日笔”。苏循迎合李存勖称帝心理，故以此为名。㉙③受晋命：接受晋王的任命。㉙④内不自安：心里内疚而惶恐不安。㉙⑤无恙：平安。㉙⑥精甲：精兵。甲，指代兵。㉙⑦德、棣：二州名。德州，治所在今山东德州。棣州，治所在今山东惠民东南。㉙⑧不暇：没有空余的时间。㉙⑨衅：破绽；间隙。㉚⓪徇：顺从。㉚①赵、张辈：指赵岩、张汉杰等末帝的幸臣。㉚②何暇：哪有空余时间。㉚③坐持两端：脚踏两条船，持观望态度。

【原文】

晋人屡于塞上及河津获文礼蜡丸绢书[304]，晋王皆遣使归之，文礼惭惧[305]。文礼忌赵故将，多所诛灭。符习将赵兵万人从晋王在德胜，文礼请召归，以他将代之，且以习子蒙为都督府参军[306]，遣人赍钱帛劳行营将士以悦之。习见晋王，泣涕请留。晋王曰："吾与赵王同盟讨贼，义犹骨肉。不意一旦祸生肘腋，吾诚痛之。汝苟不忘旧君，能为之复仇乎？吾以兵粮助汝。"习与部将三十余人举身投地[307]，恸哭曰："故使[308]授习等剑，使之攘除寇敌。自闻变故以来，冤愤无诉，欲引剑自刭[309]，顾[310]无益于死者。今大王念故使辅佐之勤[311]，许之复冤，习等不敢烦霸府[312]之兵，愿以所部径前搏取凶竖[313]，以报王氏累世之恩，死不恨矣！"

八月庚申[314]，晋王以习为成德[315]留后，又命天平节度使阎宝、相州刺史史建瑭[316]将兵助之，自邢洺而北。文礼先病腹疽。甲子[317]，晋兵拔赵州[318]，刺史王铤[319]降，晋王复以为刺史。文礼闻之，惊惧而卒。其子处瑾[320]秘不发丧，与其党韩正时谋悉力拒晋。九月，晋兵渡滹沱[321]，围镇州，决漕渠以灌之，获其深州刺史张友顺。壬辰[322]，史建瑭中流矢卒。

晋王欲自分兵攻镇州，北面招讨使戴思远[323]闻之，谋悉杨村之众袭德胜北城。晋王得梁降者，知之。冬，十月己未[324]，晋王命李嗣源伏兵于戚城[325]，李存审屯德胜，先以骑兵诱之，伪示羸怯[326]。梁兵竞进，晋王严中军以待之。梁兵至，晋王以铁骑三千奋击，梁兵大败。思远走趣杨村，士卒为晋兵所杀伤及自相蹈藉、坠河陷冰，失亡二万余人。晋王以李嗣源为蕃汉内外马步副总管、同平章事。

初，义武[327]节度使兼中书令王处直未有子。妖人李应之得小儿刘云郎于陉邑[328]，以遗处直曰："是儿有贵相。"使养为子，名之曰都[329]。及壮，便佞多诈[330]，处直爱之，置新军，使典[331]之。处直有孽子郁[332]，

【语译】

晋王的人多次在边境地区和黄河渡口截获张文礼写给契丹和梁朝的用蜡丸密封的绢书，晋王都派使者把这些书信送回给张文礼，张文礼感到既惭愧又十分害怕。张文礼嫉恨赵王原来的将领，被他诛杀的将领很多。符习率领一万名赵国士兵跟随晋王驻扎在德胜城，张文礼请求把他召回来，派别的将领代替他，并且任命符习的儿子符蒙为都督府参军，还派人带着钱财、丝帛到行营慰劳将士，以博得他们的欢心。符习见到晋王，哭着请求让自己留下来。晋王对他说："我与赵王结成同盟共同讨伐逆贼，我们的情义如同骨肉。没想到一下子在身边出现了祸患，我内心十分哀痛。你如果不忘旧君，能够替他报仇吗？我在兵马粮饷上帮助你。"符习和部将三十多人起身拜伏在地，十分悲恸地哭着说："故使赵王授给我符习等人宝剑，让我们驱除敌寇。自从听到发生变故以来，我们的冤仇和愤怒无处诉说，本想举剑自刎，又想到这样做对死去的人并没有什么帮助。如今大王念及故使以前的辅佐之功，答应为他报仇，我符习等人不敢劳烦尊军府的兵马，愿意只率领我们的部属径直前去捉拿那个凶恶的小人，以报答王氏历代对我们的大恩，就是死了也没有什么可遗憾的了！"

八月初七日庚申，晋王任命符习为成德节度留后，又命令天平节度使阎宝、相州刺史史建瑭率军帮助他，自邢州、洺州向北进发。此前张文礼肚子上长了个毒疮。十一日甲子，晋军攻克赵州，赵州刺史王铤投降，晋王仍让他担任刺史。张文礼听到这些消息后，惊怕而死。他的儿子张处瑾隐瞒死讯不发丧，和他的党羽韩正时谋划如何全力抵抗晋军。九月，晋军渡过滹沱河，包围镇州，挖开漕渠用水灌城，俘虏了深州刺史张友顺。初十日壬辰，史建瑭被流矢射中身亡。

晋王想分出一部分兵力由自己率领前去攻打镇州，梁朝北面招讨使戴思远闻讯后，就谋划出动杨村的全部兵力袭击德胜北城。晋王得到梁军中前来投降的人，从他口中知道了这件事。冬，十月初七日己未，晋王命令李嗣源在戚城埋伏下部队，李存审率军驻扎在德胜城，先派骑兵去引诱梁军，装出虚弱和胆怯的样子。梁军见状都争着往前冲，晋王率领中军严阵以待。等到梁军冲到，晋王出动三千名铁骑奋力击杀，梁军大败。戴思远逃往杨村，梁军士兵被晋军所杀伤的以及自相践踏或掉进河里陷入冰中伤亡的，共计损失两万多人。晋王任命李嗣源为蕃汉内外马步副总管、同平章事。

当初，义武节度使兼中书令王处直没有儿子。妖人李应之在陉邑得到一个小男孩刘云郎，把他送给了王处直，说："这个孩子有贵人之相。"让王处直收养为义子，起名叫王都。王都长大以后，善于用花言巧语谄媚别人，又很奸诈，王处直很喜爱他，设置了一支新军，让他来掌管。王处直还有一个庶出的儿子叫王郁，不受王处

无宠，奔晋。晋王克用以女妻之，累迁至新州㉝团练使。余子皆幼。处直以都为节度副大使，欲以为嗣。

及晋王存勖讨张文礼，处直以平日镇、定相为唇齿，恐镇亡而定孤。固谏，以为方御梁寇，且宜[9]赦文礼。晋王答以文礼弑君，义不可赦，又潜引梁兵，恐于易、定㉞亦不利。处直患之，以新州地邻契丹，乃潜遣人语郁，使赂契丹，召令犯塞，务以解镇州之围。其将佐多谏，不听。郁素疾都冒继其宗，乃邀㉟处直求为嗣，处直许之。

军府㊱之人皆不欲召契丹，都亦虑郁夺其处，乃阴与书吏和昭训谋劫㊲处直。会处直与张文礼使者[10]宴于城东，暮归，都以新军数百伏于府第，大噪劫之，曰："将士不欲以城召契丹，请令公㊳归西第。"乃并其妻妾幽之西第㊴，尽杀处直子孙在中山及将佐之为处直腹心者。都自为留后，具以状白晋王㊵。晋王因以都代处直。

【段旨】

以上为第十一段，写晋王兵伐张文礼，义武节度使王处直招引契丹以援张文礼，为部属所废。

【注释】

㉚④蜡丸绢书：用绢帛书写、蜡封成丸的密信。㉚⑤惭惧：惭愧而害怕。㉚⑥都督府参军：官名，都督府的属官，佐理府事，参谋军务。㉚⑦举身投地：起身拜伏于地。投地，跪拜在地上。㉚⑧故使：原镇州武顺军节度使，指王镕。因其已死，所以称故使。㉚⑨自刭：自杀。㉛⓪顾：转而一想。㉛①辅佐之勤：指王镕派兵协助李存勖。㉛②霸府：指李存勖在魏州的行台。㉛③凶竖：凶恶的家伙，指张文礼。㉛④庚申：八月初七日。㉛⑤成德：方镇名，即张文礼所据恒州武顺军节度。唐代宗宝应元年（公元七六二年）置成德军节度使，治所恒州。因避朱全忠父朱诚讳而改名武顺节度，今复其旧名。㉛⑥史建瑭（公元八七六至九二一年）：字国宝，雁门（今山西代县）人，以父荫任军职，积功至相州刺史。传见《旧五代史》卷五十五、《新五代史》卷二十五。㉛⑦甲子：八月十一日。㉛⑧赵州：州名，为

直宠爱，逃往晋国。晋王李克用把女儿嫁给了他，累升至新州团练使。王处直的其他儿子都还年幼。王处直就任命王都为节度副大使，准备把他当作自己的继承人。

等到晋王李存勖讨伐张文礼，王处直因为平时镇州、定州唇齿相依，害怕镇州灭亡之后定州势孤力单。所以一再劝谏晋王，认为眼下正在抵御梁朝这个敌人，并且应该赦免张文礼。晋王回答他，张文礼有弑君之罪，依理绝不可赦免，张文礼又暗中勾引梁军，恐怕对易州、定州也不利。王处直一直对这件事十分担心，考虑到新州在地域上与契丹相邻，于是秘密派人去告诉王郁，让他去贿赂契丹，叫契丹人来侵犯晋国边境，一定要设法解救镇州之围。王处直的部将佐吏很多人都劝谏他不能这么做，王处直不听。王郁素来嫉恨王都冒充儿子继承本宗，于是乘机要挟王处直要把他立为继承人，王处直答应了。

军府的人都不希望招引契丹人，王都也顾虑王郁会夺取他的位置，于是暗中与书吏和昭训密谋劫持王处直。适逢有一天王处直和张文礼的使者在城东饮宴，傍晚才回来，王都把他所统领的几百名新军士兵埋伏在王处直的府第，大声叫嚷着冲出来劫持了王处直，并对他说："将士们都不希望以城招引契丹人，请令公回西院居住。"于是连同他的妻妾一并幽禁在西院，把王处直在中山的子孙以及将领佐吏中王处直的心腹全部杀了。王都自称为节度留后，并把这些情况详细报告了晋王。晋王于是就任命王都代替王处直原有的职位。

成德节度巡属。治所平棘，在今河北赵县。⑲王铤：后唐赵州刺史。⑳处瑾（？至公元九二二年）：张文礼长子。传附《旧五代史》卷六十二《张文礼传》。㉑滹沱：滹沱河，在今河北西部。㉒壬辰：九月初十日。㉓戴思远（？至公元九三五年）：初事梁朱温，以武勇知名，累迁天平军节度使。后降后唐，授洋州节度使。传见《旧五代史》卷六十四。㉔己未：十月初七日。㉕戚城：地名，在今河南濮阳。㉖羸怯：瘦弱怯懦。此指胆怯。㉗义武：方镇名，唐德宗建中三年（公元七八二年）置义武军，治所定州，在今河北定州。㉘陉邑：西汉苦陉县，唐改陉邑县，属定州，在今河北无极东北。㉙都：王都，本姓刘，小字云郎。为王处直养子，夺处直位。传见《旧五代史》卷五十四。㉚便佞多诈：善以言辞取媚于人，奸诈狡猾。㉛典：掌管；统率。㉜郁：王郁，王处直妾所生子。胡三省曰："王郁虽不能解镇州之围，而亦能为契丹乡导以寇晋。"㉝新州：州名，故治在今河北涿鹿。㉞易、定：易州和定州。㉟邀：邀，通"要"。要挟。㊱军府：王处直义武军节度使府。㊲劫：劫持。㊳令公：指称王处直。㊴幽之西第：囚禁在西边的宅子里。官府房舍以东为上，西边则为养闲之地。幽，囚禁。㊵具以状白晋王：将详细的情况写成申状告诉李存勖。白，告诉。

【校记】

[9]且宜：原作“宜且”。据章钰校，十二行本、乙十一行本、孔天胤本此二字皆互乙，今据改。[10]使者：原无此二字。据章钰校，十二行本、乙十一行本、孔天胤本皆有此二字，张敦仁《通鉴刊本识误》同，今据补。

【原文】

吴徐温劝吴王祀南郊㉞¹。或曰㉞²：“礼乐未备㉞³，且唐祀南郊，其费巨万，今未能办也。”温曰：“安有㉞⁴王者㉞⁵而不事天乎！吾闻事天贵诚㉞⁶，多费何为㉞⁷！唐每郊祀，启南门，灌其枢㉞⁸，用脂百斛㉞⁹。此乃季世㉟⁰奢泰之弊㉟¹，又安足法乎㉟²！”甲子㉟³，吴王祀南郊，配以太祖㉟⁴。乙丑㉟⁵，大赦。加徐知诰同平章事，领江州观察使。寻以江州为奉化军㉟⁶，以知诰领节度使。

徐温闻寿州团练使崔太初㉟⁷苛察㉟⁸，失民心，欲征㉟⁹之。徐知诰曰：“寿州边隅㊱⁰大镇，征之恐为变，不若使其[11]入朝，因留之。”温怒曰：“一崔太初不能制，如他人何！”征为右雄武大将军。

十一月，晋王使李存审、李嗣源守德胜，自将兵攻镇州。张处瑾遣其弟处琪㊱¹、幕僚齐俭谢罪请服，晋王不许。尽锐攻之㊱²，旬日不克。处瑾使韩正时将千骑突围出，趣㊱³定州，欲求救于王处直。晋兵追至行唐，斩之。

契丹主既许卢文进出兵，王郁又说之曰：“镇州美女如云，金帛如山，天皇王速往，则皆己物也。不然，为晋王所有矣。”契丹主以为然，悉发所有之众而南。述律后谏曰：“吾有西楼㊱⁴羊马之富，其乐不可胜穷㊱⁵也，何必劳师远出以乘危徼利㊱⁶乎！吾闻晋王用兵，天下莫敌，脱㊱⁷有危败，悔之何及！”契丹主不听。十二月辛未㊱⁸，攻幽州㊱⁹，李绍宏㊲⁰婴城自守㊲¹。契丹长驱而南，围涿州㊲²，旬日拔之，擒刺史李嗣弼，进寇[12]定州。王都告急于晋，晋王自镇州将亲军五千救之，遣神武都指挥使㊲³王思同将兵戍狼山㊲⁴之南以拒之。

【语译】

吴国徐温劝说吴王到南郊去祭天。有人说："现在礼乐方面还没有准备好，况且过去唐朝在南郊祭天，耗费巨大，我们现在也没有能力办到。"徐温说："哪有王者不祭祀上天的！我听说祭祀上天贵在心诚，花费很多干什么！唐朝每次到南郊祭天，打开南门，都要用一百斛油脂灌在门臼里。这都是末世奢侈的流弊，又哪里值得效法呢！"十月十二日甲子，吴王在京城南郊祭天，以太祖配享。十三日乙丑，实行大赦。加封徐知诰为同平章事，兼领江州观察使。不久又把江州改为奉化军，任命徐知诰兼领节度使。

徐温听说寿州团练使崔太初为官过于苛刻细察，失去了民心，准备征调他。徐知诰说："寿州是边境大镇，征调他恐怕会引起变故，不如让他入京朝见，就势把他留下来。"徐温十分生气地说："一个崔太初都不能控制，对其他人又怎么办！"于是征调崔太初为右雄武大将军。

十一月，晋王让李存审、李嗣源镇守德胜城，自己率军去攻打镇州。张处瑾派他的弟弟张处琪、幕僚齐俭向晋王谢罪并请求归服，晋王不答应。出动全部精锐攻打镇州，但十来天也没有攻下来。张处瑾派韩正时率领一千名骑兵突出重围，奔赴定州，打算向王处直求救。晋兵追逐他们直到行唐，斩杀了韩正时等。

契丹主已经答应卢文进要出兵了，王郁又向他游说说："镇州美女如云，金银布帛，堆积如山，天皇王如果去得快，那么这些就都是你的东西。否则的话，这些可都归晋王所有了。"契丹主觉得这话有理，于是征调了所有人马南下。述律皇后劝他说："我们拥有西楼盛产羊马的富饶，已经是其乐无穷了，何必要劳师远征去冒险求利呢！我听说晋王用兵，天下无人能敌，我们万一有什么危险和失败，后悔哪里来得及！"契丹主不听。十二月二十日辛未，契丹军进攻幽州，晋将李绍宏据城防守。契丹军又长驱南下，围攻涿州，十来天攻了下来，擒获刺史李嗣弼，进犯定州。王都向晋王告急，晋王从镇州率领五千名亲军救援王都，派神武都指挥使王思同率军戍守在狼山南坡以抵御契丹军。

高季昌遣都指挥使倪可福[375]以卒万人修江陵外郭。季昌行视，责功程之慢，杖之。季昌女为可福子知进妇，季昌谓其女曰："归语汝舅[376]，吾欲威众[377]办事耳。"以白金数百两遗之。

是岁，汉以尚书左丞倪曙[378][13]同平章事。

辰、溆州[14]蛮[379]侵楚，楚宁远[380]节度副使姚彦章[381]讨平之。

【段旨】

以上为第十二段，写吴祀南郊，契丹南侵河北。

【注释】

㉛祀南郊：在都城南面郊区行祭天大礼。㉜或曰：有人说。㉝礼乐未备：祭天的礼器、乐器以及相关人员还没有准备好。㉞安有：哪有；岂有。㉟王者：称王的人。㊱事天贵诚：祭天重在至诚，不在于排场。㊲多费何为：花费很多干什么。㊳枢：门臼。㊴用脂百斛：用一百斛油脂。用油脂浇门臼，使润滑易转，开门无声。㊵季世：末代。㊶奢泰之弊：奢侈浪费的弊病。㊷安足法乎：哪里值得效法呢。足，足以、值得。㊸甲子：十月十二日。㊹配以太祖：用太祖杨行密配享。配，配享。吴王礼尊其父，因而祭天时祔祭。㊺乙丑：十月十三日。㊻奉化军：方镇名，吴升江州为奉化军，在今江西九江。以徐知诰为节度使。㊼崔太初：为官以诛求苛察为事。传见《十国春秋》卷九。㊽苛察：苛刻细察。㊾征：召。召回王都扬州。㊿边隅：边疆。[361]处琪（？至公元九二二年）：张文礼三子。传附《旧五代史》卷六十二《张文礼传》。[362]尽锐攻之：尽起精锐，全力攻打。[363]趣：通"趋"，奔向。[364]西楼：指契丹上京。契丹以其所居为上京，起楼其间，号西楼。[365]胜穷：穷尽。[366]乘危徼利：冒险求利。[367]脱：倘若；假使。[368]辛未：十二月二十日。[369]幽州：州名，治所蓟县，在今天津西南。[370]李绍宏：宦官，本姓马，唐庄宗赐

【原文】

二年（壬午，公元九二二年）

春，正月壬午朔[382]，王都省王处直于西第。处直奋拳殴其胸，曰："逆贼，我何负于汝！"既无兵刃，将噬[383]其鼻，都掣袂[384]获免。未几，处直忧愤而卒。

高季昌派都指挥使倪可福率领一万名士卒修筑江陵外城。高季昌巡视工地时，责备工程完成得太慢，就用棍子打了他一顿。高季昌的女儿是倪可福儿子倪知进的妻子，高季昌对自己的女儿说："回去告诉你公公，我只是想在部众中树立威严，让工程早日完成而已。"并且给了数百两银子让她带回去。

这一年，汉国任命尚书左丞倪曙为同平章事。

辰州、溆州的蛮族入侵楚国，楚国宁远节度副使姚彦章率军讨伐平定了他们。

姓李，官至后唐枢密使。传见《旧五代史》卷七十二。㉛371 婴城自守：环城固守。372 涿州：州名，治所范阳，在今河北涿州。373 神武都指挥使：官名，禁卫军的统领官。374 狼山：地名，胡三省注云在定州西北二百里。375 倪可福：筑寸金堤激水，捍蜀有功，又修江陵外城，官至荆南都指挥使。传见《十国春秋》卷一百二。376 汝舅：你的公公。377 威众：在群众中建立威信。378 倪曙：字孟曦，福建侯官（今福建福州）人，好诗赋。传见《十国春秋》卷六十二。379 辰、溆州蛮：居住在今湖南辰溪、溆浦等县的少数民族。380 宁远：方镇名，后梁开平初已有宁远节度使。南汉升容州为宁远军节度，治所容州，在今广西壮族自治区容县。381 姚彦章：汝南（今河南上蔡）人，官至楚左丞相。传见《十国春秋》卷七十二。

【校记】

[11] 其：原作"之"。据章钰校，十二行本、乙十一行本、孔天胤本皆作"其"，今据改。[12] 进寇：原作"进攻"。据章钰校，十二行本、乙十一行本、孔天胤本皆作"进寇"，今据改。[13] 倪曙：原作"倪曙"。据章钰校，十二行本、乙十一行本、孔天胤本皆作"倪曙"，《新五代史·南汉世家》同，今据改。[14] 州：原无此字。据章钰校，十二行本、乙十一行本、孔天胤本皆有此字，张敦仁《通鉴刊本识误》同，今据补。

【语译】

二年（壬午，公元九二二年）

春，正月初一日壬午，王都到西院去看望王处直。王处直挥起拳头朝王都的胸部打去，说："逆贼！我有什么对不起你的！"王处直手中没有兵器，准备去咬王都的鼻子，王都扯断衣袖才得以幸免。没过多久，王处直就忧愤而死。

甲午[385]，晋王至新城[386]南。候骑[387]白契丹前锋宿新乐[388]，涉沙河[389]而南。将士皆失色，士卒有亡去者，主将斩之不能止。诸将皆曰：“虏倾国而来，吾众寡不敌。又闻梁寇内侵，宜且还师魏州以救根本[390]，或请释镇州之围，西入井陉避之。”晋王犹豫未决[391]。中门使[15]郭崇韬曰：“契丹为王郁所诱，本利[392]货财而来，非能救镇州之急难也。王新破梁兵，威振夷夏[393]。契丹闻王至，心沮气索[394]。苟挫其前锋，遁走必矣。”李嗣昭自潞州[395]至，亦曰：“今强敌在前，吾有进无退，不可轻动以摇人心。”晋王曰：“帝王之兴，自有天命，契丹其如我何！吾以数万之众平定山东[396]，今遇此小虏而避之，何面目以临四海！”乃自帅铁骑五千先进。至新城北，半出桑林。契丹万余骑见之，惊走。晋王分军为二逐之，行数十里，获契丹主之子。时沙河桥狭冰薄，契丹陷溺死者甚众。是夕，晋王宿新乐。契丹主车帐[397]在定州城下，败兵至，契丹举众退保望都[398]。晋王至定州，王都迎谒于马前，宴于府第[16]，请以爱女妻王子继岌[399]。

戊戌[400]，晋王引兵趣望都，契丹逆战。晋王以亲军千骑先进，遇奚酋秃馁五千骑，为其所围。晋王力战，出入数四，自午至申不解[401]。李嗣昭闻之，引三百骑横击[402]之，虏退，王乃得出。因纵兵奋击[403]，契丹大败，逐北[404]至易州[405]。会大雪弥旬[406]，平地数尺，契丹人马无食，死者相属[407]于道。契丹主举手指天，谓卢文进曰：“天未令我至此。”乃北归。晋王引兵蹑之[408]，随其行止，见其野宿之所[409]，布藁于地[410]，回环方正，皆如编翦[411]，虽去，无一枝乱者，叹曰：“虏用法严乃能如是，中国所不及也。”晋王至幽州，使二百骑蹑契丹之后，曰：“虏出境即还。”骑恃勇追击之，悉为所擒，惟两骑自他道走免[412]。契丹主责王郁，縶[413]之以归。自是不听其谋。

晋代州[414]刺史李嗣肱[415]将兵定妫[416]、儒[417]、武[418]等州，授山北[419]都团练使。

晋王之北攻镇州也，李存审谓李嗣源曰：“梁人闻我在南兵少，不

正月十三日甲午，晋王到达新城之南。担任侦察的骑兵报告说契丹军的前锋在新乐宿营，准备渡过沙河南进。将士们听到这一消息吓得脸色都变了，士兵中有人逃走，主将杀了一些逃兵仍然不能阻止。将领们都说：“敌人出动国内全部兵力前来，我们寡不敌众。又听说梁军也入侵了，我们最好把军队调回魏州以解救根基，或者请解除对镇州的包围，向西进入井陉以避开敌人。”晋王听了犹豫不决。中门使郭崇韬说：“契丹人被王郁所诱使，本是因贪图财物而来，并不是真能解救镇州的急难。大王新近击败梁军，声威震动夷、夏各国。契丹人一听说大王来了，心情沮丧、士气尽丧。如果能挫败他们的前锋，他们就一定会逃走了。”这时李嗣昭从潞州赶来，也说：“如今强敌在前，我们有进无退，不能轻举妄动而动摇人心。”晋王说：“帝王的兴起，自有天命，契丹人能把我怎么样！我率数万之众平定山东，现在遇到这样一批小小的敌人就要避开他，将来还有什么脸面去威临四海！”于是亲自率领五千名铁骑率先进发。到了新城的北面，一半军队刚走出桑林。契丹军一万多名骑兵看到了他们，都吓得逃走了。晋王兵分两路追击他们，追了几十里，擒获契丹主的儿子。当时沙河上桥很狭窄，河面冰又薄，契丹人马掉在河里淹死的很多。这天晚上，晋王在新乐宿营。契丹主的车帐在定州城下，败兵到来后，契丹军率全体部众退守望都。晋王到达定州，王郁在马前迎候谒见，又在府第设宴款待，并请求把自己的爱女嫁给晋王的儿子李继岌。

正月十七日戊戌，晋王率军赶往望都，契丹军迎战。晋王率一千名亲军骑兵首先推前，遭遇奚族酋长秃馁带领的五千名骑兵，被他们包围。晋王奋战，出入敌阵好几次，从午时一直打到申时都没有解脱。李嗣昭得知情况后，带领三百名骑兵从侧翼攻击敌军，秃馁的骑兵撤退，晋王才得以冲出重围。于是晋军发动进攻，奋力拼杀，契丹军大败，晋军追赶败兵到达易州。碰上连续十天大雪，平地积雪深达数尺，契丹军的人马得不到粮草，一路上接连不断有人死去。契丹主举起手指着天，对卢文进说：“是老天不让我到这里来。”于是向北撤回。晋王率军紧跟其后，契丹人行进晋军也行进，契丹人宿营晋军也宿营，晋王看到契丹人野外宿营的地方，在地上铺了秸秆，一圈套一圈，摆得方方正正，都像编织剪裁过的一样，人虽然离开了，地上铺的秸秆却没有一根乱的，看到这情景晋王感叹道：“契丹人执法严格，才能这样，这是中原地区的军队所不如的。”晋王到达幽州后，派出二百名骑兵尾随在契丹军的后面，对他们说：“敌人出了边境你们就回来。”这些骑兵仗着血气之勇追上去发动攻击，结果全都被契丹军俘虏，只有两名骑兵从别的道上逃走才没有被抓着。契丹主怪罪王郁，把他绑起来带了回去，从此以后再也不听他的主意了。

晋国代州刺史李嗣肱率军平定了妫州、儒州、武州等地，被授予山北都团练使之职。

晋王北上攻打镇州的时候，李存审对李嗣源说：“梁军得知我们在南方的兵力减

攻德胜，必袭魏州。吾二人聚于此何为⑳！不若分军备之。”遂分军屯澶州。戴思远果悉杨村之众趣魏州。嗣源引兵先之，军于狄公祠㉑下，遣人告魏州，使为之备。思远至魏店，嗣源遣其将石万全将骑兵挑战。思远知有备，乃西渡洹水㉒，拔成安㉓，大掠而还。又将兵五万攻德胜北城，重堑复垒㉔，断其出入，昼夜急攻之。李存审悉力拒守。晋王闻德胜势危，二月，自幽州赴之，五日至魏州。思远闻之，烧营遁还㉕杨村。

【段旨】

以上为第十三段，写晋王大破契丹于镇州，梁兵乘虚袭魏州败还。

【注释】

㊇壬午朔：正月初一日。㊈噬：咬。㊉掣袂：扯断衣袖。㊊甲午：正月十三日。㊋新城：县名，县治无极，在今河北无极。㊌候骑：侦察骑兵。㊍新乐：县名，县治在今河北新乐。㊎沙河：在今河北境内。潴龙河、滏阳河、温榆河的上游都称沙河。㊏根本：树木的根干。喻腹心之地，即根基、根据地。㊐犹豫未决：拿不定主意；下不了决心。㊑利：贪。㊒夷夏：夷泛指周边的少数民族，夏指中原汉族。㊓心沮气索：心情沮丧，气势丧尽。㊔潞州：州名，治所上党，在今山西长治。㊕山东：古代泛指太行山、常山以东中原地区。此指河北之地。㊖车帐：契丹主乘奚车，用毡帐覆盖，寝处其中。㊗望都：县名，县治在今河北望都。㊘继岌（？至公元九二五年）：李存勖第三子。同光三年（公元九二五年）九月二十三日封魏王。伐蜀回师，至渭南，闻庄宗死，自缢死。传见《旧五代史》卷五十一、《新五代史》卷十四。㊙戊戌：正月十七日。㊚自午至申不解：从上午十一时战至下午五时尚未解脱。㊛横击：从侧面冲击敌人。㊜纵兵奋

【原文】

蜀主好为微行㉖，酒肆㉗、倡家㉘，靡所不到。恶人识之㉙，乃下令士民皆著大裁帽㉚。

晋天平节度使兼侍中阎宝筑垒以围镇州，决滹沱水环㉛之。内外

少，如果不攻打德胜，就一定会偷袭魏州。我们两人聚在这里能干什么！不如把军队分开来进行防备。”于是就分出一部分军队屯驻在澶州。戴思远果然出动杨村的全部梁军赶往魏州。李嗣源率兵赶在梁军的前面，驻扎在狄公祠下，派人通报魏州，让他们做好防备。戴思远率军到达魏店，李嗣源派部将石万全率骑兵前去挑战。戴思远知道晋军有了防备。于是率军西渡洹水，攻下了成安县，大肆抢劫一番之后就撤了回去。后来戴思远又率军五万攻打德胜北城，在城外挖了一重重壕沟，修筑了一道道墙垒，切断了城内外出入通道，昼夜猛攻。李存审全力坚守。晋王得知德胜形势危急，二月，从幽州率军前往，五天时间就到了魏州。戴思远听到这一消息，烧掉军营逃回杨村。

击：放开军队奋力攻击。㊃④逐北：追赶败兵。㊃⑤易州：州名，治所在今河北易县。㊃⑥弥旬：满十天。㊃⑦相属：接连不断。㊃⑧蹑之：紧紧地跟踪他。㊃⑨野宿之所：在野外宿营的地方。㊉⓪布藁于地：在地上铺着粮食作物的秆子。藁，禾秆。⑪皆如编翦：都好像编织过、裁剪过那样整齐。说明契丹军部伍严整。⑫走免：逃脱而免于被俘。⑬絷：拘囚。⑭代州：州名，治所雁门，在今山西代县。⑮李嗣肱（公元八七九至九二三年）：官至后唐山北都团练使。传见《旧五代史》卷五十、《新五代史》卷十四。⑯妫：州名，治所清夷军城，在今河北怀来东南。⑰儒：儒州，治所延庆，在今北京市延庆区。⑱武：武州，治所文德，在今河北张家口市宣化区。⑲山北：以终南山北而名，故城在今陕西西安东南。⑳何为：干什么。㉑狄公祠：唐宰相狄仁杰祠。狄仁杰曾任魏州刺史，有惠政，州人为之立祠。㉒洹水：又名安阳河，在今河南北部。㉓成安：县名，县治在今河北成安。㉔重堑复垒：一重重壕沟，一道道堡垒。㉕遁还：逃回。

【校记】

［15］中门使：此三字原无。据章钰校，十二行本、乙十一行本、孔天胤本皆有此三字，今据补。［16］宴于府第：此四字原无。据章钰校，十二行本、乙十一行本、孔天胤本皆有此四字，张敦仁《通鉴刊本识误》同，今据补。

【语译】

蜀主喜好微服出行，酒肆、妓院没有他不到的地方。又讨厌别人认出他来，于是下令让士民们外出时都戴上有帽檐的帽子。

晋国的天平节度使兼侍中阎宝修筑墙垒包围镇州，引流滹沱河水环绕其城。镇

断绝，城中食尽。丙午㉜，遣五百余人出求食。宝纵其出，欲伏兵取之，其人㉝遂攻长围㉞。宝轻之，不为备。俄数千人继至，诸军未集，镇人遂坏长围而出，纵火攻宝营。宝不能拒，退保赵州。镇人悉毁晋之营垒，取其刍粟㉟，数日不尽。晋王闻之，以昭义节度使兼中书令李嗣昭为北面招讨使，以代宝。

夏，四月，蜀军使㊱王承纲女将嫁，蜀主取之入宫。承纲请之，蜀主怒，流于茂州㊲。女闻父得罪，自杀。

甲戌㊳，张处瑾遣兵千人迎粮于九门。李嗣昭设伏于故营㊴，邀击之，杀获殆尽。余五人匿墙墟间，嗣昭环马而射之，镇兵发矢中其脑。嗣昭箙㊵中矢尽，拔矢于脑以射之，一发而殪㊶。会日暮，还营，创流血不止，是夕卒。晋王闻之，不御㊷酒肉者累日。嗣昭遗命悉以泽、潞兵授节度[17]判官任圜㊸，使督诸军攻镇州。号令如一，镇人不知嗣昭之死。圜，三原人也。

晋王以天雄马步都指挥使㊹、振武节度使李存进为北面招讨使。命嗣昭诸子护丧归葬晋阳。其子继能不受命，帅父牙兵数千，自行营㊺拥丧归潞州。晋王遣母弟存渥㊻驰骑追谕之，兄弟俱忿㊼，欲杀存渥，存渥逃归。嗣昭七子：继俦、继韬、继达、继忠、继能、继袭、继远㊽。继俦为泽州刺史，当袭爵，素懦弱。继韬凶狡，囚继俦于别室，诈令士卒劫己㊾为留后，继韬阳让㊿，以事白晋王。晋王以用兵方殷(451)，不得已，改昭义军曰安义(452)，以继韬为留后。

阎宝惭愤(453)，疽发于背，甲戌(454)，卒。

汉主岩用术士[18]言，游梅口镇(455)避灾。其地近闽之西鄙，闽将王延美(456)将兵袭之(457)。未至数十里，侦者(458)告之，岩遁逃仅免。

五月乙酉(459)，晋李存进至镇州，营于东垣渡(460)，夹滹沱水为垒。

晋卫州刺史李存儒，本姓杨，名婆兒，以俳优(461)得幸于晋王。颇

州内外联系断绝，城中的粮食吃完了。三月二十六日丙午，城中派了五百多人出城寻找食物。阎宝故意放他们出来，准备埋伏士兵活捉他们，这些人出来后乘势进攻围城的营垒。阎宝很轻视他们，并没有加以防备。不一会儿城中又有数千人相继赶到。当时阎宝的各支人马还没有集结起来，于是镇州的人群毁坏了围城的营垒冲了出来，放火攻击阎宝的军营。阎宝抵挡不住，退守赵州。镇州人把晋军的营垒全部毁掉，缴获了晋军的粮草，好几天都没有运完。晋王知道这件事后，任命昭义节度使兼中书令李嗣昭为北面招讨使，代替阎宝。

夏，四月，蜀国的军使王承纲的女儿将要出嫁，蜀主却把她强夺到宫里。王承纲委婉地向蜀主要人，蜀主大怒，把王承纲流放到茂州。王承纲的女儿听说父亲被治罪，就自杀了。

四月二十四日甲戌，张处瑾派遣一千名士兵到九门迎接所缴获的晋军粮草。李嗣昭在阎宝的旧营中设下埋伏，截击镇州运粮的士兵，把他们几乎都杀死或俘获。剩下五个人躲藏在墙垒的废墟中，李嗣昭盘桓着战马用箭射他们，镇州的士兵发箭射来，正中李嗣昭的脑袋。这时候李嗣昭箭袋里的箭已经用完，他从自己脑袋上拔出那根箭射了回去，一箭就把对方射死了。适逢天色已晚，李嗣昭返回军营，脑袋上的伤口流血不止，当天晚上去世了。晋王得知这一消息，接连好几天不进食酒肉。李嗣昭的遗嘱说把泽州、潞州的兵权全部交给节度判官任圜，让他统领各路兵马继续攻打镇州。由于前后的号令完全一样，因此镇州人不知道李嗣昭已经死去。任圜是三原人。

晋王任命天雄马步都指挥使、振武节度使李存进为北面招讨使。又下令让李嗣昭的几个儿子护送李嗣昭的灵柩回晋阳安葬。李嗣昭的儿子李继能不接受命令，率领父亲的几千名牙兵，从行营保护着灵柩要回潞州。晋王派自己的同母弟弟李存渥骑快马追上去劝说他们，李继能的兄弟们都十分气愤，想杀了李存渥，李存渥急忙逃了回去。李嗣昭共有七个儿子：李继俦、李继韬、李继达、李继忠、李继能、李继袭、李继远。李继俦任泽州刺史，应当继承父亲的爵位，但他的个性素来懦弱。李继韬凶狠狡猾，他把李继俦囚禁在另外一个房间里，然后假装让士卒们劫持他要他担任留后，他则假意谦让，并把这件事情报告了晋王。晋王考虑到当时正频频用兵，实在不得已，于是把昭义军改称为安义军，任命李继韬为节度留后。

阎宝战败后深感惭愧又十分愤懑，背上长了个毒疮，于四月二十四日甲戌去世。

汉主刘岩听信方术之士的话，到梅口镇去巡游以躲避灾祸。这个地方邻近闽国的西部边境，闽国将领王延美率军要袭击他。闽军离梅口镇还有几十里的时候，担任侦察的人赶回来向汉主报告，刘岩赶紧逃跑，这才得以脱身。

五月初六日乙酉，晋国的李存进到达镇州，在东垣渡扎营，并在滹沱河两岸修筑营垒。

晋国的卫州刺史李存儒，本来姓杨，名叫婆兒，因为会乐舞谐戏而得晋王的宠

有膂力㊷,晋王赐姓名,以为刺史。专事掊敛㊸,防城卒皆征月课㊹,纵归㊺。八月,梁[19]庄宅使㊻段凝与步军都指挥使张朗㊼引兵夜渡河袭之。诘旦,登城,执存儒,遂克卫州。戴思远又与凝攻陷淇门㊽、共城㊾、新乡㊿,于是澶州之西、相州之南,皆为梁有。晋人失军储㊱三之一,梁军复振。帝以张朗为卫州刺史。朗,徐州人也。

【段旨】

以上为第十四段,写晋兵攻镇州,折李嗣昭、阎宝两将,梁兵克卫州,军势复振。

【注释】

㊱微行:微服出行。㊲酒肆:酒店。㊳倡家:妓院;戏院。倡,通"娼"。㊴恶人识之:讨厌别人认识他。㊵大裁帽:有帽檐的帽子。㊶环:包围。㊷丙午:三月二十六日。按《旧五代史·庄宗纪》载:"三月丙午,王师败于镇州城下,阎宝退保赵州。"㊸其人:指城中外出就食的五百余人。㊹长围:阎宝所筑包围镇州的堡垒。㊺刍粟:马草和粮食。㊻军使:官名,骑兵都一级统兵官。㊼茂州:州名,治所汶山,在今四川阿坝藏族羌族自治州茂县。㊽甲戌:四月二十四日。㊾故营:指过去阎宝的兵营。㊿箙:用竹木或兽皮做成的盛箭器。㊶殪:死。㊷御:进。㊸任圜(?至公元九二七年):京兆三原(今陕西三原)人,官至同平章事、判三司,为安重诲诬害,赐死。传见《旧五代史》卷六十七、《新五代史》卷二十八。㊹马步都指挥使:官名,藩镇亲军高级统领官。㊺行营:指镇州军营。㊻存渥:庄宗第四弟,同光三年封申王。传见《旧五代史》卷五十一、《新五代史》卷十四。㊼兄弟俱忿:李嗣昭有大功于晋,身死前线,晋王无褒死恤存之命,故其子愤愤。㊽继俦、继韬、继达、继忠、继能、继袭、继远:均见《旧五代史》

【原文】

九月戊寅朔㊾,张处瑾使其弟处球㊿乘李存进无备,将兵七千人奄至㊱东垣渡。时晋之骑兵亦向镇州城下[20],两不相遇。镇兵及㊲存进营门,存进狼狈引十余人斗于桥上。镇兵退,晋骑兵断其后,夹击之,

爱。他的力气很大，晋王赐给他姓名，让他担任刺史。他专门搜刮民财，对守城的士兵，他按月征收钱财，然后放他们回家。八月，梁朝的庄宅使段凝和步兵都指挥使张朗率军乘着黑夜渡过黄河偷袭卫州。清晨，登上卫州城，活捉了李存儒，攻下了卫州。戴思远又和段凝一道攻下了淇门、共城、新乡，于是澶州以西、相州以南的地区，都归梁朝所有了。晋军失去了三分之一的军用储备，梁军的声势重又振作起来。梁末帝任命张朗为卫州刺史。张朗是徐州人。

卷五十二、《新五代史》卷三十六《李嗣昭传》。㊹劫己：劫持自己。㊺阳让：假意推让。阳，通“佯”。㊿殷：盛。⑤安义：方镇名，公元九二二年，李存勖改昭义军为安义军，避李嗣昭讳。㊸惭愤：惭愧而愤懑。因攻镇州时大意致败。㊹甲戌：四月二十四日。㊺梅口镇：地名，在当时梅州程乡县，今地为广东梅县区。㊻王延美：官泉州刺史。传见《十国春秋》卷九十四。㊼袭之：袭击刘岩。㊽侦者：侦察敌情的人。㊾乙酉：五月初六日。㊿东垣渡：渡口名，在今河北正定滹沱河边。⑥俳优：古代以乐舞谐戏为业的艺人。⑥膂力：体力。⑥掊敛：聚敛；搜刮。⑥月课：按月缴纳代役钱而免其劳役。⑥纵归：放回家去。⑥庄宅使：官名，管理官府掌握的庄田、磨坊、店铺、菜园、车坊等产业，为宫廷官员。⑥张朗（公元八七〇至九四三年）：徐州萧县（今安徽萧县）人，善射，膂力过人，官至后晋庆州刺史。传见《旧五代史》卷九十。⑥淇门：镇名，在今河南滑县东南淇门。⑥共城：县名，县治在今河南辉县。⑦新乡：县名，县治在今河南新乡。⑦军储：军队的军需储备。

【校记】

［17］节度：原无此二字。据章钰校，十二行本、乙十一行本、孔天胤本皆有此二字，张敦仁《通鉴刊本识误》同，今据补。［18］术士：原作“术者”。据章钰校，十二行本、乙十一行本、孔天胤本皆作“术士”，今据改。［19］梁：原无此字。张瑛《通鉴校勘记》认为“‘月’下脱‘梁’字”，当是，今据补。

【语译】

九月初一日戊寅，张处瑾派他的弟弟张处球乘李存进没有防备，率领七千名士兵突然来到东垣渡。当时晋军的骑兵也向镇州城进发，两方的人马没有相遇。镇州的军队到了李存进的营门，李存进狼狈地率领着十几个人在桥上抵抗。镇州军队撤退，晋军的骑兵切断了他们的退路，前后夹攻，镇州的军队几乎被消灭光了，李存

镇兵殆尽[476]，存进亦战没。晋王以蕃汉马步总管李存审为北面招讨使。

镇州食竭力尽，处瑾遣使诣行台请降，未报[477]，存审兵至城下。丙午[478]夜，城中将李再丰为内应，密投缒[479]以纳晋兵。比明[480]，毕登[481]，执处瑾兄弟家人及其党高濛、李翥、齐俭送行台，赵人皆请而食之。磔[482]张文礼尸于市。赵王故侍者[483]得赵王遗骸[484]于灰烬中，晋王命祭而葬之。以赵将符习为成德节度使，乌震[485]为赵州刺史，赵仁贞为深州[486]刺史，李再丰为冀州刺史。震，信都人也。

符习不敢当成德，辞曰："故使[487]无后而未葬，习当斩衰[488]以葬之，俟礼毕听命[489]。"既葬，即诣行台。赵人请晋王兼领成德节度使，从之。晋王割相、卫二州[21]置义宁军，以习为节度使。习辞曰："魏博霸府，不可分也。愿得河南一镇，习自取之。"乃以为天平节度使、东南面招讨使。加李存审兼侍中。

十一月戊寅[490]，晋特进、河东[491]监军使张承业卒，曹太夫人[492]诣其第，为之行服[493]，如子侄之礼。晋王闻其丧，不食者累日。命河东留守判官[494]何瓒代知河东军府事。

十二月，晋王以魏博观察判官[495]晋阳张宪兼镇、冀观察判官，权镇州军府事。

魏州税多逋负[496]，晋王以让[497]司录[498]济阴赵季良[499]，季良曰："殿下何时当平河南[500]？"王怒曰："汝职在督税，职之不修[501]，何敢预[502]我军事！"季良对曰："殿下方谋攻取而不爱百姓，一旦百姓离心，恐河北亦非殿下之有，况河南乎！"王悦，谢之。自是重之[503]，每预谋议。

是岁，契丹改元天赞[504]。

大封王躬乂[505]，性残忍，海军统帅王建[506]杀之，自立。复称高丽王，以开州为东京，平壤为西京。建俭约宽厚[507]，国人安之。

进也在战斗中阵亡。晋王任命蕃汉马步总管李存审为北面招讨使。

镇州城里粮食吃光了，再也没有力气抵抗了，张处瑾派使者到行台向晋王请求投降，晋王没有答复，这时李存审的军队已经到达镇州城下。九月二十九日丙午夜间，镇州城内的将领李再丰当内应，秘密地放下绳索把晋军拉上城墙。等到天亮，晋军全部登上了城，抓获张处瑾的兄弟、家人，以及他们的同党高濛、李翥、齐俭等人，押送到行台，赵国的人们都来请求要杀了吃他们的肉。又把张文礼的尸体在街市上肢解示众。过去服侍赵王的侍者在灰烬中找到了赵王的遗骸，晋王命令举行祭祀然后安葬赵王。晋王任命赵将符习为成德节度使，乌震为赵州刺史，赵仁贞为深州刺史，李再丰为冀州刺史。乌震是信都人。

符习不敢接受成德节度使的任命，推辞说："赵王没有后代，还没有安葬，我符习应当身服斩衰来安葬他，等丧礼办完后我再来听候大王的命令。"把赵王安葬了以后，他立即前往行台。赵国的人请求晋王兼领成德节度使，晋王答应了。于是晋王割出相州、卫州两州设置了义宁军，任命符习为节度使。符习又辞让说："魏博是雄踞一方的军府，不可分割。我只希望能得到黄河以南的一个镇，我符习自己去攻取。"于是晋王任命符习为天平节度使、东南面招讨使。另外加封李存审兼侍中。

十一月初二日戊寅，晋国的特进、河东监军使张承业去世，曹太夫人前往他的宅第，为他戴孝，像自己的子侄辈去世一样行丧礼。晋王得悉张承业的死讯，几天吃不下饭。晋王命令河东留守判官何瓒代理掌管河东军府的事务。

十二月，晋王任命魏博观察判官晋阳人张宪兼任镇州、冀州观察判官，暂时代理镇州军府的事务。

魏州的赋税拖欠得很多，晋王就这件事责备司录济阴人赵季良，赵季良说："殿下什么时候能平定黄河以南？"晋王十分生气地说："你的职责在于督促税收，自己的本职都没干好，怎么敢干预我军事方面的事情！"赵季良回答说："殿下正在谋划攻城略地，却不爱护百姓，一旦百姓离心，恐怕连黄河以北也不归殿下所有了，更何况黄河以南呢！"晋王听了这话非常高兴，向他表示了歉意。从此以后非常器重他，他往往能参与大事的谋划商议。

这一年，契丹改年号为天赞。

大封王躬乂，性情残忍，海军统帅王建把他杀了，自己即位。重又称高丽王，并以开州为东京，以平壤为西京。王建生活节俭，待人宽厚，国内的百姓十分安定。

【段旨】

以上为第十五段，写晋兵克镇州。

【注释】

㊼② 戊寅朔：九月初一日。㊼③ 处球（？至公元九二二年）：张文礼第二子。传附《旧五代史》卷六十二《张文礼传》。㊼④ 奄至：突然到达。㊼⑤ 及：到达。㊼⑥ 殆尽：几乎全被消灭。㊼⑦ 未报：没有答复。以示拒绝投降。㊼⑧ 丙午：九月二十九日。㊼⑨ 缒：把绳子放下城去，以便拉晋兵登城。㊽⓪ 比明：刚刚天亮。㊽① 毕登：全部登城。㊽② 磔：古代的一种酷刑，即用刀刮割以碎其尸。㊽③ 故侍者：过去服侍王镕的人。㊽④ 遗骸：遗留残骨。㊽⑤ 乌震（？至公元九二七年）：冀州信都（今河北衡水市冀州区）人，少好学，通《左氏春秋》，喜作诗，擅书。官至河北道副招讨使。传见《旧五代史》卷五十九、《新五代史》卷二十六。㊽⑥ 深州：州名，治所在今河北深州北。㊽⑦ 故使：指赵王镕。㊽⑧ 斩衰：旧时丧服名，五服中最重的一种。其服用最粗的麻布做成，不缉边，使断处外露，以示无饰。㊽⑨ 听命：听从任命。㊾⓪ 戊寅：十一月初二日。㊾① 河东：方镇名，唐玄宗开元十八年（公元七三〇年）更太原府以北诸军州节度为河东节度。治所太原，在今山西太原。㊾② 曹太夫人：李存勖生母。㊾③ 行服：戴孝。㊾④ 留守判官：留守府属官，分管案件审理等。㊾⑤ 观察判官：官名，节度使属官，掌案件审理等。㊾⑥ 逋负：拖欠税款。㊾⑦ 让：责备。㊾⑧ 司录：官名，州府属官，全称司录参军，掌州衙庶务。㊾⑨ 赵季良（？至公元九四六年）：字德彰，济阴（今山东菏泽）人，为后唐太仆卿，后奉使四川，为孟知祥所留，为后蜀宰相。传见《十国春秋》卷五十一。⑤⓪⓪ 河南：指后梁。⑤⓪① 职之不修：本职工作没有干好。⑤⓪② 预：干预。⑤⓪③ 自是重之：从此以后非常尊重他。⑤⓪④ 天赞：辽耶律阿保机年号。⑤⓪⑤ 躬乂：高丽石窟寺眇僧。天祐初，躬乂聚众占据开城府称王。⑤⓪⑥ 王建：高丽国王。公元九二二年杀躬乂自立。后唐长兴二年（公元九三一年）自称权知国事，遣使向明宗朝贡，明宗以王建为玄菟州都督，充大义军使，封高丽国王。⑤⓪⑦ 俭约宽厚：勤俭节约，宽大敦厚。

【校记】

［20］下：原无此字。据章钰校，十二行本、乙十一行本、孔天胤本皆有此字，张敦仁《通鉴刊本识误》同，今据补。［21］二州：原作“一州”。据章钰校，十二行本、乙十一行本、孔天胤本皆作“二州”，今据改。

【研析】

本卷研析杨廷式办案、梁将刘鄩之死、后唐创业功臣张承业三件史事。

第一，杨廷式办案。吴国张崇驻节庐州，贪暴不法。庐江民众控告县令贪赃，吴执政者派侍御史知杂事杨廷式去核查办案，指令杨廷式惩治县令，震慑张崇。杨廷式提出，他去办案，一定追查到底，揪出张崇，把他逮捕，押上囚车，送给都统处置。都统即徐知诰之父徐温。徐知诰说：“我要求你只是惩办县令，何必牵扯这么多人呢！”杨廷式说：“小小县令，哪敢明目张胆敲剥百姓，是张崇指使县令搜刮民财转而献给都统，怎么可以不打老虎而拍苍蝇呢！”徐知诰赶紧向杨廷式致歉，说：“这样的小事哪能劳动你的大驾呢！”杨廷式敢摸老虎屁股，是一个明大义有大勇的好法官，还赢得了知音的赏识是幸运的。但在专制政体下，人情大于法制，在盘根错节的复杂关系中，执政者即使想要认真办事，也十分困难。后台强大，若大于执政者，案情就无法追究，也就不了了之。杨廷式办案，发人深思。

第二，梁将刘鄩之死。刘鄩善用兵，多智略，十步九计，名重当时。晋王李存勖亲自统军与后梁争河北，刘鄩统率梁军主力，是捍卫梁朝的一座长城。由于功高震主，刘鄩遭忌疑，梁帝每每遥控掣肘，使刘鄩不能随心施展规划的方略，是以久持无建树。一向持重的刘鄩，欲建奇功，孤军奔袭晋阳，碰巧天公不作美，连日阴雨，阻滞行军，晋王派骑兵回救晋阳，先期刘鄩到达。刘鄩回军遭晋军围追阻截，大败而归。由是丧胆，连战不胜。刘鄩智竭计穷，称疾辞职，请解兵权以自保。梁末帝准其辞，命刘鄩到西京洛阳就医，而西京留守张宗奭早已领受密旨，用毒酒等待刘鄩到来，一代名将就这样悲剧结局。可惜，刘鄩善军谋，不善保身，在军阀混战的纷乱之世，请解兵权以自保，无异于自杀。梁末帝自毁长城，不久覆国败家，亦以悲剧终。

第三，后唐创业功臣张承业。张承业，字继元，本姓康，同州（今陕西大荔）人。张承业为唐末内常侍张泰养子，故改姓张。张承业为河东节度使沙陀人李克用监军，张、李二人交谊深厚。当崔胤、朱全忠大杀宦官，李克用抗诏保护张承业。朱全忠篡唐，李克用承用唐年号，公开恢复张承业为河东监军，张承业于是竭诚效忠李克用及其子唐庄宗李存勖，为后唐创业功臣。

晋王李克用死，托孤李存勖于张承业等大臣。李克用幼弟李克宁总摄军政大权，最初尊奉李存勖嗣位晋王，经不住左右亲信搬弄是非，欲取晋王而代之，李存勖依靠张承业的支持与谋议，平息了内乱，诛杀了李克宁，稳固了政局，李存勖感恩承业，“兄事之”。张承业劝李存勖奉唐年号与后梁朱温争河北，晋王之师堂堂正正，在政治上占了主动。晋王天祐七年、后梁开平四年（公元九一〇年），晋梁柏乡之战，这是一场双方的主力决战，李存勖轻佻好胜，要与优势的梁军硬拼，周德威等宿将之言，一概不听。在这危急关头，张承业夜闯军帐，陈说利害，李存勖当夜转移部队，赢得柏乡之战的大胜，奠定了夺取河北的基础。灭刘守光，张承业参与谋议，多有贡献，李存勖夺取魏博之后，与后梁夹河攻战，“太原军国政事，一委承业”，张承业是唐庄宗的萧何。薛史《张承业传》，以及司马光《资治通鉴》都给张承业以肯定的评价，称其为阉寺中忠义之士。李存勖称帝，张承业劝阻，自称“臣唐家一老奴”，未免迂腐。唐代宦官作恶多端，张承业只不过是在时局变迁之中获得了新生。梁均王龙德二年（公元九二二年）十一月初二日戊寅，张承业卒，晋王母曹太夫人诣其第，为之行服，执子侄之礼；晋王亦为之不食者数日。

卷第二百七十二　后唐纪一

昭阳协洽（癸未，公元九二三年），一年[1]。

【题解】

本卷记公元九二三年一年史事，当后唐庄宗同光元年。此一年历史发生大变化，后唐代后梁。晋王与梁末帝大战数年，互有胜败，总形势仍势均力敌。梁末帝昏庸，听信赵岩、张汉杰兄弟等群小，用唐王室弊政，以宦官监军，掣肘良将用兵，是以梁兵常败，晋兵常胜。晋王刚愎自用，多有失计，前有张文礼之变，后有李继韬之叛，延迟了灭梁的时间。公元九二三年二月，晋王即帝位于魏州，国号大唐，史称后唐，是为庄宗。李嗣源奇计下郓州，后梁危急，梁将王彦章亦出奇兵大败晋兵，围杨刘，形势逆转。在这生死存亡之秋，梁末帝听信群小，临阵换将，罢王彦章而任用庸才段凝为主帅，继而王彦章败没，形势急转，唐庄宗奋勇进军大梁，梁末帝未见唐兵而自杀，梁亡。庄宗入大梁，迁都洛阳，梁全境归服，楚王马殷、荆南高季昌稽首。庄宗即位伊始，嬖幸伶官，宠爱刘夫人，游猎无度，敛财拒谏，已出现败亡之兆，吴、荆南离心。前蜀主荒淫，闻后梁亡，祈福求神保佑，不思进取，亡无日矣。

【原文】

庄宗光圣神闵孝皇帝上

同光元年①（癸未，公元九二三年）

春，二月，晋王下教②置百官，于四镇③判官中选前朝④士族，欲以为相。河东节度判官卢质为之首。质固辞，请以义武节度判官豆卢革⑤、河东观察判官卢程⑥为之。王即召革、程，拜行台左、右丞相，以质为礼部尚书。

梁主遣兵部侍郎⑦崔协⑧等册命吴越王镠为吴越国王。丁卯⑨，镠始建国，仪卫⑩名称多如天子之制：谓所居曰宫殿，府署曰朝廷，教令下统内曰制敕，将吏皆称臣。惟不改元，表疏首[2]称吴越国而不言军。以清海节度使兼侍中传瓘为镇海、镇东⑪留后，总军府事。置百官，有丞相、侍郎、郎中⑫、员外郎⑬、客省等使⑭。

李继韬虽受晋王命为安义留后，终不自安⑮。幕僚魏琢、牙将申蒙

【语译】

庄宗光圣神闵孝皇帝上

同光元年（癸未，公元九二三年）

春，二月，晋王下教令设置百官，还在四镇的判官中挑选前朝的士族，准备任命为丞相。河东节度判官卢质成为首选。但卢质坚决辞让，请求让义武节度判官豆卢革、河东观察判官卢程来担任。晋王于是征召豆卢革和卢程二人，分别拜为行台左、右丞相，任命卢质为礼部尚书。

梁主派兵部侍郎崔协等人去册封吴越王钱镠为吴越国王。二月二十二日丁卯，钱镠开始建国，仪仗和侍卫的名称大多如同天子制度：所住的地方叫宫殿，府署叫朝廷，给所统辖地区下的教令叫制敕，将吏对他都自称臣下。只是不更改年号，向梁朝上表疏时起首自称吴越国而不称镇海、镇东军。任命清海节度使兼侍中钱传瓘为镇海、镇东留后，总管军府事务。设置百官，有丞相、侍郎、郎中、员外郎、客省使等职位。

李继韬虽然接受了晋王的任命为安义留后，可是内心终究不得安定。他的幕僚魏琢、牙将申蒙又从中挑拨说："晋国朝廷没有什么人才，最终会被梁国吞并的。"适

复从而间⑯之，曰：“晋朝无人，终为梁所并耳。”会晋王置百官，三月，召监军张居翰⑰、节度判官任圜⑱赴魏州。琢、蒙复说继韬曰：“王急召二人，情可知矣。”继韬弟继远亦劝继韬自托⑲于梁，继韬乃使继远诣大梁，请以泽、潞⑳为梁臣。梁主大喜，更命安义军曰匡义，以继韬为节度使、同平章事。继韬以二子为质㉑。

安义旧将㉒裴约㉓戍泽州，泣谕其众曰：“余事故使㉔逾二纪㉕，见其分财享士㉖，志灭仇雠。不幸捐馆㉗，柩㉘犹未葬，而郎君㉙遽背君亲，吾宁死不能从也！”遂据州自守。梁主以其骁将董璋㉚为泽州刺史，将兵攻之。继韬散财募士，尧山人郭威㉛往应募。威使气杀人㉜，系狱，继韬惜其才勇而逸之。

契丹寇幽州，晋王问帅㉝于郭崇韬，崇韬荐横海节度使李存审。时存审卧病，己卯㉞，徙存审为卢龙节度使，舆疾赴镇。以蕃汉马步副总管㉟李嗣源领横海节度使。

晋王筑坛于魏州牙城之南。夏，四月己巳㊱，升坛，祭告上帝，遂即皇帝位，国号大唐。大赦，改元㊲。尊母晋国太夫人曹氏㊳为皇太后，嫡母秦国夫人刘氏㊴为皇太妃。以豆卢革为门下侍郎㊵，卢程为中书侍郎㊶，并同平章事；郭崇韬、张居翰为枢密使㊷，卢质、冯道㊸为翰林学士，张宪㊹为工部侍郎、租庸使。又以义武掌书记李德休㊺为御史中丞。德休，绛之孙也。

诏卢程诣晋阳册太后、太妃。初，太妃无子，性贤，不妒忌。太后为武皇㊻侍姬，太妃常劝武皇善待之，太后亦自谦退，由是相得甚欢。及受册，太妃诣太后宫贺，有喜色，太后忸怩㊼不自安。太妃曰：“愿吾儿享国久长，吾辈获没于地㊽，园陵有主㊾，余何足言！”因相向歔欷㊿。

豆卢革、卢程皆轻浅(51)无他能，上恃[3]以其衣冠之绪(52)、霸府元僚(53)，故用之。

逢晋王正在设置百官，三月，征召监军张居翰、节度判官任圜赶赴魏州。魏琢、申蒙又向李继韬游说道："晋王急着征召这两个人，其实情可想而知了。"李继韬的弟弟李继远也劝李继韬要依附梁朝，李继韬于是派李继远前往大梁，请求以泽州、潞州向梁朝归附称臣。梁主大喜，下令把安义军改名为匡义军，任命李继韬为匡义节度使、同平章事。李继韬把自己的两个儿子送到梁朝做人质。

安义军的旧将裴约戍守泽州，哭着告诉他的部众说："我侍奉故使超过二十四年，看到他把财物分给士卒共享，立志消灭仇敌。他不幸去世，灵柩还没有安葬，而他的儿子就背叛了君主和亲人，我宁死也不能从命！"于是占据州城坚守。梁主任命骁勇的将领董璋为泽州刺史，率兵攻打裴约。李继韬散发财物招募士卒，尧山人郭威前往应募。郭威曾因意气用事杀了人，被逮捕下狱，李继韬爱惜他的才干和勇气，把他放了。

契丹侵犯幽州，晋王就主帅人选征询郭崇韬，郭崇韬推荐了横海节度使李存审。当时李存审卧病在床，三月初五日己卯，晋王改任李存审为卢龙节度使，用车子载着他带病上任。又任命蕃汉马步副总管李嗣源兼领横海节度使。

晋王在魏州牙城的南面修筑了祭坛。夏，四月二十五日己巳，晋王登上祭坛，祭告上帝，于是即位称皇帝，国号为大唐。大赦天下，改年号为同光。尊奉生母晋国太夫人曹氏为皇太后，嫡母秦国夫人刘氏为皇太妃。任命豆卢革为门下侍郎，卢程为中书侍郎，两人都为同平章事；任命郭崇韬、张居翰为枢密使，卢质、冯道为翰林学士，张宪为工部侍郎、租庸使。又任命义武节度掌书记李德休为御史中丞。李德休，是李绛的孙子。

下诏命令卢程前往晋阳册封太后、太妃。当初，太妃没有儿子，性情贤惠，不妒忌别人。太后原来是武皇李克用的侍姬，太妃常常劝说武皇要善待太后，太后自己也很谦虚退让，因此两人彼此投合，相处十分欢洽。到了接受册封时，太妃到太后的宫里致贺，面有喜色，太后反而有些羞惭，内心感到不安。太妃说："希望我们的儿子能够长久做皇帝，我们将来死了埋在地下，墓园陵寝有人照顾，其他的还有什么值得说的！"于是两人相对抽泣。

豆卢革、卢程都轻浮浅薄，没有什么才能，唐庄宗因为他们是衣冠大族的后代、原霸府幕僚，所以才重用他们。

【段旨】

以上为第一段，写晋王即皇帝位于魏州，是为庄宗，国号大唐，史称后唐。后梁末帝册封钱镠为吴越国王。

【注释】

① 同光元年：后唐庄宗于是年四月始即位改元。② 教：文体的一种。古时太子及王、侯的命令称教。③ 四镇：指河东、魏博、易定、镇冀四大镇。④ 前朝：指唐朝。⑤ 豆卢革（？至公元九二七年）：官至后唐同中书门下平章事，后贬陵州赐死。传见《旧五代史》卷六十七、《新五代史》卷二十八。⑥ 卢程（？至公元九二三年）：唐世族。卢程在唐昭宗天复末登进士，入后唐官至宰辅。传见《旧五代史》卷六十七、《新五代史》卷二十八。⑦ 兵部侍郎：兵部尚书之副，协助尚书掌兵政。⑧ 崔协（？至公元九二六年）：唐清河大姓，曾祖、祖、父累代仕唐，为高官。崔协入后唐官至宰辅。传见《旧五代史》卷五十八。⑨ 丁卯：二月二十二日。⑩ 仪卫：仪仗和警卫。⑪ 镇东：方镇名，唐昭宗初年以越州为威胜军。乾宁三年（公元八九六年）改威胜军为镇东军节度，治所越州，在今浙江绍兴。⑫ 郎中：官名，尚书省及所属各部高级官员，位次于尚书丞及各部侍郎，分掌本司事务。⑬ 员外郎：官名，尚书省及所属各部次于郎中的官员，掌本司事务。⑭ 客省等使：客省使，官名，客省的主管官员，掌外国使节进奉、朝觐等事。⑮ 终不自安：内心终究不安宁。⑯ 间：挑拨离间。⑰ 张居翰（公元八五八至九二八年）：字德卿，宦官。庄宗同光四年（公元九二六年）蜀王衍投降，庄宗下诏“王衍一行，并从杀戮”。张居翰改“行”为“家”。只杀王衍一家，从行千余人免遭枉杀。传见《旧五代史》卷七十二、《新五代史》卷三十八。⑱ 任圜：京兆三原（今陕西三原）人，娶李克用甥女，官至代、宪二郡刺史。传见《旧五代史》卷六十七、《新五代史》卷二十八。⑲ 自托：依附。⑳ 泽、潞：泽州和潞州，为安义军辖区。原为梁昭义军，后唐改为安义军，以继韬为留后，继韬降梁，梁又改名为匡义军。㉑ 质：人质。㉒ 旧将：原来的将领。㉓ 裴约（？至公元九二三年）：初事李嗣昭为亲信，同光二年（公元九二三年）守泽州，城破被董璋杀死。传见《旧五代史》卷五十二、《新五代史》卷三十二。㉔ 故使：指李嗣昭。㉕ 二纪：十二年为一纪，二纪为二十四年。㉖ 分财享士：分财物给士卒共享。㉗ 捐馆：死的同义词。言抛弃馆舍而去。㉘ 柩：灵柩；盛有死尸的棺材。㉙ 郎君：指李嗣昭之子李继韬等。㉚ 董璋：（？至公元九二三年）官至剑南、东川节度使，为孟知祥所杀。传见《旧五代史》卷六十二、《新五代史》卷五十一。㉛ 郭威（公元九〇四至九五四年）：五代后周王朝的建立者。邢州尧山（今河北隆尧）人，后汉时为邺都留守。后汉乾祐四年（公元

【原文】

初，李绍宏为中门使，郭崇韬副之。至是[54]，自幽州召还，崇韬恶[55]其旧人[56]位在己上，乃荐张居翰为枢密使，以绍宏为宣徽使[57]，绍

九五一年），代后汉称帝。公元九五一—九五四年在位。传见《旧五代史》卷一百十、《新五代史》卷十一。㉜使气杀人：仗着一时勇气杀人。郭威在街上游玩，街上有一屠夫，以勇力使街上人慑服。郭威酒醉，叫屠夫割些肉进来，割得不规范，郭威叱骂他。屠夫扯开衣服指着肚皮说："你是勇士，能杀我吗？"郭威即拔刀将他刺死。市民皆惊，郭威若无其事，为吏所拘留，李继韬放他逃走。㉝问帅：询问谁可任元帅。㉞己卯：三月初五日。㉟蕃汉马步副总管：官名，全军副统帅。㊱己巳：四月二十五日。㊲改元：改唐天祐年号为同光。李存勖即位前沿用唐朝年号。㊳曹氏（？至公元九二五年）：李存勖生母，初封晋国夫人。庄宗即位，上皇太后尊号。同光三年（公元九二五年）谥贞简皇太后。传见《旧五代史》卷四十九。㊴刘氏：李克用正室，初封秦国夫人。参与军机，多所弘益。同光元年（公元九二三年）册为皇太妃。传见《旧五代史》卷四十九。㊵门下侍郎：职掌左丞相。㊶中书侍郎：职掌右丞相。㊷枢密使：枢密院长官，掌军国枢务。唐枢密使用宦官，后唐时参用士人。㊸冯道（公元八八二至九五四年）：字可道，瀛州景城（今河北沧州）人，自号长乐老，历仕后唐、后晋、后汉、后周四朝五姓，三入中书，为相二十余年，虽然臣节有亏，而廉洁持重，有政声。冯道主持刻印《九经》，世称"五代监本"，官府大规模刻书自此始。传见《旧五代史》卷一百二十六、《新五代史》卷五十四。㊹张宪（？至公元九二六年）：字允中，晋阳（今山西太原）人，学识优深，善精吏道。传见《旧五代史》卷六十九、《新五代史》卷二十八。㊺李德休：字表逸，唐宪宗朝宰相李绛之孙，官至后唐礼部尚书。传见《旧五代史》卷六十。㊻武皇：李克用。㊼忸怩：羞惭的样子。㊽获没于地：死在九泉之下。㊾园陵有主：坟墓有人祭扫。㊿歔欷：叹息；抽咽。51轻浅：轻薄、浅率。52衣冠之绪：唐望族的后代，即出身于名门士族。53霸府元僚：晋王节度使府旧僚属。元，通"原"。

【校记】

［1］年："年"下原有"晋王李克用始封于晋存勖嗣封及即大位自以继唐有天下国遂号曰唐通鉴曰后唐以别长安之唐"四十字。据章钰校，十二行本、乙十一行本皆无此四十字，今据删。［2］首：原无此字。据章钰校，十二行本、乙十一行本、孔天胤本皆有此字，张敦仁《通鉴刊本识误》同，今据补。［3］恃：此字原无。据章钰校，十二行本、乙十一行本皆有此字，今据补。

【语译】

当初，李绍宏担任中门使，郭崇韬担任中门副使。到这时候，李绍宏从幽州被征召回朝，郭崇韬厌恨原来的同事地位在自己之上，于是推荐张居翰担任枢密使，

宏由是[58]恨之。居翰和谨畏事[59]，军国机政皆崇韬掌之。支度务使[60]孔谦自谓才能勤效，应为租庸使[61]。众议以谦人微地寒[62]，不当遽[63]总重任。故崇韬荐张宪，以谦副之，谦亦不悦。

以魏州为兴唐府[64]，建东京。又于太原府建西京。又以镇州为真定府，建北都。以魏博节度判官王正言为礼部尚书、行兴唐尹，太原马步都虞候孟知祥为太原尹、充西京副留守，潞州观察判官任圜为工部尚书兼真定尹、充北都[4]副留守，皇子继岌为北都留守、兴圣宫[65]使、判六军[66]诸卫事。时唐国所有凡十三节度[67]、五十州[68]。

闰月[69]，追尊皇曾祖执宜[70]曰懿祖昭烈皇帝，祖国昌[71]曰献祖文皇帝，考晋王[72]曰太祖武皇帝，立宗庙于晋阳，以高祖、太宗、懿宗、昭宗洎[73]懿祖以下为七室[74]。

甲午[75]，契丹寇幽州，至易、定而还。

时契丹屡入寇，钞掠馈运[76]，幽州食不支半年。卫州为梁所取，潞州内叛。人情岌岌[77]，以为梁未可取，帝患[78]之。会[79]郓州将卢顺密[80]来奔。先是，梁天平节度使戴思远屯杨村，留顺密与巡检使[81]刘遂严、都指挥使燕颙守郓州。顺密言于帝曰："郓州守兵不满千人，遂严、颙皆失众心，可袭[82]取也。"郭崇韬等皆以为悬军远袭[83]，万一不利，虚弃[84]数千人，顺密不可从。帝密召李嗣源于帐中谋之曰："梁人志在吞泽潞，不备东方，若得东平[85]，则溃其心腹。东平果可取乎？"嗣源自胡柳有渡河之惭，常欲立奇功以补过，对曰："今用兵岁久，生民疲弊，苟非出奇取胜，大功何由可成！臣愿独当此役，必有以报[86]。"帝悦。壬寅[87]，遣嗣源将所部精兵五千自德胜趣郓州。比及[88]杨刘，日已暮，阴雨道黑，将士皆不欲进。高行周[89]曰："此天赞我也，彼必无备。"夜，渡河至城下，郓人不知。李从珂[90]先登，杀守卒，启关纳外兵，进攻牙城，城中大扰。癸卯[91]旦，嗣源兵尽入，遂拔牙城，刘遂严、燕颙奔大梁。嗣源禁焚掠，抚吏民，执知州事节度副使崔筜[92]、判官赵凤[93]送兴唐。帝大喜曰："总管真奇才，吾事集[94]矣。"即以嗣源为天平节度使。

任命李绍宏为宣徽使，李绍宏由于这件事对郭崇韬怀恨在心。张居翰谦和谨慎，怕惹事，军国的机要政务都由郭崇韬掌控。支度务使孔谦自认为有才能，而且勤敏有劳绩，应当担任租庸使；可是大家的意见认为孔谦出身的门第和郡望低微而贫寒，不适宜一下子就总揽重任。所以郭崇韬就推荐张宪担任租庸使，而任命孔谦为副使，孔谦心里也很不高兴。

把魏州改为兴唐府，建为东京。又把太原府建为西京。同时把镇州改为真定府，建为北都。任命魏博节度判官王正言为礼部尚书、兼任兴唐尹，任命太原马步都虞候孟知祥为太原尹、充任西京副留守，任命潞州观察判官任圜为工部尚书、兼任真定尹、充任北都副留守，任命皇子李继岌为北都留守、兴圣宫使、兼管六军诸卫的事务。这时唐所拥有的地区共有十三个节度镇、五十个州。

闰四月，唐庄宗追尊曾祖父李执宜为懿祖昭烈皇帝，祖父李国昌为献祖文皇帝，父亲晋王为太祖武皇帝。在晋阳建立宗庙，从先朝高祖、太宗、懿宗、昭宗至本朝懿祖以下三代，共立了七个庙堂。

闰四月二十日甲午，契丹入侵幽州，攻到易、定州之后又退了回去。

当时契丹屡次入侵，抢掠运输的粮饷，幽州的存粮不够半年之用。而卫州已被梁军攻取，潞州又反叛。众人内心都感受到了危急，认为梁朝未必可以攻取，唐庄宗对此很忧虑。这时刚好梁朝的郓州将领卢顺密前来归顺。此前，梁天平节度使戴思远屯驻在杨村，留下卢顺密和巡检使刘遂严、都指挥使燕颙驻守郓州。卢顺密对唐庄宗说："郓州的守军不足千人，刘遂严、燕颙都已失去民心，可以偷袭而把郓州攻取下来。"郭崇韬等都认为孤军深入远道袭击，万一作战失利，会白白地损失几千人，卢顺密的话不可听从。唐庄宗把李嗣源秘密召到他的军帐中谋划说："梁人的目的在于吞并泽州、潞州，不会防备东边，如果能够攻取东平，就是击溃了它的腹心之地。你看东平真的可以攻取吗？"李嗣源自从在胡柳战役中因渡河北撤而一直感到很惭愧，时常想建立奇功以弥补以往的过错，于是回答说："如今我们用兵多年，百姓非常疲惫，如果不是出奇制胜，大的功业靠什么来成就！臣愿意独力担当这次任务，一定会有好消息向陛下报告。"唐庄宗听了很高兴。闰四月二十八日壬寅，派李嗣源率领他所属部队的五千名精兵从德胜城赶往郓州。等到达杨刘，天色已晚，阴雨道黑，将士们都不想前进。高行周说："这是上天帮助我们啊，敌人一定没有防备。"部队趁夜渡过黄河到达郓州城下，郓州的人不知情。李从珂率先登城，杀死守城的士卒，打开城门让城外的人马进来，进攻牙城，城中大乱。二十九日癸卯清晨，李嗣源的人马全部进入城内，随即攻下了牙城，刘遂严、燕颙逃回大梁。李嗣源严禁士卒放火抢劫，安抚当地的官吏百姓，抓获了知州事节度副使崔筜、判官赵凤，并把他们押送到兴唐府。唐庄宗十分高兴地说："总管真是个奇才，我的大事成了。"当即任命李嗣源为天平节度使。

【段旨】

以上为第二段，写晋将李嗣源奇计下郓州。

【注释】

㉞至是：到这时候。㉟恶：厌恨。㊱旧人：指李绍宏。㊲宣徽使：官名，唐时以宦官充任，掌总领内诸司及三班内侍之籍。五代改用士人，掌诸司名籍、迁补、朝会、检视内外进奉名物等。常用以授罢政的勋旧大臣。㊳由是：由于这件事。因宣徽使在枢密使之下，权又不及枢密使大。㊴和谨畏事：谦和小心，怕惹祸事。㊵支度务使：官名，掌财务。㊶租庸使：领钱谷等事，专事聚敛。㊷人微地寒：出身的门第和郡望都很低微。㊸遽：突然。指骤然得高官。㊹兴唐府：晋王李存勖即位，升魏州为东京兴唐府。㊺兴圣宫：后唐洛阳有西宫兴圣宫。此兴圣宫应是以魏州府舍仿拟洛阳之名。㊻判六军：总管禁卫军。六军，原指唐禁军左右羽林军、左右龙武军、左右神武军。这里即以六军代指庄宗禁卫军。㊼十三节度：天雄、成德、义武、横海、卢龙、大同、振武、雁门、河东、护国、晋绛、安国、昭义等。㊽五十州：魏、博、贝、澶、相、郓、洺、磁、镇、冀、深、赵、易、祁、定、沧、景、德、瀛、莫、幽、涿、檀、蓟、顺、营、平、蔚、朔、云、应、新、妫、儒、武、忻、代、岚、石、宪、麟、府、并、汾、慈、隰、泽、潞、沁、辽，凡五十州。㊾闰月：闰四月。㊿执宜：朱邪氏，仕唐官至代北行营招抚使。庄宗即位追谥为昭烈皇帝，庙号懿祖。事见《旧五代史》卷二十五《武皇纪上》、《新五代史》卷四《唐本纪》。(71)国昌：本名赤心，赐姓李，李克用之父，仕唐官至振武节度使。庄宗即位，追谥文皇帝，庙号献祖。传附《旧五代史》卷二十五《武皇本纪上》。(72)晋王：李克用（公元八五六至九〇八年），仕唐为河东节度使，进封为晋

【原文】

梁主闻郓州失守，大惧，斩刘遂严、燕颙于市，罢戴思远招讨使，降授宣化[95]留后，遣使诘让[96]北面诸将段凝、王彦章等，趣[97]令进战。敬翔知梁室已危，以绳内[98]靴中，入见梁主曰："先帝[99]取天下，不以臣为不肖[100]，所谋无不用。今敌势益强，而陛下弃忽[101]臣言，臣身无用，不如死。"引绳[102]将自经[103]。梁主止之，问所欲言，翔曰："事急矣，非用王彦章为大将，不可救也。"梁主从之，以彦章代思远为北面招讨使，仍以段凝为副。

王。庄宗即位，追谥为武皇帝，庙号太祖。事见《新唐书》卷二百十八、《旧五代史》卷二十五、《新五代史》卷四。⑦³洎：及；到。⑦⁴七室：天子七庙。庄宗以唐氏继任，故以唐高祖、唐太宗、唐懿宗、唐昭宗，以及所追封的三祖合为七庙。⑦⁵甲午：闰四月二十日。⑦⁶钞掠馈运：掠夺后唐向幽州运送的军粮。⑦⁷岌岌：危险的样子。⑦⁸患：担心。⑦⁹会：刚好；适逢。⑧⁰卢顺密：汶阳（今山东泰安）人，初事梁将戴思远为步校，后归庄宗。性笃厚，临诸军，抚百姓，皆有仁爱之誉。官至后晋泾州留后。传见《旧五代史》卷九十五。⑧¹巡检使：巡检使与下文都指挥使，皆武官名。巡检使多设于边镇，统驻防军，都指挥使则为统兵长官。⑧²袭：乘人不备而攻击。⑧³悬军远袭：孤军深入敌后偷袭敌人。⑧⁴虚弃：白白地丢弃、损失。⑧⁵东平：郓州。郓州本为东平郡。⑧⁶必有以报：一定会有好消息向你报告。⑧⁷壬寅：闰四月二十八日。⑧⁸比及：及至；等到。⑧⁹高行周（公元八八五至九五二年）：字尚质，幽州（今北京）人，隶明宗帐下，英勇善战。心甚谨厚，屡立战功。仕后唐潞州节度使。后晋归德军节度使。后汉天平节度使，封齐王。后周加守尚书令，卒谥武懿，追封秦王。传见《旧五代史》卷一百二十三、《新五代史》卷四十八。⑨⁰李从珂（公元八八五至九三六年）：本姓王，明宗养子，以力战知名。为后唐第四任皇帝，公元九三四至九三六年在位。自焚死，谥末帝。事见《旧五代史》卷四十六、《新五代史》卷七。⑨¹癸卯：闰四月二十九日。⑨²崔筥：梁郓州知州事节度副使。⑨³赵凤（？至公元九三五年）：传见《旧五代史》卷六十七、《新五代史》卷二十八。幽州（治所在今北京城区西南）人，早年曾为郓州节度判官。⑨⁴集：成功。

【校记】

［4］北都：原作“北京”。胡三省注云：“‘京’当作‘都’。”严衍《通鉴补》改作“北都”，下文亦称“北都留守”，当是，今从改。

【语译】

梁主听到郓州失守，十分恐惧，下令把刘遂严、燕颙押到街市上斩首，罢免了戴思远的招讨使职务，降职授予宣化留后，又派使者诘问责备北面招讨的各位将领段凝、王彦章等，催促他们进军交战。敬翔知道朱梁王室已经岌岌可危，于是把绳子装进靴子里，入宫晋见梁主说：“先帝夺取天下的时候，不认为臣没有才能，臣的谋略建议无不采纳。如今敌人的势力更加强大，而陛下却不听取、不重视臣的建议，臣已是个无用之人，还不如死了罢。”说着拿出绳子准备自杀。梁主阻止了他，问他究竟想说什么，敬翔说道：“事情已经很危急，如果不起用王彦章为大将，就不可挽救了。”梁主听从了他的建议，任命王彦章代替戴思远担任北面招讨使，仍旧让段凝担任副招讨使。

帝闻之，自将亲军屯澶州，命蕃汉马步都虞候朱守殷[104]守德胜，戒之曰："王铁枪勇决[105]，乘愤激之气，必来唐突[106]，宜谨备之！"守殷，王幼时所役苍头[107]也。

又遣使遗吴王书，告以已克郓州，请同举兵[108]击梁。五月，使者至吴，徐温欲持两端[109]，将舟师循海而北，助其胜者。严可求曰："若梁人邀我登陆为援，何以拒之？"温乃止。

梁主召问王彦章以破敌之期，彦章对曰："三日。"左右皆失笑。彦章出，两日，驰至滑州。辛酉[110]，置酒大会，阴遣人具舟[111]于杨村。夜，命甲士六百，皆持巨斧，载冶者[112]，具鞴炭[113]，乘流而下。会饮尚未散，彦章阳起更衣[114]，引精兵数千，循[115]河南岸趋德胜。天微雨，朱守殷不为备，舟中兵举锁烧断之，因以巨斧斩浮桥，而彦章引兵急击南城。浮桥断，南城遂破，斩首数千级[5]。时受命适[116]三日矣。守殷以小舟载甲士济河[117]救之，不及。彦章进攻潘张、麻家口、景店[118]诸寨，皆拔之，声势大振。

帝遣宦者焦彦宾[119]急趣杨刘[120]，与镇使[121]李周[122]固守。命守殷弃德胜北城，撤屋材[123][6]为筏，载兵械浮河东下，助杨刘守备，徙其刍粮薪炭于澶州，所耗失殆半。王彦章亦撤南城屋材，浮河而下。各行一岸，每遇湾曲[124]，辄[125]于中流交斗，飞矢雨集，或全舟覆没，一日百战，互有胜负。比及杨刘，殆[126]亡士卒之半。己巳[127]，王彦章、段凝以十万之众攻杨刘。百道俱进[128]，昼夜不息。连巨舰九艘，横亘河津以绝援兵。城垂陷[129]者数四，赖李周悉力[130]拒之，与士卒同甘苦，彦章不能克，退屯城南，为连营以守之。

唐庄宗听到这一消息，亲自率领亲军屯驻在澶州，命令蕃汉马步都虞候朱守殷镇守德胜城，并告诫他说："王铁枪勇敢果决，趁着士卒这股愤怒激动的气势，一定会来冒犯，你应该谨慎防备！"朱守殷，是唐庄宗小时候使唤的奴才。

唐庄宗又派使者给吴王送去书信，告诉吴王自己已经攻克郓州，请他共同起兵攻打梁朝。五月，使者到达吴国，徐温想脚踏两条船，准备率领水师沿着海岸北上，看哪边打胜了就帮助哪边。严可求说："如果梁军请求我们登陆去援助他们，我们用什么理由拒绝他们呢？"徐温于是作罢。

梁主召见王彦章问他破敌的时间，王彦章回答说："三天。"左右大臣听了都不由地发笑。王彦章出京，用了两天时间，急速赶到滑州。五月十八日辛酉，王彦章设置酒宴会聚了大量宾客，暗中却派人在杨村准备好船只。当天夜里，命令六百名甲士，都拿着大斧，船上载运了一些炼铁的匠人，准备了鼓风的皮囊和火炭，顺流而下。这时酒会还没有结束，王彦章假装起身上厕所，实际上率领几千名精兵沿黄河南岸直奔德胜城。当时天下着小雨，朱守殷并没做防备，船上王彦章的士卒把连接浮桥的锁用火烧断，接着用大斧砍断浮桥，而王彦章则率领人马猛攻德胜南城。浮桥被砍断了，德胜南城随即被攻了下来，斩杀数千人。这时距王彦章接受命令刚好三天。朱守殷用小船载着甲士渡过黄河来援救南城，但已经来不及了。王彦章又进攻潘张、麻家口、景店等唐军营寨，都攻了下来，声威大震。

唐庄宗派宦官焦彦宾火速赶往杨刘，与杨刘镇使李周一道固守。命令朱守殷放弃德胜北城，拆掉房屋做成木筏，载着士兵和武器从河上东下，以协助杨刘进行守备，又把德胜北城的粮草柴火都转移到澶州，转移中所损失的有将近一半。王彦章也拆下德胜南城的房屋木料，做成木筏从河上东下。王彦章和朱守殷两军各靠一侧岸边行船，每遇黄河河道弯曲之处，就要在中流交战一番，射出的箭像雨一样密集，有时候甚至全船覆没，一日交战上百次，双方互有胜负。等到达杨刘时，差不多都损失了将近一半的士卒。五月二十六日己巳，王彦章、段凝率领十万大军进攻杨刘。多路并进，昼夜不停。又把九艘大船连起来，横拦在黄河的渡口上以阻断唐军的援兵。杨刘城好几次都濒临陷落，多亏李周全力抵御，和士卒同甘共苦，最终王彦章还是没能攻下，于是退兵屯驻城南，设立相连的营寨坚守。

【段旨】

以上为第三段，写梁将王彦章大败晋兵于德胜，兵围杨刘。

【注释】

⑮宣化：方镇名，唐肃宗至德二载（公元七五七年），升襄阳防御使为山南东道节度使。梁破赵匡凝，分邓州置宣化军。治所邓州，在今河南邓州。⑯诘让：诘问、责备。⑰趣：催促。⑱内：通"纳"，藏。⑲先帝：指朱温。⑳不肖：不贤。㉑弃忽：摒弃、轻视。㉒引绳：拿出绳子。㉓自经：自缢。㉔朱守殷（？至公元九二七年）：小字会儿，为庄宗童仆，渐成心腹，为明宗所杀。传见《旧五代史》卷七十四、《新五代史》卷五十一。㉕勇决：勇敢而果断。㉖唐突：冒犯。㉗苍头：奴仆。㉘举兵：起兵；发兵。㉙持两端：首鼠两端，俗称脚踩两条船。㉚辛酉：五月十八日。㉛具舟：准备船只。㉜冶者：熔炼金属的工人。㉝具鞴炭：准备鼓风吹火器具和木炭。鞴，通"韛"，吹火使旺炽的皮囊。㉞阳起更衣：假装上厕所。㉟循：沿着。㊱适：刚好。㊲济河：渡过黄河。㊳潘张、麻家口、景店：地名，均为沿河要津，晋人立寨守卫。村中有潘、张两

【原文】

杨刘告急于帝，请日行百里以赴之[131]。帝引兵救之，曰："李周在内，何忧！"日行六十里，不废畋猎[132]。六月乙亥[133]，至杨刘。梁兵堑垒重复[134]，严不可入。帝患[135]之，问计于郭崇韬，对曰："今彦章据守津要，意谓可以坐取东平。苟大军不南，则东平不守矣。臣请筑垒于博州[136]东岸以固河津，既得以应接东平，又可以分贼兵势。但虑彦章诇知[137]，径来薄我[138]，城不能就。愿陛下募敢死之士，日令挑战以缀[139]之，苟彦章旬日不东，则城成矣。"时李嗣源守郓州，河北声问不通[140]，人心渐离，不保朝夕[141]。会梁右先锋指挥使康延孝[142]密请降于嗣源，延孝者，太原胡人，有罪，亡奔梁，时隶段凝麾下。嗣源遣押牙临漳范延光[143]送延孝蜡书诣帝，延光因言于帝曰："杨刘控扼[144]已固，梁人必不能取，请筑垒马家口[145]以通郓州之路。"帝从之，遣崇韬将[146]万人夜发，倍道趣博州，至马家口渡河，筑城昼夜不息。帝在杨刘，与梁人昼夜苦战。崇韬筑新城凡六日，王彦章闻之，将兵数万人驰至。戊子[147]，急攻新城，连巨舰十余艘于中流以绝援路。时板筑[148]仅毕，城犹

姓，因以名村。麻、景亦当是村民姓氏。⑪⑨焦彦宾：字英服，沧州清池（今河北沧县东南）人，少聪敏，多智略。传见《九国志》。⑫⓪杨刘：镇名，控扼黄河下游的军事重镇，在今山东东阿东北古黄河南岸。⑫①镇使：镇守杨刘的镇将。⑫②李周（公元八七一至九四四年）：官至后晋开封尹。传见《旧五代史》卷九十一、《新五代史》卷四十七。⑫③屋材：房屋的木材。用来做木筏。⑫④湾曲：河道弯曲的地方。⑫⑤辄：常。⑫⑥殆：大概。⑫⑦己巳：五月二十六日。⑫⑧百道俱进：全线一起进军；多路进攻。⑫⑨垂陷：濒临陷落。⑬⓪悉力：全力。

【校记】

［5］斩首数千级：原无此五字。据章钰校，十二行本、乙十一行本、孔天胤本皆有此五字，张敦仁《通鉴刊本识误》同，今据补。［6］材：原无此字。据章钰校，十二行本、乙十一行本、孔天胤本皆有此字，张敦仁《通鉴刊本识误》同，今据补。

【语译】

杨刘城向唐庄宗告急，请求军队日行百里赶赴杨刘救援。唐庄宗率军前往救援，说："有李周在城里，有什么可担心的!"于是每天只行军六十里，一路上还不曾停止过打猎。六月初二日乙亥，援军到达杨刘。梁军的堑壕营垒层层叠叠，布防严密，根本就不可能进去。唐庄宗很忧虑，便问郭崇韬有什么好办法，郭崇韬回答说："现在王彦章据守着水陆冲要之地，认为这样就可以坐取东平。如果我们的大军不向南开进，那么东平就守不住了。臣请求在博州东岸修筑营垒以巩固河上的渡口，这样既可以接应东平，又可以分散敌人的兵力。只是担心王彦章侦察到这一情况，直接逼近我们，那么城就筑不起来了。希望陛下招募敢死的士卒，让他们每天都向梁军挑战以牵制梁军，如果王彦章十天不向东进军，那么城就可以筑成了。"当时李嗣源正坚守郓州，与黄河以北地区消息不通，人心逐渐离散，城池早晚可能陷落。这时刚好梁军右先锋指挥使康延孝秘密向李嗣源请求投降，康延孝是太原的胡人，因为犯了罪，逃亡投奔了梁，当时属于段凝的部下。李嗣源派押牙临漳人范延光把康延孝请降的蜡书送到唐庄宗那里，于是范延光向唐庄宗进言说："对杨刘的控制扼守已很稳固，梁军肯定攻不下来，请求在马家口修建营垒以打通前往郓州的道路。"唐庄宗听从了他的建议，派郭崇韬率领一万人连夜出发，兼程赶往博州，到达马家口渡过黄河，在那里日夜不停地筑城。唐庄宗在杨刘，与梁军日夜苦战。郭崇韬建造新城已有六天，王彦章得到消息，立即率领数万大军急速赶到那里。十五日戊子，梁军猛攻新城，并且把十余艘大型战船连起来挡在黄河中流，以断绝援救郭崇韬的路。

卑下，沙土疏恶，未有楼橹⑭⑨及守备。崇韬慰谕[7]士卒，以身先之，四面拒战，遣间使告急于帝。帝自杨刘引大军救之，陈于新城西岸。城中望之增气，大呼叱⑮⓪梁军，梁人断绁敛舰⑮①。帝舣舟⑮②将渡，彦章解围，退保邹家口⑮③。郓州奏报始通。李嗣源密表请正⑮④朱守殷覆军之罪，帝不从。

秋，七月丁未⑮⑤，帝引兵循河而南，彦章等弃邹家口，复趋杨刘。甲寅⑮⑥，游弈将⑮⑦李绍兴败梁游兵⑮⑧于清丘驿⑮⑨南。段凝以为唐兵已自上流渡，惊骇失色⑯⓪，面数⑯①彦章，尤⑯②其深入。

乙卯⑯③，蜀侍中魏王宗侃卒。

戊午⑯④，帝遣骑将李绍荣直抵梁营，擒其斥候⑯⑤，梁人益恐。又以火筏⑯⑥焚其连舰。王彦章等闻帝引兵已至邹家口，己未⑯⑦，解杨刘围，走保杨村⑯⑧。唐兵追击之，复屯德胜。梁兵前后急攻诸城，士卒遭矢石、溺水、暍死⑯⑨者且⑰⓪万人，委弃⑰①资粮、铠仗、锅幕，动以千计⑰②。杨刘比至围解，城中无食已三日矣。

王彦章疾赵、张⑰③乱政，及为招讨使，谓所亲曰："待我成功还，当尽诛奸臣以谢⑰④天下！"赵、张闻之，私相谓曰："我辈宁死于沙陀⑰⑤，不可为彦章所杀。"相与协力倾之⑰⑥。段凝素疾彦章之能而谄附⑰⑦赵、张，在军中与彦章动相违戾⑰⑧，百方沮桡⑰⑨之，惟恐其有功，潜伺⑱⓪彦章过失以闻于梁主。每捷奏至，赵、张悉归功于凝，由是彦章功竟无成。及归杨村，梁主信谗⑱①，犹[8]恐彦章旦夕成功难制，征⑱②还大梁。使将兵会董璋攻泽州⑱③。

甲子⑱④，帝至杨刘，劳李周曰："微⑱⑤卿善守，吾事败矣。"

当时城墙板筑刚完成，高度还不够，土石疏松，还没有供瞭望和守备的楼橹及其他设施。郭崇韬慰劳士卒，并且亲自带头，四面抵御交战，同时派出密使向唐庄宗告急。唐庄宗从杨刘亲率大军赶来救援，在新城的西岸布阵。城里的人望见援兵后士气大振，大声斥骂梁军，梁军砍断了河中连接战船的绳索，收拢战船。唐庄宗的船停在岸边即将渡河，王彦章解除包围，退守邹家口。郓州向朝廷的奏报通畅了。李嗣源秘密上表请求依法追究朱守殷军队覆没的罪责，唐庄宗没有接受。

秋，七月初五日丁未，唐庄宗率军沿黄河向南进发，王彦章等放弃邹家口，又奔赴杨刘。十二日甲寅，游弈将李绍兴在清丘驿的南面击败了梁军的流动部队。段凝以为唐军已经从上游渡过了黄河，大惊失色，当面指责王彦章，怪罪他深入郓州之境。

十三日乙卯，蜀国的侍中魏王王宗侃去世。

七月十六日戊午，唐庄宗派骑将李绍荣径直攻到梁军营寨前，活捉了梁军的侦察兵，梁军更加惊恐了。唐军又用点着火的木筏去焚烧梁军连在一起的战船。王彦章等听说唐庄宗已经率军到达邹家口，十七日己未，就解除对杨刘的包围，退到杨村防守。唐军追击，重又屯驻到德胜城。梁军士兵前后猛攻各城，遭到箭石攻击而死、淹死、中暑而死的将近有一万人，丢弃的物资粮食、铠甲兵器、军锅幕帐等，常常数以千计。到解围的时候，杨刘城中已断粮三天。

王彦章憎恨赵岩、张汉杰等人搅乱国政，等到他当了招讨使，对自己的亲信说："等我取得成功回去，一定要把奸臣全部杀光，以报谢天下!"赵岩、张汉杰等人听到这些话之后，就私下里商量说："我们宁可死在沙陀人手里，也不能被王彦章杀死。"于是他们相互协力倾轧排挤王彦章。段凝平素就妒忌王彦章的才能而谄媚攀附赵岩、张汉杰等人，在军中动辄与王彦章作对，千方百计地加以阻挠，唯恐王彦章立功，还暗中侦伺王彦章的过失向梁末帝奏报。每次军中的捷报送到朝廷，赵岩、张汉杰等人都把功劳全都归于段凝，因此王彦章最终未能取得成功。等到梁军退回杨村时，梁主听信谗言，又担心王彦章一旦大功告成会难以控制，便征召他回大梁，让他率兵会合董璋进攻泽州。

七月二十二日甲子，唐庄宗到达杨刘，慰劳李周说："如果不是你善于防守，我的大事就毁了。"

【段旨】

以上为第四段，写梁末帝任将不专，王彦章既受制于内，又不协于外，不能号令全军，功败垂成，被解除军权。

【注释】

⑬¹ 赴之：赶赴杨刘。⑬² 不废畋猎：不停止打猎。⑬³ 乙亥：六月初二日。⑬⁴ 堑垒重复：壕堑和堡垒层层叠叠。⑬⁵ 患：担心；忧虑。⑬⁶ 博州：州名，治所聊城，在今山东聊城东北。⑬⁷ 诇知：侦察知道。⑬⁸ 薄我：靠近我。这里指直接来攻打我。⑬⁹ 缀：牵制。⑭⁰ 声问不通：信息不通。⑭¹ 不保朝夕：指形势危险，早晚都有陷城的可能。⑭² 康延孝（？至公元九二六年）：后唐平蜀时战功第一，据四川为乱，自称西川节度、三川制置等使。兵败被擒杀。传见《旧五代史》卷七十四、《新五代史》卷四十四。⑭³ 范延光（？至公元九四〇年）：字子环，邺郡临漳（今河北临漳）人，官至后唐同平章事。后晋封临清王，为杨光远推堕河死。传见《旧五代史》卷九十七、《新五代史》卷五十一。⑭⁴ 控扼：控制、扼守。⑭⁵ 马家口：地名，当在通往郓州的路上。⑭⁶ 将：率领。⑭⁷ 戊子：六月十五日。⑭⁸ 板筑：筑城。用板为范，实泥筑城，故称板筑。⑭⁹ 楼橹：古时军中用以侦察、防御或攻城的活动高台。⑮⁰ 叱：大声叱骂。⑮¹ 断绁敛舰：砍断缆绳，收缩兵舰。⑮² 舣舟：乘坐大船靠向岸边。舣，船拢岸。⑮³ 邹家口：地名，在黄河岸边。以所居村民之姓为地名。⑮⁴ 正：肃正。⑮⁵ 丁未：七月初五日。⑮⁶ 甲寅：七月十二日。⑮⁷ 游弈将：武将名，机

【原文】

中书侍郎、同平章事[186]卢程以私事干[187]兴唐府，府吏不能应[188]，鞭吏背。光禄卿[189]兼兴唐少尹[190]任团，圜之弟，帝之从姊婿也，诣程诉之。程骂曰："公何等虫豸[191]，欲倚妇力邪！"团诉于帝。帝怒曰："朕误相[192]此痴物[193]，乃敢辱吾九卿[194]！"欲赐自尽。卢质力救之，乃贬右庶子[195]。

裴约遣间使[196]告急[197]于帝，帝曰："吾兄不幸，乃生[9]枭獍[198]，裴约独能知逆顺。"顾谓北京内牙马步军都指挥使[199]李绍斌曰："泽州弹丸之地[200]，朕无所用，卿为我取裴约以来。"八月壬申[201]，绍斌将甲士[202]五千救之。未至，城已陷，约死，帝深惜之。

甲戌[203]，帝自杨刘还兴唐。

梁主命于滑州决河[204]，东注曹、濮及郓，以限唐兵。

初，梁主遣段凝监大军于河上，敬翔、李振屡请罢之。梁主曰：

动巡游将领。⑱游兵：游动士兵。⑲清丘驿：地名，在今河南濮阳东南。⑳失色：惊慌变色。㉑面数：当面数落、指责。㉒尤：责怪；归咎。㉓乙卯：七月十三日。㉔戊午：七月十六日。㉕斥候：侦察兵。㉖火筏：载火焚烧的木筏。㉗己未：七月十七日。㉘杨村：地名，在杨刘南。㉙暍死：中暑而死。㉚且：将近。㉛委弃：丢弃；抛弃。㉜动以千计：此谓丢弃的物资数量常常以千来计算。喻极多。㉝疾赵、张：疾，怨恨。赵，指赵岩。张，指张汉杰、张汉伦、张汉融等。㉞谢：谢罪。㉟沙陀：指李存勖。㊱倾之：倾轧排挤王彦章。㊲谄附：谄媚攀附。㊳动相违戾：动不动就互相抵触，意见分歧。㊴沮桡：阻止或暗中破坏，使不能成功。沮，通“阻”。㊵潜伺：暗中窥测。㊶信谗：听信谗言。㊷征：征召。㊸泽州：州名，治所晋城，在今山西晋城。㊹甲子：七月二十二日。㊺微：无；没有。

【校记】

［7］慰谕：原作“慰劳”。据章钰校，十二行本、乙十一行本皆作“慰谕”，张敦仁《通鉴刊本识误》同，今据改。［8］犹：严衍《通鉴补》改作“反”。

【语译】

中书侍郎、同平章事卢程以私人事情请托于兴唐府，府中官吏不能满足他的要求，他就用鞭子抽打府吏的背。光禄卿兼兴唐府少尹任团，是任圜的弟弟，也是唐庄宗堂姐的夫婿，到卢程那里去理论。卢程骂他说：“你是什么下贱东西，想倚仗老婆的力量吗?!”任团跑去向唐庄宗陈诉。唐庄宗听后非常生气地说：“朕错用了这个傻瓜为丞相，他竟敢侮辱我的九卿!”准备赐卢程自尽。卢质倾力解救，于是将卢程贬为右庶子。

裴约派密使向唐庄宗告急，唐庄宗说：“我哥哥不幸，竟生下这个忘恩负义的畜生，只有裴约知道忠奸顺逆。”回头对北京内牙马步军都指挥使李绍斌说：“泽州是个弹丸之地，于我没有什么用处，你去替我把裴约迎取回来。”八月初一日壬申，李绍斌率五千名披甲的士卒前去援救。援兵还没到达，泽州城已陷落，裴约战死，唐庄宗得知后深为惋惜。

初三日甲戌，唐庄宗从杨刘返回兴唐府。

梁主命令在滑州决开黄河河堤，让河水向东漫到曹州、濮州和郓州一带，用来阻止唐军。

当初，梁主派段凝到黄河一线监督大军，敬翔、李振多次请求罢免他。梁主说：

“凝未有过。”振曰：“俟其有过，则社稷危矣。”至是，凝厚赂赵、张，求为招讨使[205]。翔、振力争以为不可，赵、张主之[206]，竟代王彦章为北面招讨使。于是宿将愤怒，士卒亦不服。天下兵马副元帅张宗奭言于梁主曰：“臣为副元帅，虽衰朽[207]，犹足为陛下捍御[208]北方。段凝晚进，功名未能服人，众议讻讻[209]，恐贻[210]国家深忧。”敬翔曰：“将帅系国安危，今国势已尔[211]，陛下岂可尚不留意邪！”梁主皆不听。

戊子[212]，凝将全军五万营于王村[213]，自高陵津[214]济河，剽掠澶州诸县，至于顿丘[215]。梁主又[10]命王彦章将保銮骑士[216]及他兵合万人，屯兖、郓之境，谋复郓州，以张汉杰监其军。

庚寅[217]，帝引兵屯朝城[218]。戊戌[219]，康延孝帅百余骑来奔[220]。帝解所御[221]锦袍玉带赐之，以为南面招讨都指挥使，领博州刺史。帝屏人[222]问延孝以梁事，对曰：“梁朝地不为狭，兵不为少，然迹[223]其行事，终必败亡。何则？主既暗懦[224]，赵、张兄弟擅权，内结宫掖[225]，外纳货赂，官之高下唯视赂之多少，不择才德，不校[226]勋劳。段凝智勇俱无，一旦居王彦章、霍彦威之右[227]，自将兵以来，专率敛行伍，以奉权贵[228]。梁主[11]每[229]出一军，不能专任将帅，常以近臣监之，进止可否动[230]为所制。近又闻欲数道出兵，令董璋引陕、虢、泽、潞之兵自石会关[231]趣太原，霍彦威以汝、洛之兵自相、卫、邢、洺寇镇定，王彦章、张汉杰以禁军攻郓州，段凝、杜晏球[232]以大军当陛下，决以十月大举[233]。臣窃观梁兵聚则不少，分则不多。愿陛下养勇蓄力以待其分兵，帅精骑五千自郓州直抵大梁，擒其伪主[234]。旬月之间，天下定矣。”帝大悦[235]。

"段凝没有什么过错。"李振说:"等到他有了过错,国家就危险了。"这时,段凝用厚礼贿赂赵岩、张汉杰二人,请求担任招讨使,敬翔、李振倾力争辩,认为不能这样做,而赵岩、张汉杰主张任用段凝,最终段凝代替王彦章担任了北面招讨使。于是军中那些久经沙场的将领都很愤怒,士卒也不服气。天下兵马副元帅张宗奭对梁主说:"臣身为副元帅,虽然已经老朽了,但还足以替陛下抵御北方的敌人。段凝是个晚辈,他的功绩名声还不能使人信服,大家对他议论纷纷,这样下去恐怕会给皇上留下深深的忧患。"敬翔说:"将帅关系到国家的安危,如今国家的形势已经这样了,陛下怎么可以还不注意呢!"梁主对这些话都不愿去听。

八月十七日戊子,段凝率领全军五万人马在王村扎营,之后从高陵津渡过黄河,在澶州下属各县大肆抢掠,一直到顿丘。梁主又命令王彦章率领保銮骑士和其他部队共一万人,屯驻在兖州、郓州境内,准备收复郓州,并派张汉杰担任他的监军。

八月十九日庚寅,唐庄宗率兵屯驻在朝城。二十七日戊戌,康延孝率一百多名骑兵前来投奔。唐庄宗解下自己身上的锦袍、玉带赐给了他,任命他为南面招讨都指挥使,兼领博州刺史。唐庄宗屏退身边的人,向康延孝询问梁朝的情况,康延孝回答说:"梁朝的地域不算狭小,兵力也不算少,但是考察它所做的事情,就可知道它最终是一定要失败灭亡的。为什么呢?梁主本已昏庸懦弱,赵岩、张汉杰兄弟又在朝廷专权,对内勾结后宫之人,对外收受贿赂,任官职位的高低只看贿赂的多少,根本不看人的才能品德,也不考察这个人过去的功勋劳绩。段凝智谋和勇气都不具备,忽然间位居王彦章、霍彦威之上,自从他领兵以来,专门搜刮士卒给养用以奉献权贵。梁主每派出一支军队,都不能一心信任将帅,常常派近臣去监军,军队的行动决定动辄受监军钳制。近来又听说梁主准备多路出兵,命令董璋率领陕州、虢州、泽州、潞州的军队从石会关直奔太原,霍彦威率领汝州、洛州的军队从相州、卫州、邢州、洺州一线进犯镇州、定州,王彦章、张汉杰率领禁军进攻郓州,段凝、杜晏球率领大军抵挡陛下,决定在十月大规模开始行动。臣私下观察,梁军集中在一起确实不少,分散开来就不多了。希望陛下养精蓄锐等待他们分兵,然后率领五千名精锐骑兵从郓州直抵大梁,活捉伪梁主。不过十天到一个月时间,天下就可以平定了。"唐庄宗听后大为高兴。

【段旨】

以上为第五段,写梁末帝临阵换将,任用平庸贪婪的段凝为主帅,大势去矣。

【注释】

⑱⑥中书侍郎、同平章事：右宰相。⑱⑦干：求取。⑱⑧应：满足；办到。⑱⑨光禄卿：光禄寺长官，掌皇室膳食。⑲⓪少尹：兴唐府尹的副职。⑲①虫豸：泛指禽兽以外的小动物。这里比喻下贱者。斥骂之词。⑲②误相：误用卢程为宰相。⑲③痴物：傻瓜。⑲④九卿：这里指任团。因光禄寺卿为九卿之一。⑲⑤右庶子：太子官属。⑲⑥间使：密使。⑲⑦告急：报告紧急情况。指泽州被围困的情况。⑲⑧枭獍：也作"枭镜"。比喻忘恩负义的恶人。枭，是食母的恶鸟。獍，一名破镜，是食父的恶兽。⑲⑨北京内牙马步军都指挥使：真定府留守禁卫军统领官。⑳⓪弹丸之地：小地方。⑳①壬申：八月初一日。⑳②甲士：带甲的士兵。⑳③甲戌：八月初三日。⑳④决河：挖开黄河堤岸。⑳⑤招讨使：官名，为临时军事长官，掌招抚讨伐事务，兵罢即废。⑳⑥主之：主张任用段凝。⑳⑦衰朽：自言年老衰弱。谦辞。⑳⑧捍御：捍卫、抵御。⑳⑨讻讻：通"汹汹"，形容人声喧扰，气愤不平。㉑⓪贻：留；遗留。㉑①已尔：已经如此。指国家形势已到危急关头。㉑②戊子：八月十七日。㉑③王村：地名，在今河南清丰。㉑④高陵津：渡口名，在今河南清丰。㉑⑤顿丘：县名，在今河南浚

【原文】

蜀主以文思殿㉓⑥大学士韩昭、内皇城使潘在迎㉓⑦、武勇军使㉓⑧顾在珣㉓⑨为狎客㉔⓪，陪侍游宴，与宫女杂坐㉔①。或为艳歌㉔②相唱和，或诙[12]嘲谑浪㉔③，鄙俚㉔④亵慢，无所不至，蜀主乐之。在珣，彦朗之子也。

时枢密使宋光嗣等专断国事，恣为威虐㉔⑤，务徇㉔⑥蜀主之欲以盗其权。宰相王锴㉔⑦、庾传素等各保宠禄，无敢规正。潘在迎每劝蜀主诛谏者，无使谤国㉔⑧。嘉州司马刘赞㉔⑨献陈后主三阁㉕⓪图，并作歌以讽。贤良方正㉕①蒲禹卿㉕②对策语极切直。蜀主虽不罪，亦不能用也。

九月庚戌㉕③，蜀主以重阳宴近臣于宣华苑㉕④。酒酣，嘉王宗寿乘间㉕⑤极言社稷将危，流涕不已。韩昭、潘在迎曰："嘉王好酒悲㉕⑥。"因谐笑㉕⑦而罢。

县西。㉑⑥保銮骑士：皇帝的禁卫亲军。㉑⑦庚寅：八月十九日。㉑⑧朝城：县名，在今山东莘县西南朝城镇。㉑⑨戊戌：八月二十七日。㉒⓪来奔：来投降。㉒①御：此处为对皇帝穿着、佩饰的尊称。㉒②屏人：屏退旁人。㉒③迹：考校；观察。㉒④暗懦：昏庸、懦弱。㉒⑤宫掖：宫廷后妃、内官。㉒⑥校：校核。㉒⑦之右：之上。㉒⑧率敛行伍二句：搜刮士兵给养，用以奉献权贵。㉒⑨每：常常。㉓⓪动：动辄。㉓①石会关：关名，在今山西榆社。㉓②杜晏球（公元八七三至九三二年）：字莹之，洛阳人，本姓王，为杜氏义子，冒姓杜。官至后唐天平节度使。传见《旧五代史》卷六十四。㉓③大举：大规模地开始行动。㉓④伪主：指后梁末帝。㉓⑤大悦：大为高兴。

【校记】

［9］乃生：原作“生此”。据章钰校，十二行本、乙十一行本、孔天胤本皆作“乃生”，今据改。［10］又：原无此字。据章钰校，十二行本、乙十一行本皆有此字，今据补。［11］梁主：原无此二字。据章钰校，十二行本、乙十一行本、孔天胤本皆有此二字，张敦仁《通鉴刊本识误》同，今据补。

【语译】

蜀主把文思殿大学士韩昭、内皇城使潘在迎、武勇军使顾在珣当作狎戏之客，让他们陪伴侍候自己游乐宴饮，与宫女混杂坐在一起。他们有时作一些艳歌相唱和，有时谈笑嘲讽，戏谑放荡，鄙陋粗俗，无所不为，而蜀主却很高兴。顾在珣，是顾彦朗的儿子。

当时枢密使宋光嗣等独自决断国家政事，恣意作威作福，残害百姓，一味地曲从蜀主的欲望以窃取权力。宰相王锴、庾传素等人各自只顾保全自己所受的恩宠和俸禄，不敢对蜀主有所规劝匡正。潘在迎常常劝蜀主诛杀那些进谏的人，说是不要让他们诽谤国政。嘉州司马刘赞献上陈后主三阁图，并作歌讽劝蜀主。贤良方正蒲禹卿在对策中的话也说得极为恳切率直。蜀主虽然没有降罪于他们，但也没有采纳他们的意见。

九月初九日庚戌，蜀主因为当天是重阳节，在宣华苑宴请亲近的大臣。酒正喝得尽兴的时候，嘉王王宗寿乘机极力陈说国家即将陷于危亡，说着不停地流泪。韩昭、潘在迎却说：“嘉王喜欢在喝了酒之后哭哭啼啼的。”于是众人嬉笑一番，散了宴席。

【段旨】

以上为第六段，写蜀主王衍游宴无度，不听忠言。

【注释】

㉓⑥文思殿：唐末迁都洛阳，改保宁殿为文思殿。蜀袭用唐室殿名。㉓⑦潘在迎：蜀主王衍幸臣，常以柔顺侍王衍游宴，劝杀耿直谏臣。传见《十国春秋》卷四十六。㉓⑧武勇军使：官名，禁卫军军官。㉓⑨顾在珣：唐昭宗时东川节度使顾彦朗之子，为蜀主嬖幸。㉔⓪狎客：指亲昵接近常共嬉游饮宴之人。㉔①杂坐：混杂地坐在一起。㉔②艳歌：柔靡的情爱歌曲。㉔③诙嘲谑浪：谈笑、嘲讽、戏谑、放浪。㉔④鄙俚：鄙陋低俗。㉔⑤恣为威虐：恣意作威作福，虐害百姓。㉔⑥徇：曲从。㉔⑦王锴：字鳢祥，官至前蜀宰相，劝蜀主兴文

【原文】

帝在朝城，梁段凝进至临河㉕⑧之南，澶西㉕⑨、相南㉖⓪，日有寇掠㉖①。自德胜失利以来，丧刍粮数百万。租庸副使孔谦暴敛以供军，民多流亡，租税益少，仓廪之积不支半岁。泽、潞未下，卢文进、王郁引契丹屡过瀛㉖②、涿之南，传闻俟草枯冰合㉖③，深入为寇。又闻梁人欲大举数道入寇，帝深以为忧，召诸将会议。宣徽使李绍宏等皆以为郓州城门之外皆为寇境，孤远难守㉖④，有之不如无之。请以易[13]卫州及黎阳于梁，与之约和，以河为境㉖⑤，休兵息民。俟财力稍集，更图[14]后举㉖⑥。帝不悦，曰："如此吾无葬地矣。"乃罢诸将，独召郭崇韬问之。对曰："陛下不栉沐㉖⑦，不解甲，十五余年，其志欲以雪家国之仇耻也。今已正尊号，河北士庶㉖⑧，日望升平㉖⑨。始得郓州尺寸之地，不能守而弃之，安能尽有中原乎！臣恐将士解体㉗⓪，将来食尽众散，虽画河为境，谁为陛下守之！臣尝细询康延孝以河南㉗①之事，度己料彼㉗②，日夜思之，成败之机㉗③决在今岁。梁今悉以精兵授段凝，据我南鄙㉗④，又决

教，集四部书于新宫。家藏异书数千本，多手自丹黄。又亲写释藏经若干卷，书法绝工。传见《十国春秋》卷四十一。㉘谤国：诽谤朝政。㉙刘赞：官至前蜀嘉州（今四川乐山）司马。著有《玉堂集》，纂《蜀国文英》等书。传见《十国春秋》卷四十三。㉚陈后主三阁：陈后主在宫中建临春阁、结绮阁、望仙阁，日与嫔妃嬉游而亡国。见本书卷一百七十六长城公至德二年（公元五八四年）。㉛贤良方正：察举科目之名。㉜蒲禹卿：四川成都人。传见《十国春秋》卷四十三。㉝庚戌：九月初九日。㉞宣华苑：王衍于乾德元年（公元九一九年）改龙跃池为宣华苑。㉟乘间：乘机。㊱酒悲：人醉后而涕泣。㊲谐笑：诙谐嬉笑。

【校记】

［12］诙：原作"谈"。据章钰校，十二行本作"诙"，今据改。

【语译】

唐庄宗驻扎在朝城，梁朝的段凝进军到达临河县以南，在澶州以西、相州以南地区，天天都有敌人侵扰抢掠。唐自从在德胜城失利以来，损失粮草数百万。租庸副使孔谦横征暴敛，以供军需，很多百姓都被迫流亡在外，由此租税的收入就更少了，仓库里的积蓄支持不了半年。泽州、潞州还没有攻下来，卢文进、王郁带着契丹兵多次侵入瀛州、涿州以南地区，传言说等到青草干枯、河面全部冰冻时，就会深入唐朝境内侵扰。又听说梁军准备分兵数路大规模入侵。唐庄宗对此深感忧虑，于是召集众将一起商议对策。宣徽使李绍宏等人都认为郓州城门之外都是敌人的占领区，形势孤立，路途遥远，难以坚守，有它不如没它，建议用郓州向梁朝交换卫州和黎阳，与梁朝订约讲和，以黄河为界，停止战事，让百姓休养生息，等到财力逐渐有所积蓄时，再考虑后面的行动。唐庄宗听了很不高兴，说："像这样的话我就死无葬身之地了。"于是让众将都退下，单独召见郭崇韬来征询意见。郭崇韬回答说："陛下不梳洗，不解甲，已经十五年有余，您的志向是要洗雪国仇家耻。现在已经名正言顺地有了尊号，黄河以北的士人和百姓，天天都在盼望太平。现在刚刚取得郓州尺寸之地，不能守住而要放弃它，日后又怎么能够尽有中原呢！臣担心将士离心，将来粮食一吃完大家也就要散伙了，即使划河为界，又有谁来替陛下防守呢！臣曾经详细询问过康延孝黄河以南的情况，权衡了我方与对方的形势，日夜思考，认为成败的关键必定是在今年。梁朝如今把全部精锐部队都交给了段凝，占据着我南部边境地区，又决开黄河河堤用来确保自身安全，认为我们仓促之间不可能渡过

河自固㉗⑤，谓我猝㉗⑥不能渡，恃此不复为备。使王彦章侵逼郓州，其意冀㉗⑦有奸人㉗⑧动摇，变生于内耳。段凝本非将材[15]，不能临机决策㉗⑨，无足可畏。降者皆言大梁㉘⓪无兵，陛下若留兵守魏，固保杨刘，自以精兵与郓州合势，长驱入汴，彼城中既空虚，必望风自溃㉘①。苟伪主㉘②授首，则诸将自降矣。不然，今秋谷不登㉘③，军粮将尽，若非陛下决志，大功何由可成！谚曰：'当道筑室，三年不成。'㉘④帝王应运，必有天命，在陛下勿疑耳。"帝曰："此正合朕志。丈夫得则为王，失则为虏，吾行决矣！"司天㉘⑤奏："今岁天道不利，深入必无功。"帝不听。

王彦章引兵逾㉘⑥汶水㉘⑦，将攻郓州。李嗣源遣李从珂将骑兵逆战，败其前锋于递坊镇㉘⑧，获将士三百人，斩首二百级。彦章退保中都㉘⑨。戊辰㉙⓪，捷奏至朝城，帝大喜，谓郭崇韬曰："郓州告捷，足壮吾气㉙①。"己巳㉙②，命将士悉遣其家[16]归兴唐㉙③。

冬，十月辛未朔㉙④，日有食之。

帝遣㉙⑤魏国夫人刘氏、皇子继岌归兴唐，与之诀㉙⑥曰："事之成败，在此一决！若其不济㉙⑦，当聚吾家于魏宫而焚之！"仍命豆卢革、李绍宏、张宪、王正言同守东京㉙⑧。

【段旨】

以上为第七段，写梁将王彦章兵败郓州，唐庄宗进兵大梁。

【注释】

㉕⑧临河：县名，县治在今河南浚县东北。㉕⑨澶西：澶州之西。㉖⓪相南：相州之南。㉖①寇掠：侵扰和掠夺。㉖②瀛：瀛州，治所军城，在今河北保定。㉖③草枯冰合：指隆冬季节，青草干枯，河水结冰。㉖④孤远难守：孤立而遥远，难以固守。㉖⑤境：疆界。㉖⑥更图后举：再考虑后面的行动。㉖⑦栉沐：梳洗。㉖⑧士庶：士大夫和老百姓。㉖⑨升平：太平。㉗⓪解体：离心；丧失斗志。㉗①河南：指代后梁。㉗②度己料彼：忖度自己的力量，估计敌人的情况。㉗③成败之机：成功和失败的关键。㉗④南鄙：南面的边疆。㉗⑤决河自固：段凝自酸枣决河堤灌郓州，用来阻挡后唐兵，借以固守阵地，号称护驾水。㉗⑥猝：突然；

黄河，他们依仗着这些便不再认真防备。梁主派王彦章率军侵逼郓州，目的是希望有奸人不忠于朝廷，让我们内部发生变乱。段凝本来就不是做将帅的材料，不能临阵应变，做出决策，这个人没有什么值得畏惧的。投降过来的人都说大梁没有什么兵力，陛下如果留下部分兵力镇守魏州，固守杨刘，再亲自率领精锐部队与郓州的兵力会合，长驱直入，攻取汴梁，他们城中本已力量空虚，所以一定会望风溃逃。如果伪主被杀，那么他部下的众将自然就会投降了。如果不这样做的话，今年秋季谷物收成不好，军粮快没有了，如果不是陛下来下决心，大功如何能够告成！俗谚说：'当道筑室，三年不成。'帝王顺应运数，必定有天意安排，关键在于陛下不要再迟疑了。"唐庄宗说："你说的这些正合朕的心意。大丈夫得到了就为王，失去了就是寇虏，我下一步的行动已经决定了！"这时司天监的官员上奏说："今年的天道不吉利，深入敌境一定不会成功。"唐庄宗不听信这些。

王彦章率军渡过汶水，准备进攻郓州。李嗣源派李从珂率骑兵迎战，在递坊镇打败梁军的前锋，俘虏三百名将士，斩杀了二百人。王彦章退守中都。九月二十七日戊辰，捷报上奏到朝城，唐庄宗大喜，对郭崇韬说："郓州告捷，足以使我们的气势更加壮盛。"二十八日己巳，命令将士们把家属全部送回兴唐府。

冬，十月初一日辛未，发生日食。

唐庄宗送魏国夫人刘氏、皇子李继岌回兴唐府，和他们诀别说："事情的成败，就在此次的决策！如果不能成功，就让我们全家聚集在魏宫举火自焚！"依然任命豆卢革、李绍宏、张宪、王正言一道防守东京。

仓促之间。㉗⑦ 冀：希望。㉗⑧ 奸人：这里指叛徒。㉗⑨ 临机决策：随机应变，决定策略。㉘⓪ 大梁：指梁都汴京。㉘① 自溃：自己崩溃。㉘② 伪主：指后梁末帝。㉘③ 不登：不丰收；收成不好。㉘④ 当道筑室二句：在大路上造房子，必然要被行人损毁，多年不能成功。这里借此谚语劝说唐庄宗下定决心。如果不下决心，就如大路上造房子，多年不会成功。㉘⑤ 司天：司天监。掌管观察天象的官员。㉘⑥ 逾：越过。㉘⑦ 汶水：大汶河。源出山东莱芜北，注入黄河。㉘⑧ 递坊镇：地名，在今山东郓城。㉘⑨ 中都：县名，在今山东汶上西。㉙⓪ 戊辰：九月二十七日。㉙① 足壮吾气：足以壮大我军的士气。㉙② 己巳：九月二十八日。㉙③ 兴唐：兴唐府，即魏州。㉙④ 辛未朔：十月初一日。㉙⑤ 遣：送。㉙⑥ 诀：诀别。㉙⑦ 不济：不成功。㉙⑧ 东京：魏州兴唐府。

【校记】

［13］易：原作“昜”。据章钰校，乙十一行本、孔天胤本皆作“易”，今据改。［14］更图：两字间原有空格。据章钰校，十二行本、乙十一行本、孔天胤本皆无空格，今据删。［15］将材：原作“将才”。据章钰校，十二行本、乙十一行本、孔天胤本皆作“将材”，今据改。［16］家：原作“家属”。据章钰校，十二行本、乙十一行本皆无“属”字，今据删。

【原文】

壬申[299]，帝以大军自杨刘济河。癸酉[300]，至郓州。中夜[301]，进军逾汶[302]，以李嗣源为前锋。甲戌[303]旦，遇梁兵，一战败之，追至中都，围其城。城无守备，少顷[304]，梁兵溃围[305]出，追击，破之。王彦章以数十骑走[306]，龙武大将军[307]李绍奇[308]单骑追之，识其声[309]，曰：“王铁枪[310]也！”拔矟[311]刺之，彦章重伤，马踬[312]，遂擒之。并擒都监[313]张汉杰，曹州[314]刺史李知节，裨将赵廷隐、刘嗣彬[315]等二百余人，斩首数千级。廷隐，开封人。嗣彬，知俊之族子也。

彦章尝谓人曰：“李亚子[316]斗鸡小儿[317]，何足畏！”至是，帝谓彦章曰：“尔常谓我小儿，今日服未？”又问：“尔名善将，何不守兖州？中都无壁垒，何以自固？”彦章对曰：“天命已去，无足言者[318]。”帝惜彦章之材，欲用之，赐药傅其创，屡遣人诱谕[319]之。彦章曰：“余本匹夫[320]，蒙梁恩，位至上将。与皇帝交战十五年，今兵败力穷[321]，死自其分[322]。纵皇帝怜而生我，我何面目见天下之人乎！岂有朝为梁将，暮为唐臣！此我所不为也。”帝复遣李嗣源自往谕之，彦章卧谓嗣源曰：“汝非邈佶烈[323]乎？”彦章素轻嗣源，故以小名呼之。

于是诸将称贺，帝举酒属[324]嗣源曰：“今日之功，公与崇韬之力也。向[325]从绍宏辈语，大事去矣。”帝又谓诸将曰：“向所患惟王彦章，今已就擒，是天意灭梁也。段凝犹[326]在河上，进退之计，宜何向[327]而可？”诸将以为：“传者[328]虽云大梁无备，未知虚实。今东方诸镇兵皆

【语译】

十月初二日壬申，唐庄宗率领大军从杨刘渡过黄河。初三日癸酉，到达郓州。半夜时分，继续进军渡过汶水，任命李嗣源为前锋。初四日甲戌清晨，与梁兵遭遇，一战击败对方，一直追到中都，包围了中都城。城中没有守备，不久，梁军冲出包围，唐军追击，又大败梁军。王彦章带着几十名骑兵逃走，龙武大将军李绍奇单枪匹马追了上去，他听出王彦章的声音，说："是王铁枪！"便拔出长矟刺杀王彦章。王彦章受了重伤，马被绊倒，被活捉。还一起抓获了梁军都监张汉杰，曹州刺史李知节，裨将赵廷隐、刘嗣彬等二百余人，斩杀了好几千人。赵廷隐，是开封人。刘嗣彬，是刘知俊的族子。

王彦章曾经对人说过："李亚子不过是个斗鸡小儿，有什么值得害怕的！"到这时候，唐庄宗问他说："你常说我是小儿，今天服气不服气？"又问他："你号称是一名好将领，为什么不坚守兖州？中都城连壁垒都没有，你靠什么来固守？"王彦章回答说："天命已去，没有什么值得说的了。"唐庄宗爱惜王彦章的才干，想要任用他，赐药治疗他的创伤，多次派人去劝诱开导他。王彦章说："我原本是一介平民，蒙受梁朝的恩泽，职位到了上将。与你们皇帝交战了十五年，如今兵败力尽，死自然是分内的事。即使皇帝怜悯让我活着，我又有什么脸面去见天下人呢！哪里有早晨还是梁朝的将领，到晚上就是唐朝的臣子的道理！这种事是我所不做的。"唐庄宗又派李嗣源亲自去开导他，王彦章躺着问李嗣源道："你不是邈佶烈吗？"王彦章一向瞧不起李嗣源，所以用小名叫他。

这时众将都向唐庄宗道贺，唐庄宗举着酒对李嗣源说："今日的成功，都是你和郭崇韬的功劳。当初如果听从李绍宏等人的话，我的大事就不行了。"唐庄宗又对众将说："以往我所担心的只有王彦章，如今他已就擒，这是天意要灭掉梁朝。段凝还在黄河边上，我们下一步的行动，应该指向哪里比较好？"各位将领都认为："虽然传言说大梁没有什么守备，但不知道是虚是实。如今梁朝东方各镇的军队都集中在

在段凝麾下㉙，所余空城耳。以陛下天威临之，无不下者。若先广地，东傅于海㉚，然后观衅㉛而动，可以万全。”康延孝固请㉜亟取大梁。李嗣源曰：“兵贵神速㉝。今彦章就擒，段凝必未之知。就使有人走告之[17]，疑信之间㉞，尚须三日。设若知吾所向，即发救兵，直路则阻决河㉟，须自白马㊱南渡。数万之众，舟楫亦难猝办。此去大梁至近，前无山险，方陈横行㊲，昼夜兼程，信宿㊳可至。段凝未离河上，友贞已为吾擒矣。延孝之言是也，请陛下以大军徐进，臣愿以千骑前驱。”帝从之。令下，诸军皆踊跃愿行。

是夕，嗣源帅前军倍道㊴趣㊵大梁。乙亥㊶，帝发中都，舁㊷王彦章自随㊸，遣中使㊹问彦章曰：“吾此行克乎？”对曰：“段凝有精兵六万，虽主将非材，亦未肯遽尔㊺倒戈㊻，殆难克也。”帝知其终不为用，遂斩之。丁丑㊼，至曹州，梁守将降。

【段旨】

以上为第八段，写唐庄宗诛王彦章，兵破曹州。

【注释】

㉙壬申：十月初二日。㉚癸酉：十月初三日。㉛中夜：半夜；深夜。㉜逾汶：越过汶水。㉝甲戌：十月初四日。㉞少顷：没多久。㉟溃围：突围；冲破包围圈。㊱走：逃亡。㊲龙武大将军：禁卫军统帅。㊳李绍奇：夏鲁奇。李绍奇为庄宗所赐姓名。㊴识其声：据《新五代史》卷三十二《王彦章传》，李绍奇素与王彦章善，故识其语音。㊵王铁枪：王彦章的绰号。王彦章骁勇有力，战时持一铁枪，驰突如飞，人莫能御，军中号王铁枪。㊶矟：长矛，即“槊”。㊷马踬：马被绊倒。㊸都监：这里指监军。㊹曹州：州名，治所左城，在今山东曹县西北。㊺刘嗣彬（？至公元九二三年）：刘知俊族子，仕梁为王彦章部属，兵败为唐庄宗所诛。传附《旧五代史》卷十三《刘知俊传》。㊻李亚子：李存勖。唐昭宗说：“此子可亚其父。”因而时人称之为“亚子”。㊼斗鸡小儿：蔑视的称呼。㊽无足言者：没有什么值得说的。㊾诱谕：引诱、晓谕。㊿匹夫：古时指平民中的

段凝的旗下，所留下的只是些空城罢了。以陛下的天威去攻打这些城池，没有不被攻下的。如果先扩大我们的领土，往东直达海滨，然后看准机会再采取行动，就可以万无一失。”康延孝则坚决请求赶快攻取大梁。李嗣源说：“兵贵神速。如今王彦章被擒，段凝肯定尚未知晓。即使有人逃去向他报告，他将信将疑，最终确定下来也需要三天时间。假使他知道了我军的行动方向，即刻派出救兵，要走直路就会被决开的黄河水阻挡，必须从白马向南渡过黄河。几万名士兵，渡河的船只也难以立刻准备齐全。而我们这里离大梁很近，前面又没有高山险阻，可以排着方阵随意行进，如果昼夜兼程，两三天就能到达。段凝还没有离开黄河边，朱友贞就已经被我们活捉了。康延孝的话是对的，请陛下率领大军徐徐推进，臣愿率领一千名骑兵打前锋。”唐庄宗听从了他的建议。命令下达后，各路军队都十分踊跃地愿意进军。

当天晚上，李嗣源率领前锋部队兼程奔赴大梁。十月初五日乙亥，唐庄宗从中都出发，让人抬着王彦章跟随自己，并派中使问王彦章说：“我此行能够攻下大梁吗?”王彦章回答说：“段凝有精兵六万，虽然主将没有什么才干，但也未必肯马上倒戈投降，大概难以攻下。”唐庄宗知道他最终也不会为自己所用，于是斩杀了他。初七日丁丑，唐军到达曹州，梁军的守将投降了。

男子。㉑力穷：力尽。㉒死自其分：死自然是分内的事。㉓邈佶烈：李嗣源小名。㉔属：对。㉕向：过去；从前。㉖犹：还。㉗何向：哪个方向。㉘传者：传言的人。㉙麾下：部下。麾，古代用以指挥军队的旗帜。㉚东傅于海：向东达到海滨。傅，通“附”，达到。㉛衅：间隙；机会。㉜固请：坚决请求。㉝兵贵神速：用兵贵在行动特别迅速。㉞疑信之间：怀疑和相信之间。㉟决河：指段凝所决护驾水。㊱白马：地名，在今河南滑县东北。㊲方陈横行：喻平原广野，部队可以纵横驰骋，迅速推进。方陈，即方阵，古代步兵的一种战斗队形。横行，遍行。部队列成战斗队形，随便可走。㊳信宿：两夜。㊴倍道：兼程；用加倍的速度前进。㊵趣：通“趋”。㊶乙亥：十月初五日。㊷舁：抬。㊸自随：跟着自己。㊹中使：皇帝从宫中派出的宦官使者。㊺遽尔：立即；迅速。㊻倒戈：投降。㊼丁丑：十月初七日。

【校记】

［17］之：原无此字。据章钰校，十二行本、乙十一行本皆有此字，张敦仁《通鉴刊本识误》同，今据补。

【原文】

王彦章败卒有先至大梁，告梁主以“彦章就擒，唐军长驱且至”者。梁主聚族哭曰：“运祚[348]尽矣！”召群臣问策，皆莫能对。梁主谓敬翔曰：“朕居常[349]忽[350]卿所言，以至于此。今事急矣，卿勿以为怼[351]，将若之何？”翔泣曰：“臣受先帝厚恩，殆将三纪[352]。名为宰相，其实朱氏老奴，事陛下如郎君[353]。臣前后献言，莫匪尽忠[354]。陛下初用段凝，臣极言不可，小人朋比[355]，致有今日。今唐兵且至，段凝限于水北，不能赴救。臣欲请陛下出居[18]避狄，陛下必不听从。欲[19]请陛下出奇合战[356]，陛下必不果决。虽使良、平[357]更生，谁能为陛下计者[358]！臣愿先赐死，不忍见宗庙之亡也。”因与梁主相向恸哭。

梁主遣张汉伦驰骑追段凝军。汉伦至滑州，坠马伤足，复限水，不能进。时城中尚有控鹤军[359]数千，朱珪请帅[360]之出战。梁主不从，命开封尹王瓒驱市人乘城[361]为备。

初，梁陕州节度使邵王友诲[362]，全昱之子也，性颖悟，人心多向之。或言其诱致禁军欲为乱，梁主召还，与其兄友谅[363]、友能并幽[364]于别第。及唐师将至，梁主疑诸兄弟乘危谋乱，并皇弟贺王友雍、建王友徽[365]尽杀之[366]。

梁主登建国楼[367]，面择亲信厚赐之，使衣野服[368]、赍蜡诏[369]，促段凝军。既辞，皆亡匿[370]。或请幸洛阳，收集诸军以拒唐，唐虽得都城，势不能久留。或请幸段凝军，控鹤都指挥使皇甫麟曰：“凝本非将才，官由幸进[371]，今危窘[372]之际，望其临机制胜[373]，转败为功，难矣。且凝闻彦章军[20]败，其胆已破，安知[374]能终为陛下尽节乎！”赵岩曰：“事势如此，一下此楼，谁心可保！”梁主乃止。复召宰相谋之，郑珏[375]请自怀传国宝诈降以纾[376]国难。梁主曰：“今日固不敢爱宝，但如卿此策，竟可了否？”珏俯首久之，曰：“但恐未了。”左右皆缩颈而笑[377]。梁主日夜涕泣，不知所为。置传国宝于卧内，忽失之，已为左右窃之迎唐军矣。

【语译】

王彦章部队的败兵有人先逃回大梁，告诉梁主说“王彦章被擒，唐军长驱直入，即将到达”。梁主聚集族人哭着说：“国运福祚看来是到头了！”于是召集群臣询问对策，大家都说不出什么办法。梁主对敬翔说：“朕平时忽视你的建议，才到了这一地步。现在事情已经很急迫了，你不要再有怨气，该怎么办呢？”敬翔流着泪说：“臣蒙受先帝厚恩，差不多有三十六年了。名义上是宰相，其实是朱家的老奴，侍奉陛下就像侍奉少主人一般。臣前后的种种进言，无一不是尽我的忠心。陛下当初起用段凝，臣竭力陈说，认为不可，但朝中小人相互勾结，以致有今天这种局面。如今唐兵即将到达，段凝的大军又被阻隔在黄河以北，不能赶来救援。臣想请求陛下暂时出居以避夷狄，陛下一定不肯听从。想请求陛下出奇兵与敌军决一死战，陛下一定不会果断决定。即使让汉代的张良、陈平再生，谁能为陛下想出计策来！臣愿意请陛下先赐我一死，我不忍心看到宗庙的覆亡。”说罢，与梁主相向痛哭。

梁主派张汉伦快马去追段凝的军队。张汉伦到达滑州时，从马上掉下来摔伤了脚，又被河水阻隔，无法再向前进。当时大梁城中还有几千名控鹤军，朱珪请求率领这些军队出战。梁主不答应，反而命令开封尹王瓒驱赶市民登城守备。

当初，梁陕州节度使邵王朱友诲，是朱全昱的儿子，生性聪明，人心多归向他。有人说他引诱勾结禁军，想要作乱，梁主把他召回大梁，把他和他的哥哥朱友谅、朱友能一起都幽禁在别第。到了唐军将要到来的时候，梁主怀疑这些兄弟们会乘危难作乱，于是把他们和皇弟贺王朱友雍、建王朱友徽一起全都杀掉了。

梁主登上建国楼，当面挑选亲信并给予优厚的赏赐，让他们穿上百姓的衣服、带着蜡封的诏书，去催促段凝的军队。可是这些人告辞之后，就都各自逃走或躲了起来。有人请求梁主到洛阳去，搜集各路人马抵御唐军，唐军即使得到都城大梁，形势也使他们不能久留。又有人请求梁主到段凝的军中去，控鹤都指挥使皇甫麟说：“段凝本就不是将才，他的官职是因为得到陛下的宠幸才升任的，如今危急窘迫之际，指望他能随机应变出奇制胜，转变败局建立功勋，实在太难了。况且段凝听到王彦章的军队被击败，胆子早已吓破了，谁知道他能不能最终为陛下尽心竭力保持节操呢！”赵岩说：“局势如此，一下此楼，谁的心能够保证！”梁主只好作罢。又召宰相来商议，郑珏请求由他亲自带着传国宝向唐军诈降，以缓解国难。梁主说：“现在我固然不会再舍不得这宝物了，只是照你这个办法，真的能够解决问题吗？”郑珏低头沉思了很久，说道：“只怕解决不了。”周围的人听了，都缩着脖子偷偷笑了起来。梁主一天到晚哭哭啼啼，不知怎么办才好。他把传国宝放在卧房内，忽然不见了，原来是被身边的人偷走去迎接唐军了。

戊寅㉗⑧，或告唐军已过曹州，尘埃涨天。赵岩谓从者曰："吾待温许州厚㉗⑨，必不负我。"遂奔许州。

梁主谓皇甫麟曰："李氏吾世仇，理难降首㊳⓪，不可俟彼刀锯。吾不能自裁㊳①，卿可断吾首。"麟泣曰："臣为陛下挥剑死唐军则可矣，不敢奉此诏。"梁主曰："卿欲卖我邪？"麟欲自刭㊳②，梁主持之曰："与卿俱死。"麟遂弑梁主，因自杀。梁主为人温恭俭[21]约，无荒淫之失。但宠信赵、张，使擅威福，疏弃敬、李㊳③旧臣，不用其言，以至于亡㊳④。

【段旨】

以上为第九段，写梁末帝闻王彦章兵败，见大势已去，自杀，国亡。

【注释】

㊸348运祚：国家的命运。祚，继统、国统。349居常：平常。350忽：忽视。351怼：怨恨。352殆将三纪：几乎将近三十六年。一纪为十二年。梁太祖朱晃为宣武节度使时，敬翔即为麾下，故云受恩殆将三纪。353郎君：指末帝。古代门生故吏以至僮奴，叫主人之子为郎君。354莫匪尽忠：无一不是尽忠之言。匪，通"非"。355小人朋比：指张汉杰、赵岩等朋比为党，互相勾结。356出奇合战：出奇兵与后唐军决战。357良、平：张良和陈平。均为汉高祖时谋臣。358谁能为陛下计者：谁能为陛下想出计策。359控鹤军：后梁禁卫军。360帅：率领。361乘城：登城。362友诲：朱友诲（？至公元九二三年），朱全昱子，封邵王，坐朱友能反废。传见《旧五代史》卷十二、《新五代史》卷十三。363友谅：朱友谅（？至公元九二三年），友诲之兄。传见《旧五代史》卷十二、《新五代史》卷十三。364幽：囚禁。365贺王友雍、建王友徽：传均见《旧五代史》卷十二。366尽杀之：《资治通鉴》认为友诲、友谅、友能、友雍、友徽均为末帝所杀。据《通鉴考异》引《旧五代史》云："友谅、友能、友诲，庄宗入汴，同日遇害。"《新五代史》从《旧五代史》，王禹称《五代史阙文》云："庄宗即位，尽诛朱氏。"估计当时形势，末帝自中都告败，救死不遑，未必诛杀兄弟。据此，《旧五代史》得其实，《资治通鉴》未足据。367建国楼：

十月初八日戊寅，有人报告说唐军已经过了曹州，浩浩荡荡，带起的尘埃布满天空。赵岩对侍从们说："我过去对温许州不薄，他一定不会对不起我。"于是就投奔温昭图去了。

梁主对皇甫麟说："李氏是我们朱家的世仇，从道理上说，难以投降，不能等他们来杀我。我不能自杀，你可以把我的头砍下来。"皇甫麟哭着说："臣为陛下挥剑上阵死于唐军之手可以，但不敢遵奉陛下这一诏命。"梁主说："你想出卖我吗？"皇甫麟正要自刎，梁主拉住他说："朕和你一起死。"于是皇甫麟就杀了梁主，接着自杀了。梁主为人温和恭敬而节俭，没有荒淫的过失。只是宠信赵岩、张汉杰，让他们作威作福，疏远了敬翔、李振一班旧臣，不采纳他们的建议，最终导致了后梁的灭亡。

后梁宫城南门叫建国门，其楼叫建国楼。㊱野服：老百姓衣服。㊲赍蜡诏：带着用蜡固封的诏书。㊳亡匿：逃走或躲藏。㊴幸进：得到帝王宠爱而进官。㊵危窘：危险窘迫。㊶临机制胜：临机应变，出奇制胜。㊷安知：怎么知道。㊸郑珏（？至公元九三二年）：小字十九郎，官至后梁同平章事。传见《旧五代史》卷五十八、《新五代史》卷五十四。㊹纾：宽纾；解除。㊺缩颈而笑：缩着脖子偷笑，笑郑珏之迂。㊻戊寅：十月初八日。㊼吾待温许州厚：后梁龙德元年（公元九二一年），静胜节度使温昭图（即温韬）得赵岩之助，徙为匡国节度使，镇许昌。匡国领许、陈、汝三州，为名藩大镇。所以赵岩有"吾待温许州厚"之语。温昭图辖许州，故称"温许州"。㊽理难降首：从道理上说难以低头投降。㊾自裁：自杀。㊿自刭：自己用刀剑割喉颈。(383)敬、李：敬翔、李振。(384)以至于亡：因而至于灭亡。唐天祐四年（公元九〇七年），后梁朱温篡唐，传三代，天祐十七年而亡。

【校记】

［18］居：原无此字。据章钰校，十二行本、乙十一行本皆有此字，张敦仁《通鉴刊本识误》同，今据补。［19］欲：原无此字。据章钰校，十二行本、乙十一行本、孔天胤本皆有此字，张敦仁《通鉴刊本识误》同，今据补。［20］军：原无此字。据章钰校，十二行本、乙十一行本皆有此字，张敦仁《通鉴刊本识误》同，今据补。［21］俭：原无此字。据章钰校，十二行本、乙十一行本、孔天胤本皆有此字，张敦仁《通鉴刊本识误》同，今据补。

【原文】

己卯[385]旦，李嗣源军至大梁，攻封丘门[386]。王瓒开门出降，嗣源入城，抚安军民。是日，帝入自梁门[387]，百官迎谒于马首[388]，拜伏请罪。帝慰劳之，使各复其位。李嗣源迎贺，帝喜不自胜[389]，手引[390]嗣源衣，以头触之[391]曰："吾有天下，卿父子之功也，天下与尔共之。"帝命访求梁主，顷之，或[392]以其首献。

李振谓敬翔曰："有诏洗涤[393]吾辈，相与朝新君乎?"翔曰："吾二人为梁宰相，君昏不能谏，国亡不能救，新君若问，将何辞以对!"是夕未曙[394]，或报翔曰："崇政李太保[395]已入朝矣。"翔叹曰："李振谬为丈夫[396]！朱氏与新君世为仇雠，今国亡君死，纵新君不诛，何面目入建国门[397]乎!"乃缢而死。

庚辰[398]，梁百官复待罪[399]于朝堂，帝宣敕赦之。

赵岩至许州[400]，温昭图迎谒归第[401]，斩首来献，尽没岩所赍[402]之货[403]。昭图复名韬。

辛巳[404]，诏王瓒收朱友贞尸，殡于佛寺。漆其首[405]，函之，藏于太社[406]。

段凝自滑州济河入援，以诸军排陈使[407]杜晏球为前锋。至封丘[408]，遇李从珂，晏球先降。壬午[409]，凝将其众五万至封丘，亦解甲请降。凝帅诸大将先诣阙[410]待罪，帝劳赐之，慰谕士卒，使各复其所。凝出入公卿间，扬扬自得无愧色。梁之旧臣见者，皆欲龁[411]其面，抉[412]其心。

丙戌[413]，诏贬梁中书侍郎、同平章事郑珏为莱州司户，萧顷为登州司户。翰林学士刘岳[414]为均州司马，任赞为房州司马，姚颢[415]为复州司马，封翘[416]为唐州司马，李怿[417]为怀州司马，窦梦征为沂州司马。崇政学士刘光素为密州司户，陆崇为安州司户。御史中丞王权[418]为随州司户，以其世受唐恩而仕梁贵显故也。岳，崇龟之从子。颢，万年人。翘，敖之孙。怿，京兆人。权，龟之孙也。

段凝、杜晏球上言："伪梁要人赵岩、赵鹄、张希逸、张汉伦、张汉杰、张汉融、朱珪等，窃弄威福，残蠹群生[419]，不可不诛。"诏："敬翔、李振首佐朱温，共倾唐祚[420]。契丹撒剌阿拨叛兄弃母，负恩背国，

【语译】

十月初九日己卯早晨，李嗣源的大军到了大梁，攻打封丘门。王瓒打开城门出来投降，李嗣源进入城内，安抚军民。这一天，唐庄宗从梁门入城，梁朝百官都到马前来迎候谒见，并跪拜伏地请罪。唐庄宗慰劳了他们，让他们各自回到原先的职位上去。李嗣源出来迎驾并道贺，唐庄宗抑制不住内心的喜悦，用手拉着李嗣源的衣服，用头碰了一下说："我能拥有天下，是你们父子的功劳，我要和你们共享天下。"唐庄宗下令访求梁主的下落，不一会儿，就有人拿着梁主的头颅来献上。

李振对敬翔说："如果皇帝有诏赦免我们的罪过，我们一起去朝见新的国君吗？"敬翔说："我们二人身为梁朝的宰相，国君昏庸不能谏诤，国家灭亡了又无力挽救，新国君如果问到我们，我们将如何回答呢！"这夜天还没亮，有人来告诉敬翔说："崇政使李太保已经入宫朝见了。"敬翔叹息说："李振枉为大丈夫！朱氏和新国君世代为仇敌，现在我们国家亡了，国君死了，纵使新的国君不诛杀我们，我们有什么面目进入建国门呢！"于是自缢而死。

十月初十日庚辰，梁朝百官又到朝堂上请罪等待处分，唐庄宗下令赦免了他们。

赵岩到了许州，温昭图迎接他回府第，砍下他的头呈献给唐庄宗，并把赵岩所携带的财物全部吞没了。温昭图又恢复原名温韬。

十一日辛巳，唐庄宗下诏命令王瓒为朱友贞收尸，停放在佛寺里。把他的头颅涂上漆，用盒子装起来，藏在太社中。

段凝从滑州渡过黄河赶来救援，命令诸军排陈使杜晏球为前锋。前锋部队到达封丘，遭遇唐军李从珂部，杜晏球率先投降。十月十二日壬午，段凝率领他的五万大军到达封丘，也解除武装请求投降。段凝带领各位大将先到朝廷请罪等待处分，唐庄宗慰劳并赏赐了他们，并安抚晓谕士卒，让他们都各自回到自己的住处去。段凝出入于唐的公卿之间，扬扬得意，毫无愧色。梁朝的旧臣们看到这一情景，都恨不得咬他的脸，挖他的心。

十月十六日丙戌，唐庄宗下诏贬梁中书侍郎、同平章事郑珏为莱州司户，萧顷为登州司户。翰林学士刘岳为均州司马，任赞为房州司马，姚顗为复州司马，封翘为唐州司马，李怿为怀州司马，窦梦征为沂州司马。崇政学士刘光素为密州司户，陆崇为安州司户。御史中丞王权为随州司户。这是这些人世世代代蒙受唐朝的恩泽，却又在梁朝任职而地位贵显的缘故。刘岳，是刘崇龟的侄儿。姚顗，是万年人。封翘，是封敖的孙子。李怿，是京兆人。王权，是王龟的孙子。

段凝、杜晏球上书说："伪梁的重要人物赵岩、赵鹄、张希逸、张汉伦、张汉杰、张汉融、朱珪等人，作威作福，残害百姓，不可不杀。"唐庄宗下诏说："敬翔、李振带头辅佐朱温，共同颠覆唐朝国统。契丹人撒剌阿拨背叛兄长抛弃母亲，辜负

宜与岩等并族诛于市。自余文武将吏，一切不问。”又诏追废朱温、朱友贞为庶人[421]，毁其宗庙神主。

帝之与梁战于河上也，梁拱宸左厢都指挥使[422]陆思铎[423]善射，常于笴[424]上自镂[425]姓名，射帝，中马鞍，帝拔箭藏之。至是，思铎从众俱降，帝出箭示之，思铎伏地待罪，帝慰而释之，寻授龙武右厢都指挥使。

以豆卢革尚在魏，命枢密使郭崇韬权行[426]中书事。

【段旨】

以上为第十段，写唐庄宗入大梁诛梁奸佞，梁将相降唐。

【注释】

㉟⑤ 己卯：十月初九日。㊱ 封丘门：开封北面靠西的城门。大梁城北面有二门，封丘门在西，酸枣门在东。梁开平元年改封丘门为含曜门，时人仍以旧名称之。晋天福三年（公元九三八年）又改称乾明门。㊲ 梁门：开封城西面北来第一门。梁开平元年（公元九〇七年）改为乾象门。㊳ 马首：马前。㊴ 喜不自胜：高兴得自己不能控制自己。㊵ 引：拉着。㊶ 以头触之：用头撞着李嗣源。李存勖喜而失态。㊷ 或：有人。㊸ 洗涤：洗刷罪恶。这里指赦免罪行。㊹ 未曙：天尚未明。㊺ 崇政李太保：指李振。梁以李振为崇政使。㊻ 谬为丈夫：枉为大丈夫。㊼ 建国门：后梁宫城南门。㊽ 庚辰：十月初十日。㊾ 待罪：有罪而等待处理。㊿ 许州：州名，治所长社，在今河南许昌。[401] 迎谒归第：迎接拜谒，回到府第。[402] 赍：携带。[403] 货：财物。[404] 辛巳：十月十一日。[405] 漆其首：将梁末帝的头用漆涂刷。[406] 太社：古代祭土神和谷神的地方。[407] 诸军排陈使：武官名，指挥排列

【原文】

梁诸藩镇稍稍入朝，或上表待罪，帝皆慰释之。宋州节度使袁象先[427]首来入朝，陕州留后霍彦威次之。象先辇[428]珍货数十万，遍赂刘夫人及权贵、伶官[429]、宦者。旬日，中外争誉之，恩宠隆异[430]。己丑[431]，

大恩背叛国家，应该和赵岩等人一道在街市上诛灭全族。其余的文武将吏，一概不予追究。”又下诏追废朱温、朱友贞为平民，毁掉他们的宗庙神主。

唐庄宗当初与梁军在黄河边交战时，梁军的拱宸左厢都指挥使陆思铎擅长射箭，常在箭杆上刻上自己的姓名，他射唐庄宗时，射中了马鞍，唐庄宗把箭拔下收藏了起来。到了这时候，陆思铎跟随大家一起投降，唐庄宗把收藏的箭拿出来给他看，陆思铎伏地请罪等待处分，唐庄宗安慰一番并赦免了他，不久又任命他为龙武右厢都指挥使。

因为豆卢革还在魏州，唐庄宗就让枢密使郭崇韬暂时代理中书事务。

军阵。⑱封丘：县名，即今河南封丘。⑲壬午：十月十二日。⑳诣阙：到朝廷。㉑龁：咬。㉒抉：挖。㉓丙戌：十月十六日。㉔刘岳：字昭辅，洛阳人，官至后唐吏部侍郎。百官赐告身，自刘岳建议开始实行。传见《旧五代史》卷六十八、《新五代史》卷五十五。㉕姚颉（公元八六六至九四〇年）：字伯真，京兆万年（今陕西西安）人，官至后晋户部尚书。传见《旧五代史》卷九十二、《新五代史》卷五十五。㉖封翘：封舜卿侄子，仕后梁官至翰林学士、给事中。传附《旧五代史》卷六十八《封舜卿传》。㉗李怿：京兆（今陕西西安）人，仕后晋官至礼、刑二部尚书。传见《旧五代史》卷九十二、《新五代史》卷五十五。㉘王权（公元八六四至九四一年）：字秀山，太原（今山西太原）人，官至后晋兵部尚书。仕后梁、后唐两朝官至马军都指挥使、刺史。传见《旧五代史》卷九十二、《新五代史》卷五十六。㉙残蠹群生：侵蚀、损害老百姓的利益。㉚祚：皇位；国统。㉛庶人：平民。㉜拱宸左厢都指挥使：禁卫军统领官。㉝陆思铎（公元八九〇至九四三年）：澶州临黄（今山东阳谷）人，善射。仕后梁、后唐两朝，官至马军都指挥使、刺史。传见《旧五代史》卷九十、《新五代史》卷四十五。㉞笴：箭杆。㉟镂：刻。㊱权行：暂时代理。

【语译】

梁朝的各藩镇都逐渐入京朝见，有的上表请罪等待处分，唐庄宗都抚慰并赦免了他们。宋州节度使袁象先第一个前来入京朝见，陕州留后霍彦威稍晚于他。袁象先用车装了价值数十万的珍宝财货，在京城广泛贿赂刘夫人及权贵，乃至伶官、宦官等。十来天时间，宫廷内外的人都争相说他的好话，于是唐庄宗对他的恩宠也十

诏伪庭节度、观察、防御、团练使、刺史及诸将校，并不议改更，将校官吏先奔伪庭者一切不问。

庚寅[432]，豆卢革至自魏。甲午[433]，加崇韬守侍中，领成德节度使。崇韬权兼内外，谋猷规益[434]，竭忠无隐，颇亦荐引人物。豆卢革受成[435]而已，无所裁正[436]。

丙申[437]，赐滑州留后段凝姓名曰李绍钦，耀州刺史杜晏球曰李绍虔。

乙酉[438]，梁西都留守河南尹张宗奭[439]来朝，复名全义，献币马千计。帝命皇子继岌、皇弟存纪等兄事之。帝欲发梁太祖墓，斫棺[440]焚其尸，全义上言："朱温虽国之深仇，然其人已死，刑无可加[441]，屠灭其家，足以为报，乞免焚斫以存圣恩。"帝从之，但铲其阙室[442]，削封树[443]而已。

戊戌[444]，加天平节度使李嗣源兼中书令，以北京留守继岌为东京[445]留守、同平章事。

帝遣使宣谕谕诸道[446]，梁所除[447]节度使五十余人皆上表入贡。

楚王殷遣其子牙内马步都指挥使希范[448]入见，纳洪、鄂行营都统印，上本道将吏籍[449]。

荆南节度使高季昌闻帝灭梁，避唐庙讳，更名季兴，[450]欲自入朝。梁震[451]曰："唐有吞天下之志，严兵守险，犹恐不自保，况数千里入朝乎！且公朱氏旧将，安知彼不以仇敌相遇乎！"季兴不从。

【段旨】

以上为第十一段，写梁全境降唐，楚王马殷、荆南节度使高季兴归服。

分优厚而不同寻常。十月十九日己丑，唐庄宗下诏表示，伪梁的节度使、观察使、防御使、团练使、刺史以及各将校官员，一律不考虑更换，先前投奔到伪梁的将校、官吏们一律不予追究。

十月二十日庚寅，豆卢革从魏州来到大梁。二十四日甲午，加封郭崇韬守侍中，兼领成德节度使。郭崇韬的权力兼及朝廷内外，他为皇帝出谋划策，规劝补益，都能竭尽忠心，无所保留，也很能向唐庄宗推荐一些人才。豆卢革只是接受成命而已，没有什么裁断订正的事可做。

十月二十六日丙申，唐庄宗赐滑州留后段凝姓名，叫李绍钦，赐耀州刺史杜晏球姓名，叫李绍虔。

乙酉日，梁西都留守河南尹张宗奭前来朝见，恢复原名全义，向唐庄宗献上数以千计的马匹作为礼物。唐庄宗命令皇子李继岌、皇弟李存纪等人把他当作兄长来对待。唐庄宗打算掘开梁太祖朱温的坟墓，劈棺焚尸，张全义上书说："朱温虽然是国家的深仇大敌，但这个人已经死了，无法再给他施加什么刑罚，诛灭他的全家，已经足以报仇了，臣请求不要劈棺焚尸，以体现陛下的圣恩。"唐庄宗听从他的建议，只是铲除朱温墓的宗庙、削除了坟土及墓树而已。

十月二十八日戊戌，加封天平节度使李嗣源兼中书令，任命北京留守李继岌为东京留守、同平章事。

唐庄宗派遣宣谕使去宣扬政令晓谕各地藩镇，以往梁朝任命的五十多名节度使都向唐庄宗上表进贡。

楚王马殷派他的儿子牙内马步都指挥使马希范入京朝见，交上洪州、鄂州行营都统的印符，献上本道将领官吏的名册。

荆南节度使高季昌听说唐庄宗灭了梁朝，为避唐庙讳，就改名叫高季兴，准备亲自入京朝见。梁震说："唐有吞并天下之心，我们部署军队，据险防守，尚且担心不能保全自己，更何况跋涉数千里去入朝呢！再说你是朱氏的旧将，怎么知道他们不会把你当作仇敌来对待呢！"高季兴没有听从他的劝告。

【注释】

㉗ 袁象先（公元八六四至九二四年）：朱温之甥，后梁时官至宋州节度使。传见《旧五代史》卷五十九、《新五代史》卷四十五。㉘ 辇：王室用的车子。㉙ 伶官：古代乐官。㉚ 隆异：优厚而不同寻常。㉛ 己丑：十月十九日。㉜ 庚寅：十月二十日。㉝ 甲午：十月二十四日。㉞ 谋猷规益：出谋划策，规劝补益。㉟ 受成：接受成命。㊱ 裁正：裁断纠正。㊲ 丙申：十月二十六日。㊳ 乙酉：按行文推断，前为"丙申"，后为"戊戌"，二

者间仅有“丁酉”，故此“乙酉”当为“丁酉”之误。丁酉，十月二十七日。⑬张宗奭（公元八五二至九二六年）：又名居言、全义，字国维，濮州临濮（今山东鄄城）人，官至后梁洛京留守、天下兵马副元帅，后唐尚书令。传见《旧五代史》卷六十三、《新五代史》卷四十五。⑭斫棺：砍棺。⑮刑无可加：对已死亡的人无刑可加。⑯阙室：宗庙。⑰封树：坟墓。堆土为坟，叫作“封”。种树做标记，叫作“树”。⑱戊戌：十月二十八日。⑲东京：当时后唐以魏州为东京。⑳诸道：指各方镇。㉑除：任命。㉒希范：

【原文】

帝遣使以灭梁告吴、蜀，二国皆惧。徐温尤[452]严可求曰：“公前沮[453]吾计，今将奈何？”可求笑曰：“闻唐主始得中原，志气骄满，御下无法[454]，不出数年，将有内变。吾但当[22]卑辞厚礼，保境安民以待之耳。”唐使称诏，吴人不受。帝易其书，用敌国之礼[455]，曰“大唐皇帝致书于吴国主”，吴人复书称“大吴国主上大唐皇帝”，辞礼如笺表[456]。

吴人有告寿州[457]团练使锺泰章[458]侵[459]市官马者，徐知诰以吴王之命，遣滁州[460]刺史王稔[461]巡霍丘，因代为寿州团练使，以泰章为饶州[462]刺史。徐温召至金陵，使陈彦谦诘[463]之者三，皆不对。或问泰章：“何以不自辨[464]？”泰章曰：“吾在扬州，十万军中号称壮士。寿州去淮数里，步骑不下五千，苟有他志，岂王稔单骑能代之乎！我义不负国，虽黜[465]为县令亦行，况刺史乎！何为自辨以彰朝廷之失！”徐知诰欲以法绳[466]诸将，请收[467]泰章治罪。徐温曰：“吾非泰章，已死于张颢[468]之手，今日富贵，安可负之！”命知诰为子景通娶其女以解[469]之。

彗星[470]见舆鬼[471]，长丈余，蜀司天监言国有大灾。蜀主诏于玉局化[472]设道场。右补阙[473]张云[474]上疏，以为百姓怨气上彻于天，故彗星见。此乃亡国之征，非祈禳[475]可弭[476]。蜀主怒，流云黎州，卒于道。

郭崇韬上言：“河南[477]节度使、刺史上表者但称姓名，未除新官，恐负[478]忧疑。”十一月，始降制以新官命之。

楚文昭王（公元八九九至九四七年），字宝规，马殷第四子，继其兄希声为楚王，公元九三二至九四七年在位。传见《旧五代史》卷一百三十三、《新五代史》卷六十六、《十国春秋》卷六十八。㊹纳洪、鄂行营都统印二句：后梁任命马殷为洪、鄂行营都统，现今纳印、上将吏名册，表示归附新朝。㊺避唐庙讳二句：后唐李克用之父名国昌，高季昌避昌字讳，改名季兴。㊻梁震：邛州依政（今四川邛崃东南）人，初名霭，不受楚官，但以宾客名义辅政。传见《十国春秋》卷一百二。

【语译】

唐庄宗派遣使者把灭梁之事告诉吴、蜀两国，两国都感到害怕。徐温责怪严可求说："你以前阻止我的计策，现在准备怎么办？"严可求笑着回答说："听说唐主刚刚得到中原地区，趾高气扬，骄傲自满，统御臣下不讲法度，不出数年，他们内部将会发生变乱。我们只要用谦卑的言辞、厚重的礼物敷衍他，保护好我们境内，安定好百姓，来等待他们这种变化就可以了。"唐使带来的文书称为诏书，吴国人不肯接受。唐庄宗换了份文书，用对等国家的礼仪，称"大唐皇帝致书于吴国主"，吴国人回书称"大吴国主上大唐皇帝"，文辞和礼仪都比照上给皇帝的笺表。

吴国有人控告寿州团练使锺泰章侵占盗卖公家马匹，徐知诰以吴王之命，派滁州刺史王稔去巡视霍丘，并就此让他代替锺泰章担任寿州团练使，任命锺泰章为饶州刺史。徐温把锺泰章召到金陵，让陈彦谦再三盘问他，他都不作回答。有人问锺泰章："你为什么不为自己辩护？"锺泰章说："我在扬州时，在十万大军中号称壮士。寿州离淮水几里，我所统领的步兵骑兵不下五千人，如果我有别的想法，难道王稔单枪匹马就能代替我吗？我恪守道义不会对不起国家，即使被贬为县令也愿意去上任，何况还是个刺史呢！为什么要自我辩护来彰显朝廷的过失呢！"徐知诰正要用法令来约束众将，请求逮捕锺泰章治罪。徐温说："如果不是锺泰章的话，我已经死在张颢的手里了，如今富贵了，怎么可以对不起他呢！"于是命令徐知诰为儿子徐景通娶了锺泰章的女儿，以此来消解两人之间的嫌隙。

彗星出现在舆鬼五星范围内，有一丈多长，蜀国的司天监报告说国家将会有大灾。蜀主下诏在玉局化设置道场。右补阙张云上疏，认为百姓怨气上达于天，所以彗星才会出现。这是亡国的征兆，不是祈祷以求福除灾就能消除的。蜀主听后大怒，把张云流放到黎州，张云后来死在流放的路上。

郭崇韬上书说："原梁朝那些上表的节度使、刺史都只自称姓名，如果不任命新的官职，恐怕他们心里还是会有忧虑和猜疑。"十一月，开始颁布诏令，以新的官职任命这些人。

【段旨】

以上为第十二段，写吴国抗礼后唐，蜀主惶恐祈禳求神灵佑国。

【注释】

㊺②尤：责怪。㊺③沮：通“阻”。阻止。㊺④御下无法：驾驭臣下没有法度。㊺⑤敌国之礼：对等国家的礼节。㊺⑥笺表：文体的名称。上奏皇帝的文书。㊺⑦寿州：州名，治所寿春，在今安徽寿县。㊺⑧锺泰章：安徽合肥人，勇敢有胆略，官至饶州刺史。传见《十国春秋》卷十。㊺⑨侵：侵占。㊻⓪滁州：州名，治所新昌，在今安徽滁州。㊻①王稔：安徽庐州人。传见《十国春秋》卷九。㊻②饶州：州名，治所鄱阳，在今江西鄱阳。㊻③诘：盘问。㊻④自辨：为自己辩护。辨，同“辩”。㊻⑤黜：贬斥。㊻⑥绳：绳治；约束。㊻⑦收：逮捕。㊻⑧张颢：河南汝南人，吴大将，谋杀杨渥的祸首。传见《十国春秋》卷十三。㊻⑨解：

【原文】

滑州留后李绍钦㊼⑨因伶人景进㊽⓪纳货于宫掖，除泰宁节度使。

帝幼善音律㊽①，故伶人多有宠，常侍左右。帝或时自傅粉墨㊽②，与优人共戏于庭，以悦刘夫人，优名谓之“李天下”。尝因为优，自呼曰“李天下，李天下”，优人敬新磨㊽③遽前批其颊㊽④。帝失色，群优亦骇愕㊽⑤。新磨徐曰：“理㊽⑥天下者只有一人，尚谁呼邪！”帝悦，厚赐之。帝尝畋于中牟㊽⑦，践民稼，中牟令当㊽⑧马前谏曰：“陛下为民父母，奈何毁其所食，使转死沟壑㊽⑨乎！”帝怒，叱去，将杀之。敬新磨追擒至马前，责之曰：“汝为县令，独不知吾天子好猎邪？奈何纵民耕种，以妨吾天子之驰骋乎！汝罪当死！”因请行刑，帝笑而释之。

诸伶出入宫掖，侮弄缙绅㊾⓪，群臣愤嫉，莫敢出气㊾①。亦有反[23]相附托以希㊾②恩泽者，四方藩镇争以货赂结㊾③之。其尤蠹政㊾④害人者，景进为之首。进好采闾阎㊾⑤鄙细事闻于上，上亦欲知外间事，遂委进以耳目。进每奏事，常[24]屏左右㊾⑥问之，由是进得施其谗慝㊾⑦，干预政事。自将相大臣皆惮㊾⑧之，孔岩㊾⑨常以兄事之。

消解。⑰ 彗星：星名，形如扫帚。古人又称之为“妖星”“欃枪”“扫帚星”，认为它的出现是灾祸的预兆。⑰ 舆鬼：属二十八宿中的鬼宿。舆鬼五星，古代认为是天的眼睛，主观察奸谋，去极六十八度，相应于秦州、雍州地分。彗星犯舆鬼，兵起，国不安。⑰ 玉局化：地名，在成都。相传李老君为张道陵在此说《南北斗经》，有局脚玉床自地而出，老君升座，既去，座隐入地下，形成洞穴，以“玉局”名之。⑰ 右补阙：谏官，属中书省。⑰ 张云（？至公元九二三年）：唐安（今四川崇州）人。传见《十国春秋》卷四十三。⑰ 祈禳：向神求祷，消灾得福。⑰ 弭：消除。⑰ 河南：泛指梁朝。⑰ 负：指心里承担着。

【校记】

[22] 但当：原无此二字。据章钰校，十二行本、乙十一行本、孔天胤本皆有此二字，张敦仁《通鉴刊本识误》同，今据补。

【语译】

滑州留后李绍钦通过伶人景进向皇帝后宫行贿，被任命为泰宁节度使。

唐庄宗从小就擅长音律，所以伶人们大多受到宠爱，常常侍奉左右。唐庄宗有时自己也涂彩抹粉，与优伶们一起在院子里演戏，以让刘夫人高兴，艺名叫作“李天下”。他曾经因为一次当优人演戏，自己喊自己“李天下，李天下”，一名叫敬新磨的优人突然走上前打了他一个耳光。唐庄宗脸色大变，众优人也大为惊骇。敬新磨却不急不忙地说：“治理天下的只有一个人，你喊谁呢！”唐庄宗听了很高兴，重重地赏赐了他。唐庄宗曾经在中牟打猎，践踏了百姓的庄稼，中牟县令挡在马前进谏说：“陛下是百姓的父母，为什么毁掉他们的食粮，让他们流离失所而弃尸于沟壑之中呢！”唐庄宗大怒，厉声斥退他，准备杀死他。敬新磨追上去把中牟县令抓到马前，责备他说：“你身为县令，难道不知道我们天子喜欢打猎吗？为什么放纵百姓耕种，而妨碍我们天子纵马驰骋呢！你罪当处死！”随即请求对县令行刑，唐庄宗笑了，释放了中牟县令。

优伶们在宫禁中进进出出，侮辱戏弄士大夫，大臣们非常愤慨，却又不敢吭声。但也有人反而依附巴结他们，希望能因此而得到皇帝的恩泽，四方的藩镇争相以财货贿赂结交他们。优伶中败坏朝政、残害好人尤为严重的，是景进。景进喜欢搜集一些民间琐碎小事向唐庄宗报告，唐庄宗也很想了解外面的事情，于是就让景进当自己的耳目。景进每次向皇帝奏报事情，唐庄宗常常屏退左右近臣而问他，因此景进得以施展其谗毁奸邪的伎俩，干预政事。从将相大臣以下的官员都怕他，孔岩常把他当作兄长来对待。

壬寅[500]，岐王[501]遣使致书，贺帝灭梁，以季父[502]自居，辞礼甚倨[503]。

癸卯[504]，河中节度使朱友谦入朝，帝与之宴，宠锡[505]无算。

张全义请帝迁都洛阳，从之。

乙巳[506]，赐朱友谦姓名曰李继麟，命继岌兄事之。

以康延孝为郑州[507]防御使，赐姓名曰李绍琛。

废北都[508]，复为成德军。

赐宣武节度使袁象先姓名曰李绍安。

匡国节度使温韬入朝，赐姓名曰李绍冲。绍冲多赍金帛赂刘夫人及权贵伶宦，旬日，复遣还镇。郭崇韬曰："国家为唐雪耻，温韬发唐山陵殆遍[509]，其罪与朱温相埒[510]耳，何得复居方镇！天下义士其谓我何！"上曰："入汴之初，已赦其罪。"竟遣之。

戊申[511]，中书奏以国用未充[512]，请量留三省、寺、监官，余并停[513]。俟见任[514]者满二十五月，以次代之。其西班[515]上将军以下，令枢密院准此。从之，人颇咨怨。

【段旨】

以上为第十三段，写唐庄宗灭梁伊始，嬖伶官，宠刘夫人，后梁降官善阿谀者贵幸，天下失望。

【注释】

⑰⑨李绍钦：段凝。⑱⓪景进：后唐伶官，得宠于庄宗，参决军国大政，官至光禄大夫，爵上柱国。传见《新五代史》卷三十七。⑱①音律：乐律。音乐和曲谱。⑱②自傅粉墨：自己在脸上涂着油彩扮成戏角。⑱③敬新磨：伶人，最善俳谐。传见《新五代史》卷三十七。⑱④批其颊：打了他一耳光。批，击、打。颊，面颊。⑱⑤骇愕：骇怕而惊愕。⑱⑥理：治。⑱⑦中牟：县名，在今河南中牟。⑱⑧当：通"挡"。阻挡在马前。⑱⑨转死沟壑：转死，死而弃尸。沟壑，溪谷，引申为野死之处。⑲⓪缙绅：指代官宦。⑲①莫敢出气：敢怒而

十一月初二日壬寅，岐王李茂贞派使者送上书信，祝贺唐庄宗灭了梁朝，但在信中岐王以叔父自居，措辞和礼仪方面表现得都很傲慢。

初三日癸卯，河中节度使朱友谦进京朝见，唐庄宗设宴款待了他，赏赐给他的财物不计其数。

张全义请唐庄宗把都城迁到洛阳去，唐庄宗听从了他的意见。

初五日乙巳，唐庄宗赐给朱友谦姓名，叫李继麟，让皇子李继岌把他当作兄长来对待。

任命康延孝为郑州防御使，赐给他姓名，叫李绍琛。

废除北都，又改回原名，称成德军。

赐给宣武节度使袁象先姓名，叫李绍安。

匡国节度使温韬进京朝见，唐庄宗赐给他姓名，叫李绍冲。李绍冲带了很多金银、丝帛贿赂刘夫人以及权贵、伶人、宦官，十来天后，唐庄宗重又派他返回镇所。郭崇韬说："圣上为唐朝洗雪耻辱，温韬当初把唐朝天子的陵墓几乎都挖遍了，他的罪过和朱温相同，怎么能再镇守藩镇呢！天下的义士会怎样评说我们！"唐庄宗说："我们初入汴梁时，已经赦免了他的罪行。"最终还是把他派了回去。

十一月初八日戊申，中书上奏认为国家的财用不充裕，请求酌量保留三省、寺、监等的官员，其余机构一律撤销。等到现任官员任满二十五个月之后，再依次替补。西班武官从上将军以下的，也请命令枢密院照此办理。唐庄宗同意了，对此人们颇多怨恨之声。

不敢言。㊾希：侥幸获得。㊿结：结交。494蠹政：损害政治。495闾阎：里巷的门。借指平民。496屏左右：让左右的人回避。屏，屏避。497谗慝：说别人坏话，中伤别人。慝，邪恶。498惮：畏忌；害怕。499孔岩：胡三省注认为当作"孔谦"。500壬寅：十一月初二日。501岐王：李茂贞。502季父：叔父。503倨：傲慢。504癸卯：十一月初三日。505宠锡：宠幸和赏赐。锡，通"赐"。506乙巳：十一月初五日。507郑州：州名，治所管城，在今河南郑州。508北都：后唐于同光元年（公元九二三年）四月以镇州为北都，至是时废除，复称成德军。509温韬发唐山陵殆遍：温韬几乎盗掘了唐朝诸帝在其辖境内的全部坟墓，世称"盗陵贼"。510相埒：相等。511戊申：十一月初八日。512未充：不充裕。513余并停：其他冗官、冗余机构，一律裁撤。514见任：现任官员。见，通"现"。515西班：朝会序位，武官列于西边，故称西班。

【校记】

［23］有反：原作“反有”。据章钰校，十二行本、乙十一行本、孔天胤本此两字皆互乙，张敦仁《通鉴刊本识误》同，今据改。［24］常：原作“尝”。据章钰校，十二行本、乙十一行本、孔天胤本皆作“常”，今据改。

【原文】

初，梁均王将祀南郊[516]于洛阳，闻杨刘陷而止，其仪物[517]具在。张全义请上亟幸洛阳，谒庙[518]毕，即祀南郊。从之。

丙辰[519]，复以梁东京开封府为宣武军[520]汴州。梁以宋州为宣武军，诏更名归德军[521]。

诏文武官先诣[522]洛阳。

议者以郭崇韬勋臣[523]为宰相，不能知朝廷典故，当用前朝名家以佐之。或荐礼部尚书薛廷珪[524]、太子少保李琪，尝为太祖册礼使[525]，皆耆宿[526]有文，宜为相。崇韬奏廷珪浮华[527]无相业，琪倾险[528]无士风。尚书左丞赵光胤[529]廉洁方正，自梁未亡，北人皆称其有宰相器。豆卢革荐礼部侍郎韦说[530]谙练[531]朝章。丁巳[532]，以光胤为中书侍郎，与说并同平章事。光胤，光逢之弟。说，岫之子。廷珪，逢之子也。光胤性轻率，喜自矜[533]，说谨重守常[534]而已。赵光逢自梁朝罢相，杜门[535]不交宾客。光胤时往见之，语及政事。他日，光逢署其户曰：“请不言中书事[536]。”

租庸副使孔谦畏张宪公正，欲专使务[537]，言于郭崇韬曰：“东京重地，须大臣镇之，非张公[538]不可。”崇韬即奏以宪为东京副留守，知留守事[539]。戊午[540]，以豆卢革判[541]租庸，兼诸道盐铁转运使。谦弥[542]失望。

己未[543]，加张全义守尚书令，高季兴守中书令。时季兴入朝，上待之甚厚，从容[544]问曰：“朕欲用兵于吴、蜀，二国何先？”季兴以蜀道险难取，乃对曰：“吴地薄民贫，克之无益，不如先伐蜀。蜀土富饶，

【语译】

当初，梁均王朱友贞准备到洛阳南郊祭天，因听说杨刘失陷而作罢，他所准备的用于礼仪的器物都还在。张全义敦请唐庄宗赶快临幸洛阳，拜谒过唐朝的太庙后，就到南郊去祭天。唐庄宗答应了。

十一月十六日丙辰，重又把梁朝的东京开封府改为宣武军汴州。梁朝把宋州命名为宣武军，唐庄宗下诏改名为归德军。

唐庄宗下诏命令文武官员们先到洛阳。

朝议认为郭崇韬是大功臣而担任宰相，不了解朝廷的典章制度和成例，应当选用一个前朝的名家来协助他。有人推荐礼部尚书薛廷珪、太子少保李琪，这两个人曾经是册封太祖时的册礼使，都年龄大而德高望重，又有文采，应该担任宰相。郭崇韬上奏说薛廷珪为人华而不实，没有做宰相的本事，李琪用心邪僻险恶，没有士大夫的风度。而尚书左丞赵光胤为人廉洁正直，在梁朝还没有灭亡的时候，北方人就都称说他有做宰相的才略。豆卢革也推荐礼部侍郎韦说十分熟悉朝廷的典章。十一月十七日丁巳，唐庄宗任命赵光胤为中书侍郎，与韦说并为同平章事。赵光胤，是赵光逢的弟弟。韦说，是韦岫的儿子。薛廷珪，是薛逢的儿子。赵光胤性格轻率，喜欢自我夸耀，韦说则是谨慎稳重，循规蹈矩而已。赵光逢自从在梁朝被罢免宰相之职以后，便闭门不与外界宾客交往。赵光胤时常去看望他，谈话中往往涉及政事。有一天，赵光逢在自己的门上写上："请不要谈论中书省政事。"

租庸副使孔谦畏惧张宪处事公正，他想独自掌管租庸使的事务，于是对郭崇韬说："东京是个重要地方，必须由一位大臣去镇守，这个人非张公不可。"郭崇韬立即奏请任命张宪为东京副留守，掌管留守事务。十一月十八日戊午，唐庄宗任命豆卢革兼任租庸使，同时还兼任诸道盐铁转运使。孔谦大失所望。

十一月十九日己未，加封张全义为守尚书令，高季兴为守中书令。当时高季兴进京朝见，唐庄宗待他很好，一次闲暇时问他说："朕想对吴、蜀用兵，这两个国家先打哪个呢？"高季兴认为蜀国道路艰险，难以攻取，嘴上却回答说："吴国土地瘠薄，百姓贫穷，攻取它没有什么益处，不如先攻打蜀国。蜀国土地富饶，再加上蜀

又主荒民怨[545]，伐之必克。克蜀之后，顺流而下，取吴如反掌[546]耳。”上曰：“善！”

辛酉[547]，复以永平军大安府为西京京兆府[548]。

甲子[549]，帝发大梁。十二月庚午[550]，至洛阳。

吴越王镠以行军司马[551]杜建徽[552]为左丞相。

壬申[553]，诏以汴州宫苑为行宫[554]。

以耀州为顺义军[555]，延州为彰武军[556]，邓州为威胜军[557]，晋州为建雄军[558]，安州为安远军[559]。自余藩镇，皆复唐旧名。

【段旨】

以上为第十四段，写唐庄宗迁都洛阳。

【注释】

⑯祀南郊：南郊祭天。为古代行祭天之礼。⑰仪物：用于礼仪的器物。⑱谒庙：拜谒唐在洛阳的太庙。⑲丙辰：十一月十六日。⑳宣武军：方镇名，后唐庄宗同光元年（公元九二三年），改梁东京开封府为宣武军，治所汴州。㉑归德军：方镇名，后唐庄宗同光元年（公元九二三年），改梁宣武军为归德军，治所宋州，在今河南商丘南。㉒诣：往；到。㉓勋臣：有大功劳的大臣。㉔薛廷珪（？至公元九二五年）：官至后梁礼部尚书。著有《凤阁词书》十卷、《克家志》五卷。传见《旧唐书》卷一百九十下、《新唐书》卷二百三、《旧五代史》卷六十八。㉕册礼使：官名，行立后妃、封亲王、皇子、大长公主、拜三师、三公、三省长官册封礼的使者。薛廷珪、李琪，当李克用为晋王时，曾为册礼使至太原。㉖耆宿：年高而有道德学问的人。㉗浮华：华而不实。㉘倾险：邪僻险恶。㉙赵光胤（？至公元九二五年）：以词艺知名，官至后唐同平章事。传见《旧唐书》卷一百七十八、《旧五代史》卷五十八。㉚韦说（？至公元九二七年）：官至后唐同平章事。传见《旧五代史》卷六十七、《新五代史》卷二十八。㉛谙练：熟练。㉜丁巳：

主荒淫，百姓们都怨恨他，攻打蜀国必定取胜。攻下蜀国之后，再顺流东下，攻取吴国就易如反掌了。”唐庄宗说：“很好！”

二十一日辛酉，又把梁朝的永平军大安府改为西京京兆府。

十一月二十四日甲子，唐庄宗从大梁出发。十二月初一日庚午，到达洛阳。

吴越王钱镠任命行军司马杜建徽为左丞相。

初三日壬申，唐庄宗下诏把汴州的宫苑作为行宫。

唐庄宗下诏把耀州改为顺义军，延州改为彰武军，邓州改为威胜军，晋州改为建雄军，安州改为安远军，其余的藩镇，都恢复唐朝时的旧名称。

十一月十七日。㉝自矜：自我夸耀。㉞谨重守常：谨慎稳重，循规蹈矩。㉟杜门：闭门。㊱中书事：国家政事。㊲欲专使务：要想独专租庸使的事务。㊳张公：对张宪的敬称。㊴知留守事：权知魏州留守的事务。㊵戊午：十一月十八日。㊶判：以高位任低职叫判，兼任叫兼判或判。㊷弥：大大地；深深地。㊸己未：十一月十九日。㊹从容：犹今言闲暇。㊺主荒民怨：国主荒淫，人民怨恨。㊻反掌：比喻像反转手掌那样容易。㊼辛酉：十一月二十一日。㊽西京京兆府：梁改长安为永平军，改京兆府为大安府，现改为西京京兆府。㊾甲子：十一月二十四日。㊿庚午：十二月初一日。551行军司马：节度使属官，佐节度使掌军务，权位颇重。552杜建徽（公元八六三至九五〇年）：字延光，幼强勇，随钱镠征伐，所至立功，军中谓之“虎子”。官至吴越国丞相。传见《十国春秋》卷八十四。553壬申：十二月初三日。554行宫：古代京城以外供帝王出行时居住的宫室。555顺义军：方镇名，治所耀州。梁改耀州为崇州，义胜军为静胜军。后唐改静胜军为顺义军，改崇州仍为耀州。556彰武军：方镇名，治所延州。唐僖宗中和二年（公元八八二年），以延州置保塞军节度。后梁改为忠义军。后唐改为彰武军。557威胜军：方镇名，治所邓州。后梁置宣化军。后唐改为威胜军。558建雄军：方镇名，治所晋州。唐属护国军节度。后梁开平四年（公元九一〇年）置定昌军，贞明三年（公元九一七年）改为建宁军。后唐改为建雄军。559安远军：方镇名，治所安州。后梁置宣威军。后唐改为安远军。

【原文】

庚辰[560]，御史台奏:“朱温篡逆，删改本朝《律令格式》[561]，悉收旧本焚之。今台司[562]及刑部、大理寺所用皆伪廷[25]之法。闻定州敕库[563]独有本朝[564]《律令格式》具在，乞下本道录进[565]。”从之。

李继韬闻上灭梁，忧惧[566]，不知所为[567]。欲北走契丹，会有诏征[568]诣阙[569]。继韬将行，其弟继远曰:“兄以反为名，何地自容[570]！往与不往等耳，不若深沟高垒，坐食积粟，犹可延岁月。入朝，立死[571]矣。”或谓继韬曰:“先令公[572]有大功于国，主上于公，季父[573]也，往必无虞[574]。”继韬母杨氏，善蓄财，家赀[575]百万，乃与杨氏偕行，赍银四十万两，他货称是[576]，大布赂遗[577]。伶人宦官争为之言[578]曰:“继韬初无邪谋，为奸人[579]所惑耳。嗣昭亲贤[580]，不可无后。”杨氏复入宫见帝，泣请其死[581]，以其先人为言。又求哀于刘夫人，刘夫人亦为之言。及继韬入见待罪，上释之[582]。留月余，屡从游畋[583]，宠待如故[584]。皇弟义成[585]节度使、同平章事存渥深诋诃[586]之，继韬心不自安，复赂左右求还镇，上不许。继韬潜遣人遗[587]继远书，教军士纵火，冀天子复遣己抚安之。事泄，辛巳[588]，贬登州长史，寻[589]斩于天津桥[590]南，并其二子。遣使斩李继远于上党[591]，以李继达充军城巡检[592]。

召权知军州事李继俦诣阙，继俦据有继韬之室，料简[593]妓妾，搜校货财，不时即路[594]。继达怒曰:“吾家兄弟父子同时诛死者四人，大兄曾无骨肉之情，贪淫如此。吾诚[595]羞之，无面视人，生不如死!”甲申[596]，继达衰服[597]，帅麾下[598]百骑坐戟门[599]呼曰:“谁与吾反者?”因攻牙宅[600]，斩继俦。节度副使李继珂闻乱，募市人[601]，得千余，攻子城[602]。继达知事不济，开东门，归私第，尽杀其妻子，将奔契丹。出城数里，从骑皆散，乃自刭。

【语译】

十二月十一日庚辰，御史台上奏说："朱温篡位谋逆，删改了本朝的《律令格式》，把这些《律令格式》的旧本全部收缴焚毁了。现在御史台以及刑部、大理寺所使用的都是伪朝的法律条文。听说只有定州的敕库里还保存了本朝的《律令格式》，请下令让该道抄录进呈。"唐庄宗批准了。

李继韬听说唐庄宗灭了梁朝，又担忧又害怕，不知怎么办才好。准备向北逃到契丹人那里去，正在这时唐庄宗下诏征召他到朝廷去，李继韬准备启程，他的弟弟李继远对他说："哥哥已经有了反叛的名声，哪有地方能容纳！你去与不去是一样的，不如深挖壕沟高筑壁垒，坐吃存积的粮食，还可以拖延一段时间。一旦入朝，立刻就会被处死。"有人却劝李继韬说："你故去的父亲对国家有大功，皇上是你的叔父，去朝廷一定不会出什么事。"李继韬的母亲杨氏，善于积攒钱财，家产百万，李继韬就和他的母亲一同前往，携带了四十万两银子，其他财物的价值也与此相当，到了京城大肆行贿、馈赠。伶人、宦官都争相替他说好话，说："李继韬原本并没有什么邪恶的阴谋，只是被奸人迷惑而已。李嗣昭是至亲，又很贤能，不能没有后嗣。"杨氏又入宫朝见唐庄宗，哭着请求赦免李继韬的死罪，又抬出故去的先人来说情。她还向刘夫人哀求，以致刘夫人也为她说好话。等到李继韬入宫朝见请罪，等候处理时，唐庄宗宽恕了他。留他住了一个多月，多次让他跟着出游打猎，像过去一样宠信、善待他。皇弟义成节度使、同平章事李存渥痛斥李继韬，李继韬心里觉得不安，就又贿赂唐庄宗的左右近臣，请求回到原来的藩镇去，唐庄宗没有答应。李继韬便暗中派人给李继远送信，叫他安排士卒放火作乱，希望天子能再派自己前去安抚士卒。事情泄露，十二月十二日辛巳，李继韬被贬为登州长史，不久被斩杀于天津桥南，他的两个儿子也一起被杀。唐庄宗又派使者到上党斩杀了李继远，任命李继达充任军城巡检。

唐庄宗召权知军州事李继俦到朝廷来，当时李继俦霸占了李继韬的家室，正在检点挑选家伎姬妾，搜刮整理金钱财物，没有按时起程。李继达非常愤怒地说："我们家兄弟父子同时被斩杀的有四个人，大哥不念骨肉之情，竟然如此贪婪荒淫。我实在觉得羞耻，无脸见人，真是生不如死！"十二月十五日甲申，李继达穿着丧服，率领部下一百名骑兵坐在节度使府门前，大声呼喊："谁和我一起造反？"接着就攻打节度使府衙，杀了李继俦。节度副使李继珂听到发生变乱，就招募市民，得到一千多人，率领他们进攻内城。李继达知道大势已去，就打开东门，回到家中，把妻子儿子全部杀掉，准备投奔契丹。出城数里，随从的骑兵们全部逃散，李继达便自刎了。

【段旨】

以上为第十五段，写李继韬兄弟六人，次第被诛灭。

【注释】

⑩560 庚辰：十二月十一日。⑩561《律令格式》：四种法典名称。律，正刑定罪的刑律法典。令，关于国家体制和基本制度的法规。格，国家机关日常办事的行政法规。式，国家机关的公文程序。编制成册，供各地参考执行。后梁改定《律令格式》，见本书卷二百六十七梁太祖开平四年。⑩562 台司：御史台。⑩563 敕库：藏敕令的地方。⑩564 本朝：指唐朝。⑩565 录进：抄录进呈。⑩566 忧惧：担忧和惧怕。⑩567 不知所为：不知道怎么办好。⑩568 征：征召。⑩569 诣阙：到朝廷去。⑩570 何地自容：哪有地方能容纳自己。⑩571 立死：立即处死。⑩572 先令公：指李嗣昭。⑩573 季父：叔父。⑩574 无虞：没有问题。⑩575 家赀：家产。⑩576 他货称是：其他财物也略值银四十万两。称是，与此相当。⑩577 大布赂遗：大肆贿赂馈赠。⑩578 争为之言：争着

【原文】

甲申⑩603，吴王复遣司农卿⑩604洛阳卢蘋⑩605来奉使。严可求豫料帝所问，教蘋应对，既至，皆如可求所料。蘋还，言唐主荒于游畋，啬财拒谏，内外皆怨。

高季兴在洛阳，帝左右伶宦[26]求货无厌⑩606，季兴忿之⑩607。帝欲留季兴，郭崇韬谏曰："陛下新得天下，诸侯不过遣子弟将佐入贡，惟高季兴身自入朝⑩608，当褒赏以劝⑩609来者。乃羁留不遣⑩610，弃信亏义，沮⑩611四海之心，非计也。"乃遣之。季兴倍道⑩612而去，至许州，谓左右曰："此行有二失⑩613：来朝一失，纵⑩614我去一失。"过襄州⑩615，节度使孔勍留宴，中夜⑩616，斩关⑩617而去。丁酉⑩618，至江陵⑩619，握梁震手曰："不用君言，几⑩620不免虎口。"又谓将佐曰："新朝⑩621百战方得河南⑩622，乃对功臣举手云'吾于十指上得天下'⑩623。矜伐⑩624如此，则他人皆无功矣，其谁不解体⑩625！又荒于禽色⑩626，何能久长！吾无忧矣。"乃缮城⑩627积粟，招纳梁旧兵，为战守之备。

替他说好话。579 奸人：坏人。580 亲贤：皇帝的近亲和贤人。581 泣请其死：哭着请求免去继韬死罪。582 上释之：庄宗宽恕了他。583 游畋：打猎。584 宠待如故：宠幸待遇像过去一样。585 义成：方镇名，唐置，治所滑州。后梁改为宣义军，后唐仍改为义成军。586 诋诃：辱骂、呵斥。继韬兄弟奉父丧归潞州，李存渥奉晋王令追止之，几被继韬兄弟斩杀，故诋诃之。事见本书上一卷梁均王龙德二年（公元九二二年）。587 遗：送；给。588 辛巳：十二月十二日。589 寻：不久。590 天津桥：在今河南洛阳旧城西南，建于隋唐皇城正南方的洛水之上。591 上党：郡名，治所壶关，在今山西长治。592 军城巡检：武官名，节度使府属官，掌城防等。593 料简：检点选择。594 不时即路：不按时上路。595 诚：确实。596 甲申：十二月十五日。597 衰服：穿着孝服。598 麾下：部下。599 戟门：宫门，因宫门列戟，故称戟门。这里指节度使府门。600 牙宅：节度使府衙。601 市人：住在城里的平民。602 子城：内城；月城。

【校记】

［25］伪廷：原作“伪庭”。十二行本、乙十一行本、孔天胤本皆作“伪廷”，今据改。

【语译】

十二月十五日甲申，吴王又派司农卿洛阳人卢蘋出使唐。严可求预料到唐庄宗会问哪些事，便教卢蘋怎样应对。卢蘋到了唐以后，果然都和严可求所预料的一样。卢蘋回吴后，报告说唐主沉溺于出游打猎，又吝啬钱财，拒绝劝谏，朝廷内外都有怨言。

高季兴在洛阳期间，唐庄宗身边的伶人、宦官向他索要财物简直没有满足的时候，高季兴非常恼火。唐庄宗想把高季兴留下来，郭崇韬劝谏说：“陛下新近得到天下，各地诸侯都不过是派子弟或将领佐吏前来朝贡，只有高季兴亲自前来朝见，应当对他褒扬奖赏，以鼓励那些后来的人。如果反而把他扣留下来不让他回去，背弃诚信，也有亏道义，毁掉了天下人心，不是好计策。”于是唐庄宗放高季兴回去。高季兴兼程往回赶路，到达许州，对身边人说：“此行有两个失误：来京朝见是一个失误，他放我回去又是一个失误。”路过襄州，节度使孔勍把他们留下来加以宴请，半夜时分，高季兴一行擅自打开城门离开了襄州。十二月二十八日丁酉，到了江陵，高季兴握着梁震的手说：“没听你的话，几乎不能从虎口脱身。”高季兴又对将领佐吏们说：“新朝经过百战才取得黄河以南地区，皇帝却举起手来对功臣们说‘我靠十个指头得到天下’。如此居功自负和夸耀，那么别人就毫无功劳了，这样一来谁不离心离德！他又沉溺于打猎和女色，这样的朝廷怎么能够长久呢！我没有什么好担忧的了。”高季兴便修缮城池，积蓄粮食，招纳梁朝往日的士卒，做好战争准备。

【段旨】

以上为第十六段，写唐庄宗沉湎游猎，敛财拒谏，吴、荆南离心，无忧唐矣。

【注释】

⑥⓪③ 甲申：十二月十五日。⑥⓪④ 司农卿：司农寺长官，掌粮食积储、仓廪管理及京朝禄米供应等事务。⑥⓪⑤ 卢蘋：洛阳（今河南洛阳）人，博学，善应对。传见《十国春秋》卷九。⑥⓪⑥ 求货无厌：索取财货不知满足。⑥⓪⑦ 忿之：愤恨他们。⑥⓪⑧ 身自入朝：亲自前来朝贺。⑥⓪⑨ 劝：鼓励。⑥①⓪ 羁留不遣：指扣留高季兴，不让他回荆南。⑥①① 沮：败坏。⑥①② 倍道：兼程；用加倍的速度赶路。⑥①③ 失：失策。⑥①④ 纵：放。⑥①⑤ 襄州：州名，治所襄阳，在今湖北襄阳。⑥①⑥ 中夜：半夜。⑥①⑦ 斩关：斩开凤林关门。⑥①⑧ 丁酉：十二月二十八日。⑥①⑨ 江陵：府名，治所在今湖北江陵。⑥②⓪ 几：几乎。⑥②① 新朝：指后唐。⑥②② 河南：指后梁疆土。⑥②③ 吾于十指上得天下：李存勖自夸天下是自己用双手得来，抹杀他人功劳。⑥②④ 矜伐：骄矜。⑥②⑤ 解体：离心。⑥②⑥ 禽色：畋猎与女色。⑥②⑦ 缮城：修缮城墙。

【校记】

［26］伶宦：原作“伶官”。据章钰校，十二行本、乙十一行本皆作“伶宦”，熊罗宿《胡刻资治通鉴校字记》同，今据改。

【研析】

本卷研析晋王置相、后梁之灭、后梁忠臣王彦章以及高季兴入朝四件史事。

第一，晋王置相。公元九二三年春二月，晋王李存勖在魏州颁下命令，设置百官，在河东、魏博、易定、镇冀四镇判官中选出二人为相，义武（即易定）节度判官豆卢革、河东观察判官卢程两人被选中，晋王任命二人为行台左、右丞相。一切就绪，晋王于四月二十五日己巳即帝位于魏州，国号大唐，史称后唐。节度判官有两职，一是掌钱粮兵马事务的武职判官，一是掌表奏书檄的文职判官。晋王置相，豆、卢两人应是文职判官，不过是方镇属下的刀笔吏，于诸将中没有威望。李存勖只知崇尚武力，不重文治，置相只是做一个摆设，军国大事不与之谋议，其相之轻也如鸿毛。王夫之曰：“天下可无相也，则亦可无君也。相轻于鸿毛，则君不能重于泰山也。”（《读通鉴论》卷二十八）其言极是。汉高祖打天下，倚重萧何，使其坐镇后方，足食足兵，及至论功，汉高祖以萧何功第一，诸将不服，汉高祖以人功狗功之说叱斥诸将，诸将不得不服。豆卢革、卢程只是一方镇幕僚，诸将视之如鸿毛，是以天子孤立无辅，唐祚之不久，于此可见端倪。

第二，后梁之灭。公元九二三年十月初八日戊寅，大梁城破，梁末帝朱友贞与陪侍大臣控鹤都指挥使皇甫麟俱死梁殿，梁亡。唐天祐三年（公元九〇七年）朱温篡唐，传三代，至是而亡，享祚十七年。梁末帝不昏不暴，是一个仁弱的中庸之主，若得贤良辅佐，可以守天下，可以治天下。朱友贞是在后梁政治腐败内讧中侥幸上台的，忌疑心太重，不信用旧臣，亲近谗佞小人，赵岩、张汉杰等人用事，邪枉炽结，贿赂公行，朝纲败坏，后梁政治急剧恶化，上下离心，土崩瓦解而不可救药。段凝非大将才，且怀二心，因贿赂赵、张奸邪，后梁主信之不疑，违众用为大将，刘鄩遭诛杀，王彦章被贬为偏将，自毁长城，于是国事不可收拾。晋王李存勖英勇善战，决策正确，梁末帝非其敌手，但总体力量对比，梁朝在中原，地广人众，优势在梁朝。即便是李存勖长驱入汴，犯孤军深入之忌，后梁虽然后防空虚，君臣合力对付一支孤军仍然有所可为。敬翔建言，出走避敌，或出奇决战，也是死中求活的一条路，梁末帝均不听从，只是哭天叫地，坐以待毙，徒唤奈何，如此不亡，天理难容。史称梁末帝“为人温恭俭约，无荒淫之失。但宠信赵、张，使擅威福，疏弃敬、李旧臣，不用其言，以至于亡”。此言梁之亡，不是晋王李存勖灭梁，而是梁末帝灭亡了自己，此论极为中肯。观五代之嬗递，非只梁朝自亡，后唐、后晋、后汉皆是自取灭亡，具有共同性。自唐末以来，群雄割据，军阀混战，有力者称雄，君臣之义，父子之亲，全都淡薄。以诈力得为君，则不信于臣，平庸之主，无识人之慧眼，忠奸不辨，于是小人进，贤人隐，一代又一代，形成恶性循环，没有一个君主有治国的远图，骤兴骤亡，也就是必然的了。

第三，后梁忠臣王彦章。王彦章，字贤明，郓州寿张县人。年少从军，隶梁太祖朱温帐下为军校，惯使一柄铁枪冲锋陷阵，所向披靡，人称王铁枪。王彦章积功任澶州刺史。后梁开平五年（公元九一一年）三月，王彦章奉命率精骑屯邺城，晋人乘虚攻陷澶州，掳掠了彦章一家，晋王迁其家于晋阳，遣使诱降王彦章，王彦章斩其使以绝晋人之望，晋王诛灭彦章全家。龙德三年，后梁灭亡前夕，梁相敬翔泣谏末帝起用王彦章为大将，代戴思远为北面招讨使，授命之日，促装前行，与晋王大战杨刘，凡百余战，昼夜不息，晋王亲临前线，方解危困。梁末帝信人不专，竟听赵岩、张汉杰群小之言，以庸将段凝代王彦章为招讨使。王彦章被罢兵权无怨言。晋王迂回突入郓州偷袭大梁，梁末帝不得已再用王彦章率偏师应敌，复又以张汉杰为监军。王彦章寡不敌众，兵败被擒，晋王惜其才，以百计诱降，王彦章誓死不从，为晋人所杀，死年六十一岁。王彦章五月代戴思远为大将，七月被解兵，十月梁亡。梁末帝面临亡国，还忌疑功臣，自毁长城，梁之亡不足惜，而王铁枪尽忠死国，深为可惜。后晋卖国儿皇帝石敬瑭，嘉叹王彦章之忠诚，诏赠太师，寻访子孙录用。

第四，高季兴入朝。高季兴，字贻孙，陕州硖石人。本名季昌，入唐避庄宗庙讳李国昌而改名季兴。季兴随梁太祖朱温征战，擢为荆南兵马留后，梁末帝封为渤海王。高季兴割据荆南，地狭民寡，依违于吴、蜀之间，梁不能制。唐庄宗定天下，高季兴入朝，幕僚梁震阻其行，高季兴不听。庄宗左右劝庄宗留季兴于洛阳，加兼中书令。枢密使郭崇韬方用事，劝庄宗以信义收天下，放季兴归藩，季兴得间，日夜兼程返荆南，谓左右曰:“此行有二失：来朝一失，纵我去一失。”唐庄宗宣言于众曰:“吾于十指上得天下。”此为骄矜妄语，功劳都是自己的，部属诸将还有什么功劳呢？唐庄宗的一句失言，季兴已洞察出唐庄宗的气量褊狭，加之荒于声色，推度唐朝不得久长。高季兴不再忧唐室，藐视庄宗之为人，加紧了割据步伐。高季兴与唐庄宗各有一失，庄宗之失放虎归山，季兴之失冒入虎穴。而季兴最终脱出虎口，探得虚实，是赢家，唐庄宗却是输家。

卷第二百七十三　后唐纪二

起阏逢涒滩（甲申，公元九二四年），尽旃蒙作噩（乙酉，公元九二五年）十月，凡一年有奇。

【题解】

本卷记事起于公元九二四年，迄于公元九二五年十月，凡一年又十个月，当庄宗同光二年至同光三年十月。唐庄宗为开国英主，同时又是亡国昏君，双重人格集于一身，可谓经典。后唐之亡，宦官乱政是一重要原因。庄宗初建国，不仅宠幸伶官滥封高官，而且宠信宦官，宫中宦官超员至万人，各藩镇重置监军，唐亡之弊政一一恢复。庄宗幸魏州，竟然毁弃即位祭坛改为临时球场，背本忘天。庄宗行猎，践踏民田禾稼。庄宗大建宫室选美，又拜妖僧祈雨，无人君庄严之度。庄宗听信伶官、宦官谗言，借故笞杀鲠正大臣河南令。庄宗嫡母太妃、生母太后相继亡故，哀丧尽孝，为人子称善，而为人君荒怠政事，为社稷称不忠。庄宗骄淫败政，遭偏远南汉之主蔑视，认为中原之唐主不足畏。蜀主王衍荒淫败政比于唐庄宗又过之，乃至任用宦官为节镇，淫乱臣属妻女无羞耻。庄宗遣使蜀中探虚实，蜀主迷于两国和好而裁撤戒备。唐大军伐蜀，王衍竟逆行游幸。唐军势如破竹，蜀主兼程西逃。

【原文】

庄宗光圣神闵孝皇帝中

同光二年（甲申，公元九二四年）

春，正月甲辰[①]，幽州奏契丹入寇，至瓦桥[②]。以天平军节度使李嗣源为北面行营都招讨使，陕州留后霍彦威副之，宣徽使李绍宏[③]为监军，将兵救幽州。

孔谦复言于郭崇韬曰："首座相公[④]万机事繁，居第且远，租庸簿书多留滞[⑤]，宜更图之。"豆卢革尝以手书便省库钱[⑥]数十万，谦以手书示崇韬，崇韬微以讽革[⑦]。革惧，奏请崇韬专判租庸，崇韬固辞。上曰："然则谁可者？"崇韬曰："孔谦虽久典金谷[⑧]，若遽委大任，恐不叶物望[⑨]，请复用张宪。"帝即命召之。谦弥失望。

岐王闻帝入洛，内不自安[⑩]，遣其子行军司马彰义[⑪]节度使兼侍中

【语译】

庄宗光圣神闵孝皇帝中

同光二年（甲申，公元九二四年）

春，正月初五日甲辰，幽州奏报契丹入侵，已到瓦桥关。庄宗任命天平军节度使李嗣源担任北面行营都招讨使，陕州留后霍彦威做他的副帅，宣徽使李绍宏为监军，率军救援幽州。

孔谦又对郭崇韬说："首座豆卢革相公日理万机，事务繁杂，住所又远，租庸的簿册积压很多，最好另外想个办法解决。"豆卢革曾经写过借条向省库借钱数十万，孔谦把这个借条拿给郭崇韬看，郭崇韬把这事略微向豆卢革暗示了一下。豆卢革害怕了，于是上奏请求让郭崇韬一个人代理租庸的事务，郭崇韬坚决推辞。唐庄宗问道："那么谁可以担任这个职务呢？"郭崇韬回答说："孔谦虽然长期掌管金钱粮谷，但如果仓促间就委以大任，恐怕难孚众望，请求仍再任用张宪。"唐庄宗当即下令召张宪来。孔谦更加失望。

岐王李茂贞听说唐庄宗进入洛阳，内心深感不安，于是派他的儿子行军司马彰

继曮⑫入贡，始上表称臣。帝以其前朝耆旧⑬，与太祖比肩⑭，特加优礼，每赐诏但称岐王而不名。庚戌⑮，加继曮兼[1]中书令，遣还。

敕内官不应居外⑯，应前朝内官及诸道监军并私家先所畜者，不以贵贱，并遣诣阙。时在上左右者已五百人，至是殆及⑰千人，皆给赡⑱优厚，委之事任⑲，以为腹心。内诸司使⑳，自天祐以来以士人代之，至是复用宦者，浸干㉑政事。既而复置诸道监军，节度使出征或留阙下，军府之政皆监军决之，陵忽主帅㉒，怙势㉓争权。由是藩镇皆愤怒。

【段旨】

以上为第一段，写唐庄宗信用宦官，对各藩镇重置监军，导致唐朝灭亡的弊政一一被恢复。

【注释】

①甲辰：正月初五日。②瓦桥：瓦桥关，在河北雄县易水南。③李绍宏：宦者，本姓马，赐姓李，为庄宗所信用。贪货赂，专威福，诬杀大臣，挑动明宗反叛。传见《旧五代史》卷七十二。《新五代史》卷三十八亦略载其事。④首座相公：指豆卢革。时为首相，故称之。⑤留滞：积久不办。指豆卢革兼判租庸使，事多留滞。⑥使省库钱：借中央金库的钱。便钱，借钱的俗称。⑦微以讽革：略微暗示豆卢革。⑧久典金谷：长久掌管钱谷。⑨不叶物望：不符合士大夫舆论愿望。⑩内不自安：岐王李茂贞听说唐庄宗从大梁进入洛阳，害怕庄宗移兵西伐，所以心里感到不安。⑪彰义：方镇名，唐昭宗乾宁

【原文】

契丹出塞㉔。召李嗣源旋师，命泰宁节度使李绍钦、泽州刺史董璋戍瓦桥。

李继曮见唐甲兵之盛，归，语岐王，岐王益惧。癸丑㉕，表请正藩

义节度使兼侍中李继曮入京朝贡，开始上表称臣。唐庄宗念他是前朝年高而有声望的老臣，又在当年和太祖地位相当，所以对他特加礼遇，每次下诏书时都只称岐王而不直呼他的名字。正月十一日庚戌，加封李继曮兼中书令，并派他回国。

唐庄宗下敕令，宦官不应在外居住，凡是前朝宦官以及各道监军和私家所蓄养的，不论贵贱，都一律遣送回朝廷。当时在唐庄宗身边的宦官已经有五百人，到这时几乎达到一千人，唐庄宗对他们供给优厚，并且委以职事重任，把他们当作心腹。宫内各司使，自前朝天祐年间以来都由士人替代宦官担任，现在又恢复使用宦官，宦官又逐渐干预起政事来。不久又重新设置各道监军，节度使出征或者留在京城时，军府的政事都由监军决断，这些监军欺凌轻慢主帅，仗势争权。因此，各藩镇对他们都很愤怒。

元年（公元八九四年）泾原节度使赐号彰义军节度。治所泾州，在今甘肃泾川北。岐仍称彰义军。⑫继曮：李继曮（公元八九八至九四六年），李茂贞长子，后晋时继封岐王、秦王。传见《旧五代史》卷一百三十二。⑬耆旧：年高而久负声望的人。⑭比肩：并肩；地位相等。⑮庚戌：正月十一日。⑯内官不应居外：内官，指宦官。昭宗天复三年（公元九〇三年）朱温大诛宦官，有的散投藩镇及为私养者，至此均召回宫中。⑰殆及：将达到。⑱给赡：供给赡养。⑲事任：事务职任。⑳内诸司使：皇宫内奉侍皇室的机关，如客省司、庄宅司、司膳司、左藏库司等，主管均称“使”，由宦官职掌。唐后期宦官擅权，扩大内诸司职能，又有掌外权的司使，如监军使、馆驿使、市舶使等。朱温诛宦官，内诸司使改用士人，后唐又复用宦官，如唐之旧。㉑浸干：逐渐干预。㉒陵忽主帅：欺慢上司。㉓怙势：凭恃权势。

【校记】

［1］兼：原无此字。据章钰校，十二行本、乙十一行本皆有此字，今据补。

【语译】

契丹人退出到塞外。唐庄宗召李嗣源班师回朝，命令泰宁节度使李绍钦、泽州刺史董璋戍守瓦桥关。

李继曮见到唐军十分强大，回去后把这一情况告诉了岐王，岐王心里更加害怕了。正月十四日癸丑，上表请求行使藩臣的礼节，唐庄宗下了褒扬的诏书，没有答

臣之礼，优诏㉖不许。

孔谦恶张宪之来，言于豆卢革曰："钱谷细事，一健吏㉗可办耳。魏都根本之地，顾不重乎！兴唐尹王正言操守有余㉘，智力不足。必不得已，使之居朝廷㉙，众人辅之，犹愈于专委方面也。"革为之言于崇韬，崇韬乃奏留张宪于东京。甲寅㉚，以正言为租庸使。正言昏懦，谦利其易制故也。

李存审奏契丹去，复得新州㉛。

戊午㉜，敕盐铁、度支、户部三司并隶租庸使㉝。

上遣皇弟存渥、皇子继岌，迎太后、太妃于晋阳。太妃曰："陵庙在此㉞，若相与俱行，岁时何人奉祀！"遂留不来。太后至，庚申㉟，上出迎于河阳㊱。辛酉㊲，从太后入洛阳。

二月己巳朔㊳，上祀南郊，大赦。孔谦欲聚敛㊴以求媚，凡赦文所蠲㊵者，谦复征之。自是每有诏令，人皆不信，百姓愁怨。

郭崇韬初至汴、洛，颇受藩镇馈遗㊶。所亲㊷或谏之，崇韬曰："吾位兼将相㊸，禄赐巨万，岂藉外财[2]！但以伪梁之季㊹，贿赂成风。今河南藩镇，皆梁之旧臣，主上之仇雠也。若拒，其意能无惧乎！吾特为国家藏之私室耳。"及将祀南郊，崇韬首献劳军钱十万缗。先是，宦官劝帝分天下财赋为内外府。州县上供者入外府，充经费，方镇贡献者入内府，充宴游及给赐左右。于是外府常虚竭㊺无余，而内府山积㊻。及有司㊼办郊祀，乏劳军钱。崇韬言于上曰："臣已倾家所有以助大礼，愿陛下亦出内府之财以赐[3]有司。"上默然久之，曰："吾晋阳自有储积，可令租庸辇取㊽以相助。"于是取李继韬私第金帛数十万以益之，军士皆不满望，始怨恨，有离心矣。

河中节度使李继麟㊾请榷㊿安邑、解县盐，每季输省课(51)。己卯(52)，以继麟充制置两池榷盐使(53)。

辛巳(54)，进岐王爵为秦王(55)，仍不名、不拜(56)。

郭崇韬知李绍宏快快(57)，乃置内句使(58)，掌句三司财赋，以绍宏为

应他的请求。

孔谦不愿意看到张宪的到来，就对豆卢革说："金钱粮谷这种小事，一个精干的官吏就能办理了。魏都是国家根本之地，难道不是更重要吗？兴唐府尹王正言很有操守，但才智与能力不足。如果实在不得已，可以把王正言调到中央政府来，大家一起帮助他，这比委任他独当一面还是要好一些。"豆卢革就替孔谦把这个意思告诉郭崇韬，郭崇韬于是奏请唐庄宗把张宪留在东京。正月十五日甲寅，任命王正言为租庸使。王正言糊涂懦弱，孔谦是贪图他好控制，所以才说这番话的。

李存审上奏说契丹人已经离去，又重新得到了新州。

十九日戊午，唐庄宗下令盐铁、度支、户部三司都隶属于租庸使。

唐庄宗派皇弟李存渥、皇子李继岌，到晋阳迎接太后、太妃。太妃说："祖宗的陵墓、宗庙在这里，如果我们都走了，到了该祭祀的时候谁来奉祀呢！"于是她就留在晋阳了。太后到达洛阳，正月二十一日庚申，唐庄宗出城到河阳迎接。二十二日辛酉，跟随太后一起进入洛阳城。

二月初一日己巳，唐庄宗到南郊祭天，大赦天下。孔谦想多搜刮些财物来讨好皇上，凡是大赦诏书所免除的租税，孔谦重又去征收，从此每次颁发诏令，人们都不再相信，百姓心中愁苦怨恨。

郭崇韬刚到汴梁、洛阳的时候，接受很多藩镇给他的馈赠。他所亲近的人中有人规劝他，郭崇韬说："我的职位兼领将相，俸禄和所得赏赐巨万，难道还需要依靠这些外财吗？只是因为伪梁的末世，贿赂成风。如今黄河以南的藩镇，都是过去梁朝的旧臣，主上的仇敌。如果拒绝他们的馈赠，他们的心里能不恐惧吗？我只是替主上把这些钱财藏在家里罢了。"唐庄宗将要到南郊祭天时，郭崇韬带头捐献了十万缗劳军钱。在此之前，宦官们劝皇上把天下的财富分为内、外二府，州县上缴的归入外府，充当国家的经费，方镇所贡献的归入内府，充当皇上宴会、游猎和赏赐左右近臣的费用。这样，外府时常空虚无节余，而内府的钱财却堆积如山。等到有关部门筹办郊祀时，缺乏劳军钱。郭崇韬对唐庄宗说："臣已经把家里所有的钱全都拿出来资助郊祀大礼了，希望陛下也能拿出内府的钱财来赐给有司。"唐庄宗沉默了好久，说道："我在晋阳自有积蓄，可以让租庸使用车取来资助有司。"于是从李继韬家中取了数十万金银、丝帛来添补劳军钱。尽管如此，军士们仍感到自己的期望没有满足，开始怨恨起来，有了叛离的倾向。

河中节度使李继麟奏请将安邑和解县的盐专卖，每三个月一次把盐税送缴到中央。二月十一日己卯，任命李继麟充任制置两池榷盐使。

十三日辛巳，晋封岐王李茂贞的爵位为秦王，对他依旧不直呼名字，允许他朝见不下拜。

郭崇韬知道李绍宏心里怏怏不乐，于是设置了内句使，掌管考核三司的财赋，

之，冀弭其意。而绍宏终不悦，徒使州县增移报之烦。

崇韬位兼将相，复领节旄，以天下为己任，权侔人主[59]，旦夕车马填门[60]。性刚急，遇事辄发[61]，嬖幸侥求[62]，多所摧抑[63]。宦官疾[64]之，朝夕短[65]之于上。崇韬扼腕[66]，欲制之不能。豆卢革、韦说尝问之曰："汾阳王[67]本太原人，徙[68]华阴[69]，公世家雁门[70]，岂其枝派邪?"崇韬因曰："遭乱，亡失谱谍[71]，尝闻先人言，上距汾阳四世耳。"革曰："然则固从祖[72]也。"崇韬由是以膏粱自处[73]，多甄别流品[74]，引拔浮华[75]，鄙弃勋旧。有求官者，崇韬曰："深知公功能，然门地寒素[76]，不敢相用，恐为名流所嗤[77]。"由是嬖幸疾之于内，勋旧[78]怨之于外。崇韬屡请以枢密使让李绍宏，上不许。又请分枢密院事归内诸司以轻其权，而宦官谤之不已。[79]崇韬郁郁不得志，与所亲谋赴本镇[80]以避之。其人曰："不可。蛟龙失水，蝼蚁足以制之。"

【段旨】

以上为第二段，写郭崇韬位兼将相，权势炙手可热，成众矢之的。

【注释】

㉔出塞：回到边塞以外。㉕癸丑：正月十四日。㉖优诏：褒美嘉勉的诏书。㉗健吏：得力的下级官员。㉘操守有余：道德品质良好。㉙居朝廷：调到中央政府来任租庸使。㉚甲寅：正月十五日。㉛新州：州名，故治在今河北涿鹿。㉜戊午：正月十九日。㉝三司并隶租庸使：意在加重租庸使权力。隶，隶属。㉞陵庙在此：懿祖永兴陵、献祖长宁陵、太祖建极陵均在代州雁门县。亲庙在晋阳。㉟庚申：正月二十一日。㊱河阳：古县名，县治在今河南孟州南。㊲辛酉：正月二十二日。㊳己巳朔：二月初一日。㊴聚敛：搜刮。㊵蠲：免除。㊶馈遗：赠送。㊷所亲：亲人或亲信。㊸位兼将相：郭崇韬为枢密使，加侍中，领成德节度使，故言位兼将相。㊹季：末年。㊺虚竭：空虚、不足用。㊻山积：财富充足。㊼有司：有关主管部门。㊽辇取：用车子装取。㊾李继麟：朱友谦。㊿榷：专卖。51每季输省课：每三月一次送盐税于中央。52己卯：二月

让李绍宏担任这个职务，希望以此来消除他的不快。但是李绍宏终究还是不高兴，只是徒然增加了州县移报的麻烦。

郭崇韬的职位兼任将相，又领有藩镇的旌节，他以天下为己任，权力几乎与人主相等，从早到晚，车马盈门。他生性刚烈急躁，遇到事情就会发作，皇帝宠臣们那些非分的贪求，大多被他拒绝、抑制。于是宦官们憎恨他，一天到晚在唐庄宗面前说他的坏话。郭崇韬非常愤慨，却又无法制止。豆卢革、韦说曾经问郭崇韬说："汾阳王郭子仪本是太原人，后来迁居到华阴，您世代居住在雁门，是不是郭子仪的支脉呢?"郭崇韬顺着话头说："因为遭遇变乱，家里的族谱已经丢失，曾经听先人们讲过，我上距汾阳王不过四世而已。"豆卢革说："如此说来，汾阳王原来是您的从祖。"郭崇韬从此就以富贵人家出身自居，经常审察区分别人门第的高下，提拔了一些华而不实的人，而鄙视和疏远建立过功勋的旧臣。有人来求官，郭崇韬说："我很了解你的功绩才能，但是你出身寒门，我不敢起用，怕被名流们嗤笑。"从此，宫内有皇帝宠臣们中伤他，宫外有功勋旧臣们怨恨他。郭崇韬多次请求把枢密使一职让给李绍宏，唐庄宗都不准许。他又请求把枢密院的事务分出一部分归宫内各司管辖，好削减一些自己的权力，然而宦官们仍然对他诽谤不止。郭崇韬郁郁不得志，便同他所亲近的人商量准备去本镇回避一下。那个人说："千万使不得。蛟龙如果离了水，小小的蝼蛄和蚂蚁都能制服它。"

十一日。㊾ 制置两池榷盐使：官名，管理安邑、解县两盐池工作。㊿ 辛巳：二月十三日。(55) 进岐王爵为秦王：指改封李茂贞为秦王。(56) 不名、不拜：皇帝对老臣的优礼。群臣上朝时，不呼名，不参拜。(57) 怏怏：郁郁不乐的样子。(58) 内句使：官名，内句司长官，掌三司钱谷簿书的审核工作。(59) 权侔人主：权力与皇帝相等。侔，齐等。(60) 填门：塞门；满门。形容极多。(61) 辄发：便发作。(62) 嬖幸侥求：皇帝宠爱的人希望得到意外的名利。(63) 摧抑：抑止；不予满足欲望。(64) 疾：怨恨。(65) 短：说人短处。(66) 扼腕：用手握腕。表示情绪的激动、愤怒。(67) 汾阳王：指郭子仪。(68) 徙：迁移。(69) 华阴：县名，即今陕西华阴。(70) 雁门：郡名，治所阳馆，在今山西代县。(71) 谱谍：古代记述氏族世系的书籍。(72) 从祖：堂祖。(73) 以膏粱自处：以富贵人家出身自居。膏粱，指代富贵之家。(74) 甄别流品：审察区分门第的高下。(75) 浮华：浮夸；华而不实。(76) 门地寒素：门第和地望低微。(77) 嗤：嗤笑。(78) 勋旧：有功于朝廷的旧人。(79) 请分枢密院事二句：指郭崇韬领枢密院使，他主动请求将自己的权力分一部分给内朝诸司，让给宦官，用以削减自己的权力，然而宦官仍然毁谤不止。轻其权，削减自己的权力。(80) 赴本镇：外出到所领成德镇为节度使。

【校记】

［2］外财：原作"外材"。据章钰校，十二行本、乙十一行本、孔天胤本皆作"外财"，张瑛《通鉴校勘记》、熊罗宿《胡刻资治通鉴校字记》同，今据改。［3］赐：原作"助"。据章钰校，十二行本、乙十一行本皆作"赐"，张敦仁《通鉴刊本识误》同，今据改。

【原文】

先是，上欲以刘夫人为皇后，而有正妃韩夫人[81]在。太后素恶[82]刘夫人，崇韬亦屡谏，上以是不果[83]。于是所亲说[84]崇韬曰："公若请立刘夫人为皇后，上必喜。内有皇后之助，则伶宦辈不能为患矣。"崇韬从之，与宰相帅百官共奏刘夫人宜正位中宫[85]。癸未[86]，立魏国夫人刘氏为皇后。皇后生于寒微，既贵，专务蓄财。其在魏州，至于[4]薪苏果茹[87]皆贩鬻之。及为后，四方贡献皆分为二，一上天子，一上中宫。以是宝货山积，惟用写佛经、施尼师[88]而已。是时皇太后诰、皇后教，与制敕交行[89]于藩镇，奉之如一[90]。

诏蔡州[91]刺史朱勍浚索水[92]，通漕运。

三月己亥朔[93]，蜀主宴近臣于怡神亭。酒酣[94]，君臣及宫人皆脱冠露髻，喧哗自恣[95]。知制诰[96]京兆李龟祯[97]谏曰："君臣沉湎[98]，不忧国政，臣恐启北敌[99]之谋。"不听。

乙巳[100]，镇州言契丹将犯塞。诏横海节度使李绍斌[101]、北京左厢马军指挥使李从珂帅骑兵分道备之，天平节度使李嗣源屯邢州。绍斌本姓赵，名行实，幽州人也。

丙午[102]，加高季兴兼尚书令，进封南平王。

李存审自以身为诸将之首[103]，不得预克汴之功[104]，感愤[105]，疾益甚。累[5]表求入觐[106]，郭崇韬抑而不许[107]。存审疾亟[108]，表乞生睹龙颜[109]，乃许之。初，帝尝与右武卫上将军李存贤[110]手搏[111]，存贤不尽其技，帝曰："汝能胜我，当授藩镇。"存贤乃奉诏，仅仆帝而止。及许存审入觐，帝以存贤为卢龙行军司马，旬日除节度使，曰："手搏之约，吾不食言矣。"

【语译】

此前，唐庄宗想把刘夫人立为皇后，但是正妃韩夫人在。太后又一向很讨厌刘夫人，郭崇韬也多次劝谏阻止，因此一直没有成功。这时郭崇韬所亲近的人劝他说："您如果奏请册立刘夫人为皇后，皇上一定很高兴。这样，宫内有皇后帮助您，那么伶人、宦官们就不能对您造成威胁了。"郭崇韬听从了这个建议，就和宰相一道率领百官向唐庄宗启奏，认为应该立刘夫人为中宫皇后。二月十五日癸未，唐庄宗正式册立魏国夫人刘氏为皇后。皇后出身寒微，自己显贵之后，一心致力于蓄积钱财。她在魏州的时候，甚至连那些柴草、瓜果、蔬菜都要贩卖。等到立为皇后之后，四方进贡呈献来的物品都要分为两份，一份呈送给天子，一份呈送给中宫。因此中宫里宝货堆积如山，皇后也只是用来抄写佛经、施舍尼姑而已。这一时期皇太后的诰命、皇后的教令和皇帝的制敕交错颁行于藩镇，大家都同样遵照执行。

唐庄宗下诏命令蔡州刺史朱勍疏浚索水，以开通漕运。

三月初一日己亥，蜀主在怡神亭宴请近臣。喝得尽兴时，君臣和宫女们都脱下帽子露出发髻，喧哗吵闹并恣意而为。知制诰京兆人李龟祯进谏说："君臣沉湎于酒，不忧劳国事，臣担心会诱使北方的敌人算计我们。"蜀主不听规劝。

初七日乙巳，镇州报告说契丹人将要侵犯边塞。唐庄宗下诏命令横海节度使李绍斌、北京左厢马军指挥使李从珂率骑兵分路前往防备，命令天平节度使李嗣源屯驻邢州。李绍斌本姓赵，名行实，幽州人。

初八日丙午，加封高季兴兼任尚书令，晋封为南平王。

李存审自己觉得身为诸将之首，却未能参与攻克汴梁建立功劳，心中十分愤慨，由此病情加重。他多次上表请求入京朝见皇帝，都被郭崇韬压了下来，没有得到同意。李存审病情危急，上表乞求在活着的时候再见皇帝一面，这样才被允许。当初，唐庄宗曾经与右武卫上将军李存贤比腕力，李存贤没有把本事全使出来，唐庄宗说："你如能胜我，我就会授你藩镇节度使之职。"李存贤于是奉命，但仅把皇帝摔倒在地就住了手。等到允许李存审入京朝见时，唐庄宗任命李存贤担任卢龙行军司马，十来天任命为节度使，唐庄宗说："上回角力时的约定，我没有食言。"

庚戌[112]，幽州奏契丹寇新城[113]。

勋臣畏伶宦[6]之谗[114]，皆不自安。蕃汉内外马步副总管李嗣源求解兵柄，帝不许。

自唐末丧乱，搢绅之家[115]或以告赤[116]鬻于族姻，遂乱昭穆[117]。至有舅、叔拜甥、侄者，选人[118]伪滥者众。郭崇韬欲革其弊[119]，请令铨司[120]精加考核。时南郊行事官[121]千二百人，注官[122]者才数十人，涂毁告身[123]者十之九。选人或号哭道路，或馁死逆旅[124]。

【段旨】

以上为第三段，写郭崇韬为求自保，率百官上奏唐庄宗立刘夫人为皇后，勋臣宿将皆畏伶官之谗，心不自安。

【注释】

⑧①韩夫人：庄宗正室，同光二年（公元九二四年）十二月册封为淑妃。⑧②恶：厌恨。⑧③不果：没有成功。⑧④说：劝说；游说。⑧⑤正位中宫：指立为皇后。⑧⑥癸未：二月十五日。⑧⑦薪苏果茹：柴草、果菜。⑧⑧尼师：尼姑。⑧⑨交行：交错颁行。⑨⑩奉之如一：太后诰、皇后教、皇帝制敕，一样执行。⑨①蔡州：州名，治所上蔡，在今河南汝南。⑨②浚索水：疏通索水。索水，即古旃然水，源出荥阳石岭寨。北流与须水汇合，称须索河。⑨③己亥朔：三月初一日。⑨④酒酣：饮酒至兴奋时。⑨⑤恣：恣意；放肆。⑨⑥知制诰：官名，翰林学士加知制诰官衔，掌起草机要诏令。⑨⑦李龟祯：为人切直，不畏权贵。传见《十国春秋》卷四十三。⑨⑧沉湎：沉溺。此指嗜酒无度。⑨⑨北敌：指后唐。⑩⑩乙巳：三月初七日。⑩①李绍斌：本姓赵，名行实。李绍斌为赐名。⑩②丙午：三月初八日。⑩③诸将之首：李存审被任命为蕃汉马步军都总管，居所有将军之上。⑩④克汴之功：攻破梁首都的战役。⑩⑤感愤：愤慨。⑩⑥入觐：从在外州郡来京朝见皇帝。⑩⑦抑而不许：抑止而不

三月十二日庚戌，幽州上奏说契丹人侵犯新城。

功勋大臣们害怕伶人、宦官的进谗诽谤，心里都感到不安。蕃汉内外马步副总管李嗣源请求解除自己的兵权，唐庄宗没有答应。

自从唐朝末年政局动乱以来，官宦之家有的把任官的告身和敕令卖给族人或姻亲，于是乱了上下长幼的顺序。甚至有舅舅、叔叔要拜外甥、侄儿的，候选、候补的官员假冒顶替的很多。郭崇韬想革除这一弊端，请求唐庄宗下令吏部严加考核。当时参与南郊祭天事务的官员一千二百人，其中经吏部注拟任命的只有数十人，而涂改委任官职文凭的人占十分之九。候选、候补官职的人有的在道路上哭天喊地，有的甚至饿死在旅店里。

允许。⑱疾亟：病情很严重。⑲生睹龙颜：活着见到皇帝。龙颜，指代皇帝。⑳李存贤（公元八六〇至九二四年）：字子良，本姓王名贤，李克用赐今名，令为义儿军副兵马使，积功至幽州卢龙节度使。传见《旧五代史》卷五十三、《新五代史》卷三十六。⑪手搏：掰手掌，比腕力。〖按〗《李存贤传》称角抵，则类似摔跤。⑫庚戌：三月十二日。⑬新城：县名，县治在今河北新城。⑭谗：谗言；背后说坏话。⑮搢绅之家：指代官宦人家。⑯告赤：告身和敕命。胡三省注："赤，当作'敕'。"⑰昭穆：宗庙的辈次排列，始祖居中，二世、四世、六世位于始祖之左，谓之昭，三世、五世、七世位于始祖之右，谓之穆。⑱选人：唐代以后称候补、候选的官员。⑲弊：弊端；弊政。⑳铨司：吏部。㉑南郊行事官：参与郊祀事务的官员。㉒注官：经吏部注拟任命官职。㉓告身：古代授官的凭信，类似后世的任命状。㉔馁死逆旅：饿死在旅馆里。

【校记】

［4］至于：原无此二字。据章钰校，十二行本、乙十一行本皆有此二字，张敦仁《通鉴刊本识误》同，今据补。［5］累：原作"屡"。据章钰校，十二行本、乙十一行本皆作"累"，今据改。［6］伶官：原作"伶宦"。前卷及本卷他处皆作"伶官"，此处当亦然，今据改。

【原文】

唐室诸陵先为温韬所发。庚申⑫⑤，以工部郎中⑫⑥李途为长安按视诸陵使。

皇子继岌代张全义判六军诸卫事⑫⑦。

夏，四月己巳朔⑫⑧，群臣上尊号⑫⑨曰昭文睿武至德光孝皇帝。

帝遣客省使李严使于蜀，严盛称帝威德，有混一⑬⓪天下之志。且言朱氏篡窃，诸侯曾无勤王之举。王宗俦以其语侵蜀⑬①，请斩之，蜀主不从。宣徽北院使宋光葆上言："晋王有凭陵⑬②我国家之志，宜选将练兵，屯戍边鄙，积糗粮，治战舰以待之。"蜀主乃以光葆为梓州观察使，充武德⑬③节度留后。

乙亥⑬④，加楚王殷兼尚书令。

庚辰⑬⑤，赐前保义⑬⑥留后霍彦威姓名李绍真。

秦忠敬王李茂贞卒，遗奏以其子继曮权知凤翔⑬⑦军府事。

初，安义⑬⑧牙将杨立⑬⑨有宠于李继韬，继韬诛，常邑邑⑭⓪思乱。会发安义兵三千戍涿州，立谓其众曰："前此潞兵未尝戍边，今朝廷驱我辈投之绝塞⑭①，盖不欲置之潞州耳。与其暴骨沙场⑭②，不若据城自守。事成富贵，不成为群盗耳。"因聚噪攻子城东门，焚掠市肆。节度副使李继珂、监军张弘祚弃城走，立自称留后，遣将士表求旌节[7]。诏以天平节度使李嗣源为招讨使，武宁节度使李绍荣为部署⑭③，帐前都指挥使张廷蕴⑭④为马步都指挥使，以讨之。

【段旨】

以上为第四段，写唐庄宗遣使蜀国侦察虚实，安义军牙将杨立逐帅自称留后，庄宗发兵征讨。

【语译】

唐室各陵墓早先被温韬挖掘。三月二十二日庚申，任命工部郎中李途为长安按视诸陵使。

皇子李继岌代替张全义兼管六军诸卫事务。

夏，四月初一日己巳，群臣给皇帝上尊号叫昭文睿武至德光孝皇帝。

唐庄宗派客省使李严出使蜀国，李严在蜀国盛赞唐庄宗的威德，有统一天下的志向。而且还说到朱氏篡位窃国，其他的诸侯都没有一点勤王的举动。王宗俦认为他的话冒犯了蜀国，请求把他斩首，蜀主没有答应。宣徽北院使宋光葆向蜀主上奏说："晋王有侵犯我们国家的心思，我们应该选任将领，训练士卒，加强边境屯兵戍守，积蓄粮谷，整修战舰以防他们来犯。"蜀主于是任命宋光葆为梓州观察使，并充任武德节度留后。

四月初七日乙亥，加封楚王马殷兼任尚书令。

十二日庚辰，赐给原保义留后霍彦威姓名，叫李绍真。

秦忠敬王李茂贞去世，在他临终的上奏文书中，希望让他的儿子李继曮代理凤翔军府的事务。

当初，安义军牙将杨立很受李继韬宠爱，李继韬被诛杀之后，杨立常闷闷不乐，想要作乱。适逢此时朝廷调派三千名安义士兵去戍守涿州，杨立就对那些被调派的士兵们说："此前潞州的士兵从来没有去戍过边，现在朝廷把我们驱赶到很远的边塞去，就是不想让我们待在潞州罢了。我们与其暴尸在沙场，不如占据城池守住自己的地盘。事情成功了大家富贵，不成功就当强盗罢了。"于是他们聚众鼓噪，进攻子城的东门，在街市上放火抢劫。节度副使李继珂、监军张弘祚弃城逃走，杨立自称节度留后，派将士向唐庄宗上表请求旌节、印信。唐庄宗下诏任命天平节度使李嗣源为招讨使，武宁节度使李绍荣为部署，帐前都指挥使张廷蕴为马步都指挥使，率军讨伐杨立。

【注释】

⑫庚申：三月二十二日。⑫工部郎中：工部高级属官，掌制作、营缮、计置、采伐材物等。⑫判六军诸卫事：任禁卫军总指挥。⑫己巳朔：四月初一日。⑫尊号：帝王的称号。生为尊号，死为谥号。⑬混一：统一。⑬侵蜀：侵犯蜀国。⑬凭陵：侵扰。⑬武德：蜀所置方镇，治所梓州。⑬乙亥：四月初七日。⑬庚辰：四月十二日。⑬保义：方镇名，唐昭宗龙纪元年（公元八八九年），赐陕虢节度为保义军节度。后梁改名为镇国军，治所陕州。后唐仍改为保义军。⑬凤翔：方镇名，唐肃宗上元元年（公元七六〇年）

置节镇。治所凤翔，在今陕西凤翔。为岐王李茂贞所占领。⑬⑧安义：方镇名，即昭义军，治所潞州。李继韬求世袭，改昭义军为安义军。⑬⑨杨立（？至公元九二四年）：潞州下层军吏，聚众反叛。传见《旧五代史》卷七十四。⑭⓪邑邑：通"悒悒"。郁郁不乐的样子。⑭①绝塞：极远的边疆。⑭②沙场：唐人征突厥，常战于沙漠之地，故后以沙场指代战场。⑭③部署：武官名，本在招讨使之下，后来有都部署，为主帅之职。⑭④张廷蕴（公元八七九至九四七年）：字德枢，开封襄邑（今河南睢县）人，官至绛州防御使，为官清廉，家无余积，年老耄期，死于牖下。传见《旧五代史》卷九十四。

【原文】

孔谦贷民钱，使以贱估偿丝，⑭⑤屡檄⑭⑥州县督之。翰林学士承旨、权知汴州卢质上言："梁赵岩为租庸使，举贷诛敛⑭⑦，结怨于人。今[8]陛下革故鼎新⑭⑧，为人除害，而有司未改其所为，是赵岩复生⑭⑨也。今春霜害桑[9]，茧丝甚薄，但输正税⑮⓪，犹惧流移⑮①，况益以称贷⑮②，人何以堪⑮③！臣惟事天子，不事租庸，敕旨未颁，省牒⑮④频下，愿早降明命⑮⑤！"帝不报⑮⑥。

汉主引兵侵闽，屯于汀、漳⑮⑦境上。闽人击之，汉主败走。

初，胡柳之役，伶人周匝为梁所得，帝每思之。入汴之日，匝谒见于马前，帝甚喜。匝涕泣言曰："臣[10]所以得生全者，皆梁教坊使⑮⑧陈俊、内园栽接使⑮⑨储德源之力也，愿就陛下乞二州以报之。"帝许之。郭崇韬谏曰："陛下所与共取天下者，皆英豪忠勇之士。今大功始就，封赏未及一人，而先以伶人为刺史，恐失天下心。"以是不行。逾年⑯⓪，伶人屡以为言，帝谓崇韬曰："吾已许周匝矣，使吾惭见此三人。公言虽正，然[11]当为我屈意行之⑯①。"五月壬寅⑯②，以俊为景州⑯③刺史，德源为宪州⑯④刺史。时亲军有从帝百战未得刺史者，莫不愤叹。

【校记】

［7］旄节：原作"旌节"。据章钰校，十二行本、乙十一行本皆作"旄节"，今据改。

【语译】

孔谦把钱借贷给百姓，然后让百姓用被压成低价的丝来偿还贷款，还多次向州县下发文书要求督促实行。翰林学士承旨、代理掌管汴州事务的卢质向唐庄宗上奏说："梁朝的赵岩曾经担任租庸使，利用借贷搜刮聚敛百姓的财物，与百姓结下怨仇。现今陛下破旧立新，为民除害，但是有关部门没有改变过去的做法，简直就是赵岩又复活了一样。今年春季霜冻危害作物，茧丝的收成很差，只缴纳正式规定的赋税，尚且害怕老百姓会逃亡，更何况还要加上借贷的钱，百姓们怎么能承受得了！臣只侍奉天子，不侍奉租庸使，现在皇上敕旨并未颁布，租庸使的公文却频频下发，希望皇上能够尽早降下圣明的裁示！"唐庄宗没有答复他。

南汉国主率兵入侵闽国，军队屯驻在闽国汀州、漳州的边境上。闽人反击，南汉国主战败逃走。

当初，在胡柳战役中，伶人周匝被梁军俘获，唐庄宗经常想念他。在唐军进入汴梁的那一天，周匝到唐庄宗的马前来参谒拜见，唐庄宗很高兴。周匝哭着说："臣之所以能够保全性命，完全是靠梁朝教坊使陈俊、内园栽接使储德源的帮助，希望能向陛下乞求两个州回报他们。"唐庄宗答应了他。郭崇韬进谏说："与陛下一起攻取天下的，都是英豪忠勇之士。如今大功刚刚告成，还没有对任何一个人加以封赏，却先要任命伶人担任刺史，恐怕会失去天下的人心。"因此这件事就没有进行下去。过了一年，这个伶人又多次说到这件事，唐庄宗只好对郭崇韬说："我已经答应过周匝了，这样一来让我不好意思再见到这三个人。你所说的道理虽然正确，就算为我委屈通融一下，把这件事给办了吧。"于是在五月初五日壬寅，任命陈俊为景州刺史，储德源为宪州刺史。当时亲军中有跟随唐庄宗身经百战而没有获得刺史官职的人，无不愤慨叹气。

【段旨】

以上为第五段，写孔谦百计搜刮民财，唐庄宗滥封伶人为高官。

【注释】

⑭⑤贷民钱二句：把钱借给农民，用贱价收购蚕丝，用以还贷款。估，价。⑭⑥檄：文书。⑭⑦举贷诛敛：拿贷款来剥削、搜刮老百姓。⑭⑧革故鼎新：破除旧的，建立新的。⑭⑨复生：再生。⑮⓪但输正税：只缴正当的国家规定的税款。⑮①流移：逃亡。⑮②称贷：称，举。贷，借。⑮③人何以堪：人们怎么承受得了。⑮④省牒：指租庸使所下文书。⑮⑤明命：皇帝的敕令。⑮⑥不报：没有答复。⑮⑦汀、漳：皆州名。汀州治所长汀，在今福建长汀。漳州治所漳浦，在今福建漳浦。⑮⑧教坊使：官名，掌宫廷乐舞、演出等事。⑮⑨内园栽接使：

【原文】

乙巳⑯⑤，右谏议大夫⑯⑥薛昭文上疏，以为今[12]诸道僭窃⑯⑦者尚多，征伐之谋⑯⑧，未可遽息。又，士卒久从征伐，赏给未丰，贫乏者多，宜以四方贡献及南郊羡余⑯⑨，更加颁赉⑰⓪。又，河南诸军皆梁之精锐，恐僭窃之国潜⑰①以厚利诱之，宜加收抚。又，户口流亡者，宜宽徭薄赋⑰②以安集之。又，土木⑰③不急之役，宜加裁省。又请择隙地牧马，勿使践京畿民田。皆不从。

戊申⑰④，蜀主遣李严还。初，帝因严入蜀，令以马市⑰⑤宫中珍玩。而蜀法禁锦绮珍奇不得入中国⑰⑥，其粗恶者乃听入中国，谓之“入草物”。严还，以闻，帝怒曰：“王衍宁免⑰⑦为入草之人乎！”严因言于帝曰：“衍童骙⑰⑧荒纵，不亲政务，斥远故老⑰⑨，昵比小人⑱⓪。其用事之臣王宗弼、宋光嗣等，谄谀专恣，黩货⑱①无厌。贤愚易位，刑赏紊乱，君臣上下专以奢淫相尚⑱②。以臣观之，大兵一临，瓦解土崩，可翘足⑱③而待也。”帝深以为然。

官名，掌宫廷花木栽培等事。犹唐朝内园使。⑯逾年：过了一年。⑯屈意行之：违背自己的意志而做不愿做的事。⑯壬寅：五月初五日。⑯景州：州名，唐改观州为景州，故治在今河北景县东北。⑯宪州：州名，治所楼烦，在今山西静乐南。

【校记】

［8］今：原无此字。据章钰校，十二行本、乙十一行本皆有此字，张敦仁《通鉴刊本识误》同，今据补。［9］桑：原作“稼”。据章钰校，十二行本、乙十一行本皆作“桑”，张敦仁《通鉴刊本识误》同，今据改。［10］臣：原作“臣之”。据章钰校，十二行本、乙十一行本皆无“之”字，今据删。［11］然：原无此字。据章钰校，十二行本、乙十一行本皆有此字，今据补。

【语译】

五月初八日乙巳，右谏议大夫薛昭文上疏，认为现今诸道藩镇中僭窃名号的还很多，征讨的计划不可匆忙停止。此外，士卒们长期跟随征战，得到的赏赐并不算多，很多人还很贫困，应该把四方的贡献和南郊祭祀的剩余财物，再颁赏他们一些。再者，黄河以南的各路军队都是从前梁朝的精锐，恐怕僭窃名号的各国会暗中用厚利引诱他们，应该对他们加以安抚。还有，对那些流亡在外的人，应该宽省徭役、减轻赋税，以此来安定他们，把他们吸聚回来。再者，对那些不是急需的土木工程，应当加以裁减。还有，请求选择一些空地去放马，不要让马践踏京畿地区的民田。这些建议唐庄宗一概未予采纳。

十一日戊申，蜀主让李严回国。当初，唐庄宗利用李严到蜀国出使的机会，让他用马匹去换回宫中用的珍宝和玩赏之物。但是蜀国的法令禁止上好的丝织品和珍奇之物流入中原，只有那些粗糙低劣的物品才听凭流入中原，被称为“入草物”。李严回国后，把这些情况报告了朝廷，唐庄宗非常生气地说：“王衍难道可以避免成为一个入草之人吗？”李严于是向皇帝报告说：“王衍愚昧无知，荒淫放纵，不理政事，排斥疏远过去的老臣，亲近小人。那些掌权的大臣如王宗弼、宋光嗣等人，只知道巴结奉承讨好主上，专横放肆，对于财货贪得无厌。朝廷上贤能之士得不到重用而愚昧之人窃居高位，刑赏混乱，君臣上下只知道以奢侈荒淫来相互攀比。以臣看来，只要大军一到，他们就会土崩瓦解，这是很快就可以等到的事情。”唐庄宗认为他的话很有道理。

【段旨】

以上为第六段，写唐庄宗不恤士民，蜀主王衍刑赏紊乱，君臣奢靡。

【注释】

⑯⑤ 乙巳：五月初八日。⑯⑥ 右谏议大夫：官名，掌谏诤，属中书省。⑯⑦ 僭窃：指僭用帝王称号的诸道节度使。⑯⑧ 征伐之谋：指削平割据政权的战略决策。⑯⑨ 羡余：多余财物。⑰⓪ 颁赉：赏赐。⑰① 潜：暗暗地。⑰② 宽徭薄赋：减轻徭役和赋税。⑰③ 土木：指兴建宫

【原文】

帝以潞州叛故，庚戌[184]，诏天下州镇无得修城浚隍[185]，悉毁防城之具。

壬子[186]，新宣武节度使兼中书令、蕃汉马步总管李存审卒于幽州。存审出于寒微，常戒诸子曰："尔父少提一剑去乡里[187]，四十年间，位极将相[188]，其间出万死获一生者非一[189]，破骨出镞[190]者凡百余。"因授以所出镞，命藏之，曰："尔曹[191]生于膏粱[192]，当知尔父起家如此也。"

幽州言契丹将入寇。甲寅[193]，以横海节度使李绍斌充东北面行营招讨使，将大军渡河而北。契丹屯幽州东南城门之外，虏骑充斥，馈运[194]多为所掠。

壬戌[195]，以李继曮为凤翔节度使。

乙丑[196]，以权知[197]归义[198]留后曹义金为节度使。时瓜、沙[199]与吐蕃[200]杂居，义金遣使间道[201]入贡，故命之。

李嗣源大军前锋至潞州，日已暝[202]。泊军[203]方定，张廷蕴帅麾下壮士百余辈逾堑坎城[204]而上，守者不能御，即斩关延诸军入。比明[205]，嗣源及李绍荣至，城已下矣，嗣源等不悦[206]。丙寅[207]，嗣源奏潞州平。六月丙子[208]，磔[209]杨立及其党于镇国桥[210]。潞州城池高深，帝命夷[211]之。

丙戌[212]，以武宁节度使李绍荣为归德[213]节度使、同平章事，留宿卫[214]，宠遇甚厚。帝或时与太后、皇后同至其家。帝有幸姬[215]，色美，

室等。⑰ 戊申：五月十一日。⑱ 市：易；贸易。⑲ 中国：指中原王朝。⑳ 宁免：难道可以避免；难道不是。⑱ 童骙：愚昧无知。骙，傻呆。⑲ 斥远故老：罢斥疏远过去的老臣。⑱ 昵比小人：亲近朋比为奸的小人。⑱ 黩货：贪污钱财。⑱ 以奢淫相尚：以奢侈淫靡比高低。⑱ 翘足：举足；抬起脚来。形容时间很短。

【校记】

［12］今：原无此字。据章钰校，十二行本、乙十一行本皆有此字，今据补。

【语译】

唐庄宗因为潞州反叛的缘故，五月十三日庚戌，下诏命令全国各州镇不准再修筑城墙、疏浚护城的壕沟，并且命令毁掉所有防城器具。

五月十五日壬子，新任的宣武节度使兼中书令、蕃汉马步总管李存审在幽州去世。李存审出身贫寒低微，他经常告诫他的几个儿子说："你们的父亲小时候手提一剑离开家乡，四十年间，地位直达将相，这期间出生入死不止一次，从骨头中挖出的箭头总共有一百多枚。"说着，把这些挖出的箭头交给他们，让他们收藏好，并说："你们生活在富贵人家，应当知道你们的父亲当年就是这样起家的。"

幽州报告说契丹将要入侵。五月十七日甲寅，任命横海节度使李绍斌充任东北面行营招讨使，率领大军渡过黄河向北进发。契丹军队屯驻在幽州东南城门之外，那一带到处都是敌人的骑兵，唐军的粮草军需品在运输中很多都被他们抢走了。

二十五日壬戌，任命李继曮为凤翔节度使。

二十八日乙丑，任命代理归义留后的曹义金为归义节度使。当时瓜州、沙州的人和吐蕃人杂居，曹义金派使者走小路入贡，所以皇帝特意任命他为节度使。

李嗣源大军的前锋到达潞州，天色已晚。军队刚刚驻扎安顿下来，张廷蕴就率领部下百余名壮士越过壕沟，顺着城墙登了上去，守城士兵抵挡不住，张廷蕴他们就打开城门把军队引了进去。到了天快亮的时候，李嗣源和李绍荣率领大军到达，这时潞州城已经被攻下来了，李嗣源等人很不高兴。五月二十九日丙寅，李嗣源奏报潞州已经平定。六月初九日丙子，在镇国桥磔杀了杨立及其同党。潞州城的城墙高、壕沟深，唐庄宗下令把它夷为平地。

六月十九日丙戌，任命武宁节度使李绍荣为归德节度使、同平章事，把他留在宫中值宿警卫，唐庄宗待他非常好。唐庄宗有时还和太后、皇后一起到他家串门。唐庄宗有个宠爱的姬妾，长得很漂亮，曾经生过一个皇子，刘皇后很嫉妒她。这时

尝生子矣，刘后妒[216]之。会绍荣丧妻，一日，侍禁中[217]，帝问绍荣："汝复娶乎？为汝求婚。"后因指幸姬曰："大家[219]怜[220]绍荣，何不以此赐之？"帝难言不可，微许之。后趣[221]绍荣拜谢，比起[222]，顾幸姬，已肩舆[223]出宫矣。帝为之托疾不食者累日[224]。

壬辰[225]，以天平节度使李嗣源为宣武[226]节度使，代李存审为蕃汉内外马步总管。

【段旨】

以上为第七段，写唐庄宗平定潞州之叛。

【注释】

[184] 庚戌：五月十三日。[185] 无得修城浚隍：不许修筑城墙，疏浚护城河。唐庄宗此举意在防备将卒据城反叛。[186] 壬子：五月十五日。[187] 去乡里：离开家乡。[188] 位极将相：官位达到节度使、全国统兵官、同平章事。[189] 非一：不是一次。[190] 镞：箭头。[191] 尔曹：你们。[192] 膏粱：指富贵人家。[193] 甲寅：五月十七日。[194] 馈运：军粮、器械的运输。[195] 壬戌：五月二十五日。[196] 乙丑：五月二十八日。[197] 权知：暂时担任某职，即代理。[198] 归义：方镇名，唐睿宗景云元年（公元七一〇年）置河西节度使，后为吐蕃攻陷。唐宣宗大中年间，张义潮收复河西。唐懿宗咸通八年（公元八六七年），张义潮归唐，改名归义

【原文】

秋，七月壬寅[227]，蜀以礼部尚书许寂为中书侍郎、同平章事。

孔谦复短王正言于郭崇韬，又厚赂伶宦[13]，求租庸使，终不获[228]，意快快[229]。癸卯[230]，表求解职[231]。帝怒，以为避事[232]，将置于法[233]，景进救之，得免。

梁所决河连年为曹、濮患[234]。甲辰[235]，命右监门上将军娄继英督汴、滑兵塞之。未几，复坏。

庚申[236]，置威塞军[237]于新州。

适逢李绍荣的妻子刚去世，一天，李绍荣在宫中侍奉皇帝，唐庄宗问他："你还要再娶妻子吗？我来为你做媒。"刘皇后乘机指着那位宠姬说："皇上疼爱李绍荣，何不把她赐给他呢？"唐庄宗很难说不行，就含含糊糊答应了。皇后催促李绍荣向唐庄宗拜谢，等到李绍荣拜完起身，回头再看那位宠姬，已经被轿子抬出宫去了。唐庄宗为了这件事假称生病，好几天不吃饭。

六月二十五日壬辰，任命天平节度使李嗣源为宣武节度使，并接替李存审担任蕃汉内外马步总管。

节度使授之，治所沙州，在今甘肃敦煌。⑲瓜、沙：瓜州、沙州。瓜州治所在今甘肃瓜州东。⑳吐蕃：我国古代藏族政权名，公元七至九世纪时在青藏高原建立，与唐联姻，关系密切。㉑间道：小路。㉒暝：暮。㉓泊军：驻军；扎营。㉔逾堑坎城：越过护城河，顺着城墙登城。㉕比明：刚刚天亮。㉖不悦：不高兴。因张廷蕴不等他们到来先攻拔城池。㉗丙寅：五月二十九日。㉘丙子：六月初九日。㉙磔：古代一种酷刑，即把犯罪之人斩成肉块。㉚镇国桥：地名，在潞州。㉛夷：平。㉜丙戌：六月十九日。㉝归德：方镇名，后唐灭后梁，复以汴州为宣武军，以宋州为归德军。治所睢阳，在今河南商丘南。㉞留宿卫：留在皇宫值班。㉟幸姬：宠幸的姬妾。㊱妒：嫉妒。㊲禁中：宫中。㊳求婚：此处指做媒。㊴大家：后妃对皇帝的称呼。㊵怜：爱。㊶趣：通"促"。催促。㊷比起：等到拜毕起来。㊸肩舆：用轿抬。㊹累日：好几天。㊺壬辰：六月二十五日。㊻宣武：方镇名，后唐移宣武军于汴州。治所开封，在今河南开封。

【语译】

秋，七月初五日壬寅，蜀国任命礼部尚书许寂为中书侍郎、同平章事。

孔谦又向郭崇韬说王正言的坏话，还用厚礼贿赂那些伶人、宦官，想求得租庸使一职，但最终还是没有得到，心里郁郁不乐。七月初六日癸卯，他上表请求解除自己的职务。唐庄宗很生气，认为他是在逃避公务，准备把他绳之以法。景进解救他，才得以幸免。

当初梁朝所决开的黄河连年为患曹州、濮州。七月初七日甲辰，唐庄宗命令右监门上将军娄继英督率汴州、滑州的军队把决口堵起来。没过多久，堵起的决口又被冲坏了。

二十三日庚申，在新州设置威塞军。

契丹恃其强盛，遣使就㉘帝求幽州以处㉙卢文进。时东北诸夷皆役属㉚契丹，惟勃海㉛未服。契丹主谋入寇，恐勃海掎㉜其后，乃先举兵击勃海之辽东㉝，遣其将秃馁及卢文进据营、平等州以扰燕地。

八月戊辰㉞，蜀主以右定远军使王宗锷㉟为招讨马步使，帅二十一军屯洋州㊱。乙亥㊲，以长直马军使林思锷为昭武㊳节度使，戍利州以备唐。

租庸使王正言病风㊴，恍惚㊵不能治事，景进屡以为言。癸酉㊶，以副使、卫尉卿㊷孔谦为租庸使，右威卫大将军孔循㊸为副使。循即赵殷衡也，梁亡，复其姓名。谦自是得行其志，重敛急征以充帝欲，民不聊生。癸未㊹，赐谦号丰财赡国功臣。

【段旨】

以上为第八段，写唐庄宗任用孔谦为租庸使，大肆搜刮民财，民怨沸腾，孔谦竟然得封为丰财赡国功臣。

【注释】

㉗壬寅：七月初五日。㉘终不获：终究没有得到。㉙怏怏：郁郁不乐的样子。㉚癸卯：七月初六日。㉛表求解职：上表请求解除职务。㉜避事：躲避事务，消极怠工。㉝将置于法：将绳之以法。㉞患：造成灾难。㉟甲辰：七月初七日。㊱庚申：七月二十三日。㊲威塞军：方镇名，后唐庄宗同光二年（公元九二四年）置，治所在今河北涿鹿。㊳就：到中原。㊴处：安置。㊵役属：归附。㊶勃海：渤海国。唐代以靺鞨粟末部

【原文】

帝复遣使者李彦稠入蜀。九月己亥㊺，至成都。

癸卯㊻，帝猎于近郊。时帝屡出游猎，从骑㊼伤民禾稼。洛阳令何泽㊽伏于丛薄㊾，俟帝至，遮马㊿谏曰："陛下赋敛既急，今稼穑将

契丹依仗自己兵势强盛，派使者前来向唐庄宗要求用幽州安置卢文进。当时东北地区各夷族都已经归附契丹受其差遣，只有勃海国还没有臣服。契丹国主图谋入侵中原，又担心勃海国从后方牵制，于是就先发兵攻打勃海国的辽东地区，并且派遣他的将领秃馁和卢文进占据营州、平州等地，以侵扰唐的燕地。

八月初二日戊辰，蜀主任命右定远军使王宗锷为招讨马步使，率领二十一军屯驻洋州。初九日乙亥，任命长直马军使林思锷为昭武节度使，戍守利州，用以防备唐军。

租庸使王正言得了中风病，精神恍惚，不能处理公务，景进多次向唐庄宗反映这一情况。八月初七日癸酉，唐庄宗任命租庸副使、卫尉卿孔谦为租庸使，右威卫大将军孔循为租庸副使。孔循就是赵殷衡，梁朝灭亡后才恢复了过去的姓名。孔谦从此得以按自己的心思行事，他横征暴敛来满足唐庄宗的欲望，弄得民不聊生。十七日癸未，唐庄宗赐给孔谦一个封号叫“丰财赡国功臣”。

为主体，结合其他靺鞨部和高句丽所建的政权。受唐王朝册封，与唐朝关系密切，文化发达，有“君子国”之称。其首都上京龙泉府遗址在今黑龙江宁安东。㉔掎：拖住；牵引。㉔辽东：地区名，泛指辽河以东地区。㉔戊辰：八月初二日。㉔王宗锷：王建义子。传见《十国春秋》卷三十九。㉔洋州：州名，治所兴道，在今陕西洋县。㉔乙亥：八月初九日。㉔昭武：方镇名，前蜀王建置，治所利州，在今四川广元。㉔病风：中风得病。㉕恍惚：神思不定。㉕癸酉：八月初七日。㉕卫尉卿：卫尉寺长官，掌仪卫兵械、甲胄等事。㉕孔循：赵殷衡，为朱温养子李让的养子。事后唐，复本名。㉕癸未：八月十七日。

【校记】

［13］伶官：原作“伶宦”。据章钰校，十二行本、乙十一行本皆作“伶官”，今据改。

【语译】

唐庄宗又派使者李彦稠前往蜀国。九月初三日己亥，李彦稠到达成都。

九月初七日癸卯，唐庄宗在京城近郊打猎。当时唐庄宗屡屡外出游玩打猎，随从的骑兵踏坏了百姓的庄稼。洛阳县令何泽趴在草木丛生的地方，等唐庄宗到来后，他拦住马进谏说：“陛下征收赋税一向很急迫，如今庄稼快要长成，又去践踏它，这

成，复蹂践之，使吏何以为理[261]，民何以为生！臣愿先赐死。”帝慰而遣之[262]。泽，广州人也。

契丹攻渤海，无功而还。

蜀前山南[263]节度使兼中书令王宗俦以蜀主失德，与王宗弼谋废立，宗弼犹豫未决。庚戌[264]，宗俦忧愤而卒。宗弼谓枢密使宋光嗣、景润澄等曰："宗俦教我杀尔曹，今日无患矣。"光嗣辈俯伏泣谢。宗弼子承班闻之，谓人曰："吾家难乎免矣[265]。"

乙卯[266]，蜀主以前镇江军[267]节度使张武为峡路应援招讨使。

丁巳[268]，幽州言契丹入寇。

冬，十月辛未[269]，天平节度使李存霸[270]、平卢节度使符习言："属州多称直奉[271]租庸使帖指挥公事，使司[272]殊不知，有紊规程。"租庸使奏，近例皆直下[273]。敕："朝廷故事[274]，制敕不下支郡[275]，牧守不专奏陈[276]。今两道所奏，乃本朝旧规。租庸所陈，是伪廷[277]近事。自今支郡自非进奉，皆须本道腾奏[278]，租庸征催亦须牒观察使[279]。"虽有此敕，竟不行。

【段旨】

以上为第九段，写唐庄宗行猎，践踏民禾稼，租庸使征税公文越级直下州县。

【注释】

㉕⑤己亥：九月初三日。㉕⑥癸卯：九月初七日。㉕⑦从骑：跟随的骑士。㉕⑧何泽：广州人，外虽直言，内实邪佞，官至太仆少卿。传见《新五代史》卷五十六。㉕⑨丛薄：草木丛中。草聚生叫丛，草木交错叫薄。㉖⓪遮马：拦住马头。㉖①理：治理。这里指征收庄稼。㉖②慰而遣之：慰勉而遣送回去。㉖③山南：方镇名，唐代宗广德元年，升山南西道防

让我们小吏怎么去征收呢，百姓又怎么活命呢！臣希望陛下先赐我一死。”唐庄宗加以慰勉，让他回去了。何泽，是广州人。

契丹攻打渤海国，无功而回。

蜀国前山南节度使兼中书令王宗俦认为蜀主丧失了为人主的品德，就与王宗弼商量废旧君立新君之事，王宗弼犹豫不决。九月十四日庚戌，王宗俦忧愤而死。王宗弼对枢密使宋光嗣、景润澄等人说：“王宗俦曾叫我把你们杀掉，现在不用担心了。”宋光嗣等人俯伏在地流着泪向他表示感谢。王宗弼的儿子王承班听说了此事，对人说：“我家的灾难难以避免了。”

九月十九日乙卯，蜀主任命前镇江军节度使张武为峡路应援招讨使。

二十一日丁巳，幽州报告说契丹入侵。

冬，十月初六日辛未，天平节度使李存霸、平卢节度使符习上奏说：“所属州县多声称他们直接按照租庸使所下公文处理公务，而节度使府的有关部门竟然毫不知情，这样做把原有的规程都搞乱了。”租庸使上奏说，近年来的惯例，租庸使的公文都是直接下发到州县的。唐庄宗裁断后颁布敕令说：“朝廷的惯例，中央的公文不直接下发到节度使属下的州郡，州郡的长官也不能直接上奏。现在天平、平卢两道所上奏的，属于本朝旧有的规定。而租庸使所陈述的，是伪梁近来的做法。从今往后，节度使属下的州郡如果不是进献物品，一律都要经过本道转呈，租庸使催办征收赋税也必须书写牒文通报观察使。”虽然下达了这道敕令，最终却并没有执行。

御守捉使为节度使，治所梁州，在今陕西汉中。㉖④庚戌：九月十四日。㉖⑤吾家难乎免矣：我家的灾难难以避免了。㉖⑥乙卯：九月十九日。㉖⑦镇江军：方镇名，蜀王建置镇江军，治所夔州，在今重庆奉节。㉖⑧丁巳：九月二十一日。㉖⑨辛未：十月初六日。㉗⓪李存霸（？至公元九二六年）：后唐庄宗二弟。传见《旧五代史》卷五十一、《新五代史》卷十四。㉗①直奉：直接奉行。㉗②使司：节度使府。㉗③直下：时租庸使帖下诸州调发，不关照节度使、观察使，称之为“直下”。㉗④故事：旧例；旧规。㉗⑤支郡：节度使所属各州。㉗⑥牧守不专奏陈：州牧、太守不能直接向皇帝上奏章，必须通过节度使司。㉗⑦伪廷：指后梁。㉗⑧腾奏：传奏；转奏。㉗⑨牒观察使：照会观察使。唐制，节度使掌兵事，观察使掌民事，故租庸征催须照会观察使。

【原文】

易、定[280]言契丹入寇。

蜀宣徽北院使[281]王承休[282]请择诸军骁勇者万二千人，置驾下左、右龙武步骑四十军，兵械给赐皆优异于他军。以承休为龙武军马步都指挥使，以裨将安重霸[283]副之，旧将无不愤耻。重霸，云州人，以狡佞贿赂事承休，故承休悦之。

吴越王镠复修本朝职贡[284]，壬午[285]，帝因梁官爵而命之[286]。镠厚贡献，并赂权要，求金印、玉册、赐诏不名[287]、称国王。有司言："故事惟天子用玉册，王公皆用竹册[288]。又，非四夷[289]无封国王者。"帝皆曲从[290]镠意。

吴王如[291]白沙[292]观楼船，更命白沙曰迎銮镇[293]。徐温自金陵来朝。先是，温以亲吏翟虔为阁门[294]、宫城、武备等使，使察王起居[295]，虔防制王甚急。至是，王对温名雨为水[296]，温请其故。王曰："翟虔父名，吾讳[297]之熟矣。"因谓温曰："公之忠诚，我所知也，然翟虔无礼，宫中及宗室所须多不获[298]。"温顿首谢罪，请斩之。王曰："斩则太过[299]，远徙可也。"乃徙抚州。

十一月，蜀主遣其翰林学士欧阳彬[300]来聘[301]。彬，衡山人也。又遣李彦稠东还。

癸卯[302]，帝帅亲军猎于伊阙[303]，命从官[304]拜梁太祖墓。涉历山险，连日不止，或夜合围[305]，士卒坠崖谷死及折伤者甚众。丙午[306]，还宫。

蜀以唐修好，罢威武[307]城戍，召关宏业等二十四军还成都。戊申[308]，又罢武定、武兴[309]招讨刘潜等三十七军。

丁巳[310]，赐护国节度使李继麟铁券[311]，以其子令德、令锡皆为节度使，诸子胜衣[312]者即拜官，宠冠列藩。

庚申[313]，蔚州[314]言契丹入寇。

辛酉[315]，蜀主罢天雄军[316]招讨，命王承骞等二十九军还成都。

十二月乙丑朔[317]，蜀主以右仆射张格兼中书侍郎、同平章事。初，

【语译】

易、定二州报告说契丹入侵。

蜀国的宣徽北院使王承休请求从各部队中挑选一万二千名骁勇善战的士卒，设置由蜀主直接管辖的左、右龙武步骑四十军，装备和供给与其他部队相比都特别优待。于是蜀主任命王承休为龙武军马步都指挥使，任命副将安重霸为副使，对此旧将们无不感到愤怒耻辱。安重霸是云州人，他靠狡诈、花言巧语和贿赂巴结王承休，所以王承休很喜欢他。

吴越王钱镠又向唐进贡物品，十月十七日壬午，唐庄宗按照原来梁朝给他的官爵重新任命了他。钱镠的贡礼很丰厚，还贿赂朝中的权要人物，向唐庄宗求取金印、玉册、颁赐诏书时不直呼其名、可以让他称国王等。有关部门启奏说，按惯例只有天子使用玉册，王公们都用竹册，此外，如果不是四方的夷族，也没有被封为国王的。不料唐庄宗却委曲顺从了钱镠的愿望。

吴王前往白沙观看楼船，下令把白沙改名为迎銮镇。徐温从金陵前来朝见吴王。在此之前，徐温让他的亲信官吏翟虔担任阁门、宫城、武备等使，让他监视吴王的起居活动，翟虔对吴王的防范限制十分严格。到这时，吴王对徐温说“雨”字时都要改说成“水”字，徐温请教这样做的缘故。吴王说：“‘雨’是翟虔父亲的名字，我对如何避讳这个字已经很熟练了。”接着又对徐温说：“您对我的忠诚，是我所知道的，但是翟虔十分无礼，宫中和宗室所需要的东西很多都得不到。”徐温听后赶忙磕头谢罪，并请求把翟虔斩了。吴王说：“杀他太过分了，把他流放到远方去就可以了。”于是把翟虔流放到抚州。

十一月，蜀主派他的翰林学士欧阳彬前来聘问通好。欧阳彬，是衡山人。同时又让李彦稠东行返唐。

初九日癸卯，唐庄宗率领亲军在伊阙打猎，命令随从的官员参拜在那里的梁太祖朱温的坟墓。唐庄宗一行翻越险峻的山岭，连日不歇，有时在夜间合围野兽，随从士卒栽下崖谷摔死和摔断胳膊、腿受伤的人很多。十二日丙午，回到宫中。

蜀国认为已经和唐建立友好关系，就撤除了威武的城防，把关宏业等二十四军召回成都。十四日戊申，又撤除武定、武兴招讨刘潜等三十七军。

二十三日丁巳，唐庄宗赐给护国节度使李继麟铁券，把他的儿子李令德、李令锡都任命为节度使，其他的儿子只要稍大一点能穿起成人衣服的也都封了官，所受恩宠居各藩镇之首。

二十六日庚申，蔚州报告说契丹入侵。

二十七日辛酉，蜀主撤销天雄军招讨使，命令王承骞等二十九军回成都。

十二月初一日乙丑，蜀主任命右仆射张格兼任中书侍郎、同平章事。当初，张

格之得罪，中书吏[318]王鲁柔乘危窘[319]之。及再为相用事，杖杀之。许寂谓人曰："张公才高而识浅，戮一鲁柔，他人谁敢自保！此取祸之端也。"

蜀主罢金州屯戍，命王承勋等七军还成都。

己巳[320]，命宣武节度使李嗣源将宿卫兵[321]三万七千人赴汴州，遂如幽州御契丹。

【段旨】

以上为第十段，写吴越王钱镠归服后唐，蜀主王衍裁除戒备，契丹南侵。

【注释】

[280]易、定：易州和定州。[281]宣徽北院使：官名，蜀分宣徽院为南院、北院，总领宫内诸司及朝会、郊祀、宴享等事。[282]王承休（？至公元九二五年）：官至蜀天雄军节度使。宦官任节度使，自王承休始。传见《十国春秋》卷四十六。[283]安重霸：诡谲多智，善事人，官至云州节度使。传见《旧五代史》卷六十一、《新五代史》卷四十六。[284]复修本朝职贡：向后唐纳贡称臣。[285]壬午：十月十七日。[286]因梁官爵而命之：仍用后梁赐吴越王官爵名称赐钱镠。[287]赐诏不名：赐诏书时称吴越国王而不称名字。[288]竹册：用竹制成的册书，封王、公勋爵时用。[289]四夷：指周边少数民族。[290]曲从：委曲听从。[291]如：到。[292]白沙：地名，在今江西鄱阳。[293]迎銮镇：白沙。吴太学博士王谷上书改白沙为迎銮镇。[294]阁门：阁门使，官名，掌朝会宴幸、供奉赞相礼仪等事。[295]察王起居：监视吴

【原文】

庚午[322]，帝及皇后如张全义第，全义大陈贡献[323]。酒酣，皇后奏称："妾幼失父母，见老者辄思之，请父事[324]全义。"帝许之。全义惶恐[325]固辞，再三强之，竟受皇后拜，复贡献[326]谢恩。明日，后命翰林学士赵凤草书谢全义。凤密奏："自古无天下之母拜人臣为父者。"帝

格获罪时，中书吏王鲁柔曾乘他危难而让他十分尴尬窘迫。等到张格又当宰相掌握了权力，就用木杖把王鲁柔活活打死了。许寂对人说："张公才能高超但见识短浅，杀了一个王鲁柔，其他人谁还敢说能保全自己！这是他自取祸难的开始。"

蜀主撤销在金州驻兵戍守，命令王承勋等七军回成都。

十二月初五日己巳，唐庄宗命令宣武节度使李嗣源率领宿卫兵三万七千人赶赴汴州，随即又前往幽州抵御契丹。

王的活动。㉙王对温名雨为水：吴王对徐温说话时称雨为水。㉚讳：避讳。㉛所须多不获：所想要的东西大多得不到。㉜太过：太过分。㉝欧阳彬（？至公元九五〇年）：官至后蜀江宁军节度使。传见《十国春秋》卷五十三。㉞聘：聘问。㉟癸卯：十一月初九日。㊱伊阙：古县名，境内有龙门山，又名伊阙山，传说为大禹所凿。县治在今河南伊川西南，离洛阳二百余里。㊲从官：侍从出猎的官员。㊳或夜合围：有时夜里包围野兽。㊴丙午：十一月十二日。㊵威武：军镇名，在凤州境内。㊶戊申：十一月十四日。㊷武定、武兴：方镇名，蜀置。武定军，治所洋州，在今陕西洋县。武兴军，治所凤州，在今陕西凤县东北。㊸丁巳：十一月二十三日。㊹铁券：古代颁给有功之臣的证书，形如瓦。外刻履历、功绩，中刻免罪减禄之数。分左右，左颁功臣，右藏内府，有事合券。㊺胜衣：儿童稍长能穿戴成人的衣冠。㊻庚申：十一月二十六日。㊼蔚州：州名，治所安边，在今河北蔚县。㊽辛酉：十一月二十七日。㊾天雄军：方镇名，蜀置，治所秦州上邽县，在今甘肃天水。㊿乙丑朔：十二月初一日。⑱中书吏：中书省低级官员。⑲窘：窘迫。⑳己巳：十二月初五日。㉑宿卫兵：守卫京师的禁卫兵。

【语译】

十二月初六日庚午，唐庄宗和皇后到张全义家，张全义向唐庄宗陈列了许许多多贡品。酒喝到兴头上，皇后向唐庄宗启奏说："妾从小就失去父母，一见到老年人就想起他们，请求皇上允许我把张全义当作父亲来对待。"唐庄宗答应了她的请求。张全义诚惶诚恐，一再推辞，但皇后再三坚持，非要如此不可，最后张全义还是接受了皇后的参拜，并再次贡献物品以感谢唐庄宗皇后的恩宠。第二天，皇后命令翰林学士赵凤写信向张全义致谢。赵凤私下向唐庄宗启奏说："自古以来都没有作为天

嘉其直㉗，然卒㉘行之。自是后与全义日遣使往来，问遗㉙不绝。

初，唐僖、昭㉚之世，宦官虽盛，未尝有建节㉛者。蜀安重霸劝王承休求秦州节度使，承休言于蜀主曰："秦州多美妇人，请为陛下采择以献。"蜀主许之。庚午㉜，以承休为天雄节度使，封鲁国公，以龙武军为承休牙兵㉝。

乙亥㉞，蜀主以前武德节度使兼中书令徐延琼㉟为京城内外马步都指挥使。延琼以外戚代王宗弼居旧将之右㊱，众皆不平。

壬午㊲，北京㊳言契丹寇岚州。

辛卯㊴，蜀主改明年元曰咸康㊵。

卢龙㊶节度使李存贤卒。

是岁，蜀主徙普王宗仁㊷为卫王，雅王宗辂㊸为豳王，褒王宗纪㊹为赵王，荣王宗智㊺为韩王，兴王宗泽㊻为宋王，彭王宗鼎㊼为鲁王，忠王宗平㊽为薛王，资王宗特㊾为莒王。宗辂、宗智、宗平皆罢军使㊿[14]。

【段旨】

以上为第十一段，写庄宗刘皇后拜大臣齐王张全义为义父，蜀主王衍任命宦官为节度使。

【注释】

㉒庚午：十二月初六日。㉓大陈贡献：大量陈列贡献的财物。㉔父事：以父亲之礼奉事，即拜之为义父。㉕惶恐：恐惧而不安。㉖复贡献：再次贡献财物。㉗嘉其直：称赞他的直率。㉘卒：结果；终于。㉙问遗：问候和赠送礼物。㉚僖、昭：唐僖宗李儇、唐昭宗李晔。㉛建节：封节度使。㉜庚午：十二月初六日。㉝牙兵：衙兵，节度使衙亲军。㉞乙亥：十二月十一日。㉟徐延琼：字敬明。传见《十国春秋》卷四十六。㊱之

下之母的皇后拜大臣做父亲的。”皇帝嘉许他的直率，但事情最后还是按皇后的意思办了。从此皇后和张全义每天都派使者往来问候、馈赠东西，从未间断。

当初，在唐代僖宗、昭宗在位时，宦官势力虽大，但从没有担任节度使的。蜀国的安重霸劝王承休求取秦州节度使，王承休于是对蜀主说：“秦州的漂亮女人很多，请让我为陛下挑选一些献上来。”蜀主答应了他的请求，十二月初六日庚午，任命王承休为天雄节度使，晋封为鲁国公，把龙武军作为王承休节度使衙的卫队。

十一日乙亥，蜀主任命先前的武德节度使兼中书令徐延琼为京城内外马步都指挥使。徐延琼以外戚的身份替代王宗弼而位居诸位旧将之上，大家都愤愤不平。

十二月十八日壬午，北京报告说契丹侵犯岚州。

二十七日辛卯，蜀主把明年的年号改称咸康。

卢龙节度使李存贤去世。

这一年，蜀主把普王王宗仁改封为卫王，雅王王宗辂改封为豳王，褒王王宗纪改封为赵王，荣王王宗智改封为韩王，兴王王宗泽改封为宋王，彭王王宗鼎改封为鲁王，忠王王宗平改封为薛王，资王王宗特改封为莒王。王宗辂、王宗智、王宗平都被免除军使的职位。

右：之上。㊲ 壬午：十二月十八日。㊳ 北京：唐庄宗同光初以镇州为北都，太原为西京。不久废北都复为镇州，以太原为北京。㊴ 辛卯：十二月二十七日。㊵ 咸康：蜀后主王衍第二个年号。㊶ 卢龙：方镇名，唐置卢龙军，治所平州，在今河北卢龙北。后唐置卢龙节度使，治所幽州，在今北京。㊷ 宗仁：王建长子。幼以疾废。㊸ 宗辂：王建第三子。㊹ 宗纪：王建第四子。㊺ 宗智：王建第五子。㊻ 宗泽：王建第六子。㊼ 宗鼎：王建第七子。㊽ 宗平：王建第九子。㊾ 宗特：王建第十子。以上王建诸子传均见《十国春秋》卷三十八。㊿ 军使：蜀主王建以诸王为军使，见本书卷二百七十梁均王贞明四年。

【校记】

［14］军使：原作“军役”。据章钰校，十二行本、乙十一行本皆作“军使”，张瑛《通鉴校勘记》同，今据改。

【原文】

三年（乙酉，公元九二五年）

春，正月甲午朔[351]，蜀大赦。

丙申[352]，敕有司改葬昭宗及少帝[353]，竟以用度不足[354]而止。

契丹寇幽州。

庚子[355]，帝发洛阳。庚戌[356]，至兴唐[357]。

诏平卢节度使符习治酸枣[358]遥堤，以御决河。

初，李嗣源北征，过兴唐。东京库有供御细铠[359]，嗣源牒副留守张宪取五百领，宪以军兴[360]，不暇[361]奏而给之。帝怒曰："宪不奉诏[362]，擅以吾铠给嗣源，何意也！"罚宪俸一月，令自往军中取之[363]。

帝以义武[364]节度使王都将入朝，欲辟球场[365]。宪曰："比以行宫阙廷为球场，前年陛下即位于此，其坛[366]不可毁，请辟球场于宫西。"数日，未成，帝命毁即位坛。宪谓郭崇韬曰："此坛，主上所以礼上帝，始受命之地也，若之何[367]毁之！"崇韬从容言于帝，帝立命两虞候[368]毁之。宪私于崇韬曰："忘天背本，不祥[369]莫大焉[370]。"

二月甲戌[371]，以横海节度使李绍斌[372]为卢龙节度使。

丙子[373]，李嗣源奏败契丹于涿州。

上以契丹为忧，与郭崇韬谋，以威名宿将零落殆尽[374]，李绍斌位望素轻，欲徙李嗣源镇真定[375]，为绍斌声援，崇韬深以为便[376]。时崇韬领真定，上欲徙崇韬镇汴州，崇韬辞曰："臣内典枢机[377]，外预大政，富贵极矣，何必更领藩方[378]？且群臣或从陛下岁久，身经百战，所得不过一州。臣无汗马之劳，徒以侍从左右，时赞圣谟[379]，致位至此，常不自安。今因委任勋贤[380]，使臣得解旄节，乃大愿也。且汴州关东[381]冲要，地富人繁，臣既不至治所，徒令他人摄职[382]，何异空城！非所以固国基也。"上曰："深知卿忠盖[15]，然卿为朕画策，袭取汶阳[383]，保固河津[384]，既而自此路乘虚[16]直趋大梁，成朕帝业，

【语译】

三年（乙酉，公元九二五年）

春，正月初一日甲午，蜀国实行大赦。

初三日丙申，唐庄宗下令有关部门改葬唐昭宗和唐少帝，最后因经费不足而作罢。

契丹入侵幽州。

初七日庚子，唐庄宗从洛阳出发。十七日庚戌，到达兴唐府。

唐庄宗下诏命令平卢节度使符习修筑酸枣的遥堤，以防备黄河决口。

当初，李嗣源北征契丹时，路过兴唐府。东京府库中有专供皇帝御用的细铠甲，李嗣源行文给副留守张宪，请求调拨五百领，张宪因当时正在用兵征战之际，来不及上奏唐庄宗就先拨给了李嗣源。唐庄宗知道后大怒，说："张宪没有得到我的诏命，擅自把我的铠甲给了李嗣源，这是什么意思！"于是罚了张宪一个月的俸禄，命令他亲自去军中把铠甲取回来。

唐庄宗因为义武节度使王都即将前来朝见，想要开辟一块球场。张宪说："过去都在行宫的庭中设立球场，前年陛下在这里即帝位，这个祭坛不能毁掉，请求在行宫的西边开辟球场。"过了几天，新球场没有建成，唐庄宗就下令毁掉即位用的祭坛。张宪对郭崇韬说："这祭坛，是皇上用来向上帝行祭礼的，是最初接受天命的地方，怎么能毁掉呢！"郭崇韬闲谈时向唐庄宗言及，唐庄宗反而立即下令让马军和步军的两个虞候把坛毁掉。张宪私下里对郭崇韬说："忘天背本，没有比这更不祥的事了。"

二月十一日甲戌，任命横海节度使李绍斌为卢龙节度使。

十三日丙子，李嗣源上奏说他在涿州打败了契丹军队。

唐庄宗对契丹的入侵深感忧虑，就与郭崇韬商议，认为有威望的老将几乎都不在了，李绍斌的地位威望一向不高，打算调李嗣源去镇守真定，对李绍斌遥做支援，郭崇韬觉得这个办法很好。当时郭崇韬兼领真定，唐庄宗想把郭崇韬调去兼管汴州，郭崇韬推辞说："臣在朝内掌管中枢机要，对外又参与军国大事，富贵已到极点，何必再兼领方镇呢？况且群臣中有的跟随陛下多年，身经百战，所得到的不过掌管一个州的官职。臣并无征战功劳，只是因为随侍皇上身边，不时协助皇上制定圣明的方略，以致得到这样的地位，我心里常常感到不安。如今乘委任有功勋的贤臣的机会，得以解除节度使的职务，这是臣最大的愿望。再说汴州是关东军事和交通要地，土地肥沃，人口众多，臣既然不到治所去，只是让他人代理职务，那样何异于是座空城！这恐怕不是巩固国家根基的做法。"唐庄宗说："朕深知你一片忠心，但是你替朕出谋划策，攻取汶阳，保住黄河的渡口，接着又从这条路趁机直奔大梁，成就了

岂百战之功可比乎！今朕贵为天子，岂可使卿曾无尺寸之地乎！”崇韬固辞不已，上乃许之。庚辰[385]，徙李嗣源为成德节度使。

【段旨】

以上为第十二段，写唐庄宗忘天背本，毁魏州即位祭坛建球场，郭崇韬辞解节度使之职。

【注释】

㉛甲午朔：正月初一日。㉜丙申：正月初三日。㉝昭宗及少帝：唐昭宗李晔、少帝李柷。二人遭朱温之弑，葬礼多缺，后唐承唐，故拟改葬。㉞用度不足：经费不够。㉟庚子：正月初七日。㊱庚戌：正月十七日。㊲兴唐：兴唐府，即魏州。㊳酸枣：古县名，县治在今河南延津西南。㊴供御细铠：供给皇帝用的细软铁甲。㊵军兴：兴兵打仗。㊶不暇：没空闲；抽不出时间。㊷不奉诏：不遵照诏书行事。㊸令自往军中取之：命令张宪亲自到李嗣源军中取回细铠。㊹义武：方镇名，唐德宗建中三年（公元七八二年）置。后唐仍之，治所定州，在今河北定州。㊺球场：打球的场所。唐代开始有足球运动。以皮为球，中实以毛，立二竹竿，加上网络，以为球门，分两队比赛，以争胜负。㊻坛：举行祭天即帝位之坛，在魏州牙城之南。㊼若之何：如之何；为什么。㊽两虞候：马军

【原文】

汉主[386]闻帝灭梁而惧，遣宫苑使[387]何词入贡[388]，且觇[389]中国强弱。甲申[390]，词至魏。及还，言帝骄淫无政，不足畏也。汉主大悦，自是不复通中国。

帝性刚好胜，不欲权在臣下。入洛之后，信伶宦之谗，颇疏忌宿将。李嗣源家在太原，三月丁酉[391]，表[392]卫州刺史李从珂为北京内牙马步都指挥使，以便其家。帝怒曰：“嗣源握兵权，居大镇，军政在吾，安得为其子奏请！”乃黜从珂为突骑指挥使，帅数百人戍石门镇[393]。嗣源忧恐，上章申理[394]，久之方解。辛丑[395]，嗣源乞至东京朝觐[396]，不许。

朕的帝业，这哪里是身经百战的功劳所能相比的呢！如今朕贵为天子了，怎么能让你没有半点自己的地盘呢！”郭崇韬依然不停地坚决推辞，唐庄宗这才答应了他的请求。二月十七日庚辰，调任李嗣源为成德节度使。

虞候和步兵虞候。禁卫军中下级军官。㊴不祥：不吉利。㊵莫大焉：没有比这个更大的了。㊶甲戌：二月十一日。㊷李绍斌：赵德钧（？至公元九三七年），本名行实，幽州（今北京）人，官至后唐卢龙节度使，镇守幽州十余年，颇有政绩，后降契丹。传见《旧五代史》卷九十八。㊸丙子：二月十三日。㊹零落殆尽：死亡将尽。㊺真定：方镇名，即成德军节度使，治所镇州，在今河北正定。㊻便：方便；有利。㊼枢机：朝廷机要；中枢机要。㊽藩方：藩镇。㊾时赞圣谟：不时赞助皇帝制定圣明的方略。㊿勋贤：有功劳的贤臣。(381)关东：指成皋关之东。南通淮、泗，北接滑、魏，为冲要之地。(382)摄职：代行职务。(383)袭取汶阳：指取郓州。(384)保固河津：指筑垒马家口。(385)庚辰：二月十七日。

【校记】

［15］忠盖：原作“忠尽”，不通。张瑛《通鉴校勘记》作“忠盖”，《旧唐书》有“大臣忠盖”“人臣之节，本于忠盖”，与庄宗语相合，今据改。［16］乘虚：原无此二字。据章钰校，十二行本、乙十一行本皆有此二字，今据补。

【语译】

汉主听说唐庄宗灭了梁朝，心存恐惧，派宫苑使何词前来朝见纳贡，同时窥探中原的强弱。二月二十一日甲申，何词到达魏州。他回去后向汉主报告说，唐皇帝骄奢淫逸，治政无方，不值得畏惧。汉主听后十分高兴，从此不再与中原来往。

唐庄宗生性刚愎好胜，不愿意让权力落到臣下手里。进入洛阳以后，听信伶人、宦官的谗言，疏远猜忌那些久经战阵的将领。李嗣源家在太原，三月初五日丁酉，他上表请求调卫州刺史李从珂为北京内牙马步都指挥使，以便照顾他家里。唐庄宗看了奏表后大怒说：“李嗣源手握兵权，位居大镇，但是军职任免的权力归我所有，他怎么能为他的儿子上奏求职呢！”于是贬李从珂为突骑指挥使，让他率领数百人戍守石门镇。李嗣源对此深感忧虑恐惧，于是上表章申述表白，过了很长时间这件事才算平息下来。初九日辛丑，李嗣源恳求到东京来朝见皇帝，没有得到允许。郭崇

郭崇韬以嗣源功高位重，亦忌之，私谓人曰："总管令公[397]非久为人下者，皇家子弟皆不及也。"密劝帝召之宿卫[398]，罢其兵权，又劝帝除之，帝皆不从。

己酉[399]，帝发兴唐，自德胜济河，历杨村、戚城[400]，观昔时战处，指示[401]群臣以为乐。

洛阳宫殿宏邃[402]，宦者欲上增广嫔御[403]，诈言宫中夜见鬼物。上欲使符咒者攘[404]之，宦者曰："臣昔逮[405]事咸通[406]、乾符[407]天子，当是时，六宫[408]贵贱不减万人。今掖庭[409]太半[410]空虚，故鬼物游之耳。"上乃命宦者王允平、伶人景进采择民间女子，远至太原、幽、镇，以充后庭[411]。不啻[412]三千人，不问所从来。上还自兴唐，载以牛车，累累[413]盈路。张宪奏："诸营妇女亡逸者千余人，虑扈从[414]诸军挟匿[415]以行。"其实皆入宫矣。

庚辰[416]，帝至洛阳。辛酉[417]，诏复以洛阳为东都，兴唐府为邺都[418]。

夏，四月癸亥朔[419]，日有食之[420]。

初，五台僧诚惠以妖妄惑人[421]，自言能降伏天龙，命风召雨。帝尊信之，亲帅后妃及皇弟、皇子拜之，诚惠安坐[422]不起，群臣莫敢不拜，独郭崇韬不拜[17]。时大旱，帝自邺都迎诚惠至洛阳，使祈雨[423]，士民朝夕瞻仰[424]。数旬不雨，或谓诚惠："官[425]以师[426]祈雨无验，将焚之。"诚惠逃去，惭惧[427]而卒。

【段旨】

以上为第十三段，写唐庄宗为宦者蛊惑，大肆选美，又拜妖僧，无有人君体统，遭偏远南汉主蔑视，认为唐不足畏。

韬因为李嗣源功劳高，地位重要，也很嫉妒他，私下里对人说："总管令公李嗣源不是长久居于他人之下的人，皇家子弟都比不上他。"他秘密地劝唐庄宗把李嗣源召来担任宿卫，以解除他的兵权，后来又劝唐庄宗把他除掉，这些建议唐庄宗都没采纳。

三月十七日己酉，唐庄宗从兴唐府出发，从德胜渡过黄河，经过杨村、戚城，重游昔日交战的场所，指点着给群臣看，以此为乐。

洛阳的宫殿宏伟深邃，宦官们想让唐庄宗增加宫女的人数，就谎称宫中夜间出现了鬼物。唐庄宗想让会画符念咒的人来驱鬼，宦官们说："臣过去赶上侍奉唐朝咸通、乾符年间的天子，在那个时候，六宫的人数不论贵贱总共不下万人。如今妃嫔们住的地方大半是空的，所以那里才有鬼物游荡。"唐庄宗于是命令宦官王允平、伶人景进去挑选民间女子，远的地方到了太原、幽州、镇州，以充实后宫。所选来的不下三千人，也不问来历。唐庄宗从兴唐府回来的时候，把这些女子装在牛拉的车里，人数众多，挤满了道路。张宪上奏说："各营的妇女亡失的有一千多人，估计是那些扈从的军士偷偷地把她们藏起来带走了。"其实这些妇女都被送进宫里去了。

庚辰日，唐庄宗到达洛阳。三月二十九日辛酉，下诏又把洛阳改为东都，兴唐府改为邺都。

夏，四月初一日癸亥，发生日食。

当初，五台山的僧人诚惠用虚妄的妖术蛊惑人，自称能降伏天龙，呼风唤雨。唐庄宗很尊敬相信他，亲自率领皇后、妃子以及皇弟、皇子参拜他，诚惠也安然地坐着受礼不起身，群臣没有人敢不拜，除了郭崇韬。当时正逢大旱，唐庄宗从邺都把诚惠迎接到洛阳，让他祈雨，士民们怀着崇敬的心情从早到晚前来观望。不料几十天过去了还是没下雨，有人对诚惠说："皇上认为大师祈雨无效，准备把你烧死。"诚惠吓得逃跑了，在羞愧恐惧中死去。

【注释】

㊳㊱汉主：指割据岭南的南汉主刘龑。㊳㊲宫苑使：官名，掌宫廷诸司事务。㊳㊳何词入贡：何词入贡的目的在于探听唐庄宗政权虚实，入贡仅为借口，所以《新五代史·南汉世家》只言刘龑"遣宫苑使何词入询中国虚实"，不言入贡事。何词传见《十国春秋》卷六十三。㊳㊴觇：窥看。㊳㊵甲申：二月二十一日。㊳㊶丁酉：三月初五日。㊳㊷表：表荐。㊳㊸石门镇：地名，即唐之横水栅，在今河北遵化西。㊳㊹申理：申述自辩。㊳㊺辛丑：三月初九日。㊳㊻朝觐：由在外州府来京拜见皇帝。㊳㊼总管令公：李嗣源官称。李嗣源任蕃汉内外马步军都总管、中书令。㊳㊽宿卫：在宫禁中值宿警卫。这里指调到首都，便于就近控制。㊳㊾己酉：三月十七日。㊵⓪戚城：地名，在今河南濮阳。㊵①指示：指点。㊵②宏邃：宏大深广。㊵③嫔御：

宫女。⑭穰：排除；消灾。⑮逮：及。⑯咸通：唐懿宗李漼年号（公元八六〇至八七四年），共十五年。⑰乾符：唐僖宗李儇年号（公元八七四至八七九年），共六年。⑱六宫：指皇后妃嫔或其住处。⑲掖庭：皇宫中的房舍，宫嫔所居的地方。⑳太半：大半；三分之二。㉑后庭：后房；后宫。指姬妾或妃嫔的住处。㉒不啻：不止。㉓累累：很多的样子。㉔扈从：皇帝出巡时的护驾侍从人员。㉕挟匿：隐蔽地携带。㉖庚辰：三月癸巳朔，无庚辰。疑为庚申，三月二十八日。㉗辛酉：三月二十九日。㉘邺都：魏州。㉙癸亥朔：四月初一日。㉚日有食之：日食。㉛惑人：蛊惑人心。㉜安坐：安然坐着。㉝祈雨：求雨。㉞瞻仰：怀着崇敬的心情观望。㉟官：指庄宗。㊱师：指诚惠。㊲惭惧：惭愧而惧怕。

【原文】

庚寅㊳，中书侍郎、同平章事赵光胤卒。

太后自与太妃别，常忽忽不乐㊴，虽娱玩盈㊵前，未尝解颜㊶。太妃既别太后，亦邑邑㊷成疾。太后遣中使㊸医药相继于道，闻疾稍加，辄不食。又谓帝曰："吾与太妃恩如兄弟，欲自往省㊹之。"帝以天暑道远，苦谏，久之乃止，但遣皇弟存渥等往迎侍。五月丁酉㊺，北都㊻奏太妃薨。太后悲哀不食者累日，帝宽譬㊼不离左右。太后自是得疾，又欲自往会太妃葬，帝力谏而止。

闽王审知寝疾，命其子节度副使延翰㊽权知军府事。

自春夏大旱，六月壬申㊾，始雨。

帝苦溽暑㊿，于禁中择高凉之所，皆不称旨[441]。宦者因言："臣见长安全盛时，大明、兴庆宫[442]楼观以百数。今日宅家曾无避暑之所，宫殿之盛曾不及当时公卿第舍耳。"帝乃命宫苑使王允平别建一楼以清暑[443]。宦者曰："郭崇韬常不伸眉[444]，为孔谦论用度不足，恐陛下虽欲营缮，终不可得。"上曰："吾自用内府钱[445]，无关经费[446]。"然犹虑崇韬谏，遣中使语之曰："今岁盛暑异常，朕昔在河上，与梁人相拒，行营卑湿，被甲乘马，亲当矢石，犹无此暑。今居深宫之中而暑不可度，奈何？"对曰："陛下昔在河上，勍敌[447]未灭，深念仇耻，虽有盛暑，不介圣怀[448]。今外患已除，海内宾服，故虽珍台闲馆犹觉郁蒸[449]也。陛下傥不忘艰难之时，则暑气自消矣。"帝默然[450]。宦者曰："崇韬之第，

【校记】

［17］独郭崇韬不拜：原无此六字。据章钰校，十二行本、乙十一行本皆有此六字，今据补。

【语译】

四月二十八日庚寅，中书侍郎、同平章事赵光胤去世。

太后自从与太妃分别以来，经常感到失意而闷闷不乐，虽然娱乐珍玩充满眼前，却依然从未开心过。太妃与太后分别后，也因忧愁郁闷而病倒了。太后派宫中的使者送医送药，在路上一批接着一批，听说太妃的病情加重，太后就难受得吃不下饭。又对唐庄宗说："我和太妃情同姐妹，想亲自探望她。"唐庄宗因天热路远，苦苦劝阻，劝了很久太后才作罢，只派遣皇弟李存渥等人前去侍奉。五月初六日丁酉，北都奏报太妃去世了。太后悲伤得一连几天都吃不下饭，唐庄宗宽解劝慰，不离太后左右。太后从此也得了病，又想亲自去参加太妃的葬礼，经唐庄宗竭力劝阻才没有去。

闽王王审知生病卧床，命令他的儿子节度副使王延翰代管军府事务。

从春天到夏天一直大旱，六月十一日壬申才开始下雨。

唐庄宗受不了盛夏的湿热，想在宫中挑选一处高敞凉爽的所在，结果都不合意。宦官乘机对唐庄宗说："臣见当年长安全盛时期，大明宫、兴庆宫的楼观数以百计。如今皇上竟然没有一处避暑的所在，宫殿的规模甚至比不上当时公卿的宅第。"于是唐庄宗命令宫苑使王允平另外修建一座高楼以便避暑。宦官又说："郭崇韬经常愁眉不展，是因为孔谦说国家经费不足，恐怕陛下就是想建造，最后还是建不成。"唐庄宗说："我自己用内库里的钱，和国家经费无关。"但是唐庄宗还是担心郭崇韬出来劝阻这件事，于是派宫中的使者向郭崇韬转达自己的话说："今年盛夏特别热，朕从前在黄河边，与梁军相对抗，行营低湿，朕穿着甲胄骑着马，亲自迎着飞箭石块冲杀，都没感到有这么热。如今住在深宫之中却热不可挡，这怎么办呢？"郭崇韬回答说："陛下从前在黄河边时，因为强敌还没有消灭，心中念念不忘要报仇雪耻，虽然也有酷暑，但圣上心里并不介意。如今外患已除，四海之内都归顺臣服，所以虽然有华美的高台和空闲的馆所，仍然觉得很闷热。陛下如果能不忘记过去的艰难时刻，那么暑热自然就会消减了。"唐庄宗听后沉默无言。宦官又说："郭崇韬的宅第，同皇

无异皇居[451]，宜其不知至尊[452]之热也。”帝卒命允平营楼[453]，日役万人，所费巨万。崇韬谏曰：“今两河[454]水旱，军食不充，愿且息役，以俟丰年。”帝不听。

帝将伐蜀，辛卯[455]，诏天下括市战马[456]。

吴镇海节度判官、楚州[457]团练使陈彦谦有疾，徐知诰恐其遗言及继嗣事[458]，遗[459]之医药金帛，相属[460]于道。彦谦临终，密留书遗徐温，请以所生子为嗣。

太后疾甚[461]。秋，七月甲午[462]，成德节度使李嗣源以边事稍弭[463]，表求入朝省太后，帝不许。壬寅[464]，太后殂。帝哀毁过甚[465]，五日方食。

八月癸未[466]，杖杀河南令罗贯[467]。初，贯为礼部员外郎，性强直，为郭崇韬所知，用为河南令。为政不避权豪，伶宦请托，书积几案，一不报，皆以示崇韬。崇韬奏之，由是伶宦切齿[468]。河南尹张全义亦以贯高伉[469]，恶之，遣婢诉于皇后。后与伶宦共毁之[470]，帝含怒未发。会帝自往寿安[471]视坤陵役者，道路泥泞，桥多坏。帝问主者[472]为谁，宦官对属河南。帝怒，下贯狱。狱吏榜掠[473]，体无完肤。明日，传诏杀之。崇韬谏曰：“贯坐[474]桥道不修，法不至死。”帝怒曰：“太后灵驾将发，天子朝夕往来，桥道不修，卿言无罪，是党[475]也！”崇韬曰：“陛下以万乘之尊，怒一县令，使天下谓陛下用法不平，臣之罪也。”帝曰：“既公所爱，任公裁之[476]。”拂衣起入宫，崇韬随之，论奏不已。帝自阖殿门，崇韬不得入。贯竟死，暴尸府门，远近冤之。

丁亥[477]，遣吏部侍郎李德休等赐吴越国王玉册、金印、红袍御衣。

九月，蜀主与太后、太妃游青城山[478]，历丈人观[479]、上清宫[480]，遂至彭州[481]阳平化、汉州[482]三学山[483]而还。

上居住的地方没什么两样，难怪他不知道皇上的暑热。”唐庄宗最终还是命令王允平修筑楼阁，每天役使万名工人，所耗费的钱财巨大。郭崇韬劝谏说：“今年河南、河北一带不是水灾就是旱灾，军粮也不充裕，希望能暂且停止这项工程，等丰年时再说。”唐庄宗没听他的规劝。

唐庄宗准备征伐蜀国，六月三十日辛卯，下诏天下，征收购买战马。

吴国的镇海节度判官、楚州团练使陈彦谦有病，徐知诰担心他留下遗言涉及继嗣的事情，于是派人给他送医送药，送去金银、丝帛，使者在路上接连不断。陈彦谦临终的时候，秘密地留下一封信给徐温，请求他以自己的亲生儿子为嗣子。

太后病情加重。秋，七月初三日甲午，成德节度使李嗣源以边境战事稍有停息为理由，上表请求入京看望太后，唐庄宗没有允许。十一日壬寅，太后去世。唐庄宗由于过分悲痛，五天以后才开始吃饭。

八月二十三日癸未，用木杖把河南县令罗贯打死。当初，罗贯任礼部员外郎，性情刚强正直，深得郭崇韬赏识，被任用为河南县令。罗贯处理政务不怕得罪权贵豪门，伶人、宦官向他请托事情，书信堆满了桌子，他一概不予答复，把这些书信都拿给郭崇韬看。郭崇韬就把这些事情向皇帝奏报，由此那些伶人、宦官对罗贯恨得咬牙切齿。河南府尹张全义也因为罗贯清高刚正，对他非常不满，派奴婢去向皇后说他坏话。于是皇后和伶人、宦官一起在皇帝面前诋毁罗贯，唐庄宗听了很生气，但一直忍着没有发作。适逢唐庄宗要亲自前往寿安去察看坤陵的工程，一路上道路泥泞，桥梁大部分也已损坏。唐庄宗查问这里的主管官员是谁，宦官回答说这里属于河南县。唐庄宗十分生气，下令把罗贯抓入监狱。狱吏们拷打他，把他打得体无完肤。第二天，传下诏命要把罗贯杀死。郭崇韬进谏说：“罗贯因桥梁道路没有修整而被治罪，但依照法律还不至于处死。”唐庄宗十分生气地说：“太后的灵驾就要出发，天子早晚会在这条路上往来，桥梁道路却没有修整，你说他无罪，简直就是在偏袒他！”郭崇韬说：“陛下身为万乘之尊，对一个小县令如此动怒，会让天下的人认为陛下用法不平允，这是臣的罪过。”唐庄宗说：“既然你喜欢他，就任凭你去裁断好了。”说完，拂袖而起，回宫去了，郭崇韬紧跟其后，一再地申辩奏请。唐庄宗干脆自己动手把殿门关上，郭崇韬无法进入。罗贯最终还是被活活打死，尸体暴露在府门之外，远近的人们都认为他死得冤枉。

八月二十七日丁亥，唐庄宗派吏部侍郎李德休等人前去向吴越国王颁赐玉册、金印、红袍御衣。

九月，蜀主和太后、太妃去游青城山，经过丈人观、上清宫，又到了彭州阳平化、汉州三学山，然后才回去。

【段旨】

以上为第十四段，写唐庄宗大修宫室，冤杀鲠正大臣河南令罗贯，以及庄宗之嫡母太妃、生母太后之死。庄宗为人子称孝，为人君荒怠政事，于社稷为不忠。

【注释】

㊽㉘庚寅：四月二十八日。㊽㉙忽忽不乐：心中空虚失意而不快乐。㊽㉚盈：满。㊽㉛解颜：开笑脸。㊽㉜邑邑：忧郁的样子。邑，通“悒”。㊽㉝中使：由宦官担任的宫中使者，奉帝命或太后之命外出办事。㊽㉞省：探视。㊽㉟丁酉：五月初六日。㊽㊱北都：晋阳。㊽㊲宽譬：慰勉劝解。㊽㊳延翰：王延翰（？至公元九二六年），字子逸，王审知长子。审知死，袭爵，自称大闽国王，骄淫奢侈，为其弟延禀所杀。传见《新五代史》卷六十八、《十国春秋》卷九十一。㊽㊴壬申：六月十一日。㊽㊵溽暑：盛夏气候又湿又热。㊽㊶不称旨：不中意。㊽㊷大明、兴庆宫：大明宫是唐太宗营建的宫殿，因位于太极宫东北，故称“东内”。兴庆宫是唐玄宗营建的宫殿，位于大明宫南，故称“南内”。㊽㊸清暑：避暑。㊽㊹伸眉：扬眉，得意的样子。㊽㊺内府钱：皇帝的私产。㊽㊻经费：指国家经常调度的经费，仰给于

【原文】

乙未[484]，立皇子继岌为魏王。丁酉[485]，帝与宰相议伐蜀。威胜[486]节度使李绍钦[487]素谄事宣徽使李绍宏，绍宏荐绍钦有盖世奇才，虽孙、吴[488]不如，可以大任。郭崇韬曰：“段凝亡国之将，奸谄绝伦[489]，不可信也。”众举李嗣源，崇韬曰：“契丹方炽[490]，总管不可离河朔。魏王地当储副[491]，未立殊功，请依故事[492]，以为伐蜀都统[493]，成其威名。”帝曰：“儿幼，岂能独往，当求其副。”既而曰：“无以易卿[494]。”

庚子[495]，以魏王继岌充西川四面行营都统，崇韬充东北面行营都招讨、制置等使，军事悉以委之[496]。又以荆南节度使高季兴充东南面行营都招讨使，凤翔节度使李继曮充都供军、转运、应接等使[497]，同州节度使李令德[498]充行营副招讨使，陕州节度使李绍琛[499]充蕃汉马步军都排陈斩斫使兼马步军都指挥使，西京留守张筠充西川管内安抚应接使，华州节度使毛璋充左厢马步都虞候，邠州节度使董璋充右厢马步都虞

租庸使收入。㊹⑦ 勍敌：强劲的敌人。㊹⑧ 不介圣怀：圣上心里一点也不介意。㊹⑨ 郁蒸：郁闷蒸热。㊺⓪ 默然：沉默不语。㊺① 无异皇居：同皇帝居住的地方没有差别。㊺② 至尊：指皇帝。㊺③ 营楼：建造楼台。㊺④ 两河：指河南、河北。㊺⑤ 辛卯：六月三十日。㊺⑥ 括市战马：征收购买作战的马匹。㊺⑦ 楚州：州名，治所在今江苏淮安。㊺⑧ 继嗣事：指徐温的继承人问题。㊺⑨ 遗：送。㊻⓪ 相属：相连。㊻① 疾甚：病势沉重。㊻② 甲午：七月初三日。㊻③ 弭：停止。㊻④ 壬寅：七月十一日。㊻⑤ 哀毁过甚：居丧时因过度哀痛而损害健康。㊻⑥ 癸未：八月二十三日。㊻⑦ 罗贯（？至公元九二五年）：为人强直，正身奉法，不避权豪，官至河南令。庄宗送母葬时，途经河南县，因道路泥泞、桥梁损坏被杀。传见《旧五代史》卷七十一。㊻⑧ 切齿：咬牙痛恨的样子。㊻⑨ 高伉：清高亢直。㊼⓪ 共毁之：共同诋毁他。㊼① 寿安：县名，县治在今河南宜阳。㊼② 主者：主管的人。㊼③ 榜掠：拷打。㊼④ 坐：犯。㊼⑤ 党：偏私。㊼⑥ 任公裁之：听凭你去处理。㊼⑦ 丁亥：八月二十七日。㊼⑧ 青城山：在今四川都江堰城西南，北接岷山，连峰不绝，以青城山为第一峰。㊼⑨ 丈人观：在青城北二十里。㊽⓪ 上清宫：高台山丈人祠之侧，有天池，晋朝建天宫于上，名上清宫。㊽① 彭州：州名，在今四川彭州。㊽② 汉州：州名，在今四川广汉。㊽③ 三学山：在今四川金堂东。

【语译】

九月初五日乙未，册立皇子李继岌为魏王。初七日丁酉，唐庄宗与宰相商议征伐蜀国的事。威胜节度使李绍钦一贯奉承巴结宣徽使李绍宏，李绍宏于是就推荐李绍钦，说他有盖世奇才，即使是孙子、吴起也比不上，可以担当大任。郭崇韬说："段凝是已亡之国的将领，奸诈谄媚无人能比，不可信赖。"大家都推荐李嗣源，郭崇韬说："契丹的气焰正嚣张，总管不能离开河朔。魏王身为君位的继承人，还没有建立过什么特殊的功勋，请按照先例，任命他为征伐蜀国的都统，好成就他的威名。"唐庄宗说："儿子还小，怎么能让他单独前去，应该再替他找个副手。"不久又说："没有其他人选，你是最适合担任这个副手的。"

九月初十日庚子，任命魏王李继岌充任西川四面行营都统，任命郭崇韬充任东北面行营都招讨、制置等使，把军事方面的事务全都委托给他处理。又任命荆南节度使高季兴充任东南面行营都招讨使，凤翔节度使李继曮充任都供军、转运、应接等使，同州节度使李令德充任行营副招讨使，陕州节度使李绍琛充任蕃汉马步军都排陈斩斫使兼马步军都指挥使，西京留守张筠充任西川管内安抚应接使，华州节度使毛璋充任左厢马步都虞候，邠州节度使董璋充任右厢马步都虞候，客省使李严充

候，客省使李严充西川管内招抚使，将兵六万伐蜀。仍诏季兴自取夔、忠、万三州为巡属[500]。都统置中军[501]，以供奉官[502]李从袭充中军马步都指挥监押[503]，高品[504]李廷安、吕知柔充魏王牙[18]通谒[505]。辛丑[506]，以工部尚书任圜、翰林学士李愚[507]并参预都统军机。

自六月甲午[508]雨，罕见日星，江河百川皆溢，凡七十五日乃霁[509]。

郭崇韬以北都留守孟知祥有荐引旧恩，将行，言于上曰："孟知祥信厚有谋，若得西川而求帅，无逾[510]此人者。"又荐邺都副留守张宪谨重有识，可为相。戊申[511]，大军西行。

蜀安重霸劝王承休请蜀主东游秦州。承休到官，即毁府署，作行宫，大兴力役。强取民间女子教歌舞，图形[512]遗韩昭，使言于蜀主。又献花木图，盛称秦州山川土风之美。蜀主将如秦州，群臣谏者甚众，皆不听。王宗弼上表谏，蜀主投其表于地。太后涕泣不食，止之，亦不能得。前秦州节度判官蒲禹卿[513]上表几二千言，其略曰："先帝艰难创业，欲传之万世。陛下少长富贵，荒色惑酒。秦州人杂羌、胡[514]，地多瘴疠[515]，万众困于奔驰，郡县罢[516]于供亿[517]。凤翔久为仇雠，必生衅隙[518]。唐国方通欢好，恐怀疑贰[519]。先皇未尝无故盘游，陛下率意[520]频离宫阙。秦皇东狩，銮驾[521]不还，炀帝南巡，龙舟[522]不返。蜀都强盛，雄视邻邦，边亭[19]无烽火之虞，境内有腹心之疾，百姓失业，盗贼公行。昔李势[523]屈于桓温[524]，刘禅[525]降于邓艾[526]，山河险固，不足凭恃[527]。"韩昭谓禹卿曰："吾收汝表，俟主上西归，当使狱吏字字问汝！"王承休妻严氏美，蜀主私[528]焉，故锐意[529]欲行。

任西川管内招抚使，率军六万征伐蜀国。又下诏命令高季兴自行攻取蜀国的夔州、忠州、万州，把这三州作为荆南巡视管辖的地区。都统设置中军，任命供奉官李从袭充任中军马步都指挥监押，任命高品李廷安、吕知柔充任魏王府门通谒。十一日辛丑，任命工部尚书任圜、翰林学士李愚一道参与都统的军机事务。

从六月甲午日下雨以来，很少能见到太阳和星辰，江河百川的水都溢了出来，总共过了七十五天才开始放晴。

郭崇韬因为北都留守孟知祥曾有引荐他的旧恩，临出发时，对唐庄宗说："孟知祥这个人诚实敦厚，又有谋略，如果得到西川之后要寻找主帅的话，没有比这个人更合适的了。"他又推荐邺都副留守张宪谨慎稳重有见识，可以当宰相。九月十八日戊申，伐蜀的大军向西行进。

蜀国的安重霸劝王承休请蜀主到东边的秦州去游玩。王承休到任后，马上就拆掉府署，修建行宫，征用民力大兴土木。还强夺民间女子，教她们学唱歌跳舞，然后画成图像送给韩昭，让韩昭向蜀主禀报。又进献当地的花木图像，盛夸秦州山川风俗的美妙。于是蜀主准备前往秦州，大臣中出来劝阻的很多，蜀主一概不听。王宗弼上表劝谏，蜀主把他的奏表丢在地上。太后流着泪哭泣不吃饭，想劝阻他，也没成功。前秦州节度判官蒲禹卿奏上表文，将近有两千字，大意是说："先帝艰难创业，希望能传之于万世。陛下从小生长在富贵的环境里，沉溺于酒色之中。秦州有羌人、胡人杂居，当地多有瘴疠之气，陛下此行，随行的近万人困顿于来往奔波，沿途郡县要供应所需，也将疲惫不堪。而凤翔长久以来都是我们的仇敌，必定又会乘此机会挑起事端。唐国刚与我们建立友好关系，恐怕对陛下此次出动也会心存怀疑。先皇从来没有无故出游过，陛下却经常随意离开皇宫。当年秦始皇到东方巡狩，銮驾就再也没能回来，隋炀帝南巡，龙舟也再没有北返。我们蜀国国力强盛，称雄于邻邦，边境上没有烽火战乱的忧虑，但国内有心腹之患，百姓们失去谋生的职业，盗贼横行。从前李势屈服于桓温，刘禅投降于邓艾，这一切都说明，山河的形势虽然险要坚固，还是不足依靠的。"韩昭对蒲禹卿说："我收下你的奏表，等主上从秦州回来，会让狱吏一个字一个字地来问你！"王承休的妻子严氏貌美，蜀主曾经和她私通，所以蜀主这次坚定地要到秦州去。

【段旨】

以上为第十五段，写唐庄宗大举伐蜀，而蜀主大张旗鼓游幸秦州。

【注释】

㊹乙未：九月初五日。㊺丁酉：九月初七日。㊻威胜：方镇名，后唐改后梁宣化军为威胜军，治所邓州，在今河南邓州。㊼李绍钦：后梁降将段凝，赐名李绍钦。㊽孙、吴：孙武、吴起。㊾奸谄绝伦：奸诈谄媚无人能比。㊿方炽：气焰正嚣张。炽，火势旺盛。(491)地当储副：地位相当于储君，为国君的继承人。(492)故事：指安史之乱，唐玄宗分任诸子为诸道都统。(493)都统：总指挥。(494)无以易卿：没有人可以更换你。即你是最合适的人选。(495)庚子：九月初十日。(496)悉以委之：全部委托给他。(497)都供军、转运、应接等使：官名，负责全军的后勤事务。(498)李令德：朱令德（？至公元九二五年），朱友谦之子，降后唐赐姓李。传附《旧五代史》卷六十三《朱友谦传》。(499)李绍琛：康延孝。降后唐赐名李绍琛。(500)巡属：所巡视管辖的属地。(501)中军：古代行军以中军为发号施令之所，由主帅自领。(502)供奉官：内侍官阶名，侍奉禁中，内廷服役，以宦官为之。(503)监押：监军。(504)高品：内侍官阶名，低于供奉官，高于高班。(505)通谒：官名，掌传达。(506)辛丑：九月十一日。(507)李愚（？至公元九三五年）：字子晦，渤海无棣（今山东无棣）人，官

【原文】

冬，十月，排陈斩斫使李绍琛与李严将骁骑三千、步兵万人为前锋。招讨判官陈乂(530)至宝鸡，称疾乞留。李愚厉声曰："陈乂见利则进，惧难则止。今大军涉险(531)，人心易摇，宜斩以徇(532)！"由是军中无敢顾望(533)者。乂，蓟州人也。

癸亥(534)，蜀主引兵数万发成都。甲子(535)，至汉州。武兴节度使王承捷告唐兵西上，蜀主以为群臣同谋沮己(536)，犹不信，大言曰："吾方欲耀武(537)！"遂东行。在道与群臣赋诗，殊(538)不为意。

丁丑(539)，李绍琛攻蜀威武城，蜀指挥使唐景思将兵出降。城使周彦禋等知不能守，亦降。景思，秦州人也。得城中粮二十万斛。绍琛纵其败兵万余人逸去，因倍道趣凤州。李严飞书(540)以谕王承捷。李继曮竭凤翔蓄积以馈军，不能充(541)，人情忧恐。郭崇韬入散关，指其山曰："吾辈进无成功，不复得[20]还此矣。当尽力一决。今馈运(542)将竭，宜先取凤州，因(543)其粮。"诸将皆言蜀地险固，未可长驱，宜按兵观

至后唐宰相，为政清廉，不治宅第，四壁萧然。传见《旧五代史》卷六十七、《新五代史》卷五十四。⑳⑧ 甲午：六月壬戌朔，无甲午。据上文，疑为壬申，六月十一日。⑳⑨ 霁：放晴。⑸⑩ 逾：超过。⑸⑪ 戊申：九月十八日。⑸⑫ 图形：画成图像。⑸⑬ 蒲禹卿：四川成都人，慷慨好直言，不肯低头事人。官至右补阙、秦州节度判官。蜀后主被诛，恸哭后，题诗于驿门而逃，不知所终。传见《十国春秋》卷四十三。⑸⑭ 羌、胡：指西南地区少数民族。⑸⑮ 瘴疠：指瘴气。南方山林间湿热蒸郁而使人致病。⑸⑯ 罢：疲。⑸⑰ 供亿：供应。⑸⑱ 衅隙：矛盾；事端。⑸⑲ 疑贰：猜疑有二心。⑸⑳ 率意：任意。⑸㉑ 銮驾：皇帝的仪仗队，这里借指秦始皇。⑸㉒ 龙舟：借指隋炀帝。⑸㉓ 李势：四川成汉国君主。⑸㉔ 桓温：东晋大将。⑸㉕ 刘禅：三国时蜀国君主。⑸㉖ 邓艾：三国魏大将。⑸㉗ 凭恃：依靠。⑸㉘ 私：私通。⑸㉙ 锐意：意志很坚决。

【校记】

［18］牙：原作“府”。据章钰校，十二行本、乙十一行本皆作“牙”，今据改。［19］亭：原作“庭”。据章钰校，十二行本、乙十一行本皆作“亭”，今据改。

【语译】

冬，十月，排陈斩斫使李绍琛和李严率三千名骁勇的骑兵和一万名步兵作为前锋。招讨判官陈乂到了宝鸡以后，声称有病，请求留下来。李愚声色严厉地说道：“陈乂见到有利就前进，惧怕困难就想停下。如今大军就要经历险境了，人心容易动摇，应该把他斩首示众!”从此军中再也没有人敢犹豫观望。陈乂，是蓟州人。

十月初四日癸亥，蜀主率领数万大军从成都出发。初五日甲子，到达汉州。武兴节度使王承捷报告说唐军已经向西进发了，蜀主认为这是群臣在合谋阻止自己出游，仍然不相信这是真的，反而夸口说：“我正想炫耀一下武力呢!”于是接着向东行进。一路上与群臣吟诗作赋，完全不把这件事放在心上。

十八日丁丑，李绍琛率兵攻打蜀国的威武城，蜀国的指挥使唐景思率兵出城投降。城使周彦禋等人知道不能坚守，也投降了。唐景思，是秦州人。唐军夺得城中的粮食二十万斛。李绍琛放任蜀军败兵一万多人逃走，随即兼程赶往凤州。李严传飞信劝王承捷投降。唐军负责军需的李继曮把凤翔府积蓄的所有粮草全都拿出来供应军队，仍然不能满足需要，人心惶惶，忧虑恐惧。郭崇韬进入散关后，指着那里的山说：“我们这次进去如果无法成功，就不能再回来了。各位应当尽力决一死战。如今粮草供应快要竭尽了，应该先攻取凤州，以利用那里的粮食。”将领们都说蜀国地势险要坚固，未可长驱直入，应该先按兵不动，观察敌军有什么弱点可以利用。

岍㊹。崇韬以问李愚，愚曰：“蜀人苦其主荒淫，莫为之用㊺。宜乘其人心崩离，风驱霆击㊻，彼皆破胆，虽有险阻，谁与守之！兵势不可缓也。”是日李绍琛告捷，崇韬喜，谓愚[21]曰：“公料敌㊼如此，吾复何忧！”乃倍道而进。戊寅㊽，王承捷以凤、兴、文、扶㊾四州印节㊿迎降，得兵八千，粮四十万斛。崇韬曰：“平蜀必矣。”即以都统牒命承捷摄(551)武兴节度使。

己卯(552)，蜀主至利州(553)。威武败卒奔还，始信唐兵之来。王宗弼、宋光嗣言于蜀主曰：“东川、山南(554)兵力尚完(555)，陛下但以大军扼(556)利州，唐人安敢悬兵(557)深入！”从之。庚辰(558)，以随驾清道指挥使王宗勋(559)、王宗俨，兼侍中王宗昱为三招讨，将兵三万逆战。从驾兵自绵(560)、汉至深渡(561)，千里相属，皆怨愤，曰：“龙武军粮赐倍于他军，他军安能御敌！”

李绍琛等过长举(562)，兴州都指挥使程奉琏将所部兵五百来降，且请先治桥栈(563)以俟唐军。由是军行无险阻之虞。辛巳(564)，兴州刺史王承鉴弃城走，绍琛等克兴州，郭崇韬以唐景思摄兴州刺史。乙酉(565)，成州刺史王承朴弃城走。李绍琛等与蜀三招讨战于三泉(566)，蜀兵大败，斩首五千级，余众溃走。又得粮十五万斛于三泉，由是军食优足(567)。

戊子(568)，葬贞简太后(569)于坤陵。

蜀主闻王宗勋等败，自利州倍道西走，断桔柏津浮梁(570)。命中书令、判六军诸卫事王宗弼将大军守利州，且令斩王宗勋等三招讨。

李绍琛昼夜兼行趣利州。蜀武德留后宋光葆遗郭崇韬书，请唐兵不入境，当举巡属内附(571)。苟不如约(572)，则背城决战(573)以报本朝。崇韬复书抚纳之。己丑(574)[22]，魏王继岌至兴州，光葆以梓、绵、剑(575)、龙(576)、普(577)五州，武定节度使王承肇以洋、蓬、壁(578)三州，山南(579)节度使兼侍中[23]王宗威(580)以梁、开、通、渠、潾(581)[24]五州，阶州刺史王承岳以阶州，皆降。承肇，宗侃之子也。自余城镇皆望风款附(582)。

天雄节度使王承休与副使安重霸谋掩击(583)唐军，重霸曰：“击之不胜，则大事去矣。蜀中精兵十万，天下险固，唐兵虽勇，安能直度剑门邪！然公受国恩，闻难不可不赴(584)，愿与公俱西(585)。”承休素亲信之，

郭崇韬征求李愚的意见，李愚说："蜀国人十分厌恶蜀主的荒淫行径，没有人肯替他效力。应该趁他们人心涣散之际，向他们发起如狂风驱赶、如雷霆轰击那样的攻势，他们都被吓破了胆，即使有山川险阻，又有谁坚守呢！进军的势头不能缓下来。"这一天，李绍琛那边传来捷报，郭崇韬非常高兴，对李愚说："您判断敌情如此透彻，我还有什么好担心的！"于是大军兼程向前推进。十九日戊寅，王承捷带着凤、兴、文、扶四州的印信和武兴节度使的印信、旌节前来迎接唐军，请求归降，唐军于是得到降兵八千名，粮食四十万斛。郭崇韬说："平定蜀国是必定可以成功的了。"随即下发都统公文任命王承捷代理武兴节度使。

十月二十日己卯，蜀主到达利州。威武城的败兵逃了回来，这时蜀主才相信唐兵已经到来。王宗弼、宋光嗣对蜀主说："东川、山南诸州的兵力还算完整，陛下只要用大军扼守住利州，唐军怎敢孤军深入！"蜀主听从了他们的意见。二十一日庚辰，蜀主任命随驾清道指挥使王宗勋、王宗俨，兼侍中王宗昱三人为三招讨，率军三万迎战。随从大驾的士卒从绵州、汉州一直到深渡，队伍绵延千里，士卒们都心怀怨恨，说："龙武军的粮饷赏赐比其他军队多出一倍，其他军队又怎么能够御敌呢！"

李绍琛等人率军经过长举，兴州都指挥使程奉琏率其所属部队五百人前来投降，并且请求先修好桥梁栈道等待唐军的到来。从此唐军的推进就不再有山川险阻的忧虑了。十月二十二日辛巳，兴州刺史王承鉴弃城逃走，李绍琛等人攻克兴州，郭崇韬任命唐景思代理兴州刺史。二十六日乙酉，成州刺史王承朴弃城逃走。李绍琛等与蜀国的三招讨在三泉交战，蜀军大败，被斩杀五千人，其余的士卒都溃散逃走。在三泉唐军又夺得粮食十五万斛，从此军用食粮就充裕起来。

二十九日戊子，唐朝在坤陵安葬了贞简太后。

蜀主获悉王宗勋等人惨败，就从利州兼程往西逃去，并且砍断了桔柏津的浮桥。命令中书令、判六军诸卫事王宗弼率大军坚守利州，并且下令把王宗勋等三个招讨斩首。

李绍琛日夜兼程直奔利州。蜀国武德留后宋光葆写信给郭崇韬，请求唐兵不要进入境内，自己将交出所巡视管辖的地区以归附。如果不能按照这一约定办，那就只有背城决一死战，以报答朝廷了。郭崇韬给他写了回信安抚并接纳了他。十月三十日己丑，魏王李继岌到达兴州，宋光葆率领所属的梓、绵、剑、龙、普五个州，武定节度使王承肇率领所属的洋、蓬、壁三个州，山南节度使兼侍中王宗威率领所属的梁、开、通、渠、潾五个州，阶州刺史王承岳率领所属阶州，都向唐军投降。王承肇，是王宗侃的儿子。其余的各城镇也都望风归附。

天雄节度使王承休与副使安重霸谋划袭击唐军，安重霸说："这一袭击如果不能获胜，那么大势就无可挽回了。蜀中有精兵十万，是全天下最为险要坚固之地，即使唐军英勇，又怎能轻易越过剑门天险呢！但是您深受国家大恩，知道国家有难不能不挺身向前，我愿意和您一道向西进发。"王承休素来信任安重霸，认为他讲得有

以为然。重霸请赂羌人买文、扶州路⑱以归。承休从之，使重霸将龙武军及所募兵万二千人以从。将行，州人饯⑱于城外。承休上道，重霸拜于马前曰：“国家竭力以得秦、陇⑱，若从开府⑱还朝，谁当守之！开府行矣，重霸请为公留守。”承休业已上道，无如之何，遂与招讨副使王宗汭⑲自文、扶[25]而南。其地皆不毛，羌人抄之，且战且行，士卒冻馁，比至茂州⑲，余众二千而已。重霸遂以秦、陇来降。

高季兴常欲取三峡⑲，畏蜀峡路招讨使张武威名，不敢进。至是，乘唐兵势，使其子行军司马从诲⑲权军府事，自将水军上峡取施州⑲。张武以铁锁断江路，季兴遣勇士乘舟斫之。会风大起，舟絓⑲于锁，不能进退，矢石交下，坏其战舰，季兴轻舟遁去。既而闻北路陷败，以夔、忠、万三州遣使诣魏王降。

郭崇韬遗王宗弼等书，为陈利害⑲。李绍琛未至利州，宗弼弃城引兵西归。王宗勋等三招讨追及宗弼于白芀⑲，宗弼怀中探诏书示之曰：“宋光嗣令我杀尔曹⑲。”因相持而泣，遂合谋送款⑲于唐。

【段旨】

以上为第十六段，写唐军伐蜀，势如破竹。

【注释】

⑳陈乂：仕后梁任太子舍人，入后唐官至中书舍人。传见《旧五代史》卷六十八。㉛涉险：指自宝鸡进散关，将涉栈阁之险。㉜徇：示众。㉝顾望：回顾、观望。指态度不坚决。㉞癸亥：十月初四日。㉟甲子：十月初五日。㊱沮己：阻止自己去秦州。㊲耀武：炫耀武力。㊳殊：很；甚。㊴丁丑：十月十八日。㊵飞书：这里指用箭将信射进城去，威胁、敦促王承捷投降。㊶充：满；满足。㊷馈运：指军粮。㊸因：依。㊹观衅：窥伺敌人的间隙，以便乘机进攻。㊺莫为之用：不肯为他所用。㊻风驱霆击：像风一样驱赶，像雷一样轰击。形容快速奋击。㊼料敌：判断敌情。㊽戊寅：十月十九日。㊾扶：州名，治所在今四川九寨沟。㊿印节：印玺和旌节。51摄：摄代；代

道理。安重霸建议用钱财买通羌人，走文州、扶州这条路回去。王承休也听从了他，让安重霸率领龙武军和招募来的士兵共一万二千人随行。即将出发的时候，州里的人在城外为他们饯行。王承休上路了，安重霸在他的马前参拜说："主上用尽力量才得到秦州、陇州，如果我跟着开府您回朝，又有谁来守卫这块地方呢？开府您安心走吧，我安重霸请求替您留守在这里。"当时王承休已经上路，也没有别的办法，就与招讨副使王宗汭从文州、扶州这条路向南行进。沿途一带都是不毛之地，羌人又不断袭击他们，他们一边交战一边向前走，士卒们又冻又饿，到达茂州时，剩下的人只有两千而已。于是安重霸率秦州、陇州前来向唐军投降。

高季兴常想攻取三峡，只因畏惧蜀国峡路招讨使张武的威名，才不敢进兵。现在，借着唐军的攻势，他让他的儿子行军司马高从诲暂时代理军府事务，他亲自率领水军上溯三峡要攻取施州。张武用铁链截断江上的通路，高季兴派勇士乘小船去砍断这些铁链。适逢刮起了大风，小船被挂住在铁链上，进退不得，岸上蜀军的箭、石纷纷飞下，砸坏了他的战船，高季兴只好乘一艘小船逃了回去。不久张武听说蜀军的北路已经战败，于是就率所属的夔、忠、万三州派使者到魏王那里请求投降。

郭崇韬给王宗弼等人送去一封信，向他们说明利害关系。李绍琛还没到达利州，王宗弼就放弃城池率军向西撤退回去。王宗勋等三位招讨使在白芳追上了王宗弼，王宗弼从怀中掏出诏书给他们看，对他们说："宋光嗣命令我杀掉你们。"三位招讨使和王宗弼抱在一起哭了起来，随即合谋向唐军投诚。

理。㉜己卯：十月二十日。㉝利州：州名，治所在今四川广元。㉞东川、山南：东川，四川东部，指梓、遂等州。山南，山南西道，指兴元等州。㉟尚完：比较完整，没有受到损折。㊱扼：守。㊲悬兵：深入敌方的孤军。㊳庚辰：十月二十一日。㊴王宗勋：王建义子。传见《十国春秋》卷三十九。㊵绵：州名，治所巴西，在今四川绵阳东。㊶深渡：在利州绵谷县北大漫天、小漫天之间。㊷长举：县名，故城在今陕西略阳西北，属兴州。㊸桥栈：架桥修栈道。㊹辛巳：十月二十二日。㊺乙酉：十月二十六日。㊻三泉：县名，在今陕西宁强，当时属兴元府。㊼优足：优裕、充足。㊽戊子：十月二十九日。㊾贞简太后：李存勖生母曹太后，谥贞简。㊿浮梁：浮桥。571举巡属内附：拿前蜀所辖疆土归附后唐。572苟不如约：如果不能履行约定。573背城决战：在自己城下决一死战。574己丑：十月三十日。575剑：剑州，治所普安，今四川剑阁。576龙：龙州，治所江油，今四川平武。577普：普州，故治在今四川安岳。578壁：壁州，治所诺水，在今四川通江。579山南：方镇名，唐肃宗至德元载（公元七五六年）置，治梁州，在今陕西汉

中。⑱王宗威:《旧五代史》卷三十三《庄宗纪》、卷五十一《魏王继岌传》皆云为兴元节度使。传见《十国春秋》卷三十九。⑱梁、开、通、渠、潾:皆州名。梁,梁州,治所在今陕西汉中。开,开州,治所盛山,在今重庆市开州区。通,通州,治所石城,在今四川达州市达川区。渠,渠州,在今四川渠县。潾,潾州,故治在今四川邻水。⑱款附:投降。⑱掩击:乘人不备而攻击。⑱赴:前往。⑱俱西:一起向西到成都去。⑱赂羌人买文、扶州路:用钱贿赂居住在文、扶两州的羌人,同意军队过境。⑱饯:送行。⑱秦、陇:秦州和陇州。⑱开府:指代王承休。蜀加王承休开府仪同三司,故以"开府"相称。⑲王宗汭:王建养子。传见《十国春秋》卷三十九。⑲茂州:州名,治所汶山,在今四川茂县。⑲三峡:巫峡、西陵峡、瞿塘峡地区。⑲从诲:高从诲(公元八九一至九四八年),字遵圣,高季兴长子,公元九二八年,高季兴卒,嗣立,后唐长兴三年(公元九三二年)封南平王。公元九二八至九四八年在位。传见《旧五代史》卷一百三十三、《新五代史》卷六十九、《十国春秋》卷一百一。⑲施州:州名,治所清江,在今湖北恩施。⑲絓:挂住。⑲为陈利害:替他陈述利害关系,指明投降乃趋利避害之道。⑲白芀:地名,在当时简州金水县境内。金水县在今四川金堂。⑲尔曹:你们。⑲送款:投降。

【校记】

[20]复得:原作"得复"。据章钰校,十二行本、乙十一行本二字皆互乙,今据改。[21]愚:原作"李愚"。据章钰校,十二行本、乙十一行本皆无"李"字,今据删。[22]己丑:原作"乙丑"。据章钰校,十二行本、乙十一行本皆作"己丑",张敦仁《通鉴刊本识误》同,今据改。[23]兼侍中:原无此三字。据章钰校,十二行本、乙十一行本皆有此三字,今据补。[24]潾:原作"麟"。胡三省注云:"'麟'当作'潾'。"严衍《通鉴补》改作"潾",当是,今从改。[25]文扶:原作"扶文"。据章钰校,十二行本、乙十一行本二字皆互乙,今据改。

【研析】

本卷研析唐庄宗滥封、郭崇韬裁汰冗官、郭崇韬逢迎奏立刘皇后、刘皇后父事张全义四件史事。

第一,唐庄宗滥封。唐庄宗好摔跤游戏,曾与右武卫上将军李存贤手搏,李存贤不敢尽力。庄宗对李存贤说:"汝能胜我,当授藩镇。"李存贤于是奉诏摔倒了庄宗。庄宗授李存贤为卢龙节度使,大言曰:"手搏之约,吾不食言矣。"封疆大吏以戏耍得之,功臣宿将无不寒心。庄宗好戏曲,宠信伶人无以复加。梁贞明四年胡柳之役,伶人周匝为梁人所虏,其后破汴梁,复得周匝,庄宗非常高兴。周匝诉说自己得到梁教坊使陈俊、内园栽接使储德源两位伶人的保护才活下来,替两人讨二州为报。庄宗以陈俊为景州刺史,储德源为宪州刺史。长年追随庄宗征战的亲军校官,出生入死，大多未能得刺史，个个莫不愤怨。庄宗怠于政事，却时时装扮成伶人，粉墨登场，与俳优戏耍于朝堂。二十年之征战，败契丹，系虏燕王父子。灭梁而有天下，完成父志报三仇，何其壮哉！天下已定，庄宗称帝不足三年，一夫夜呼，乱者四应，身死国灭为天下笑，可慨也夫！

第二，郭崇韬裁汰冗官。唐末五代，天下大乱，破落臣家往往把职官委任状卖给亲属，以至于混乱了辈分。有的叔父向侄儿下跪磕头，有的舅父向外甥下拜。候补官员中冒名顶替的很多。同光二年，庄宗举行南郊祭天大典，参加祭祀的候补官员多达一千二百人。郭崇韬严加审核，查清合格的候补官只有数十人，超过十分之九的候补官资格被取消，他们没了生活资源，有的在道路上悲哭哀号，有的在客店里被活活饿死，惨状目不忍睹。这些候补官，除了做官没有活路，为了活路，一心做官，为了做官，无所不用其极，有奶便是娘，丧失了个性，丧失了灵魂。冗官、冗吏本身就是官僚政治的生态，是暴君污吏的基础。郭崇韬只能裁撤一时，不可根除，而且使自己陷入危境。

第三，郭崇韬逢迎奏立刘皇后。郭崇韬疾晋伶人与宦官，遭到群小日夜毁谤，郭崇韬忧惧，不知如何是好。他对亲近的人说："我佐天子取天下，现在大功告成，而群小交兴，我想离开朝廷去做一个镇将，躲开群小，可以免祸吗？"所亲回答说："躲开群小，丢掉权位，好比蛟龙失水，只怕是招祸啊。"郭崇韬说："怎么办呢？"所亲又说："皇上想立刘夫人为皇后，刘夫人头上有正妃韩夫人，加之皇太后不喜欢刘夫人，皇上犹豫不决。如果相公此时助刘夫人一把，相公在宫中有了皇后做后台，皇上也高兴，哪里还怕群小嚼舌根。"郭崇韬甚以为是，于是与百官共奏立刘夫人为皇后。这位刘皇后性贪财，入主正宫，求索无厌，四方贡献从此一分为二，一份献天子，一份献皇后。刘皇后连亲爹都不认，哪念郭崇韬的好处。郭崇韬想引刘皇后来排抑宦官，反而是宦官假刘皇后之手诛杀郭崇韬，这是后话。郭崇韬智略兼备，一时人臣之选，有真宰相之才。不以正道立于朝，一念之差，搬起石头砸自己的脚，非始料所及。

第四，刘皇后父事张全义。庄宗刘皇后性贪财，曾从庄宗幸张全义第，冀得全义馈赠，强拜全义为义父，却不认寒微之生父。张全义，字国维，濮州临濮人。唐昭宗赐名全义，朱温改名为宗奭，入后唐复名全义。张全义尹正河洛，凡四十年，历守太师、太傅、太尉、中书令，封王，邑万三千户，一生荣华富贵，以寿终，死年七十五，乱世自保一奇迹。冯道是文臣不倒翁，张全义是武臣不倒翁。张全义媚事朱温，以至于妻妾子女为朱温所乱不以为耻。唐灭梁，全义应与敬翔、李振等受族诛，因通赂于刘皇后，得以保全。张全义审案，每每以原告为有理，是以人多枉滥，遭到时人的非难。但张全义镇洛阳，招抚流亡，安置难民，劝课农桑，口碑流于道路，万口同声，称其为名臣。有诗赞曰："洛阳风景实堪哀，昔日曾为瓦子堆。不是我公重葺理，至今犹是一堆灰。"张全义为官重民生，得以善终，不亦宜乎！

卷第二百七十四　后唐纪三

起旃蒙作噩（乙酉，公元九二五年）十一月，尽柔兆阉茂（丙戌，公元九二六年）三月，不满一年。

【题解】

本卷记事起公元九二五年十一月，迄公元九二六年三月，凡五个月史事，当后唐庄宗同光三年末至同光四年三月。庄宗晚年昏暴，同室操戈，为明宗李嗣源所灭。事繁变剧，故本卷记事不满一年。后唐之乱导火线为李继岌矫诏杀郭崇韬引发。郭崇韬专断军权，与李继岌相互猜疑，同僚、宦官、刘皇后日夜进谗言，唐庄宗猜疑起杀心，刘皇后胆大妄为，手札赐李继岌诛杀郭崇韬。庄宗事后不追究宦官竖小阴谋，反而扩大事端，族灭郭崇韬，祸及朱友谦，于是逼反西征军李继琛，以及魏州戍兵。这一年大旱民饥，军粮不继，而庄宗依然游猎无度，践踏田野禾稼。庄宗命将平叛，不肯赏赐，将士寒心，李绍荣往讨邺都久不建功，李嗣源往讨为乱兵挟持反叛，进兵大梁，各镇影从。唐庄宗亲征，刘皇后吝财不肯出内库钱，将士唾骂，未遇敌而星散。庄宗东出，有扈从兵二万五千，及返洛阳只有数千。

【原文】

庄宗光圣神闵孝皇帝下

同光三年（乙酉，公元九二五年）

十一月丙申①，蜀主至成都，百官及后宫迎于七里亭②。蜀主入妃嫔中，作回鹘队③入宫。丁酉④，出见群臣于文明殿⑤，泣下沾襟⑥。君臣相视，竟无一言以救国患。

戊戌⑦，李绍琛至利州，修桔柏⑧浮梁。昭武节度使林思谔先弃城奔阆州，遣使请降。甲辰⑨，魏王继岌至剑州，蜀武信⑩节度使兼中书令王宗寿以遂、合、渝、泸、昌五州⑪降。

王宗弼至成都，登太玄门⑫[1]，严兵自卫⑬。蜀主及太后自往劳⑭之，宗弼骄慢无复臣礼。乙巳⑮，劫迁蜀主及太后、后宫、诸王于西宫，收其玺绶⑯。使亲吏于义兴门⑰邀取⑱内库金帛，悉归其家。其

【语译】

庄宗光圣神闵孝皇帝下

同光三年（乙酉，公元九二五年）

十一月初七日丙申，蜀主回到成都，朝廷百官和后宫妃嫔到七里亭迎接。蜀主进入妃嫔群中，仿效回纥人队形翩翩起舞进入宫中。初八日丁酉，蜀主出来在文明殿会见群臣，哭得泪水沾湿了衣襟。君臣你看我，我看你，最终谁也没能说出一句话来拯救国家危难。

初九日戊戌，李绍琛到达利州，修建桔柏浮桥。蜀国的昭武节度使林思谔先是弃城逃到阆州，之后又派使者向唐军请求投降。十五日甲辰，魏王李继岌到达剑州，蜀国的武信节度使兼中书令王宗寿率领所属遂、合、渝、泸、昌五个州投降。

王宗弼到达成都，登上太玄门，整肃军队自卫。蜀主和太后亲自前去慰劳他，王宗弼傲慢，不再施行做人臣的礼节。十一月十六日乙巳，王宗弼劫持了蜀主、太后和后宫的诸位王子，把他们迁到西宫，没收了他们的玺印。又派亲信官吏到义兴门搬取内库的金银、丝帛，全部搬回到自己的家里去。他的儿子王承涓手持利剑入

子承涓杖剑⑲入宫，取蜀主宠姬数人以归。丙午⑳，宗弼自称权西川兵马留后。

李绍琛进至绵州，仓库民居已为蜀兵所燔㉑。又断绵江浮梁，水深，无舟楫可渡。绍琛谓李严曰："吾悬军深入，利在速战。乘蜀人破胆之时，但得百骑过鹿头关㉒，彼且迎降不暇。若俟修缮桥梁，必留数日，或教王衍坚闭近关㉓，折㉔吾兵势。傥延旬浃㉕，则胜负未可知矣。"乃与严乘马浮渡江。从兵得济者仅千人，溺死者亦千余人，遂入鹿头关。丁未㉖，进据汉州。居三日，后军始至。

王宗弼[2]遣使以币马牛酒劳军，且以蜀主书遗李严曰："公来吾即降。"或谓严："公首建伐蜀之策，蜀人怨公深入骨髓，不可往。"严不从，欣然驰入成都，抚谕㉗吏民，告以大军继至。蜀君臣后宫皆恸哭。蜀主引严见太后，以母妻为托。宗弼犹乘城㉘为守备，严悉命撤去楼橹㉙。

己酉㉚，魏王继岌至绵州。蜀主命翰林学士李昊㉛草降表，又命中书侍郎、同平章事王锴草降书，遣兵部侍郎欧阳彬㉜奉之以迎继岌及郭崇韬。

王宗弼称蜀君臣久欲归命㉝，而内枢密使宋光嗣、景润澄，宣徽使李周辂、欧阳晃荧惑㉞蜀主。皆㉟斩之，函首㊱送继岌。又责文思殿大学士、礼部尚书、成都尹韩昭佞谀㊲，枭㊳于金马坊门㊴。内外马步都指挥使兼中书令徐延琼、果州团练使潘在迎、嘉州刺史顾在珣及诸贵戚皆惶恐㊵，倾其家金帛妓妾以赂宗弼，仅得免死。凡素所不快者，宗弼皆杀之。

辛亥㊶，继岌至德阳㊷。宗弼遣使奉笺，称已迁蜀主于西第㊸，安抚军城㊹，以俟王师。又使其子承班以蜀主后宫及珍玩赂继岌及郭崇韬，求西川㊺节度使。继岌曰："此皆我家物，奚㊻以献为！"留其物而遣之。

李绍琛留汉州八日，以俟都统。甲寅㊼，继岌至汉州，王宗弼迎谒。乙卯㊽，至成都。丙辰㊾，李严引蜀主及百官仪卫出降于升迁桥㊿。

官，带走几个蜀主宠爱的姬妾回到家中。十七日丙午，王宗弼自称代理西川兵马留后。

李绍琛进军到达绵州，那里的仓库和民房已被蜀兵焚烧。绵江浮桥也被破坏，江水很深，没有船只可以渡河。李绍琛对李严说："我们孤军深入，速战速决才最有利。现在趁蜀兵吓破胆的时候，只要有百余名骑兵攻过鹿头关，他们就会忙不迭地迎上前来投降。如果我们在这里等待修缮桥梁，那必然要停留好几天，如果让王衍坚守住了鹿头关，就会使我军的攻势遭受挫折。倘若再拖延十天，那胜负就难以预料了。"于是与李严骑马渡江。随从士卒得以渡过江的仅有千人，渡河中淹死的也有一千多人，他们乘势攻进了鹿头关。十一月十八日丁未，又进军占据汉州。在那里住了三天，后面的大军才赶到。

王宗弼派使者带着钱币、马牛、酒肉前来慰劳唐军，并且把蜀主写的信交给李严，说："您来了我就投降。"有人对李严说："您最先提出伐蜀的策略，蜀国人对您恨之入骨，您不能去。"李严没有听劝告，愉快地快马进入成都，安抚晓谕那里的官吏和百姓，告诉他们唐朝的大军接着就到。蜀国的君臣和后宫妃嫔们都失声痛哭。蜀主领着李严去见太后，把自己的母亲、妻子托付给他。王宗弼仍然登城进行守备，李严命令他把所有的防守设施全部撤去。

十一月二十日己酉，魏王李继岌到达绵州。蜀主命令翰林学士李昊起草投降表文，又命令中书侍郎、同平章事王锴起草投降书，派兵部侍郎欧阳彬拿着去迎接李继岌和郭崇韬。

王宗弼声称蜀国君臣早就想归顺唐朝了，只是因为内枢密使宋光嗣、景润澄，宣徽使李周辂、欧阳晃等迷惑了蜀主。于是把他们都杀了，把他们的头颅装在盒子里送到李继岌那里。又对文思殿大学士、礼部尚书、成都尹韩昭的奸佞谄谀行径予以惩处，把他在金马坊门枭首示众。内外马步都指挥使兼中书令徐延琼、果州团练使潘在迎、嘉州刺史顾在珣以及一些皇亲国戚都惶恐不安，他们把家中所有的金帛、妓妾都拿出来贿赂王宗弼，这才得以免除一死。凡是平素让王宗弼感到不痛快的人，王宗弼都把他们杀了。

十一月二十二日辛亥，李继岌到达德阳。王宗弼派使者送去书信，说已经把蜀主迁到了西边的住宅，自己正在安抚全城，以等待王师的到来。又派他的儿子王承班带着蜀主的后宫妃嫔和珍贵玩物来贿赂李继岌和郭崇韬，请求能任命他为西川节度使。李继岌说："这些都是我家的东西，怎么能算是献给我呢！"于是留下送来的东西，而把来人打发了回去。

李绍琛在汉州停留了八天，等待都统李继岌的到来。十一月二十五日甲寅，李继岌到达汉州，王宗弼前来迎接谒见。二十六日乙卯，李继岌到达成都。二十七日丙辰，李严带着蜀主和百官仪卫出城在升迁桥投降。蜀主身穿白衣、口衔玉璧、牵蜀主白衣、衔璧、牵羊，草绳萦首[51]，百官衰绖[52]、徒跣[53]、舆榇[54]，号哭俟命。继岌受璧，崇韬解缚，焚榇，承制[55]释罪。君臣东北向拜谢。丁巳[56]，大军入成都。崇韬禁军士侵掠，市不改肆[57]。自出师至克蜀，凡七十日。得节度十[58]，州六十四[59]，县二百四十九，兵三万，铠仗、钱粮、金银、缯锦共以千万计。

【段旨】

以上为第一段，写蜀国灭亡。王宗弼乘危自称代理西川兵马留后，劫掠宫中钱物，杀戮平素怨恨的人。

【注释】

①丙申：十一月初七日。②七里亭：地名，离成都七里，因以为名。③回鹘队：回鹘，回纥，唐代中晚期居住在北方草原的少数民族。取“回旋轻捷如鹘”之意，善歌舞。此回鹘队是指仿效回鹘人列队翩翩起舞，牵引入宫。④丁酉：十一月初八日。⑤文明殿：梁改洛阳宫贞观殿为文明殿，蜀亦有文明殿，盖仿唐宫之制。⑥泣下沾襟：眼泪流下来浸湿了衣襟。⑦戊戌：十一月初九日。⑧桔柏：地名，在今四川广元市昭化区之嘉陵、白水二江合流处。⑨甲辰：十一月十五日。⑩武信：方镇名，唐光化二年（公元八九九年）置，治所遂州，在今四川遂宁。⑪遂、合、渝、泸、昌五州：武信军所属五州。遂州治所方义，在今四川遂宁。合州治所石境，在今重庆市合川区。渝州治所巴县，在今重庆市。泸州治所江阳，在今四川泸州。昌州治所大足，在今重庆市大足区。⑫太玄门：成都罗城（外郭城墙）北门。⑬严兵自卫：整肃部队来保卫自己。⑭劳：劳军。⑮乙巳：十一月十六日。⑯玺绶：印信。⑰义兴门：蜀宫城城门。⑱邀取：索取；搬取。⑲杖剑：持剑。⑳丙午：十一月十七日。㉑燔：焚烧。㉒鹿头关：关名，在四川德阳北，以鹿头山为名。破鹿头关，成都无险可守。㉓近关：指鹿头关。㉔折：挫折。㉕旬浃：十天。㉖丁未：十一月十八日。㉗抚谕：抚慰晓谕。㉘乘城：登城。㉙楼橹：古时军中用以侦察、防御或攻城的高台。㉚己酉：十一月二十日。㉛李昊（公元八九二至九六四年）：字穹佐，前后仕蜀五十年，后蜀后主时，位兼将相。前蜀降唐，昊草降表，后蜀降宋，亦昊草降表。蜀人暗中在他门上写道：“世修降表李家。”编有《枢机应用集》二十卷、《高祖实录》二十卷，后主续成《实录》八十卷。传见《十国春秋》卷五十二。㉜欧

着羊，把草绳缠绕在头上，百官也都穿着丧服，光着脚板，用车子拉着棺材，号啕大哭，等候发落。李继岌接受了蜀主的玉璧，郭崇韬解下了他的草绳，烧掉棺材，秉承皇帝的旨意赦免了他们的罪行。蜀国君臣都向着东北方拜谢皇恩。二十八日丁巳，唐朝的大军进入成都。郭崇韬严禁军中士卒侵扰抢掠，所以市面上商铺照常营业。唐军从出师到攻下蜀国，总共七十天。获取了十个节度使领地、六十四个州、二百四十九个县、士卒三万人，还有铠甲兵仗、钱财粮草、金银、缯锦丝帛等总共数以千万计。

阳彬（？至公元九五〇年）：字齐美，衡州衡山（今湖南衡山）人。传见《十国春秋》卷五十三。㉝归命：归顺；投降。㉞荧惑：迷惑；眩惑。㉟皆：都。㊱函首：用木匣装着首级。㊲佞谀：用花言巧语阿谀奉承。㊳枭：枭首示众。㊴金马坊门：地名，在成都城中。㊵惶恐：惊慌害怕。㊶辛亥：十一月二十二日。㊷德阳：县名，在今四川德阳。㊸西第：西宫。因已奉降表，不敢称西宫。㊹军城：指成都府。㊺西川：方镇名，唐肃宗至德二载（公元七五七年）更剑南节度使号西川节度使，治所成都。前蜀仍以成都为西川节度。㊻奚：何。㊼甲寅：十一月二十五日。㊽乙卯：十一月二十六日。㊾丙辰：十一月二十七日。㊿升迁桥：地名，在成都北五里。51萦首：缠绕在头上。52衰绖：丧服。古人丧服上衣当心处缀有长六寸、广四寸的麻布叫衰，衰亦指丧服之上衣。缠在腰间的麻绳叫绖。53徒跣：赤脚。54舆榇：棺材。空棺叫榇。55承制：秉承诏旨。56丁巳：十一月二十八日。57肆：商店。58节度十：武德、武信、永平、武泰、镇江、山南、武定、天雄、武兴、昭武。59州六十四：据《新五代史》为益、汉、彭、蜀、绵、眉、嘉、剑、梓、遂、果、阆、普、陵、资、荣、简、邛、黎、雅、维、茂、文、龙、黔、施、夔、忠、万、归、峡、兴、利、开、通、涪、渝、泸、合、昌、巴、蓬、集、壁、渠、戎、梁、洋、金、秦、凤、阶、成五十三州。

【校记】

［1］太玄门：原作“大玄门”。据章钰校，十二行本作“火玄门”，孔天胤本作“天玄门”。“大”“火”“天”皆误。据宋张唐英《蜀梼杌》，王建称帝，改成都诸城门，“北门依旧太玄门”，《新五代史》亦作“太玄门”，知“大玄门”当作“太玄门”，即成都北门，今从改。［2］王宗弼：原无“王”字。据章钰校，十二行本、乙十一行本皆有“王”字，今据补。

【原文】

高季兴闻蜀亡，方食，失匕箸[60]，曰："是老夫之过也！"梁震曰："不足忧也。唐主得蜀益骄，亡无日矣，安[61][3]知其不为吾福！"

楚王殷闻蜀亡，上表称："臣已营衡麓之间为菟裘之地[62]，愿上印绶以保余龄[63]。"上优诏慰谕[64]之。

平蜀之功，李绍琛为多，位在董璋上。而璋素与郭崇韬善，崇韬数召璋与议军事。绍琛心不平，谓璋曰："吾有平蜀之功，公等朴樕[65]相从，反咕嗫[66]于郭公之门，谋相倾害。吾为都将[67]，独[68]不能以军法斩公[69]邪！"璋诉于崇韬。十二月，崇韬表璋为东川[70]节度使，解其军职[71]。绍琛愈怒，曰："吾冒白刃[72]，陵险阻，定两川，璋乃坐有之邪！"乃见崇韬言："东川重地，任尚书[73]有文武才，宜表为帅。"崇韬怒曰："绍琛反邪，何敢违吾节度[74]！"绍琛惧而退。

初，帝遣宦者李从袭等从魏王继岌伐蜀。继岌虽为都统，军中制置补署[75]一出郭崇韬。崇韬终日决事，将吏宾客趋走盈庭[76]。而都统府惟大将晨谒[77]外，牙门索然[78]，从袭等固耻之[79]。及破蜀，蜀之贵臣大将争以宝货、妓乐遗崇韬及其子廷诲，魏王所得，不过匹马、束帛、唾壶[80]、麈柄[81]而已，从袭等益[82]不平。

王宗弼之自为西川留后也，赂崇韬求为节度使，崇韬阳许[83]之。既而久未得，乃帅蜀人列状[84]见继岌，请留崇韬镇蜀。从袭等因谓继岌曰："郭公父子专横，今又使蜀人请己为帅，其志难测[85]，王不可不为之备。"继岌谓崇韬曰："主上倚侍中如山岳，不可离庙堂[86]，岂肯弃元老于蛮夷之域[87]乎！且此非余之所敢知也，请诸人诣阙自陈[88]。"由是继岌与崇韬互相疑贰[4]。

会宋光葆[89]自梓州来，诉王宗弼诬杀宋光嗣等。又，崇韬征[90]犒军钱数万缗于宗弼，宗弼靳[91]之。士卒怨怒，夜，纵火喧噪。崇韬欲诛宗弼以自明[92]，己巳[93]，白继岌收[94]宗弼及王宗勋、王宗渥[95]，皆

【语译】

高季兴听到蜀国灭亡，当时他正在吃饭，竟连汤匙和筷子都从手中脱落下来，说："这是老夫我的过错啊！"梁震说："这不值得担心。唐主得到蜀国以后会更加骄傲，他自己的灭亡也不会太久了，怎么知道这就不是我们的福气呢！"

楚王马殷听到蜀国灭亡，就上表表示："臣已经在衡山山麓准备好了告老退隐的地方，希望交上印绶以保全余生。"唐庄宗颁下一道嘉勉的诏书安慰晓谕他。

平定蜀国的功劳，李绍琛最多，他的地位也在董璋之上。但是董璋平素和郭崇韬很要好，郭崇韬多次把董璋召来商议军事。李绍琛对此心中不平，对董璋说："我有平定蜀国的功劳，你们那些人平庸浅陋，跟着我才成事，却整天在郭公门下窃窃私语，琢磨着想要陷害我。我身为都将，难道不能用军法杀了你吗！"董璋把这些话告诉了郭崇韬。十二月，郭崇韬上表给唐庄宗任命董璋为东川节度使，并且解除了他的军职。李绍琛得知后更加恼怒，说："我亲冒白刃，跨越险阻，平定东、西两川，而董璋竟然坐享其成吗！"于是去面见郭崇韬说："东川是个重要的地方，任圜尚书兼有文武之才，应该上表任命他为军帅。"郭崇韬发怒说："李绍琛你要造反吗？你怎么敢不听我的指挥！"李绍琛因惧怕而退了下去。

当初，唐庄宗派宦官李从袭等人跟随魏王李继岌征伐蜀国。李继岌虽然担任都统，但军中的谋划调度和人事安排完全出自郭崇韬。郭崇韬整天处理公务，将领、官吏、宾客们纷纷奔走于他的门下，人满为患。而都统李继岌的衙署除了大将们早晨前来拜见请安外，平时衙门内冷冷清清，李从袭等人对此本来就感到羞耻。到了攻取蜀国之后，蜀国的贵臣、大将都争相把宝货、伎乐赠送给郭崇韬和他的儿子郭廷诲，而魏王李继岌所得到的，不过是一些马匹、束帛、痰壶、拂尘而已，李从袭等人心里更加不平。

王宗弼自命为西川留后之后，就贿赂郭崇韬请求任命他为节度使，郭崇韬表面上假装答应。之后过了很久他还是没有得到任命，于是他率领一些蜀人书写报告求见李继岌，请求把郭崇韬留下来镇守蜀地。李从袭等人乘机对李继岌说："郭公父子处事专横，现在又派蜀人来请求让他自己当统帅，他的心思难以预测，大王您不可不做防备。"李继岌对郭崇韬说："皇上倚仗侍中您，如同倚仗山岳一样，您不可远离朝廷，皇上又怎么肯把元老重臣弃置在蛮荒之地呢！况且这事也不是我敢做主的，还是请那些人到朝廷上自己去陈说吧。"从此李继岌和郭崇韬之间就相互有了猜疑。

正好这时宋光葆从梓州到来，控告王宗弼滥杀宋光嗣等人。又赶上郭崇韬向王宗弼征调数万缗劳军钱，而王宗弼不肯拿出来。士卒们埋怨愤怒，在夜里放起火来喧哗吵闹。郭崇韬想要杀掉王宗弼以表白自己，十二月初十日己巳，郭崇韬告诉李继岌收捕了王宗弼、王宗勋、王宗渥，列举他们不忠的罪状，然后诛灭全族，抄没

数[96]其不忠之罪，族诛之，籍没其家。蜀人争食宗弼之肉。

辛未[97]，闽忠懿王审知卒，子延翰自称威武留后。汀州民陈本[98]聚众三万围汀州，延翰遣右军都监柳邕等将兵二万讨之。

【段旨】

以上为第二段，写郭崇韬专断军权，与李继岌相互猜疑，王宗弼被灭族。

【注释】

[60]失匕箸：汤匙、筷子从手中脱落。[61]安：怎么。[62]臣已营衡麓之间为菟裘之地：我已在衡山脚下建造退休养老的地方。衡麓，衡山山麓。菟裘，源出《左传》隐公十一年："使营菟裘，吾将老焉。"后指告老、退隐之处为菟裘。[63]以保余龄：用来保全剩下的年龄。[64]优诏慰谕：用表彰嘉勉的诏书慰问晓谕。[65]朴樕：小木，比喻凡庸之材。[66]呫嗫：窃窃私语。[67]都将：因李绍琛为行营马步军都指挥使，故称都将。[68]独：其；岂。[69]斩公：斩董璋。[70]东川：方镇名，唐肃宗至德二载（公元七五七年）分置剑南、东川节度，治所梓州，在今四川三台。[71]解其军职：解除董璋军职，脱离李绍琛管辖，使李不能对董璋军法从事。[72]白刃：寒光闪闪的刀剑。[73]任尚书：指任圜，时任工部尚书。[74]节度：调度；处置。[75]制置补署：调度军队，任命官员。[76]盈庭：满门。[77]晨谒：每天早晨大将至都统府谒见，行请安之礼。[78]索然：冷冷清清。[79]固耻之：本来已

【原文】

癸酉[99]，王承休、王宗汭[100]至成都。魏王继岌诘之曰："居大镇，拥强兵，何以不拒战？"对曰："畏大王神武。"曰："然则何以[5]不降？"对曰："王师不入境。"曰："所俱[101]入羌者几人？"对曰："万二千人。"曰："今归者几人？"对曰："二千人。"曰："可以偿万人之死矣。"皆斩之，并其子。

丙子[102]，以知北都[103]留守事孟知祥为西川节度使、同平章事，促召赴洛阳[104]。帝议选北都留守，枢密承旨[105]段徊等恶邺都留守张宪，不欲

了他们的家产。王宗弼被杀之后，蜀国人争着要吃他的肉。

十二月十二日辛未，闽国忠懿王王审知去世，他的儿子王延翰自称威武留后。汀州百姓陈本聚集了三万名部众围攻汀州，王延翰派右军都监柳邕等人率兵两万讨伐陈本。

经感到羞耻。⑧0 唾壶：痰壶。⑧1 麈柄：拂尘。用麈的尾巴制成的拂尘。⑧2 益：更加。⑧3 阳许：表面假装允许。阳，通“佯”。⑧4 列状：书写报告。⑧5 其志难测：他的内心难以估计。指可能谋反。⑧6 庙堂：朝廷。⑧7 蛮夷之域：指西川。⑧8 诣阙自陈：到朝廷去自己陈述理由，请皇帝裁决。⑧9 宋光葆：蜀宋光嗣的堂弟，字季正，从光嗣为宦官，官至前蜀东川节度使。传见《十国春秋》卷四十六。⑨0 征：征调。⑨1 靳：吝惜。⑨2 自明：自己表白。⑨3 己巳：十二月初十日。⑨4 收：逮捕。⑨5 王宗渥（？至公元九二五年）：本姓郑，王建义子。传见《十国春秋》卷三十九。⑨6 数：列举罪状。⑨7 辛未：十二月十二日。⑨8 陈本（？至公元九二六年）：福建汀州人。公元九二五年，聚众三万攻汀州，闽王延翰派柳邕等率军二万围剿，公元九二六年正月，陈本兵败被杀。传附《十国春秋》卷九十一《嗣王世家》。

【校记】

［3］安：原作“安不”字。据章钰校，十二行本、乙十一行本皆无“不”字，张敦仁《通鉴刊本识误》同，今据删。［4］貳：原无此字。张敦仁《通鉴刊本识误》有此字，当是，今据补。

【语译】

十二月十四日癸酉，王承休、王宗汭到了成都。魏王李继岌责问他们说：“你们驻守大镇，拥有强兵，为什么不抵抗?”他们回答说：“畏惧大王神武。”李继岌问：“那又为什么不投降呢?”回答说：“大王的军队还没有进入我们的辖境。”问：“和你们一道进入羌地的有多少人?”回答说：“一万两千人。”李继岌又问：“如今回来的有多少人?”回答说：“两千人。”李继岌说：“你们可以为那一万人的死偿命了。”于是把两人都杀了，同时被杀的还有他们的儿子。

十二月十七日丙子，任命知北都留守事孟知祥为西川节度使、同平章事，并催促他应召先到洛阳。唐庄宗与臣下商议另选一位北都留守，枢密承旨段徊等人讨厌

其在朝廷，皆曰："北都非张宪不可。宪虽有宰相器，今国家新得中原，宰相在天子目前，事有得失，可以改更。比之北都独系一方安危[106]，不为重也。"乃徙宪为太原尹，知北都留守事。以户部尚书[107]王正言为兴唐尹，知邺都留守事。正言昏耄[108]，帝以武德使[109]史彦琼[110]为邺都监军。彦琼，本伶人也，有宠于帝。魏、博等六州军旅金谷之政[111]，皆决于彦琼，威福自恣[112]，陵忽[113]将佐，自正言以下皆谄事[114]之。

初，帝得魏州银枪效节都近八千人，以为亲军，皆勇悍无敌。夹河之战，实赖其用[115]，屡立殊功[116]，常许以灭梁之日大加赏赉。既而河南[117]平，虽赏赉非一[118]，而士卒恃功，骄恣无厌[119]，更成怨望[120]。是岁大饥，民多流亡，租赋不充，道路涂潦[121]，漕辇艰涩。东都仓廪空竭，无以给军士，租庸使孔谦日于上东门[122]外望诸州漕运，至者随以给之。军士乏食，有雇妻鬻子者，老弱采蔬于野，百十为群，往往馁死，流言怨嗟[123]。而帝游畋不息[124]。己卯[125]，猎于白沙，皇后、皇子、后宫毕从[126]。庚辰[127]，宿伊阙。辛巳[128]，宿潭泊。壬午[129]，宿龛涧[130]。癸未[131]，还宫。时大雪，吏卒有僵仆[132]于道路者。伊、汝[133]间饥尤甚，卫兵所过，责其供饷。不得，则坏其什器[134]，撤其室庐以为薪[135]，甚于寇盗。县吏皆窜匿山谷[136]。

有白龙见[137]于汉宫，汉主改元白龙[138]，更名曰龚。

长和骠信[139]郑旻[140]遣其布燮郑昭淳求婚于汉，汉主以女增城公主[141]妻之。长和即唐之南诏也。

成德节度使李嗣源入朝。

邺都留守张宪，不想让他留在朝廷，于是都说:“北都留守非张宪不可。张宪虽然有做宰相的才能，但如今国家刚刚取得中原，而宰相就在天子眼前，事情如果有什么处理得不妥当的，还可以更改。与北都单独维系一方的安危比起来，就显得没那么重要了。”于是调张宪出任太原尹，主持北都留守事务。任命户部尚书王正言为兴唐尹，主持邺都留守事务。王正言年老糊涂，唐庄宗又任命武德使史彦琼为邺都监军。史彦琼本来是个伶人，深受皇帝宠爱。魏、博等六州的军队钱粮事务，都归史彦琼掌管，他肆意作威作福，欺凌轻慢将佐，除王正言外，官吏们都巴结奉承他。

当初，唐庄宗得到魏州的银枪效节都将近有八千人，把他们当作自己的亲信部队，这些人勇敢强悍，所向无敌。在黄河两岸与梁军的战斗中，确实有赖于他们所发挥的作用，他们屡建奇功，唐庄宗经常向他们许愿说，等到灭了梁朝的那一天，要对他们大加赏赐。不久梁朝被平定了，虽然对他们不止一次地加以赏赐，但这些士卒自恃有功，骄横放纵，贪得无厌，反而对唐庄宗心怀不满。这一年发生严重饥荒，很多老百姓都流亡在外，租税征收不足，加上道路泥泞积水，水陆运输都很艰难。东都的粮库也空了，没有什么可以拿来供应军士的。租庸使孔谦每天都到洛阳城的上东门外，眼巴巴地望着各州从水路运来的粮食，只要一运到就随即供应军士们。军士们由于缺乏食物，有的人把妻子典押给别人，有的人卖儿子，年老体弱者就去野外挖野菜充饥，几十上百人一群，往往有饿死的，人们怨声载道。而唐庄宗却照样在外不停地游玩打猎。十二月二十日己卯，唐庄宗在白沙打猎，皇后、皇子和后宫的妃嫔们全都跟着。二十一日庚辰，住在伊阙。二十二日辛巳，住在潭泊。二十三日壬午，住在龛涧。二十四日癸未，回到宫中。当时天降大雪，随行的官吏、士卒中有人冻死在路上。伊阙、汝州一带饥荒尤其严重，唐庄宗的卫兵在所经过的地方，都要责成当地供应粮食。如果得不到，就砸毁主人的日常用具，把房子拆掉当柴烧，比强盗还厉害。县里的官吏们都逃到山谷里躲了起来。

有一条白龙出现在汉国宫中，汉主改年号为白龙，自己的名字改称龑。

长和的骠信郑旻派他的布燮郑昭淳来向汉国求婚，汉主把女儿增城公主嫁给他为妻。长和就是过去唐朝时的南诏。

成德节度使李嗣源入京朝见。

【段旨】

以上为第三段，写是年中原大饥，人民流离，军无粮饷，唐庄宗游猎无度，视军民如草芥。

【注释】

[99]癸酉：十二月十四日。[100]王宗汭（？至公元九二五年）：王建义子。传见《十国春秋》卷三十九。[101]俱：一起。[102]丙子：十二月十七日。[103]北都：后唐以太原为北都。[104]召赴洛阳：先召之赴洛阳，面君后再至四川成都上任。[105]枢密承旨：官名，掌传达皇帝命令，管理枢密院内部事务。[106]独系一方安危：单独维系着一个地方的平安和危殆。[107]户部尚书：官名，掌全国土地、户籍、赋税、财政收支等事务。[108]昏耄：年迈昏聩。耄，七十岁称耄。[109]武德使：宫官名，掌宫中洒扫等日常杂务。后唐明宗时曾天旱，下雪后，明宗坐庭院中，诏令武德司宫中勿扫雪，于此可以窥知武德使职掌。[110]史彦琼：本伶人，专魏、博六州之政。传见《新五代史》卷三十七。[111]金谷之政:钱粮事务。[112]威福自恣：自己肆意作威作福。[113]陵忽：欺凌轻慢。[114]谄事：奉承。[115]实赖其用：确实依赖他们发挥作用。[116]殊功：大功。[117]河南：指后梁。[118]非一：不止一次。[119]无厌：没完没了。[120]更成怨望：反而对唐庄宗心怀不满，产生怨望之心。[121]涂潦：地面积水。[122]上

【原文】

闰月己丑朔[142]，孟知祥至洛阳，帝宠待甚厚。

帝以军储不足，谋于群臣，豆卢革以下皆莫知为计[143]。吏部尚书李琪上疏，以为古者量入以为出，计农而发兵[144]，故虽有水旱之灾而无匮乏之忧。近代税农[145]以养兵，未有农富给而兵不足，农捐瘠[146]而兵丰饱者也。今纵未能蠲省[147]租税，苟除折纳[148]、纽配[149]之法，农亦可以小休矣。帝即敕有司如琪所言，然竟不能行。

丁酉[150]，诏蜀朝所署官四品以上降授有差[151]，五品以下才地无取者悉纵归田里[152]。其先降及有功者，委崇韬随事奖任。又赐王衍诏，略曰:“固当裂土而封，必不薄人于险[153]。三辰[154]在上，一言不欺。”

庚子[155]，彰武、保大[156]节度使兼中书令高万兴卒，以其子保大留后允韬[157]为彰武留后。

帝以军储不充，欲如汴州，谏官上言:“不如节俭以足用，自古无

东门：洛阳东面左边城门。⑫③ 怨嗟：怨恨、叹息。⑫④ 游畋不息：游玩狩猎无有止息。⑫⑤ 己卯：十二月二十日。⑫⑥ 毕从：全体跟从。⑫⑦ 庚辰：十二月二十一日。⑫⑧ 辛巳：十二月二十二日。⑫⑨ 壬午：十二月二十三日。⑬⓪ 龛涧：与上文之白沙、伊阙、潭泊，皆洛阳远郊行宫之所。⑬① 癸未：十二月二十四日。⑬② 僵仆：冻死。⑬③ 伊、汝：河南伊阙、汝州。⑬④ 什器：用具。⑬⑤ 撤其室庐以为薪：拆掉房屋当柴烧。⑬⑥ 窜匿山谷：逃到山谷里躲藏起来。⑬⑦ 见：通"现"。⑬⑧ 白龙：南汉刘䶮（即刘龚）第二个年号。⑬⑨ 长和骠信：长和，即唐代南诏国，都太和城，在今云南大理南。唐末南诏改名大礼，五代时改名长和，国君号骠信，总理大臣称布燮。⑭⓪ 郑旻：人名，长和国君。⑭① 增城公主：南汉国主刘䶮之侄女。郑旻派郑昭淳求婚于南汉事，见《新五代史》卷六十五《南汉世家》。郑昭淳为郑旻同母弟，任长和国布燮。

【校记】

［5］何以：据章钰校，十二行本、乙十一行本皆无"以"字。

【语译】

闰十二月初一日己丑，孟知祥到达洛阳，唐庄宗给他很厚重的恩遇。

唐庄宗因为军粮储备不足，召集群臣商议，豆卢革以下的大臣们都不知道有什么好的办法。吏部尚书李琪上疏，认为古时候根据收入的情况来决定支出，计算农业收成来决定发兵之事，所以即便有水旱灾害，也不会出现粮食匮乏的忧虑。近代以来都是靠向农民征税来供养军队，从来都没有农民富足而兵用不足，农民饿死而军队却能丰衣足食的情况。如今即使不能减免租税，如果能把折纳、科配这些做法先行免除，农民也可以稍微休养生息了。唐庄宗当即命令主管部门就按照李琪所讲的去办，然而最终还是没能推行。

闰十二月初九日丁酉，唐庄宗下诏，把原蜀国所任命的四品以上的官员按不同情况降职安排，五品以下的，如果才干和门第都没有什么可取的，一律让他们回家乡当平民。那些率先投诚的和有功劳的，委托郭崇韬根据具体情况加以奖励或任用。又赐给王衍诏书，大意是说："一定会割出一块土地来分封给你，绝对不会把你逼到危险的境地。日、月、星三辰在上，我一句话也不会欺骗你。"

十二日庚子，彰武、保大节度使兼中书令高万兴去世，任命他的儿子保大留后高允韬为彰武留后。

唐庄宗因为洛阳的军粮储备不足，准备前往汴州，谏官上奏说："不如靠节俭来

就食[158]天子。今杨氏[159]未灭，不宜示以虚实。”乃止。

辛亥[160]，立皇弟存美为邕王，存霸为永王，存礼为薛王，存渥为申王，存乂为睦王，存确为通王，存纪[161]为雅王。

郭崇韬素疾宦官，尝密谓魏王继岌曰：“大王他日[162]得天下，騬马[163]亦不可乘，况任宦官！宜尽去之，专用士人。”吕知柔[164]窃听，闻之，由是宦官皆切齿[165]。

【段旨】

以上为第四段，写唐庄宗议减田租，只流于公文而未实行，安置蜀降人。

【注释】

⑭② 己丑朔：闰十二月初一日。⑭③ 莫知为计：不知道用什么办法。⑭④ 计农而发兵：计算农业收成来决定发兵之事。⑭⑤ 税农：征收农民赋税。⑭⑥ 捐瘠：饥饿而死。⑭⑦ 蠲省：免除。⑭⑧ 折纳：不征农民所产之物而折价征收钱财或官方所需之物。折纳使农民多遭受一层盘剥。⑭⑨ 纽配：科配、科敛、科索。对赋税正项外的加派。⑮⓪ 丁酉：闰十二月初九

【原文】

时成都虽下，而蜀中盗贼群起，布满山林。崇韬恐大军既去，更为后患，命任圜、张筠分道招讨，以是淹留[166]未还。帝遣宦者向延嗣促之，崇韬不出郊迎[167]，及见，礼节又倨[168]，延嗣怒。李从袭谓延嗣曰：“魏王，太子也。主上万福，而郭公专权如是。郭廷诲拥徒[169]出入，日与军中骁将、蜀土豪杰狎饮[170]，指天画地。近闻白其父请表己为蜀帅，又言‘蜀地富饶，大人宜善自为谋[171]’。今诸军将校皆郭氏之党，王[172]寄身于虎狼之口，一朝有变，吾属不知委骨何地[173]矣。”因相向垂涕。延嗣归，具以语刘后。后泣诉于帝，请早救继岌之死。

满足需要，自古以来就没有去找粮食吃的天子，如今杨氏还没有被消灭，不应该让他们看出虚实来。”唐庄宗这才作罢。

闰十二月二十三日辛亥，册立皇弟李存美为邕王，李存霸为永王，李存礼为薛王，李存渥为申王，李存乂为睦王，李存确为通王，李存纪为雅王。

郭崇韬素来痛恨宦官，曾经私下里对魏王李继岌说：“大王有一天取得天下，骟了的马也不能骑，何况任用宦官！应该把他们全部赶走，专门任用士人。”吕知柔在外面偷听，听到了这些话，从此宦官们对郭崇韬恨得咬牙切齿。

日。⑮¹降授有差：对蜀四品以上官，按不同情况降职安排。⑮²纵归田里：对蜀五品以下的官全部罢免，放回故乡当平民。⑮³薄人于险：把人逼到危险的境地。⑮⁴三辰：指日、月、星。为明誓的话。⑮⁵庚子：闰十二月十二日。⑮⁶彰武、保大：皆方镇名，彰武治延州，保大治鄜州。梁贞明四年（公元九一八年）高万兴兼镇鄜延，封延安郡王，徙封北平王。传见《新五代史》卷四十。⑮⁷允韬：传附《新五代史》卷四十《高万兴传》。⑮⁸就食：寻找食物就地食用。⑮⁹杨氏：指吴国。⑯⁰辛亥：闰十二月二十三日。⑯¹存纪：李克用子，唐庄宗李存勖弟。传见《新五代史》卷十四。⑯²他日：有一天；一旦。⑯³騬马：骟马；阉割的马。这里指宦官。⑯⁴吕知柔：宦官，时为都统牙通谒。⑯⁵切齿：恨得咬牙切齿。

【语译】

当时成都虽已攻下，但蜀中盗贼群起，布满山林。郭崇韬担心大军撤离之后，这些盗贼再成后患，就命令任圜、张筠分路前去讨伐招抚他们，因此滞留了下来没有班师回朝。唐庄宗派宦官向延嗣前去催促起程，郭崇韬没有出城到郊外迎接，到了与向延嗣见面的时候，礼节上又显得很傲慢，向延嗣非常生气。李从袭对向延嗣说：“魏王是太子，皇上还健在，而郭公竟然如此独揽大权。郭廷诲带着随从出入，天天与军中的骁将、蜀地的豪杰们在一起亲昵饮酒，指天画地，胡诌乱说。最近听说他对他父亲说请求向皇帝上表任命他为蜀帅，又对他父亲说‘蜀国这个地方很富饶，大人应该好好地为自己打算一番’。如今各军的将校都是郭氏的党羽，魏王正寄身于虎狼之口，一旦有变，我们这些人不知道会把自己的骨头丢在什么地方了！”说完，两个人就面对面哭了起来。向延嗣回到朝廷以后，把这些事情全都报告给了刘皇后。皇后又向唐庄宗哭诉，请求及早援救李继岌，使他免于一死。

前此，帝闻蜀人请崇韬为帅，已不平。至是闻延嗣之言，不能无疑。帝阅蜀府库之籍[174]，曰："人言蜀中珍货无算，何如是之微[175]也？"延嗣曰："臣闻蜀破，其珍货[176]皆入于崇韬父子。崇韬有金万两，银四十万两，钱百万缗，名马千匹，他物称是[177]。廷诲所取，复在其外。故县官[178]所得不多耳。"帝遂怒形于色[179]。及孟知祥将行，帝语之曰："闻郭崇韬有异志[180]，卿到，为朕诛之。"知祥曰："崇韬，国之勋旧[181]，不宜有此。俟臣至蜀察之，苟无他志[182]，则遣还。"帝许之。

壬子[183]，知祥发洛阳。帝寻复遣衣甲库使[184]马彦珪驰诣成都观[185]崇韬去就[186]，如奉诏班师[187]则已，若有迁延跋扈[188]之状，则与继岌图之。彦珪见皇后，说之曰："臣见向延嗣言蜀中事势忧在朝夕[189]，今主上[6]当断不断[190]。夫成败之机，间不容发[191]，安能缓急禀命于三千里外乎！"皇后复言于帝，帝曰："传闻之言，未知虚实，岂可遽尔[192]果决！"皇后不得请，退，自为教[193]与继岌，令杀崇韬。知祥行至石壕[194]，彦珪夜叩门宣诏，促知祥赴镇[195]。知祥窃叹曰："乱将作[196]矣！"乃昼夜兼行。

初，楚王殷既得湖南，不征商旅[197]，由是四方商旅辐凑[198]。湖南地多铅铁，殷用军都判官[199]高郁[200]策，铸铅铁为钱。商旅出境，无所用之，皆易他货而去。故能以境内所余之物易天下百货，国以富饶[201]。湖南民不事桑蚕，郁命民输税者皆以帛[202]代钱。未几，民间机杼[203]大盛。

吴越王镠遣使者沈瑫致书，以受玉册、封吴越国王告于吴。吴人以其国名与己同，不受书，遣瑫还。仍戒[204]境上无得通吴越使者及商旅。

在此之前，唐庄宗听说蜀人请求委任郭崇韬为蜀地的统帅，心中就已不满。现在又听了向延嗣的这一番话，不能不起疑心。唐庄宗查阅蜀国府库的清册，说："人们都说蜀中的珍宝财货不计其数，为什么这上面登录的却是这么少呢？"向延嗣说："臣听说蜀国被攻破之后，那里的珍宝财货都落到了郭崇韬父子的手中。郭崇韬就有黄金一万两、白银四十万两、钱币百万缗、名贵的马上千匹，其他东西的价值也与此相当。郭廷诲所攫取的还在这些数目之外。所以皇上得到的就不多了。"唐庄宗听后，脸上显出了愤怒的神色。到了孟知祥要到成都赴任的时候，唐庄宗对他说："听说郭崇韬有叛离之心，你到了那里之后，替朕把他杀了。"孟知祥说："郭崇韬是国家有功勋的老臣，不会出现这种情况。等臣到蜀地后仔细观察，如果他没有别的心思，就送他回来。"唐庄宗同意了他的做法。

闰十二月二十四日壬子，孟知祥从洛阳出发。唐庄宗不久又派衣甲库使马彦珪快速赶往成都观察郭崇韬的动向，如果他能遵奉诏令班师回朝就算了，如果有拖延或专横跋扈的状况，就与李继岌一道设法对付他。马彦珪又去见刘皇后，劝她说："臣见向延嗣说蜀中的情势早晚之间就会有可忧虑的事发生，如今皇上当断不断。事情的成败已到了极其紧迫的时候，怎么能够在事情危急之时在三千里之外再来请示呢！"皇后又把这些告诉了唐庄宗，唐庄宗说："这些都是辗转听到的话，不辨真假，怎么可以立即果断决定呢！"皇后的目的未能达到，退下来之后，她就自己给李继岌写了个教令，命令他杀掉郭崇韬。孟知祥走到石壕，马彦珪在夜间敲开他的门宣读了皇帝诏书，催促他赶快赴任。孟知祥私下叹息说："祸乱就要发生了！"于是日夜兼程，赶赴成都。

当初，楚王马殷取得湖南以后，不向商贩征税，从此四面八方的商贩都聚集到湖南。湖南当地盛产铅、铁，马殷采纳军都判官高郁所提出的办法，用铅和铁铸成钱。商贩们一离开楚境，这种钱币没有地方可以使用，于是他们都用这些钱再买其他的货物带走。所以楚国就能够用国内多余的物品交易到天下的百货，国家因此而富裕起来。湖南的百姓原来都不种桑养蚕，高郁就下令百姓在交税的时候都要用绢帛来代替钱。不久，民间的缫丝织绢大为兴盛起来。

吴越王钱镠派使者沈瑫给吴国送来一封国书，把接受玉册、被封为吴越国王的事情告知吴国。吴国人因他的国名与自己国家的名字有部分相同，不接受国书，并让沈瑫回去。仍旧在边境警戒，不许吴越国的使者和商贩通行。

【段旨】

以上为第五段，写郭崇韬遭同僚、宦官妒忌，又为刘皇后所短，唐庄宗起了杀心。又写楚王马殷用轻重之法使国富饶。

【注释】

⑯淹留：逗留；滞留。⑯郊迎：到郊外迎接。⑯倨：傲慢。⑯拥徒：带着随从人员。⑰狎饮：亲热地喝酒。⑰善自为谋：很好地为自己打算。⑰王：指魏王李继岌。⑰委骨何地：将骨头丢在什么地方。⑰籍：籍没清册。⑰微：少。⑰珍货：珍宝；财富。⑰他物称是：其他财物也与此相当。⑰县官：天子；皇帝。⑰怒形于色：愤怒之情表现在脸上。⑱异志：反叛之心。⑱勋旧：有大功的老臣。⑱苟无他志：如果没有谋反的思想。⑱壬子：闰十二月二十四日。⑱衣甲库使：宫内诸司之一，掌衣甲。⑱观：察

【原文】

明宗[205]圣德和武钦孝皇帝上之上

天成[206]元年（丙戌，公元九二六年）

春，正月庚申[207]，魏王继岌遣李继曮、李严部送[208]王衍及其宗族百官数千人诣洛阳。

河中节度使、尚书令李继麟[209]自恃与帝故旧且有功，帝待之厚，苦诸伶宦求丐无厌[210]，遂拒不与。大军之征蜀也，继麟阅兵[211]，遣其子令德将之以从[212]。景进与宦官谮[213]之曰："继麟闻大军起，以为讨己，故惊惧，阅兵自卫。"又曰："崇韬所以敢倔强[214]于蜀者，与河中阴谋[215]内外相应故也。"继麟闻之惧，欲身入朝以自明[216]。其所亲止之，继麟曰："郭侍中[217]功高于我。今事势将危，吾得见主上，面陈至诚[218]，则谗人[219]获罪矣。"癸亥[220]，继麟入朝。

魏王继岌将发[221]成都，令任圜权知留事，以俟孟知祥。诸军部署已定，是日，马彦珪至，以皇后教示继岌。继岌曰："大军垂发[222]，彼无衅端[223]，安可为此负心[224]事！公辈勿复言。且主上无敕，独以皇

看。⑱去就：动向。⑱班师：回军。⑱迁延跋扈：故意延宕，不奉诏令，专横暴戾。⑱忧在朝夕：早晚之间就会有可忧虑的事情发生。⑲当断不断：遇事犹疑不决，不能当机立断。古语云："当断不断，反受其乱。"或云出自黄石公《三略》。⑲间不容发：形容形势紧迫。⑲遽尔：立即。⑲教：皇后的命令。⑲石壕：石壕村，在今河南三门峡市陕州区。⑲赴镇：到成都去。⑲作：兴起；发生。⑲不征商旅：不向商人收税。⑲商旅辐凑：商人或货物聚集在一起。凑，通"辏"。⑲军都判官：官名，主谋议，位在行军司马之上。⑳高郁（？至公元九二九年）：扬州人，明敏多算，为马殷谋士。传见《十国春秋》卷七十二。⑳富饶：富足。⑳帛：丝织品。⑳机杼：指缫丝织绸。⑳戒：警戒。

【校记】

［6］主上：原无"主"字。据章钰校，十二行本、乙十一行本皆有"主"字，今据补。

【语译】

明宗圣德和武钦孝皇帝上之上

天成元年（丙戌，公元九二六年）

春，正月初三日庚申，魏王李继岌派李继曮、李严带领人马押送王衍及其宗族、百官数千人前往洛阳。

河中节度使、尚书令李继麟仗着自己与唐庄宗是老相识并且建有功劳，唐庄宗待他很好，他苦于那些伶人、宦官贪求无厌，最后干脆就拒绝不给他们。唐朝大军征伐蜀国的时候，李继麟也检阅军队，准备派他的儿子李令德率军随同出征。伶人景进与宦官们就诬陷他说："李继麟听说朝廷出动大军，以为是来讨伐他的，所以感到惊恐，于是检阅军队准备顽抗。"又说："郭崇韬之所以敢在蜀中态度强硬，就是因为与河中节度使暗中密谋内外相互呼应。"李继麟听到这些话后心生恐惧，准备亲自到朝廷上去表明自己的心迹。亲信们都阻止他，李继麟说："郭崇韬侍中的功劳比我高。如今情势危急，我如果能见到皇上，当面表明我对他的极端忠诚，那么诬陷我的人就会受到惩罚。"正月初六日癸亥，李继麟入京朝见。

魏王李继岌即将从成都出发，他命令任圜暂时代理留守事务，等待孟知祥的到来。各路军队的安排都已确定了，就在这一天，马彦珪到了，他把皇后的教令拿给李继岌看。李继岌说："大军即将出发，郭崇韬他也没有什么异常的迹象，我怎么能够做这种违背良心的事呢！你们不要再说了。况且皇上也没有诏书，只凭皇后的

后教杀招讨使，可乎？”李从袭等泣曰：“既有此迹，万一崇韬闻之，中涂㉕为变，益不可救矣。”相与巧陈利害，继岌不得已从之。甲子㉖旦，从袭以继岌之命召崇韬计事，继岌登楼避之。崇韬方升阶㉗，继岌从者李环挝碎其首㉘，并杀其子廷诲、廷信。外人犹未之知。都统推官饶阳㉙[7]李崧㉚谓继岌曰：“今行军三千里外，初无敕旨，擅杀大将，大王奈何行此危事㉛！独不能忍之至洛阳邪？”继岌曰：“公言是也，悔之无及。”崧乃召书吏数人，登楼去梯，矫为敕书㉜，用蜡印㉝宣之，军中粗定。崇韬左右皆窜匿㉞，独掌书记滏阳张砺㉟诣魏王府恸哭久之。继岌命任圜代崇韬总军政。

【段旨】

以上为第六段，写李继岌矫诏杀郭崇韬。

【注释】

⑳⑤明宗（公元八六七至九三三年）：应州（今山西应县）人，小名邈佶烈，李克用养子，赐名李嗣源，即位后改名亶。在灭梁战斗中，功劳卓著，为蕃汉总管、镇州节度使。公元九二六年即帝位，公元九二六至九三三年在位。《旧五代史》卷三十五至卷四十四《明宗纪》详载其事。⑳⑥天成：明宗第一个年号。是年四月方改元。⑳⑦庚申：正月初三日。⑳⑧部送：押送。⑳⑨李继麟：即朱友谦。㉑⓪求丐无厌：索要财物没完没了；贪求无厌。㉑①阅兵：检阅士兵。㉑②将之以从：带领河中兵随从征蜀。㉑③谮：诬陷；背后说坏话。㉑④倔强：强硬。㉑⑤阴谋：暗中谋划。㉑⑥自明：自己表明心迹。㉑⑦郭侍中：指郭崇韬。㉑⑧面陈至诚：当面陈述极度忠诚之心。㉑⑨谗人：挑拨离间、搬弄是非的人。㉒⓪癸亥：正月初六日。㉒①发：出发。㉒②垂发：即将出发。㉒③衅端：谋反的苗头、迹象。㉒④负心：

【原文】

魏王通谒李廷安献蜀乐工二百余人，有严旭者，王衍用为蓬州刺史。帝问曰：“汝何以得刺史？”对曰：“以歌。”帝使歌而善之，许复故任㊱。

教令就杀了招讨使，这怎么行呢？”李从袭等人哭着劝他说：“已经有了这么一回事，万一郭崇韬知道了，半路上发生变故，那就更加不可收拾了。”于是这帮人一起花言巧语陈说利害，李继岌不得已，只好听从了他们的意见。正月初七日甲子早晨，李从袭以李继岌的命令召郭崇韬前来议事，而李继岌却上楼回避。郭崇韬刚登上台阶，李继岌的侍从李环就乘机击碎了他的脑袋，还一并杀了他的儿子郭廷诲、郭廷信。外面的人还不知道这件事。都统推官饶阳人李崧对李继岌说：“如今在三千里之外行军，原本就没有皇帝的诏书，而擅自杀了大将，大王怎么能做出这等危险的事情！难道就不能忍一忍到洛阳再说吗？”李继岌说：“你说得对，我后悔也来不及了。”于是李崧召集了几个书吏，让他们上楼，然后抽去梯子，在楼上伪造诏书，又用蜡摹刻了个印章盖上，然后再向外面宣布，这样军中才大致安定了下来。郭崇韬身边的人都逃跑躲藏了起来，只有掌书记滏阳人张砺前往魏王府去为郭崇韬痛哭了很久。李继岌任命任圜代替郭崇韬总管军政事务。

违背良心。㉕ 中涂：半路上。㉖ 甲子：正月初七日。㉗ 升阶：登上台阶。㉘ 挝碎其首：打碎了郭崇韬的头。挝，击、打。㉙ 饶阳：今河北饶阳。㉚ 李崧（？至公元九四七年）：官至后晋枢密使，被掳入契丹，返回后汉任太子太傅，被苏逢吉诬杀。传见《旧五代史》卷一百八、《辽史》卷七十六。㉛ 危事：危险的事。㉜ 矫为敕书：假造皇帝敕书。㉝ 蜡印：用蜡摹刻中书省印，盖在敕书上作副署。㉞ 窜匿：逃跑躲藏。㉟ 张砺（？至公元九四七年）：字梦臣，磁州滏阳（今河北磁县）人，幼嗜学，有文藻，官至后晋吏部尚书。传见《旧五代史》卷九十八。

【校记】

［7］饶阳：原作“滏阳”。据章钰校，十二行本、乙十一行本皆作“饶阳”，张敦仁《通鉴刊本识误》同，今据改。

【语译】

魏王的通谒官李廷安献上蜀国的乐工二百多人，其中有个名叫严旭的人，王衍曾经任命他为蓬州刺史，唐庄宗问他说：“你凭什么得到刺史这一职位的？”他回答说：“凭唱歌。”唐庄宗就让他唱歌，觉得还真不错，就答应恢复他过去的官职。

戊辰[237]，孟知祥至成都。时新杀郭崇韬，人情未安，知祥慰抚吏民，犒赐将卒，去留帖然[238]。

闽人破陈本，斩之。

契丹主击女真[239]及勃海，恐唐乘虚袭之。戊寅[240]，遣梅老鞋里[241]来修好。

马彦珪还洛阳，乃下诏暴[242]郭崇韬之罪，并杀其子廷说、廷让、廷议。于是朝野骇惋[243]，群议纷然，帝使宦官[8]潜察之。保大节度使睦王存乂，崇韬之婿也。宦官欲尽去崇韬之党，言存乂对诸将攘臂[244]垂泣，为崇韬称冤，言辞怨望。庚辰[245]，幽存乂于第，寻[246]杀之。

景进言："河中人有告变[247]，言李继麟与郭崇韬谋反。崇韬死，又与存乂连谋。"宦官因共劝帝速除之，帝乃徙继麟为义成节度使。是夜，遣蕃汉马步使朱守殷以兵围其第，驱继麟出徽安门[248]外杀之，复其姓名曰朱友谦。友谦二子，令德为武信节度使，令锡为忠武节度使。诏魏王继岌诛令德于遂州，郑州刺史王思同[249]诛令锡于许州，河阳节度使李绍奇诛其家人[250]于河中。绍奇至其家，友谦妻张氏帅[251]家人二百余口见绍奇曰："朱氏宗族当死，愿无滥及平人[252]。"乃别[253]其婢仆百人，以其族百口就刑。张氏又取铁券以示绍奇曰："此皇帝去年所赐也，我妇人，不识书，不知其何等语也。"绍奇亦为之惭。友谦旧将史武等七人，时为刺史，皆坐[254]族诛。

时洛中诸军饥窘[255]，妄为谣言。伶官采[256]之以闻于帝，故郭崇韬、朱友谦[9]皆及于祸。成德节度使兼中书令李嗣源亦为谣言所属[257]，帝遣朱守殷察[258]之。守殷私谓嗣源曰："令公勋业振[259]主，宜自图归藩[260]以远祸。"嗣源曰："吾心不负天地。祸福之来，无所可避，皆委之于命耳。"时伶宦用事，勋旧人不自保。嗣源危殆者数四[261]，赖宣徽使李绍宏左右营护[262]，以是得全。

魏王继岌留马步都指挥使陈留李仁罕[263]、马军都指挥使东光潘仁嗣[264]、左厢都指挥使赵廷隐[265]、右厢都指挥使浚仪张业、牙内指挥使文水武漳、骁锐指挥使平恩李延厚[266]戍成都。甲申[267]，继岌发成都，命李绍琛帅万二千人为后军，行止常差[268]中军一舍[269]。

正月十一日戊辰，孟知祥到达成都。当时因为刚杀了郭崇韬，人们的情绪还没有安定下来，孟知祥慰问安抚官民，犒劳奖励将士，所以班师的或留守的人都能平静无事。

闽人打败陈本，并斩杀了他。

契丹主进攻女真和勃海国，担心唐乘虚偷袭。二十一日戊寅，派使者梅老鞋里前来交好。

马彦珪回到洛阳，唐庄宗下诏公布郭崇韬的罪状，并且杀了他另外几个儿子——郭廷说、郭廷让、郭廷议。于是朝野人士都惊骇惋惜，议论纷纷，唐庄宗派宦官暗中观察。保大节度使睦王李存乂，是郭崇韬的女婿。宦官们想把郭崇韬的党羽全部清除掉，就向唐庄宗报告，说李存乂对着将领们捋袖挥臂，声泪俱下，为郭崇韬喊冤，言辞中流露出怨恨之情。正月二十三日庚辰，唐庄宗下令把李存乂幽禁在家中，不久就把他杀了。

景进报告说："河中地区有人来报告那里发生变乱，说李继麟和郭崇韬谋反。郭崇韬死了之后，他又和李存乂勾结密谋。"宦官们乘机一起劝唐庄宗尽快把李继麟除掉，唐庄宗于是把李继麟改任为义成节度使。这天夜里，派遣蕃汉马步使朱守殷率兵包围李继麟的住所，把李继麟赶出徽安门外杀了，恢复他原来的姓名朱友谦。朱友谦有两个儿子，朱令德担任武信节度使，朱令锡担任忠武节度使。唐庄宗下诏让魏王李继岌在遂州杀掉朱令德，让郑州刺史王思同在许州杀掉朱令锡，让河阳节度使李绍奇在河中把朱友谦的家里人杀掉。李绍奇来到朱友谦的家中，朱友谦的妻子张氏带领二百多口家里人出来见李绍奇，对他说："朱氏的宗族该有一死，希望不要滥杀其他平民。"于是把家中的婢女、奴仆挑出来一百人，而带着她家里的百名族人就刑。张氏又拿出皇帝颁赐的可享受豁免的铁券给李绍奇看，说道："这是去年皇帝赏赐给我们家的，我一个妇道人家，不认得字，不知这上面写的是什么话。"李绍奇也为之感到惭愧。朱友谦的旧将史武等七人，当时都担任刺史，也都被连坐而诛杀全族。

当时洛中地区各支军队因饥饿而处境困窘，于是乱造谣言。伶官们把这些谣言搜集起来报告唐庄宗，所以郭崇韬、朱友谦都由此遭祸。成德节度使兼中书令李嗣源也被谣言所牵连，唐庄宗派朱守殷前去侦察。朱守殷私下里对李嗣源说："令公您功高震主，应该考虑回到所封的地方去，以远离灾祸。"李嗣源说："我的良心对得起天地。祸福真要来的话，我也无处可避，一切都听从命运的安排而已。"当时是伶人、宦官掌权，功臣和旧将人人都无法自保。李嗣源也多次处境十分危险，多亏宣徽使李绍宏的周旋保护，因此得以保全。

魏王李继岌留下马步都指挥使陈留人李仁罕、马军都指挥使东光人潘仁嗣、左厢都指挥使赵廷隐、右厢都指挥使浚仪人张业、牙内指挥使文水人武漳、骁锐指挥使平恩人李延厚戍守成都。正月二十七日甲申，李继岌从成都出发，命令李绍琛率领一万二千人为后军，行军和营宿经常与中军保持三十里的距离。

【段旨】

以上为第七段，写唐庄宗族灭郭崇韬，祸及朱友谦，亦满门被诛。

【注释】

㉓⑥故任：指原官蓬州刺史。㉓⑦戊辰：正月十一日。㉓⑧帖然：安然；平静。㉓⑨女真：我国古代居住在东北的少数民族。一名女直。初名肃慎，东汉时称挹娄，元魏时称勿吉，隋唐称靺鞨，五代时始号女真，其完颜部阿骨打建立金政权（公元一一一五至一二三四年）。曾于公元一一二六年灭亡北宋，公元一二三四年为蒙古所灭。㉔⓪戊寅：正月二十一日。㉔①梅老鞋里：人名，契丹出使后唐的使者。㉔②暴：暴露；公布。㉔③朝野骇惋：全国惊骇和惋惜。㉔④攘臂：捋袖伸臂，发怒的样子。㉔⑤庚辰：正月二十三日。㉔⑥寻：不久。㉔⑦告变：报告谋反。㉔⑧徽安门：洛阳北面二门，东为延喜门，西为徽安门。㉔⑨王思同（公元八九二至九三四年）：幽州（今北京）人，性疏俊，粗有文，自称蓟门战客。官至西京留守。传见《旧五代史》卷六十五、《新五代史》卷三十三。㉕⓪家人：指朱友谦家

【原文】

二月己丑朔[270]，以宣徽南院使李绍宏为枢密使。

魏博指挥使杨仁晸将所部兵戍瓦桥[271]，逾年代归[272]，至贝州。以邺都空虚，恐兵至为变，敕留屯贝州。时天下莫知郭崇韬之罪，民间讹言[273]云：“崇韬杀继岌，自王于蜀，故族其家。”朱友谦子建徽为澶州刺史，帝密敕邺都监军史彦琼杀之。门者[274]白留守王正言曰：“史武德[275]夜半驰马出城，不言何往[276]。”又[10]讹言云：“皇后以继岌之死归咎于帝[277]，已弑帝矣，故急召彦琼计事[278]。”人情愈骇[279]。

杨仁晸部兵皇甫晖[280]与其徒夜博[281]不胜，因人情不安，遂作乱。劫[282]仁晸曰：“主上所以有天下者[11]，吾魏军力也。魏军甲不去体、马不解鞍者十余年，今天下已定，天子不念旧劳，更加猜忌。远戍逾年，方喜代归，去家咫尺[283]，不使相见。今闻皇后弑逆，京师已乱，将士愿与公俱归，仍表闻朝廷。若天子万福[284]，兴兵致讨，以吾魏博兵力

里的人。㉑帅：率领。㉒滥及平人：滥杀涉及一般人。平人，此指非朱氏家族的仆、婢等。㉓别：区分；区别。㉔坐：连坐。㉕饥窘：因饥饿而困窘。㉖采：这里指搜集各种谣言。㉗属：牵连。㉘察：侦察。㉙振：通“震”。震惊。㉚归藩：指交出兵权，回所封之地。㉛数四：多次。㉜营护：营救、保护。㉝李仁罕（？至公元九三四年）：字德美，陈留（今河南开封东南）人，佐孟知祥定蜀有功，官至卫圣诸军马步军指挥使，居功自恣，为孟昶所杀。传见《十国春秋》卷五十一。㉞潘仁嗣：河北东光县人，官至后蜀武定军节度使。传见《十国春秋》卷五十一。㉟赵廷隐：与下文之张业、武漳，均见《十国春秋》卷五十一。㊱李延厚：官至后蜀果州刺史。事附《十国春秋》卷四十九《后蜀二·本纪》。㊲甲申：正月二十七日。㊳差：距离。㊴一舍：三十里。大军一日之程。

【校记】

［8］宦官：原作“宦者”。据章钰校，十二行本、乙十一行本皆作“宦官”，今据改。下同。［9］郭崇韬、朱友谦：原作“朱友谦郭崇韬”。据章钰校，十二行本、乙十一行本二人姓名皆互乙，今据改。

【语译】

二月己丑朔，唐庄宗任命宣徽南院使李绍宏为枢密使。

魏博指挥使杨仁晸率领他部下的士兵戍守瓦桥关，过了一年之后轮换回来，走到贝州。朝廷认为邺都空虚，担心他的军队到达后发生变乱，所以命令他们留下来屯驻贝州。当时天下人都还不知道郭崇韬的罪状，民间谣传说：“郭崇韬杀了李继岌，自己在蜀中称王，所以才杀了他的全家。”朱友谦的儿子朱建徽当时担任澶州刺史，唐庄宗秘密下诏命令邺都监军史彦琼把他杀掉。看守城门的人向邺都留守王正言报告说：“史彦琼半夜里骑马出了城门，也不说到什么地方去。”又有谣传说：“皇后把李继岌的死归罪于唐庄宗，已经把唐庄宗杀了，所以急着召史彦琼去商量事情。”人心惶惶，感到更加害怕。

杨仁晸的部属皇甫晖夜里和他那一伙人在一起赌博，输了钱，于是利用人心不安，乘机发动叛乱。他劫持了杨仁晸，对他说：“皇上所以能拥有天下，靠的是我们魏州兵的力量。我们魏州兵身不解甲、马不解鞍十多年，如今天下已经平定，天子不体念我们过去的功劳，反而对我们更加猜忌。我们到远方戍守已有一年多时间，刚因为期满可以轮换回家而心怀喜悦，谁想到离家不过咫尺，却不让我们和家人相见。如今听说皇后谋杀了皇上，京师已乱，将士们希望和您一起回去，我们仍然向朝廷上表报告。如果天子健在，兴兵讨伐我们，以我们魏博的兵力是足以抵御他们

足以拒之，安知不更为富贵之资[285]乎!”仁晸不从，晖杀之。又劫小校，不从，又杀之。效节指挥使[286]赵在礼[287]闻乱，衣不及带，逾垣而走。晖追及，曳其足而下之，示以二首[288]，在礼惧而从之。乱兵遂奉以为帅，焚掠贝州。晖，魏州人。在礼，涿州人也。诘旦，晖等拥在礼南趣临清、永济、馆陶，所过剽掠[289]。

壬辰[290]晚，有自贝州来告军乱将犯邺都者。都巡检使[291]孙铎等亟诣史彦琼，请授甲乘城为备。彦琼疑铎等有异志，曰:“告者云今日贼至临清，计程须六日晚方至[292]，为备未晚。”孙铎曰:“贼既作乱，必乘吾未备，昼夜倍道，安肯计程而行！请仆射[293]帅众乘城，铎募劲兵千人伏于王莽河逆击之。贼既势挫，必当离散，然后可扑灭[12]也。必俟其至城下，万一有奸人[294]为内应，则事危矣。”彦琼曰:“但严兵守城，何必逆战[295]!”是夜，贼前锋攻北门，弓弩乱发。时彦琼将部兵宿北门楼，闻贼呼声，实时惊溃[296]。彦琼单骑奔洛阳。癸巳[297]，贼入邺都，孙铎等拒战不胜，亡去。赵在礼据宫城[298]，署皇甫晖及军校赵进为马步都指挥使，纵兵大掠。进，定州人也。

王正言方据案[299]召吏草奏，无至者，正言怒，其家人曰:“贼已入城，杀掠于市，吏皆逃散，公尚谁呼[300]!”正言惊曰:“吾初不知也。”又索马，不能得，乃帅僚佐步出府门谒在礼，再拜请罪。在礼亦拜，曰:“士卒思归耳，尚书[301]重德，勿自卑屈[302]!”慰谕[303]遣之。众推在礼为魏博留后，具奏其状。北京留守张宪家在邺都，在礼厚抚之，遣使以书诱宪，宪不发封[304]，斩其使以闻。

甲午[305]，以景进为银青光禄大夫[306]、检校[307]右散骑常侍兼御史大夫、上柱国。

丙申[308]，史彦琼至洛阳。帝问可为大将者于枢密使李绍宏，绍宏复请用李绍钦，帝许之，令条上方略[309]。绍钦所请偏裨[310]，皆梁旧将，己所善者[311]，帝疑之而止。皇后曰:“此小事，不足烦大将，绍荣[312]可办

的，怎么知道这不是进一步博取富贵的资本呢！”杨仁晸没有听从他，他就把杨仁晸杀了。他又劫持了一个小校官，小校官也不肯听从他，他又把小校官杀了。效节指挥使赵在礼听到发生了叛乱，连衣服的带子都来不及系上，翻墙逃走。皇甫晖追上了他，拉住他的脚把他从墙上拉了下来，把杨仁晸和那个小校官的首级拿给他看，赵在礼感到害怕，只好依从了他。乱兵们于是尊奉赵在礼为主帅，在贝州烧杀抢劫。皇甫晖是魏州人。赵在礼是涿州人。第二天一早，皇甫晖等人簇拥着赵在礼向南直奔临清、永济、馆陶等地，所过之处都大肆抢劫。

二月初五日壬辰夜晚，有人从贝州跑来报告那里的军队发生了叛乱，即将进犯邺都。都巡检使孙铎等人急忙跑去见史彦琼，请求他发给武器以登城防备。史彦琼怀疑孙铎等人有异心，说：“来报告的人说今天乱贼到了临清，按照里程计算要六天后的晚上才到这里，到时再防备也不晚。”孙铎说：“乱贼既然反叛，一定会利用我们没做防备的时候偷袭，他们日夜兼程，怎么肯按照平日计算的行程赶路呢！请仆射率领大家登城防守，我另行招募一千名精兵埋伏在王莽河畔迎击他们。乱贼的进攻势头遭到挫折后，一定会四处逃散，然后就可以把他们全部消灭。如果一定要等他们来到城下才进行抵抗，万一有奸人做他们的内应，那么事情就危险了。”史彦琼说：“只要部署兵马守城就可以了，何必要出去迎战！”当天夜里，乱贼的前锋攻打邺都北门，弓箭乱发。当时史彦琼正带着部下兵士睡在北门楼上，听到乱贼的呼喊声，立刻就吓得四处溃散。史彦琼一人骑马逃奔洛阳去了。初六日癸巳，乱贼进入邺都，孙铎等人奋力抵抗，不能取胜，也只好逃走了。赵在礼占据了宫城，委任皇甫晖和军校赵进为马步都指挥使，放纵士卒大肆抢劫。赵进是定州人。

王正言正伏案召唤小吏来准备草拟奏章，却没有一个小吏进来，王正言十分生气，他的家人告诉他：“乱贼已经入城，在街市上又杀又抢，官吏们都四处逃散了，您还叫谁呀！”王正言惊讶地说：“我根本不知道这回事。”又要备马，马也没找到，于是带着他的属官步行走出府门去谒见赵在礼，向赵在礼再拜请罪，赵在礼也回拜了他，说：“士卒们不过是想回家罢了，尚书您德高望重，切勿自己卑躬屈节！”对他抚慰劝谕了一番之后把他送走了。众人推举赵在礼为魏博留后，并把情况详细地上奏给唐庄宗。北京留守张宪的家在邺都，赵在礼对他的家人厚加抚慰，派使者送信去引诱张宪，张宪没有拆信，把来使杀了，然后向唐庄宗报告。

二月初七日甲午，任命景进为银青光禄大夫、检校右散骑常侍兼御史大夫、上柱国。

初九日丙申，史彦琼到达洛阳。唐庄宗向枢密使李绍宏询问谁可以担任大将，李绍宏再次请求起用李绍钦，唐庄宗答应了，让他呈一份详细的计划上来。李绍钦所提出的副将人选，都是当年梁朝的旧将，也是跟他关系好的人，唐庄宗对此起了疑心，这事也就作罢了。皇后说：“这是小事，不必麻烦大将，李绍荣就可以办好。”

也。”帝乃命归德节度使李绍荣将骑三千诣邺都[13]招抚㉛，亦征诸道兵，备其不服。

【段旨】

以上为第八段，写唐庄宗之猜疑逼反魏州戍兵。

【注释】

⑳己丑朔：误。二月戊子朔，己丑，二月初二日。㉑瓦桥：瓦桥关，在今河北雄县。㉒代归：期满轮换回来。㉓讹言：谣言。㉔门者：守门人。㉕史武德：即史彦琼。因史彦琼以武德出为邺都监军，故称之。㉖不言何往：不说到什么地方去。㉗帝：指庄宗李存勖。㉘计事：商议事情。㉙愈骇：愈加惊惶害怕。㉚皇甫晖（？至公元九五六年）：为乱贝州，劫主将杨仁晸，仁晸不从而杀之，又劫赵在礼而据邺都。李嗣源受命抚乱，入魏而与赵在礼合谋夺取帝位。皇甫晖以拥戴功诏拜陈州刺史。传见《新五代史》卷四十九。㉛博：赌博。㉜劫：用武力劫持、要挟。㉝咫尺：比喻距离很近。㉞万福：多福。此指健在。㉟资：资本。㊱效节指挥使：魏博牙兵指挥官。㊲赵在礼（公元八八二至九四七年）：字干臣，涿州（今河北涿州）人，后唐庄宗同光四年二月六日，自称邺都留后，明宗讨之，迎之入城。后官至后晋晋昌军节度使，封秦国公。传见《旧五代史》卷九十、《新五代史》卷四十六。㊳二首：杨仁晸和小校之头。㊴剽掠：抢劫。㊵壬辰：二月初五日。㊶都巡检使：官名，掌统辖禁兵、士兵维持地方治安。㊷计程须六日

【原文】

郭崇韬之死也，李绍琛谓董璋曰：“公复欲呫嗫谁门㉜乎？”璋惧，谢罪。魏王继岌军还至武连㉟，遇敕使㊱，谕以朱友谦已伏诛，令董璋将兵之遂州诛朱令德。时绍琛将后军在魏城㊲，闻之，以帝不委己杀令德而委璋，大惊。俄而㊳璋过绍琛军，不谒㊴。绍琛怒，乘酒谓诸将曰：“国家南取大梁，西定巴、蜀，皆郭公之谋而吾之战功也。至于去逆效顺㊵，与国家犄角㊶[14]以破梁，则朱公也。今朱、郭皆无罪族灭，

于是唐庄宗命令归德节度使李绍荣率领三千名骑兵前往邺都去招抚赵在礼等，同时也征调了各道兵马，以防备乱兵不肯归服。

晚方至：按照里程计算，叛军须六日晚才能抵达这里。据《九域志》，临清南至魏州一百五十里，需三日路程，壬辰晚即二月初四晚至六日晚为三日，孙铎报告在甲午初五日。〖按〗此处所记之日期与他处有矛盾，疑有误。㉓仆射：指史彦琼，因史彦琼加仆射衔，故称之。㉔奸人：坏人。㉕逆战：迎战。㉖实时惊溃：立即惊惧而溃散。㉗癸巳：二月初六日。㉘宫城：后唐庄宗在魏州即位，以牙城为宫城。㉙据案：伏在桌上。㉚公尚谁呼：您还叫谁。㉛尚书：指王正言。因王正言以户部尚书出知留守。㉜勿自卑屈：切勿自己卑躬屈节。㉝慰谕：抚慰和劝谕。㉞不发封：不拆阅赵在礼送去的文书。㉟甲午：二月初七日。㊱银青光禄大夫：文散官阶品名，从三品。㊲检校：唐制，在名义上不授此官而实际上让其管理政事，相沿成俗，成为一种常见的任官方式。㊳丙申：二月初九日。㊴条上方略：上报作战方案。㊵偏裨：副将。㊶己所善者：自己所要好的。㊷绍荣：即元行钦。㊸招抚：招收安抚。

【校记】

[10]又：严衍《通鉴补》改作“因”。[11]者：原无此字。据章钰校，十二行本、乙十一行本皆有此字，今据补。[12]扑灭：原作“扑讨”。张敦仁《通鉴刊本识误》云：“‘讨’作‘灭’。”贼既离散，则“扑灭”于义较长，今据改。[13]邺都：原无“都”字。据章钰校，十二行本、乙十一行本皆有“都”字，今据补。

【语译】

郭崇韬死了之后，李绍琛对董璋说：“您又想到谁家门上去窃窃私语呀？”董璋害怕了，赶忙赔罪。魏王李继岌班师走到武连时，遇到了宣诏的使者，告诉他们朱友谦已被诛杀，命令董璋率军前往遂州诛杀朱令德。当时李绍琛正率领后军在魏城，听到这件事后，觉得唐庄宗不委任自己去杀朱令德而委任董璋，十分惊讶。不一会儿，董璋率军经过李绍琛的后军，却没有前来拜见。李绍琛大为恼怒，他借着酒劲对众将说：“国家向南攻取大梁，向西平定巴、蜀，全靠郭公的谋划和我的战功。至于离开违逆天命者，为顺应天命者效力，和皇上互为掎角之势而攻破梁朝的，则是朱公。如今朱、郭二公都是无罪而被诛灭全族，我回朝之后，只怕很快就要轮到我

归朝之后，行及㉒我矣。冤哉，天乎！奈何！”绍琛所将多河中兵，河中将焦武等号哭于军门曰：“西平王㉓何罪，阖门屠脍㉔！我辈㉕[15]归则与史武等同诛，决不复东矣。”是日，魏王继岌至泥溪㉖。绍琛至剑州，遣人白继岌云：“河中将士号哭不止，欲为乱。”丁酉㉗，绍琛自剑州拥兵西还，自称西川节度、三川制置等使。移檄成都，称奉诏㉘代孟知祥招谕蜀人。三日间，众至五万。

戊戌㉙，李继曮至凤翔，监军使柴重厚不以符印㉚与之，促令诣阙㉛。

己亥㉜，魏王继岌至利州㉝，李绍琛遣人断桔柏津㉞。继岌闻之，以任圜为副招讨使，将步骑七千，与都指挥使梁汉颙、监军李延安追讨之。

庚子㉟，邢州左右步直兵㊱赵太等四百人据城自称安国㊲留后。诏东北面招讨副使李绍真㊳讨之。

辛丑㊴，任圜先令别将何建崇击剑门关㊵，下之。

【段旨】

以上为第九段，写西征兵李绍琛反于绵州，自称西川节度、三川制置使。河北赵太反于邢州，自称安国留后。

【注释】

⑭呫嗫谁门：到谁的门上去窃窃私语。指董璋又要投靠谁。呫嗫，轻语。⑮武连：县名，县治在今四川剑阁。⑯敕使：皇帝的使者。⑰魏城：地名，在今四川绵阳东北。⑱俄而：不久，指时间短暂。⑲不谒：不拜见。⑳去逆效顺：离开违逆天命者，为顺应天命者效劳。指朱友谦以蒲州、同州弃梁归晋。㉑犄角：互相支援。㉒行及：即将涉及。㉓西平王：指朱友谦。后唐封其为西平王。㉔阖门屠脍：满门遭斩杀。㉕我辈：我们。㉖泥溪：地名，在四川宜宾市叙州区。㉗丁酉：二月初十日。㉘奉诏：奉皇帝的

了。真是冤啊，天哪！该怎么办啊！”李绍琛所统率的大多是原籍为河中军镇的士卒，河中将领焦武等人在军门口放声大哭，说：“西平王朱友谦有什么罪过，竟然满门遭斩杀！我们这些人如果回去就会和史武等人一样被诛杀，我们决定不再往东走了。”当天，魏王李继岌到达泥溪。李绍琛到达剑州，派人报告李继岌说：“河中的将士号哭不止，想要叛乱。”二月初十日丁酉，李绍琛从剑州率领部队西返，自称为西川节度、三川制置等使。又移送檄文到成都，声称奉皇帝之命替代孟知祥来招抚晓谕蜀中百姓。三天内，召集的民众就达五万。

二月十一日戊戌，李继曮到达凤翔，监军使柴重厚没有把符节、印信交给他，只是催促他赶快到朝廷去。

十二日己亥，魏王李继岌到达利州，李绍琛派人破坏了桔柏津渡口。李继岌听说此事，任命任圜为副招讨使，率领步兵、骑兵七千人，与都指挥使梁汉颙、监军李延安追击讨伐李绍琛。

十三日庚子，邢州左右步直兵赵太等四百人占据了邢州城，自称安国留后。唐庄宗下诏命令东北面招讨副使李绍真前去讨伐。

十四日辛丑，任圜先命令别将何建崇攻打剑门关，把它攻了下来。

诏令。㉙戊戌：二月十一日。㉚符印：指凤翔节度使的符节、印信。㉛诣阙：到朝廷去。㉜己亥：二月十二日。㉝利州：州名，在今四川广元。㉞桔柏津：渡口名，在今四川广元市元坝区昭化古城东北。㉟庚子：二月十三日。㊱步直兵：步兵长直者。㊲安国：方镇名，后唐置安国军于邢州。治所龙冈，在今河北邢台。㊳李绍真：即霍彦威。㊴辛丑：二月十四日。㊵剑门关：关名，在今四川剑阁东北。

【校记】

［14］掎角：原作“犄角”。据章钰校，十二行本、乙十一行本、孔天胤本皆作“掎角”，今据改。［15］我辈：原作“我属”。据章钰校，十二行本、乙十一行本、孔天胤本皆作“我辈”，熊罗宿《胡刻资治通鉴校字记》同，今据改。

【原文】

李绍荣至邺都，攻其南门，遣人以敕招谕之。赵在礼以羊酒犒师，拜于城上曰："将士思家擅归[341]，相公[342]诚善为敷奏[343]，得免于死，敢不自新[344]！"遂以敕遍谕军士。史彦琼戟手[345]大骂曰："群死贼，城破万段！"皇甫晖谓其众曰："观史武德之言，上不赦我矣。"因聚噪，掠[346]敕书，手坏之，守陴[347]拒战。绍荣攻之不利，以状闻。帝怒曰："克城之日，勿遗噍类[348]！"大发诸军讨之。壬寅[349]，绍荣退屯澶州。

甲辰夜[350]，从马直军士[351]王温等五人杀军使，谋作乱，擒斩之。从马直指挥使郭从谦[352]，本优人也，优名郭门高。帝与梁相拒于德胜，募勇士挑战，从谦应募，俘斩而还，由是益有宠。帝选诸军骁勇者为亲军，分置四指挥，号从马直。从谦自军使积功至指挥使。郭崇韬方用事，从谦以叔父事之，睦王存乂以从谦为假子。及崇韬、存乂得罪，从谦数以私财飨[353]从马直诸校，对之流涕，言崇韬之冤。及王温作乱，帝戏[354]之曰："汝既负我附崇韬、存乂，又教王温反，欲何为也？"从谦益惧。既退，阴谓诸校曰："主上以王温之故，俟邺都平定，尽坑[355]若曹。家之所有宜尽市酒肉[356]，勿为久计也。"由是亲军皆不自安[357]。

乙巳[358]，王衍至长安，有诏止之[359]。

先是，帝诸弟虽领节度使，皆留京师，但食其俸。戊申[360]，始命护国[361]节度使永王存霸赴[16]河中。

丁未[362]，李绍荣以诸道兵再攻邺都。庚戌[363]，裨将杨重霸帅众数百登城，后无继者，重霸等皆死。贼知不赦，坚守无降意。朝廷患之，日发中使[364]促魏王继岌东还。继岌以中军精兵皆从任圜讨李绍琛，留利州待之，未得还。

李绍荣讨赵在礼久无功，赵太据邢州未下。沧州军乱，小校王景戡讨定之，因自为留后。河朔[365]州县告乱者相继。帝欲自征邺都，宰相、枢密使皆言京师根本，车驾不可轻动。帝曰："诸将无可使者。"皆

【语译】

李绍荣率军到达邺都，攻打邺都南门，又派人用皇帝的敕书招抚晓谕他们。赵在礼送去羊、酒犒劳大军，自己在城上下拜说："将士们思念家人擅自回来，李相公如果能好言替我们陈奏，使我们能免于一死，我们怎敢不重新做人！"于是就把皇帝的敕书通告晓谕将士。史彦琼在城下指手画脚地大骂说："你们这一帮该死的乱贼，攻破城后把你们碎尸万段！"皇甫晖对大家说："从史武德这番话来看，皇上是不会赦免我们的了。"于是又聚众鼓噪，抢过敕书，亲手把它撕碎，然后守城抗击。李绍荣攻城不利，就把这些情况报告唐庄宗。唐庄宗得知后大怒说："城被攻下之日，一个活口也别留下！"又大举调集各路人马前去讨伐。二月十五日壬寅，李绍荣退军屯驻澶州。

十七日甲辰夜晚，从马直军士王温等五人杀死军使，阴谋作乱，被抓住斩首。从马直指挥使郭从谦，原本是个艺人，艺名叫郭门高。当年唐庄宗与梁军在德胜相持的时候，招募勇士向梁军挑战，郭从谦应募，并俘虏和斩杀了敌人回来，从此更加得宠。唐庄宗从各部队中挑选骁勇善战的士卒组成亲军，分别设置了四个指挥使，命名为从马直。郭从谦凭借不断累积的战功从军使一直升迁到指挥使。当郭崇韬正掌权之时，郭从谦把他当作叔父来侍奉，睦王李存乂也把郭从谦当作义子。到了郭崇韬、李存乂获罪被杀以后，郭从谦多次用自己的钱财宴请从马直的各位军校，对着他们痛哭流涕，诉说郭崇韬的冤情。到了王温作乱的时候，唐庄宗开玩笑地对他说："你既然辜负我去投靠郭崇韬、李存乂，又让王温谋反，你还想干什么呢？"郭从谦听后更加感到恐惧。从皇帝那儿回来后，他暗地里对各位军校说："皇上因为王温谋反的缘故，等邺都平定之后，会把你们全都坑杀。你们家里所有的钱财最好全都拿出来买酒买肉吃了，不要做什么长久打算了。"从此，这些亲军士卒们都感到惶恐不安。

二月十八日乙巳，王衍到达长安，唐庄宗下诏书让他留在那里。

此前，唐庄宗的各位兄弟虽然兼领节度使，但都留在京师，只是领取节度使的俸禄而已。二月二十一日戊申，唐庄宗才命令护国节度使永王李存霸到河中赴任。

二十日丁未，李绍荣率领各道兵马再次攻打邺都。二十三日庚戌，副将杨重霸率领数百名士卒登上城墙，因为后面的部队没有跟上，杨重霸等人全都战死了。乱兵们深知朝廷不会赦免他们，因此一直坚守，毫无投降之意。朝廷对此十分担忧，每天都派出宫中的使者前去催促魏王李继岌东返。李继岌因为中军的精锐部队都跟随任圜讨伐李绍琛去了，只得留在利州等待，一时还难以返回。

李绍荣讨伐赵在礼长久未见成效，赵太占据了邢州，唐军也没能把邢州攻下来。沧州的军队发生变乱，小校王景戡率兵把他们讨伐平定了，接着就自称留后。河朔地区的州县接连不断地有人来报告说发生了变乱。唐庄宗准备亲自率军征伐邺都，宰相和枢密使都说京师是国家的根本，皇帝车驾不能轻易出动。唐庄宗说："将领中

曰："李嗣源最为勋旧。"帝心忌嗣源，曰："吾惜嗣源，欲留宿卫㊱。"皆曰："他人无可者。"忠武节度使张全义亦言："河朔多事，久则患深，宜令总管㊲进讨。若倚绍荣辈，未见成功之期。"李绍宏亦屡言之，帝以内外所荐㊳，久乃许之[17]。甲寅㊴，命嗣源将亲军讨邺都。

【段旨】

以上为第十段，写李绍荣讨邺都久不建功，唐庄宗无奈之下任李嗣源将亲军讨邺都。

【注释】

㉞擅归：擅自回来。㉞相公：指李绍荣，因李绍荣以节度使同平章事，故称相公，即所谓使相。后世凡建节者皆称相公。㉞敷奏：详加论奏。㉞自新：重新做人。㉞戟手：指点或怒骂人时徒手屈肘如戟形。㉞掠：抢走。㉞陴：城墙上的女墙。㉞噍类：原指能饮食的动物。特指活着的人。㉞壬寅：二月十五日。㉟甲辰夜：二月十七日夜。㉟从马直军士：马军长直者。后唐庄宗亲军。㉟郭从谦：伶人，优名门高。曾拜郭崇韬为叔父，李存义养子。杀唐庄宗。传见《新五代史》卷三十七。㉟飨：宴请。㉟戏：嘲弄；开玩笑。㉟坑：坑杀；活埋。㉟市酒肉：买酒肉吃。㉟不自安：自己内心不安。㉟乙巳：二

【原文】

延州㊲言绥、银㊲军乱，剽㊲州城。

董璋将兵二万屯绵州，会任圜讨李绍琛。帝遣中使崔延琛至成都，遇绍琛军，给㊲之曰："吾奉诏召孟郎㊲，公若缓兵，自当得蜀。"既至成都，劝孟知祥为战守备。知祥浚壕树栅㊲，遣马步都指挥使李仁罕将四万人，骁锐指挥使李延厚将二千人讨绍琛。延厚集其众询之曰："有少壮勇锐，欲立功求富贵者东㊲！衰疾畏懦，厌行陈者西㊲！"得选兵七百人以㊲行。

是日，任圜军追及绍琛于汉州，绍琛出兵逆战。招讨掌书记㊲张

没有个可用的。”大家都说：“李嗣源就是一位功勋最突出的旧将。”唐庄宗对李嗣源心怀猜忌，就说：“我爱惜嗣源，想把他留在身边值宿警卫。”大家都说：“别的人中就再没有可用的了。”忠武节度使张全义也说：“河朔地区最近多事，拖久了就更让人担忧了，应当让李总管进军讨伐。如果依靠李绍荣这些人，不知道什么时候才会成功。”李绍宏也多次建议，唐庄宗因为朝廷内外都推荐李嗣源，过了许久终于同意。二月二十七日甲寅，命令李嗣源率领亲军前去讨伐邺都。

月十八日。㊿有诏止之：有诏书止之，不使至洛阳。㊿戊申：二月二十一日。㊿护国：方镇名，唐僖宗光启元年（公元八八五年），赐河中节度号护国军节度，治所蒲州，在今山西永济。后唐仍称护国军。㊿丁未：二月二十日。㊿庚戌：二月二十三日。㊿日发中使：每天派出中使。中使由宫内宦官担任，从宫内派出以传达皇帝旨意。㊿河朔：地区名，泛指黄河以北的地方。㊿宿卫：禁卫王宫。指留在身边。㊿总管：指李嗣源。㊿内外所荐：朝内大臣及朝外节镇都推荐李嗣源。㊿甲寅：二月二十七日。

【校记】

［16］赴：原作“至”。据章钰校，十二行本、乙十一行本皆作“赴”，今据改。［17］久乃许之：原无此四字。据章钰校，十二行本、乙十一行本皆有此四字，张敦仁《通鉴刊本识误》、张瑛《通鉴校勘记》同，今据补。

【语译】

延州方面报告说绥州、银州的军队发生变乱，抢劫州城。

董璋率军两万屯驻在绵州，会同任圜的部队讨伐李绍琛。唐庄宗派宫中的使者崔延琛前往成都，遇上了李绍琛的部队，就欺骗他说：“我奉皇上诏命去征召孟郎回朝，您如果延缓进军，自然能够得到蜀地。”崔延琛到了成都之后，劝孟知祥做好守备以迎战。孟知祥疏浚城壕，修建营栅，并派马步都指挥使李仁罕率兵四万，骁锐指挥使李延厚率兵两千前去讨伐李绍琛。李延厚把他的部众召集起来对他们说：“有年轻力壮、勇敢善战而又想立功求得富贵的人站在东边！体弱有病、胆小懦弱或厌倦行军打仗的人站在西边！”最后他得到七百名精选出来的士兵出发了。

这一天，任圜的部队在汉州追上了李绍琛，李绍琛出兵迎战。招讨掌书记张砺

砺请伏精兵于后，以羸兵[380]诱之。圜从之，使董璋以东川羸兵先战而却。绍琛轻圜书生，又见其兵羸，极力追之。伏兵发，大破之，斩首数千级。自是绍琛入汉州，闭城不出。

三月丁巳朔[381]，李绍真奏克邢州，擒赵太等。庚申[382]，绍真引兵至邺都，营于城西北，以太等徇[383]于邺都城下而杀之。

辛酉[384]，以威武节度副使王延翰为威武[385]节度使。

壬戌[386]，李嗣源至邺都，营于城西南。甲子[387]，嗣源下令军中，诘旦[388]攻城。是夜，从马直军士张破败作乱，帅众大噪[389]，杀都将[390]，焚营舍。诘旦，乱兵逼中军[391]，嗣源帅亲军拒战，不能敌，乱兵益炽[392]。嗣源叱而问之曰："尔曹欲何为？"对曰："将士从主上十年，百战以得天下。今主上弃恩任威[393]，贝州戍卒思归，主上不赦，云'克城之后，当尽坑魏博之军'。近从马直数卒喧竞[394]，遽欲尽诛其众。我辈初无叛心，但畏死耳。今众议欲与城中合势，击退诸道之军，请主上帝河南，令公[395]帝河北，为军民之主。"嗣源泣谕之[396]，不从。嗣源曰："尔不用吾言[397]，任尔所为[398]，我自归京师。"乱兵拔白刃环之[399]，曰："此辈虎狼也[400]，不识尊卑[401]，令公去欲何之！"因拥嗣源及李绍真等入城。城中不受[402]外兵，皇甫晖逆击张破败，斩之，外兵皆溃。赵在礼帅诸校迎拜嗣源，泣谢[403]曰："将士辈负令公[404]，敢不惟命是听[405]！"嗣源诡说在礼曰："凡举大事，须藉兵力。今外兵流散无所归，我为公出收之。"在礼乃听嗣源、绍真俱出城，宿魏县[406]，散兵稍有至者。

【段旨】

以上为第十一段，写李嗣源被乱兵挟持，全军溃散。

建议把精锐部队埋伏在后面，而在前面部署羸弱士兵来引诱敌人。任圜听从了他的建议，让董璋带着东川的羸弱士兵先去接战，然后退却。李绍琛瞧不起任圜这个书生，又看到对方都是些羸弱士兵，就竭力追击。这时对方伏兵四起，把他打得大败，斩杀了好几千人。从此李绍琛进入汉州城，紧闭城门，不肯出战。

三月初一日丁巳，李绍真上奏说攻克了邢州，活捉赵太等人。初四日庚申，李绍真率军到达邺都，在城的西北面扎营，拿赵太等人在邺都城下示众后杀掉。

初五日辛酉，任命威武节度副使王延翰为威武节度使。

初六日壬戌，李嗣源到达邺都，在城的西南面扎营。初八日甲子，李嗣源传令军中，第二天早晨攻城。这天夜里，从马直军士张破败作乱，带领很多人大声呼叫，杀死都将，焚烧营寨。第二天早晨，作乱的士卒逼近中军，李嗣源率领亲军抵抗，结果抵挡不住，乱兵的声势更大了。李嗣源大声呵斥并责问他们说："你们究竟想干什么?"乱兵们回答说："将士们跟随皇上十年，身经百战才得到天下。如今皇上背弃恩德，一味立威，贝州的戍守士卒不过是思念归家，皇上却不肯赦免他们，还说'攻下城以后，要把魏博的军队全都坑杀'。最近从马直的几个士卒喧闹争吵，马上又要把他们所在部队的人全部杀掉。我们这些人原本并无背叛之心，只是害怕被杀而已。如今大家商量想和城里人联合起来，击退各路军队，请皇上在河南称帝，令公您在河北称帝，当我们这里军民的主上。"李嗣源流着泪劝导他们，乱兵不肯听从。李嗣源说："你们听不进我的话，那就听任你们去做，我自己回京师去。"乱兵们拔出明晃晃的刀剑把他围了起来，对他说："这些人都如虎狼般凶残，不懂得什么尊卑，令公您离开这里想到哪里去呢!"于是就簇拥着李嗣源和李绍真等要进城。城里的人不让外面的军队进去，皇甫晖率军迎击张破败，把张破败杀死，城外的军队就都溃散了。赵在礼率领众将校前来迎接拜见李嗣源，流着泪谢罪说："将士们辜负了令公您，怎敢不唯命是从!"李嗣源骗赵在礼说："凡是想成就大事，必须借助兵力。现在城外的军队流散后无所归属，我替你出去把他们收拢起来。"赵在礼于是就让李嗣源和李绍真一起出城去了，二人住在魏县，被打散的士卒陆续有回来的。

【注释】

㊲⓪延州：州名，治所广武，在今陕西延安东北。㊲①绥、银：皆州名。绥州，治所绥德，在今陕西绥德。银州，故治在今陕西米脂西北。㊲②剽：抢掠。㊲③绐：欺骗。㊲④孟郎：指孟知祥。孟知祥妻为李克用弟克让之女，俗称婿为郎。㊲⑤浚壕树栅：疏浚城壕，树立营栅。㊲⑥东：向东；站在东面。㊲⑦西：向西；站在西面。㊲⑧以：而。㊲⑨招讨掌书记：即郭崇韬招讨府掌书记，掌招讨府日常公务，参与谋议。㊳⓪羸兵：瘦弱老病之兵。㊳①丁巳

朔：三月初一日。(382)庚申：三月初四日。(383)徇：示众。(384)辛酉：三月初五日。(385)威武：方镇名，唐昭宗乾宁四年（公元八九七年）升福建都团练观察处置使为威武军节度使。治所福州，在今福建福州。(386)壬戌：三月初六日。(387)甲子：三月初八日。(388)诘旦：第二天早晨。(389)帅众大噪：率领从马直军士大声呼叫。(390)都将：都一级的统兵官。(391)中军：时李嗣源率中军。(392)益炽：更加猖獗。(393)弃恩任威：抛弃恩德，任用武威。(394)喧竞：大声抗议。指王温等杀军使事。(395)令公：称李嗣源。因李嗣源官中书令，故称之。(396)泣谕之：哭着开导他们。(397)不用吾言：不听我的话。(398)任尔所为：听任你们想怎么办就怎么办。(399)拔白刃环之：拔出雪亮的刀包围他。(400)此辈虎狼也：他们像虎狼一样凶残。指后唐庄宗和史彦琼等。(401)尊卑：高低。(402)不受：不接受。(403)泣谢：流着眼泪表示歉意。(404)将士辈负令公：因李嗣源为蕃汉马步军都总管，河北诸镇兵均归他统率，魏兵作乱，则辜负了他。(405)惟命是听：只听你的命令。(406)魏县：县名，在今河北魏县。

【原文】

汉州无城堑[407]，树木为栅。乙丑[408]，任圜进攻其栅，纵火焚之。李绍琛引兵出战于金雁桥[409]，兵败，与十余骑奔绵竹[410]，追擒之。孟知祥自至汉州犒军，与任圜、董璋置酒高会[411]，引李绍琛槛车[412]至座中。知祥自酌大卮[413]饮之，谓曰：“公已拥节旄[414]，又有平蜀之功，何患不富贵[415]，而求入此槛车邪！”绍琛曰：“郭侍中[416]佐命[417]功第一，兵不血刃[418]取两川，一旦无罪族诛。如绍琛辈，安保首领[419]！以此不敢归朝耳。”魏王继岌既获绍琛，乃引兵[420]倍道[421]而东[422]。

孟知祥获陕虢都指挥使汝阴李肇[423]、河中都指挥使千乘侯弘实[424]，以肇为牙内马步都指挥使，弘实副之。蜀中群盗犹未息，知祥择廉吏[425]使治州县，蠲除横赋[426]，安集流散[427]，下宽大之令，与民更始[428]。遣左厢都指挥使赵廷隐、右厢都指挥使张业将兵分讨群盗，悉诛之。

【语译】

汉州城没有护城河，竖起一些木头作为防御用的栅栏。三月初九日乙丑，任圜向栅栏发起进攻，放火焚烧了它。李绍琛率兵在金雁桥出战，结果战败，和十多名骑兵逃往绵竹，被追上活捉了。孟知祥亲自到汉州犒赏军队，与任圜、董璋设酒举行盛大宴会，把李绍琛的囚车带到席间。孟知祥亲自斟了一大杯酒给李绍琛喝，对他说："您已经是拥有节旄的大臣了，又有平定蜀国的功劳，怎么还担心不能富贵，偏偏要自找进入这种囚车呢！"李绍琛说："郭侍中辅佐皇上，功劳第一，兵不血刃就攻取了东、西两川，但突然间无罪却被诛杀全族。像我李绍琛这种人，又怎么能够保住脑袋！因此我不敢再回归朝廷了。"魏王李继岌在抓获李绍琛之后，就率军日夜兼程向东进发。

孟知祥得到了陕虢都指挥使汝阴人李肇、河中都指挥使千乘人侯弘实，任命李肇为牙内马步都指挥使，侯弘实为副使。当时蜀中一伙伙的盗贼还没有平息，孟知祥就挑选了一些清廉的官吏来治理州县，免除苛捐杂税，召集并安置流离四散的百姓，实施宽大的政令，与百姓一起除旧布新。又派左厢都指挥使赵廷隐、右厢都指挥使张业率兵分路讨伐盗贼，把他们全都消灭了。

【段旨】

以上为第十二段，写孟知祥平定李绍琛，安定蜀中。

【注释】

⑯城堑：城墙和护城河。⑱乙丑：三月初九日。⑲金雁桥：桥名，在当时汉州雒县东雁江之上，俗传曾有金雁，故名。雒县在今四川广汉。⑳绵竹：县名，在今四川绵竹。㉑置酒高会：摆酒举行盛大宴会。㉒槛车：囚车。㉓大卮：大酒杯。卮，古代一种盛酒器。㉔已拥节旄：指担任节度使。㉕何患不富贵：还担心不富贵吗。㉖郭侍中：指

【原文】

李嗣源之为乱兵所逼也，李绍荣有众万人，营于城南。嗣源遣牙将张虔钊[429]、高行周等七人相继召之，欲与共诛乱者。绍荣疑嗣源之诈，留使者，闭壁[430]不应。及嗣源入邺都，遂引兵去。嗣源在魏县，众不满百，又无兵仗[431]。李绍真所将镇兵[432]五千，闻嗣源得出，相帅归之，由是嗣源兵稍振。嗣源泣谓诸将曰："吾明日当归藩[433]，上章待罪[434]，听主上所裁。"李绍真及中门使安重诲[435]曰："此策非宜。公为元帅，不幸为凶人所劫。李绍荣不战而退，归朝必以公藉口[436]。公若归藩，则为据地邀君[437]，适足以实谗慝[438]之言耳。不若星行[439]诣阙，面见天子，庶可自明。"嗣源曰："善！"丁卯[440]，自魏县南趣相州，遇马坊使[441]康福，得马数千匹，始能成军。福，蔚州人也。

平卢节度使符习将本军攻邺都，闻李嗣源军溃，引兵归。至淄州[442]，监军使杨希望遣兵逆击之，习惧，复引兵而西。青州指挥使王公俨攻希望，杀之，因[443]据其城。

时近侍[444]为诸道监军者，皆恃恩[445]与节度使争权。及邺都军变，所在多杀之。安义[446]监军杨继源谋杀节度使孔勍，勍先诱而杀之。武宁监军以李绍真从李嗣源，谋杀其元从[447]，据城拒之。权知留后淳于晏[448]帅诸将先杀之。晏，登州人也。

戊辰[449]，以军食不足，敕河南尹豫借夏秋税[450]，民不聊生。

忠武节度使、尚书令齐王张全义闻李嗣源入邺都，忧惧不食。辛未[451]，卒于洛阳。

郭崇韬。㊘佐命：辅佐天子。㊙兵不血刃：未经过战斗。⑲首领：脑袋。⑳引兵：率领军队。㉑倍道：兼程。㉒东：向东进发。㉓李肇：汝阴（今安徽阜阳）人，官至后蜀侍中。传见《十国春秋》卷五十一。㉔侯弘实：千乘（今山东高青）人，幼而家贫，官至后蜀奉銮肃卫指挥副使。传见《十国春秋》卷五十一。㉕廉吏：廉洁的官吏。㉖蠲除横赋：免去横征暴敛的赋税。㉗安集流散：招集、安置流离失所的人民。㉘与民更始：与老百姓一起除旧布新。

【语译】

李嗣源被乱兵所逼的时候，李绍荣有士卒万人，驻扎在邺都城南。李嗣源派牙将张虔钊、高行周等七人相继前去召他，要和他一道去诛杀乱兵。李绍荣怀疑李嗣源有诈，扣留了来使，紧闭营垒，不肯出兵。到了李嗣源进入邺都城后，李绍荣就率兵离开了。李嗣源住在魏县，召回的士卒不到百人，又没有武器。李绍真所率领的五千名镇州士卒，听说李嗣源从城中出来了，就相继投奔他来了，从此李嗣源的兵势才逐渐振作起来。李嗣源流着泪对将领们说："我明天就会回藩镇去，上表向皇上请罪，听候皇上的裁决。"李绍真和中门使安重诲说："这种做法并不恰当。您身为元帅，不幸被乱兵所劫持。李绍荣不战而退，回到朝廷后一定会拿您当借口。您如果回到藩镇去，那就是占据地盘要挟国君，那就正好证实那些进谗言的小人的话了。不如连夜赶回朝廷，面见天子，您或许能够表明自己的心志。"李嗣源说："对！"三月十一日丁卯，从魏县往南直奔相州，遇到了马坊使康福，得到了几千匹马，军队才开始像个样子。康福，是蔚州人。

平卢节度使符习率领本部军队攻打邺都，得知李嗣源的军队溃散，就把兵带了回去。到了淄州，监军使杨希望派兵迎击他，符习很害怕，又率军向西。青州指挥使王公俨攻打杨希望，把他杀了，顺势占据了淄州城。

当时近侍中担任各道监军的人，都依仗皇帝的恩宠与节度使争夺权力。等到邺都发生兵变，各地大多杀死了监军。安义监军杨继源阴谋杀害节度使孔勍，结果孔勍先把杨继源诱来杀了。武宁监军因为李绍真跟着李嗣源，就阴谋杀害他那些留在当地一直跟随他的将士，然后占据城池抗拒李绍真。权知留后淳于晏率领众将先下手把这个监军杀了。淳于晏，是登州人。

三月十二日戊辰，因为军粮不足，唐庄宗下令河南尹预借夏、秋的租税，老百姓由此更加活不下去了。

忠武节度使、尚书令齐王张全义得知李嗣源被劫进入邺都，既担心又害怕，吃不下饭。十五日辛未，在洛阳去世。

租庸使以仓储不足，颇朘刻㊷军粮，军士流言益甚。宰相惧，帅百官上表言："今租庸已竭，内库㊸有余。诸军室家不能相保，傥不赈救，惧有离心。俟过凶年，其财复集。"上即欲从之，刘后曰："吾夫妇君临万国㊹，虽藉武功，亦由天命。命既在天，人如我何㊺！"宰相又于便殿㊻论之，后属耳㊼于屏风后。须臾，出妆具㊽及三银盆、皇幼子三人于外曰："人言宫中蓄积多，四方贡献随以给赐㊾，所余止此耳，请鬻以赡军㊿！"宰相惶惧而退。

李绍荣自邺都退保卫州，奏李嗣源已叛，与贼合。嗣源遣使上章自理(461)，一日数辈(462)。嗣源长子从审为金枪指挥使(463)，帝谓从审曰："吾深知尔父忠厚，尔往谕朕意，勿使自疑。"从审至卫州，绍荣囚欲杀之。从审曰："公等既不亮(464)吾父，吾亦不能(465)至父所，请复还宿卫(466)。"乃释之。帝怜(467)从审，赐名继璟，待之如子。是后嗣源所奏，皆为绍荣所遏(468)，不得通，嗣源由是疑惧。石敬瑭曰："夫事成于果决而败于犹豫，安有(469)上将与叛卒入贼城，而他日得保无恙(470)乎！大梁(471)，天下之要会(472)也，愿假三百骑先往取之。若幸而得之，公宜引大军亟进，如此始可自全(473)。"突骑都[18]指挥使康义诚(474)曰："主上无道，军民怨怒，公从众则生，守节必[19]死。"嗣源乃令安重诲移檄会兵(475)。义诚，代北胡人也。

【段旨】

以上为第十三段，写李嗣源被逼上梁山，率部众反叛，兵进大梁。

【注释】

(429)张虔钊（？至公元九四七年）：辽州（今山西左权）人，仕后唐山南西道节度使，后蜀检校太师兼中书令。传见《旧五代史》卷七十四。(430)闭壁：关闭壁垒。(431)兵仗：武器仪卫。(432)镇兵：镇州士卒。李嗣源原镇镇州，所以镇州士卒相率随从。(433)归藩：归镇州节度使府。(434)待罪：有罪而等待处分。(435)安重诲（？至公元九三一年）：后唐明宗亲信，官至枢密使。独揽大权，恃功而骄，为李从璋所杀。传见《旧五代史》卷六十六、《新五代史》卷二十四。(436)藉口：以李嗣源入城附敌为李绍荣退兵的借口。(437)据地邀君：

租庸使因为仓库里的储粮不多了，就开始克扣军粮，军士中流言越来越多。宰相很害怕，就带领百官上表说："如今租庸的收入已经枯竭，而宫内的府库中还有剩余。各军的将士无法养家糊口，如果不赈济救助，恐怕会有叛离之心。等过了荒年，财物还是会再聚集到宫中来的。"唐庄宗当即就要采纳这个建议，刘皇后却说："我们夫妇君临万国，虽说是凭借了武功，但也是由于天命的安排。天命既然在天，别人能把我们怎么样呢！"宰相又在偏殿向唐庄宗论说这件事，皇后把耳朵贴在屏风后面偷听。不一会儿，她把梳妆用具、三个银盆和唐庄宗的三个幼子都抱到外面，说："有人说宫里的积蓄很多，但是四面八方的贡献随时用于赏赐，所剩下的只有这些了，请拿去卖了以供给军队！"宰相见状十分惊慌害怕，赶快退了出来。

李绍荣从邺都退守卫州，向唐庄宗上奏说李嗣源已经叛变，与乱兵联合在一起。李嗣源也派使者上表章向唐庄宗自我辩白，一天内派出了好几批人。李嗣源的长子李从审当时担任金枪指挥使，唐庄宗对李从审说："我深知你父亲忠厚，你前去转达朕的意思，不要让他自己心怀疑虑。"李从审到达卫州，李绍荣把他囚禁起来准备杀掉他。李从审对他说："既然你们不相信我父亲，我也不想到我的父亲那里去了，请让我再回京城值宿警卫。"于是李绍荣把他放了。唐庄宗很怜爱李从审，赐给他名字继璟，待他像自己的儿子一样。此后李嗣源的奏书，都被李绍荣所拦截，无法送达京城，李嗣源由此有了猜疑和恐惧。石敬瑭说："事情的成功在于能果断决定，而失败在于犹豫不决，哪里有上将与叛兵一道进入贼城，而日后能安然无事的呢！大梁是天下的重要都会，我希望能借三百名骑兵先去把它拿下来。如果幸好能攻取的话，您就率大军急速赶来，这样才可保全自己。"突骑都指挥使康义诚说："皇上无道，军民心怀怨怒，您只有顺从民意才能够生存下去，如果一味坚守节操，那就一定没命了。"李嗣源于是下令安重诲发出檄文会集各路军队。康义诚，是代北的胡人。

割据土地，要挟君主。邀，通"要"。㊳ 谗慝：此指进谗言的坏人。㊴ 星行：连夜赶路，披星而行。㊵ 丁卯：三月十一日。㊶ 马坊使：官名，掌马政，后唐在相州置小马坊使，即此。唐内诸司有小马坊使，由宦官担任，与康福所任马坊使不同。㊷ 淄州：州名，治所淄川，在今山东淄博。㊸ 因：乘势。㊹ 近侍：指宦官。㊺ 恃恩：依恃皇帝的恩宠。㊻ 安义：方镇名，即唐昭义节度使。后唐灭梁改为安义军，治所潞州，在今山西长治。㊼ 元从：指旧从李绍真的将士。绍真时从李嗣源，监军欲谋杀其元从之留在徐州的人。㊽ 淳于晏：以明经登第，为霍彦威谋士。传见《旧五代史》卷七十一。㊾ 戊辰：三月十二日。㊿ 夏秋税：夏税和秋税。唐代行两税法后，分夏、秋两季征收。(451) 辛未：三月十五日。(452) 朘刻：减少；克扣。(453) 内库：藏皇室私财之所。(454) 君临万国：指登位做皇帝，统

治四方。455人如我何：别人能把我们怎么样呢。456便殿：别殿。古时皇帝休憩闲宴的地方，别于正殿而言。457属耳：耳朵贴在。458妆具：梳妆用品。459给赐：赏赐。460赡军：供养军队。461上章自理：上奏章自己申明分辩。462数辈：好几批。463金枪指挥使：亲军军官名，庄宗得魏，因魏银枪效节军置帐前银枪都，后又置金枪军为亲军。464亮：亮察；信任；谅解。465不能：不想去。466宿卫：在皇帝身边保卫皇帝。467怜：爱。468遏：遏止；阻止。469安有：哪有；岂有。470无恙：没有疾病。恙，疾病。这里指不幸的事。471大梁：指开封府。472要会：四方辐辏之地；重要的都会。473自全：保全自己。474康义诚（？至公元九三四年）：字信臣，为李嗣源亲信，官至河阳节度使，加同平章事。为李从珂所杀。传见《旧五代史》卷六十六、《新五代史》卷二十七。475移檄会兵：发出檄文，会集军队。

【原文】

时齐州476防御使李绍虔477、泰宁节度使李绍钦478、贝州刺史李绍英479屯瓦桥，北京右厢马军都指挥使安审通屯奉化军480，嗣源皆遣使召之。绍英，瑕丘人，本姓房，名知温。审通，金全之侄也。嗣源家在真定，虞候将王建立481先杀其监军，由是获全。建立，辽州人也。李从珂自横水将所部兵由盂县趣镇州，与王建立军合，倍道从嗣源。嗣源以李绍荣在卫州，谋自白皋济河，分三百骑使石敬瑭将之前驱，李从珂为殿，于是军势大盛。嗣源从子从璋482自镇州引军[20]而南，过邢州，邢人奉为留后。

癸酉483，诏怀远指挥使白从晖将骑兵扼河阳桥484，帝乃出金帛给赐诸军，枢密宣徽使及供奉内使景进等皆献金帛以助给赐。军士负物而诟485曰："吾妻子已殍死486，得此何为！"甲戌487，李绍荣自卫州至洛阳，帝如鹞店488劳489之。绍荣曰："邺都乱兵已遣其党翟建白据博州，欲济河袭郓、汴，愿陛下幸关东490招抚之。"帝从之。

景进等言于帝曰："魏王未至，康延孝初平，西南犹未安。王衍族党不少，闻车驾东征，恐其为变，不若除之。"帝乃遣中使向延嗣赍敕往诛之，敕曰："王衍一行，并从杀戮491。"已印画492。枢密使张居翰覆视493，就殿柱揩去"行"字，改为"家"字，由是蜀百官及衍仆

【校记】

［18］都：原无此字，据章钰校，十二行本、乙十一行本皆有此字，今据补。［19］必：原作“则”。据章钰校，十二行本、乙十一行本皆作“必”，今据改。

【语译】

当时齐州防御使李绍虔、泰宁节度使李绍钦、贝州刺史李绍英都屯驻在瓦桥关，北京右厢马军都指挥使安审通屯驻在奉化军，李嗣源都派使者去把他们招来。李绍英是瑕丘人，本来姓房，名知温。安审通是安金全的侄子。李嗣源的家属在真定，虞候将王建立先杀了那里的监军，李嗣源的家属因此得以保全。王建立是辽州人。李从珂从横水率领所辖部队由盂县赶往镇州，与王建立的军队会合，日夜兼程前来追随李嗣源。李嗣源因为李绍荣在卫州，就计划从白皋渡过黄河，分出三百名骑兵让石敬瑭带领作为前锋，又命令李从珂殿后，于是兵势大振。李嗣源的侄子李从璋从镇州率军南进，经过邢州，邢州人把他奉为留后。

三月十七日癸酉，唐庄宗下诏命令怀远指挥使白从晖率领骑兵扼守河阳桥，唐庄宗拿出金银、布帛赏赐给各路军队，枢密宣徽使及供奉内使景进等人也都献出金银、布帛以赞助唐庄宗的赏赐。军士们背着这些赏赐的物品骂道：“我们的妻子儿女都已经饿死了，拿了这些还有什么用！”十八日甲戌，李绍荣从卫州回到洛阳，唐庄宗前往鹞店慰劳他。李绍荣对唐庄宗说：“邺都的乱兵已经派遣他们的党羽翟建白占据了博州，想渡过黄河袭击郓州、汴州，希望陛下幸临关东招抚他们。”唐庄宗听从了他的建议。

景进等人对唐庄宗说：“魏王还没有回到京师，康延孝刚刚讨平，西南方面还没有安定下来。王衍的族党不少，他们听说陛下的车驾东征，恐怕会生变乱，不如把他们除掉。”唐庄宗于是派宫中的使者向延嗣带上敕书前去诛杀他们，敕书上写道：“王衍一行，一起杀掉。”已经由中书省盖印并由唐庄宗画可了。枢密使张居翰再检视一遍时，就着殿里的柱子把“行”字擦去，改为“家”字，由此蜀国的百官和王

役获免者千余人。延嗣至长安，尽杀衍宗族于秦川驿[494]。衍母徐氏且死[495]，呼曰："吾儿以一国迎降[496]，不免族诛。信义俱弃[497]，吾知汝行亦受祸矣[498]！"

【段旨】

以上为第十四段，写唐庄宗途穷末路杀蜀主。枢密使张居翰改诛杀诏书"行"字为"家"字，使千余人幸免于死。

【注释】

[476]齐州：州名，治所历城，今山东济南市。[477]李绍虔：即王晏球。[478]李绍钦：即段凝。[479]李绍英：即房知温（？至公元九三六年），字伯玉，兖州瑕丘（今山东兖州）人，少有勇力，官至后唐平卢节度使，封东平王。传见《旧五代史》卷九十一、《新五代史》卷四十六。[480]奉化军：后唐明宗天成三年（公元九二八年）三月，升奉化军为泰州，治所清苑，今河北清苑。[481]王建立（公元八七一至九四〇年）：辽州榆社（今山西榆社）人，后晋时官至潞州节度使，封韩王。传见《旧五代史》卷九十一、《新五代史》卷四十

【原文】

乙亥[499]，帝发洛阳。丁丑[500]，次[501]汜水[502]。戊寅[503]，遣李绍荣将骑兵循河而东。李嗣源亲党从帝者多亡去[504]。或劝李继璟宜早自脱，继璟终无行意。帝屡遣继璟诣嗣源，继璟固辞，愿死于帝前以明赤诚[505]。帝闻嗣源在黎阳，强[506]遣继璟[507]渡河召之，道遇李绍荣，绍荣杀之。

吴越王镠有疾，如衣锦军[508]，命镇海、镇东节度使留后传瓘监国[509]。吴徐温遣使来问疾，左右劝镠勿见，镠曰："温阴狡[510]，此名问疾，实使之觇我也。"强出见之。温果聚兵欲袭吴越，闻镠疾瘳[511]而止。镠寻[512]还钱塘。

吴以左仆射、同平章事徐知诰为侍中，右仆射严可求兼门下侍郎、同平章事。

衍的仆役们有一千多人幸免一死。向延嗣到了长安，在秦川驿把王衍的家族全部诛杀。王衍的母亲徐氏在临死前，大声喊道："我的儿子用一个国家来投降，还是免不了全家被诛杀。你们把信义统统抛在一边，我知道你们这些人也快要遭受祸殃了！"

六。⑱从璋：李从璋（公元八八七至九三七年），字子良，少善骑射，官至保义节度使，封洋王。传见《旧五代史》卷八十八、《新五代史》卷十五。⑱癸酉：三月十七日。⑱河阳桥：地名，在古河阳县境内，今河南孟州西。⑱诟：骂。⑱殍死：饿死。⑱甲戌：三月十八日。⑱鷂店：洛阳郊外地名。⑱劳：慰劳。⑲关东：指汜水关以东。⑲并从杀戮：一起杀死。⑲印画：印，盖中书省印。画，皇帝画可。敕用皇帝御宝。⑲覆视：校对；审查。⑲秦川驿：驿站名，在长安，即今陕西西安。⑲且死：将死。⑲迎降：投降。⑲信义俱弃：迎降而被杀，信和义全被抛弃。⑲吾知汝行亦受祸矣：我知道你们也将蒙受祸患了。行，辈。

【校记】

［20］军：原作"兵"。据章钰校，十二行本、乙十一行本皆作"军"，今据改。

【语译】

三月十九日乙亥，唐庄宗从洛阳出发。二十一日丁丑，驻扎在汜水。二十二日戊寅，派李绍荣率领骑兵沿着黄河向东进发。李嗣源的亲信同党中跟随唐庄宗出征的人大多逃走了。有人劝李继璟应该早点脱身，但李继璟始终没有离开的念头。唐庄宗多次派李继璟到李嗣源那里去，李继璟都一再推辞，希望能死在唐庄宗的面前来表明自己的赤诚。唐庄宗听说李嗣源在黎阳，就强行派李继璟渡过黄河去召他前来，李继璟在路上遇到李绍荣，李绍荣把他杀了。

吴越王钱镠有病，前往衣锦军，命令镇海、镇东节度使留后钱传瓘监国。吴国徐温派使者前来问候他的病情，钱镠的左右大臣都劝他不要接见这位来使，钱镠说："徐温阴险狡猾，这次名义上是来问候我的病情，实际上是派他来窥探我的。"于是钱镠强打精神出来接见使者。徐温果然聚集了兵力准备袭击吴越，听说钱镠病愈而只好作罢。钱镠不久也回到了钱塘。

吴国任命左仆射、同平章事徐知诰为侍中，右仆射严可求兼任门下侍郎、同平章事。

庚辰[513]，帝发汜水。辛巳[514]，李嗣源至白皋，遇山东上供[515]绢数船，取以赏军。安重诲从者争舟，行营马步使陶玘斩以徇，由是军中肃然。玘，许州人也。嗣源济河，至滑州，遣人招符习，习与嗣源会于胙城[516]，安审通[517]亦引兵来会。知汴州孔循[518]遣使奉表西迎帝，亦遣使北输密款[519]于嗣源，曰："先至者得之。"

先是，帝遣骑将满城西方邺[520]守汴州。石敬瑭使裨将李琼[521]以劲兵突入封丘门，敬瑭踵其后，自西门入，遂据其城，西方邺请降。敬瑭使人[21]趣嗣源。壬午[522]，嗣源入大梁。

是日，帝至荥泽[523]东，命龙骧[524]指挥使姚彦温将三千骑为前军，曰："汝曹汴人也，吾入汝境，不欲使他军前驱，恐扰汝室家。"厚赐而遣之。彦温即以其众叛归嗣源，谓嗣源曰："京师危迫，主上为元行钦所惑，事势已离，不可复事矣。"嗣源曰："汝自不忠，何言之悖[525]也！"即夺其兵[526]。指挥使潘环守王村寨，有刍粟数万，帝遣骑视之，环亦奔大梁。

帝至万胜镇[527]，闻嗣源已据大梁，诸军离叛，神色沮丧[528]，登高叹曰："吾不济[529]矣！"即命旋师[530]。是夜，复至汜水[22]。帝之出关也，扈从兵二万五千，及还，已失万余人，乃留秦州都指挥使张唐以步骑三千守关[531]。癸未[532]，帝还过罂子谷[533]，道狭[534]，每遇卫士执兵仗者，辄以善言抚之曰："适报[535]魏王又进西川金银五十万，到京当尽给尔曹。"对曰："陛下赐已晚矣，人亦不感圣恩。"帝流涕而已。又索袍带赐从官[536]，内库使张容哥称颁给已尽。卫士叱容哥曰："致吾君失社稷，皆此阉竖[537]辈也。"抽刀逐之。或救之，获免。容哥谓同类[538]曰："皇后吝财致此，今乃归咎于吾辈。事若不测，吾辈万段，吾不忍待也。"因赴河死。

甲申[539]，帝至石桥[540]西，置酒悲涕[541]，谓李绍荣等诸将曰："卿辈事吾以来，急难富贵，靡[542]不同之。今致吾至此，皆无一策以相救乎？"诸将百余人，皆截发置地[543]，誓以死报，因相与号泣。是日晚，入洛城。

李嗣源命石敬瑭将前军趣汜水收抚散兵，嗣源继之。李绍虔、李绍英引兵来会。

三月二十四日庚辰，唐庄宗从汜水出发。二十五日辛巳，李嗣源到达白皋，遇上几船从山东到朝廷去上供的绢帛，他把这些绢帛拿来全都赏赐给了军队。安重诲的随从们抢船，行营马步使陶玘把这些人斩杀示众，从此军中纪律肃然。陶玘，是许州人。李嗣源率军渡过黄河，到达滑州，派人去招抚符习，符习和李嗣源在胙城相会，安审通也率军前来会合。掌管汴州的孔循派使者奉表往西去迎接唐庄宗，同时也派使者北去向李嗣源输诚，说："谁先到谁就能得到汴州。"

在此之前，唐庄宗派骑将满城人西方邺镇守汴州。石敬瑭派副将李琼率精兵突然攻进封丘门，石敬瑭率兵紧随其后，从西门攻进城内，于是占领了汴州城，西方邺请求投降。石敬瑭派人去催促李嗣源。三月二十六日壬午，李嗣源进入大梁。

就在这一天，唐庄宗到达荥泽的东面，命令龙骧指挥使姚彦温率三千名骑兵为前锋，对他们说："你们都是汴州人，我进入你们的地境，不想让别的部队走在前面，唯恐骚扰你们的家室。"唐庄宗重重地赏赐了他们，派他们出发。姚彦温随即率领他的部队背叛唐庄宗投奔李嗣源去了，他对李嗣源说："京师非常危急，皇上被元行钦所迷惑，大势已去，不可再侍奉皇上了。"李嗣源说："是你自己不忠，怎么说出这样荒谬的话！"随即夺取了他的兵权。指挥使潘环驻守在王村寨，有粮草好几万斤，唐庄宗派骑兵前去察看，结果潘环也投奔大梁去了。

唐庄宗到达万胜镇，听说李嗣源已经占据大梁，各路军队纷纷叛离，神色沮丧，他登上高处感叹地说："我不能成功了！"随即下令班师。这天夜里，唐庄宗再度回到汜水。唐庄宗当初出关的时候，随从的军队有两万五千人，等到班师的时候，已经失去了一万多人，于是留下秦州都指挥使张唐率三千名步兵、骑兵把守关口。三月二十七日癸未，唐庄宗回来时经过罂子谷，道路狭窄，每遇手执兵器仪仗的卫士，唐庄宗都要用好话安抚他们说："刚才得到报告说魏王又呈进西川的金银五十万两，等到了京城会全部分给你们。"卫士们回答说："陛下的赏赐已经太晚了，人们也不会再感谢圣恩了。"唐庄宗听了只是流泪而已。又索要袍带赏赐给随从的官员，内库使张容哥说赏赐的东西已经用光了。卫士大声责骂张容哥说："导致我们国君丧失社稷的，都是这一帮阉宦。"拔出刀来就要追杀他。幸好有人救了他，才使他免于一死。张容哥对他的同伙说："是皇后吝啬财物才导致今天这种局面，现在却归罪于我们这些人。一旦有什么意外情况发生，我们都会被碎尸万段，我不想等到那个时候。"于是他投河自尽。

三月二十八日甲申，唐庄宗到达石桥西，设置酒宴，悲伤地流下了眼泪，对李绍荣等将领们说："你们侍奉我以来，急难与富贵，无不共同承当。今天让我落到如此地步，难道你们都没有一个办法能解救我吗？"一百多位将领，都割断头发放在地上，发誓要用死来报效皇帝，接着大家哭成一团。当天晚上，进入洛阳城。

李嗣源命令石敬瑭率领前军赶往汜水收集安抚那些逃散的士卒，他自己率军紧跟其后。李绍虔、李绍英率军前来会合。

丙戌㊹，宰相、枢密使共奏："魏王西军将至，车驾宜且控㊺[23]汜水，收抚散兵以俟之。"帝从之，自出上东门阅骑兵，戒以诘旦㊻东行。

【段旨】

以上为第十五段，写唐庄宗东征，部属星散，返回洛阳。

【注释】

⑲乙亥：三月十九日。㊿丁丑：三月二十一日。501次：停留。502汜水：源出今河南巩义东南，流经今河南荥阳西北汜水镇西，北注入黄河。503戊寅：三月二十二日。504亡去：逃走。505赤诚：赤胆忠心。506强：强迫。507继璟：即李嗣源长子李从审。508衣锦军：朱温于钱镠家乡临安设置。唐昭宗光化二年（公元八九九年）改临安县安众营为衣锦营。天复元年（公元九〇一年）升为衣锦城。天祐四年（公元九〇七年）升衣锦城为安国衣锦军。509监国：君主外出时，太子留守监理国事。510阴狡：阴险狡猾。511疾瘳：病愈。512寻：不久。513庚辰：三月二十四日。514辛巳：三月二十五日。515上供：古代地方政府所征赋税中上缴朝廷的部分。516胙城：古县名，故城在今河南延津北。517安审通（？至公元九二八年）：安金全侄子，官至沧州节度使。传见《旧五代史》卷六十一。518孔循（公元八八三至九三〇年）：少孤，为人柔佞而险猾。官至忠武军节度使。传见《新五代史》卷四十三。519输密款：传达内心的真诚。密款，恳切的心意。520西方邺：定州满城（今河北保定市满城区）人，官至江宁军节度使。传见《旧五代史》卷六十一、《新五代史》卷二十五。521李琼（？至公元九四七年）：沧州饶安（今河北盐山县）人。传见《旧五代史》卷九十四、《新五代史》卷四十七。522壬午：三月二十六日。523荥泽：县名，县治在今河南郑州北。524龙骧：龙骧军，梁的禁卫军。525悖：悖理。526即夺其兵：即解除姚彦温对军队的指挥权。527万胜镇：地名，在今河南中牟，东距开封数十里。528神色沮丧：脸色灰心丧气。529不济：不能成功。530旋师：回师洛阳。531守关：守汜水关。532癸未：三月二十七日。533罂子谷：地名，在今河南郑州西。534道狭：道路狭窄。535适报：刚才得到报告。536从官：从驾出巡的官员。537阉竖：宦官。538同类：同自己一样的人，指宦官。539甲申：三月二十八日。540石桥：地名，在今河南洛阳城东。541悲涕：悲伤地流下眼泪。涕，泪。542靡：没有；无。543截发置地：把头发剪下来放在地上。以发代头，表示必死决心。544丙戌：三月三十日。545控：控制。546诘旦：第二天早晨。

三月三十日丙戌，宰相、枢密使一起上奏："魏王的西征军队即将到来，陛下应当暂时控扼汜水，搜集安抚逃散的士卒，以等待魏王的到来。"唐庄宗听从了这一建议，亲自出上东门检阅骑兵，告诉他们明天早晨向东进发。

【校记】

［21］人：原无此字。据章钰校，十二行本、乙十一行本皆有此字，今据补。［22］是夜，复至汜水：原无此六字。据章钰校，十二行本、乙十一行本皆有此六字，张敦仁《通鉴刊本识误》、张瑛《通鉴校勘记》同，今据补。［23］控：原作"控扼"。据章钰校，十二行本、乙十一行本皆无"扼"字，今据删。

【研析】

本卷研析李继岌矫诏杀郭崇韬、乱军拥立李嗣源两件史事。

第一，李继岌矫诏杀郭崇韬。唐庄宗伐蜀，议择大将，众举马步军总管李嗣源，郭崇韬以契丹在北，非李嗣源莫可当者，沮败其行。郭崇韬请派太子继岌征蜀，也借此使太子立功，固太子之位，理由冠冕堂皇。郭崇韬明知太子年少，不可独任，庄宗一定点自己为将以副之。郭崇韬名义上是推荐太子继岌，实际是自荐为将。郭崇韬人臣之位已极，功高震主，不仅有宦官、伶人等日进谗言，而且权位亦为众矢之的，心不自安，身处危境又不甘心引退，于是欲借平蜀之功以自保，既立功于外，又手握重兵，自以为万全之计，其实是自掘坟墓。设若郭崇韬已有不臣之心，握兵于外，抗拒朝命，割据一方，自为孟知祥，虽然是走钢索，不失为一条存身之计。郭崇韬是忠臣，他只是想立新功以自保，而积年的权势在身，本能地狂妄自大，冷落主帅李继岌，本想依以为援的太子，不经意间成了潜在的敌人。此时违心所奉迎的刘皇后更成了自己的索命鬼。在内外宦官小人的谗构中，刘皇后矫诏假李继岌之手以谋反罪诛杀郭崇韬。不仅仅是郭崇韬被族诛，还祸及朱友谦。朱友谦妻张氏取不死铁券以示使者曰："此皇帝去年所赐也，我妇人，不识书，不知其何等语也。"使者为河阳节度使李绍奇，他受庄宗之命诛杀朱友谦家人，李绍奇亦惭愧难当。郭崇韬立功受诛，中外骇然，加之兴大狱，郭氏、朱氏之亲戚、部属，无辜遭族灭，自是上下离心，随之而祸及庄宗。王夫之论曰："伐蜀之役，则崇韬之自灭与灭唐也。"(《读通鉴论》卷二十九）此不刊之论也。

第二，乱军拥立李嗣源。郭崇韬无辜受诛，河北诸镇闻之，人情汹汹。魏博指挥使杨仁晸率领戍守瓦桥关的本部兵逾年代归，还至贝州，奉敕屯留，部卒皇甫晖因人情不安，首倡变乱，拥立主将杨仁晸为乱兵之帅，乱兵曰："主上所以有天下者，吾魏军力也。魏军甲不去体、马不解鞍者十余年，今天下已定，天子不念旧劳，更加猜忌。远戍逾年，方喜代归，去家咫尺，不使相见……将士愿与公俱归。"唐庄宗朝令夕改，贝州守卒已到更代之期，朝廷没有委派新兵接防，人心思乱以此为借口，乱兵要杀回魏州，杨仁晸不从，乱兵杀之，簇拥效节都指挥使赵在礼为首，倍道兼程南下临清、永济、馆陶，两日即到达，乱兵据邺城以叛，推赵在礼为魏博留后。官兵往讨不胜，庄宗不得已，派马步军总管李嗣源往讨。李嗣源至魏州，是夜下令明旦攻城，军吏张破败等，突然大声鼓噪，杀都将，焚营舍。天明，乱兵逼近中军，对李嗣源说："我辈将士跟从主上，十年血战得到天下，今主上弃恩任威，贝州戍卒思归，主上不赦，敕令'克城之后，当尽坑魏博之军'。我等并无反叛之心，只是为了活命，大家想要拥戴令公为主，与城中士卒合力击退朝廷官兵，让主上在河南称帝，令公在河北称帝。"部属安重诲、霍彦威等亦劝李嗣源从众许之。乱兵于是拥李嗣源入城，与赵在礼等合兵。李嗣源传檄诸镇，纷纷响应，率兵南向，庄宗亲兵，不战而散，李嗣源于是称帝，是为明宗。继后唐废帝李从珂、周太祖郭威、宋太祖赵匡胤，皆由乱兵拥立而为帝，前后四位皇帝皆由乱兵拥立。不过李嗣源真由乱兵拥立，是古代的黎元洪，而李从珂、郭威、赵匡胤，则是人为制造兵变，以力相夺，假借兵变罢了。

卷第二百七十五　后唐纪四

起柔兆阉茂（丙戌，公元九二六年）四月，尽强圉大渊献（丁亥，公元九二七年）六月，凡一年有奇。

【题解】

本卷记事起公元九二六年四月，迄公元九二七年六月，凡一年又两个月，当后唐明宗天成元年四月至二年六月。后唐庄宗众叛亲离为乱兵所杀。李嗣源入洛抚定京师，辞位监国，待北都安定，李继岌死，西路军归服，而后即位，是为明宗。明宗大杀宦官，整肃朝纲，仍有汴滑兵变。当时世乱，军民遭涂炭。明宗杀芦台乱军一万多人，血染永济渠。明宗一行伍，不知书，不明于治国，滥赐告身以万数，以至于三路讨荆南，不能诛灭一弹丸小国，非治世之主也。姚坤出使契丹告哀，拒绝契丹割地之请，大义凛然，堂堂中原一丈夫。契丹主死，述律后临朝，立次子耶律德光，贤者继位。述律后心计诛桀黠臣以百数，掌控政局，是一铁腕女人。闽国政变，王延钧杀逐其兄王延翰为闽王。中原无明主，孟知祥杀监军李严整武备，图谋割据西川。

【原文】

明宗圣德和武钦孝皇帝上之下

天成元年（丙戌，公元九二六年）

夏，四月丁亥朔①，严办②将发，骑兵陈于宣仁门③外，步兵陈于五凤门④外。从马直指挥使郭从谦不知睦王存义已死，欲奉之以作乱，帅所部兵自营中露刃⑤大呼，与黄甲两军⑥攻兴教门⑦。帝方食，闻变，帅诸王及近卫骑兵击之，逐乱兵出门。时蕃汉马步使朱守殷将骑兵在外，帝遣中使急召之，欲与同击贼。守殷不至，引兵憩⑧于北邙⑨茂林之下。乱兵焚兴教门，缘城而入。近臣宿将皆释甲潜遁，独散员都指挥使李彦卿⑩及宿卫军校何福进⑪、王全斌等十余人力战。俄而帝为流矢所中，鹰坊⑫人善友扶帝自门楼下，至绛霄殿

【语译】

明宗圣德和武钦孝皇帝上之下

天成元年（丙戌，公元九二六年）

夏，四月初一日丁亥，内外已经严加整办，唐庄宗正准备出发，骑兵列阵在宣仁门外，步兵列阵在五凤门外。从马直指挥使郭从谦不知道睦王李存乂已经死去，准备拥戴他发动叛乱，就率领所属士兵从军营中拔刀大呼，和黄甲军一道攻打兴教门。唐庄宗正在吃饭，得知兵变，就率领诸王和近卫骑兵迎击，把乱兵赶出兴教门。当时蕃汉马步使朱守殷率领骑兵在城外，唐庄宗派遣宫中宦官使者赶忙去征召他，想和他一道攻打贼兵。但是朱守殷没有到来，带兵在北邙山的茂密树林中休息。叛乱的士兵焚烧兴教门，攀过皇城进入城内。近臣宿将都脱下盔甲偷偷地逃跑了，只有散员都指挥使李彦卿和宿卫军校何福进、王全斌等十多个人拼命作战。不一会儿，唐庄宗被流箭射中，鹰坊人善友扶着唐庄宗从门楼上下来，

庑下⑬抽矢。渴懑⑭求水，皇后不自省视，遣宦者进酪⑮。须臾，帝殂。李彦卿等恸哭而去，左右皆散，善友敛⑯庑下乐器覆帝尸而焚之。彦卿，存审之子。福进、全斌，皆太原人也。刘后囊金宝⑰系马鞍，与申王存渥及李绍荣引七百骑，焚嘉庆殿，自师子门出走。通王存确、雅王存纪奔南山⑱。宫人多逃散，朱守殷入宫，选宫人三十余人，各令自取乐器珍玩，内⑲于其家。于是诸军大掠都城。

是日，李嗣源至罂子谷，闻之，恸哭，谓诸将曰："主上素得士心，正为群小蔽惑⑳致[1]此，今吾将安归乎！"戊子㉑，朱守殷遣使驰白嗣源，以京城大乱，诸军焚掠不已，愿亟来救之！乙丑㉒，嗣源入洛阳，止于私第㉓。禁焚掠，拾庄宗骨于灰烬之中而殡㉔之。

嗣源之入邺都[2]也，前直指挥使㉕平遥㉖侯益脱身归洛阳，庄宗抚之流涕。至是，益自缚请罪，嗣源曰："尔为臣尽节，又何罪也！"使复其职。

嗣源谓朱守殷曰："公善巡徼㉗，以待魏王㉘。淑妃㉙、德妃㉚在宫，供给尤宜丰备。吾俟山陵毕㉛，社稷有奉㉜，则归藩㉝为国家捍御北方耳。"是日，豆卢革帅百官上笺劝进㉞，嗣源面谕之曰："吾奉诏讨贼，不幸部曲㉟叛散，欲入朝自诉，又为绍荣所隔，披猖㊱至此。吾本无他心，诸君遽尔见推，殊非相悉㊲，愿勿言也！"革等固请，嗣源不许。

李绍荣欲奔河中就永王存霸，从兵稍散。庚寅㊳，至平陆㊴，止余数骑，为人所执，折足㊵，送洛阳。存霸亦帅众千人弃镇㊶奔晋阳。

到了绛霄殿的廊下把箭拔了下来。唐庄宗口渴胸闷要喝水，皇后没有亲自来探视，派宦官向唐庄宗呈上乳浆。不一会儿，唐庄宗死了。李彦卿等人痛哭一阵后离去，左右的近臣都四散逃走，善友收拾了廊下的乐器盖在唐庄宗的尸体上，把他焚烧了。李彦卿，是李存审的儿子。何福进、王全斌，都是太原人。刘皇后把金银财宝装在袋子中拴在马鞍上，和申王李存渥及李绍荣带领七百名骑兵，焚烧了嘉庆殿，从师子门出逃。通王李存确、雅王李存纪逃往南山。宫女大多数都逃跑了，朱守殷进入后宫，挑选了三十多个宫女，让她们各自拿上乐器和珍贵玩物，藏在他家中。此时各路军队大肆抢掠都城。

这一天，李嗣源到达罂子谷，得知唐庄宗死了，失声痛哭，对各位将领说："皇上一向深得军心，只是被一群小人蒙蔽迷惑才造成今天这种局面，现在我将到哪里去呢！"四月初二日戊子，朱守殷派遣使者飞骑报告李嗣源，说京城大乱，各路军队烧杀抢掠不已，希望赶快前来救援！乙丑日，李嗣源进入洛阳，住在自己的私宅中。下令禁止烧杀抢掠，从灰烬中拾取了唐庄宗的遗骨，然后把他安葬了。

李嗣源进入邺都时，前直指挥使平遥人侯益逃脱了出来返回洛阳，唐庄宗抚摸着他流下了眼泪。到这个时候，侯益把自己绑了向李嗣源请罪，李嗣源说："你作为一个臣子能够尽忠尽节，又有什么罪呢！"让他恢复原职。

李嗣源对朱守殷说："你好好巡防，以等待魏王回来。淑妃、德妃还在皇宫中，供给的用品尤其要丰富完备。我等到皇上的陵墓修好了，国家大统有了继承人，就回藩镇去为新君捍卫北方领土。"当天，豆卢革率领百官上表劝李嗣源登基，李嗣源当面告诉他们说："我奉皇上的诏令讨伐叛贼，不幸部下士兵叛乱逃散，本想到朝廷亲自把事情讲清楚，又被李绍荣所阻隔，狼狈到这种地步。我本来没有其他的意思，各位却突然间推举我，简直是太不了解我了，希望不要说了！"豆卢革等人坚决请求，李嗣源没有答应。

李绍荣想跑往河中依靠永王李存霸，随从的士兵渐渐散失。四月初四日庚寅，到了平陆，只剩下几名骑兵，被人抓了起来，打断脚踝，送到洛阳。李存霸也率领部众一千人丢下河中军镇奔赴晋阳。

【段旨】

以上为第一段，写后唐庄宗为乱兵所杀。

【注释】

① 丁亥朔：四月初一日。② 严办：凡天子将出，侍中奏中严外办，即戒严清道。③ 宣仁门：洛阳东面城门。④ 五凤门：宫城南门。⑤ 露刃：拔刀。⑥ 两军：此指郭从谦所率部兵与庄宗御营黄甲军。⑦ 兴教门：洛阳皇城南面三门，中曰应天门，左曰兴教门，右曰光政门。⑧ 憩：休息。⑨ 北邙：山名，又称邙山，在今河南洛阳北。⑩ 李彦卿：即符彦卿，符存审第三子，封魏王。传见《旧五代史》卷五十六、《新五代史》卷二十五。⑪ 何福进（公元八八九至九五四年）：字善长，太原（今山西太原）人，官至后周天平节度使。传见《旧五代史》卷一百二十四。⑫ 鹰坊：唐时养鹰的地方，为五坊之一。⑬ 庑下：廊下。⑭ 渴懑：口渴而胸闷。⑮ 酪：乳水。凡矢刃伤血闷者，得水尚可活，饮酪加速死亡。⑯ 敛：搜集。⑰ 囊金宝：把金银珠宝装在袋里。⑱ 南山：洛阳之南到伊川都是大山。⑲ 内：通“纳”，藏匿。⑳ 蔽惑：蒙蔽蛊惑。㉑ 戊子：四月初二日。㉒ 乙丑：四月丁亥朔，无乙丑。疑为己丑，四月初三日。㉓ 私第：李嗣源在洛阳的私人住宅。㉔ 殡：

【原文】

辛卯㊷，魏王继岌至兴平㊸，闻洛阳乱，复引兵而西，谋保据凤翔。向延嗣至凤翔，以庄宗之命诛李绍琛。

初，庄宗命吕、郑二内养㊹在晋阳，一监兵，一监仓库，自留守张宪以下皆承应不暇㊺。及邺都有变，又命汾州㊻刺史李彦超㊼为北都巡检。彦超，彦卿之兄也。

庄宗既殂，推官㊽河间张昭远劝张宪奉表劝进。宪曰：“吾一书生，自布衣至服金紫㊾，皆出先帝之恩，岂可偷生而不自愧乎！”昭远泣曰：“此古人所行[3]，公能行之，忠义不朽矣。”

有李存沼㊿者，庄宗之近属，自洛阳奔晋阳，矫传[51]庄宗之命，阴[52]与二内养谋杀宪及彦超，据晋阳拒守。彦超知之，密告宪，欲先图之。宪曰：“仆受先帝厚恩，不忍为此。徇义[53]而不免于祸，乃天也。”彦超谋未决，壬辰[54]夜，军士共杀二内养及存沼于牙城，因大掠达旦[55]。宪闻变，出奔忻州[56]。会嗣源移书[57]至，彦超号令士卒，城中始安，遂权知太原军府。

葬。㉕前直指挥使：武官名，领皇帝前警卫士卒。㉖平遥：县名，在今山西平遥。㉗巡徼：巡察、保卫宫殿及皇城内外坊市。㉘魏王：指李继岌。㉙淑妃：后唐庄宗正室，卫国夫人韩氏，同光二年（公元九二四年）十二月册为淑妃。㉚德妃：后唐庄宗次妻，燕国夫人伊氏，与淑妃同时册封。传见《旧五代史》卷四十九。㉛山陵毕：指埋葬庄宗以后。㉜社稷有奉：国家大统有人继承。指继岌返洛阳即位。㉝归藩：回真定成德节度使任所。㉞劝进：敦请即皇帝位。㉟部曲：部下士兵。㊱披猖：狼狈。㊲殊非相悉：简直是不了解我。㊳庚寅：四月初四日。㊴平陆：县名，在今山西平陆。㊵折足：敲断脚骨。㊶弃镇：抛弃河中节度使任所。庄宗杀朱友谦，以永王存霸为河中节度使。

【校记】

［1］致：原作“至”。据章钰校，十二行本、乙十一行本皆作“致”，今据改。［2］都：原无此字。据章钰校，十二行本、乙十一行本皆有此字，今据补。

【语译】

四月初五日辛卯，魏王李继岌到达兴平，听说洛阳发生了叛乱，又率军西进，计划据守凤翔。向延嗣到达凤翔，以唐庄宗的命令诛杀了李绍琛。

当初，唐庄宗命令吕、郑两个内侍留在晋阳，一个监管军队，一个监管仓库，自留守张宪以下的官吏都尽力奉应他们。等到邺都发生兵变，唐庄宗又任命汾州刺史李彦超为北都巡检。李彦超，是李彦卿的哥哥。

唐庄宗去世后，推官河间人张昭远劝张宪上表拥戴李嗣源登基。张宪说：“我是一个书生，从布衣百姓到穿戴金紫的高官，都是出自先皇帝的恩泽，怎么能够苟且偷生而不感到惭愧呢！”张昭远流着泪说：“这些都是古人的事迹，您能身体力行，您的忠义千古不朽。”

有一个名叫李存沼的人，是唐庄宗的近亲，从洛阳跑到晋阳，假传唐庄宗的命令，暗中与两个内侍谋杀张宪和李彦超，占据晋阳做抵抗。李彦超得知这一情况后，秘密地告诉了张宪，想先下手把他们杀了。张宪说：“我受了先皇帝的厚恩，不忍心做这种事情。我为义献身而不能免遭灾祸，这是天命吧。”李彦超谋划尚未做出决断，四月初六日壬辰夜晚，军士们一起在牙城里杀死了两个内侍和李存沼，随后大肆抢掠到天亮。张宪听说发生了兵变，出奔到忻州。这时正好李嗣源宣抚各地的文书送到了晋阳，李彦超给士卒们下了命令，城里才开始安定，于是他暂时代理太原军府事务。

【段旨】

以上为第二段，写李嗣源入洛抚定京师，李彦超扑灭北都之变。

【注释】

㊷辛卯：四月初五日。㊸兴平：县名，在今陕西兴平。㊹内养：内侍，即宦官。㊺承应不暇：尽力奉应。㊻汾州：州名，治所西河，在今山西汾阳。㊼李彦超：即符彦超，符存审长子。官至泰宁军节度使，为管财宝的奴仆所杀。传见《新五代史》卷二十

【原文】

百官三笺⑱请嗣源监国⑲，嗣源乃许之。甲午⑳，入居兴圣宫㉑，始受百官班见㉒。下令称教㉓，百官称之曰殿下㉔。庄宗后宫存者犹千余人，宣徽使选其美少者数百献于监国，监国曰："奚㉕用此为？"对曰："宫中职掌不可阙也。"监国曰："宫中职掌宜谙㉖故事，此辈安知之[4]？"乃悉用老旧之人补之，其少年者皆出归其亲戚㉗，无亲戚者任其所适㉘。蜀中所送宫人亦准此㉙。

乙未㉚，以中门使安重诲为枢密使，镇州别驾㉛张延朗㉜为副使。延朗，开封人也，仕梁为租庸吏。性纤巧㉝，善事权贵，以女妻重诲之子，故重诲引㉞之。

监国令所在访求诸王。通王存确、雅王存纪匿民间，或密告安重诲。重诲与李绍真谋曰："今殿下既监国典丧㉟，诸王宜早为之所㊱，以壹人心㊲。殿下性慈，不可以闻。"乃密遣人就田舍㊳杀之。后月余，监国乃闻之，切责㊴重诲，伤惜久之。

刘皇后与申王存渥奔晋阳，在道与存渥私通。存渥至晋阳，李彦超不纳，走至风谷㊵，为其下所杀。明日，永王存霸亦至晋阳，从兵逃散俱尽，存霸削发、僧服谒李彦超，"愿为山僧，幸垂庇护㊶"。军士争欲杀之，彦超曰："六相公来，当奏取进止㊷。"军士不听，杀之于府门之碑下。刘皇后为尼于晋阳，监国使人就杀之。薛王存礼㊸及庄宗

五。㊽推官：官名，节度使属官，掌审讯，推鞫狱讼。㊾服金紫：借指高级官员。唐制，三品以上服紫、金鱼符。㊿李存沼：庄宗弟无存沼，新、旧《五代史》均作存霸。《庄宗实录·符彦超传》中有“皇弟存沼”，并此存疑待考。51矫传：假传。52阴：阴谋；暗暗地。53徇义：为义气而献身。徇，通“殉”。54壬辰：四月初六日。55达旦：到天亮。56忻州：州名，治所容秀，在今山西忻州。57移书：颁发的文告。

【校记】

［3］所行：原作“之事”。据章钰校，十二行本、乙十一行本皆作“所行”，今据改。

【语译】

百官们再三上表请求李嗣源监国，李嗣源便答应了他们的请求。四月初八日甲午，入住兴圣宫，开始接受百官的列班朝见。所下的命令称作教，百官称他为殿下，唐庄宗的后宫所剩妃嫔还有一千多人，宣徽使从中挑选了数百名年轻貌美的献给监国，监国说：“要这些人干什么？”宣徽使回答说：“宫中的职务不能没有人掌理。”监国说：“宫中的职掌人员应熟悉过去的典章制度，这些人怎么能够知道呢？”于是全部用过去的老年旧宫人补任宫中职务，那些年轻的宫人都让出宫投靠她们的亲戚，没有亲戚的任凭她们随便去哪里。蜀中所送来的宫人也照此办理。

四月初九日乙未，任命中门使安重诲为枢密使，镇州别驾张延朗为副使。张延朗，是开封人，在梁朝时担任租庸吏。他生性计较细微，善于巴结权贵，把女儿嫁给了安重诲的儿子，所以安重诲引荐了他。

监国李嗣源命令就地访求诸王。通王李存确、雅王李存纪藏匿在民间，有人秘密地告诉了安重诲。安重诲和李绍真谋划说：“现在殿下已经代行国政，主持丧事，对诸王应该及早做个安置，用以统一人心。殿下性格仁慈，这事不能让他知道。”于是秘密派人到老百姓家中把他们杀了。后来过了一个多月，监国才听说这件事，对安重诲痛加指责，哀伤惋惜了很久。

刘皇后和申王李存渥逃往晋阳，在路上和李存渥通奸。李存渥到了晋阳，李彦超不接纳他，又逃到风谷，被他的部下杀死。次日，永王李存霸也到了晋阳，随从的士兵全都逃散了，李存霸剃光头发、穿着僧衣拜见李彦超，说：“我愿当一个山野僧人，希望得到庇护。”军士们争着想杀死李存霸，李彦超说：“六相公前来，应当奏请朝廷处理。”军士们不听从劝告，在府门的石碑下把李存霸杀了。刘皇后在晋阳当尼姑，李嗣源派人前来就地把她杀了。薛王李存礼和唐庄宗的幼子李继嵩、李继潼、

幼子继嵩、继潼、继蟾、继峣[84]，遭乱皆不知所终。惟邕王存美[85]以病风偏枯[86]得免，居于晋阳。

徐温、高季兴闻庄宗遇弑，益重严可求、梁震。梁震荐前陵州[87]判官贵平孙光宪[88]于季兴，使掌书记。季兴大治战舰，欲攻楚。光宪谏曰："荆南乱离之后，赖公休息士民，始有生意[89]。若又与楚国交恶[90]，他国乘吾之弊，良[91]可忧也。"季兴乃止。

戊戌[92]，李绍荣至洛阳，监国责之曰："吾何负[93]于尔，而杀吾儿？"绍荣瞋目[94]直视曰："先帝何负于尔？"遂斩之，复其姓名曰元行钦。

监国恐征蜀军还为变，以石敬瑭为陕州留后。己亥[95]，以李从珂为河中留后。

枢密使张居翰乞归田里，许之。李绍真屡荐孔循之才，庚子[96]，以循为枢密副使。李绍宏请复姓马[97]。

监国下教，数[98]租庸使孔谦奸佞[99]、侵刻[100]、穷困军民之罪而斩之。凡谦所立苛敛[101]之法，皆罢之。因废租庸使[102]及内勾司[103]，依旧为盐铁、户部、度支三司，委宰相一人专判[104]。又罢诸道监军使[105]，以庄宗由宦官亡国，命诸道尽杀之。

魏王继岌自兴平退至武功[106]，宦者李从袭曰："祸福未可知，退不如进，请王亟东行以救内难[107]。"继岌从之。还，至渭水，权西都留守张篯[108]已断浮梁[109]，循水浮渡。是日，至渭南[110]，腹心吕知柔等皆已窜匿。从袭谓继岌曰："时事已去，王宜自图[111]。"继岌徘徊流涕，乃自伏于床，命仆夫[112]李环缢杀之。任圜代将其众而东。监国命石敬瑭慰抚之，军士皆无异言[113]。

李继蟾、李继峣，遭受这场变乱，都不知最后的下落。只有邕王李存美因为中风半身不遂才免于一死，住在晋阳。

徐温、高季兴听说唐庄宗遇害，更加看重严可求、梁震了。梁震向高季兴推荐前陵州判官贵平人孙光宪，让他掌管书牍记录。高季兴大规模建造战船，准备攻打楚国。孙光宪劝谏说："荆南经过战乱之后，全靠您让士民百姓得以休养生息，开始有了生机。如果又要和楚国交战，其他国家乘我们国力衰竭图谋我们，这确实令人担心。"高季兴这才作罢。

十二日戊戌，李绍荣被押到洛阳，监国李嗣源责问他说："我有什么地方对不起你，你竟然杀死我的儿子？"李绍荣怒目直视李嗣源，说："先皇帝又有什么地方对不起你？"李嗣源于是杀死了李绍荣，恢复了他原来的姓名元行钦。

监国李嗣源害怕西征蜀国的军队回来后叛乱，便任命石敬瑭为陕州留后。十三日己亥，任命李从珂为河中留后。

枢密使张居翰请求回归故里，监国李嗣源同意了。李绍真多次推荐孔循的才干，十四日庚子，任命孔循为枢密副使。李绍宏请求恢复他姓马。

监国李嗣源颁发命令，历数租庸使孔谦奸诈谄佞、侵占剥夺、使军民穷困的罪状，把他杀了。凡是孔谦所制定的苛刻聚敛的条规，全部废除。接着撤销了租庸使和内勾司，按照旧制设置盐铁、户部、度支三司，委托一位宰相专门管理。又罢除各道的监军使，因为唐庄宗是由于任用宦官导致亡国，所以下令各道把这些监军使全部杀掉。

魏王李继岌从兴平撤退到武功，宦官李从袭说："是福是祸尚未可知，退却不如前进，请大王赶快东进，平定京城的内乱。"李继岌听从了他的建议。回师东进，到达渭水，代理西都留守的张篯已经砍断了河上的浮桥，李继岌顺流泅渡过河。当天，到达渭南，心腹吕知柔等人都已逃跑躲了起来。李从袭对李继岌说："大势已去，大王应该自己拿主意。"李继岌流泪徘徊，便自己趴在床上，命令仆夫李环勒死了他。任圜代替他率领部众东进。监国李嗣源命令石敬瑭安抚他们，士卒们都没有不同的意见。

【段旨】

以上为第三段，写李嗣源监国，诛杀奸佞孔谦等人。庄宗之子及刘皇后皆被诛戮。

【注释】

⑱ 三笺：再三上奏章。⑲ 监国：原为天子外出，由太子留守京城代行政务。这里有即皇帝位之意。⑳ 甲午：四月初八日。㉑ 兴圣宫：洛阳皇宫名。庄宗之殡在西宫，兴圣宫在西宫之东。㉒ 班见：文武官员分班朝见。㉓ 教：教令。皇后和太子的命令称教。㉔ 殿下：古时对太子、亲王的尊称。㉕ 奚：何。㉖ 谙：熟悉。㉗ 亲戚：亲人和戚属。㉘ 任其所适：任凭他到哪里去。适，往、到。㉙ 准此：照此办理。㉚ 乙未：四月初九日。㉛ 别驾：官名，节度使和太守的高级属官，掌顾问、文案，纪纲众务，通判列曹。㉜ 张延朗（？至公元九三六年）：汴州开封人，官至判三司。有心计，善于处理棘手事务，为石敬瑭所杀。传见《旧五代史》卷六十九。㉝ 纤巧：计较细微。㉞ 引：引荐；推荐。㉟ 典丧：主持庄宗的丧事。㊱ 早为之所：早做安置；早些将其杀害。㊲ 以壹人心：用来统一人心使其归服新皇监国李嗣源。㊳ 田舍：老百姓家。㊴ 切责：深切地责备。㊵ 风谷：地名，恐为“岚谷”之误，在今山西岚县。㊶ 庇护：保护。㊷ 奏取进止：奏请朝廷来决定如何处理。㊸ 存礼：李克用第四子，同光三年（公元九二五年）封薛王。庄宗败，不知所终。传见《旧五代史》卷五十一。㊹ 继嵩、继潼、继蟾、继峣：皆庄宗子，同光三年拜光禄大夫、检校司徒，未封。庄宗败，皆不知所终。传见《旧五代史》卷五十一。㊺ 存美：李克用子，庄宗第三弟，同光三年封。传见《旧五代史》卷五十一。㊻ 病风偏枯：

【原文】

先是，监国命所亲李冲为华州都监[114]，应接西师[115]。冲擅逼[116]华州节度使史彦镕入朝[117]。同州节度使李存敬过华州，冲杀之，并屠[118]其家。又杀西川行营都监李从袭。彦镕泣诉于安重诲，重诲遣彦镕还镇[119]，召冲归朝。

自监国入洛，内外机事皆决于李绍真[120]。绍真擅收[121]威胜[122]节度使李绍钦[123]、太子少保李绍冲[124]下狱，欲杀之。安重诲谓绍真曰：“温、段罪恶皆在梁朝，今殿下新平内难，冀[125]安万国[126]，岂专为公报仇邪！”绍真由是稍沮[127]。辛丑[128]，监国教，李绍冲、绍钦复姓名为温韬、段凝[129]，并放归田里[130]。壬寅[131]，以孔循为枢密使。

有司[132]议即位礼。李绍真、孔循以为唐运已尽，宜自建国号[133]。监国问左右：“何谓国号？”对曰：“先帝赐姓于唐[134]，为唐复仇[135]，继昭宗得中风病全身瘫痪。⑧⑦陵州：州名，治所仁寿，在今四川仁寿东。⑧⑧孙光宪：字孟文，贵平（今四川仁寿）人，家世业农，读书好学，官至荆南节度副使。著有《荆台集》《玩笔佣集》《巩湖编玩》《北梦琐言》《蚕书》等。传见《十国春秋》卷一百二。⑧⑨生意：生机。⑨⓪交恶：结仇。这里指交战。⑨①良：确实。⑨②戊戌：四月十二日。⑨③负：辜负。⑨④瞋目：怒目；瞪大眼睛，表示愤怒。⑨⑤己亥：四月十三日。⑨⑥庚子：四月十四日。⑨⑦李绍宏请复姓马：李绍宏，本宦官，姓马，庄宗为晋王时赐姓李，今复其原姓，表示与旧主决裂，归附新皇。⑨⑧数：列举。⑨⑨奸佞：花言巧语、邪恶诈伪。⑩⓪侵刻：侵夺；剥削。⑩①苛敛：苛刻聚敛。⑩②废租庸使：同光二年（公元九二四年），敕盐铁、度支、户部三司，凡有关钱物，并委租庸使管辖，沿袭梁朝旧制。至此，废除租庸使。⑩③内勾司：庄宗同光二年置，为宫内诸司之一，掌财赋。⑩④专判：专门管理。⑩⑤监军使：由宦官担任，监视军队、将领。⑩⑥武功：县名，在今陕西武功。⑩⑦内难：指庄宗被杀，明宗入洛阳。⑩⑧张钱：嗜酒贪鄙，历沂、密二州刺史。传见《新五代史》卷四十七。⑩⑨浮梁：指咸阳浮桥。⑪⓪渭南：县名，今陕西渭南。⑪①自图：自己拿主意，有所打算。暗示其自杀。⑪②仆夫：车夫。⑪③无异言：没有不同的意见，指拥戴明宗为帝。

【校记】

[4]之：原无此字。据章钰校，十二行本、乙十一行本皆有此字，今据补。

【语译】

此前，监国命令亲信李冲担任华州都监，接迎李继岌的军队。李冲擅自逼迫华州节度使史彦镕入朝。同州节度使李存敬路过华州时，李冲把他杀了，并屠灭了他的全家。又杀死了西川行营都监李从袭。史彦镕向安重诲哭诉，安重诲派史彦镕返回华州节度使任所，召李冲回朝。

自从监国进入洛阳后，朝廷内外的机要大事都由李绍真决定。李绍真擅自把威胜节度使李绍钦、太子少保李绍冲拘捕下狱，想杀掉他们。安重诲对李绍真说："温韬、段凝的罪恶都在梁朝时期，现在殿下刚刚平定内乱，正期望安定天下，难道只专为您报私仇吗！"李绍真从此稍加收敛。四月十五日辛丑，监国下令，李绍冲、李绍钦恢复原来的姓名温韬、段凝，并把他们免官削职为民。十六日壬寅，任命孔循为枢密使。

主管官吏商议监国即皇帝位的礼仪。李绍真、孔循认为唐朝的国运已经完了，应当自行建立国号。监国询问左右的近臣："什么叫国号？"回答说："先皇帝曾经由唐朝赐姓，后来消灭梁朝为唐朝复仇，承继唐朝昭宗之后，所以国号叫唐。现今在

后⑬⑥，故称唐。今梁朝之人⑬⑦不欲殿下称唐耳。”监国曰：“吾年十三事献祖⑬⑧，献祖以吾宗属⑬⑨，视吾犹子⑭⓪。又事武皇⑭①垂三十年，先帝⑭②垂二十年，经纶⑭③攻战，未尝不预。武皇之基业则吾之基业也，先帝之天下则吾之天下也，安有同家而异国乎！”令执政更议⑭④。吏部尚书李琪曰：“若改国号，则先帝遂为路人⑭⑤，梓宫⑭⑥安所托乎！不惟殿下忘三世旧君⑭⑦，吾曹为人臣者能自安乎？前代以旁支入继⑭⑧多矣，宜用嗣子⑭⑨柩⑮⓪前即位之礼。”众从之。丙午⑮①，监国自兴圣宫赴西宫⑮②，服斩衰，于柩前即皇帝[5]位，百官缟素⑮③。既而御衮冕⑮④受册，百官吉服⑮⑤称贺。

【段旨】

以上为第四段，写李嗣源即帝位，是为明宗。

【注释】

⑭ 都监：官名，州设都监，或称兵马都监督，掌屯戍、守城等。官高资深者为都监，官低资浅者为监押。⑮ 西师：魏王继岌所统率的军队。⑯ 擅逼：擅自逼迫。⑰ 入朝：到洛阳中央朝廷。⑱ 屠：屠灭。⑲ 还镇：回华州节度使任所。⑳ 李绍真：即霍彦威。㉑ 擅收：擅自逮捕。㉒ 威胜：方镇名，唐肃宗至德二载（公元七五七年）升襄阳防御使为山南东道节度使。后梁破赵匡凝，分邓州置宣化军。后唐改名威胜军，治所邓州，在今河南邓州。㉓ 李绍钦：即段凝。㉔ 李绍冲：即温韬。㉕ 冀：希望。㉖ 万国：指天下。㉗ 稍沮：稍稍有所抑制。㉘ 辛丑：四月十五日。㉙ 李绍冲、绍钦复姓名为温韬、段凝：同光元年，赐温韬姓名为李绍冲，段凝为李绍钦。⑬⓪ 放归田里：逐还民间，削职为民。⑬① 壬寅：四月十六日。⑬② 有司：有关部门；主管官吏。⑬③ 国号：国家的称号。⑬④ 赐姓于唐：

【原文】

戊申⑮⑥，敕中外之臣毋得献鹰犬奇玩之类。

有司劾奏太原尹张宪委城⑮⑦之罪，庚戌⑮⑧，赐宪死。

任圜将征蜀兵二万六千人至洛阳，明宗慰抚之，各令还营。

梁朝做过官的人都不希望殿下的国号也称唐。”监国说：“我十三岁时侍奉献祖，献祖因为我是同一宗族的人，待我犹如自己的亲儿子。我又侍奉武皇将近三十年，侍奉先皇帝将近二十年，谋划朝政，攻城野战，我没有不参与的。武皇的基业就是我的基业，先皇帝的天下就是我的天下，哪里有同一个家而国号不同！”命令执政大臣另行讨论。吏部尚书李琪说：“如果更改国号，那么先皇帝就等于陌路之人，他的灵柩又靠谁来料理呢！不单是殿下忘记了三世旧君，就是我们这些做人臣的能自感安稳吗？过去的朝代以旁支入继大统的也很多，应该用嗣子在灵柩前即位的礼仪即位。”大家都赞同他的意见。四月二十日丙午，监国从兴圣宫前往西宫，穿着斩衰的重丧服，在唐庄宗的灵柩前即皇帝位，百官一身缟素。一会儿，监国穿上皇帝的礼服，戴上皇冠，接受玉册，百官换上礼服向新皇帝拜贺。

指朱邪赤心以平庞勋之功赐姓李，名国昌。⑬⑤为唐复仇：指庄宗李存勖灭梁。⑬⑥继昭宗后：指后唐庄宗在唐末奉昭宗天祐年号，称帝后以同光元年继唐昭宗天祐二十年。⑬⑦梁朝之人：这里指霍彦威、孔循，他们曾为后梁大臣。⑬⑧献祖：指李国昌，庄宗即位，尊其祖国昌为献祖。⑬⑨宗属：李国昌视李嗣源为同宗。〖按〗李嗣源亦沙陀族人。⑭⓪犹子：犹同亲儿子。⑭①武皇：指李克用。庄宗追尊父李克用为太祖武皇帝。⑭②先帝：指李存勖。⑭③经纶：谋划朝政，处理国家重大事务。⑭④更议：再行讨论。⑭⑤路人：陌路的人，即不认识的外人。⑭⑥梓宫：装殓皇帝尸体的棺材。⑭⑦三世旧君：指献祖、太祖、庄宗三世。⑭⑧旁支入继：不是直系血统继承皇位。⑭⑨嗣子：原为嫡长子当继承者为嗣子，这里指无子者以近支兄弟或他人之子为嗣。⑮⓪柩：棺。人死后，在床叫尸，在棺叫柩。⑮①丙午：四月二十日。⑮②西宫：西面的宫殿。庄宗停棺于西宫。⑮③缟素：白色丧服。⑮④衮冕：衮衣和帽，是古代皇帝的礼服。⑮⑤吉服：礼服。

【校记】

［5］皇帝：原无此二字。据章钰校，十二行本、乙十一行本皆有此二字，今据补。

【语译】

四月二十二日戊申，唐明宗下令朝廷内外的大臣不得进献鹰犬、珍玩之类的东西。

有关部门上奏弹劾太原尹张宪委弃城池之罪，二十四日庚戌，赐张宪死。

任圜率领西征蜀国的军队二万六千人到达洛阳，唐明宗慰劳安抚他们，命令他们各自回到原先的军营。

甲寅[159]，大赦，改元[160]。量留后宫百人，宦官三十人，教坊百人，鹰坊二十人，御厨五十人，自余任从所适[161]。诸司使务有名无实者，皆废之。分遣诸军就食近畿[162]，以省馈运。除夏、秋税省耗[163]。节度、防御等使，正、至、端午、降诞四节[164]听贡奉[165]，毋得敛百姓。刺史以下不得贡奉。选人先遭涂毁文书者，令三铨[166]止除诈伪，余复旧规。

五月丙辰朔[167]，以太子宾客[168]郑珏、工部尚书任圜并为中书侍郎、同平章事，圜仍判三司。圜忧公如家，简拔贤俊，杜绝侥幸[169]。期年[170]之间，府库充实，军民皆足，朝纲[171]粗立。圜每以天下为己任[172]，由是安重诲忌之。

武宁节度使李绍真、忠武节度使李绍琼、贝州刺史李绍英、齐州防御使李绍虔、河阳节度使李绍奇、洺州[173]刺史李绍能[174]，各请复旧姓名为霍彦威、苌从简[175]、房知温、王晏球、夏鲁奇、米君立，许之。从简，陈州人也。晏球本王氏子，畜于杜氏，故请复姓王。

丁巳[176]，初令百官正衙常朝[177]外，五日一赴内殿起居[178]。

宦官数百人窜匿[179]山林，或[180]落发为僧，至晋阳者七十余人。诏北都[181]指挥使李从温悉诛之。从温，帝之侄也。

帝以前相州刺史安金全有功于晋阳，壬戌[182]，以金全为振武节度使、同平章事。

丙寅[183]，赵在礼请帝幸邺都。戊辰[184]，以在礼为义成节度使。辞以军情未听[185]，不赴镇[186]。

李彦超入朝，帝曰："河东[187]无虞[188]，尔之力也。"庚午[189]，以为建雄[190]留后。

甲戌[191]，加王延翰同平章事。

帝目不知书，四方奏事皆令安重诲读之。重诲亦不能尽通，乃奏称："臣徒以忠实之心事陛下，得典枢机。今事粗能晓知，至于古事，非臣所及。愿仿前朝侍讲、侍读[192]，近代直崇政、枢密院[193]，选文学之臣与之共事，以备应对。"乃置端明殿[194]学士。乙亥[195]，以翰林学士冯道、赵凤为之。

四月二十八日甲寅，大赦天下，改换年号。酌情留下后宫一百人，宦官三十人，教坊一百人，鹰坊二十人，御厨五十人，其余的人听任所往。官内的各司使务有名无实的，全都裁减。分派各军在近处地域取给粮食，以减少运输。免除夏、秋两季税收的省耗。节度、防御等使，在每年元旦、冬至、端午和皇帝生日（应圣节）四个节日准许进贡，不得搜刮百姓。刺史以下官员不准向皇帝进贡。候选官吏先前告身文书被涂毁的，命令三铨去除欺诈和伪造，其余按旧的规定办理。

五月初一日丙辰，任命太子宾客郑珏、工部尚书任圜并为中书侍郎、同平章事。任圜仍旧兼管三司。任圜为公务操心就如同自己家的事一样，选拔贤良才俊，斥退投机侥幸的小人。一年时间，府库充实，士卒百姓都很富足，朝廷制度粗具规模。任圜常常以天下为己任，因此安重诲很嫉恨他。

武宁节度使李绍真、忠武节度使李绍琼、贝州刺史李绍英、齐州防御使李绍虔、河阳节度使李绍奇、洺州刺史李绍能，各自请求恢复他们原来的姓名霍彦威、苌从简、房知温、王晏球、夏鲁奇、米君立，唐明宗答应了他们。苌从简是陈州人。王晏球本来是姓王的儿子，寄养在姓杜的人家，所以请求恢复姓王。

五月初二日丁巳，开始命令百官除了正衙正常的朝见外，每五天一次进内殿向皇帝问安。

数百名宦官窜匿山林，有的人剃光头发当了和尚，到晋阳的有七十多人。唐明宗下诏命令北都指挥使李从温把他们全部杀掉。李从温，是唐明宗的侄儿。

唐明宗因为前相州刺史安金全防守晋阳有功，五月初七日壬戌，任命安金全为振武节度使、同平章事。

十一日丙寅，赵在礼请求唐明宗幸临邺都。十三日戊辰，唐明宗任命赵在礼为义成节度使。赵在礼借口军队的事情还没处理完毕，没有前往镇所滑州就任。

李彦超入朝，唐明宗对他说："河东安然无恙，是你的功劳。"十五日庚午，任命他为建雄留后。

十九日甲戌，加封王延翰为同平章事。

唐明宗不识字，四面八方的上奏言事都让安重诲读给他听。安重诲也不能完全通晓这些奏章，于是启奏说："臣仅是以忠诚的心来侍奉陛下，得以位居要职。当代的事情大略知道，至于古代的事情，不是臣所能知道的了。希望能仿效前朝的侍讲、侍读，近代的直崇政、枢密院制度，挑选一些通晓文学的大臣来共同处理这些事情，以备陛下的垂问。"于是设置了端明殿学士。五月二十日乙亥，任命翰林学士冯道、赵凤来担任。

【段旨】

以上为第五段，写后唐明宗大赦，改元，诛宦官，整肃朝纲。

【注释】

⑯戊申：四月二十二日。⑰委城：委弃城池。⑱庚戌：四月二十四日。⑲甲寅：四月二十八日。⑳改元：四月二十八日始改元天成。㉑适：往。㉒近畿：都城附近的县域。㉓省耗：旧例，夏、秋二税每斗额外多交一升叫省耗。㉔正、至、端午、降诞四节：正月初一、冬至、五月初五端午节、明宗生日九月九日应圣节四个节日。㉕听贡奉：任听贡献礼品。㉖三铨：本为唐代旧制。唐对官员选拔、授职、考绩，由吏部及兵部尚书、侍郎分掌其事。尚书一人为尚书铨，掌五品至七品选；侍郎二人，分为中铨、东铨，掌八品九品选，合为三铨。后来都由侍郎处理，尚书仅在文书上签名。㉗丙辰朔：五月初一日。㉘太子宾客：官名，太子属官，掌辅佐太子。㉙侥幸：企图靠偶然机遇获得成功。㉚期年：一年。㉛朝纲：朝廷的制度。㉜以天下为己任：把振兴国家看作是自己的责任。㉝洺州：州名，治所广年，在今河北邯郸市永年区。㉞李绍能：以上诸人，李绍真、李绍虔以梁将归降赐名，李绍琼、李绍奇、李绍能以事庄宗有战功赐名。㉟茨从简

【原文】

丙子[196]，听郭崇韬归葬，复朱友谦官爵。两家货财田宅前籍没[197]者，皆归之。

戊寅[198]，以安重诲领山南东道[199]节度使。重诲以襄阳要地[200]，不可乏帅，无宜兼领，固辞。许之。

诏发汴州控鹤指挥使[201]张谏等三千人戍瓦桥。六月丁酉[202]，出城。复还作乱，焚掠坊市，杀权知州、推官高逖。逼马步都指挥使、曹州刺史李彦饶[203]为帅，彦饶曰："汝欲吾为帅，当用吾命，禁止焚掠。"众从之。己亥[204]旦，彦饶伏甲[205]于室，诸将入贺，彦饶曰："前日唱乱者数人而已。"遂执张谏等四人，斩之。其党张审琼帅众大噪于建国门，彦饶勒兵击之，尽诛其众四百人，军、州[206]始定。即日，以军、州事牒节度推官韦俨权知，具以状闻。庚子[207]，诏以枢密使孔循知汴州，收[208]为乱者三千家，悉诛之。彦饶，彦超之弟也。

（公元八七七至九四一年）：陈州（今河南周口市淮阳区）人，屠羊为业，力敌数人，善用槊。官至后唐河阳节度使，后晋许州节度使。烦苛暴虐，为武臣之最。传见《旧五代史》卷九十四。⑰⑥丁巳：五月初二日。⑰⑦正衙常朝：指初一和十五，皇帝御文明殿受百官朝贺。⑰⑧内殿起居：五日一次皇帝在中兴殿，百官问候。⑰⑨窜匿：逃窜藏匿。⑱⓪或：有的人。⑱①北都：今山西太原。⑱②壬戌：五月初七日。⑱③丙寅：五月十一日。⑱④戊辰：五月十三日。⑱⑤军情未听：军队的事务尚未处理完毕。听，处理。⑱⑥镇：指义成军，治所在滑州，今河南滑县。⑱⑦河东：这里指河东军府治所晋阳，即今山西太原。⑱⑧无虞：没有问题，不必担心。⑱⑨庚午：五月十五日。⑲⓪建雄：方镇名，唐僖宗光启元年（公元八八五年）置护国军节度，治所晋阳，在今山西太原。后梁开平四年（公元九一〇年）置定昌军，贞明三年（公元九一七年）改为建宁军。后唐改为建雄军。⑲①甲戌：五月十九日。⑲②侍讲、侍读：唐制，集贤院置侍讲学士、侍读直学士，为皇帝讲读经史，剖析疑义。⑲③直崇政、枢密院：后梁开平元年（公元九〇七年）改枢密院为崇政院，置直学士二员，选有政术文学者担任。后唐同光元年（公元九二三年）改崇政院为枢密院，置直院一人，为皇帝讲经史。⑲④端明殿：后唐同光二年（公元九二四年）正月，改解卸殿为端明殿，为皇帝燕闲接御儒臣之地，设学士。端明殿学士由此始。⑲⑤乙亥：五月二十日。

【语译】

五月二十一日丙子，允许郭崇韬归葬故乡，恢复朱友谦的官爵。两家以前被查没充公的财货田宅，全都归还。

二十三日戊寅，任命安重诲兼领山南东道节度使。安重诲认为襄阳是冲要之地，不可以没有统帅，不宜兼领，所以他坚决推辞。唐明宗答应了他的请求。

唐明宗下诏征调汴州控鹤指挥使张谏等三千人戍守瓦桥关。六月十二日丁酉，军队出了城，又折返回来发动叛乱，烧杀抢掠街市，杀死了权知州、推官高逖，逼迫马步都指挥使、曹州刺史李彦饶当他们的主帅。李彦饶说："你们想让我为帅，就应当听我的命令，禁止烧杀抢掠。"大家听从了他的意见。十四日己亥的早晨，李彦饶在家中埋伏甲士，各位将领们进来向他拜贺，李彦饶说："前天领头作乱的只是几个人而已。"说完，就把张谏等四个人抓了起来，斩杀了他们。张谏的同党张审琼率领很多人在建国门大喊大叫，李彦饶调集军队攻击他们，把乱兵四百人全部杀死，军镇和汴州才安定下来。当天，把军镇和汴州的事情写成公文报告节度推官韦俨知道，把详细情况报告朝廷。十五日庚子，唐明宗下诏任命枢密使孔循掌管汴州，逮捕了三千家作乱的人，把他们全部处死。李彦饶，是李彦超的弟弟。

蜀百官至洛阳，永平[209]节度使兼侍中马全[210]曰："国亡至此，生不如死！"不食而卒。以平章事王锴等为诸州府刺史、少尹[211]、判官、司马，亦有复归蜀者。

辛丑[212]，滑州都指挥使于可洪等纵火作乱，攻魏博戍兵三指挥，逐出之。

乙巳[213]，敕："朕二名[214]，但不连称，皆无所避。"

戊申[215]，加西川节度使孟知祥兼侍中。

李继曮[216]至华州，闻洛中乱，复归凤翔。帝为之诛柴重厚[217]。

高季兴表求夔、忠、万三州为属郡[218]，诏许之。

安重诲恃恩骄横[219]，殿直[220]马延误冲前导[221]，斩之于马前，御史大夫李琪以闻。秋，七月，重诲白帝下诏，称延陵突[222]重臣，戒谕中外。

于可洪与魏博戍将互相奏云作乱，帝遣使按验[223]得实。辛酉[224]，斩可洪于都市，其首谋滑州左崇牙[225]全营族诛[226]，助乱者[227]右崇牙，两长剑、建平将校百人亦族诛。

【段旨】

以上为第六段，写汴州、滑州兵变。

【注释】

⑲⑥丙子：五月二十一日。⑲⑦籍没：抄家；没收。⑲⑧戊寅：五月二十三日。⑲⑨山南东道：方镇名，唐肃宗至德二载（公元七五七年）升襄阳防御使为山南东道节度使，治襄州，在今湖北襄阳。⑳⓪襄阳要地：襄阳为郡名，治所襄阳，在今湖北襄阳。其地控蜀扼荆，为冲要之地。⑳①控鹤指挥使：控鹤，后梁侍卫亲军名，骄悍而怕远戍。控鹤指挥使为控鹤军统领官。⑳②丁酉：六月十二日。⑳③李彦饶（？至公元九三七年）：符存审次子。官至义成军节度使，被诬与范延光谋反，遭冤杀。传见《新五代史》卷二十五。⑳④己亥：六月十四日。⑳⑤伏甲：埋伏士卒。⑳⑥军、州：军，指宣武军。州，指汴州。⑳⑦庚子：

蜀国的百官到达洛阳，原蜀国的永平节度使兼侍中马全说："国家灭亡竟到了这种地步，活着还不如死了！"绝食而死。唐明宗任命原蜀国的平章事王锴等人担任各州府的刺史、少尹、判官、司马，也有人又返回蜀地。

六月十六日辛丑，滑州都指挥使于可洪等人纵火作乱，进攻魏博戍守部队的三指挥，赶走了他们。

二十日乙巳，唐明宗下令："朕的名字有两个字，只要不是连称，都不用避讳。"

二十三日戊申，加封西川节度使孟知祥兼侍中。

李继曮到达华州，听说洛阳叛乱，又返回凤翔。唐明宗替他诛杀了柴重厚。

高季兴上表请求把夔、忠、万三州划归为他的属郡，唐明宗下诏同意了他的请求。

安重诲依仗皇帝的恩宠而骄纵跋扈，殿直马延误撞了他的前导仪仗，他在马前杀了马延，御史大夫李琪把此事报告了唐明宗。秋，七月，安重诲告诉了唐明宗，要求下诏，说是马延冲撞了国家重臣，告诫朝廷内外。

于可洪和戍守魏博的将领交相上奏，说对方作乱，唐明宗派使者查证，得到实情。七月初七日辛酉，在街市上把于可洪斩首，叛乱的首谋滑州左崇牙全营士卒都被诛灭全族，协助叛乱的右崇牙营、左右长剑营、左右建平营将校一百人也被诛灭全族。

六月十五日。⑳⑧收：逮捕。⑳⑨永平：方镇名，前蜀置永平军于雅州。治所严道，在今四川雅安。㉑⓪马全（？至公元九二六年）：蜀永平军节度使。传见《十国春秋》卷四十三。㉑①少尹：官名，为府的副长官。㉑②辛丑：六月十六日。㉑③乙巳：六月二十日。㉑④二名：指"嗣源"二字为名。如果二字不连用，单独用时不避讳。㉑⑤戊申：六月二十三日。㉑⑥李继曮：李茂贞之子，继李茂贞为凤翔节度使。㉑⑦诛柴重厚：杀柴重厚，是因柴重厚不纳李继曮。㉑⑧属郡：归自己管理的州郡。㉑⑨恃恩骄横：依仗皇帝的恩宠而骄纵跋扈。㉒⓪殿直：侍值殿廷的武官，分左、右班。㉒①前导：仪仗队；前导侍从。㉒②陵突：侵犯；冲撞。㉒③按验：调查验证。㉒④辛酉：七月初七日。㉒⑤左崇牙：滑州警卫军名。㉒⑥全营族诛：全营官兵合族被处死。五代制度，禁军军官作乱，全军官兵及其家属全部受株连而被杀戮。㉒⑦助乱者：帮助作乱的人。

【原文】

壬申㉘，初令百官每五日起居，转对奏事㉙。

契丹主攻勃海，拔其夫余城㉚，更命曰东丹国㉛。命其长子突欲㉜镇东丹，号人皇王，以次子德光㉝守西楼㉞，号元帅太子。

帝遣供奉官姚坤告哀㉟于契丹。契丹主闻庄宗为乱兵所害，恸哭曰："我朝定儿㊱也。吾方欲救之，以勃海未下，不果往，致吾儿及此。"哭不已。虏言"朝定"，犹华言"朋友"也。又谓坤曰："今天子闻洛阳有急，何不救?"对曰："地远不能及。"曰："何故自立?"坤为言帝所以即位之由，契丹主曰："汉儿喜饰说㊲，毋多谈!"突欲侍侧，曰："牵牛以蹊人之田，而夺之牛㊳，可乎?"坤曰："中国无主，唐天子不得已而立。亦犹天皇王初有国㊴，岂强取之乎!"契丹主曰："理当然。"又曰[6]："闻吾儿专好声色游畋，不恤军民[7]，宜其及此㊵。我自闻之，举家不饮酒，散遣伶人，解纵㊶鹰犬。若亦效吾儿所为，行㊷自亡矣。"又曰："吾儿与我虽世旧，然屡与我战争。于今天子则无怨，足以修好。若与我大河之北㊸，吾不复南侵矣。"坤曰："此非使臣之所得专㊹也。"契丹主怒，囚之。旬余，复召之，曰："河北恐难得，得镇、定、幽州亦可也。"给纸笔趣令为状㊺，坤不可。欲杀之，韩延徽㊻谏，乃复囚之。

【段旨】

以上为第七段，写供奉官姚坤出使契丹告哀，拒绝契丹主索地，大义凛然。

【注释】

㉘壬申：七月十八日。㉙转对奏事：依唐制，文武百官按班次轮流各奏本司公事。㉚夫余城：夫余国王城，在今辽宁昌图境内。当时夫余城属勃海国。㉛东丹国：耶律阿保机攻陷勃海国夫余城后所置，为其长子突欲领地。在今辽宁东北部。㉜突欲（？至公元九三六年）：阿保机长子，领东丹国，号人皇王。阿保机死，当立。其母述律后

【语译】

七月十八日壬申，开始命令百官每隔五天入内问安，轮流上奏本司公事。

契丹主进攻勃海国，攻取了夫余城，把它改名叫东丹国。命令他的长子突欲镇守东丹，号称人皇王，命令他的次子德光守卫上都西楼，号称元帅太子。

唐明宗派遣供奉官姚坤告丧于契丹。契丹主听说唐庄宗被乱兵所害，悲痛大哭，说："我朝定的儿子啊！我正要去救援他，因为勃海没有攻下，没有去成，以至于我儿遭此灾祸。"契丹主哭泣不止。胡人说"朝定"，犹如中国说"朋友"。他又对姚坤说："现在的天子得知洛阳有急难，为什么不救援？"姚坤回答说："因为路途遥远，无法救援。"又问："为什么自立为帝？"姚坤向他说明唐明宗即位的原因，契丹主说："汉人就是喜欢粉饰言辞，你不必多说了！"突欲在契丹主身旁侍立，说："牵牛践踏了别人的田地，田主就把他的牛抢过来，这样做行吗？"姚坤回答说："中国当时没有君主，唐朝天子是不得已才即位的。也就像当年天皇王开始拥有国家一样，难道也是强行夺取的吗！"契丹主说："你说的也有道理。"他又说："听说我儿专门喜欢声色游猎，而不体恤军民，应该落到这个下场。我自从听到这件事，全家不喝酒，遣散了伶人，释放了鹰犬。如果也仿效我儿的所作所为，我们也即将灭亡了。"他又说："我儿虽然和我是世交，却多次和我打仗。我和现在的天子倒是无冤无仇，完全可以建立友好关系。你们如果能把黄河以北的地方划归给我，我不会再向南侵犯了。"姚坤说："这不是使臣所能专断的。"契丹主很生气，把姚坤囚禁起来。十多天后，又召见他，说："黄河以北地区恐怕难以得到，能得到镇、定、幽州也可以。"契丹主给姚坤纸和笔，催促他写下文书，姚坤不同意。契丹主打算把他杀掉，韩延徽劝说，于是又把姚坤囚禁起来。

爱次子德光，立为嗣，囚突欲。长兴元年（公元九三〇年）奔后唐，遥领武信军节度使，为后唐末帝所杀。传见《新五代史》卷七十三。㉝德光：辽太宗耶律德光（公元九〇二至九四七年），字德谨，公元九二七至九四七年在位。天显十一年（公元九三六年）借石敬瑭叛后唐机会，取得燕云十六州，并立石敬瑭为儿皇帝。传见《辽史》卷三至四。㉞西楼：契丹以其所居为上京，起楼其间，号西楼。又于其东千里起东楼，北三百里起北楼，南木叶山起南楼。㉟告哀：报丧。㊱朝定儿：朝定，契丹语"朋友"的意思。朝定儿，即朋友的儿子，也就是自己的儿子。因阿保机与李克用曾结盟为兄弟。㊲喜饰说：喜欢粉饰言辞。㊳牵牛以蹊人之田二句：源出《左传》宣公十一年。楚大夫申叔对楚庄王说：陈国夏徵舒杀其君，你讨伐他是对的，但并吞了陈国是不对的。如同牛践踏了庄稼，牛

被田主没收了，处罚就显得重了。以后用来比喻轻罪重罚。㉓⑨初有国：开始称帝执国政。指阿保机不肯受代，击灭七部的事。㉔⓪宜其及此：应该落到国破身亡的地步。㉔①解纵：释放。㉔②行：行将；即将。㉔③大河之北：泛指黄河以北的地区。㉔④专：专断；决断。㉔⑤趣令为状：催促他写成文书。趣，通“促”。㉔⑥韩延徽（公元八八二至九五九年）：字藏明，幽州安次（今河北廊坊市安次区）人，初从刘仁恭，后聘契丹，为阿保机所留，任参军事。阿保机建国，韩延徽谋划为多，为辽佐命功臣之一，官至宰相。传见《辽史》卷七十四。

【原文】

丙子[247]，葬光圣神闵孝皇帝[248]于雍陵[249]，庙号庄宗。

丁丑[250]，镇州留后王建立奏涿州刺史刘殷肇不受代，谋作乱，已讨擒之。

己卯[251]，置彰国军[252]于应州。

门下侍郎、同平章事豆卢革、韦说奏事帝前，或时[253]礼貌不尽恭[254]。百官俸钱皆折估[255]，而革父子独受实钱。百官自五月给[256]，而革父子自正月给。由是众论沸腾[257]。说以孙为子，奏官[258]；受选人[259]王傪赂，除近官[260]。中旨[261]以库部郎中[262]萧希甫[263]为谏议大夫，革、说覆奏[264]。希甫恨之，上疏言革、说不忠前朝，阿谀取容[265]。因诬革强夺民田，纵田客杀人；说夺邻家井，取宿藏物[266]。制贬革辰州[267]刺史，说溆州[268]刺史。庚辰[269]，赐希甫金帛，擢为散骑常侍。

辛巳[270]，契丹主阿保机卒于夫余城。述律后召诸将及酋长[271]难制者[272]之妻，谓曰：“我今寡居，汝不可不效我[273]。”又集其夫泣问曰：“汝思先帝[274]乎？”对曰：“受先帝恩，岂得不思！”曰：“果思之，宜往见之[275]。”遂杀之。

癸未[276]，再贬豆卢革费州[277]司户[278]，韦说夷州[279]司户。甲申[280]，革流[281]陵州[282]，说流合州[283]。

【校记】

[6] 曰：据章钰校，十二行本、乙十一行本皆无“曰”字。[7] 不恤军民：原无此四字。据章钰校，十二行本、乙十一行本皆有此四字，张敦仁《通鉴刊本识误》、张瑛《通鉴校勘记》同，今据补。

【语译】

七月二十二日丙子，在雍陵安葬了光圣神闵孝皇帝，庙号为庄宗。

二十三日丁丑，镇州留后王建立上奏说涿州刺史刘殷肇不接受替职的命令，阴谋作乱，已经讨伐并活捉了他。

二十五日己卯，在应州设置彰国军。

门下侍郎、同平章事豆卢革、韦说在唐明宗面前上奏时，有时不很恭敬。百官的俸钱都打折扣，而独有豆卢革父子领受全额。百官从五月给俸，而豆卢革父子从正月给俸。因此大家都议论纷纷。韦说把孙子冒充儿子，上奏求官；接受候补官员王傪的贿赂，任用他为近畿的州县官。中旨任命库部郎中萧希甫为谏议大夫，豆卢革、韦说封驳重奏。萧希甫很痛恨他们，上疏说豆卢革、韦说不忠于前朝，只是一味地阿谀奉承，想得到宠幸。又诬告说豆卢革强夺民田，纵容佃户杀人；韦说夺取邻家的水井，获取井中过去所藏的宝物。唐明宗下令贬豆卢革为辰州刺史，韦说为溆州刺史。七月二十六日庚辰，唐明宗赐给萧希甫金银、布帛，提升为散骑常侍。

二十七日辛巳，契丹主阿保机在夫余城去世。述律皇后召集各位将领和酋长难以节制者的妻子，对她们说：“我今天是寡妇了，你们不能不和我一样。”又把她们的丈夫召集来，哭着问他们说：“你们想念先皇帝吗?”大家回答说：“我们受先皇帝的恩德，哪能不想!”皇后说：“如果真的想他，应该到地下去见他。”于是杀死了他们。

二十九日癸未，再次把豆卢革贬为费州司户，韦说贬为夷州司户。三十日甲申，豆卢革被流放到陵州，韦说被流放到合州。

【段旨】

以上为第八段，写后唐明宗贬斥宰相豆卢革、韦说。契丹主死，述律后铁腕裁制强臣。

【注释】

(247)丙子：七月二十二日。(248)光圣神闵孝皇帝：庄宗谥号。(249)雍陵：庄宗墓名，在今河南新安。(250)丁丑：七月二十三日。(251)己卯：七月二十五日。(252)彰国军：方镇名，原属大同军节度。后唐明宗即位，以其为应州人，乃置彰国军于应州，在今山西应县。(253)或时：有时。(254)不尽恭：不很恭敬。(255)折估：折价；打折扣。估，价。(256)给：给俸。(257)众论沸腾：议论纷纷。(258)以孙为子二句：把孙子冒充为儿子，上奏求官。(259)选人：候补官。(260)近官：近畿州县官。(261)中旨：唐以后不经中书门下而由内廷直接发出的敕谕。(262)库部郎中：官名，为兵部库部司长官，掌卤簿、仪仗、戎器、供帐以及国家武库。(263)萧希

【原文】

孟知祥阴有据蜀之志，阅[284]库中，得铠甲二十万，置左右牙等兵十六营，凡万六千人，营于牙城内外。

八月乙酉朔[285]，日有食之。

丁亥[286]，契丹述律后使少子安端少君[287]守东丹，与长子突欲奉契丹主之丧，将[288]其众发夫余城。

初，郭崇韬以蜀骑兵分左、右骁锐[8]等六营，凡三千人；步兵分左、右宁远等二十营，凡二万四千人。庚寅[289]，孟知祥增置左、右冲山等六营，凡六千人，营于罗城[290]内外。又置义宁等二十营，凡万六千人，分戍管内州县[291]就食。又置左、右牢城四营，凡四千人，分戍成都境内。

王公俨[292]既杀杨希望，欲邀节钺[293]，扬言[294]符习为治严急，军府众情不愿其还[295]。习还，至齐州，公俨拒之，习不敢前。公俨又令将士上表请己为帅，诏除登州[296]刺史。

公俨不时[297]之官，托云军情所留。帝乃徙天平节度使霍彦威为平

甫：宋州（今河南商丘）人，性褊狭、急躁。初为魏州推官、驾部郎中，擢谏议大夫、左散骑常侍，贬岚州司户参军。传见《旧五代史》卷七十一、《新五代史》卷五十八。㉖④覆奏：封驳重奏，实际上不予同意。明宗欲以萧希甫为谏议大夫，豆卢革、韦说颇多沮难。㉖⑤阿谀取容：看皇帝的脸色行事，奉承拍马。㉖⑥宿藏物：前人藏在井下的东西。《新五代史》萧希甫本传记载：希甫诬奏"说与邻人争井，井有宝货"。有司推劾，井中唯破釜而已。㉖⑦辰州：州名，治所龙檦，今湖南怀化西。㉖⑧溆州：州名，故治在今湖南怀化。㉖⑨庚辰：七月二十六日。㉗⓪辛巳：七月二十七日。㉗①酋长：部落的首领。㉗②难制者：难以制伏的人。㉗③效我：同我一样做寡妇。㉗④先帝：指阿保机。㉗⑤宜往见之：应当到地下去见先帝。㉗⑥癸未：七月二十九日。㉗⑦费州：州名，故治在今贵州德江东南。㉗⑧司户：司户参军，州郡下级属官，从九品，一般安置被贬官员。㉗⑨夷州：州名，治所绥阳，在今贵州凤冈西北。㉘⓪甲申：七月三十日。㉘①流：流放。㉘②陵州：州名，治所在今四川仁寿东。㉘③合州：州名，在今重庆市合川区。

【语译】

孟知祥暗中有占据蜀中的意思，检视武库，得到铠甲二十万具，设置了左右牙等军队十六营，共计一万六千人，在牙城内外扎营。

八月初一日乙酉，发生日食。

初三日丁亥，契丹述律皇后让她的小儿子安端少君镇守东丹，自己和长子突欲承办契丹主的殡葬，率领大军从夫余城出发。

当初，郭崇韬把原蜀国的骑兵分设左、右骁锐等六个营，共计三千人；步兵分设左、右宁远等二十个营，共计二万四千人。八月初六日庚寅，孟知祥增设左、右冲山等六个营，共计六千人，扎营于罗城内外。还设置了义宁等二十个营，共计一万六千人，分别戍守辖区内的州县，就地取食。还设置了左、右牢城四个营，共计四千人，分别戍守成都境内。

王公俨杀了杨希望后，想求得节度使之职，扬言说符习治军严苛，军府中官兵的想法是不愿让他回来。符习返回时，到达齐州，王公俨派兵阻挡他，符习不敢前行。王公俨又让将士们上表请求唐明宗任命自己为军帅，唐明宗下诏任命他为登州刺史。

王公俨不按时赴任，借口说被军队的事情所稽留。唐明宗于是调天平节度使霍

卢节度使，聚兵淄州，以图攻取。公俨惧，乙未[298]，始之官。丁酉[299]，彦威至青州[300]，追擒之，并其族党悉斩之。支使[301]北海韩叔嗣[302]预焉，其子熙载[303]将奔吴，密告其友汝阴进士李谷[304]。谷送至正阳[305]，痛饮而别。熙载谓谷曰："吴若用吾为相，当长驱以定中原。"谷笑曰："中原若用吾为相，取吴如囊中物耳。"

庚子[306]，幽州言契丹寇边，命齐州防御使安审通将兵御之。

九月壬戌[307]，孟知祥置左、右飞棹兵六营，凡六千人，分戍滨江诸州，习水战以备夔、峡[308]。

癸酉[309]，卢龙节度使李绍斌请复姓赵，从之，仍赐名德钧。德钧养子延寿[310]尚帝女兴平公主[311]，故德钧尤蒙亲任[9]。延寿本蓨[312]令刘邟[313]之子也。

【段旨】

以上为第九段，写唐明宗平反郭崇韬、朱友谦，诛王公俨。孟知祥整武备，图谋据西川。

【注释】

㉘④阅：检阅。㉘⑤乙酉朔：八月初一日。㉘⑥丁亥：八月初三日。㉘⑦安端少君：阿保机第三子。小字李胡，一名洪古，字奚隐，少勇悍多力，后以述律后谋反罪逮捕。传见《辽史》卷七十二。㉘⑧将：率领。㉘⑨庚寅：八月初六日。㉙⓪罗城：在城墙外加筑的凸出形小城圈，用来加强主城的防卫作用。㉙①管内州县：西川节度使所管辖的州、县。㉙②王公俨：原青州指挥使，杀监军杨希望据青州城，事见上卷天成元年（公元九二六年）三月。㉙③欲邀节钺：希望得到节度使的印信、斧钺。即谓想求得节度使之职。邀，求取。㉙④扬言：散布言论。㉙⑤军府众情不愿其还：平卢节度使府的官兵不愿符习回来。其时符习引军外出攻邺都。㉙⑥登州：州名，治所蓬莱，今山东烟台市蓬莱区。㉙⑦不时：不按规定时间。㉙⑧乙未：八月十一日。㉙⑨丁酉：八月十三日。㉚⓪青州：州名，治所临淄，在今山东青州。㉚①支使：节度使、采访使、观察使属官，掌分使出入、表笺书翰之官，各置一人。㉚②韩叔嗣：韩光嗣，潍州北海（今山东潍坊）人，军中逐节度使符习，推光嗣为留

彦威为平卢节度使，把兵力集中到淄州，准备攻取青州。王公俨很害怕，八月十一日乙未，才去上任。十三日丁酉，霍彦威到达青州，追上并活捉了王公俨，把他和他的家族、同党全部斩杀。支使北海人韩叔嗣参与其中，韩叔嗣的儿子韩熙载将要投奔吴国，把此事秘密地告诉了他的朋友汝阴进士李谷。李谷送他到正阳，痛饮而别。韩熙载对李谷说："吴国如果任用我当宰相，我就率军长驱直入平定中原。"李谷笑着说："中原如果用我当宰相，攻取吴国就像囊中取物。"

十六日庚子，幽州报告说契丹侵犯边境，唐明宗命令齐州防御使安审通率兵防御。

九月初八日壬戌，孟知祥设置了左、右飞棹兵六个营，共计六千人，分别戍守长江沿岸的各个州，练习水战，以防守夔州、峡州。

十九日癸酉，卢龙节度使李绍斌请求恢复姓赵，唐明宗听从了，还赐名德钧。赵德钧的养子赵延寿娶了唐明宗的女儿兴平公主，所以赵德钧特别受到唐明宗的亲信任用。赵延寿，原本是蓨县县令刘邟的儿子。

后，明宗派霍彦威讨乱，坐死。③③熙载：韩熙载（公元九〇二至九七〇年），字叔言，韩光嗣之子。逃至南唐，官至光政殿学士承旨。隶书及画皆隽绝一时。传见《十国春秋》卷二十八。③④李谷：汝阴（今安徽阜阳）人，官至后周宰相，曾建筑河堤。周世宗用其谋取淮南。传见《宋史》卷二百六十二。③⑤正阳：有东、西二正阳：在安徽颍上淮水西叫西正阳，在安徽寿县西淮水东为东正阳。这里指西正阳。③⑥庚子：八月十六日。③⑦壬戌：九月初八日。③⑧夔、峡：皆州名，夔州治所在今重庆奉节，峡州治所在今湖北宜昌。峡，亦作"硖"。③⑨癸酉：九月十九日。③⑩延寿（？至公元九四八年）：本姓刘氏，为赵德钧养子。为后唐枢密使，北伐契丹，被契丹所俘，契丹以延寿为幽州节度使，封燕王。传见《旧五代史》卷九十八。③⑪兴平公主：明宗第十三女，嫁赵延寿，天成三年四月封。长兴四年（公元九三三年）九月改封齐国公主，清泰二年（公元九三五年）三月进封燕国长公主。③⑫蓨：县名，治所在今河北景县南。③⑬刘邟：赵延寿之父，为蓨县县令。

【校记】

［8］锐：原作"卫"。据章钰校，十二行本、乙十一行本皆作"锐"，今据改。［9］亲任：原作"宠任"。据章钰校，十二行本、乙十一行本皆作"亲任"，今据改。

【原文】

加楚王殷守尚书令。

契丹述律后爱中子[314]德光，欲立之。至西楼，命与突欲俱乘马立帐前，谓诸酋长曰："二子吾皆爱之，莫知所立，汝曹择可立者，执其辔[315]。"酋长知其意，争执德光辔，欢跃[316]曰："愿事元帅太子[317]。"后曰："众之所欲，吾安敢违。"遂立之为天皇王。突欲愠[318]，帅数百骑欲奔唐，为逻者[319]所遏[320]。述律后不罪[321]，遣归东丹[322]。天皇王尊述律后为太后，国事皆决焉。太后复纳其侄[323]为天皇王后。天皇王性孝谨，母病不食亦不食，侍于母前应对或不称旨[324]，母扬眉视之，辄惧而趋避[325]，非复召不敢见也。以韩延徽为政事令[326]。听姚坤归复命[327]，遣其臣阿思没骨馁来告哀。

壬午[328]，赐李继曮名从曮[329]。

冬，十月甲申朔[330]，初赐文武官春冬衣。

威武[331][10]节度使、同平章事王延翰骄淫残暴。己丑[332]，自称大闽国王。立宫殿，置百官，威仪文物皆仿天子之制，群下称之曰殿下。赦境内，追尊其父审知曰昭武王。

静难节度使毛璋骄僭[333]不法，训卒缮兵[334]，有跋扈之志[335]，诏以颍州团练使李承约[336]为节度副使以察之。壬辰[337]，徙璋为昭义节度使。璋欲不奉诏，承约与观察判官长安边蔚从容说谕[338]，久之，乃肯受代[339]。

庚子[340]，幽州奏契丹卢龙节度使卢文进来奔。初，文进为契丹守平州，帝即位，遣间使[341]说之，以易代[342]之后，无复嫌怨。文进所部皆华人，思归，乃杀契丹戍平州者，帅其众十余万、车帐八千乘来奔。

初，魏王继岌、郭崇韬率[343]蜀中富民输犒赏钱五百万缗，听以金银缯帛充[344]。昼夜督责[345]，有自杀者。给军之余，犹二百万缗。至是，任圜判三司，知成都富饶，遣盐铁判官[346]、太仆卿赵季良[347]为孟知祥官告国信[348]兼三川都制置转运使。甲辰[349]，季良至成都。蜀人欲皆不与，知祥曰："府库他人所聚，输之可也。州县租税，以赡镇兵十万，决不可得。"季良但发库物，不敢复言制置转运职事矣。

安重诲以知祥及东川节度使董璋皆据险要，拥强兵，恐久而难制。

【语译】

加封楚王马殷署理尚书令。

契丹述律皇后喜欢次子德光，想立他为契丹主。回到上都西楼后，就让他和长子突欲一起骑马立在帐前，她对各个酋长说："这两个儿子我都喜欢，不知道该立谁，你们选择一个可以立为契丹主的，拉住他的马缰绳。"酋长们知道她的想法，争着拉德光的马缰绳，欢呼雀跃地说："愿意侍奉元帅太子。"述律皇后说："大家的愿望，我怎么敢违背。"于是封立德光为天皇王。突欲内心恼怒，率领数百名骑兵想投奔唐朝，被巡逻的人员所阻止。述律皇后没有加罪于他，派他返回东丹。天皇王尊奉述律皇后为太后，国家政务都由她决定。太后又迎娶她的侄女为天皇王后。天皇王生性谨慎孝顺，母亲生病不吃饭，他也不吃饭，陪侍在母亲身边，对答有时不符合她的心意，母亲扬眉看着他，他就会吓得快步避开，不是母亲又叫他，他不敢见太后。任命韩延徽为政事令。允许姚坤回唐朝复命，派遣使臣阿思没骨馁到唐朝去报丧。

九月二十八日壬午，唐明宗赐李继曮名字为从曮。

冬，十月初一日甲申，首次赏赐文武官员春季冬季的衣服。

威武节度使、同平章事王延翰骄奢淫逸，残狠凶暴。十月初六日己丑，自称为大闽国王。修建宫殿，设置百官，威仪和礼乐典章都仿效天子制度，群臣称他为殿下。大赦境内，追尊他的父亲王审知为昭武王。

静难节度使毛璋骄纵僭越，不守法度，训练士卒，修缮兵器，有造反割据之意。唐明宗下诏任命颍州团练使李承约为节度副使，以便监视毛璋。十月初九日壬辰，把毛璋迁任为昭义节度使。毛璋想不接受诏命，李承约和观察判官长安人边蔚闲暇时劝说他，过了很久，毛璋才肯接受替代。

十七日庚子，幽州方面奏言契丹卢龙节度使卢文进前来投奔。当初，卢文进为契丹镇守平州，唐明宗即位，派遣密使游说他，告诉他改朝换代之后，不再有猜忌和怨仇。卢文进所辖都是汉族人，想返回家乡，于是他们就杀死了契丹戍守平州的人，率领部众十多万人、车帐八千辆前来投奔。

当初，魏王李继岌、郭崇韬敛取蜀中富户，缴纳犒赏钱五百万缗，允许用金银缯帛抵充。日夜督促，甚至有人自杀。这些钱犒赏军队剩下的，还有二百万缗。到这个时候，任圜判理三司，他知道成都很富饶，便派遣盐铁判官、太仆卿赵季良给孟知祥送去加封官职的任命书，赵季良并兼任三川都制置转运使。十月二十一日甲辰，赵季良到达成都。蜀人打算一点东西都不给他，孟知祥说："府库里的钱财是别人聚集的，交出去是可以的。州县的租税，是用来赡养十万名镇守士兵的，绝对不能交出去。"赵季良只是调拨了府库里的钱财，不敢再说制置转运使的职务了。

安重诲认为孟知祥和东川节度使董璋都占据着险要的地方，拥有强大的军队，

又知祥乃庄宗近姻[350]，阴欲图之[351]。客省使[352]、泗州[353]防御使李严自请为西川监军，必能制知祥。己酉[354]，以严为西川都监[355]，文思使[356]太原朱弘昭[357]为东川副使。李严母贤明，谓严曰："汝前启灭蜀之谋，今日再往，必以死报[358]蜀人矣。"

【段旨】

以上为第十段，写契丹立耶律德光为主。太仆卿赵季良入蜀调运府库资财。

【注释】

⑭中子：述律后生有三子，中子是指第二个儿子。⑮执其辔：拉住他的马缰绳。辔，驾驭牲口的缰绳。⑯欢跃：欢欣鼓舞而跳跃。⑰元帅太子：即耶律德光。⑱愠：内心恼怒。⑲逻者：巡逻兵。⑳遏：阻止。㉑不罪：不问罪。㉒遣归东丹：叫他回东丹原封地去。㉓侄：指内侄女。㉔不称旨：不符合太后心意。㉕趋避：快步退下躲避。㉖政事令：契丹宰相。㉗听姚坤归复命：允许姚坤回后唐复命。㉘壬午：九月二十八日。㉙从曮：明宗赐名，列入其子行列，表示亲近。㉚甲申朔：十月初一日。㉛威武：治所福州。㉜己丑：十月初六日。㉝骄僭：骄纵僭越。㉞缮兵：缮治兵器。㉟有跋扈之志：有反叛割据之心。㊱李承约：字德俭，蓟门（今北京西南）人，明宗拜为黔南节度使，劝民农桑，兴办学校，为黔南人所喜爱。传见《新五代史》卷四十七。㊲壬辰：十月初九日。㊳说谕：劝说、开导。㊴受代：接受替代而去任昭义节度使。㊵庚子：十月十七日。㊶间使：

【原文】

旧制，吏部给告身[359]，先责其人输朱胶绫轴钱[360]。丧乱以来，贫者但受敕牒，多不取告身。十一月甲戌[361]，吏部侍郎刘岳上言："告身有褒贬训戒之辞[362]，岂可使其人初不之睹[363]！"敕文班丞、郎、给、谏[364]，武班大将军以上，宜赐告身。其后执政议，以为朱胶绫轴，厥费无多[365]，朝廷受以官禄，何惜小费。乃奏凡除官者更不输钱，皆赐告身。当是时，所除正员官[366]之外，其余试衔[367]、帖号[368]止以宠激军中将校而已。及长兴以后，所除浸多[369]，乃至军中卒伍，使州镇戍[370]胥吏，皆得银青

恐怕时间久了难以控制。还有孟知祥是唐庄宗较近的姻亲，因此暗地里想要除掉他。客省使、泗州防御使李严自己请求担任西川监军，自信一定能够控制孟知祥。二十六日己酉，任命李严为西川都监，文思使太原人朱弘昭为东川副使。李严的母亲非常贤明，她对李严说："你以前首先提出了消灭蜀国的计谋，今天再次前往，蜀人一定会把你杀死来作为报应的。"

秘密使者。㉞易代：改朝换代。㉟率：敛取。㊱充：抵充。㊲昼夜督责：日夜督促。㊳盐铁判官：三司属官，掌盐铁事宜。㊴赵季良（？至公元九四六年）：字德彰，济阴（今山东曹县）人，为孟知祥谋士，官至后蜀同平章事，卒谥文肃。传见《十国春秋》卷五十一。㊵官告国信："官告国信使"之省称。赵季良任此职以赐孟知祥"侍中"官告，同时，季良亦兼任三川都制置转运使。㊶甲辰：十月二十一日。㊷庄宗近姻：孟知祥之妻为庄宗的堂姐妹。㊸阴欲图之：暗地里想除掉他。㊹客省使：官名，掌四方进奉及四夷朝贡等事。㊺泗州：州名，治所宿豫，在今江苏宿迁东南。㊻己酉：十月二十六日。㊼都监：官名，掌屯戍、边防、训练军队等。㊽文思使：文思院长官，属西班诸司，掌管武臣。㊾朱弘昭（？至公元九三四年）：山西太原人，历官至后唐中书令，为安从进所杀。传见《旧五代史》卷六十六。㊿报：回报；报应。

【校记】

［10］威武：原作"昭武"。胡三省注云："'昭武'当作'威武'。"严衍《通鉴补》改作"威武"，闽为威武军，治福州，昭武为蜀方镇，治利州。今从改。

【语译】

旧时制度，吏部颁给告身，先要求所委任的人交付朱胶绫轴费。动乱以后，贫穷的人只领取任职命令，大多不领取告身。十一月二十一日甲戌，吏部侍郎刘岳上奏说："告身上面有褒贬训诫之辞，怎么能让人在开始任职时就不看呢！"唐明宗下令，文官的尚书左右丞及二十四曹郎中、给事中、谏议大夫，武官的大将军以上官员，应当赐给告身。此后执政大臣们建议，认为朱胶绫轴的费用不多，朝廷授予官禄，何必吝惜这些小钱。于是上奏说凡是拜官受职的人不再交钱，全都赐予告身。当时，所授任的官员除了正员官以外，其余的试衔、帖号，只用来尊宠激励军中将校而已。到了长兴年间以后，所授予的官员渐渐多起来，竟至于军中的士卒，使、州、镇、戍中的小官

阶及宪官[371]，岁赐告身以万数[372]矣。

闽王延翰蔑弃[373]兄弟，袭位才逾月，出其弟延钧为泉州[374]刺史。延翰多取民女以充后庭，采择不已[375]。延钧上书极谏，延翰怒，由是有隙[376]。父审知养子延禀[377]为建州[378]刺史，延翰与书使之采择，延禀复书不逊[379]，亦有隙。十二月，延禀、延钧[380]合兵袭福州。延禀顺流先至[381]，福州指挥使陈陶[382]帅众拒之，兵败，陶自杀。是夜，延禀帅壮士百余人趣西门，梯城而入，执守门者，发库取兵仗。及寝门，延翰惊匿别室。辛卯[383]旦，延禀执之，暴其罪恶，且称延翰与妻崔氏共弑先王，告谕吏民，斩于紫宸门[384]外。是日，延钧至城南，延禀开门纳之，推延钧为威武留后。

癸巳[385]，以卢文进为义成节度使、同平章事。

庚子[386]，以皇子从荣[387]为天雄节度使、同平章事。

赵季良等运蜀金帛十亿[388]至洛阳，时朝廷方匮乏，赖此以济。

是岁，吴越王镠以中国丧乱，朝命不通，改元宝正[389]。其后复通中国，乃讳而不称。

【段旨】

以上为第十一段，写唐明宗滥赐告身，数以万计。闽国发生政变，王延钧杀逐王延翰为闽王。

【注释】

㉟⑨告身：古代授官的凭信，类似后世的委任状。㊱⓪输朱胶绫轴钱：缴纳任命状的成本费。唐告身初用纸，肃宗朝有时用绢，贞元后始用绫，后仍之。㊱①甲戌：十一月二十一日。㊱②褒贬训戒之辞：告身由中书省草制，其中包括表扬、贬斥、训勉、告诫的话。㊱③睹：看。㊱④丞、郎、给、谏：丞、郎谓尚书左右丞和二十四曹郎中，给谓给事中，谏谓谏议大夫。㊱⑤厥费无多：这笔费用没有多少。五代百官赐告身，自刘岳建言开始。㊱⑥正员官：在编官员。㊱⑦试衔：又称试秩。试某官某阶，是一种出身，可以候选入官，但非正式官员。㊱⑧帖号：赐给各种将军、郎将的荣誉称号。㊱⑨浸多：逐渐加多。㊲⓪使州镇戍：诸道节度使、观察使司和州郡、镇所、戍所。㊲①银青阶及宪官：银青阶，指文散官银青光禄大夫，从三品，

吏，都能得到银印青绶的官阶和宪官的委任状，每年所赏赐的告身数以万计。

闽王王延翰轻视疏离他的兄弟，继承王位才过了一个月，就把他的弟弟王延钧调出担任泉州刺史。王延翰选取了很多民间女子来充实后宫，采选无休止。王延钧上书极力劝谏，王延翰很生气，因此有了矛盾。父王审知的养子王延禀担任建州刺史，王延翰给他写信让他帮助选取宫女，王延禀回信时出言不逊，两人也有了矛盾。十二月，王延禀、王延钧联合兵力袭击福州。王延禀顺流而下先到福州，福州指挥使陈陶率领部众抵抗，兵败，陈陶自杀。当天夜晚，王延禀率领一百多名壮士奔赴福州西门，踩着梯子进入城内，抓住了看守大门的人，打开府库，取出武器。到达寝门时，王延翰惊吓得藏到别的房间里。初八日辛卯的早晨，王延禀抓获了王延翰，公布了他的罪行，并且声称王延翰和他的妻子崔氏一起杀了先王，通告吏民百姓，在紫宸门外把他们杀了。当天，王延钧到达福州城南，王延禀打开城门接他入城，拥戴王延钧为威武留后。

初十日癸巳，任命卢文进为义成节度使、同平章事。

十七日庚子，任命皇子李从荣为天雄节度使、同平章事。

赵季良等运送蜀中价值一百万的金银、布帛到达洛阳，当时朝廷正钱财匮乏，靠这些东西得以渡过难关。

这一年，吴越王钱镠因为中原动乱，朝廷的命令不能到达，于是改年号为宝正。后来又和中原恢复了联系，就避讳不提这个年号了。

银印青绶。宪官，指御史台官御史大夫、御史中丞等。此言赐告身之滥，地方军、政低级人员都得到了高级官员的荣誉证书。㊲㊲ 以万数：用万来计算。㊲㊳ 蔑弃：轻视离弃。㊲㊴ 泉州：州名，治所晋江，在今福建泉州。㊲㊵ 不已：没有完结；不停。㊲㊶ 有隙：有矛盾。㊲㊷ 延禀：王审知养子，本姓周。㊲㊸ 建州：州名，治所建安，在今福建建瓯。㊲㊹ 不逊：不客气；不礼貌。㊳⓪ 延钧：即王延钧（？至公元九三五年），闽国国君，王审知次子，公元九二六年杀兄延翰，自称威武留后。公元九三三年称帝，年号龙启，改名鏻。公元九三五年，被子昶及皇城使李倣所杀。公元九二六至九三五年在位。传见《十国春秋》卷九十一。㊳① 顺流先至：王延禀在建州建安，顺流东下，水路虽有几百里，但因水势湍急，很快即可抵达福州。㊳② 陈陶（？至公元九二六年）：官至闽福州指挥使。附见《十国春秋》卷九十一。㊳③ 辛卯：十二月初八日。㊳④ 紫宸门：唐都长安宫内有紫宸殿、紫宸门。此为王氏于福州僭拟仿其名。㊳⑤ 癸巳：十二月初十日。㊳⑥ 庚子：十二月十七日。㊳⑦ 从荣（？至公元九三四年）：明宗第二子，封秦王，加天下兵马大元帅。颇喜儒，学为诗歌。为争嗣位，被皇城使安从益所杀。传见《新五代史》卷十五。㊳⑧ 十亿：一百万。亿之数有大小两种计量单位，小亿为十万，大亿为万万。㊳⑨ 宝正：吴越王钱镠年号。明宗赐命下达，即奉后唐为正朔，讳而不用。

【原文】

二年（丁亥，公元九二七年）

春，正月癸丑朔㊿，帝更名亶㉀。

孟知祥闻李严来监其军，恶之[392]。或请奏止之，知祥曰："何必然，吾有以待之[393]。"遣吏至绵、剑[394]迎候。会[395]武信节度使李绍文卒，知祥自言尝受密诏[396]许便宜从事[397]。壬戌[398]，以西川节度副使、内外马步军都指挥使李敬周为遂州留后，促[11]之上道，然后表闻。严先遣使至成都，知祥自以于严有旧恩[399]，冀其惧而自回，乃盛陈甲兵[400]以示之。严不以为意。

安重诲以孔循少侍宫禁[401]，谓其谙练[402]故事，知朝士行能[403]，多听其言。豆卢革、韦说既得罪，朝廷议置相，循意不欲用河北人，先已荐郑珏，又荐太常卿崔协。任圜欲用御史大夫李琪。郑珏素恶琪，故循力沮之，谓重诲曰："李琪非无文学，但不廉[404]耳。宰相但得端重有器度者，足以仪刑多士[405]矣。"他日，议于上前，上问谁可相者，重诲以协对。圜曰："重诲未悉朝中人物，为人所卖[406]。协虽名家，识字甚少。臣既以不学忝[407]相位，奈何更益[408]以协，为天下笑乎！"上曰："宰相重任，卿辈更审议[409]之。吾在河东时见冯书记[410]多才博学，与物无竞[411]，此可相矣。"既退，孔循不揖，拂衣径去[412]，曰："天下事一则任圜，二则任圜，圜何者！使崔协暴死则已，不死会须相之。"因称疾不朝者数日，上使重诲谕之，方入。重诲私谓圜曰："今方乏人，协且备员[413]，可乎？"圜曰："明公舍李琪而相崔协，是犹弃苏合之丸[414]，取蛣蜣[415]之转也。"循与重诲共事，日短琪而誉协。癸亥[416]，竟以端明殿学士冯道及崔协并为中书侍郎、同平章事。协，邠之曾孙也。

戊辰[417]，王延禀还建州，王延钧送之，将别，谓延钧曰："善守先人基业，勿烦老兄[418]再下！"延钧逊谢[419]甚恭而色变[420]。

庚午[421]，初令天下长吏每旬亲引虑系囚[422]。

孟知祥礼遇[423]李严甚厚，一日谒知祥，知祥谓曰："公前奉使王衍，归而请兵伐蜀，庄宗用公言，遂致两国俱亡[424]。今公复来，蜀人惧

【语译】

二年（丁亥，公元九二七年）

春，正月初一日癸丑，唐明宗改名为亶。

孟知祥听说李严前来监督他的军队，很讨厌他。有人请求上奏唐明宗，阻止他来，孟知祥说："何必这样，我有办法对付他。"派遣官吏到绵州、剑州迎接李严。适逢武信节度使李绍文去世，孟知祥自己说曾经接受明宗的密诏，允许他就事情所宜自行处理军政事务。正月初十日壬戌，他任命西川节度副使、内外马步军都指挥使李敬周为遂州留后，催促他上路赴任，然后再向皇帝上表报告。李严先派了使者到成都，孟知祥自以为对李严有旧恩，希望他有所畏惧而自行回朝，于是大肆排列甲士，向他显示武力。但李严并不在乎。

安重诲认为孔循从小给事宫廷，说他熟悉朝中典故，知道朝中官员们的品行才能，所以很多事情都听他的意见。豆卢革、韦说获罪以后，朝廷议论设置宰相的事，孔循的想法是不想任用河北人，已经先推荐了郑珏，这时又推荐太常卿崔协。任圜想任用御史大夫李琪。郑珏一向嫉恨李琪，所以孔循极力阻挠他，他对安重诲说："李琪不是没有文才，但就是不廉洁。宰相只求端正庄重有器度的人，足以成为朝廷百官的典范。"有一天，在唐明宗面前议论这件事，唐明宗问谁可以当宰相，安重诲回答说崔协。任圜说："安重诲不熟悉朝中的人物，被人所愚弄。崔协虽然是名门出身，但识字很少。臣已经以不学之身忝列相位，怎么能够再增加一个崔协，被天下的人笑话呢！"皇上说："宰相是个重要的职位，各位再审慎地商议。我在河东时，看到冯书记多才博学，与世无争，这样的人可以任为宰相。"退朝后，孔循不和别人作揖告别，径自拂袖而去，说："天下的事情，一也是任圜，二也是任圜，任圜是什么东西！假如崔协突然死去也就算了，如果不死我会让他当宰相。"为此，他几天托病不朝，皇上派安重诲劝说他，他才上朝。安重诲私下对任圜说："现今正缺乏人才，崔协暂且做备选人员，可以吗？"任圜说："明公您舍弃李琪而以崔协为相，这犹如抛弃了苏合香丸，取用屎壳郎推转的臭粪球。"孔循和安重诲一起共事，每天都说李琪的坏话而夸誉崔协。正月十一日癸亥，唐明宗终于任命端明殿学士冯道和崔协都任中书侍郎、同平章事。崔协，是崔邠的曾孙。

十六日戊辰，王延禀返回建州，王延钧给他送行，将要分别时，王延禀对王延钧说："好好守护先人的基业，不要麻烦老兄我再来了！"王延钧谦逊地表示谢意，极为恭敬，而脸色变了。

十八日庚午，首次命令天下长吏每十天之内要亲自审讯拘押的囚犯。

孟知祥对李严以礼相待，极为优厚，有一天李严拜见孟知祥，孟知祥对他说："你从前奉诏出使王衍，返回后就请求派兵讨伐蜀国，庄宗听信了你的话，结果致

矣。且天下皆废监军，公独来监吾军，何也？”严惶怖求哀㊻㉕，知祥曰：“众怒不可遏㊻㉖也！”遂揖下㊻㉗，斩之。又召左厢马步都虞候丁知俊，知俊大惧，知祥指严尸谓曰：“昔严奉使，汝为之副，然则故人也，为我瘗㊻㉘之。”因诬奏：“严诈宣口敕，云代臣赴阙㊻㉙，又擅许将士优赏，臣辄已诛之。”

内八作使㊻㉚杨令芝以事入蜀，至鹿头关㊻㉛，闻严死，奔还。朱弘昭在东川，闻之，亦惧，谋归洛。会有军事，董璋使之入奏，弘昭伪辞㊻㉜然后行，由是得免。

癸酉㊻㉝，以皇子从厚㊻㉞同平章事、充河南尹、判六军诸卫事㊻㉟。从厚，从荣之母弟也[12]。从荣闻之，不悦。

【段旨】

以上为第十二段，写冯道、崔协任相。蜀孟知祥杀监军李严。

【注释】

㊵ 癸丑朔：正月初一日。㊶ 亶：李嗣源所改名。㊷ 恶之：讨厌他。㊸ 吾有以待之：我有办法对付他。㊹ 绵、剑：绵州和剑州。㊺ 会：刚好。㊻ 尝受密诏：曾经接受明宗秘密诏令。㊼ 便宜从事：有权就事情所宜自行处理军政事务。㊽ 壬戌：正月初十日。㊾ 旧恩：晋王李存勖曾欲杀李严，为孟知祥所救。事见本书卷二百六十八梁太祖乾化二年（公元九一二年）。㊿ 盛陈甲兵：大规模排列身穿盔甲的士兵，炫耀武力。401 少侍宫禁：指从小给事梁太祖朱温帐中。唐末任宣徽、枢密院。402 谙练：熟悉；熟练。403 朝士行能：朝中官员的德行和才能。404 不廉：不廉洁。405 仪刑多士：为众多士大夫的榜样。仪刑，法式、楷模。多士，士子众多。406 为人所卖：被人所愚弄。407 忝：辱；有愧于。408 益：增加。409 审议：审慎地商议。410 冯书记：指冯道。冯道曾为李克用河东掌书记。411 与物无竞：与世无争；心地平和，没有物欲之累。412 拂衣径去：径自拂袖而去。413 备员：充数；虚在其位，聊备员额。414 苏合之丸：大秦国用各种香料，煎其汁合成丸。指高贵的东西。415 蛣蜣：昆虫名，也称蜣螂，体圆黑甲，吃粪土。以土裹粪，弄转成丸。指下贱

使两国都灭亡了。现今你又来到这里，蜀人很害怕。况且天下各地全都废除了监军，唯独你来监督我的军队，这是为什么？”李严惶恐哀求，孟知祥说：“众怒是不能阻止的！”于是押了下去，把他杀了。孟知祥又叫来左厢马步都虞候丁知俊，丁知俊大为恐惧，孟知祥指着李严的尸体对他说：“过去李严奉命出使蜀国，你做他的副手，也可以说是他的故人了，你替我埋了他。”接着孟知祥向唐明宗诬奏说：“李严假宣陛下的口头敕令，说要代掌臣的职务，让臣赴京，又擅自答应给将士优厚的奖赏，臣已经把他杀了。”

内八作使杨令芝因为有事到蜀中去，到了鹿头关，听说李严死了，便逃了回去。朱弘昭在东川，听到李严被杀，也很害怕，筹划返回洛阳。碰巧有军务，董璋派他入朝奏报，朱弘昭假装推辞，然后受命出发，因此得免一死。

正月二十一日癸酉，任命皇子李从厚为同平章事、充任河南尹、兼管六军诸卫的事务。李从厚，是李从荣的舅舅。李从荣得知消息后，很不高兴。

的东西。⑯癸亥：正月十一日。⑰戊辰：正月十六日。⑱老兄：王延禀自称。⑲逊谢：谦逊地表示感谢。⑳色变：内心不悦，变了脸色。㉑庚午：正月十八日。㉒引虑系囚：检点关押的罪犯，及时审理。即汉代所谓录囚徒。自唐以来，称作虑囚。㉓礼遇：以礼相待。㉔两国俱亡：指庄宗空国伐蜀，蜀亡而谋臣死，根本空虚，庄宗也被杀。㉕惶怖求哀：惊惶惧怕而哀求饶命。㉖遏：阻止。㉗揖下：挟押下去。㉘瘗：埋葬。㉙代臣赴阙：指李严矫敕云代孟知祥，使孟知祥赴京。㉚内八作使：官名，掌宫内各种工匠。㉛鹿头关：关名，在四川德阳北。㉜伪辞：假装推辞。㉝癸酉：正月二十一日。㉞从厚：明宗第三子，封宋王，有善行，为从荣所嫉忌。事见《新五代史》卷十五。㉟判六军诸卫事：兼管全军诸卫事务。

【校记】

［11］促：原作“趣”。据章钰校，十二行本、乙十一行本皆作“促”，今据改。［12］从厚，从荣之母弟也：原无此八字。据章钰校，十二行本、乙十一行本、孔天胤本皆有此八字，张敦仁《通鉴刊本识误》、张瑛《通鉴校勘记》同，今据补。

【原文】

己卯[436]，加枢密使安重诲兼侍中，孔循同平章事。

吴马军都指挥使柴再用戎服[437]入朝，御史弹之，再用恃功不服。侍中徐知诰阳[438]于便殿误通起居[439]，退而自劾[440]，吴王优诏不问，知诰固请夺一月俸[441]。由是中外肃然。

契丹改元天显[442]，葬其主阿保机于木叶山[443]。述律太后左右有桀黠[444]者，后辄谓曰："为我达语于先帝！"至墓所则杀之，前后所杀以百数。最后，平州人赵思温[445]当往，思温不行，后曰："汝事先帝尝亲近，何为不行？"对曰："亲近莫如后，后行，臣则继之。"后曰："吾非不欲从先帝于地下也，顾嗣子幼弱，国家无主，不得往耳。"乃断一腕，令置墓中。思温亦得免。

帝以冀州刺史乌震三将兵运粮入幽州，二月戊子[446]，以震为河北道副招讨，领宁国[447]节度使，屯卢台军[448]。代泰宁节度使、同平章事房知温归兖州。

庚寅[449]，以保义节度使石敬瑭兼六军诸卫副使[450]。

丙申[451]，以从马直指挥使郭从谦为景州[452]刺史，既至，遣使族诛[453]之。

高季兴既得三州[454]，请朝廷勿[13]除刺史，自以子弟为之，不许。及夔州刺史潘炕罢官，季兴辄[455]遣兵突入州城，杀戍兵而据之。朝廷除奉圣指挥使[456]西方邺为刺史，不受[457]。又遣兵袭涪州，不克。魏王继岌遣押牙韩珙等部送蜀珍货金帛四十万，浮江而下。季兴杀珙等于峡口[458]，尽掠取之。朝廷诘[459]之，对曰："珙等舟行下峡，涉数千里，欲知覆溺之故，自宜按问[460]水神。"帝怒，壬寅[461]，制削夺季兴官爵，以山南东道[462]节度使刘训[463]为南面招讨使、知荆南行府[464]事，忠武节度使夏鲁奇为副招讨使，将步骑四万讨之。东川节度使董璋充东南面招讨使，新夔州刺史西方邺副之，将蜀兵下峡[465]。仍会湖南军[466]，三面进攻。

三月甲寅[467]，以李敬周为武信留后。

丙辰[468]，初置监牧[469]，蓄息国马。

【语译】

正月二十七日己卯，加封枢密使安重诲兼任侍中，孔循为同平章事。

吴国马军都指挥使柴再用戎装入朝，御史弹劾他，柴再用仗着有功劳，不服气。侍中徐知诰故意在便殿误见吴王请安，退朝后自我上表弹劾，吴王下了辞美诏书不予追究，徐知诰坚决请求扣除一个月的俸禄。从此朝廷内外法纪严整。

契丹国改年号为天显，把先主阿保机安葬在木叶山。述律太后左右近臣中有凶悍狡猾的人，太后往往就对他说："去替我传话给先帝!"到了墓地就把人杀了，先后所杀数以百计。最后，平州人赵思温应当前往墓地，赵思温不去，太后说："你侍奉先帝时曾受亲近，为什么不去?"赵思温回答说："和先帝亲近没有人比得上太后，太后去，臣就跟着你。"太后说："我不是不想追随先帝于地下，只是考虑到继任的儿子幼弱，国家没有个当家的，不能前往。"于是砍下了一只手腕，让人放在阿保机的墓中。赵思温也得以免死。

唐明宗因为冀州刺史乌震曾三次率兵运输粮食到幽州，二月初七日戊子，任命乌震为河北道副招讨，兼领宁国节度使，驻扎在卢台军，接替泰宁节度使、同平章事房知温，好让他回兖州。

初九日庚寅，任命保义节度使石敬瑭兼任六军诸卫副使。

十五日丙申，任命从马直指挥使郭从谦为景州刺史，他到任后，唐明宗派遣使者诛灭了他的全族。

高季兴得到了夔、忠、万三州后，请求朝廷不要派任刺史，自己用家中子弟担任，唐明宗没有同意。到了夔州刺史潘炕罢官时，高季兴当即派兵突入州城，杀死戍卒占据了该城。朝廷委派奉圣指挥使西方邺任夔州刺史，高季兴不接受。他又派兵袭击涪州，没有攻下来。从前魏王李继岌派遣押牙韩珙等部押送蜀国的珍宝、货物、金帛四十万回朝廷，从江上漂流而下。高季兴在峡口杀死了韩珙等人，掠取了全部财物。现在朝廷责问这件事，高季兴回答说："韩珙等人乘船下三峡，经过几千里水路，想知道翻船淹死的原因，自应审问水神。"唐明宗大怒，二月二十一日壬寅，下令削夺高季兴的官职和爵位，任命山南东道节度使刘训为南面招讨使、知荆南行府事，任命忠武节度使夏鲁奇为副招讨使，率领四万名步兵、骑兵讨伐高季兴。东川节度使董璋充任东南面招讨使，新任夔州刺史西方邺为他的副使，率领蜀兵沿三峡而下。并且会合湖南马殷的军队，三面进攻荆南。

三月初三日甲寅，任命李敬周为武信留后。

初五日丙辰，开始设置监牧，繁殖国家的战马。

【段旨】

以上为第十三段，写契丹述律后以心计诛桀黠臣。唐明宗三路讨荆南。

【注释】

(436)己卯：正月二十七日。(437)戎服：戎装；全副武装。(438)阳：假装；故意。(439)通起居：觐见皇帝请安。徐知诰故意闯入便殿向吴主杨溥请安，然后自劾，借以整肃朝纲。(440)自劾：自己弹劾自己。(441)夺一月俸：扣除一个月的俸禄。(442)天显：耶律德光第一个年号（公元九二六至九三七年），凡十二年。(443)木叶山：山名，在今内蒙古自治区赤峰北。(444)桀黠：凶悍而狡猾。(445)赵思温（？至公元九三九年）：字文美，卢龙（今河北卢龙）人，青年时作战英勇，力量过人，官至契丹临海军节度使。传见《辽史》卷七十六。(446)戊子：二月初七日。(447)宁国：方镇名，吴升宣州为宁国节度。治所宣城，在今安徽宣城。此为遥领。(448)卢台军："卢"当作"芦"。方镇名，五代时刘守光置。治所芦台，在今天津市宁河区南。(449)庚寅：二月初九日。(450)六军诸卫副使：全国诸军副统领。时石敬瑭镇守陕

【原文】

初，庄宗之克梁也，以魏州牙兵之力。及其亡也，皇甫晖、张破败之乱亦由之[470]。赵在礼之徙滑州，不之官[471]，亦实为其下[472]所制。在礼欲自谋脱祸，阴遣腹心诣阙求移镇[473]，帝乃为之除皇甫晖陈州刺史，赵进贝州刺史，徙在礼为横海节度使。以皇子从荣镇邺都，命宣徽北院使范延光将兵[474]送之，且制置[475]邺都军事。乃出奉节[476]等九指挥三千五百人，使军校龙晊[477]部之，戍卢台军以备契丹。不给铠仗[478]，但系帜[479]于长竿以别队伍，由是皆俯首[480]而去。中涂，闻孟知祥杀李严，军中籍籍[481]，已有讹言[482]。既至，会朝廷不次[483]擢乌震为副招讨使，讹言益甚。

房知温怨震骤来代己，震至，未交印[484]。壬申[485]，震召知温及诸道先锋马军都指挥使、齐州防御使安审通[486]博[487]于东寨[488]。知温诱龙晊所部兵杀震于席上，其众[489]噪于营外，安审通脱身走，夺舟济河，将骑兵按甲不动[490]。知温恐事不济，亦上马出门，甲士揽其辔[491]曰："公当为士卒主，去欲何之？"知温绐[492]之曰："骑兵皆在河西，不收取之，独

州。㊿丙申：二月十五日。㊾景州：州名，故治在今河北景县东北。㊾族诛：合族人全部处死，讨其杀庄宗之罪。㊾三州：夔、忠、万三州。㊾辄：立即。㊾奉圣指挥使：禁卫军指挥官。㊾不受：高季兴不接受西方邺为夔州刺史。㊾峡口：西陵峡口。㊾诘：责问。㊾按问：审问。㊾壬寅：二月二十一日。㊾山南东道：方镇名，唐肃宗至德二载（公元七五七年），升襄阳防御使为山南东道节度使。治所襄州，在今湖北襄阳。㊾刘训：字遵范，隰州永和（今山西永和）人，出身行伍。传见《旧五代史》卷六十一。㊾荆南行府：高季兴所领荆南节度使府。㊾下峡：指兵下三峡。三峡为瞿塘峡、巫峡、西陵峡，今属重庆市。㊾湖南军：指楚王马殷的军队。㊾甲寅：三月初三日。㊾丙辰：三月初五日。㊾监牧：养马的机构。唐置监牧以养马，战乱以后，马政废弛。今复置监牧养马。

【校记】

［13］勿：原作“不”。据张敦仁《通鉴刊本识误》云：“‘不’作‘勿’。”于义较长，今据改。

【语译】

当初，唐庄宗攻克梁朝，靠的是魏州牙兵的力量。等到他灭亡时，皇甫晖、张破败的叛乱也是由于这些牙兵。赵在礼徙任滑州，不去赴任，其实也是被他的部下所挟制。赵在礼想自己谋划摆脱祸患，秘密派遣心腹到朝廷请求换个任职的地方，唐明宗便为了他，任命皇甫晖为陈州刺史、赵进为贝州刺史，调任赵在礼为横海节度使。任命皇子李从荣镇守邺都，命令宣徽北院使范延光率兵护送李从荣，并掌理邺都军事。于是派出了奉节等九个指挥的三千五百人，派军校龙晊率领，戍守卢台军，防备契丹。不发给他们铠甲、兵器，只是在长竿上绑上旗帜，用来区别不同的队伍，因此大家都垂头丧气地出发了。半路上，听说孟知祥杀了李严，军中嘈杂不安，已经有了谣言。到了卢台军后，遇上朝廷越级提升乌震担任副招讨使，军中的谣言更加厉害了。

房知温怨恨乌震突然来取代自己的职位，乌震来到后，房知温没有交出印信。三月二十一日壬申，乌震把房知温和诸道先锋马军都指挥使、齐州防御使安审通叫到东寨赌博。房知温诱使龙晊所辖士兵在席上杀死乌震，乌震的部众在营外大吵大闹，安审通脱身逃跑，抢了一艘船渡过黄河，率领自己的骑兵按兵不动。房知温害怕事情不能成功，也上马走出营门，士兵们拉着他的马缰绳说：“您应当成为士兵的主帅，您想去哪里？”房知温骗他们说：“骑兵们都在黄河西岸，不收揽他们，只有步

有步兵，何能集事[493]！”遂跃马登舟济河，与审通合谋击乱兵，乱兵遂南行。骑兵徐踵其后[494]，部伍甚整。乱者相顾失色，列炬宵行[495]，疲于荒泽[496]。诘朝，骑兵四合[497]击之，乱兵殆尽，余众复趣故寨，审通已焚之。乱兵进退失据，遂溃。其匿于丛薄沟塍[498]，得免者什无一二。范延光还至淇门[499]，闻卢台乱，发滑州兵复如邺都，以备奔逸[500]。

帝遣客省使李仁矩[501]如西川，传诏安谕孟知祥及吏民。甲戌[502]，至成都。

刘训兵至荆南，楚王殷遣都指挥使许德勋等将水军屯岳州。高季兴坚壁[503]不战，求救于吴，吴人遣水军援之。

夏，四月庚寅[504]，敕卢台乱兵在营家属并全门处斩[505]。敕至邺都，阖九指挥[506]之门，驱三千五百家凡万余人于石灰窑[507]，悉斩之，永济渠为之变赤。

朝廷虽知房知温首乱[508]，欲安反仄[509]，癸巳[510]，加知温兼侍中。

先是，孟知祥遣牙内指挥使文水武漳[511]迎其妻琼华长公主[512]及子仁赞[513]于晋阳。及[514]凤翔，李从曮闻知祥杀李严，止之[515]，以闻，帝听其归蜀。丙申[516]，至成都。

【段旨】

以上为第十四段，写唐明宗杀戮芦台乱军一万多人，血染永济渠。

【注释】

⑰亦由之：指皇甫晖、张破败之乱，也是由于魏州牙兵。⑰不之官：不去赴任。⑰其下：指皇甫晖、赵进。⑰求移镇：请求调任，不去滑州。⑰将兵：领兵。⑰制置：掌管；调度。⑰奉节：禁卫军名。⑰龙晊：奉节军军校。⑰铠仗：盔甲器械。⑰帜：旗帜；标志。⑱俯首：垂首；低头。不愉快的样子。⑱籍籍：嘈杂不安的样子。⑱讹言：谣言。⑱不次：不按次序而越级提拔。⑱未交印：不交节度使印信。⑱壬申：三月二十一日。⑱安审通（？至公元九二八年）：安金全侄子，幼事庄宗，累有战功。官至沧州节度使。传见《旧五代史》卷六十一。⑱博：赌博。⑱东寨：当时芦台戍军夹河东西为两

兵，怎么能干成事!”于是跃马上船，渡过黄河，和安审通一道谋划攻打乱兵，乱兵便向南撤走。安审通的骑兵慢慢地跟在他们的后面，队伍非常整齐。乱兵相互看着，吓得变了脸色，列队持炬夜行，在荒凉的草泽中疲惫不堪。第二天一早，骑兵四面包围攻打乱兵，乱兵几乎死光了，剩下的人又逃往原来的营寨，原来的营寨已被安审通烧毁了。乱兵进退都失去了依靠，于是溃散了。他们之中躲藏在草木丛和沟里得以免死的不到十分之一二。范延光回到淇门，听说卢台军发生兵变，便征调滑州的部队再回邺都，以防备乱后的逃窜。

唐明宗派遣客省使李仁矩前往西川，传达皇帝的诏令，安抚孟知祥和吏民百姓。三月二十三日甲戌，到达成都。

刘训的军队到达荆南，楚王马殷派遣都指挥使许德勋等人率领水军驻扎岳州。高季兴加固营垒不出来应战，向吴国求援，吴国派遣水军援助他。

夏，四月初十日庚寅，唐明宗下令把卢台军乱兵在营寨里的家属满门处斩。敕令到达邺都后，关闭了九指挥的门，驱赶三千五百家共一万多人到石灰窑，全部斩杀，永济渠的水因此变成了红色。

朝廷虽然知道房知温是首乱分子，但想要安定动荡不安的局面，四月十三日癸巳，加封房知温兼任侍中。

此前，孟知祥派遣牙内指挥使文水人武漳到晋阳迎接他的妻子琼华长公主和儿子孟仁赞，返回时到了凤翔，李从曮听说孟知祥杀死了李严，就让他们停留下来，把此事奏报朝廷，唐明宗允许他们回到蜀地去。十六日丙申，一行人到达成都。

寨。㊽其众：指乌震的亲兵。㊾按甲不动：按兵不动。甲，指代兵士。㊿揽其辔：拉住他的马缰绳。492 绐：欺骗。493 集事：成事。494 徐踵其后：慢慢地跟在乱兵的后面。495 列炬宵行：点着火把晚上赶路。496 疲于荒泽：在荒凉的草泽中疲惫不堪。497 四合：四面包围。498 丛薄沟塍：草木丛和低洼水沟边。499 淇门：地名，在今河南卫辉东北。500 奔逸：逃走。501 李仁矩：明宗在藩镇时客将，官至左卫大将军、阆州节度使，为董璋所杀。传见《旧五代史》卷七十。502 甲戌：三月二十三日。503 坚壁：加固壁垒。504 庚寅：四月初十日。505 全门处斩：乱军家属满门抄斩。506 九指挥：即奉节军龙旺所部九指挥。507 石灰窑：地名，在今河北大名永济渠边。508 首乱：首先挑起骚乱，为扰乱的首领。509 反仄：即“反侧”。动荡不安。510 癸巳：四月十三日。511 武漳：文水（今山西文水县）人。传见《十国春秋》卷五十一。512 琼华长公主：李克用长女，嫁孟知祥，同光三年（公元九二五年）十二月封琼华长公主。513 仁赞：蜀后主孟昶。514 及：到。515 止之：制止武漳及琼华长公主、孟仁赞，不使赴蜀。516 丙申：四月十六日。

【原文】

盐铁判官赵季良与孟知祥有旧，知祥奏留季良为副使。朝廷不得已，丁酉[517]，以季良为西川节度副使。李昊归蜀，知祥以为观察推官[518]。

江陵卑湿[519]，复值久雨，粮道不继，将士疾疫，刘训亦寝疾[520]。癸卯[521]，帝遣枢密使孔循往视之，且审[522]攻战之宜。

五月癸丑[523]，以威武留后王延钧为本道节度使、守中书令[14]、琅邪王。

孔循至江陵[524]，攻之不克，遣人入城说[525]高季兴，季兴不逊[526]。丙寅[527]，遣使赐湖南行营夏衣万袭[528]。丁卯[529]，又遣使赐楚王殷鞍马玉带，督馈粮[530]于行营，竟不能得。庚午[531]，诏刘训等引兵还。

楚王殷遣中军使史光宪入贡，帝赐之骏马十，美女二。过江陵，高季兴执光宪而夺之，且请举镇自附于吴[532]。徐温曰："为国者当务实效而去虚名[533]。高氏事唐久矣，洛阳去江陵不远，唐人步骑袭之甚易，我以舟师溯流[534]救之甚难。夫臣人[535]而弗能救，使之危亡，能无愧乎[536]！"乃受其贡物，辞其称臣，听[537]其自附于唐。

任圜性刚急[15]，且恃与帝有旧[538]，勇于敢为，权幸多疾[539]之。旧制，馆券[540]出于户部，安重诲请从内出[541]，与圜争于上前，往复数四，声色俱厉。上退朝，宫人问上："适与重诲论事为谁?"上曰："宰相。"宫人曰："妾在长安宫中[542]，未尝见宰相、枢密奏事敢如是者，盖轻大家[543]耳。"上愈不悦，卒[544]从重诲议。圜因求罢三司，诏以枢密承旨[545]孟鹄[546]充三司副使权判[547]。鹄，魏州人也。

六月庚辰[548]，太子詹事[549]温辇请立太子。

丙戌[550]，门下侍郎、同平章事任圜罢守太子少保[551]。

己丑[552]，以宣徽北院使张延朗判三司。

壬辰[553]，贬刘训为檀州刺史。

丙申[554]，封楚王殷为楚国王。

西方邺败荆南水军于峡中，复取夔、忠、万三州。

【语译】

盐铁判官赵季良和孟知祥有旧交情，孟知祥上奏唐明宗请求把赵季良留下担任副使。朝廷不得已，四月十七日丁酉，任命赵季良为西川节度副使。李昊回到蜀中，孟知祥任命他为观察推官。

江陵低洼潮湿，又赶上长时间下雨，粮食运输跟不上，将士们染上了疾病，刘训也卧病在床。四月二十三日癸卯，唐明宗派遣枢密使孔循前往视察，了解攻战事宜。

五月初三日癸丑，任命威武留后王延钧为本道节度使、守中书令，封为琅邪王。

孔循到了江陵，没有攻下城来，派人进城劝说高季兴投降，高季兴没有礼貌。五月十六日丙寅，唐明宗派遣使者赏赐给湖南行营夏季衣服一万套。十七日丁卯，又派遣使者赏赐给楚王马殷鞍马、玉带，督促他向行营运送军粮，结果没有办成。二十日庚午，唐明宗命令刘训等人率兵回朝。

楚王马殷派遣中军使史光宪向朝廷进贡，唐明宗赏赐给他骏马十匹，美女两人。史光宪回去路过江陵，高季兴抓了史光宪，抢去了马匹和美女，同时请求率领全镇归附吴国。吴国的徐温说："治理国家的人应当务求实效而抛弃虚名。高氏臣服唐朝很久了，洛阳离江陵不远，唐朝的步兵、骑兵要袭击江陵非常容易，我们用水师溯江救援高季兴极为困难。如果使人为臣而不能救援，让他们陷入危亡的境地，我们能不感到惭愧吗！"于是接受了高季兴的贡物，推辞了他向吴国归附称臣的请求，听任他自行归附唐朝。

任圜性情刚急，而且仗着和唐明宗有旧交情，做起事来敢作敢为，权贵宠臣大多嫉恨他。按照以往的规定，使臣外出所持馆券由户部发给，安重诲请求由内廷发给，他和任圜在唐明宗面前争论，反反复复好多次，声色俱厉。唐明宗退朝后，宫人问唐明宗说："刚才和安重诲争论事情的是谁？"唐明宗说："宰相。"宫人说："妾过去在长安宫中，从没见过宰相、枢密奏请事情敢像这个样子，这是轻视皇上呀！"唐明宗听了这话心里更加不高兴，最终采纳了安重诲的建议。任圜因此请求免除三司的兼职，唐明宗下诏任命枢密承旨孟鹄充任三司副使，暂时掌理三司的职务。孟鹄，是魏州人。

六月初一日庚辰，太子詹事温辇请求唐明宗册立太子。

初七日丙戌，门下侍郎、同平章事任圜免去太子少保的职务。

初十日己丑，任命宣徽北院使张延朗兼管三司。

十三日壬辰，把刘训贬为檀州刺史。

十七日丙申，封楚王马殷为楚国王。

西方邺在三峡中击败了荆南水军，又夺回了夔、忠、万三州。

【段旨】

以上为第十五段，写后唐明宗三路征荆南，不胜罢兵。

【注释】

⑰丁酉：四月十七日。⑱观察推官：官名，节度使属官，掌文牍、簿籍等事务。⑲卑湿：地势低洼潮湿。⑳寝疾：生病；卧病在床。㉑癸卯：四月二十三日。㉒审：了解。㉓癸丑：五月初三日。㉔江陵：荆南节度治所，在今湖北江陵。㉕说：游说。㉖不逊：不礼貌。㉗丙寅：五月十六日。㉘万袭：万套。袭，衣服的全套。㉙丁卯：五月十七日。㉚馈粮：运送军粮。㉛庚午：五月二十日。㉜自附于吴：向吴国称臣，作为附庸。㉝务实效而去虚名：追求实际效果而抛弃虚假的名声。㉞溯流：逆水而上。㉟臣人：让人家做自己的臣子。㊱能无愧乎：能不感到惭愧吗？㊲听：任凭；听任。㊳有旧：有交情。指任圜与明宗同为庄宗大将，又将征蜀之兵归明宗。㊴疾：妒忌；嫉恨。㊵馆券：唐制，派使臣到各地，由户部给券，称馆券。相当于现代的介绍信。㊶内出：由内廷给券，则枢密使可掌其事。㊷长安宫中：泛指唐朝宫廷中。㊸大家：宫内人称皇帝为“大家”。㊹卒：终于。㊺枢密承旨：官名，五代置枢密院都承旨、副承旨，由诸卫将军担任。㊻孟鹄：魏州（今河北大名）人，能曲意逢迎，官至判三司、相州节度使。传见《旧五代史》卷六十九。㊼权判：暂时担任。㊽庚辰：六月初一日。㊾太子詹事：官名，东宫属官，陪侍太子读书。㊿丙戌：六月初七日。(551)太子少保：宰相加官，不预政事。(552)己丑：六月初十日。(553)壬辰：六月十三日。(554)丙申：六月十七日。

【校记】

［14］守中书令：原无此四字。据章钰校，十二行本、乙十一行本、孔天胤本皆有此四字，张敦仁《通鉴刊本识误》、张瑛《通鉴校勘记》同，今据补。［15］刚急：原作“刚直”。据章钰校，十二行本、乙十一行本皆作“刚急”，今据改。

【研析】

本卷研析唐庄宗为乱兵所弑、祸国女孽刘皇后、姚坤使契丹、魏博牙兵再遭族诛四件史事。

唐庄宗为乱兵所弑。天成元年（公元九二六年）三月二十六日壬午，李嗣源兵入大梁。这一天唐庄宗率扈从兵二万五千人东行至荥泽。庄宗命龙骧指挥使姚彦温率领三千名骑兵为前锋，姚彦温叛归李嗣源。指挥使潘环守王村寨，这里是官军的补给基地，囤积刍粮数万，潘环亦叛降李嗣源。庄宗不敢东行，退还洛阳。二十八日甲申，庄宗回到洛阳东石桥西，此时两万五千名扈从之兵，三天之中散去大半，庄宗置酒悲涕。是日晚，庄宗入洛。四月初一日丁亥，庄宗得知西征军魏王李继岌即将到达，于是部署军队，计划车驾东出控扼汜水以待西军。蕃汉马步使朱守殷率领骑兵阵于城东宣仁门外，步兵阵于宫城南门五凤门外。庄宗还未及行，正吃早饭，从马直指挥使郭从谦率步兵以叛，攻打兴教门。庄宗率领诸王及近卫骑兵抵抗，遣使召朱守殷率领骑兵救驾，朱守殷不奉诏，带领骑兵在北邙山林中休息。叛军火烧兴教门，近臣宿将纷纷丢下兵器逃走。庄宗被乱兵流矢所中，退入绛霄殿，抽矢，须臾而终，享年四十二岁。刘皇后收拾金宝细软与申王李存渥逃走，宫人多逃散。这时朱守殷才入宫，劫掠珍玩及三十余名宫人纳于家，然后遣使降于李嗣源。

唐庄宗二十余年血战争天下，其时也不忘父志，以报仇雪恨兴复唐室为己任，与士卒同甘共苦，每战身先士卒，亲冒矢石，突入敌阵，几死者数矣，何其壮哉。及至称帝，沉迷游猎，信用群小，滥封伶人，功臣宿将为之丧气。宠信刘皇后，收聚钱财，吝于赏赐，更使将士寒心。皇后教令与制敕交行于藩镇，纲纪堕坏，皇帝之尊大损。郭崇韬无罪，刘皇后矫诏杀之，朝野骇然，流言四起，迅速蔓延，激起兵变，既出于意外，又在情理之中。庄宗前后判若两人。争战的庄宗似项羽，称帝的庄宗为胡亥。王夫之论曰:“李存勖不可以为天子，然固将帅之才也，知用兵之略矣，得英主而御之，与韩信齿。”(《读通鉴论》卷二十八）此言似得之。

祸国女孽刘皇后。庄宗刘皇后，魏州成安人，家世寒微，年五六岁时为晋兵所掳，归晋阳养于王宫，为庄宗母太后曹氏侍者。刘氏长成，姿色绝美，善吹笙，歌舞亦绝。庄宗好音律，喜欢与伶人谑浪，刘氏绝似一个伶人，故庄宗爱之。太后赐予庄宗，因生皇长子李继岌，宠待日隆，然为太后所恶，不得为正。郭崇韬欲引刘氏为宫援，率大臣希旨册立刘氏为皇后，结果是自掘坟墓。郭崇韬之死，为刘皇后所赐。刘皇后讳言寒微，其父刘叟九死一生，叩宫门认女，有内臣刘建丰识之，刘皇后声言生父为乱兵所杀，诬生父冒名认女，刘叟在宫门前被暴打一顿。刘皇后备受庄宗宠爱，却无夫妻之情。庄宗临死口渴求水，刘皇后不自省视，只派宦官进奶酪，自己忙于收拾细软珠宝，与庄宗弟申王李存渥逃奔晋阳，在道与李存渥私通。刘皇后直是一蛇蝎美女，不认父，恩将仇报，背夫乱淫，欲求善终，天理难容。刘皇后在晋阳削发为尼，李嗣源遣人杀之。刘皇后视财如命，正位中宫，肆无忌惮求索财物，凡贡举先入后宫，次奉皇上，总揽宫中货财，京都诸军困乏，以至妻子饿殍，宰相请出内库供给，刘皇后拿出妆具和皇子令宰相出卖以供军，如此拒难宰相，庄宗听之。将士切齿，众心叛离。等到李嗣源难作，庄宗许愿将士，宫中财物全部赏赐给你们。将士回答说:“陛下现在才想起赏赐，不是太晚了吗!”庄宗流涕而已。庄宗覆国亡家，咎由自取，而刘皇后所为，亦后唐之褒姒、妲己，中国历史上又增一祸国女孽。

姚坤使契丹。李嗣源即帝位，遣供奉官姚坤告哀于契丹。契丹主耶律阿保机欲借唐庄宗之死敲诈后唐，求索割地，黄河之北，尽归契丹，则不南侵。姚坤答曰：“这不是一个使臣能做主的。”契丹主大怒，囚禁姚坤十多天，再索：“河北难得，只割让镇、定、幽三州之地也就算了。”不容分说，契丹主强要姚坤写出字据。姚坤拒绝，契丹主以死威逼，姚坤不为所动。契丹谋主汉大臣韩延徽救之，姚坤再次被囚禁。未几，阿保机死，姚坤得释。姚坤，后唐之苏武也。

魏博牙兵再遭族诛。魏博为河北第一镇，辖魏、博、贝、相、澶、卫六州，号天雄军。唐后期自田承嗣割据以来，历届镇将招募扩充牙兵，镇将倚重为心腹，赏赐优厚，积久而成习。牙兵父子相承，姻党胶固，成为一盘根错节的地方武装集团。魏博牙兵，既是野心家割据者的社会基础，也是割据者的大敌。魏博牙兵更易主帅如同儿戏。自田氏以来至于后唐、五代，历世一百五十多年，主帅废立皆出于牙兵之手。如节镇史宪诚、何全皞、韩君雄、乐彦祯、罗宏信、罗绍威等，皆魏博牙兵所立。牙兵反复无常，稍不如意，则杀主帅，族其家。乐彦祯、乐从训父子皆死牙兵之手。罗宏信、罗绍威父子，虽为牙兵所立，而存恐惧，于是有罗绍威引朱温梁兵诛杀牙兵之事，死者七千余人，婴孺不留。这是魏博牙兵第一次遭族诛，事在唐哀帝天祐三年（公元九〇六年）。罗绍威诛牙兵，众叛亲离，势力衰弱，悔恨抑郁而死。其子罗周翰袭位，为梁将杨师厚所夺。杨师厚复置银枪效节军，皆选骁勇以为牙兵，恢复了旧时魏博牙兵的态势。杨师厚死，梁末帝分天雄相、澶、卫三州置昭德军，分牙兵之半入昭德以弱其势。贺德伦为昭德节度使，效节军将张彦劫持贺德伦降于晋王，晋王李存勖收降昭德魏博牙兵为亲军，号帐前银枪军，随晋王征战，多建功勋。晋王许其灭梁后重赏银枪军，梁亡，晋王即位爽前约，庄宗多次重赏，银枪军仍怀怨望。庄宗令杨仁晸率之戍瓦桥关，庄宗同光四年，即明宗天成元年（公元九二六年），银枪军拥立杨仁晸叛唐，杨仁晸不从，变兵杀之，拥立军校赵在礼入据邺城以叛。李嗣源奉诏往讨，又为变兵所逼，因祸以得天下。嗣源即位，是为明宗，赵在礼惧诛，请解兵权。明宗乃遣房知温往代，率领魏效节九指挥使往戍芦台，不给兵甲，唯长竿系帜，以束队伍。天成二年，明宗遣乌震往代房知温，房知温煽动兵变杀乌震，因齐州防御使安审通脱身济河部整骑兵，房知温知事不济，脱离变兵亦济河到河西与安审通合力诛变兵。明宗于是下令诛杀变兵家属，族灭三千余家，杀之永济渠岸上，永济渠为之变色。这是魏博牙兵第二次遭族灭。牙兵为乱，宜诛首恶，滥杀灭族，刑律废矣。由此可见，五代乱世，人命如草芥，可叹也夫！

卷第二百七十六　后唐纪五

起强圉大渊献（丁亥，公元九二七年）七月，尽屠维赤奋若（己丑，公元九二九年），凡二年有奇。

【题解】

本卷记事起公元九二七年七月，迄公元九二九年，凡二年又六个月，当后唐明宗天成二年七月至四年。马殷即王位，吴杨溥称帝。马殷大败犯境吴军，多次取胜荆南。马殷，以子马希声执政，希范听流言，冤杀兴楚谋主高郁。吴国徐知诰独揽大权，徐知询险遭毒杀。明宗用兵河北，王晏球平定义武王都之叛，契丹两次南犯，全军覆没。明宗能听善言而不果行，优柔无断，听任安重诲独断专行。西川孟知祥、董璋联姻抗朝命。

【原文】

明宗圣德和武钦孝皇帝中之上

天成二年（丁亥，公元九二七年）

秋，七月，以归德节度使王晏球为北面副招讨使。

丙寅①，升夔州为宁江军②，以西方邺为节度使③。

癸酉④[1]，以与高季兴夔、忠、万三州为豆卢革、韦说之罪⑤，皆赐死。

流⑥段凝于辽州⑦，温韬于德州，刘训于濮州。

任圜请致仕⑧居磁州，许之。

八月己卯朔⑨，日有食之。

册礼使⑩至长沙，楚王殷始建国⑪。立宫殿，置百官，皆如天子。或微⑫更其名：翰林学士曰文苑学士，知制诰曰知辞制，枢密院曰左

【语译】

明宗圣德和武钦孝皇帝中之上

天成二年（丁亥，公元九二七年）

秋，七月，任命归德节度使王晏球为北面副招讨使。

十七日丙寅，升夔州为宁江军，任命西方邺为节度使。

二十四日癸酉，把夔、忠、万三州给予高季兴作为豆卢革、韦说的罪状，全部赐死。

把段凝流放到辽州，温韬流放到德州，刘训流放到濮州。

任圜请求退休，居住磁州，唐明宗同意了他的请求。

八月初一日己卯，发生日食。

册礼使到达长沙，楚王马殷开始建国。修造宫殿，设置百官，都和天子一样。有的稍微更改名称：翰林学士叫文苑学士，知制诰叫知辞制，枢密院叫左右机要司，

右机要司，群下称之曰殿下，令曰教。以姚彦章⑬为左丞相，许德勋为右丞相，李铎⑭为司徒，崔颖[2]为司空，拓跋恒⑮为仆射，张彦瑶、张迎判机要司。然管内官属皆称摄，惟朗⑯、桂⑰节度使先除后请命。恒本姓元，避殷父讳改焉。

九月，帝谓安重诲曰："从荣左右有矫宣⑱朕旨，令勿接儒生，恐弱人志气者。朕以从荣年少临大藩，故择名儒使辅导之，今奸人所言乃如此！"欲斩之，重诲请严戒⑲而已。

北都⑳留守李彦超㉑请复姓符，从之。

丙寅㉒，以枢密使孔循兼东都㉓留守。

壬申㉔，契丹来请修好，遣使报之㉕。

冬，十月乙酉㉖，帝发洛阳，将如汴州。丁亥㉗，至荥阳㉘。

民间讹言帝欲自击吴，又云欲制置㉙东方诸侯㉚。宣武节度使、检校侍中朱守殷疑惧，判官高密孙晟㉛劝守殷反，守殷遂乘城拒守。帝遣宣徽使范延光往谕之，延光曰："不早击之，则汴城坚矣。愿得五百骑与俱㉜。"帝从之。延光暮发，未明，行二百里，抵大梁城下。与汴人战，汴人大惊。戊子㉝，帝至京水㉞，遣御营使石敬瑭将亲军[3]倍道继之㉟。

或谓安重诲曰："失职在外之人㊱，乘贼未破，或能为患，不如除之。"重诲以为然，奏遣使赐任圜死。端明殿学士赵凤哭谓重诲曰："任圜义士，安肯为逆㊲！公滥刑如此，何以赞国㊳！"使者至磁州，圜聚其族酣饮㊴，然后死，神情不挠。

己丑㊵，帝至大梁，四面进攻，吏民缒城出降者甚众。守殷知事不济，尽杀其族，引颈命左右斩之。乘城㊶者望见乘舆㊷，相帅开门降。孙晟奔吴，徐知诰客之㊸。

群臣称马殷为殿下，所下的命令称作教。任命姚彦章为左丞相，许德勋为右丞相，李铎为司徒，崔颖为司空，拓跋恒为仆射，张彦瑶、张迎掌管机要司。但是管内的官属一律称摄，只有朗州武平军、桂州静江军的节度使是先任命，然后呈报朝廷核准。拓跋恒本来姓元，避马殷父亲的名讳改为拓跋。

九月，唐明宗对安重诲说："李从荣身边有人假传朕的旨意，要他不要接近儒生，担心会削弱人的志气。朕因为李从荣年轻镇守大藩，所以选择名儒辅佐他，现在这些奸人竟然讲出这样的话！"唐明宗想杀掉假传圣旨的人，安重诲请求严加教训就算了。

北都留守李彦超请求恢复他姓符，唐明宗同意了他的请求。

九月十八日丙寅，任命枢密使孔循兼任东都留守。

二十四日壬申，契丹派遣使者来请求建立友好关系，唐朝派遣使者回报。

冬，十月初七日乙酉，唐明宗从洛阳出发，将要前往汴州。初九日丁亥，到达荥阳。

民间谣传说唐明宗打算亲自攻打吴国，又传说想要处置东方的各节度使。宣武节度使、检校侍中朱守殷又怀疑又害怕，判官高密人孙晟劝朱守殷反叛，于是朱守殷就登上汴州城进行防御。唐明宗派遣宣徽使范延光前去告谕朱守殷，范延光向唐明宗说："不及早攻打他们，汴州城就会牢固了。我希望得到五百名骑兵和我一起去。"唐明宗听从了他的建议。范延光在黄昏时出发，天还没亮，行进了二百里路，到达大梁城下。和汴州守军交战，汴州守军大为惊慌。十月初十日戊子，唐明宗到达京水，派遣御营使石敬瑭率领亲军兼程继踵范延光之后进军。

有人对安重诲说："免职在外的人，乘着汴州贼兵还没有被打败，有可能成为祸害，不如除掉他们。"安重诲认为这个建议是对的，就奏请唐明宗派遣使者赐死任圜。端明殿学士赵凤哭着对安重诲说："任圜是位义士，怎么会造反呢！你这样滥用刑戮，怎么能够辅佐皇帝治理国家！"唐明宗的使者到达磁州，任圜集中他的族人开怀畅饮，然后死去，神色不变。

十月十一日己丑，唐明宗到达大梁，从四面进攻汴州，城中官吏和百姓从城墙缒下出来投降的很多。朱守殷知道事情不会成功，就杀掉了他全部的族人，自己伸长脖子让身边的人把头砍了。登城防守的人看到唐明宗的乘舆，率相打开城门投降。孙晟逃往吴国，徐知诰对他以客相待。

【段旨】

以上为第一段，写马殷即王位。后唐明宗平定汴州之乱。

【注释】

①丙寅：七月十七日。②宁江军：即前蜀的镇江军，今改为宁江军。治所夔州，在今重庆奉节。③以西方邺为节度使：任命西方邺为宁江军节度使，用以奖赏他破高季兴军，收复夔、忠、万三州之功。④癸酉：七月二十四日。⑤豆卢革、韦说之罪：后唐明宗天成元年（公元九二六年），豆卢革、韦说为相，将夔、忠、万三州给高季兴，至此，降罪二人。⑥流：流放。⑦辽州：州名，治所乐平，在今山西昔阳西南。⑧致仕：退休。⑨己卯朔：八月初一日。⑩册礼使：代皇帝行册封礼的使者。此指后唐册封马殷为楚国王的使者。⑪建国：后唐明宗天成二年六月，楚王马殷称王建国，制如天子。⑫微：稍微。⑬姚彦章：汝南（今河南上蔡西南）人，少沉勇，有智略。为马殷谋士，官至左丞相。传见《十国春秋》卷七十二。⑭李铎：马殷谋士。传见《十国春秋》卷七十二。⑮拓跋恒：本姓元，切直强谏，有政声。传见《十国春秋》卷七十三。⑯朗：朗州，后唐以朗州为武平军，楚因袭。治所武陵，在今湖南常德。⑰桂：桂州，楚在桂州置静江军。桂管防御观察使，治所始安，在今广西桂林。⑱矫宣：假传。⑲严戒：严加教训。⑳北都：后唐以太原为北都。㉑李彦超：符存审之子符彦超。㉒丙寅：九月十八

【原文】

戊戌㊹，诏免三司逋负㊺近二百万缗。

辛丑㊻，吴大丞相，都督中外诸军事，诸道都统，镇海、宁国节度使兼中书令东海王徐温卒。

初，温子行军司马、忠义节度使、同平章事知询以其兄知诰非徐氏子，数请代之㊼执吴政。温曰："汝曹皆不如也。"严可求及行军副使徐玠㊽屡劝温以知询代知诰，温以知诰孝谨㊾，不忍也。陈夫人曰："知诰自我家贫贱时养之，奈何富贵而弃之！"可求等言之不已。温欲帅诸藩镇入朝，劝吴王称帝。将行，有疾，乃遣知询奉表㊿劝进(51)，因留代(52)知诰执政。知诰草表欲求洪州(53)节度使，俟旦(54)上之，是夕，温凶问(55)至，乃止(56)。知询亟归金陵。吴王[4]赠温齐王，谥曰忠武。

山南西道节度使张筠久疾，将佐请见，不许。副使符彦琳等疑其已死，恐左右有奸谋，请权交(57)符印。筠怒，收彦琳及判官、都指挥

日。㉓东都：唐庄宗三年，复以洛阳为东都。㉔壬申：九月二十四日。㉕报之：回答他。㉖乙酉：十月初七日。㉗丁亥：十月初九日。㉘荥阳：县名，在今河南荥阳，为军事冲要之地。㉙制置：处置；处理。㉚东方诸侯：泛指洛阳以东的各镇节度使。㉛孙晟（？至公元九五六年）：本名凤。性阴贼，好奸谋，工诗。为南唐李昇谋士，受李昇厚遇。传见《旧五代史》卷一百三十一。㉜与俱：与我一起去。㉝戊子：十月初十日。㉞京水：地名，在今河南荥阳附近。㉟倍道继之：用加倍速度继范延光进军汴梁。㊱失职在外之人：指任圜。此时罢职在外。㊲安肯为逆：怎么肯反叛。㊳赞国：赞助皇帝治理国家大事。㊴酣饮：畅饮；快乐地喝酒。㊵己丑：十月十一日。㊶乘城：登城防守。㊷乘舆：皇帝的车驾。㊸客之：用客人之礼对待他。

【校记】

［1］癸酉：原作"癸巳"。据章钰校，十二行本、乙十一行本皆作"癸酉"，张敦仁《通鉴刊本识误》同，今据改。［2］崔颍：四库馆臣校陈仁锡本同。然《新五代史》《十国春秋》皆作"崔颖"，未知孰是。［3］亲军：原作"亲兵"。据章钰校，十二行本、乙十一行本皆作"亲军"，今据改。

【语译】

十月二十日戊戌，唐明宗下诏免去三司拖欠的赋税将近二百万缗。

二十三日辛丑，吴国的大丞相，都督中外诸军事，诸道都统，镇海、宁国节度使兼中书令东海王徐温去世。

当初，徐温的儿子行军司马、忠义节度使、同平章事徐知询认为他的哥哥徐知诰不是徐家亲生的儿子，多次向徐温请求代替徐知诰执掌吴国军政。徐温说："你们都比不上他。"严可求和行军副使徐玠多次劝说徐温用徐知询替代徐知诰，徐温因徐知诰孝顺谨慎，不忍心这样做。陈夫人说："知诰是在我们家贫穷时收养的，为什么富贵了而要抛弃他！"严可求等人劝说不已。徐温想率领各地藩镇入朝，劝说吴王称帝。正要出发，徐温得了病，于是就派遣徐知询带着奏章去劝吴王即皇帝位，自己便留下来代替徐知诰掌理政事。徐知诰起草了奏章想求任洪州节度使，打算等到第二天早晨呈送上去，当天晚上，徐温去世的消息传来，于是此事作罢。徐知询迅速赶回金陵。吴王追赠徐温为齐王，谥称忠武。

山南西道节度使张筠长期有病，将领佐吏请求谒见，张筠不答应。副使符彦琳等怀疑他已经死了，担心他身边的人有奸谋，便请求他暂时交出兵符、印信。张筠大怒，

使下狱，诬以谋反。诏取彦琳等诣阙，按之无状[58]，释之。徙筠为西都[59]留守。

癸卯[60]，以保义节度使石敬瑭为宣武节度使兼侍卫亲军马步都指挥使[61]。

十一月庚戌[62]，吴王即皇帝位，追尊孝武王曰武皇帝[63]，景王曰景皇帝[64]，宣王曰宣皇帝[65]。

安重诲议伐吴，帝不许[5]。

甲子[66]，吴大赦，改元乾贞[67]。

丙子[68]，吴主尊太妃王氏[69]曰皇太后，以徐知询为诸道副都统、镇海、宁国节度使兼侍中，加徐知诰都督中外诸军事[70]。

十二月戊寅朔[71]，孟知祥发民丁二十万修成都城。

吴主立兄庐江公濛为常山王[72]，弟鄱阳公澈为平原王，兄子南昌公珙[73]为建安王。

初，晋阳相者周玄豹[74]尝言帝贵不可言，帝即位，欲召诣阙。赵凤曰："玄豹言陛下当为天子，今已验矣，无所复询。若置之京师，则轻躁狂险之人，必辐辏其门，争问吉凶。自古术士妄言，致人族灭者多矣，非所以靖国家也。"帝乃就除光禄卿致仕，厚赐金帛而已。

中书舍人马缟[75]请用汉光武故事，七庙之外别立亲庙[76]。中书门下奏请如汉孝德[77]、孝仁[78]皇例，称皇不称帝。帝欲兼称帝[79]，群臣乃引德明[80]、玄元[81]、兴圣皇帝[82]例，请[6]立庙京师。帝令立于应州旧宅，自高祖考妣以下皆追谥曰皇帝、皇后[83]，墓曰陵。

汉主如康州[84]。

是岁，蔚、代缘边[85]粟斗不过十钱。

抓捕符彦琳和判官、都指挥使投入监狱，诬告他们阴谋造反。唐明宗下诏提取符彦琳等前往京城，审问后没有谋反情节，就释放了他们。调任张筠为西都留守。

十月二十五日癸卯，任命保义节度使石敬瑭为宣武节度使兼任侍卫亲军马步都指挥使。

十一月初三日庚戌，吴王即皇帝位，追尊孝武王为武皇帝，景王为景皇帝，宣王为宣皇帝。

安重诲提议讨伐吴国，唐明宗没有答应。

十七日甲子，吴国大赦，改年号为乾贞。

二十九日丙子，吴主尊奉太妃王氏为皇太后，任命徐知询为诸道副都统、镇海、宁国节度使兼侍中，加封徐知诰都督中外诸军事。

十二月初一日戊寅，孟知祥征发二十万民工修建成都城。

吴王册封他的哥哥庐江公杨濛为常山王，弟弟鄱阳公杨澈为平原王，哥哥的儿子南昌公杨珙为建安王。

当初，晋阳相面人周玄豹曾经说唐明宗贵不可言，唐明宗即位后，想把他召到京城。赵凤说："周玄豹说陛下应当成为天子，现今已经应验了，没有什么再要询问的。如果把他安置在京城，那些轻薄浮躁张狂险恶的人，一定会聚集其门，争问吉凶。自古术士胡言乱语，致使很多人诛灭全族，这不是用以安定国家的做法。"于是唐明宗派使者让周玄豹就地以光禄卿退休，厚加赏赐金银布帛而已。

中书舍人马缟请求用汉光武帝的旧例，在七庙之外另立亲庙。中书门下上奏请求像汉孝德、孝仁皇那样，对先祖称皇不称帝。唐明宗想让先祖兼称帝，群臣就援引德明、玄元、兴圣皇帝的例子，请求在京师立庙。唐明宗下令在应州的旧宅立庙，从高祖考妣以下都追谥为皇帝、皇后，他们的墓称陵。

汉主前往康州。

这一年，蔚州、代州沿边的粮食一斗不超过十钱。

【段旨】

以上为第二段，写吴王杨溥即皇帝位。孟知祥筑城于成都。唐明宗违礼追谥高祖以下为皇帝。

【注释】

㊹戊戌：十月二十日。㊺逋负：拖欠的赋税。㊻辛丑：十月二十三日。㊼数请代之：徐知询多次请求代替徐知诰。㊽徐玠（公元八六八至九四三年）：字蕴玉，彭城（今江苏徐州）人，敏干有辞辩，诡谲多智，参与徐知诰篡吴决策，拜右丞相。传见《十国春秋》卷二十一。㊾孝谨：孝顺谨慎。㊿奉表：进表；献表。51劝进：劝说即皇帝位。52留代：留在吴王身边代替徐知诰。53洪州：州名，治所豫章，在今江西南昌。54俟旦：等到第二天早上。55凶问：死亡的消息。56止：指不上请求调任洪州节度使的表文。57权交：暂时交出。58按之无状：审问后没有谋反情节。59西都：庄宗同光三年（公元九二五年），复以长安为西都。60癸卯：十月二十五日。61侍卫亲军马步都指挥使：官名，禁卫军高级统领。62庚戌：十一月初三日。63武皇帝：即杨行密。64景皇帝：即杨渥。65宣皇帝：即杨隆演。66甲子：十一月十七日。67乾贞：吴杨溥第一个年号。68丙子：十一月二十九日。69太妃王氏（？至公元九二八年）：杨溥生母。武义二年（公元九二〇年）六月，杨溥即王位，尊为太妃；称帝后尊为皇太后。传见《十国春秋》卷四。70都督中外诸军事：官名，掌全国内外军事大权。71戊寅朔：十二月初一日。72吴主立兄庐江公濛为常山王：吴主称帝，其兄弟及兄子之封，皆自“公”升为“王”。73珙：杨珙，杨溥侄子。传见《十国春秋》卷四。74周玄豹：太原看相算命的术士。75马缟（公

【原文】

三年（戊子，公元九二八年）

春，正月丁巳[86]，吴主立子琏[87]为江都王，璘[88]为江夏王，璆[89]为宜春王，宣帝子庐陵公玢[90]为南阳王。

昭义节度使毛璋所为骄僭[91]，时服赭袍[92]，纵酒为戏，左右有谏者，剖其心而视之。帝闻之，征为右金吾卫上将军。

契丹陷平州。

二月丁丑朔[93]，日有食之。

帝将如邺都，时扈驾[94]诸军家属甫[95]迁大梁，又闻将如邺都，皆不悦，讻讻[96]有流言。帝闻之，不果行[97]。

吴自庄宗灭梁以来，使者往来不绝。庚辰[98]，吴使者至，安重诲以为杨溥敢与朝廷抗礼[99]，遣使窥觇[100]，拒而不受。自是遂与吴绝[101]。

元八五六至九三五年）：少中明经进士，又中博学宏词科，以知礼见称于世。官至后唐国子祭酒。传见《新五代史》卷五十五。⑯亲庙：诸侯王继统者直系亲属之庙。汉制，诸侯王入继统者，必别立亲庙。汉光武立四庙于南乡。⑰孝德：东汉安帝亲政，追尊其父清河孝王为孝德皇。⑱孝仁：东汉灵帝即位，追尊其父为孝仁皇。⑲帝欲兼称帝：明宗希望对至亲追谥用“皇帝”二字。⑳德明：唐尊皋陶为德明皇帝。㉑玄元：唐尊老子为玄元皇帝。㉒兴圣皇帝：唐尊凉武昭王李暠为兴圣皇帝。㉓追谥曰皇帝、皇后：明宗追尊高祖聿为孝恭皇帝，庙号惠祖，妣崔氏为昭皇后，陵曰顺陵。曾祖教为孝质皇帝，庙号毅祖，妣张氏为顺皇后，陵曰衍陵。祖琰为孝靖皇帝，庙号烈祖，妣何氏为穆皇后，陵曰奕陵。父霓为孝成皇帝，庙号德祖，陵为庆陵。㉔康州：州名，治所端溪，在今广东德庆。㉕缘边：沿边。

【校记】

［4］吴王：原作“吴主”。据章钰校，十二行本、乙十一行本皆作“吴王”，今据改。［5］不许：原作“不从”。据章钰校，十二行本、乙十一行本皆作“不许”，今据改。［6］请：原作“皆”。据章钰校，十二行本、乙十一行本皆作“请”，张敦仁《通鉴刊本识误》同，今据改。

【语译】

三年（戊子，公元九二八年）

春，正月初十日丁巳，吴王册封儿子杨琏为江都王，杨璘为江夏王，杨璆为宜春王，宣帝的儿子庐陵公杨玢为南阳王。

昭义节度使毛璋的所作所为骄纵僭越，时常穿着赤色袍，纵酒作戏，身边的人有劝谏的，毛璋就把他的心剖开来看。唐明宗听到此事，就把毛璋征调为右金吾卫上将军。

契丹攻陷平州。

二月初一日丁丑，发生日食。

唐明宗准备前往邺都，当时扈驾各军家属刚刚迁到大梁，又听说即将前往邺都，心里都不高兴，流言纷纷。唐明宗听到这一情况后，没有成行。

吴国自从唐庄宗灭了梁朝以来，使者来往不断。二月初四日庚辰，吴国的使者到来，安重诲认为吴王杨溥胆敢和朝廷分庭抗礼，派遣使者窥探虚实，便拒绝接纳来使。从此唐朝就与吴国断绝了关系。

张筠至长安，守兵闭门拒之。筠单骑入朝，以为左卫上将军[102]。

壬辰[103]，宁江节度使西方邺攻拔归州[104]。未几，荆南复取之。

枢密使、同平章事孔循，性狡佞[105]，安重诲亲信之。帝欲为皇子娶重诲女，循谓重诲曰："公职居近密[106]，不宜复与皇子为婚。"重诲辞之。久之，或谓重诲曰："循善离间[107]人，不可置之密地[108]。"循知之，阴遣人结王德妃[109]，求纳其女。德妃请娶循女为从厚妇，帝许之。重诲大怒，乙未[110]，以循同平章事、充忠武节度使兼东都留守[111]。

重诲性强愎[112]。秦州节度使华温琪入朝，请留阙下。帝嘉之[113]，除左骁卫上将军，月别赐钱谷[114]。岁余，帝谓重诲曰："温琪旧人，宜择一重镇处之。"重诲对以无阙。他日，帝屡言之，重诲愠[115]曰："臣累奏无阙，惟枢密使可代耳。"帝曰："亦可。"重诲无以对。温琪闻之惧，数月不出。

重诲恶成德节度使、同平章事王建立，奏建立与王都交结，有异志[116]。建立亦奏重诲专权，求入朝面言其状，帝召之。既至，言重诲与宣徽使判三司张延朗结婚，相表里[117]，弄威福。三月辛亥[118]，帝见重诲，气色甚怒，谓曰："今与卿一镇，自休息，以王建立代卿，张延朗亦除外官。"重诲曰："臣披荆棘事陛下数十年，值陛下龙飞[119]，承乏[120]机密，数年间天下幸无事。今一旦弃之外镇，臣愿闻其罪！"帝不怿[121]而起。以语宣徽使朱弘昭[122]，弘昭曰："陛下平日待重诲如左右手，奈何以小忿弃之[123]！愿垂三思[124]。"帝寻[125]召重诲慰抚之。明日，建立辞归镇，帝曰："卿比[126]奏欲入分朕忧[127]，今复去何之[128]！"会[129]门下侍郎兼刑部尚书、同平章事郑珏请致仕[130]，己未[131]，以珏为左仆射致仕。癸亥[132]，以建立为右仆射兼中书侍郎、同平章事、判三司。

张筠到达长安，守城的士兵关闭城门拒绝他进城。张筠单枪匹马回到朝廷，唐明宗任命他为左卫上将军。

二月十六日壬辰，宁江节度使西方邺攻取了归州。没过多久，荆南又夺取了归州。

枢密使、同平章事孔循生性狡猾奸佞，安重诲亲近信任他。唐明宗想为皇子娶安重诲的女儿为妻，孔循对安重诲说："你的职位居于皇上近密之处，不宜再和皇子结为姻亲。"安重诲推辞了这门婚事。过了很长时间，有人对安重诲说："孔循善于挑拨离间，不能把他安排在与皇上近密的职务上。"孔循知道了这件事，就暗中派人联系王德妃，请求她能让皇家迎娶自己的女儿。王德妃请求唐明宗迎娶孔循的女儿为李从厚的妃子，唐明宗答应了。安重诲大怒，二月十九日乙未，任命孔循同平章事，担任忠武节度使兼东都留守。

安重诲生性倔强刚愎。秦州节度使华温琪入京朝见唐明宗，请求留任京城。唐明宗嘉许他，拜任左骁卫上将军，每月另外赏赐给他钱谷。过了一年多，唐明宗对安重诲说："温琪是老臣，应该选择一个重镇来安置他。"安重诲回答说没有空缺。在其他时间，唐明宗多次谈及此事，安重诲不高兴地说："臣屡次上奏说没有空缺，只有我这枢密使一职可以让他替代。"唐明宗说："也可以。"安重诲无言以对。华温琪听到这一情况后很害怕，几个月不出门。

安重诲厌恶成德节度使、同平章事王建立，上奏唐明宗说王建立和王都交往勾结，有谋反的意向。王建立也上奏唐明宗说安重诲独揽大权，请求来朝廷当面向唐明宗说明他的情况，唐明宗便召他进京。王建立到了后，向唐明宗说安重诲和宣徽使判三司张延朗结为姻亲，内外互相勾结，作威作福。三月初五日辛亥，唐明宗见了安重诲，脸色上极为生气，对安重诲说："现在给你一个外镇，你自己去休息休息，让王建立代替你，张延朗也任外职。"安重诲说："臣披荆斩棘侍奉陛下数十年，正值陛下登上帝位，承缺担任机要职务，数年间幸赖天下太平无事。现在忽然间把臣弃于外镇，臣希望知道自己的罪过！"唐明宗很不高兴，起身离去。唐明宗把这件事告诉了宣徽使朱弘昭，朱弘昭说："陛下平时待安重诲如同左右手，怎么能因为一点小小的不愉快就抛弃他！希望陛下三思。"不久，唐明宗召来安重诲安抚他。第二天，王建立向唐明宗辞别返回藩镇，唐明宗说："爱卿近来上奏，想入朝分担朕的忧愁，现在又要到哪里去！"适逢门下侍郎兼刑部尚书、同平章事郑珏请求退休，十三日己未，让郑珏以左仆射的职位退休。十七日癸亥，任命王建立为右仆射兼中书侍郎、同平章事、判三司。

【段旨】

以上为第三段，写安重诲跋扈不臣，明宗优容之。

【注释】

㊽丁巳：正月初十日。㊾琏：杨溥长子杨琏（？至公元九四〇年），太和初立为皇太子。南唐受禅，降封弘农郡公。传见《十国春秋》卷四。㊿璘：杨溥第二子杨璘。传见《十国春秋》卷四。(89)璆：杨溥第三子杨璆。传见《十国春秋》卷四。(90)玢：杨隆演子杨玢。传见《十国春秋》卷四。(91)骄僭：骄纵僭越。(92)赭袍：赤色袍，天子所穿。(93)丁丑朔：二月初一日。(94)扈驾：扈从皇帝。(95)甫：刚刚。(96)讻讻：议论纷纷，喧扰不安。(97)不果行：没有成行。(98)庚辰：二月初四日。(99)抗礼：分庭抗礼，实行同等礼制。引申为对抗。(100)窥觇：探听察看。(101)遂与吴绝：于是与吴国断绝关系。(102)左卫上将军：禁卫军高级统领。(103)壬辰：二月十六日。(104)归州：州名，治所秭归，在今湖北秭归。(105)狡

【原文】

孟知祥屡与董璋争盐利(133)。璋诱商旅贩东川盐入西川，知祥患之，乃于汉州置三场重征之(134)，岁得钱七万缗，商旅(135)不复之(136)东川。

楚王殷如岳州，遣六军使袁诠(137)、副使王环、监军马希瞻(138)将水军击荆南，高季兴以水军逆战。至刘郎洑(139)，希瞻夜匿战舰数十艘于港中。诘旦，两军合战(140)，希瞻出战舰横击之，季兴大败，俘斩以千数，进逼江陵。季兴请和，归史光宪于楚。军还，楚王殷让(141)环不遂取荆南，环曰："江陵在中朝(142)及吴、蜀之间，四战之地(143)也，宜存之以为吾捍蔽(144)。"殷悦。环每战，身先士卒，与众同甘苦。常置针药(145)于座右，战罢，索伤者，于帐前自傅治之(146)。士卒隶环麾下者相贺曰："吾属得死所(147)矣。"故所向有功(148)。

楚大举水军击汉，围封州(149)。汉主以《周易》筮之(150)，遇大有(151)，于是大赦，改元大有。命左右街使(152)苏章(153)将神弩(154)三千、战舰百艘救封州。章至贺江(155)，沈铁縆(156)于水，两岸作巨轮挽縆，筑长堤以隐之，

佞：狡猾而善于用花言巧语谄媚人。⑯近密：关系亲近密切。这里指任宰相，宰相与皇帝近密。⑰离间：从中挑拨，使之不团结、不和睦。⑱密地：与皇帝亲近的位置，与“近密”同义。此指枢密使、同平章事的职任。⑲王德妃：邠州（今陕西彬州）人，出身邠州饼家，有美色，号“花见羞”。受明宗宠爱，言无不行，后封淑妃。传见《新五代史》卷十五。⑪乙未：二月十九日。⑪充忠武节度使兼东都留守：命孔循任此职，意在不让他任近密要职，离开皇帝身边。⑫强愎：倔强、执拗。⑬嘉之：嘉许他。当时诸帅乐在方镇，可以自专，独华温琪入朝请留。⑭别赐钱谷：俸禄之外，由皇帝额外另赐财物。⑮愠：不痛快；不高兴。⑯有异志：有谋反的想法。⑰相表里：内外互相勾结。⑱辛亥：三月初五日。⑲龙飞：指登基做皇帝。⑳承乏：承人之乏。当时缺乏人才，勉强担任。自谦语。㉑不怿：不悦。㉒以语宣徽使朱弘昭：把与安重诲的对话告诉了朱弘昭。㉓奈何以小忿弃之：怎么能因小小的不愉快而抛弃他。㉔愿垂三思：希望您再三考虑。㉕寻：不久。㉖比：近来。㉗欲入分朕忧：想到朝廷来分担我的忧愁。㉘何之：到哪里去。㉙会：刚好；适逢。㉚致仕：交还禄位，犹今之退休。㉛己未：三月十三日。㉜癸亥：三月十七日。

【语译】

孟知祥多次和董璋争夺盐利。董璋引诱商贩把东川的盐卖到西川去，孟知祥对此很犯愁，于是就在汉州设置三处场所对商人征收重税，一年得到税钱七万缗，从此商贩不再前往东川贩盐了。

楚王马殷前往岳州，派遣六军使袁诠、副使王环、监军马希瞻率领水兵攻打荆南，高季兴使用水兵迎战。楚军到了刘郎洑，马希瞻夜里在港中埋伏了数十艘战舰。第二天一早，两军交战，马希瞻开出港中的战舰拦腰横击敌军，高季兴大败，楚军俘获和斩杀了数以千计的荆南士兵，进逼江陵。高季兴请求讲和，把史光宪送还楚国。楚军返回，楚王马殷责备王环不乘胜拿下荆南，王环说：“江陵在唐和吴、蜀之间，是个四面受敌的地方，应该把它保存下来作为我们的屏障。”马殷听了很高兴。王环每次作战，身先士卒，和大家同甘共苦。时常把针和药物放置在座位右侧，战斗结束，把伤兵找到帐前亲自给他们敷药治疗。隶属于王环旗下的士卒互相称贺说：“我们得到献身的地方了。”所以王环的部队打到哪里都能建立战功。

楚国大量调动水军攻打汉国，包围了封州。汉主用《周易》占卜，得到《大有卦》，于是大赦，改年号为大有。命令左右街使苏章率领三千名神箭手、一百艘战舰援救封州。苏章到达贺江，把大铁索沉在江中，在两岸制造巨轮牵挽铁索，建筑了

伏壮士于堤中。章以轻舟逆战，阳[157]不利，楚人逐之，入堤中。挽轮举絙，楚舰不能进退，以强弩夹水射之，楚兵大败，解围遁去。汉主以章为封州团练使[158]。

【段旨】

以上为第四段，写马殷北攻取胜荆南，南进受挫于汉国。

【注释】

⑬³ 争盐利：蜀中井盐，东、西川所属之内皆有之，彼此都想扼制对方，自专其利，争盐利乃常事。⑬⁴ 置三场重征之：孟知祥在汉州设置三个征盐税的地方，加重征收入境的盐税。因汉州东南与东川接界。⑬⁵ 商旅：指盐商。⑬⁶ 之：到；往。⑬⁷ 袁诠：楚六军使，迎立文昭王马希范有功。传见《十国春秋》卷七十二。⑬⁸ 马希瞻：马殷庶子，官静江军节度使。传见《十国春秋》卷七十一。⑬⁹ 刘郎洑：地名，在江陵府石首县沙步，即刘备娶孙权之妹处。⑭⁰ 合战：接战；会战。⑭¹ 让：责备。⑭² 中朝：指后唐。⑭³ 四战之地：四面受敌交战的地方。⑭⁴ 捍蔽：保护屏障。⑭⁵ 针药：治病用的针及药物。⑭⁶ 自傅治之：亲

【原文】

夏，四月，以邺都留守从荣为河东节度使、北都留守，以客省使[159]太原冯赟[160]为副留守、夹马指挥使新平杨思权[161]为步军都指挥使以佐之。戊寅[162]，以宣武节度使石敬瑭为邺都留守、天雄节度使、加同平章事，以枢密使范延光为成德节度使。丙戌[163]，以枢密使安重诲兼河南尹，以河南尹从厚为宣武节度使，仍判六军诸卫事。

吴右雄武军使[164]苗璘[165]、静江[166]统军王彦章[167]将水军万人攻楚岳州。至君山[168]，楚王殷遣右丞相许德勋将战舰千艘御之。德勋曰："吴人掩吾不备，见大军，必惧而走。"乃潜军[169]角子湖[170]，使王环夜帅战舰二百[7]屯杨林浦[8]，绝吴归路。迟明[171]，吴人进军荆江口[172]，将会荆南兵攻岳州。丁亥[173]，至道人矶[174]。德勋命战棹都虞候詹信以轻舟三百出吴军后，德勋以大军当其前，夹击之。吴军大败，虏璘及彦章以归。

很长的堤坝把巨轮隐蔽起来，把壮士埋伏在堤坝后面。苏章利用轻舟迎战，假装打不赢，楚军追赶他们，进入了两岸堤坝里。汉军转动巨轮拉起铁索，楚军的战船不能进退，汉军使用强弩从两岸射击楚军，楚军大败，解除了对封州的包围逃走了。汉主任命苏章为封州团练使。

自为伤者敷药治疗。⑭得死所：得到献身的地方。此为士卒勇于牺牲之语。⑱所向有功：军队打到哪里，必胜必克，建立功勋。⑲封州：州名，治所封川，在今广东封开。⑳以《周易》筮之：即用《周易》来占卜。《周易》，即《易经》，简称《易》，儒家重要经典之一，内容包括《易经》《易传》两部分。《易经》主要是六十四卦和三百八十四爻及其说明，作占卜之用。《易传》包括解释卦辞、爻辞的七种文辞共十篇，统称《十翼》。⑮大有:《周易》卦名之一。⑮左右街使：内宫诸院司官，掌修路人员与士兵，皇帝外出，事先整治道路，排除积水等。⑮苏章：骁勇善战，为南汉名将。传见《十国春秋》卷六十二。⑮神弩：弓箭手。⑮贺江：江名，西江支流。源出今广西富川黄沙岭，流经钟山县、贺州市，入广东；在封开入西江。⑮铁絙：粗的铁索。⑮阳：通“佯”，假装。⑮团练使：官名，未设节度使之处，则以团练使掌理军务。此为封州团练使，执掌封州的军政事务。

【语译】

夏，四月，唐明宗任命邺都留守李从荣为河东节度使、北都留守，任命客省使太原人冯赟为北都副留守、夹马指挥使新平人杨思权为步军都指挥使来辅佐李从荣。初三日戊寅，任命宣武节度使石敬瑭为邺都留守、天雄节度使、加封同平章事，任命枢密使范延光为成德节度使。十一日丙戌，任命枢密使安重诲兼任河南尹，任命河南尹李从厚为宣武节度使，仍旧兼管六军诸卫事。

吴国的右雄武军使苗璘、静江统军王彦章率领水军一万人攻打楚国岳州。到了君山，楚王马殷派遣右丞相许德勋率领一千艘战舰抵御吴军。许德勋说：“吴军想趁我们没有防备进行偷袭，如果看见我们的大军，一定害怕逃走。”于是就在角子湖埋伏部队，派遣王环夜间率领二百艘战舰驻扎在杨林浦，切断吴军的退路。第二天黎明，吴军进军到荆江口，将要会合荆南的军队攻打岳州。四月十二日丁亥，到达道人矶。许德勋命令战棹都虞候詹信率领三百艘轻便船只出现在吴军的后面，许德勋率领大军在吴军正面，夹攻吴军。吴军大败，楚军俘虏了苗璘和王彦章后返回。

【段旨】

以上为第五段，写唐明宗调整重镇主帅，楚王马殷大败犯境吴军。

【注释】

[159]客省使：客省长官，掌接待奏计及外族使者。[160]冯赟（？至公元九三四年）：山西太原人，为明宗所爱，历河东忠武节度使、三司使，典掌机务，被安从进所杀。传附《新五代史》卷二十七《朱弘昭传》。[161]杨思权（？至公元九四三年）：邠州新平（今陕西彬州）人，官至静难军节度使。传见《新五代史》卷四十八。[162]戊寅：四月初三日。[163]丙戌：四月十一日。[164]雄武军使：官名，禁卫军军官，位在都指挥使下。[165]苗璘：传见《十国春秋》卷七。[166]静江：静江军，治所桂林，在今广西桂林。[167]王彦章：此吴

【原文】

初，义武节度使兼中书令王都镇易、定[175]十余年，自除刺史以下官，租赋皆赡[176]本军。及安重诲用事，稍以法制裁之。帝亦以都篡父位[177]，恶之。时契丹数犯塞，朝廷多屯兵于幽、易间，大将往来，都阴为之备，浸成[178]猜阻。都恐朝廷移之他镇，腹心和昭训劝都为自全之计[179]，都乃求婚于卢龙节度使赵德钧。又知成德节度使王建立与安重诲有隙，遣使结为兄弟，阴与之谋复河北故事[180]。建立阳许[181]而密奏[182]之。都又以蜡书遗青、徐、潞、益、梓五帅[183]，离间[184]之。又遣人说北面副招讨使、归德节度使王晏球，晏球不从。乃以金遗晏球帐下，使图之[185]，不克。癸巳[186]，晏球以都反状闻[187]，诏宣徽使张延朗与北面诸将议讨之。

戊戌[188]，吴徙常山王濛为临川王。

庚子[189]，诏削夺王都官爵。壬寅[190]，以王晏球为北面招讨使，权知定州行州事[191]，以横海节度使安审通为副招讨使，以郑州防御使张虔钊为都监，发诸道兵会讨定州。是日，晏球攻定州，拔其北关城[192]。都以重赂求救于奚酋[193]秃馁。五月，秃馁以万骑突入定州。晏球退保曲阳[194]，都与秃馁就[195]攻之。晏球与战于嘉山[196]下，大破之，秃馁以二千

将王彦章。五代时有四人同名王彦章，此其一也。⑯君山：山名，在湖南洞庭湖中，方六十里。⑯潜军：埋伏军队。⑰角子湖：湖名，洞庭湖旁小湖。⑰迟明：黎明。⑰荆江口：地名，在洞庭湖与长江汇合处。⑰丁亥：四月十二日。⑰道人矶：地名，在今湖南临湘西南十五里长江边。

【校记】

［7］二百：原作“三百”。据章钰校，十二行本、乙十一行本皆作“二百”，今据改。［8］屯杨林浦：原无此四字。据章钰校，十二行本、乙十一行本皆有此四字，张敦仁《通鉴刊本识误》、张瑛《通鉴校勘记》则补“屯阳林浦”。〖按〗所补“阳”当作“杨”，杨林浦在今湖北监利，今据补。

【语译】

当初，义武节度使兼中书令王都镇守易州、定州十多年，自行任命刺史以下的官员，所收租税都用来供给自己的部队。到了安重诲当政，逐渐用法律条规控制他。唐明宗也因为王都篡夺了他父亲的职位，很厌恶他。当时契丹屡犯边塞，朝廷在幽州、易州驻扎了大量军队，大将们来来往往，王都暗中防备，渐生猜疑。王都担心朝廷把他调到其他藩镇，他的心腹和昭训劝他自为保全之计，于是王都向卢龙节度使赵德钧求婚。他又知道成德节度使王建立和安重诲有矛盾，便派遣使者和王建立结为兄弟，暗中和王建立谋划恢复河北地区藩镇割据的旧局面。王建立表面上答应了他，但秘密向唐明宗奏报了这件事。王都又把用蜡封好的秘密信件送给青州、徐州、潞州、益州、梓州的五位统帅，对他们挑拨离间。又派人游说北面副招讨使、归德节度使王晏球，王晏球没有听从。于是他把金钱送给王晏球的下属，让他们谋害王晏球，没有成功。四月十八日癸巳，王晏球把王都谋反的情况报告了唐明宗，唐明宗下诏让宣徽使张延朗和北面各将领商议讨伐王都。

二十三日戊戌，吴国徙封常山王杨濛为临川王。

二十五日庚子，唐明宗下诏削夺王都的官职和爵位。二十七日壬寅，任命王晏球为北面招讨使，暂时掌理定州的事务，任命横海节度使安审通为副招讨使，任命郑州防御使张虔钊为都监，征调各路部队会合讨伐定州。当天，王晏球攻打定州，攻取了定州北关城。王都用厚礼贿赂奚人首领秃馁，向他求援。五月，秃馁率领一万名骑兵闯入定州境内。王晏球退守曲阳，王都和秃馁乘势攻打曲阳。王晏球和他们在嘉山下交战，大破敌军，秃馁率领二千名骑兵逃回定州。王晏球跟踪追赶到

骑奔还定州。晏球追至城门，因进攻之，得其西关城⑲⁷。定州城坚，不可攻，晏球增修西关城以为行府⑲⁸，使三州⑲⁹民输税供军食而守之。

辛酉⑳⁰，以天雄节度副使赵敬怡为枢密使。

王晏球闻契丹发兵救定州，将大军趣望都⑳¹，遣张延朗分兵退保新乐⑳²。延朗遂之真定⑳³，留赵州刺史朱建丰将兵修新乐城。契丹已自他道入定州，与王都夜袭新乐，破之，杀建丰。乙丑⑳⁴，王晏球、张延朗会于行唐⑳⁵，丙寅⑳⁶，至曲阳。王都乘胜，悉其众与契丹五千骑合万余人，邀⑳⁷晏球等于曲阳。丁卯⑳⁸，战于城南⑳⁹。晏球集诸将校令之曰："王都轻而骄，可一战擒也。今日，诸君报国之时也。悉去弓矢，以短兵㉑⁰击之，回顾㉑¹者斩！"于是骑兵先进，奋挝㉑²挥剑，直冲其阵，大破之，僵尸蔽野。契丹死者过半，余众北走。都与秃馁得数骑，仅免。卢龙节度使赵德钧邀击契丹，北走者殆无孑遗㉑³。

【段旨】

以上为第六段，写义武节度使王都连引契丹叛乱，官军往讨，大败叛军，契丹人无一生还。

【注释】

⑰⁵易、定：易州和定州。⑰⁶赡：养。⑰⁷都篡父位：王都囚其父处直，夺取义武节度使位。事见本书卷二百七十一后梁均王龙德元年（公元九二一年）。⑰⁸浸成：逐渐形成。⑰⁹自全之计：自我保全的策略。⑱⁰复河北故事：恢复唐代河北诸镇世袭，不向朝廷输纳贡赋，不受朝廷征发的旧例。⑱¹阳许：假装答应。⑱²密奏：秘密向皇帝上奏。⑱³青、徐、潞、益、梓五帅：青州主帅霍彦威，徐州主帅房知温，潞州主帅毛璋，益州主帅孟知祥，梓州主帅董璋。⑱⁴离间：挑拨关系。⑱⁵使图之：让他们杀害王晏球。⑱⁶癸巳：四月十八日。⑱⁷以都反状闻：把王都谋反的情况向朝廷报告。⑱⁸戊戌：

定州城门前，随即发起进攻，攻取了西关城。定州城墙坚固，不能攻下，王晏球就增建西关城把它作为行府，让定、祁、易三州的百姓交纳赋税以供应军食，驻守西关城。

五月十七日辛酉，任命天雄节度副使赵敬怡为枢密使。

王晏球听说契丹出兵救援定州，就率领大军赶往望都，派遣张延朗率领一部分军队退守新乐。张延朗随即前往真定，留下赵州刺史朱建丰率领部队修筑新乐城。契丹人已经从另外一条道路进入定州，和王都在夜晚袭击新乐，攻破了新乐城，杀死了朱建丰。五月二十一日乙丑，王晏球、张延朗在行唐会师，二十二日丙寅，到达曲阳。王都乘胜调集自己的全部人马和契丹的五千名骑兵，合起来一万多人，在曲阳阻击王晏球等人。二十三日丁卯，两军在城南交战。王晏球召集诸位将领，命令他们说："王都轻浮骄横，可在一次战斗中活捉他。今天，是各位报效国家的时候。都扔掉弓箭，用短兵器攻击敌人，回顾退缩的斩首！"于是骑兵首先进攻，挥舞着铁鞭刀剑，直冲敌阵，大败敌军，敌军尸横遍野。契丹兵死伤过半，残余部众向北逃去。王都和秃馁有几名骑兵随身，仅得脱身免死。卢龙节度使赵德钧拦击契丹兵，向北逃跑的残兵几乎没有一个活下来。

四月二十三日。⑱⑨ 庚子：四月二十五日。⑲⓪ 壬寅：四月二十七日。⑲① 权知定州行州事：因为当时没有得到定州城，便让王晏球权知行州事于城外，以招抚定州民众。行州事，谓兼管定州事务。⑲② 北关城：定州北面关城。⑲③ 奚酋：奚族的首领。⑲④ 曲阳：县名，在今河北曲阳。⑲⑤ 就：乘势。⑲⑥ 嘉山：地名，在今河北曲阳境内。⑲⑦ 西关城：定州西面关城。⑲⑧ 行府：临时的招讨使府和定州行府。⑲⑨ 三州：指定州、祁州、易州。⑳⓪ 辛酉：五月十七日。⑳① 望都：县名，在今河北望都。在定州东北六十里。⑳② 新乐：县名，在今河北新乐。在定州西南五十里。⑳③ 真定：州名，在今河北正定。⑳④ 乙丑：五月二十一日。⑳⑤ 行唐：县名，在今河北行唐。行唐在真定北五十五里。⑳⑥ 丙寅：五月二十二日。⑳⑦ 邀：截击；阻击。⑳⑧ 丁卯：五月二十三日。⑳⑨ 城南：曲阳城南面。㉑⓪ 短兵：刀枪等短兵器，利于近身肉搏。㉑① 回顾：退缩；向后。㉑② 村：铁鞭。㉑③ 无孑遗：没有一个留下来。孑，单独。

【原文】

吴遣使求和于楚，请苗璘、王彦章。楚王殷归之，使许德勋饯[214]之。德勋谓二人曰："楚国虽小，旧臣宿将犹在，愿吴朝勿以措怀[215]。必俟众驹争皁栈[216]，然后可图也。"时殷多内宠[217]，嫡庶无别[218]，诸子骄奢[219]，故德勋语及之[220]。

六月辛巳[221]，高季兴复请称藩[222]于吴，吴进季兴爵秦王，帝诏楚王殷讨之。殷遣许德勋将兵攻荆南，以其子希范[223]为监军，次沙头[224]。季兴从子[225]云猛指挥使[226]从嗣[227]单骑造楚壁，请与希范挑战决胜。副指挥使廖匡齐[228]出与之斗，拉杀[229]之。季兴惧，明日，请和，德勋还。匡齐，赣人也。

【段旨】

以上为第七段，写吴、楚、荆南三国休战。

【注释】

㉔饯：设宴送行。㉕措怀：把它放在心上，打它的主意。㉖众驹争皁栈：马在马棚里争食吃，比喻马殷诸子争位。皁，通"槽"，牛马的食盆。栈，养牲畜的棚子。㉗内宠：内宫宠爱的嫔妃。㉘嫡庶无别：嫡子和庶子没有区别。㉙骄奢：骄纵奢侈。㉚语及之：

【原文】

王晏球知定州有备，未易急攻，朱弘昭、张虔钊宣言[230]大将畏怯。有诏促令攻城。晏球不得已，乙未[231]，攻之，杀伤将士三千人。

先是，诏发西川兵戍[232]夔州，孟知祥遣左肃边指挥使[233]毛重威将三千人往。顷之[234]，知祥奏夔、忠、万三州已平，请召戍兵还[235]，以省馈运。帝不许。知祥阴使人诱之[236]，重威帅其众鼓噪逃归。帝命按其

【语译】

吴国派遣使者向楚国请求讲和，请求放回苗璘、王彦章。楚王马殷答应把他们放还，让许德勋给他们饯行。许德勋对他们二人说："楚国虽然很小，但旧臣宿将尚在，希望吴国不要心里打什么主意。一定等到一群小马驹争槽时，然后才可以谋划。"当时马殷在后宫宠妾很多，嫡子庶子之间没有分别，各个儿子都骄纵奢侈，所以许德勋才对他俩谈到了这些。

六月初八日辛巳，高季兴再次向吴国请求作为藩臣，吴国加封高季兴的爵位为秦王，唐明宗下诏命令楚王马殷讨伐高季兴。马殷派遣许德勋率兵攻打荆南，任命他的儿子马希范为监军，屯驻沙头。高季兴的侄子云猛指挥使高从嗣单枪匹马到楚军的营垒前，要求和马希范单独决战。楚国的副指挥使廖匡齐出营和高从嗣决斗，把他拉杀了。高季兴很恐惧，次日，请求讲和，许德勋班师回军。廖匡齐是赣县人。

提到它；谈到这些。㉑辛巳：六月初八日。㉒称藩：做藩属；做外臣。㉓希范：马希范（公元八九九至九四七年），字宝规，马殷第四子。长兴三年（公元九三二年）袭楚王位，开运四年（公元九四七年）卒，谥文昭。传见《旧五代史》卷一百三十三、《新五代史》卷六十六、《十国春秋》卷六十八。㉔沙头：地名，在今湖北荆州市沙市区附近，靠近江陵。㉕从子：侄子。㉖云猛指挥使：官名，禁卫军高级统领官。㉗从嗣：高从嗣（？至公元九二八年），骁勇有力，喜驰突，常深入敌军。传见《十国春秋》卷一百二。㉘廖匡齐（？至公元九三九年）：江西赣州市赣县区人，官至决胜指挥使。传见《十国春秋》卷七十三。㉙拉杀：拉住两脚，将人撕开。

【语译】

王晏球知道定州已有防备，不能轻易地进攻。朱弘昭、张虔钊扬言这是大将畏怯了。唐明宗下诏催促王晏球攻城。王晏球不得已，六月二十二日乙未，攻打定州城，将士被杀伤三千人。

此前，唐明宗下诏征调西川的部队戍守夔州，孟知祥派遣左肃边指挥使毛重威率领三千人前往。不久，孟知祥就上奏称，夔、忠、万三州已经平定，请求召回戍守部队，以便节省军需运输费用。唐明宗不同意。孟知祥暗中派人去诱惑他们，毛重威便率领他的部众喧闹着逃回了西川。唐明宗下令按查毛重威的罪责，经过孟知

罪[237]，知祥请而免之。

陕州行军司马王宗寿表[9]请葬故蜀主王衍。秋，七月乙巳[238][10]，赠衍顺正公，以诸侯礼葬之[239]。

北面招讨使[240]安审通卒。

东都民有犯私曲[241]者，留守孔循族之[242]。或请听民[243]造曲，而于秋税亩收五钱。己未[244]，敕从之[245]。

壬戌[246]，契丹复遣其酋长惕隐[247]将七千骑救定州，王晏球逆战于唐河[248]北，大破之。甲子[249]，追至易州。时久雨水涨，契丹为唐所俘斩及陷溺死者，不可胜数[250]。

戊辰[251]，以威武节度使王延钧为闽王。

契丹北走，道路泥泞，人马饥疲，入幽州境。八月甲戌[252][11]，赵德钧遣牙将武从谏将精骑邀击之，分兵扼险要，生擒惕隐等数百人。余众散投村落，村民以白梃[253]击之，其得脱归国者不过数十人。自是契丹沮气[254]，不敢轻犯塞。

初，庄宗徇地[255]河北，获小儿，畜之宫中。及长，赐姓名曰[12]李继陶。帝即位，纵遣之[256]。王都得之，使衣黄袍坐堞[257]间，谓王晏球曰：“此庄宗皇帝子也，已即帝位。公受先朝厚恩[258]，曾不念乎！”晏球曰：“公作此小数[259]竟何益[260]！吾今教公二策，不悉众决战[261]，则束手[262]出降耳，自余无以求生也。”

王建立以目不知书，请罢判三司，不许。

乙未[263]，吴大赦。

吴越王镠欲立中子传瓘[264]为嗣[265]，谓诸子曰：“各言汝功，吾择多者而立之。”传瓘兄传璹、传璙、传璟[266]皆推传瓘，乃奏请以两镇[267]授传瓘。闰月丁未[268]，诏以传瓘为镇海、镇东节度使。

戊申[269]，赵德钧献契丹俘惕隐等，诸将皆请诛之，帝曰：“此曹皆虏中之骁将[270]，杀之则虏绝望，不若存之以纾[271]边患。”乃赦惕隐等酋长五十人，置之亲卫[272]，余六百人悉斩之。

契丹遣梅老季素[273]等入贡。

初，卢文进来降，契丹以蕃汉都提举使张希崇[274]代之为卢龙节度使，守平州，遣亲将[275]以三百骑监之[276]。希崇本书生，为幽州牙将，没

祥的求情才赦免了他。

陕州行军司马王宗寿上表请求安葬前蜀主王衍。秋，七月初二日乙巳，朝廷追赠王衍为顺正公，用诸侯的礼仪安葬了他。

北面招讨使安审通去世。

东都的百姓有人犯了私自酿酒的罪，留守孔循把他的全家都诛杀了。有人请求听任百姓酿酒，而在秋季的赋税中每亩加收五钱。十六日己未，唐明宗下令同意。

十九日壬戌，契丹又派遣其酋长惕隐率领七千名骑兵救援定州，王晏球在唐河北面迎战，把契丹人打得大败。二十一日甲子，追击到易州。当时长期下雨，河水上涨，契丹兵被唐军俘虏、斩杀以及淹死的，不计其数。

二十五日戊辰，任命威武节度使王延钧为闽王。

契丹兵向北逃跑，道路泥泞，人马饥饿疲乏，进入了幽州境内。八月初二日甲戌，赵德钧派遣牙将武从谏率领精锐骑兵拦击契丹兵，分派兵力扼守险要，活捉了惕隐等数百人。残余的部众分散跑进村落中，村民用木棍子攻击他们，最后逃脱回国的不过几十个人。从此契丹人丧失勇气，不敢轻易侵犯边境。

当初，唐庄宗在黄河以北攻城略地，捡到一个小孩，把他养在宫中。等他长大了，赐给他姓名叫李继陶。现在的皇帝即位后，就把他放出了皇宫。王都得到了他，让他穿上了黄袍坐在城上矮墙中间，对城下的王晏球说：“这是唐庄宗皇帝的儿子，已经登上皇帝位了。你蒙受先朝的厚恩，难道不感念先朝吗！”王晏球说：“你搞这样的小名堂究竟有什么好处！我现在教你两个办法，如果不以全部兵力前来决战，那么就束手就擒好了，除此之外没有别的办法求生。”

王建立因为自己不识字，请求解除判三司的职务，唐明宗没有允许。

二十三日乙未，吴国大赦。

吴越王钱镠想立他的中子钱传瓘为继承人，就对他的儿子们说：“你们各自说说自己的功劳，我要选择功劳多的人立为继承人。”钱传瓘的哥哥钱传璹、钱传璙、钱传璟都推举钱传瓘，于是钱镠奏请朝廷把两个方镇授给钱传瓘。闰八月初五日丁未，唐明宗下诏任命钱传瓘为镇海、镇东节度使。

闰八月初六日戊申，赵德钧向朝廷献上了契丹的俘虏惕隐等人，各位将领都请求杀掉他们，唐明宗说：“这些人都是契丹人中的勇将，杀了他们契丹人就会绝望了，不如留着他们，用来缓解边境的祸患。”于是赦免了惕隐等酋长五十人，安置在亲卫中，余下的六百名俘虏全部斩杀。

契丹派遣梅老季素等人入京进贡。

当初，卢文进前来归降，契丹任命蕃汉都提举使张希崇代替他担任卢龙节度使，守卫平州，派遣亲信将领率领三百名骑兵监督他。张希崇本来是个书生，担任幽州牙

于契丹。性和易，契丹将稍亲信之，因与其部曲㉗㉗谋南归㉗㉘。部曲泣曰：“归固寝食所不忘也，然虏众我寡，奈何?”希崇曰：“吾诱其将杀之，兵必溃去。此去虏帐㉗㉙千余里，比㉘㉚其知而征兵㉘㉛，吾属去远矣㉘㉜。”众曰：“善!”乃先为阱㉘㉝，实以石灰㉘㉞。明日，召虏将饮，醉，并从者杀之，投诸㉘㉟阱中。其营在城北，亟发兵攻之，契丹众皆溃去。希崇悉举其所部二万余口来奔㉘㊱，诏以为汝州刺史。

【段旨】

以上为第八段，写契丹再次南犯，全军覆没，平州汉民归唐。

【注释】

㉓⓪宣言：扬言。㉓①乙未：六月二十二日。㉓②戍：防守。㉓③左肃边指挥使：蜀军官名，分左右。㉓④顷之：过了一段时间。㉓⑤请召戍兵还：请求召回戍守夔州的军队，以保持实力。㉓⑥阴使人诱之：暗中派人去诱惑他们。㉓⑦按其罪：按问毛重威鼓动戍兵逃回西川之罪。㉓⑧七月乙巳：七月初二日。㉓⑨葬之：王宗寿葬王衍于长安南三赵村。㉔⓪招讨使：应为招讨副使。安审通为王晏球之副。㉔①私曲：私自制造酒曲。这里指私自酿酒。㉔②族之：灭私自制曲者的全族。唐时旧制，私沽酒及制曲者，罪及本身，而孔循族诛，比唐制更为苛暴。㉔③听民：随任民众。㉔④己未：七月十六日。㉔⑤敕从之：下令听从任凭民众制酒曲，在秋税中每亩增收五钱的意见。㉔⑥壬戌：七月十九日。㉔⑦惕隐：亦叫梯里已，辽朝官名，掌宗族事务。相当于宗正寺官。㉔⑧唐河：河名，大清河支流，源出山西恒山，注入白洋淀。流经古唐，叫唐河。㉔⑨甲子：七月二十一日。㉕⓪不可胜数：不能尽数，言其多。胜，尽。㉕①戊辰：七月二十五日。㉕②八月甲戌：八月初二日。㉕③白梃：木棒。㉕④沮气：丧失勇气。㉕⑤徇地：略地；攻取土地。㉕⑥纵遣之：放他出去。㉕⑦堞：城上的矮墙，也称女墙。㉕⑧公受先朝厚恩：王晏球即杜晏球，唐庄宗灭梁，晏球降，庄宗赐姓名而加重用。王都所说王晏球“受先朝厚恩”云云即谓此。㉕⑨小数：小技术；小名堂。㉖⓪竟何益：到底有什么好处。㉖①悉众决战：以全部军队决战。㉖②束手：缚着手。指主动归降。㉖③乙未：八月二十三日。㉖④传瓘（公元八八七至九四一年）：字明宝，钱镠第七子。公元九三二年钱镠死，传瓘继位，改名元瓘。公元九三二至九四一年在位。卒谥文穆。

将，被契丹人俘获。他生性平易随和，契丹将领们渐渐地亲近他信任他，于是他就和部属谋划南归后唐。部属流着泪说："返回老家确实是我们连吃饭睡觉时都不会忘记的事，可是敌众我寡，怎么办呢？"张希崇说："我引诱他们的将领，杀了他，士兵一定溃散离去。这里距契丹人的大本营有一千多里，等到他们知道消息后调兵，我们离开这里很远了。"大家说："这个办法好！"于是他们先挖了个大坑，里面填满了石灰。第二天，叫来契丹的将领喝酒，都醉了，连同他们的随从人员一起杀掉，把尸体扔进大坑中。契丹人的兵营在城北，张希崇迅速派出部队攻打兵营，契丹士兵都四散逃离。张希崇率领自己所辖部众二万多人前来投奔唐朝，朝廷下诏任命他为汝州刺史。

事见《旧五代史》卷一百三十三、《新五代史》卷六十七、《十国春秋》卷七十九。㉖⑤嗣：继承人。㉖⑥传璹、传璙、传璟：皆钱镠之子。传璹（公元八八六至九五一年），字秉徽，后改名元懿，钱镠第五子。封金华郡王。传璙（公元八八七至九四二年），字德辉，后改名元璙，钱镠第六子。封广陵郡王。传璟，钱镠第十五子。传瓘之弟，封雩国公。以上三人传见《十国春秋》卷八十三。㉖⑦两镇：指镇海、镇东两方镇。㉖⑧丁未：闰八月初五日。㉖⑨戊申：闰八月初六日。㉗⓪骁将：骁勇善战的将领。㉗①纾：纾缓；缓解。㉗②亲卫：朝会立仗的卫军。唐制，朝会时，有亲卫、勋卫、翊卫三卫将领执仗侍立。后唐仿效唐制，朝会亦设亲卫。㉗③梅老季素：契丹使臣。㉗④张希崇（公元八八八至九三九年）：字德峰，幽州蓟（今天津）人，少好学，被契丹俘虏，后以平州归唐。官至后晋灵武节度使。事母至孝，不喜声色，颇知天文。传见《旧五代史》卷八十八、《新五代史》卷四十七。㉗⑤亲将：亲信的将领。㉗⑥监之：监视张希崇。㉗⑦部曲：部属。㉗⑧谋南归：策划回到后唐。㉗⑨虏帐：指契丹临潢府。㉘⓪比：及；等到。㉘①征兵：征召兵员。㉘②吾属去远矣：我们离得远远的了。㉘③为阱：挖陷坑。㉘④实以石灰：里面填满石灰。㉘⑤诸："之于"的合音。㉘⑥来奔：来投降。

【校记】

［9］表：原无此字。据章钰校，十二行本、乙十一行本皆有此字，今据补。［10］乙巳：原无此二字。据章钰校，十二行本、乙十一行本皆有此二字，张敦仁《通鉴刊本识误》同，今据补。［11］甲戌：原作"壬戌"。据章钰校，十二行本、乙十一行本皆作"甲戌"，张敦仁《通鉴刊本识误》同，今据改。［12］曰：原无此字。据章钰校，十二行本、乙十一行本皆有此字，今据补。

【原文】

吴王太后[287]殂。

九月辛巳[288]，荆南败楚兵于白田[289]，执楚岳州刺史李廷规，归于吴。

乙未[290]，敕以温韬发诸陵，段凝反覆，令所在[291]赐死。

己亥[292]，以武宁节度使房知温兼荆南行营招讨使，知荆南行府[293]事。分遣中使[294]发诸道兵赴襄阳[295]，以讨高季兴。

辛丑[296]，徙庆州防御使窦廷琬[297]为金州[298]刺史。冬，十月，廷琬据庆州拒命。

丙午[299]，以横海节度使李从敏[300]兼北面行营副招讨使。从敏，帝之从子也。

戊申[301]，诏静难节度使李敬周[13]发兵讨窦廷琬。

王都据定州，守备固，伺察严[302]，诸将屡有谋翻城应官军者，皆不果。帝遣使者促王晏球攻城，晏球与使者联骑巡城[303]，指之曰："城高峻如此，借使[304]主人听[305]外兵登城，亦非梯冲所及[306]。徒多杀[307]精兵，无损于贼，如此何为[308]！不若食三州[309]之租，爱民养兵以俟之，彼必内溃[310]。"帝从之。

【段旨】

以上为第九段，写定州城坚，官军围困以待叛军内溃，明宗部署大举攻荆南。

【注释】

[287]王太后：睿帝杨溥生母。传见《十国春秋》卷四。[288]辛巳：九月初九日。[289]白田：白田镇，在今湖南岳阳北。[290]乙未：九月二十三日。[291]所在：指温韬、段凝流放地德州、辽州。[292]己亥：九月二十七日。[293]荆南行府：指荆南节度使府。[294]中使：宫中宦官使者。[295]襄阳：府名，在今湖北襄阳。[296]辛丑：九月二十九日。[297]窦廷琬（？至公元九二八年）：世为青州牙将，官至庆州（治安化，在今甘肃庆阳）防御使。传见《旧五代

【语译】

吴国的王太后去世。

九月初九日辛巳，荆南在白田打败了楚国的军队，抓获了楚国的岳州刺史李廷规，送到了吴国。

二十三日乙未，唐明宗下诏，因为温韬盗挖唐朝各个陵墓，段凝反复无常，命令在流放所在地赐死。

二十七日己亥，任命武宁节度使房知温兼任荆南行营招讨使，掌管荆南行府事。分别派遣中使征调各道的军队前往襄阳，讨伐高季兴。

九月二十九日辛丑，徙任庆州防御使窦廷琬为金州刺史。冬，十月，窦廷琬占据庆州拒绝朝廷的命令。

初五日丙午，任命横海节度使李从敏兼任北面行营副招讨使。李从敏，是唐明宗的侄儿。

初七日戊申，下诏命令静难节度使李敬周调兵讨伐窦廷琬。

王都占据定州，守备坚固，严密观察部下的动向，将领中多次有人谋划翻过城墙接应官军，都没有成功。唐明宗派遣使者催促王晏球攻城，王晏球和使者并马巡视定州城，他指着城说："城池这么高峻，即便是城里的人任由外面的军队登城，也不是用云梯和冲车就能上去的。只是白白损伤我们的精锐士卒，无损于贼军，这样的事何必去做呢！不如仰食三州的租税，爱民养兵，等待时机，他们一定从内部崩溃。"唐明宗听从了这一建议。

史》卷七十四。㉙⑧金州：治所西城，在今陕西安康。㉙⑨丙午：十月初五日。㉚⓪李从敏（？至公元九五一年）：字叔达，明宗侄子。为人沉默寡言，善骑射，封泾王。传见《旧五代史》卷一百二十三、《新五代史》卷十五。㉚①戊申：十月初七日。㉚②伺察严：严密地观察左右动向。㉚③联骑巡城：并马巡视定州城。㉚④借使：假使。㉚⑤听：听任；任凭。㉚⑥亦非梯冲所及：也不是云梯、冲车这些攻城器械所能达到的。㉚⑦杀：伤害。㉚⑧如此何为：这样的事何必去做呢。㉚⑨三州：指定、祁、易三州。㉛⓪内溃：内部士卒离心，自己崩溃。

【校记】

［13］李敬周：原作"李敬通"。据章钰校，十二行本、乙十一行本皆作"李敬周"，严衍《通鉴补》同，查《新五代史》《旧五代史》同，下段"十二月甲辰"条亦作"李敬周"，今据改。

【原文】

十一月，有司请为哀帝[311]立庙，诏立庙于曹州[312]。

平卢节度使晋忠武公霍彦威卒。

忠州刺史王雅取归州。

庚寅[313]，皇子从厚纳孔循女为妃，循因之得之[314]大梁，厚结王德妃之党，乞留。安重诲具奏其事，力排之[315]，礼毕，促令归镇[316]。

甲午[317]，以中书侍郎、同平章事王建立同平章事，充平卢节度使。

丙申[318]，上问赵凤："帝王赐人铁券，何也？"对曰："与之立誓，令其子孙长享爵禄耳。"上曰："先朝受此赐者止三人[319]，崇韬、继麟寻皆族灭，朕得脱如毫厘[320]耳。"因叹息久之。赵凤曰："帝王心存大信[321]，固不必刻之金石[322]也。"

十二月甲辰[323]，李敬周奏拔庆州，族窦廷琬。

荆南节度使高季兴寝疾[324]，以[14]其子行军司马、忠义节度使、同平章事从诲[325]权知军府事[326]。丙辰[327]，季兴卒。吴主以从诲为荆南节度使兼侍中。

史馆修撰张昭远上言："臣窃见先朝时，皇弟、皇子皆喜俳优[328]，入则饰姬妾[329]，出则夸仆马[330]，习尚[331]如此，何道能贤[332]！诸皇子宜精择[333]师傅，令皇子屈身师事之，讲礼义之经[334]，论安危之理。古者人君即位则建太子，所以明嫡庶之分，塞祸乱之源。今卜嗣[335]建储，臣未敢轻议。至于恩泽赐与之间，昏姻[336]省侍之际，嫡庶长幼，宜有所分，示以等威，绝其侥冀[337]。"帝赏叹其言而不能用。

闽王延钧度民[338]二万为僧，由是闽中多僧。

河东节度使、北都留守从荣，年少骄很[339]，不亲政务。帝遣左右素与从荣善者往与之处[340]，使从容讽导[341]之。其人私谓从荣曰："河南相公[342]恭谨好善，亲礼端士[343]，有老成[344]之风。相公齿长[345]，宜自策励[346]，勿令声问[347]出河南之下。"从荣不悦，退，告步军都指挥使杨思权曰："朝廷之人皆推从厚而短我[348]，我其废乎[349]！"思权曰："相公手握强兵，且有思权在，何忧！"因劝从荣多募部曲[350]，缮甲兵，阴为自固之备[351]。

【语译】

十一月，有关部门请求为唐哀帝立庙，唐明宗下诏在曹州立庙。

平卢节度使晋忠武公霍彦威去世。

忠州刺史王雅攻取了归州。

十九日庚寅，皇子李从厚迎娶孔循的女儿为妃，孔循因此有机会前往大梁，深交王德妃同党，请求留在大梁。安重诲把这些情况详细奏报唐明宗，极力排斥孔循，婚礼完毕，催促孔循返回镇所。

二十三日甲午，任命中书侍郎、同平章事王建立担任同平章事，充任平卢节度使。

二十五日丙申，唐明宗询问赵凤："帝王赐给人们铁券，这有什么作用？"赵凤回答说："与他们立下誓言，让他们的子孙永久享有爵位、俸禄罢了。"唐明宗说："先朝时得到这种赏赐的只有三个人，郭崇韬、李继麟不久都被满门抄斩，朕得以脱身险境。"说完后感叹了很久。赵凤说："帝王如果心存大信，本来就不必把誓言刻在金石上。"

十二月初三日甲辰，李敬周奏报说攻取了庆州，灭掉了窦廷琬的全族。

荆南节度使高季兴卧病在床，任命他的儿子行军司马、忠义节度使、同平章事高从诲暂时代理军府的事务。十五日丙辰，高季兴去世。吴主任命高从诲为荆南节度使兼任侍中。

史馆修撰张昭远上奏说："臣见先朝时，皇弟、皇子都喜欢乐舞艺人，在宫内便打扮姬妾，外出就吹嘘自己仆人和车马，风气如此，通过什么途径能成为贤人呢！各皇子应当精心地选择师傅，命令皇子们以师相待，讲习礼义之道，讨论国家安危之理。古时候人君登上帝位就册立太子，以此来明确嫡庶之间的区别，杜绝祸乱发生的根源。现在通过占卜来确立储君，臣不敢轻率地议论。至于在降恩赏赐之时，婚姻、晋见、侍养之际，嫡庶长幼，应该有所区别，宣示等级和权威，杜绝侥幸非分的想法。"唐明宗欣赏并叹服张昭远的建议，但没有采用。

闽王王延钧剃度二万名民众为僧，因此闽中的僧人很多。

河东节度使、北都留守李从荣，年纪轻轻，骄纵凶狠，不亲理政务。唐明宗派自己身边一向和李从荣要好的人前去和他在一起，使其慢慢地劝导李从荣。这个人私下对李从荣说："河南相公恭敬谨慎，喜欢行善，礼贤下士，有少年老成的风度。相公您年纪比他大，应该鞭策勉励自己，别让声誉在河南相公之下。"李从荣听了很不愉快，回去后，告诉步兵都指挥使杨思权说："朝廷中的人全都推崇李从厚而说我的坏话，大概要废掉我！"杨思权说："相公您手中掌握有强大的军队，而且还有我杨思权在，有什么好忧虑的！"于是劝说李从荣多招募部属，整治武器，暗中为巩固自

又谓帝左右[352]曰："君每誉弟[353]而抑其兄[354]，我辈岂不能助之邪！"其人惧，以告副留守冯赟[355]，赟密奏之。帝召思权诣阙[356]，以从荣故，亦弗之罪[357]也。

【段旨】

以上为第十段，写荆南节度使高季兴卒。史馆修撰张昭远上言明宗宜为皇子择良师训导，明宗善其言而不行。北都留守李从荣骄暴谋割据。

【注释】

㉛1 哀帝：唐哀帝李柷，为朱温所杀。312 曹州：州名，治所左城，在今山东曹县西北。313 庚寅：十一月十九日。314 之：往。315 力排之：全力排斥他。316 归镇：回忠武军镇所。317 甲午：十一月二十三日。318 丙申：十一月二十五日。319 止三人：只有三个人受铁券，即郭崇韬、李嗣源、李继麟（即朱友谦）。320 毫厘：极其细微。这里是说生死只在毫发之间，极其危险。因明宗为庄宗所忌，又被伶官所谗，多次险遭不测，即使有铁券也无用。321 大信：伟大的诚信。322 固不必刻之金石：本来就不必将封爵赦罪的话刻在金银玉石上。因铁券上镂刻着封享爵禄、赦免罪行的话。323 甲辰：十二月初三日。324 寝疾：卧病。325 从诲：高从诲（公元八九一至九四八年），字遵圣，高季兴长子，为人明敏，多权计。高季兴死，从诲袭位，公元九二八至九四八年在位。传见《旧五代史》卷一百三十三、《新五代史》卷六十九、《十国春秋》卷一百一。326 权知军府事：暂时代理荆南节度使府的事务。327 丙辰：十二月十五日。328 俳优：乐舞谐戏的艺人。329 饰姬妾：打扮姬

【原文】

四年（己丑，公元九二九年）

春，正月，冯赟入为宣徽使，谓执政曰："从荣刚僻而轻易[358]，宜选重德[359]辅之。"

王都、秃馁欲突围走，不得出。二月癸丑[360]，定州都指挥使马让能开门纳官军，都举族自焚，擒秃馁及契丹二千人。辛亥[361]，以王晏球为天平节度使，与赵德钧并加兼侍中。秃馁至大梁，斩于市。

己的地位做准备。杨思权又对唐明宗派来的身边亲信说："你总是称誉弟弟而贬抑当哥哥的，我们难道就不能帮助他吗！"那位亲信很害怕，把这些情况告诉了副留守冯赟，冯赟秘密地奏报唐明宗。唐明宗召杨思权到朝廷来，因为李从荣的缘故，也没有加罪于他。

妄。㉚夸仆马：吹嘘随从仆人和车马的排场。㉛习尚：风气。㉜何道能贤：通过什么途径能成为贤人。㉝精择：精心选择。㉞经：道理。㉟卜嗣：占卜以预定继承人。㊱昏姻：即婚姻。昏，通"婚"。㊲侥冀：不费气力，侥幸而得的希望。指诸子若贵贱无别，就会产生侥冀之心而争位。㊳度民：剃度民众为僧。㊴骄很：骄纵而凶狠。很，通"狠"。㊵与之处：同他在一起。㊶讽导：讽喻、劝导。㊷河南相公：指从荣弟从厚，时为河南尹，故称之。㊸端士：端方正义的知识分子。㊹老成：稳重严谨。㊺齿长：年纪比他大。齿，指代年龄。㊻策励：鞭策、勉励。㊼声问：声誉。㊽短我：说我短处。㊾我其废乎：大概要废黜我吗。㊿部曲：亲兵；部属。(351)阴为自固之备：暗中为巩固自己地位做准备。阴，暗中。(352)帝左右：指明宗派去训导从荣的左右近臣。(353)誉弟：赞誉从厚。(354)抑其兄：贬抑从荣。(355)冯赟（？至公元九三四年）：太原（今山西太原）人，以狡黠为明宗所爱，官河东、忠武节度使。与朱弘昭并掌机务，杀从荣而立从厚。从珂起兵，为安从进所杀。传见《新五代史》卷二十七。(356)诣阙：到朝廷来。(357)弗之罪：不加罪于他。

【校记】

［14］以：原作"命"。张敦仁《通鉴刊本识误》："'命'作'以'。"今据改。

【语译】

四年（己丑，公元九二九年）

春，正月，冯赟调入朝担任宣徽使，他对执政大臣说："李从荣性情刚愎轻率，应该挑选德高望重的人辅佐他。"

王都、秃馁打算突围逃走，没有冲出去。二月十三日癸丑，定州都指挥使马让能打开城门迎入官军，王都全族自焚，唐军抓获秃馁和二千名契丹士兵。十一日辛亥，唐明宗任命王晏球为天平节度使，和赵德钧一起都加封兼任侍中。秃馁到了大梁，在街市上被斩首。

枢密使赵敬怡卒。

甲子[362]，帝发[363]大梁。

丁卯[364]，门下侍郎、同平章事崔协卒于须水[365]。

庚午[366]，帝至洛阳。

王晏球在定州城下，日以私财飨士[367]，自始攻至克城未尝戮一卒。三月辛巳[368]，晏球入朝。帝美其功[369]，晏球谢久烦馈运[370]而已。

皇子右卫大将军从璨[371]性刚[372]，安重诲用事[373]，从璨不为之屈。帝东巡[374]，以从璨为皇城使。从璨与客宴于会节园[375]，酒酣，戏登御榻[376]，重诲奏请诛之。丙戌[377]，赐从璨死。

横山蛮[378]寇邵州[379]。

楚王殷命其子武安[380]节度副使、判长沙府希声[381]知政事，总录内外诸军事。自是国政先历[382]希声，乃闻于殷。

夏，四月庚子朔[383]，禁铁锡钱[384]。时湖南专[15]用锡钱[385]，铜钱一直[386]锡钱百，流入中国，法不能禁。

丙午[387]，楚六军副使王环败荆南兵于石首[388]。

初令缘边置场市[389]党项[390]马，不令诣阙。先是，党项皆诣阙，以贡马为名，国家约其直[391]酬之，加以馆谷赐与，岁费五十余万缗。有司苦其耗蠹[392]，故止之。

壬子[393]，以皇子从荣为河南尹、判六军诸卫[16]事，从厚为河东节度使、北都留守。

契丹寇云州。

甲寅[394]，以端明殿学士、兵部侍郎赵凤为门下侍郎、同平章事。

五月乙酉[395]，中书言："太常[396]改谥哀帝曰昭宣光烈孝皇帝，庙号景宗。既称宗则应入太庙[397]，在别庙[398]则不应称宗。"乃去庙号。

帝将祀南郊[399]，遣客省使李仁矩[400]以诏谕[401]两川，令西川献钱一百万缗，东川五十万缗。皆辞以军用不足，西川献五十万缗，东川献十万缗。仁矩，帝在藩镇时客将也，为安重诲所厚，恃恩骄慢。至梓州，董璋置宴召之，日中不往，方拥妓酣饮。璋怒，从卒徒执兵入

枢密使赵敬怡去世。

二月二十四日甲子，唐明宗从大梁起程。

二十七日丁卯，门下侍郎、同平章事崔协在须水去世。

三十日庚午，唐明宗到达洛阳。

王晏球在定州城下时，每天拿自己的财物犒劳士卒，从开始攻城到攻克城池，未曾杀过一个士卒。三月十一日辛巳，王晏球回到朝廷。唐明宗称赞他的功劳，王晏球只感谢长期烦劳朝廷给他运送粮饷而已。

皇子右卫大将军李从璨性情刚烈，安重诲掌权后，李从璨不屈从于他。唐明宗东巡，任命李从璨担任皇城使。李从璨和客人们在会节园宴饮，酒喝到尽兴时，他开玩笑，登上御榻，安重诲向唐明宗奏请杀死李从璨。三月十六日丙戌，唐明宗赐死李从璨。

横山的蛮族侵犯邵州。

楚王马殷命令他的儿子武安节度副使、兼管长沙府的马希声掌理政事，总管内外各种军政事务。从此，国家政务先经过马希声，才上报给马殷。

夏，四月初一日庚子，禁用铁锡钱。当时湖南专门使用锡钱，一个铜钱相当于一百个锡钱。锡钱流入中原，法令禁止不了。

初七日丙午，楚国的六军副使王环在石首打败了荆南的军队。

开始下令在沿边各地设场购买党项人的马匹，不让党项人送到朝廷。此前，党项人都前往朝廷，以进贡马匹为名，朝廷估算一下马匹的价钱给他们酬金，加上馆驿吃宿和赏赐，每年耗费五十多万缗钱。有关部门苦于这笔浪费，因此禁止他们来京城。

四月十三日壬子，任命皇子李从荣为河南尹、兼管六军诸卫事，任命李从厚为河东节度使、北都留守。

契丹人侵犯云州。

十五日甲寅，任命端明殿学士、兵部侍郎赵凤为门下侍郎、同平章事。

五月十七日乙酉，中书上奏说："太常改谥哀帝为昭宣光烈孝皇帝，庙号为景宗。既然已经称宗，就应该入祀太庙，在别的庙里就不应该称宗。"于是下令去掉庙号。

唐明宗准备在南郊祭天，派遣客省使李仁矩以诏书宣谕两川，命令西川贡献钱一百万缗，东川贡献钱五十万缗。两川都借口说军用不足，西川贡献五十万缗，东川贡献十万缗。李仁矩是唐明宗在藩镇时的客将，被安重诲所厚待，他依仗恩宠，特别骄纵傲慢。到达梓州时，董璋设宴招待他，到了中午他还没前去赴宴，正搂着妓女畅饮。董璋大怒，带着士兵拿着兵器闯进了驿站，让李仁矩站在台阶下，责骂

驿，立仁矩于阶下而诟[402]之曰：“公但闻西川斩李客省[403]，谓我独不能邪！”仁矩流涕拜请，仅而得免。既而厚赂仁矩以谢[404]之。仁矩还，言璋不法。未几，帝复遣通事舍人[405]李彦珣[406]诣东川，入境，失小礼[407]，璋拘其从者，彦珣奔还。

高季兴之叛也，其子从诲切谏[408]，不听。从诲既袭位，谓僚佐曰：“唐近而吴远[409]，舍近臣远[410][17]，非计也。”乃因[411]楚王殷以谢罪于唐。又遗山南东道[412]节度使安元信[413]书，求保奏，复修职贡。丙申[414]，元信以从诲书闻，帝许之。

契丹寇云州。

【段旨】

以上为第十一段，写王晏球平定河北王都叛乱。荆南归服。

【注释】

[358]刚僻而轻易：刚愎自用而轻率处事。[359]重德：大德；德高望重的人。[360]癸丑：二月十三日。《新五代史》《旧五代史》均云癸卯克定州。癸丑疑为癸卯之误。癸卯，二月三日。[361]辛亥：二月十一日。[362]甲子：二月二十四日。[363]发：启程；出发。明宗于天成二年（公元九二七年）冬十月如大梁，至是启程还洛阳。[364]丁卯：二月二十七日。[365]须水：故须水县，在今河南荥阳须水镇。[366]庚午：二月三十日。[367]以私财飨士：用私人的钱宴请士兵。[368]辛巳：三月十一日。[369]美其功：表彰、赞美他的功劳。[370]久烦馈运：长久烦劳输送粮食。[371]从璨：明宗侄子。传见《新五代史》卷十五。[372]性刚：性格刚烈。[373]用事：掌权。[374]帝东巡：指明宗去汴州。[375]会节园：园名，在洛阳城中。张全义长期镇守洛阳，私宅在会节坊，室宇园池为一时巨丽，献给皇帝后称之为会节园。[376]戏登御榻：开玩笑，登上皇帝的御榻。因御园内均设御榻，供皇帝游幸时使用。[377]丙戌：三月十六日。[378]横山蛮：居住在湖南邵阳地区的瑶族民众。[379]邵州：州名，治所邵阳，在今湖南邵阳。[380]武安：方镇名，唐僖宗光启元年（公元八八五年）改钦化军节度使为武安军节度使，治所潭州，在今湖南长沙。[381]希声（公元八九九至九三二年）：字若讷，马殷次子。长兴元年十一月袭位。公元九三〇至九三二年在位，追封衡阳王。传见《新五代史》卷六十六、《十国春秋》卷六十八。[382]历：经过；通过。[383]庚子朔：四月初一日。[384]铁锡钱：用铁、锡铸成的钱币，质劣。[385]锡钱：用锡铸成的钱。为楚马殷所铸，

他说："你只听说过西川斩杀了李客省使，难道就认为我不能这么做吗！"李仁矩流着泪跪拜请罪，才得免一死。后来董璋又送了很多礼物贿赂李仁矩向他表示歉意。李仁矩回到朝廷，说董璋不遵守法令。不久，唐明宗又派遣通事舍人李彦珣到东川，李彦珣入境后，稍失礼节，董璋抓捕了他的随从，李彦珣逃了回来。

高季兴叛变时，他的儿子高从诲极力劝谏，高季兴不听。高从诲继承了爵位以后，对幕僚佐吏们说："唐朝近而吴国远，舍弃唐朝，臣服吴国，不是好的计策。"于是就通过楚王马殷向唐朝谢罪。又写信给山南东道节度使安元信，请求他向唐明宗保奏，愿意重新称臣纳贡。二十八日丙申，安元信把高从诲的信呈报朝廷，唐明宗答应了高从诲的请求。

契丹侵犯云州。

本在楚国境内流通，后流入后唐，无法禁绝。㊻直：通"值"。㊼丙午：四月初七日。㊽石首：县名，在今湖北石首。㊾市：买；交易。㊿党项：羌人的一支。分布在今青海东南部河曲和四川松潘以西山谷地带，从事畜牧。391约其直：估计马的价值。392耗蠹：浪费。393壬子：四月十三日。394甲寅：四月十五日。395乙酉：五月十七日。396太常：掌管礼仪的机构，长官为太常寺卿。397称宗则应入太庙：礼制，皇帝死后入太庙，庙号为某祖、某宗。398别庙：在外地另立庙。哀帝庙在曹州，故为别庙。399祀南郊：在南郊行祭天大礼。400李仁矩：明宗在藩镇时的客将。401诏谕：下诏令宣谕。402诟：骂。403李客省：指李严。404谢：表示歉意。405通事舍人：官名，掌传宣引赞之事。406李彦珣：行为不检，不孝父母。历官河阳行军司马、坊州刺史。传见《旧五代史》卷九十四。407失小礼：稍失礼节。《旧五代史》云李彦珣对董璋"失敬"。408切谏：极力劝谏。409唐近而吴远：江陵距后唐洛阳近而离吴扬州远。410舍近臣远：舍弃近的唐朝而向远方的吴称臣。411因：通过。412山南东道：方镇名，唐肃宗至德二载（公元七五七年）升襄阳防御使为山南东道节度使。治所襄州，在今湖北襄阳。413安元信（公元八六三至九三六年）：字子言，代北（今山西大同以北）人，历任山南东道、归德、潞州节度使。传见《旧五代史》卷六十一。414丙申：五月二十八日。

【校记】

［15］专：据章钰校，十二行本、乙十一行本皆作"全"。［16］诸卫：原作"诸衔"。据章钰校，十二行本、乙十一行本皆作"诸卫"，今据改。［17］舍近臣远：原无此四字。据章钰校，十二行本、乙十一行本皆有此四字，张敦仁《通鉴刊本识误》、张瑛《通鉴校勘记》同，今据补。

【原文】

六月戊申⑮，复以邺都为魏州⑯，留守、皇城使并停。

庚申⑰，高从诲自称前荆南行军司马、归州刺史，上表求内附⑱。秋，七月甲申⑲，以从诲为荆南节度使兼侍中。己丑⑳，罢荆南招讨使㉑。

八月，吴武昌㉒节度使兼侍中李简㉓以疾求还江都，癸丑㉔，卒于采石㉕。徐知询，简婿也，擅留简亲兵二千人于金陵㉖，表荐简子彦忠代父镇鄂州。徐知诰以龙武统军柴再用为武昌节度使。知询怒曰："刘崇俊㉗，兄之亲，三世为濠州。彦忠，吾妻族㉘，独不得邪！"

初，楚王殷用都军判官高郁为谋主㉙，国赖以富强，邻国皆疾之。庄宗入洛，殷遣其子希范入贡，庄宗爱其警敏㉚，曰："比闻㉛马氏当为高郁所夺，今有子如此，郁安能得之！"高季兴亦屡[18]以流言间郁于殷，殷不听，乃遣使遗节度副使、知政事希声书，盛称㉜郁功名，愿为兄弟。使者言于希声曰："高公常云'马氏政事皆出高郁'，此子孙之忧也。"希声信之。行军司马杨昭遂，希声之妻族也，谋代郁任，日谮之于希声。希声屡言于殷，称郁奢僭㉝，且外交邻藩，请诛之。殷曰："成吾功业，皆郁力也，汝勿为此言！"希声固请罢其兵柄，乃左迁郁行军司马。郁谓所亲曰："亟营西山㉞，吾将归老㉟。猘子㊱渐大，能咋人㊲矣。"希声闻之，益怒。明日，矫㊳以殷命杀郁于府舍㊴，榜谕㊵中外，诬郁谋叛，并诛其族党。至暮，殷尚未知。是日，大雾，殷谓左右曰："吾昔从孙儒渡淮㊶，每杀不辜，多致兹异。马步院㊷岂有冤死者乎？"明日，吏以郁死告，殷抚膺㊸大恸曰："吾老耄㊹，政非己出，使我勋旧横罹冤酷！"既而顾左右曰："吾亦何可久处此乎！"

【段旨】

以上为第十二段，写吴国徐知诰压制徐知询，楚国执政马希声冤杀兴楚谋主高郁。

【语译】

六月十一日戊申，又把邺都改为魏州，留守、皇城使之职一并废止。

二十三日庚申，高从诲自称为前荆南行军司马、归州刺史，上表请求归附唐朝。秋，七月十七日甲申，任命高从诲为荆南节度使兼侍中。二十二日己丑，罢免荆南招讨使。

八月，吴国的武昌节度使兼侍中李简因病请求返回江都，十七日癸丑，在采石去世。徐知询是李简的女婿，他擅自把李简的亲兵二千人留在金陵，上表推荐李简的儿子李彦忠代替他的父亲镇守鄂州。徐知诰却任命龙武统军柴再用担任武昌节度使。徐知询愤怒地说："刘崇俊是哥哥的亲戚，三代为濠州节度使。李彦忠，是我妻子家族的人，唯独他不能被任用吗！"

当初，楚王马殷任用都军判官高郁为主要谋臣，国家依靠他富强起来，邻国都嫉恨他。唐庄宗到洛阳后，马殷派他的儿子马希范入朝进贡，唐庄宗喜欢马希范的机警敏捷，对他说："最近听说马氏的天下要被高郁所篡夺，现在马氏有这样的儿子，高郁怎么能得到马氏天下！"高季兴也经常用流言蜚语离间马殷和高郁，马殷没有听信，于是高季兴派人送信给节度副使、知政事马希声，大赞高郁的功劳和名声，表示愿意和他结为兄弟。使者对马希声说："我们高公常常说'马氏的政务都是由高郁决定的'，这是马氏子孙的忧患。"马希声相信了他说的话。行军司马杨昭遂，是马希声妻子的族人，图谋替代高郁的职务，每天向马希声说他的坏话。马希声多次向马殷进言，说高郁奢侈僭越，并且在外面交结邻国，请求把他杀了。马殷说："成就我的功业的，全是高郁之力，你不要说这样的话！"马希声坚持请求解除高郁的兵权，于是马殷把高郁降职为行军司马。高郁对他的亲信说："赶快给我营造好西山，我就要退休了。狗崽子渐渐长大了，能咬人了。"马希声听到这话，更加生气。第二天，假传马殷的命令在军府的署舍中杀死了高郁，张榜告示中外，诬陷说高郁阴谋造反，同时把高郁的全家和同党全部杀死。到了傍晚，马殷还不知道。这一天，大雾，马殷对身边的人说："我从前跟随孙儒渡淮河时，每次斩杀无辜的人，大多会出现这种奇异的征候。马步院难道有冤死的人吗？"第二天，官吏们把高郁的死讯报告了他，马殷捶胸大哭说："我已经老了，国家的大事做不了主，让我的功勋旧臣横遭冤死！"马上又回过头来对自己身边的人说："我又怎么能长期坐在这个位子上呢！"

【注释】

⑮戊申：六月十一日。⑯魏州：后唐庄宗同光元年（公元九二三年）即位于魏州，升兴唐府，建东京。迁都洛阳后，改魏州之东京为邺都，今仍降格称魏州。⑰庚申：六月二十三日。⑱内附：归附唐朝。⑲甲申：七月十七日。⑳己丑：七月二十二日。㉑罢荆南招讨使：原设此职以讨荆南，今荆南内附，故罢。㉒武昌：方镇名，唐宪宗元和元年（公元八〇六年），升鄂岳观察使为武昌军节度使。治所鄂州，在今湖北武汉市武昌区。后唐遥改武清军。南唐复改武昌军。㉓李简（？至公元九二九年）：上蔡（今河南上蔡）人，徐知询岳父。官至武昌军节度使。传见《十国春秋》卷五。㉔癸丑：八月十七日。㉕采石：亦名采石矶，在今安徽当涂西北。㉖金陵：即今江苏南京。㉗刘崇俊：字德修，楚州山阳（今江苏淮安）人，与徐知诰为亲。祖刘金，父刘仁规，及刘崇

【原文】

九月，上与冯道从容语及年谷屡登[445]，四方无事。道曰："臣常记昔在先皇幕府[446]，奉使中山[447]，历井陉[448]之险，臣忧马蹶[449]，执辔[450]甚谨，幸而无失。逮[451]至平路，放辔自逸[452]，俄至颠陨[453]。凡为天下者亦犹是也。"上深以为然。上又问道："今岁虽丰，百姓赡足[454]否？"道曰："农家岁凶[455]则死于流殍[456]，岁丰则伤于谷贱[457]，丰凶皆病[458]者，惟农家为然。臣记进士聂夷中[459]诗云：'二月卖新丝，五月粜新谷。医得眼下疮，剜却心头肉。'语虽鄙俚[460]，曲尽[461]田家之情状。农于四人[462]之中最为勤苦，人主不可不知也。"上悦，命左右录其诗，常讽诵之。

鄜州[463]兵戍东川者归本道，董璋擅留其壮者，选羸老[464]归之，仍收其甲兵。

癸巳[465]，西川右都押牙孟容弟为资州[466]税官，坐自盗[467]抵死。观察判官冯瑑[468]、中门副使王处回[469]为之请，孟知祥曰："虽吾弟犯法，亦不可贷[470]，况他人乎！"

吴越王镠居其国好自大[471]，朝廷使者曲意[472]奉之则赠遗丰厚，不然则礼遇疏薄。尝遗安重诲书，辞礼颇倨[473]。帝遣供奉官乌昭遇、韩

俊，三代为濠州节度使。传见《十国春秋》卷二十二。㊷妻族：妻子的同族人。㊸谋主：出谋划策的主要谋士。㊹警敏：机警敏捷。㊺比闻：近来听说。㊻盛称：大大地赞赏。㊼奢僭：奢侈而僭越。㊽西山：指长沙西岸岳麓诸山。㊾归老：退休养老。㊿猘子：疯狗。猘，狗中强者。㊲咋人：咬人。㊳矫：假。指假传马殷命令。㊴府舍：荆南军府署舍。㊵榜谕：榜示；张榜告示。㊶昔从孙儒渡淮：事在光启三年（公元八八七年）。㊷马步院：审狱囚的地方。当时诸镇皆有马步司，设监狱以审犯人。大的藩镇亦置马步院。㊸抚膺：捶胸。㊹老耄：年老。耄，古代七十曰耄。

【校记】

［18］屡：原无此字。据章钰校，十二行本、乙十一行本皆有此字，今据补。

【语译】

九月，唐明宗和冯道闲谈中说到五谷连年丰登，四方无事。冯道说："臣常常记起从前在先皇帝幕府任掌书记时，奉命出使中山，经过井陉天险，臣担心马跌倒，非常小心谨慎地拉住马缰绳，幸好没有闪失。到了平路，放开缰绳，让马自由驰骋，不久我就跌落马下。大凡治理天下也是这个道理。"唐明宗认为他的话很对。唐明宗又问冯道说："今年虽然丰收了，百姓过得富足吗？"冯道说："种庄稼的人荒年就死于流离饥饿，丰年就因谷价太低而受损害，不论年景好与坏都要遭受困苦的，只有种庄稼的人是这样！臣记得进士聂夷中的诗说道：'二月卖新丝，五月粜新谷。医得眼下疮，剜却心头肉。'言语虽然粗俗，但也道尽了农家的状况。农人是士、农、工、商四种人之中最为辛勤劳苦的，作为人主不能不了解这些情况。"唐明宗很高兴，命令身边的人抄录这首诗，自己时常讽诵。

戍守东川的鄜州士兵返回本道，董璋擅自把其中健壮的留下来，挑选年老体弱的人让他们回去，还收缴了他们的兵器。

九月二十七日癸巳，西川右都押牙孟容的弟弟担任资州的税官，犯监守自盗罪被判处死。观察判官冯瑑、中门副使王处回替他求情，孟知祥说："即使是我的弟弟犯了法，也不能宽恕，何况是别人呢！"

吴越王钱镠在他的国内喜欢自我尊大，朝廷的使者曲意奉承他，钱镠就会赠送丰厚，否则的话，礼遇就会低下。他曾经写信给安重诲，在文辞和礼节上颇为傲慢。

玫使吴越，昭遇与玫有隙，使还，玫奏："昭遇见镠，称臣拜舞，谓镠为殿下，及私以国事[474]告镠。"安重诲奏赐昭遇死。癸巳[475]，制镠以太师致仕，自余官爵皆削之。凡吴越进奏官、使者、纲吏[476]，令所在系治[477]之。镠令子传瓘等上表讼冤，皆不省[478]。

初，朔方节度使韩洙[479]卒，弟澄为留后。未几，定远军[480]使李匡宾聚党据保静镇[481]作乱，朔方不安。冬，十月丁酉[482]，韩澄遣使赍绢表乞朝廷命帅。

前磁州刺史康福[483]，善胡语，上退朝，多召入便殿，访以时事，福以胡语对。安重诲恶之，常戒之曰："康福，汝但妄奏事，会当斩汝！"福惧，求外补。重诲以灵州深入胡境，为帅者多遇害，戊戌[484]，以福为朔方、河西节度使。福见上，涕泣辞之。上命重诲为福更他镇，重诲曰："福自刺史无功建节，尚复何求！且成命已行，难以复改。"上不得已，谓福曰："重诲不肯，非朕意也！"福辞行，上遣将军牛知柔、河中都指挥使卫审峹[485]等将兵万人卫送之。审峹，徐州人也。

辛亥[486]，割阆、果[487]二州置保宁军，壬子[488]，以内客省使李仁矩为节度使。

先是，西川常发刍粮馈峡路[489]，孟知祥辞以本道兵自多，难以奉他镇，诏不许，屡督之。甲寅[490]，知祥奏称财力乏，不奉诏[491]。

【段旨】

以上为第十三段，写唐明宗能听善言而不能果行，姑息安重诲独断专行，孟知祥不听诏令。

唐明宗派遣供奉官乌昭遇和韩玫出使吴越，乌昭遇和韩玫有矛盾，出使回来，韩玫上奏说："乌昭遇见到钱镠，称臣拜舞，称钱镠为殿下，又私自把国家大事告诉钱镠。"安重诲奏请唐明宗赐死乌昭遇。九月二十七日癸巳，唐明宗下令钱镠以太师的身份退休，其余的官职、爵位全部免去。凡是吴越所推举的官吏、使者、纲吏，命令所在地的官员把他们逮捕治罪。钱镠让他的儿子钱传瓘等人上表诉说冤屈，唐明宗全都不予理睬。

当初，朔方节度使韩洙去世后，他的弟弟韩澄担任留后。不久，定远军使李匡宾聚集同党占据保静镇作乱，朔方很不安定。冬，十月初二日丁酉，韩澄派遣使者带着绢表请求朝廷任命他为节度使。

前磁州刺史康福，善说胡语，唐明宗退朝后，常把他召入便殿，询问时事，康福使用胡语回答。安重诲很讨厌康福，常常告诫他说："康福，你只要胡乱奏事，到时候我要杀了你！"康福很害怕，请求补缺外任。安重诲认为灵州深入胡人地域，在那里当主帅的人大多被害，十月初三日戊戌，任命康福为朔方、河西节度使。康福见到皇上，流着眼泪辞却这个职务。皇上命令安重诲为康福更换别的镇所，安重诲说："康福从刺史没有功绩便升为节度使，他还要求什么！况且任命已经发布，难以再更改。"唐明宗不得已，对康福说："安重诲不同意更改成命，这可不是朕的意思啊！"康福告辞出发，唐明宗派遣将军牛知柔、河中都指挥使卫审峹等率领一万名士兵护送他。卫审峹，是徐州人。

十月十六日辛亥，划出阆、果两个州设置保宁军，十七日壬子，任命内客省使李仁矩为节度使。

先前，西川经常调拨粮草供给峡路，现在孟知祥推辞说因为本道的兵员很多，难以供应其他镇所，唐明宗下诏不答应，多次催促他继续调拨。十九日甲寅，孟知祥上奏声说财力匮乏，不奉行诏令。

【注释】

㊺登：丰收。㊻先皇幕府：指冯道任河东掌书记。㊼中山：地名，在今河北正定东北。㊽井陉：县名，今河北井陉，邻接山西。㊾马蹶：马失蹄跌倒。㊿执辔：拉着马缰绳。451逮：及；到。452自逸：让马自由奔跑。453颠陨：跌落马下。454赡足：丰足，指衣食丰给。455岁凶：指荒年。456流殍：流离失所死于路上。457谷贱：谷物价钱低廉。谷物贱则农人收入少，故有"谷贱伤农"之说。458病：困苦。459聂夷中（公元八三七年至？）：字坦之，咸通进士，官华阴尉，工诗，《新唐书》卷六十著录有《聂夷中诗》二

卷。⑯鄙俚：粗俗。⑯曲尽：委曲尽致地表达。⑯四人：指从事士、农、工、商四种行业的人。⑯鄜州：州名，治所洛交，在今陕西富县。⑯羸老：年老瘦弱。⑯癸巳：九月二十七日。⑯资州：州名，治所阳安，在今四川简阳东北。⑯自盗：监守自盗。盗窃自己管理的钱物。⑯冯瑑：西川节度使府观察判官。⑯王处回（？至公元九五一年）：字亚贤，彭城（今江苏徐州）人，性宽厚爱士，颇有机略，官至武泰军节度使。传见《十国春秋》卷五十二。⑰贷：宽容；饶恕。⑰好自大：喜欢妄自尊大。⑰曲意：曲从对方的意愿而加以奉迎。⑰倨：傲慢。⑰国事：指国家要事。⑰癸巳：九月二十七日。⑰纲吏：押运进贡财物的官吏。⑰系治：逮捕处理。⑰不省：不予理睬。⑰韩洙（？至公元九二九年）：韩逊子。乾化四年（公元九一四年）韩逊卒，韩洙嗣位镇朔方。天成四年

【原文】

吴诸道副都统、镇海宁国节度使兼侍中徐知询自以握兵据上流，意轻[492]徐知诰，数与知诰争权，内相猜忌[493]，知诰患之。内枢密使王令谋[494]曰："公辅政日久，挟天子以令境内，谁敢不从！知询年少，恩信未洽[495]于人，无能为也。"知询待诸弟薄，诸弟皆怨之。徐玠知知询不可辅，反持其短[496]以附知诰。吴越王镠遗知询金玉鞍勒[497]、器皿[19]，皆饰以龙凤[498]。知询不以为嫌[499]，乘用之。知询典客[500]周廷望说知询曰："公诚能捐宝货以结朝中勋旧，使皆归心于公，则彼[501]谁与处！"知询从之，使廷望如江都谕意。廷望与知诰亲吏周宗[502]善，密输款[503]于知诰，亦以知诰阴谋告知询。知询召知诰诣金陵，除父温丧，知诰称吴主之命不许。周宗谓廷望曰："人言侍中[504]有不臣[505]七事，宜亟入谢[506]！"廷望还，以告知询。十一月，知询入朝，知诰留知询为统军，领镇海[507]节度使，遣右雄武都指挥使柯厚征金陵兵还江都，知诰自是始专吴政。知询责知诰曰："先王违世[508]，兄为人子，初不临丧[509]，可乎？"知诰曰："尔挺剑待我[510]，我何敢往！尔为人臣，畜乘舆服御[20]物[511]，亦可乎？"知询又以廷望所言诘[512]知诰，知诰曰："以尔所为[513]告我者，亦廷望也。"遂斩廷望。

壬辰[514]，吴主加尊号曰睿圣文明光孝皇帝，大赦，改元大和[515]。

（公元九二九年）卒，由其弟澄为朔方军留后。传见《旧五代史》卷一百三十二、《新五代史》卷四十。㊽⓪定远军：五代时置，治所东光，今河北东光。㊽①保静镇：据胡三省注，保静即隋时弘静县，唐神龙间改曰安静，至德间改曰保静县，在今宁夏灵武南，为朔方巡县。保静镇属定远军，在黄河北岸。此为定远军使李匡宾之党在保静县作乱。㊽②丁酉：十月初二日。㊽③康福（公元八八五至九四二年）：蔚州（今山西平遥）人，善少数民族语言。官朔方、河西节度使。传见《旧五代史》卷九十一、《新五代史》卷四十六。㊽④戊戌：十月初三日。㊽⑤卫审峹：人名，后唐河中都指挥使。㊽⑥辛亥：十月十六日。㊽⑦果：果州，故治在今四川南充北。㊽⑧壬子：十月十七日。㊽⑨峡路：当时别称宁江军，在今湖北宜昌。㊾⓪甲寅：十月十九日。㊾①不奉诏：不接受诏命；不奉行诏命。

【语译】

吴国的诸道副都统、镇海宁国节度使兼侍中徐知询自认为握有重兵，地处金陵上游，心里很轻视徐知诰，一再和徐知诰争权，内心相互猜忌，徐知诰很忧愁。内枢密使王令谋对徐知诰说："您辅政时间很长了，挟天子以令境内，谁敢不听从？徐知询年轻，恩德和信义没有普施众人，没有什么作为。"徐知询待他的弟弟们很刻薄，弟弟们都怨恨他。徐玠知道徐知询不可辅佐，反倒拿他的短处投靠了徐知诰。吴越王钱镠赠送给徐知询用金玉制作的马鞍、马勒、器皿，上面都装饰有龙凤图案。徐知询不避嫌疑，就拿来使用。徐知询的典客周廷望规劝徐知询说："您如果能拿出宝货来结交朝中勋贵老臣，让他们都能归心于您，那么谁和他徐知诰在一起呢！"徐知询采纳了他的建议，派周廷望去江都说明这个心意。周廷望和徐知诰的亲信官吏周宗交情很好，暗中通过他向徐知诰表达自己的忠诚，也把徐知诰的密谋告诉了徐知询。徐知询叫徐知诰到金陵，参加他们父亲徐温的除丧仪式，徐知诰说吴主有命令不同意他去。周宗对周廷望说："人们说侍中徐知询有七件事是不遵守人臣的本分，最好让他赶快到朝廷请罪！"周廷望回到金陵，把这话告诉了徐知询。十一月，徐知询入京朝见，徐知诰把他留下担任统军，兼领镇海节度使，派遣右雄武都指挥使柯厚征调金陵的部队返回江都，徐知诰从此开始独揽吴国的政权。徐知询责问徐知诰说："先王去世，哥哥作为当儿子的，当初不参加丧礼，这样做能行吗？"徐知诰说："你拿着剑等待我，我怎么敢去！你作为人臣，私藏天子的车驾袍服，这样做就可以吗？"徐知询又用周廷望所言来质问徐知诰，徐知诰说："把你的所作所为报告给我的，也是周廷望。"于是杀了周廷望。

十一月二十七日壬辰，吴主加尊号为睿圣文明光孝皇帝，大赦，改年号为大和。

康福行至方渠[516]，羌胡[517]出兵邀福，福击走之。至青刚峡[518]，遇吐蕃野利、大虫二族数千帐，皆不觉唐兵至。福遣卫审峹掩击[519]，大破之，杀获殆尽[520]。由是威声大振，遂进至灵州，自是朔方始受代[521]。

十二月，吴加徐知诰兼中书令，领宁国[522]节度使。知诰召徐知询饮，以金钟酌酒赐之，曰："愿弟寿千岁。"知询疑有毒，引[523]他器均之，跽[524]献知诰曰："愿与兄各享五百岁。"知诰变色，左右顾[525]，不肯受。知询捧酒不退。左右莫知所为，伶人申渐高径前为诙谐语，掠[526]二酒合饮之，怀金钟趋出[527]。知诰密遣人以良药[528]解之，已脑溃[529]而卒。

奉国[530]节度使、知建州王延禀称疾退居里第，请以建州授其子继雄。庚子[531]，诏以继雄为建州刺史。

安重诲既以李仁矩镇阆州，使与绵州刺史武虔裕皆将兵赴治[532]。虔裕，帝之故吏，重诲之外兄也。重诲使仁矩诇[533]董璋反状，仁矩增饰[534]而奏之。朝廷又使武信节度使夏鲁奇治遂州[535]城隍[536]，缮甲兵，益兵戍之。璋大惧。时道路传言[537]，又将割绵、龙[538]为节镇，孟知祥亦惧。璋素与知祥有隙，未尝通问[539]。至是，璋遣使诣成都，请为其子娶知祥女，知祥许之，谋并力以拒朝廷。

【段旨】

以上为第十四段，写吴徐知诰制伏徐知询独掌国政。孟知祥、董璋联姻抗朝命。

【注释】

[492]意轻：内心轻视。[493]内相猜忌：内心互相猜疑、妒忌。[494]王令谋（？至公元九三七年）：历官左仆射、吴忠武军节度使。传见《十国春秋》卷十。《新五代史》卷六十一《杨行密传》、卷六十二《南唐世家》略载其事。[495]未洽：未能施及。[496]持其短：抓住人家的短处加以揭露。[497]金玉鞍勒：用金玉制成的马鞍、马嚼子。[498]饰以龙凤：用龙凤图案作为装饰。龙凤为帝后所专用。[499]嫌：嫌疑。[500]典客：官名，掌接待宾客任务。[501]彼：

康福走到方渠，羌族人出兵拦截他，康福把他们打跑了。到了青刚峡，碰上了吐蕃野利、大虫两个部族几千顶营帐，他们都没有觉察唐朝军队的到来。康福派遣卫审峹发起突然袭击，把他们打得大败，几乎全部斩杀和俘虏了。从此康福声威大震，于是前进到了灵州，从此以后朔方这块地方才肯接受朝廷的命官。

十二月，吴国加封徐知诰兼任中书令，兼领宁国节度使。徐知诰请徐知询喝酒，用金杯斟酒送给他喝，说："祝愿弟弟能活一千岁。"徐知询怀疑酒里有毒，就拿了一个别的杯子把酒平均分开，长跪在地献给徐知诰，说："希望和哥哥各享五百岁。"徐知诰变了脸色，左看右顾，不肯接杯子。徐知询捧着酒不肯退下。身边的人不知道该怎么办，伶人申渐高径直走上前说了些逗乐的话，夺过两杯酒倒在一起喝了下去，怀揣金杯急忙走出去。徐知诰暗中派人用良药为他解毒，但申渐高已经神经中毒而死。

奉国节度使、知建州王延禀声称有病退居家乡，请求朝廷把建州交给他的儿子王继雄。初五日庚子，唐明宗下诏任命王继雄为建州刺史。

安重诲在任命李仁矩镇守阆州后，让他和绵州刺史武虔裕都率军前往任所。武虔裕是唐明宗旧吏，是安重诲的表兄。安重诲让李仁矩刺探董璋谋反的证据，李仁矩添枝加叶地奏报唐明宗。朝廷又派武信节度使夏鲁奇修建遂州的城墙，修缮武器，增兵防守。董璋大为恐惧。当时道路上传说，朝廷又准备划出绵州、龙州作为一个节镇，孟知祥也很害怕。董璋一向和孟知祥有矛盾，未曾互通消息。到了这个时候，董璋派遣使者到成都，请求为自己的儿子迎娶孟知祥的女儿为妻。孟知祥答应了他，两人计划合力抗拒朝廷。

指徐知诰。502 周宗：字君太，广陵（今江苏扬州）人，为徐知诰谋臣，官至南唐侍中。传见《十国春秋》卷二十一。503 密输款：暗致忠诚；秘密地表达心意。504 侍中：指徐知询。因徐知询代父镇金陵，加侍中。505 不臣：不符合为臣之道；不遵守人臣本分。506 入谢：到朝廷请罪。507 镇海：方镇名，为吴所置，治所润州，在今江苏镇江市。508 先王违世：先王，指徐温。违世，逝世。509 初不临丧：当初不来参加丧礼。510 挺剑待我：拿着武器等待我。511 乘舆服御物：指钱镠所送饰有龙凤的器物。512 诘：责问；盘问。513 以尔所为：把你的所作所为。尔，你。514 壬辰：十一月二十七日。515 大和：吴杨溥第一个年号。516 方渠：县名，故治在今甘肃环县南。517 羌胡：羌人。518 青刚峡：地名，在今甘肃环县北。519 掩击：乘对方不备而袭击。520 杀获殆尽：几乎全部杀死和俘虏了。521 始受代：开始接受交代节度使节钺、印信。即韩澄接受康福代替为朔方节度使。522 宁国：方镇名，吴置，治所宣州，在今安徽宣城。523 引：拿。524 跽：长跪。双膝着地，上身挺直。这种

跪姿具有警惕性，可以迅速起立。㉕左右顾：向左向右看。㉖掠：夺。㉗趋出：快步走出，以防毒发，败露毒计。㉘良药：好的药物。㉙脑溃：指神经中毒而死。㉚奉国：方镇名，闽置，治所建州，在今福建邵武。㉛庚子：十二月初五日。㉜将兵赴治：率军前往任所。㉝诇：侦察；刺探。㉞增饰：添油加醋，加重分量。㉟遂州：州名，在今四川遂宁。㊱城隍：城墙。㊲道路传言：道途之上传播的消息。㊳绵、龙：绵州和龙州。绵州治所在今四川绵阳，靠近成都。龙州在绵州北，今四川江油，形势险要。㊴未尝通问：不曾通信息。

【校记】

［19］器皿：原作"器四"。据章钰校，十二行本、乙十一行本、孔天胤本皆作"器皿"，张瑛《通鉴校勘记》同，今据改。［20］服御：据章钰校，十二行本、乙十一行本皆无此二字。

【研析】

本卷研析王晏球大破契丹、明宗与赵凤论不死铁券、明宗不用诤言、马希声冤杀谋主高郁四件史事。

第一，王晏球大破契丹。义武节度使王都镇易定十余年。明宗天成三年（公元九二八年），王都遣使四出，知会成德节度使王建立、归德节度使王晏球谋复河北故事，如唐晚世父子世袭，割据自立，与朝廷分庭抗礼。王都又以蜡丸书密告青州帅霍彦威、徐州帅房知温、潞州帅毛璋、益州帅孟知祥、梓州帅董璋背离朝廷。四月十八日癸巳，王晏球向明宗报告王都反叛。二十五日庚子，明宗下诏削除王都官爵。二十七日壬寅，明宗任命王晏球为北面招讨使，以横海节度使安审通为副招讨使，大发诸道兵，齐集定州讨伐王都。当天王晏球就攻占了定州北关城。明宗下达讨伐令之后，王晏球已兵临定州城下，行动迅猛，打了个王都出其不意。王都北引契丹，也早做了反叛准备，双方陷入胶着。契丹秃馁率领骑兵一万人突入定州。王晏球退保曲阳，诱敌深入，大败秃馁于嘉山下，秃馁奔还定州，王晏球追至城门，攻占了西关城。王晏球增固西关城作为定州行政公署，执行权知定州事务，招抚定州之民。定州城池坚固，王晏球不急于攻城，依靠定、祁、易三州之民交纳的赋税为军资，对王都实施持久围困的办法，待其自毙。契丹再次发兵救王都，进入定州与王都会合偷袭新乐得手，杀赵州刺史朱建丰。王晏球往救，与王都及契丹援军大战于曲阳城南，王晏球激励诸将奋勇杀敌，大破王都及契丹军，契丹军死者过半，余众北走，又遭到卢龙节度使赵德钧的截击，契丹第二次的援兵全军覆没。契丹不甘心失败，七月十九日壬戌，又派出酋长惕隐率领七千名骑兵救定州，王晏球迎战于唐河北岸，又一次大破契丹。二十一日甲子，王晏球追杀契丹直到易州。惕隐率领残兵北还，进入幽州界被赵德钧悉数歼灭，惕隐被生擒。秃馁与王都困守定州，拖延到第二年二月城破，王都举族自焚，秃馁及契丹残兵两千余人悉数被擒。契丹前后三次救援王都，犯境骑兵两万余人，无一生还，秃馁被解送大梁正法。王晏球这一仗，打出了中原政权的声威，大灭契丹人的志气，契丹连年不敢犯边。王晏球这一仗还遏制了分裂割据势力，阻止了河北故事的重演，有利于中原的统一，影响十分深远。

第二，明宗与赵凤论不死铁券。庄宗同光二年（公元九二四年）正月赐郭崇韬铁券，二月赐李嗣源铁券，后又赐朱友谦铁券。皇帝赐大臣铁券，表示君臣之间发下大誓，关系亲密如铁之坚，铁券是不死的护身符，只有建立殊勋的大臣，才有机会得赐铁券。庄宗只赐三人铁券，铁券不但没给功臣带来安全，反而是受猜疑的见证。郭崇韬、朱友谦不仅被冤杀，而且遭族诛，李嗣源反叛才侥幸得活。李嗣源贵为天子，操生死大权，反思不死铁券，慨叹不已。赵凤说："帝王心存大信，固不必刻之金石也。"诚信在人心中，不在表面的契约，非但天子，常人亦是。

第三，明宗不用诤言。史馆修撰张昭远上奏明宗，从容论庄宗朝皇室子弟都效法庄宗喜欢与俳优遨游，入则饰姬妾，出则夸仆马，积久成习，怎能成才？张昭远建言明宗应当给皇室子弟选择儒者名师，学习纲常礼教，明白嫡庶长幼之分，懂得治国安民的道理，提高道德修养，不存非分之想。明宗只是赞赏感叹，但不采纳张昭远的建言。明宗亦行伍之人，不识儒者之用，依靠军力得天下，非命世之主，徒好诤言而不用，典型地表现了那个乱世时代的悲哀。

第四，马希声冤杀谋主高郁。楚王马殷夹在杨行密、成汭、刘龚之间，四围皆强敌，问策于都军判官高郁，用为谋主。高郁建言，马殷入贡中原朝廷以求封爵，尊崇地位，保境安民，开发茶叶四出贸易，又铸铅铁钱以供流通，楚赖以致富，日益兵强。荆南高季兴忌之，遣谍行间于殷，殷不听，于是与节度副使马希声书，盛赞高郁功名。马希声，马殷次子。马殷建国，以希声为副使，判内外诸军事。希声通使荆南，使者还言于希声曰："高季兴挂在嘴边一句话，说'马氏政事皆出于高郁'，这样看来，高郁对马氏子孙不利。"马希声相信了使者的话。恰好行军司马杨昭远是马希声老婆娘家人，想取代高郁判官之任，每天都在马希声面前说高郁的坏话。高郁不能自抑引退，发出怨言。马希声假传马殷命令在军府中杀了高郁，布告内外，诬高郁谋反，诛杀全家及其党羽，制造了楚国的第一大冤案。第二天马殷才得知消息，只是号哭而已。不久，马殷抑郁而死。高郁被冤杀，看似中离间计，其实是高郁功高震主。楚主蕞尔小国，四围狡兔未死，即烹走狗，国运不昌，亦马氏自取。

卷第二百七十七　后唐纪六

起上章摄提格（庚寅，公元九三〇年），尽玄黓执徐（壬辰，公元九三二年）六月，凡二年有奇。

【题解】

本卷记事起公元九三〇年，迄公元九三二年六月，凡二年又六个月，当后唐明宗长兴元年至长兴三年六月。后唐权臣安重诲气度偏狭，睚眦必报，因小忿必欲置明宗之子李从珂于死地，遭明宗之忌。安重诲又逼反东川节度使董璋，西川节度使孟知祥与董璋联手反叛，对抗官军讨伐。官军不利，安重诲亲往西川督战，离开枢密岗位，招来众臣弹劾，明宗在半道召还安重诲还京，改任为护国节度使，随后杀戮安重诲父子。讨伐官军退出西川，明宗诏谕西川，委过于安重诲。孟知祥三请董璋联名上奏谢罪，董璋不肯，兵伐成都，败没，成就了孟知祥割据全蜀。楚王马希声去国号，复为藩镇。吴国执政徐知诰效法当年徐温故事，以其子徐景通留江都执吴国政，自己出镇金陵，控制上流。闽国王延钧诛杀王延禀。吴越王钱镠薨，其子钱传瓘继位，善处政理，吏民协心。

【原文】

明宗圣德和武钦孝皇帝中之下

长兴元年（庚寅，公元九三〇年）

春，正月，董璋遣兵筑七寨于剑门[①]。辛巳[②]，孟知祥遣赵季良如[③]梓州修好。

鸿胪少卿[④]郭在徽奏请铸当五千、三千、一千大钱。朝廷以其指虚为实，无识妄言[⑤]，左迁[⑥]卫尉少卿同正[⑦]。

吴徙平原王澈[⑧]为德化王。

二月乙未朔[⑨]，赵季良还成都，谓孟知祥曰："董公贪残好胜[⑩]，志大谋短，终为西川之患。"

都指挥使李仁罕、张业欲置宴召知祥。先二日，有尼[⑪]告二将谋以宴日害知祥。知祥诘之，无状[⑫]。丁酉[⑬]，推[⑭]始言者军校都延昌、王行本，腰斩[⑮]之。戊戌[⑯]，就宴，尽去左右，独诣[⑰]仁罕第。仁罕叩头流涕曰："老兵惟尽死以报德。"由是诸将皆亲附而服之。

【语译】

明宗圣德和武钦孝皇帝中之下

长兴元年（庚寅，公元九三〇年）

春，正月，东川节度使董璋派兵在剑门修筑了七个营寨。十六日辛巳，孟知祥派遣赵季良前往梓州与董璋结交友好。

鸿胪少卿郭在徽上奏请求铸造面值为五千、三千、一千的大钱。朝廷认为他指虚为实，无知无识，胡言乱语，把他贬为卫尉少卿同正。

吴国徙封平原王杨澈为德化王。

二月初一日乙未，赵季良返回成都，对孟知祥说："董公为人贪婪残忍，争强好胜，志大谋寡，终究会成为西川的祸害。"

孟知祥的部属都指挥使李仁罕、张业想置办筵席召请孟知祥。此前两天，有个尼姑密告说这两位将军将利用宴会之时加害孟知祥。孟知祥查问此事，没查出什么迹象。二月初三日丁酉，推问最早编造这个谣言的军校都延昌、王行本，把两人腰斩了。初四日戊戌，孟知祥赴宴，撤掉全部随从人员，独自一人前往李仁罕的家中。李仁罕磕头流泪说："老兵只有效死命才能报答您的恩德。"通过这件事，将领们都亲附拥戴孟知祥。

壬子[18]，孟知祥、董璋同上表，言两川闻朝廷于阆中建节[19]，绵、遂益兵[20]，无不忧恐。上以诏书慰谕[21]之。

【段旨】

以上为第一段，写东川董璋、西川孟知祥联名上奏表示惶恐，明宗下诏抚慰。

【注释】

①剑门：因剑门山得名。其地地势险要，置剑门关，在今四川剑阁北。②辛巳：正月十六日。③如：到；前往。④鸿胪少卿：官名，鸿胪寺副长官，掌礼仪。⑤无识妄言：无知无识、胡言乱语。⑥左迁：贬职。古人尚右，故贬职为左迁。⑦同正：全称为员外

【原文】

乙卯[22]，上祀圜丘[23]，大赦，改元[24]。凤翔节度使兼中书令李从曮入朝陪祀[25]，三月壬申[26]，制徙从曮为宣武节度使。

癸酉[27]，吴主立江都王琏为太子。

丙子[28]，以宣徽使朱弘昭为凤翔节度使。

康福奏克保静镇，斩李匡宾[29]。

复以安义为昭义军[30]。

帝将立曹淑妃为后，淑妃谓王德妃曰："吾素病中烦[31]，倦于接对[32]，妹代我为之。"德妃曰："中宫[33]敌偶至尊[34]，谁敢干[35]之！"庚寅[36]，立淑妃为皇后。德妃事后恭谨，后亦怜之[37]。初，王德妃[38]因安重诲得进，常德之[39]。帝性俭约，及在位久，宫中用度稍侈，重诲每规谏。妃取外库锦造地衣[40]，重诲切谏，引刘后[41]为戒。妃由是怨之。

高从诲遣使奉表诣吴，告以坟墓在中国[42]，恐为唐所讨，吴兵援之不及，谢绝之[43]。吴遣兵击之，不克。

董璋恐绵州刺史武虔裕窥其所为，夏，四月甲午朔[44]，表兼行军司

二月十八日壬子，孟知祥、董璋共同上表，说东、西两川得知朝廷在阆中设立节度使，在绵州和遂州增派兵力，无不感到担心和恐惧。唐明宗下诏书抚慰他们。

置同正员。唐制，在额编制人员较少，因工作需要置编外人员，加同正员字样，即同在编人员一样使用。⑧ 澈：杨澈，杨行密第六子。传见《十国春秋》卷四。⑨ 乙未朔：二月初一日。⑩ 贪残好胜：贪婪残忍，争强好胜。⑪ 尼：尼姑。⑫ 无状：没有想要谋害的迹象。⑬ 丁酉：二月初三日。⑭ 推：推问；推究。⑮ 腰斩：古代的一种酷刑，将人拦腰截断。⑯ 戊戌：二月初四日。⑰ 诣：去；到。⑱ 壬子：二月十八日。⑲ 于阆中建节：指设保宁军于阆州，在阆中设立节度使。⑳ 绵、遂益兵：在绵州、遂州增加兵力。当时武虔裕任绵州刺史，夏鲁奇镇遂州。㉑ 慰谕：安慰解释。

【语译】

二月二十一日乙卯，唐明宗在圜丘祭天，大赦，改年号。凤翔节度使兼中书令李从曮入朝陪祭，三月初八日壬申，唐明宗下诏把李从曮调任为宣武节度使。

初九日癸酉，吴主册立江都王杨琏为太子。

十二日丙子，任命宣徽使朱弘昭为凤翔节度使。

康福奏报攻下了保静镇，斩杀了李匡宾。

又把安义军改称为昭义军。

唐明宗将要册立曹淑妃为皇后，淑妃对王德妃说："我常常生病，胸中烦热，厌倦那些接待应酬，请妹妹替我去做这些。"王德妃说："皇后的地位和皇帝相当，谁敢去营求!"三月二十六日庚寅，册立曹淑妃为皇后。王德妃对待皇后恭敬谨慎，皇后也很怜爱她。当初，王德妃是通过安重诲的举荐得以入宫，经常感念他的恩德。唐明宗生性俭朴，等到在位时间长了，宫中的开销渐渐奢侈，安重诲每加劝谏。王德妃调用外库的锦缎做地毯，安重诲极力谏阻，援引唐庄宗刘皇后的例子作借鉴。王德妃从此就怨恨起他来。

高从诲派遣使者带着奏表到吴国，告诉他们说自己的祖坟在后唐辖境，恐怕被唐朝讨伐，那时吴国的军队也来不及救援他，只得和吴国中断往来。吴国派兵攻打荆南，没有取胜。

董璋害怕绵州刺史武虔裕窥探他的所作所为，夏，四月初一日甲午，上表推荐

马㊺，囚之府廷㊻。

宣武节度使符习，自恃宿将㊼，论议多抗㊽安重诲。重诲求其过失，奏之。丁酉㊾，诏习以太子太师致仕。

戊戌㊿，加孟知祥兼中书令，夏鲁奇同平章事。

【段旨】

以上为第二段，写唐明宗祭天，大赦，立皇后。

【注释】

㉒乙卯：二月二十一日。㉓祀圜丘：行祭天大礼。㉔改元：改年号为长兴。是为明宗第二个年号。㉕陪祀：陪同祭祀。㉖壬申：三月初八日。㉗癸酉：三月初九日。㉘丙子：三月十二日。㉙李匡宾：后唐明宗天成四年（公元九二九年），李匡宾据保静作乱。事见本书上卷。㉚昭义军：方镇名，后梁均王龙德二年（公元九二二年），李存勖改昭义

【原文】

初，帝在真定(51)，李从珂与安重诲饮酒争言，从珂殴重诲，重诲走免。既醒，悔谢，重诲终衔之(52)。至是，重诲用事(53)，自皇子从荣、从厚皆敬事不暇(54)。时从珂为河中节度使、同平章事，重诲屡短之于帝(55)，帝不听。重诲乃矫(56)以帝命谕河中[1]牙内指挥使杨彦温(57)，使逐之。是日(58)，从珂出城阅马(59)，彦温勒兵(60)闭门拒之。从珂使人扣门诘之曰："吾待汝厚，何为如是?"对曰："彦温非敢负恩，受枢密院宣(61)耳。请公入朝!"从珂止于虞乡(62)，遣使以状闻。使者至，壬寅(63)，帝问重诲曰："彦温安得此言?"对曰："此奸人妄言耳，宜速讨之。"帝疑之，欲诱致(64)彦温讯其事，除彦温绛州(65)刺史。重诲固请发兵击之，乃命西都留守索自通(66)、步军都指挥使药彦稠(67)将兵讨之。帝令彦稠："必生致彦温，吾欲面讯之。"召从珂诣洛阳。从珂知为重诲所构(68)，驰入自明。

武虔裕兼任他的行军司马，把他囚禁在东川节度使府。

宣武节度使符习自恃是朝廷宿将，论事议政时常常和安重诲相抗。安重诲寻找他的过失，报告唐明宗。初四日丁酉，唐明宗下诏让符习以太子太师的名衔退休。

初五日戊戌，加封孟知祥兼任中书令，夏鲁奇任同平章事。

军为安义军，治所潞州。现仍改为昭义军。㉛ 素病中烦：常常生病，胸中烦热。㉜ 接对：接待；应酬。㉝ 中宫：指皇后。㉞ 敌偶至尊：与皇帝相匹配。㉟ 干：求取。㊱ 庚寅：三月二十六日。㊲ 怜之：爱她。㊳ 王德妃：明宗妃。家境贫寒，做饼为业，色美，号“花见羞”。少卖给刘鄩做侍儿，安重诲送之入宫。㊴ 德之：感激他。㊵ 地衣：地毯。㊶ 刘后：指庄宗皇后刘氏，贪财奢侈。㊷ 中国：指后唐。高季兴为陕州硖石人，其祖先坟墓在后唐辖境内。㊸ 谢绝之：委婉地与吴断绝关系。㊹ 甲午朔：四月初一日。㊺ 表兼行军司马：上表请求武虔裕兼东川节度使行军司马，协助节度使掌军事。㊻ 府廷：指东川节度使府。㊼ 宿将：老将。㊽ 抗：对抗；违背。㊾ 丁酉：四月初四日。㊿ 戊戌：四月初五日。

【语译】

当初，唐明宗在真定，他的养子李从珂和安重诲喝酒争吵，李从珂要揍安重诲，安重诲逃走脱身。酒醒后，李从珂后悔道歉，但是安重诲心中始终记恨这件事。到这时，安重诲掌权，自皇子李从荣、李从厚以下都忙不迭地恭敬侍奉他。当时李从珂担任河中节度使、同平章事，安重诲一再在唐明宗面前说他的坏话，唐明宗没有听信。安重诲于是假托唐明宗的命令，要河中牙内指挥使杨彦温驱逐李从珂。这一天，李从珂出城去视察战马，杨彦温就部署军队关起城门不让他进城。李从珂派人敲门，质问他：“我对待你很优厚，你为什么要这样做？”杨彦温回答说：“我杨彦温不敢有负恩德，我是接到了枢密院的密令罢了。请您赴京入朝！”李从珂在虞乡住下，派遣使者把情况报告朝廷。使者到达京城后，四月初九日壬寅，唐明宗问安重诲：“杨彦温从哪里得到这种说法？”安重诲回答说：“这是奸人杨彦温的胡言乱语，应该赶快去讨伐他。”唐明宗怀疑这件事，想把杨彦温引诱来查问详情，于是就任命杨彦温为绛州刺史。安重诲坚持请求派兵出击杨彦温，唐明宗只好下令西都留守索自通、步军都指挥使药彦稠率兵讨伐。唐明宗命令药彦稠：“一定把杨彦温活捉回来，我要当面审问他。”朝廷征召李从珂到洛阳来。李从珂知道自己被安重诲所诬陷，便疾驰入京，自己申明真相。

加安重诲兼中书令。

李从珂至洛阳，上责之。使归第[69]，绝朝请[70]。

辛亥[71]，索自通等拔河中，斩杨彦温[72]。癸丑[73]，传首[74]来献。上怒药彦稠不生致[75]，深责[76]之。

安重诲讽[77]冯道、赵凤奏从珂失守，宜加罪。上曰："吾儿为奸党所倾[78]，未明曲直。公辈何为发此言，意不欲置之人间邪？此皆非公辈之意也。"二人惶恐而退。他日，赵凤又言之，上不应。明日，重诲自言之，上曰："朕昔为小校，家贫，赖此小儿拾马粪自赡[79]，以至今日为天子，曾不能庇[80]之邪！卿欲如何处之，于卿为便[81]？"重诲曰："陛下父子之间，臣何敢言！惟陛下裁之！"上曰："使闲居私第[82]亦可矣，何用复言！"

丙辰[83]，以索自通为河中节度使。自通至镇，承重诲指[84]，籍军府甲仗数[85]上之，以为从珂私造。赖王德妃居中保护[86]，从珂由是得免。士大夫不敢与从珂往来，惟礼部郎中、史馆修撰吕琦[87]居相近，时往见之。从珂每有奏请，皆咨[88]琦而后行。

戊午[89]，帝加尊号曰圣明神武文德恭孝皇帝。

安重诲言昭义节度使王建立过魏州有摇众之语[90]，五月丙寅[91]，制以太傅致仕。

董璋阅集民兵，皆剪发黥面[92]。复于剑门北置永定关，布列烽火[93]。

孟知祥累表请割云安[94]等十三盐监隶西川，以盐直赡宁江[95]屯兵，辛卯[96]，许之。

六月癸巳朔[97]，日有食之。

辛亥[98]，敕防御、团练使，刺史，行军司马，节度副使，自今皆自[2]朝廷除之，诸道无得[99]奏荐。

董璋遣兵掠遂、阆镇戍，秋，七月戊辰[100]，两川以朝廷继遣兵屯遂、阆，复有论奏，自是东北商旅少敢入蜀。

八月乙未[101]，捧圣军[102]使李行德、十将张俭引告密人边彦温告安重诲发兵，云欲自讨淮南[103]，又引占相者[104]问命。帝以问侍卫都指挥使安

加封安重诲兼任中书令。

李从珂到了洛阳，唐明宗责备他。让他回自己的府第，不允许他朝见。

四月十八日辛亥，索自通等攻取河中，杀了杨彦温。二十日癸丑，把他的首级传送到京城献给朝廷。唐明宗对药彦稠没有把杨彦温活捉送到京城来大为恼怒，深加责备。

安重诲暗示冯道、赵凤向唐明宗上奏说李从珂失于职守，应该治罪。唐明宗说："我儿被奸党所陷害，没有弄清是非曲直。你们为什么要说这样的话，你们的意思是不想让他活在人世上了吗？这都不是你们的想法。"两人惶恐退了下来。另一天，赵凤又对唐明宗谈起此事，唐明宗没表态。第二天，安重诲亲自出面说这件事，皇上说："朕过去当小校，家里贫穷，靠这个小孩捡拾马粪养家糊口，到今天我当了天子，难道我连他都不能庇护吗！你想怎样处置他，才能使你心满意足呢？"安重诲说："陛下父子之间的事，臣怎么敢乱说话！只有陛下裁断！"皇上说："让他闲居在家里也就可以了，何必又谈此事！"

四月二十三日丙辰，任命索自通为河中节度使。索自通到了镇所，按照安重诲的授意，清点登记军府里的盔甲兵器的数量呈报给朝廷，说是李从珂私自制造的。靠着王德妃从中保护，才使李从珂免罪。朝中的士大夫不敢和李从珂往来，只有礼部郎中、史馆修撰吕琦和他住得近，不时地去看望他。李从珂每有奏请，都是先询问吕琦后再办。

二十五日戊午，唐明宗加尊号为圣明神武文德恭孝皇帝。

安重诲上奏说昭义节度使王建立在路过魏州时曾有煽动人心的言论，五月初三日丙寅，唐明宗下令王建立以太傅的名衔退休。

董璋校阅召集来的百姓士卒，把他们都剪掉头发，脸上刺字。又在剑门的北面设置永定关，布列烽火台。

孟知祥多次上表请求划出云安等十三个盐监隶属于西川，用卖盐的收入来供给宁江的屯守部队，五月二十八日辛卯，唐明宗答应了。

六月初一日癸巳，发生日食。

十九日辛亥，唐明宗下诏防御使、团练使，刺史，行军司马，节度副使，自今以后都由朝廷任命，各道不得上奏举荐。

董璋派兵劫掠遂州、阆州的镇戍之地，秋，七月初七日戊辰，两川因为朝廷陆续不断地派兵屯驻遂州、阆州，再次上书反对，从此东北方中原一带的商旅很少有人敢入蜀经商。

八月初四日乙未，捧圣军使李行德、十将张俭带着告密人边彦温向唐明宗报告，称安重诲调拨军队，说是要亲自讨伐淮南的吴国，又找了个占卦算命的人为自己算命。唐明宗就这件事询问了侍卫都指挥使安从进、药彦稠，两人说："这是奸人想离

从进[105]、药彦稠，二人曰："此奸人欲离间[106]陛下勋旧[107]耳。重诲事陛下三十年，幸而富贵，何苦谋反！臣等请以宗族保之。"帝乃斩彦温，召重诲慰抚之，君臣相泣。

【段旨】

以上为第三段，写安重诲气量褊狭，睚眦必报，竟欲构陷明宗之子李从珂，自己亦为人所陷害，明宗明察皆宥之。

【注释】

㉛帝在真定：后唐明宗即位之前，于庄宗同光二年（公元九二四年）任成德节度使，居真定。㉜衔之：恨他。㉝用事：掌权。㉞敬事不暇：恭恭敬敬侍奉他犹恐不及。不暇，不敢自暇、怠慢。㉟短之于帝：向皇帝报告李从珂的短处。㊱矫：假。㊲杨彦温（？至公元九三〇年）：汴州（今河南开封）人，李从珂待之甚厚，奏为牙内指挥使。传见《旧五代史》卷七十四。㊳是日：指四月初五日。㊴阅马：检阅战马。㊵勒兵：带兵。㊶枢密院宣：唐制，枢密院命令用宣，三省命令用堂帖。宣也叫密札，堂帖也叫作省札。㊷虞乡：县名，在今山西永济市虞乡。㊸壬寅：四月初九日。㊹诱致：骗到。㊺绛州：州名，治所龙头城，在今山西闻喜东北。㊻索自通（？至公元九三四年）：字得之，太原清源（今山西清徐）人，官至河中节度使。传见《旧五代史》卷六十五。㊼药彦稠（？至公元九三四年）：沙陀三部落人，幼以骑射事明宗，官至延州节度使。传见《旧五代史》卷六十六。㊽构：捏造罪状，加以陷害。㊾归第：回自己私府清化里第。㊿绝朝请：不允许朝见。[71]辛亥：四月十八日。[72]斩杨彦温：承安重诲旨意，杀杨彦温灭口。[73]癸丑：四月二十日。[74]传首：传送首级。[75]生致：活捉。[76]深责：深深地责备。[77]讽：暗示。[78]倾：倾倒，指被人排挤。[79]自赡：养活自己。[80]庇：庇护；保护。[81]于卿为

【原文】

以前忠武节度使张延朗行工部尚书，充三司使[108]。三司使之名自此始。

吴徐知诰以海州[109]都指挥使王传拯有威名，得士心，值团练使陈宣罢归，知诰许以传拯代之。既而复遣宣还海州，征传拯还江都。传

间陛下和功勋旧臣之间的关系。安重诲奉侍陛下三十年，有幸富贵，何苦谋反呢！臣等愿意以全家的性命为他担保。”唐明宗于是把边彦温杀了，召来安重诲，慰抚他，君臣相对哭泣。

使：对于你来说比较满意。⑫闲居私第：削去官职，赋闲在家。⑬丙辰：四月二十三日。⑭指：指使；旨意。⑮籍军府甲仗数：将河中节度使府的盔甲、军器造成登记册。说明李从珂意欲谋反。⑯居中保护：在中间为其担保、辩护、解释。⑰吕琦（公元八九三至九四三年）：字辉山，幽州安次（今河北廊坊）人，官至后晋兵部侍郎，参与修《唐书》。传见《旧五代史》卷九十二。⑱咨：询问。⑲戊午：四月二十五日。⑳摇众之语：煽动人心的言论。㉑丙寅：五月初三日。㉒剪发黥面：剪掉头发，脸上刺字，录入军籍。㉓烽火：烽火台。报警之用。㉔云安：县名，在今重庆云阳。产井盐，曾设云安监。㉕宁江：方镇名，后唐天成二年（公元九二七年）七月，升夔州为宁江军节度。前蜀、后蜀称镇江军。㉖辛卯：五月二十八日。㉗癸巳朔：六月初一日。㉘辛亥：六月十九日。㉙无得：不得。⑩戊辰：七月初七日。⑩乙未：八月初四日。⑩捧圣军：唐明宗禁卫军。长兴三年（公元九三二年）改在京龙武、神武四十指挥为捧圣左、右军。⑩淮南：指吴国。⑩占相者：占卜看相的人。⑩安从进（？至公元九四一年）：初从庄宗为护驾马军都指挥使，明宗时为保义、彰义节度使。传见《新五代史》卷五十一。⑩离间：挑拨关系，使之互相猜疑。⑩勋旧：功勋旧臣。此指安重诲。

【校记】

［1］河中：原作“河东”。胡三省注云：“‘河东’当作‘河中’。”严衍《通鉴补》改作“河中”，当是，今据改。〖按〗《新五代史》《旧五代史》皆作“河中”。［2］自：原无此字。据章钰校，十二行本、乙十一行本皆有此字，今据补。

【语译】

任命前忠武节度使张延朗担任工部尚书，充任三司使。三司使之名始于此。

吴国的徐知诰认为海州都指挥使王传拯有威信，得军心，正值团练使陈宣被罢官回京，徐知诰许诺由王传拯代替他的职务。不久却又派遣陈宣返回海州，征召王

拯怒，以为宣毁之。己亥⑩，帅麾下入辞宣，因斩宣，焚掠城郭，帅其众五千来奔。知诰曰："是吾过也。"免其妻子⑪。涟水⑫制置使王岩将兵入海州，以岩为威卫大将军⑬，知海州。传拯，绾⑭之子也，其季父舆为光州⑮刺史。传拯遣间使持书至光州，舆执之以闻，因求罢归，知诰以舆为控鹤都虞候⑯。时政在徐氏，典兵宿卫者尤难其人，知诰以舆重厚慎密，故用之。

壬寅⑰，赵凤奏："窃闻近有奸人，诬陷大臣，摇国柱石，行之未尽⑱。"帝乃收⑲李行德、张俭，皆族之⑳。

立皇子从荣为秦王。丙辰㉑，立从厚为宋王。

董璋之子光业㉒为宫苑使，在洛阳。璋与书曰："朝廷割吾支郡㉓为节镇，屯兵三千[3]，是杀我必矣。汝见枢要㉔，为吾言：'如朝廷更发一骑入斜谷㉕，吾必反！'与汝诀矣。"光业以书示枢密承旨李虔徽。未几，朝廷又遣别将荀咸乂将兵戍阆州，光业谓虔徽曰："此兵未至，吾父必反。吾不敢自爱㉖，恐烦朝廷调发㉗，愿止此兵，吾父保无他。"虔徽以告安重诲，重诲不从。璋闻之，遂反。利、阆、遂三镇以闻，且言已聚兵将攻三镇。重诲曰："臣久知其如此，陛下含容㉘不讨耳。"帝曰："我不负人，人负我，则讨之。"

九月癸亥㉙，西川进奏官㉚苏愿白孟知祥云："朝廷欲大发兵讨两川。"知祥谋于副使赵季良，季良请以东川兵[4]先取遂、阆，然后并兵㉛守剑门，则大军虽来，吾无内顾之忧矣。知祥从之，遣使约董璋同举兵。璋移檄利、阆、遂三镇，数㉜其离间朝廷，引兵击阆州。庚午㉝，知祥以都指挥使李仁罕为行营都部署，汉州刺史赵廷隐副之，简州刺史张业为先锋指挥使，将兵三万攻遂州。别将牙内都指挥使侯弘实㉞、先登指挥使孟思恭将兵四千会璋攻阆州。

传拯到江都去。王传拯很生气，认为陈宣诋毁了他。八月初八日己亥，率领部下到陈宣那里辞行，就乘机杀了他，放火抢劫州城，率领他的部众五千人前来投奔唐朝。徐知诰说："这是我的过错。"赦免了王传拯的妻子儿女。涟水制置使王岩带兵进入海州，便任命王岩为威卫大将军，执掌海州的政事。王传拯，是王绾的儿子，他的叔叔王舆任光州刺史。王传拯派遣密使带着他的书信到光州，王舆把来使抓了起来，并奏报情况，请求免职回京，徐知诰任命王舆为控鹤都虞候。当时吴国的大政掌握在徐氏手中，掌管禁卫军的人选很难物色，徐知诰认为王舆为人厚重，做事谨慎缜密，所以任用了他。

八月十一日壬寅，赵凤上奏说："听说近来有奸人诬陷大臣，动摇国家的柱石，还没有完全诛杀。"唐明宗于是下令收押李行德、张俭，把两人满门抄斩。

册封皇子李从荣为秦王。二十五日丙辰，册封李从厚为宋王。

董璋的儿子董光业担任宫苑使，在洛阳。董璋给他写信说："朝廷划出我的属郡另设节镇，驻扎三千名士兵，这是一定要杀死我了。你见到安重诲替我说：'如果朝廷再派一个人马进入斜谷，我一定造反！'和你诀别了。"董光业把这封信出示给枢密承旨李虔徽。不久，朝廷又派遣别将荀咸乂率兵戍守阆州，董光业对李虔徽说："这支部队没有到达，我的父亲肯定造反了。我并不是胆小怕死，只是担心麻烦朝廷调兵遣将，希望停止派遣这支部队，我父亲保证不会有其他举动。"李虔徽把这话转告了安重诲，安重诲没有听从。董璋得知这件事，就造反了。利州、阆州、遂州三镇都报告了朝廷，并且说董璋已经聚集了人马即将进攻三镇。安重诲对唐明宗说："臣早就知道他会如此，只是陛下容忍，不肯讨伐他罢了。"唐明宗说："我没有负于人，人有负于我，我就会派兵讨伐他。"

九月初三日癸亥，西川进奏官苏愿向孟知祥报告说："朝廷想要大规模征调军队讨伐两川。"孟知祥和节度副使赵季良谋划对策，赵季良请求用东川的部队首先攻取遂州、阆州，然后东、西川合兵扼守剑门，就是朝廷的大军来了，也没有后顾之忧。孟知祥听从了这个建议，派遣使者约董璋同时起兵。董璋移送檄文到利、阆、遂三镇，指责他们离间朝廷与两川的关系，并且亲自率兵进攻阆州。初十日庚午，孟知祥任命都指挥使李仁罕为行营都部署，汉州刺史赵廷隐做他的副手，简州刺史张业为先锋指挥使，率领三万士兵进攻遂州。又派遣别将牙内都指挥使侯弘实、先登指挥使孟思恭率领四千士兵会同董璋攻打阆州。

【段旨】

以上为第四段，写吴国执政徐知诰有过则改，西川节度使董璋反叛。

【注释】

⑱三司使：官名，掌盐铁、户部、度支，统筹国家财政。地位次于宰相。⑲海州：州名，治所龙沮，在今江苏连云港。⑩己亥：八月初八日。⑪免其妻子：赦免王传拯的妻子与子女的罪行。⑫涟水：县名，县治涟城，在今江苏涟水。⑬威卫大将军：吴禁卫军官名，分左右，位在左、右威卫将军上。⑭绾：王绾，安徽合肥人，有谋略，官至吴百胜军节度使。传见《十国春秋》卷七。《新五代史》卷六十一《杨行密传》亦略载其事。⑮光州：州名，在今河南潢川县。⑯控鹤都虞候：吴禁卫军官名，掌宿卫。⑰壬寅：八月十一日。⑱行之未尽：没有完全诛杀。⑲收：逮捕。⑳皆族之：全族都处死。㉑丙辰：八月二十五日。㉒光业（？至公元九三〇年）：董璋之子，官后唐宫苑使。传附《旧

【原文】

安重诲久专大权，中外恶之[135]者众。王德妃及武德使孟汉琼浸用事[136]，数短重诲于上。重诲内忧惧[137]，表解机务[138]。上曰："朕无间于卿[139]，诬罔者朕既诛之矣，卿何为尔？"甲戌[140]，重诲复面奏曰："臣以寒贱，致位至此，忽为人诬以反，非陛下至明，臣无种[141]矣。由臣才薄任重，恐终不能镇浮言[142]，愿赐一镇以全余生。"上不许。重诲求之不已[143]，上怒曰："听[144]卿去，朕不患无人！"前成德节度使范延光劝上留重诲，且曰[145]："重诲去，谁能代之？"上曰："卿岂不可？"延光曰："臣受驱策[146]日浅，且才不逮重诲，何敢当此！"上遣孟汉琼[147]诣中书议重诲事，冯道曰："诸公果爱安令[148]，宜解[149]其枢务为便。"赵凤曰："公失言[150]！"乃奏大臣不可轻动[151]。

东川兵至阆州，诸将皆曰："董璋久蓄反谋[152]，以金帛啖[153]其士卒，锐气不可当，宜深沟高垒以挫[154]之。不过旬日，大军至，贼自走矣。"李仁矩曰："蜀兵懦弱，安能当我精卒！"遂出战，兵未交[155]而溃归。董璋昼夜攻之，庚辰[156]，城陷，杀仁矩，灭其族。

初，璋为梁将，指挥使姚洪尝隶麾下，至是，将兵千人戍阆州。璋密以书诱之，洪投诸厕。城陷，璋执洪而让之曰："吾自行间奖拔汝[157]，

五代史》卷六十二《董璋传》。⑫3 支郡：统辖的属郡。这里指遂州、阆州。⑫4 枢要：执掌机要的枢密使，这里专指安重诲。⑫5 斜谷：地名，在今陕西眉县西南，为入蜀要道。⑫6 不敢自爱：指不敢胆小怕死。⑫7 调发：调兵；发兵。⑫8 含容：姑息；容忍。⑫9 癸亥：九月初三日。⑬0 西川进奏官：西川派出至洛阳向朝廷报告的官员。时在洛阳。⑬1 并兵：东、西川合兵。⑬2 数：列举。这里可以释为指责。⑬3 庚午：九月初十日。⑬4 侯弘实：幼年家贫，作战勇敢，于后蜀官至侍中。传见《十国春秋》卷五十一。

【校记】

［3］三千：张敦仁《通鉴刊本识误》作“三川”。［4］东川兵：据章钰校，十二行本、乙十一行本皆无“兵”字。

【语译】

安重诲长时期独揽大权，朝廷内外厌恨他的人很多。王德妃和武德使孟汉琼逐渐掌权，多次在唐明宗面前贬损安重诲。安重诲心里又担忧又害怕，上表给唐明宗请求解除自己的机要职务。唐明宗说：“朕对你没有隔阂，诬陷你的人朕已经把他们杀了，你为什么还要这样呢？”九月十四日甲戌，安重诲又当面向唐明宗上奏说：“臣以贫寒卑贱之身，得到今天这样的职位，忽然间被人诬告，不是陛下圣明，臣早就灭族了。但是臣下才薄任重，恐怕终究不能制止流言蜚语和议论纷纷，希望赐给一个外镇，让臣能够保全余生。”唐明宗没有答应。安重诲请求不止，唐明宗生气说：“随你去好了，朕不怕找不到人！”前成德节度使范延光劝说皇上挽留安重诲，并且说：“安重诲走了，谁能代替他？”唐明宗说：“你难道不可以吗？”范延光说：“臣受陛下差遣的时间很短，况且才能也赶不上安重诲，怎么敢担当此任！”唐明宗派孟汉琼到中书去让群臣讨论安重诲去留的事，冯道说：“诸公如果真的爱惜安令公，应该解除他的枢要职务为好。”赵凤说：“您这话说错了！”于是就向唐明宗上奏说大臣不可轻易变动。

东川的军队到达阆州，阆州戍守的将领们都说：“董璋早就蓄谋造反，用金银布帛引诱他的士卒，他的部队锐气不可阻挡，我们应该用深沟高垒来挫伤他的锐气。不过十天，朝廷的大军到来，贼兵自然就逃走了。”李仁矩却说：“蜀兵生性懦弱，怎能抵挡我们的精兵强卒！”于是出城迎战，部队还没有交战就溃败回来。董璋日夜攻城，九月二十日庚辰，阆州城陷落，杀死了李仁矩，灭了他的全族。

当初，董璋为梁朝将领时，指挥使姚洪曾经是他的部下，到这时，姚洪率领一千人戍守阆州。董璋秘密地利用书信引诱他投降，姚洪把信扔到了厕所里。城池陷落后，董璋抓住了姚洪，责问他说：“我从行伍之间提拔了你，现在为什么背叛

今日何相负?”洪曰:“老贼!汝昔为李氏奴⑱,扫马粪,得脔炙⑲,感恩无穷。今天子用汝为节度使,何负于汝而反邪?汝犹负天子,吾受汝何恩,而云相负哉!汝奴材⑩,固无耻。吾义士,岂忍为汝所为乎!吾宁为天子死,不能与人奴⑪并生!”璋怒,然镬⑫于前,令壮士十人刲⑬其肉自啖⑭之,洪至死骂不绝声。帝置洪二子于近卫⑮,厚给其家。

甲申⑯,以范延光为枢密使,安重诲如故⑰。

丙戌⑱,下制削董璋官爵,兴兵讨之。丁亥⑲,以孟知祥兼西南面[5]供馈使⑰。以天雄节度使[6]石敬瑭为东川行营都招讨使,以夏鲁奇为之副。

璋使孟思恭分兵攻集州⑪,思恭轻进,败归。璋怒,遣还成都,知祥免其官。

戊子⑫,以石敬瑭权知东川事⑬。庚寅⑭,以右武卫上将军⑮王思同为西都留守兼行营马步都虞候,为伐蜀前锋。

【段旨】

以上为第五段,写安重诲独揽朝政,成众矢之的。明宗大发兵讨董璋。

【注释】

⑬恶之:厌恨他。⑬浸用事:逐渐掌权。⑬内忧惧:内心担忧害怕。⑬表解机务:上表解除枢密使机要事务。⑬无间于卿:对你没有隔阂、矛盾。⑭甲戌:九月十四日。⑭无种:指灭族。⑭镇浮言:制止谣言;压制流言蜚语。⑭求之不已:辞去枢密使,做一镇之首的请求不停止。⑭听:任凭。⑭且曰:进一步说。⑭受驱策:受差遣,即效劳皇帝。⑭孟汉琼(?至公元九三四年):宦官。为人狡猾,善于逢迎,为明宗所信任,官至宣徽南院使。传见《旧五代史》卷七十二。⑭安令:指安重诲。时安重诲兼任中书令。⑭解:解除;免除。⑮公失言:你的话有失误。⑮不可轻动:不可轻易更动。⑮久蓄反谋:早就存在谋反的打算。⑮啖:引诱;诱惑。⑮挫:挫败;挫

我？”姚洪说：“老贼！你从前是李氏的家奴，打扫马粪，得到点烤肉片，就感恩不尽。现在天子任用你当节度使，有什么对不起你而要造反？你背叛了天子，我受过你什么恩德，竟然说我背叛了你！你是个奴才，本来就无耻。我是个义士，岂能忍心干你所干的事！我宁可为天子死去，不能和人奴一起活着！”董璋大怒，在他面前燃火支锅，命令十名壮士割下姚洪身上的肉自己煮着吃，姚洪到死骂声不绝。唐明宗把姚洪的两个儿子安置在近卫军中，厚赐他的家属。

九月二十四日甲申，任命范延光为枢密使，安重诲仍担任旧职。

二十六日丙戌，唐明宗下令削除董璋的官职、爵位，发兵讨伐他。二十七日丁亥，任命孟知祥兼任西南面供馈使。以天雄节度使石敬瑭为东川行营都招讨使，任命夏鲁奇做他的副手。

董璋让孟思恭分兵攻打集州，孟思恭轻率进兵，失败后返回。董璋很生气，把他遣回成都，孟知祥免去了他的官职。

二十八日戊子，任命石敬瑭暂时执掌东川的事务。三十日庚寅，任命右武卫上将军王思同为西都留守兼行营马步都虞候，担任伐蜀的前锋。

伤。⑮⑤兵未交：军队还没有交战。⑮⑥庚辰：九月二十日。⑮⑦吾自行间奖拔汝：我从行伍中奖掖、提拔你。⑮⑧李氏奴：指董璋先为开封富户李让家童。⑮⑨脔炙：烤肉片。⑯⓪奴材：奴才。⑯①人奴：奴隶；奴婢。⑯②然镬：燃火支锅。然，通“燃”。镬，大锅。⑯③封：割取。⑯④啖：吃。⑯⑤近卫：近身的卫士。⑯⑥甲申：九月二十四日。⑯⑦如故：像从前一样，仍为枢密使。⑯⑧丙戌：九月二十六日。⑯⑨丁亥：九月二十七日。⑰⓪供馈使：官名，掌后勤供应。⑰①集州：州名，故城在今四川南江县。⑰②戊子：九月二十八日。⑰③权知东川事：暂时代理主管东川政务。因董璋已削职，由石敬瑭代理。⑰④庚寅：九月三十日。⑰⑤右武卫上将军：后唐禁卫军军官名。

【校记】

［5］面：原无此字。据章钰校，十二行本、乙十一行本皆有此字，张敦仁《通鉴刊本识误》同，今据补。［6］使：原无此字。据章钰校，十二行本有此字，张敦仁《通鉴刊本识误》同，今据补。

【原文】

汉主遣其将梁克贞[176]、李守鄘[177]攻交州，拔之。执静海[178]节度使曲承美[179]以归，以其将李进守交州。

冬，十月癸巳[180]，李仁罕围遂州，夏鲁奇婴城固守[181]。孟知祥命都押牙高敬柔[182]帅资州义军二万人筑长城环之[183]。鲁奇遣马军都指挥使康文通出战，文通闻阆州陷，遂以其众降于仁罕。

戊戌[184]，董璋引兵趣利州。遇雨，粮运不继，还阆州。知祥闻之，惊曰："比破阆中，正欲径取利州，其帅不武[185]，必望风遁去。吾获其仓廪，据漫天[186]之险，北军[187]终不能西救武信[188]。今董公僻处阆州，远弃剑阁，非计[189]也。"欲遣兵三千助守剑门[190]。璋固辞曰："此已有备。"

钱镠因[191]朝廷册闽王使者裴羽[192]还，附表引咎[193]。其子传瓘及将佐屡为镠上表自诉。癸卯[194]，敕听两浙纲使[7]自便[195]。

以宣徽北院使冯赟为左卫上将军、北都留守。

丁未[196]，族诛董光业[197]。

楚王殷寝疾，遣使诣阙[198]，请传位于其子希声。朝廷疑殷已死，辛亥[199]，以希声为起复[200]武安节度使兼侍中。

孟知祥以故蜀镇江节度使张武为峡路行营招收讨伐使，将水军趣夔州，以左飞棹指挥使袁彦超副之。

癸丑[201]，东川兵陷征、合、巴、蓬、果五州。

丙辰[202]，吴左仆射、同平章事严可求卒。徐知诰以其长子大将军景通[203]为兵部尚书、参政事，知诰将出镇金陵故也。

汉将梁克贞入占城[204]，取其宝货[205]以归。

十一月戊辰[206]，张武至渝州[207]，刺史张环降之。遂取泸州，遣先锋将朱偓[208]分兵趣黔[209]、涪[210]。

己巳[211]，楚王殷卒，遗命诸子兄弟相继[212]，置剑于祠堂，曰："违吾命者戮之！"诸将议遣兵守四境，然后发丧。兵部侍郎黄损[213]曰："吾丧君有君，何备之有！宜遣使诣邻道[214]告终称嗣而已。"

【语译】

汉主派遣他的将领梁克贞、李守鄘攻打交州，攻了下来。抓获了静海节度使曲承美后返回，汉主任命自己的将领李进守卫交州。

冬，十月初三日癸巳，李仁罕包围遂州，夏鲁奇环城坚守。孟知祥命令都押牙高敬柔率领资州的义军两万人修筑长围墙环绕遂州。夏鲁奇派马军都指挥使康文通出城迎战，康文通听说阆州陷落，就率领他的部众投降了李仁罕。

初八日戊戌，董璋带兵奔向利州。遇上大雨，粮食运输跟不上，便返回阆州。孟知祥听说了这一情况，吃惊地说："刚刚攻破阆州，正想直取利州，利州守将懦弱，一定望风逃走。我们得到他的粮仓，据守漫天寨的险要，北方来的官军最终也不能西进救援武信。现在董公躲在阆州，远弃剑阁，不是上策。"打算派遣三千名士兵帮助防守剑门。董璋坚决地推辞说："这里已经有所防备。"

钱镠乘着朝廷册封闽王王延钧的使者裴羽回朝，附呈奏表请罪。他的儿子钱传瓘和将帅佐吏也多次上表给朝廷替钱镠辩解。十月十三日癸卯，唐明宗下诏，听任两浙纲使自由行动。

任命宣徽北院使冯赟为左卫上将军、北都留守。

十月十七日丁未，诛杀了董光业的全家。

楚王马殷卧病在床，派遣使者来到朝廷，请求把职位传给自己的儿子马希声。朝廷怀疑马殷已经死了，十月二十一日辛亥，下令起复马希声为武安节度使兼侍中。

孟知祥任命从前蜀国的镇江节度使张武为峡路行营招收讨伐使，率领水军奔赴夔州，任命左飞棹指挥使袁彦超为他的副手。

十月二十三日癸丑，东川兵攻陷了征、合、巴、蓬、果五州。

二十六日丙辰，吴国的左仆射、同平章事严可求去世。徐知诰任命他的长子大将军徐景通为兵部尚书、参政事，这是因为徐知诰即将出镇金陵。

汉国的将领梁克贞进入占城，掠取了城中的财宝货物后返回。

十一月初九日戊辰，张武到达渝州，渝州刺史张环投降了他。于是张武攻取了泸州，派遣先锋将朱偓分兵奔赴黔州、涪州。

初十日己巳，楚王马殷去世，留下遗命给他的儿子们，王位兄死弟继，把剑放在祠堂，说："有人违背了我的遗命就杀了他！"将领们讨论派兵守卫四方边境，然后发布丧讯。兵部侍郎黄损说："我们失去了国君，又有了新的国君，有什么好防备的！应该派遣使者前往相邻藩镇通告先君去世、新君嗣位就行了。"

石敬瑭入散关，阶州刺史王弘贽㉕、泸州刺史冯晖㉖与前锋马步都虞候王思同、步军都指挥使赵在礼引兵出人头山㉗后，过剑门之南，还袭剑门。壬申㉘[8]，克之，杀东川兵三千人，获都指挥使齐彦温，据而守之。晖，魏州人也。甲戌㉙，弘贽等破剑州，而大军不继，乃焚其庐舍，取其资粮，还保剑门。

乙亥㉚，诏削孟知祥官爵。

【段旨】

以上为第六段，写东、西两川联手反叛，攻下阆中、遂州，后唐官军入蜀破剑门。

【注释】

⑰梁克贞：南汉将领，有勇略。传见《十国春秋》卷六十二。⑰李守鄘：据《新五代史》卷六十五《南汉世家》，李守鄘之名在梁克贞前，是因为此次攻交州之役，以李守鄘为主。传附《十国春秋》卷六十二《梁克贞传》。⑱静海：方镇名，唐懿宗咸通七年（公元八六六年）升安南都护为静海军节度使，治所交州，在今越南河内一带。唐末曲颢据交州。⑲曲承美：曲颢后裔，交州节度使。⑱癸巳：十月初三日。⑱婴城固守：环城坚卫。⑱高敬柔：助孟知祥守成都，官至都押牙。传见《十国春秋》卷五十一。⑱筑长城环之：建筑一条长的城墙环绕遂州城。⑱戊戌：十月初八日。⑱其帅不武：利州统帅懦弱无将才。⑱漫天：指漫天寨，在利州之北，有大漫天、小漫天两寨，形势险要。⑱北军：北来之军，指伐两川的官兵。⑱武信：武信军，治所遂州，为夏鲁奇所镇守。⑱非计：不是上策。⑲剑门：关名，因剑门山为名，在今四川剑阁东北，地势险要，为兵家必争之地。⑲因：乘。⑲裴羽：字用化，唐僖宗朝宰相裴贽之子。唐明宗时，为册礼使使于闽，遇飓风，漂至钱塘，为钱镠所留。传见《旧五代史》卷一百二十八。⑲引咎：指陈自己的过失；请罪。⑲癸卯：十月十三日。⑲自便：自由行动。⑲丁未：十月十七日。⑲董光业：董璋子。在洛阳为宫苑使，以其父谋反而被族诛。⑲诣阙：到洛阳。⑲辛亥：十月二十一日。⑳起复：守丧应致仕，而起身任职者称起复。㉑癸丑：十月二十三

石敬瑭进入散关，阶州刺史王弘贽、泸州刺史冯晖与前锋马步都虞候王思同、步军都指挥使赵在礼率领军队穿过人头山后，经过剑门的南面，回过头来袭击剑门。十三日壬申，攻了下来，杀死了东川士兵三千人，抓获了都指挥使齐彦温，占据剑门后就地防守。冯晖是魏州人。十五日甲戌，王弘贽等攻破剑州，但是大部队未能跟上来，便焚烧了城内房屋，拿走了当地的粮草，退守剑门。

十六日乙亥，唐明宗下诏削除孟知祥的官职、爵位。

日。㉒丙辰：十月二十六日。㉓景通（公元九一六至九六一年）：初名景通，改名璟，字伯玉，李昪长子。风度高秀，工文学。升元四年（公元九四〇年）八月，立为皇太子，公元九四三年即南唐帝位。公元九四三至九六一年在位。庙号元宗。事见《旧五代史》卷一百三十四《僭伪列传》、《新五代史》卷六十三《南唐世家》，《十国春秋》卷十六亦有传。㉔占城：在今越南中南部，公元一九二年（一说公元一三七年）区达建国。我国史籍初称之为林邑，唐至德以后称环王，九世纪后期改称占城。十七世纪末亡于广西阮氏。㉕宝货：金银财宝。㉖戊辰：十一月初九日。㉗渝州：州名，治所巴县，在今重庆市。㉘朱偓：善战为先锋将。传见《十国春秋》卷五十一。㉙黔：黔州，故治在今重庆彭水。㉚涪：涪州，治所枳县，在今重庆市涪陵区西。㉛己巳：十一月初十日。㉜兄弟相继：王位传承，由弟继承其兄。㉝黄损：识大体，官兵部侍郎。传见《十国春秋》卷七十二。㉞邻道：指邻藩吴、汉、荆南等节度使。㉟王弘贽：唐明宗时为合、阶二州刺史，后晋以光禄卿致仕。传见《新五代史》卷四十八。㊱冯晖（？至公元九五三年）：魏州（今河北大名）人，为效节军卒，骁勇善战，封陈留王。传见《新五代史》卷四十八。㊲人头山：山名，山巅突出像人头，在今四川广元市昭化区西四十里。㊳壬申：十一月十三日。㊴甲戌：十一月十五日。㊵乙亥：十一月十六日。

【校记】

［7］纲使：上卷上年“凡吴越进奏官、使者、纲吏，令所在系治之”。章钰校云“十二行本‘使’作‘吏’”。据《旧五代史·明宗纪》所系者为“两浙纲运进奉使”，“纲使”或即其简称。［8］壬申：原无此二字。据章钰校，十二行本、乙十一行本皆有此二字，张敦仁《通鉴刊本识误》、张瑛《通鉴校勘记》同，今据补。

【原文】

己卯[221]，董璋遣使至成都告急。知祥闻剑门失守，大惧，曰："董公果误我！"庚辰[222]，遣牙内都指挥使李肇[223]将兵五千赴之，戒之[224]曰："尔倍道兼行，先据剑州，北军无能为也。"又遣使诣遂州，令赵廷隐将万人会屯剑州。又遣故蜀永平节度使李筠[225]将兵四千趣龙州[226]，守要害[227]。时天寒，士卒恐惧，观望[228]不进，廷隐流涕谕之曰："今北军势盛，汝曹不力战却敌，则妻子皆为人有矣。"众心乃奋[229]。董璋自阆州将两川兵屯木马寨[230]。

先是，西川牙内指挥使太谷庞福诚[231]、昭信指挥使谢锽屯来苏村[232]，闻剑门失守，相谓曰："使北军更得剑州，则二蜀势危矣。"遽[233]引部兵千余人间道[234]趣剑州。始至，官军万余人自北山大下。会日暮，二人谋曰："众寡不敌，逮明则吾属无遗矣。"福诚夜引兵数百升[235]北山，大噪于官军营后，锽帅余众操短兵自其前急击之。官军大惊，空营遁去，复保剑门，十余日不出。孟知祥闻之，喜曰："吾始谓弘贽等克剑门，径[236]据剑州，坚守其城，或引兵直趣梓州，董公必弃阆州奔还。我军失援，亦须解遂州之围。如此则内外受敌，两川震动，势可忧危。今乃焚毁剑州，运粮东归剑门，顿兵[237]不进，吾事济矣[238]。"

官军分道趣文州[239]，将袭龙州，为西川定远指挥使潘福超、义胜都头太原沙延祚[240]所败。甲申[241]，张武卒于渝州，知祥命袁彦超[242]代将其兵。

朱偓将至涪州，武泰[243]节度使杨汉宾弃黔南，奔忠州。偓追至丰都[244]，还取涪州。知祥以成都支使崔善[245]权武泰留后。董璋遣前陵州[246]刺史王晖[247]将兵三千会李肇等分屯剑州南山。

丙戌[248]，马希声袭位，称遗命去建国之制，复藩镇[249]之旧。

契丹东丹王突欲自以失职[250]，帅部曲[251]四十人越海自登州来奔。

十二月壬辰[252]，石敬瑭至剑门。乙未[253]，进屯剑州北山。赵廷隐陈[254]于牙城后山，李肇、王晖陈于河桥。敬瑭引步兵进击廷隐，廷隐择善射者五百人伏敬瑭归路，按甲待之。矛矟欲相及，乃扬旗鼓噪击

【语译】

十一月二十日己卯，董璋派遣使者到成都告急。孟知祥听说剑门失守，大为恐惧，说："董公果然误我大事！"二十一日庚辰，派牙内都指挥使李肇率领士兵五千人赶去救援，告诫他说："你们要日夜兼程赶路，首先占据剑州，北面的官军就干不成什么了。"又派遣使者前往遂州，命令赵廷隐率领一万人会师屯驻剑州。又派遣从前蜀国的永平节度使李筠率领士兵四千人奔赴龙州，把守要害。当时天气寒冷，士兵们很恐惧，观望徘徊不肯前进，赵廷隐流着泪劝导大家说："如今北面的官军气势强盛，如果你们不奋力作战，击退敌人，那么老婆、孩子都要被别人所有了。"于是大家的精神振奋起来。董璋从阆州率领两川的部队驻扎在木马寨。

此前，西川的牙内指挥使太谷人庞福诚、昭信指挥使谢锽屯驻来苏村，听说剑门失守，两人相互谈论说："如果北面的官军再得到剑州，那么两蜀的形势就危险了。"于是立刻率领所辖部队一千多人走小路奔赴剑州。刚刚到达，官军一万多人从北山大批地涌下来。正赶上天色已晚，两人商量说："敌众我寡，打不过敌人，等到天亮，我们没有一个活着的了。"庞福诚夜里带领数百名士兵登上北山，在官军的营寨后面大声喊叫，谢锽率领其余的士兵手持短兵器从营寨前面猛烈攻击敌人。官军大惊，全营寨的人逃走了，又去防守剑门，十多天不敢出来。孟知祥听到消息，高兴地说："我最初说王弘贽等攻下剑门，会直接占据剑州，坚守剑州城，或者率军直奔梓州，那样董公一定放弃阆州逃回去。我军失去声援，也就要解除对遂州的包围。这样就会内外受敌，两川震动，形势可就危险了。现在他们只是放火烧了剑州，运走粮食东归剑门，屯驻兵马不再前进，我的事情就成功了。"

官军分几路奔赴文州，将要袭击龙州，被西川的定远指挥使潘福超、义胜都头太原人沙延祚打败。十一月二十五日甲申，张武在渝州去世，孟知祥命令袁彦超代为统领他的部队。

朱偓即将到达涪州，武泰节度使杨汉宾丢弃黔南，跑往忠州。朱偓追赶到丰都，回师占取涪州。孟知祥任命成都支使崔善暂时代理武泰留后。董璋派遣前陵州刺史王晖率领三千名士兵会合李肇等分别驻扎在剑州南山。

十一月二十七日丙戌，马希声继承了马殷的爵位，声称先王遗命废除先前建国的制度，恢复藩镇的旧制。

契丹的东丹王突欲自认为失去了继承王位的权利，便率领部曲四十人渡过渤海从登州前来投奔唐朝。

十二月初三日壬辰，石敬瑭到达剑门。初六日乙未，进军屯驻在剑州的北山。赵廷隐列阵于牙城的后山，李肇、王晖列阵于河桥。石敬瑭带领步兵进攻赵廷隐，赵廷隐挑选了五百名射箭好的士兵埋伏在石敬瑭回去的路上，隐藏下来，等待着他。到了双方的部队接近到兵矛都快要碰到一起的时候，才扬旗击鼓呐喊出击，北军败

之，北军退走，颠坠下山，俘斩百余人。敬瑭又使骑兵冲河桥，李肇以强弩射之，骑兵不能进。薄暮，敬瑭引去，廷隐引兵蹑之[255]，与伏兵合击，败之。敬瑭还屯剑门。

癸卯[256]，夔州奏复取开州[257]。

庚戌[258]，以武安节度使马希声为武安、静江[259]节度使，加兼中书令。

石敬瑭征蜀未有功，使者自军前来，多言道险狭，进兵甚难，关右[260]之人疲于转饷[261]，往往窜匿山谷，聚为盗贼。上忧之，壬子[262]，谓近臣曰："谁能办吾事者！吾当自行[263]耳。"安重诲曰："臣职忝[264]机密，军威不振，臣之罪也，臣请自往督战。"上许之。重诲即拜辞，癸丑[265]，遂行，日驰数百里。西方藩镇[266]闻之，无不惶骇[267]。钱帛、刍粮[268]昼夜辇运赴利州[269]，人畜毙踣[270]于山谷者不可胜纪[271]。时上已疏重诲，石敬瑭本不欲西征，及重诲离上侧，乃敢累表奏论，以为蜀不可伐。上颇然之[272]。

西川兵先戍夔州者千五百人，上悉纵归。

【段旨】

以上为第七段，写官军伐蜀不利，安重诲亲往督战，石敬瑭上奏，论蜀不可伐。马希声去国号，复称藩镇。

【注释】

㉑己卯：十一月二十日。㉒庚辰：十一月二十一日。㉓李肇：汝阳（今安徽阜阳）人，官至后蜀昭武军节度使。传见《十国春秋》卷五十一。《新五代史》卷六十四《后蜀世家》亦略载其事。㉔戒之：训诫他。㉕李筠：孟知祥大将。传见《十国春秋》卷五十一。㉖龙州：州名，故治在今四川平武东南。㉗守要害：指守住武都阳平道，防止唐兵由邓艾故道入蜀。㉘观望：犹豫徘徊。㉙众心乃奋：大家的精神于是振奋起来。㉚木马寨：地名，在今四川剑阁东南。㉛庞福诚：太谷（今山西太原）人，有兵略。传见《十国春秋》卷五十一。㉜来苏村：即来苏寨，在今四川剑阁东。㉝遽：立即。㉞间道：小路。㉟升：登。㊱径：直接。㊲顿兵：驻兵。顿，停留。㊳吾事济矣：我的大事成功了。㊴文州：州名，治所曲水，在今甘肃文县。地处陇、蜀之间，岩洞险仄，绵延千里，有阳平道，为入蜀捷径。㊵沙延祚：山西太原人。传见《十国春秋》卷五十一。㊶甲申：

走，颠仆坠崖逃下了山，被俘虏和斩杀了一百多人。石敬瑭又派出骑兵冲向河桥，李肇利用强弩射击他们，骑兵无法前进。黄昏时分，石敬瑭引兵退去，赵廷隐领兵紧随其后，和埋伏的部队前后夹击，打败了北军。石敬瑭回军驻守剑门。

十二月十四日癸卯，夔州奏报说又收复了开州。

二十一日庚戌，任命武安节度使马希声为武安、静江节度使，加任兼中书令。

石敬瑭征蜀未能取得功效，使者从部队回到朝廷，大多报告说蜀道艰险狭窄，进军非常困难，关右的人疲于转运粮饷，往往逃匿山谷，聚在一起当盗贼。唐明宗为此很担忧，十二月二十三日壬子，唐明宗对亲近的大臣说："有谁能替我办理朝中的事务！我应亲自出征了。"安重诲说："臣在职有愧于参与机密，现在军威不振，是臣的罪过，臣请求亲自前往督战。"唐明宗同意了。安重诲当即拜辞，二十四日癸丑，便出发了，每天驰骋几百里。西方的各个藩镇得知这一消息，无不惊慌恐惧。于是钱财布帛、军用粮草昼夜用车运往利州，人马倒毙在山谷之中的不可胜数。当时唐明宗已经疏远了安重诲，石敬瑭本来就不想西征，等到安重诲离开了唐明宗身边，才敢屡次上表向唐明宗报告，认为对蜀地不可征伐。唐明宗认为这话很有道理。

西川的士兵原先有一千五百人戍守夔州，唐明宗下令把他们都放回去。

十一月二十五日。㉔②袁彦超：为张武副将。善水战。传见《十国春秋》卷五十一。《新五代史》卷六十四《后蜀世家》亦略载其事。㉔③武泰：方镇名，前蜀王建以黔州为武泰军节度。天复三年（公元九〇三年）徙治涪州，在今重庆市涪陵区。㉔④丰都：县名，在今重庆酆都。㉔⑤崔善：在阆中有惠政。传见《十国春秋》卷四十二。㉔⑥陵州：州名，治所仁寿，在今四川仁寿。㉔⑦王晖：王建故将，屡立战功，官华州刺史。降后唐，任陵州刺史。传见《十国春秋》卷四十三。㉔⑧丙戌：十一月二十七日。㉔⑨藩镇：指武安军节度使。㉕⓪失职：此指失去继承皇位权利。㉕①部曲：亲兵。㉕②壬辰：十二月初三日。㉕③乙未：十二月初六日。㉕④陈：通"阵"，列阵、结阵。㉕⑤蹑之：追踪；跟随其后。㉕⑥癸卯：十二月十四日。㉕⑦开州：州名，在今重庆市开州区。㉕⑧庚戌：十二月二十一日。㉕⑨静江：方镇名，唐昭宗光化三年（公元九〇〇年）升桂管经略使为静江军节度使，治所桂州，在今广西桂林。㉖⓪关右：地区名，泛指函谷关以西陕西、甘肃地区。㉖①转饷：运输军粮。㉖②壬子：十二月二十三日。㉖③自行：自己亲征。㉖④忝：谦辞。有愧于。㉖⑤癸丑：十二月二十四日。㉖⑥西方藩镇：指陕州保义军、华州镇国军、同州匡国军、耀州顺义军、凤翔、山南西道等。㉖⑦惶骇：惊惶、害怕。㉖⑧刍粮：粮草。㉖⑨利州：州名，在今四川广元，在剑阁东北。㉗⓪毙踣：仆倒死去。㉗①不可胜纪：算也算不过来。言其多。㉗②上颇然之：皇帝很同意他的意见。

【原文】

二年（辛卯，公元九三一年）

春，正月壬戌[273]，孟知祥奉表谢[274]。庚午[275]，李仁罕陷遂州，夏鲁奇自杀。癸酉[276]，石敬瑭复引兵至剑州，屯于北山。孟知祥枭[277]夏鲁奇首以示之。鲁奇二子从敬瑭在军中，泣请往取其首葬之。敬瑭曰："知祥长者[278]，必葬而[279]父，岂不愈于身首异处乎[280]！"既而知祥果收葬之。敬瑭与赵廷隐战不利，复还剑门。

丙戌[281]，加高从诲兼中书令。

东川归合州于武信军[282]。

初，凤翔节度使朱弘昭谄事[283]安重诲，连得大镇。重诲过凤翔，弘昭迎拜马首[284]，馆于府舍，延入寝室，妻子罗拜[285]，奉进酒食，礼甚谨。重诲为弘昭泣言："谗人交构[286]，几不免[287]，赖主上明察，得保宗族。"重诲既去，弘昭即奏："重诲怨望[288]，有恶言[289]，不可令至行营[290]，恐夺石敬瑭兵柄。"又遗敬瑭书，言："重诲举措孟浪[291]，若至军前，恐将士疑骇，不战自溃，宜逆止之[292]。"敬瑭大惧，即上言："重诲至，恐人情有变，宜急征还[293]。"宣徽使孟汉琼自西方还，亦言重诲过恶，有诏召重诲还。

二月己丑朔[294]，石敬瑭以遂、阆既陷，粮运不继，烧营北归。军前[295]以告孟知祥，知祥匿其书，谓赵季良曰："北军渐进，奈何？"季良曰："不过绵州，必遁。"知祥问其故，曰："我逸彼劳[296]，彼悬军[297]千里，粮尽，能无遁乎！"知祥大笑，以书示之。

安重诲至三泉[298]，得诏亟归。过凤翔，朱弘昭不内[299]，重诲惧，驰骑而东。

两川兵追石敬瑭至利州，壬辰[300]，昭武节度使李彦琦弃城走。甲午[301]，两川兵入利州。孟知祥以赵廷隐为昭武留后，廷隐遣使密言于知祥曰："董璋多诈，可与同忧，不可与同乐[9]，他日必为公患。因其至剑州劳军，请图之[302]。并两川之众[303]，可以得志于天下[304]。"知祥不许。璋入廷隐营，留宿[305]而去。廷隐叹曰："不从吾谋，祸难未已[306]！"

【语译】

二年（辛卯，公元九三一年）

春，正月初三日壬戌，孟知祥上表对唐明宗遣返西川戍兵道谢。十一日庚午，李仁罕攻陷遂州，夏鲁奇自杀。十四日癸酉，石敬瑭又率兵到达剑州，驻扎在北山。孟知祥砍下了夏鲁奇的人头让北军观看。夏鲁奇的两个儿子在军中随从石敬瑭，哭着请求前去夺取他们父亲的人头回来安葬。石敬瑭说："孟知祥是一位长者，他一定会安葬你们的父亲，这难道不好于身首异处吗！"不久孟知祥果然把夏鲁奇收葬了。石敬瑭与赵廷隐交战不利，又返回剑门。

二十七日丙戌，加封高从诲兼任中书令。

东川把合州归还给武信军。

当初，凤翔节度使朱弘昭谄媚奉侍安重诲，连续得到大节镇的职位。安重诲路过凤翔时，朱弘昭迎拜马前，让安重诲下榻到府舍内，把他延请到家中寝室，妻子、儿女围着参拜，亲自敬献酒食，礼节极为恭谨。安重诲流着泪对朱弘昭说："谗人交相构害，几乎不能脱罪，仰赖皇上明察，得以保全我的宗族。"安重诲离开凤翔后，朱弘昭立刻上奏唐明宗："安重诲心怀不满，说朝廷的坏话，不能让他到行营，恐怕他夺取石敬瑭的兵权。"又写信告诉石敬瑭，说："安重诲行动轻率鲁莽，如果到了军中，恐怕将士们惊疑害怕，不战自溃，应该迎上去阻止他。"石敬瑭大为恐惧，当即向唐明宗上奏说："安重诲到军中，恐怕人心有变，最好赶快把他征召回京。"宣徽使孟汉琼从西面战线回到朝廷，也奏说安重诲的过失和罪行，于是唐明宗下诏征招安重诲回京。

二月初一日己丑，石敬瑭认为遂州、阆州已经陷落，粮食的运输接继不上，便烧毁营寨北去。西川的前线部队把这一情况报告给孟知祥，孟知祥藏起报告文书，对赵季良说："北军逐渐推进，怎么办才好？"赵季良说："过不了绵州，他们肯定会逃回去。"孟知祥问是什么原因，赵季良说："我们安逸，敌人疲劳，他们孤军千里之外，粮食没有了，能不逃回去吗！"孟知祥大笑，把报告文书拿给他看。

安重诲到达三泉时，得到诏书立即回朝。路过凤翔，朱弘昭不让他进城，安重诲很害怕，驰马东进。

两川兵追击石敬瑭到利州，二月初四日壬辰，昭武节度使李彦琦弃城逃走。初六日甲午，两川兵进入利州城。孟知祥任命赵廷隐为昭武留后，赵廷隐派遣使者秘密地向孟知祥说："董璋多诈，可以和他同忧患，不可以和他共享乐，日后一定成为您的祸患。趁他到剑州慰劳军队，请把他解决了。并吞两川的部队，就可以得志于天下。"孟知祥没有答应。董璋进入赵廷隐的营中，留宿了一个晚上就离开了。赵廷隐叹息说："不听我的计谋，祸难没有止境了！"

庚子[307]，孟知祥以武信留后李仁罕为峡路[308]行营招讨使，使将水军东略地[309]。

辛丑[310]，以枢密使兼中书令安重诲为护国[311]节度使。赵凤言于上曰："重诲陛下家臣[312]，其心终不叛主，但以不能周防[313]，为人所谗。陛下不察其心，重诲[10]死无日矣[314]。"上以为朋党[315]，不悦。

【段旨】

以上为第八段，写安重诲被召还，伐蜀官军北返。

【注释】

㉗③ 壬戌：正月初三日。㉗④ 奉表谢：上表感谢放还夔州戍卒。㉗⑤ 庚午：正月十一日。㉗⑥ 癸酉：正月十四日。㉗⑦ 枭："枭首"之省说，指斩首高悬示众。㉗⑧ 长者：谨厚有德之人。㉗⑨ 而：通"尔"，你。㉘⓪ 岂不愈于身首异处乎：难道不比头和身子在两处为好吗。㉘① 丙戌：正月二十七日。㉘② 武信军：方镇名，唐昭宗光化二年（公元八九九年）置，蜀仍之。治所遂州，在今四川遂宁。合州为其辖区。㉘③ 谄事：谄媚奉承。㉘④ 马首：马前。㉘⑤ 罗拜：四面围绕着团团下拜。㉘⑥ 谗人交构：挑拨离间的人交相构罪陷害。㉘⑦ 几不免：几乎未免身死。㉘⑧ 怨望：怨恨不满。㉘⑨ 恶言：坏话。㉙⓪ 行营：指石敬瑭指挥所。㉙① 举措孟浪：处理事情轻率鲁莽。㉙② 宜逆止之：应迎上前去阻止他，让他回去。㉙③ 征还：召回。㉙④ 己丑朔：二月初一日。㉙⑤ 军前：指西川的前线部队。㉙⑥ 我逸彼劳：我安逸，他

【原文】

乙巳[316]，赵廷隐、李肇自剑州引还[317]，留兵五千戍利州。丙午[318]，董璋亦还东川，留兵三千戍果、阆[319]。

丁巳[320]，李仁罕陷忠州。

吴徐知诰欲以中书侍郎、内枢使[321]宋齐丘为相。齐丘自以资望[322]素浅，欲以退让为高[323]，谒归洪州[324]葬父，因入九华山[325]，止于应天寺[326]，启求隐居。吴主下诏征之，知诰亦以书招之，皆不至。知诰遣其子景通自入山敦谕，齐丘始还朝，除右仆射致仕，更命应天寺曰征贤寺。

二月十二日庚子，孟知祥任命武信留后李仁罕为峡路行营招讨使，派他率领水军东进攻取地盘。

十三日辛丑，任命枢密使兼中书令安重诲为护国节度使。赵凤对唐明宗说："安重诲是陛下的家臣，他的心里始终不会背叛陛下，只是因为不会周密地防护，被人诋毁。陛下不明察他的心迹，安重诲就死到临头了。"唐明宗认为赵凤与安重诲结为朋党，很不高兴。

劳苦。㉙⑦悬军：孤军在外。㉙⑧三泉：县名，在今陕西宁强。㉙⑨不内：不纳。内，通"纳"。㉚⓪壬辰：二月初四日。㉚①甲午：二月初六日。㉚②图之：谋取他。此处意为杀掉他。㉚③并两川之众：合并东川、西川的军队。㉚④可以得志于天下：可以在天下建国称帝，完成大业。㉚⑤留宿：留下住宿一夜。㉚⑥祸难未已：祸患和灾难不会停止。㉚⑦庚子：二月十二日。㉚⑧峡路：军镇名，亦称峡西。治所兴元，在今陕西汉中。东接三峡，西抵阳平，幅员辽阔。㉚⑨略地：攻取土地。㉛⓪辛丑：二月十三日。㉛①护国：方镇名，即河中节度使。治所蒲州，在今山西永济。安重诲未至洛阳而除河中，不许其入朝。㉛②家臣：家中的奴仆。㉛③周防：周密地防护。这里指善于处理人际关系。㉛④死无日矣：指安重诲死到临头了。㉛⑤朋党：朋比为党。指同类的人为自私目的而互相勾结。

【校记】

[9]同乐：原作"共乐"。据章钰校，十二行本、乙十一行本皆作"同乐"，今据改。[10]重诲：原无此二字。据章钰校，十二行本、乙十一行本皆有此二字，今据补。

【语译】

二月十七日乙巳，赵廷隐、李肇从剑州率军返回成都，留下五千名士兵戍守利州。十八日丙午，董璋也返回东川，留下三千名士兵戍守果州、阆州。

二十九日丁巳，李仁罕攻陷忠州。

吴国的徐知诰想任命中书侍郎、内枢密使宋齐丘为宰相。宋齐丘自己认为资历、声望一向低浅，想用谦让的姿态来显示清高，便要求回洪州安葬父亲，乘机进入九华山，停留在应天寺，上表请求隐居。吴主下诏征召他，徐知诰也写信召请他，他都没有回来。徐知诰派他的儿子徐景通亲自进山去敦促劝说，宋齐丘才返回朝廷，任命他为右仆射，然后让他退休，把应天寺改名为征贤寺。

三月己未朔㉗，李仁罕陷万州。庚申㉘，陷云安监㉙。

辛酉㉚，赐契丹东丹王突欲姓东丹，名慕华，以为怀化㉛节度使、瑞㉜、慎等州观察使。其部曲及先所俘契丹将惕隐等，皆赐姓名。惕隐姓狄，名怀惠[11]。

李仁罕至夔州，宁江㉝节度使安崇阮弃镇，与杨汉宾自均㉞、房㉟逃归。壬戌㊱，仁罕陷夔州。

帝既解安重诲枢务，乃召李从珂，泣谓曰："如重诲意㊲，汝安得复见吾！"丙寅㊳，以从珂为左卫大将军。

壬申㊴，横海节度使、同平章事孔循卒。

乙酉㊵，复以钱镠为天下兵马都元帅、尚父㊶、吴越国王，遣监门上将军张篯往谕旨，以向日㊷致仕㊸，安重诲矫制也。

丁亥㊹，以太常卿李愚为中书侍郎、同平章事。

夏，四月辛卯㊺，以王德妃为淑妃㊻。

【段旨】

以上为第九段，写唐明宗解除安重诲枢密之职，任命为护国节度使，李从珂为左卫大将军。孟知祥扩地至夔州。

【注释】

⑯乙巳：二月十七日。⑰引还：率军返回成都。⑱丙午：二月十八日。⑲果、阆：果州和阆州。⑳丁巳：二月二十九日。㉑内枢使：即内枢密使，掌机密。㉒资望：资历和名望。㉓高：高洁；高尚。㉔洪州：州名，治所豫章，在今江西南昌。㉕九华山：山名，在安徽青阳西南。旧名九子山，因有九峰，形似莲花，李白名之为九华。与峨眉、普陀、五台合称中国佛教四大名山。㉖应天寺：为九华山佛教寺庙。㉗己未朔：三月初一日。㉘庚申：三月初二日。㉙云安监：监名，在今重庆云阳云安镇，因产盐，故

三月初一日己未，李仁罕攻陷万州。初二日庚申，攻陷云安监。

初三日辛酉，唐明宗赐契丹的东丹王突欲姓东丹，名叫慕华，任命他为怀化节度使，瑞、慎等州观察使。他的家丁以及先前俘虏的契丹将领惕隐等人，都赐给姓名。惕隐赐姓狄，名叫怀惠。

李仁罕到达夔州，宁江节度使安崇阮丢弃镇所，与杨汉宾从均州、房州逃了回去。三月初四日壬戌，李仁罕攻陷夔州。

唐明宗已经解除了安重诲的枢要职务，就把李从珂召来，流着眼泪对他说："按照安重诲的意思办，你哪里还能见到我!"三月初八日丙寅，任命李从珂为左卫大将军。

十四日壬申，横海节度使、同平章事孔循去世。

二十七日乙酉，重新任命钱镠为天下兵马都元帅、尚父、吴越国王，派遣监门上将军张篯前往宣谕圣旨，告诉钱镠过去朝廷让他退休，是安重诲假传圣旨。

二十九日丁亥，任命太常卿李愚为中书侍郎、同平章事。

夏，四月初三日辛卯，册封王德妃为淑妃。

置监。㉚辛酉：三月初三日。㉛怀化：方镇名，后唐所置。治所慎州，在今河北涿州西北。㉜瑞：州名，在今北京市房山区良乡。㉝宁江：方镇名，蜀置，治所夔州，在今重庆市奉节。㉞均：州名，在今湖北十堰。㉟房：州名，在今湖北房县。㊱壬戌：三月初四日。㊲如重诲意：符合重诲的意愿。㊳丙寅：三月初八日。㊴壬申：三月十四日。㊵乙酉：三月二十七日。㊶尚父：本义为可尊尚的父辈。周武王尊称吕尚为尚父。此为官号。㊷向日：过去。㊸致仕：指钱镠退休，见上卷天成四年。㊹丁亥：三月二十九日。㊺辛卯：四月初三日。㊻淑妃：唐嫔妃之制，内宫有贵妃、贤妃、淑妃各一人，正一品。因曹淑妃正位中宫，故升王德妃为淑妃。

【校记】

［11］怀惠：原作"怀忠"。据章钰校，十二行本、乙十一行本皆作"怀惠"，今据改。〖按〗《旧五代史》《新五代史》亦作"怀惠"。

【原文】

闽奉国节度使兼中书令王延禀闻闽王延钧有疾，以次子继升知建州留后，帅建州刺史继雄将水军袭福州。癸卯[347]，延禀攻西门，继雄攻东门。延钧遣楼船指挥使[348]王仁达[349]将水军拒之。仁达伏甲舟中，伪立白帜[350]请降，继雄喜，屏左右[351]，登仁达舟慰抚之。仁达斩继雄，枭首[352]于西门。延禀方纵火[353]攻城，见之，恸哭，仁达因纵兵击之，众溃，左右以斛[354]舁[355]延禀而走。甲辰[356]，追擒之。延钧见之曰："果烦老兄再下！"延禀惭不能对。延钧囚于别室[357]，遣使者如建州招抚其党。其党杀使者，奉继升及弟继伦奔吴越[358]。仁达，延钧从子也。

以宣徽北院使赵延寿为枢密使。

己酉[359]，以[12]天雄节度使、同平章事石敬瑭兼六军诸卫副使[360]。

辛亥[361]，以朱弘昭为宣徽南院使。

五月，闽王延钧斩王延禀于市，复其姓名曰周彦琛，遣其弟都教练使延政[362]如建州抚慰吏民。

丁卯[363]，罢亩税曲钱[364]，城中官造曲减旧半价，乡村听百姓自造。民甚便之。

己卯[365]，以孟汉琼知内侍省[366]事，充宣徽北院使。汉琼，本赵王镕奴也。时范延光、赵延寿虽为枢密使，惩[367]安重诲以刚愎得罪，每于政事不敢可否。独汉琼与王淑妃居中用事，人皆惮之。先是，宫中须索[368]稍逾常度，重诲辄执奏，由是非分之求殆绝。至是，汉琼直[369]以中宫[370]之命取府库物，不复关[371]由枢密院及三司，亦无文书[372]，所取不可胜纪。

辛巳[373]，以相州刺史孟鹄为左骁卫大将军，充三司使。

昭武留后赵廷隐自成都赴利州，逾月[374]，请兵进取兴元及秦、凤[375]。孟知祥以兵疲民困，不许。

护国节度使兼中书令安重诲内不自安，表请致仕。闰月庚寅[376]，制以太子太师[377]致仕。是日，其子崇赞、崇绪[378]逃奔河中。

【语译】

闽国的奉国节度使兼中书令王延禀听说闽王王延钧有病，委任他的次子王继升为建州留后，自己率领建州刺史王继雄带领水军袭击福州。四月十五日癸卯，王延禀攻打福州西门，王继雄攻打福州东门。王延钧派遣楼船指挥使王仁达率领水军进行抵抗。王仁达在船上埋伏全副武装的士兵，假装竖起白旗请求投降。王继雄很高兴，屏退身边的人，登上王仁达的船慰抚他。王仁达斩杀了王继雄，砍下他的头悬挂在福州西门。当时王延禀正在放火攻城，看见人头，悲伤地痛哭起来，王仁达便纵兵出城攻击，王延禀的部队溃败，身边的人使用大斛抬着王延禀逃走。十六日甲辰，王仁达追上活捉了王延禀。王延钧看到了王延禀，对他说："果然是又麻烦你老兄再下福州了！"王延禀惭愧得无话可答。王延钧把他关押在别室，派遣使者到建州招抚他的党羽。王延禀的党羽杀了使者，护卫着王继升和他的弟弟王继伦投奔吴越国。王仁达，是王延钧的侄儿。

任命宣徽北院使赵延寿为枢密使。

四月二十一日己酉，任命天雄节度使、同平章事石敬瑭兼任六军诸卫副使。

二十三日辛亥，任命朱弘昭为宣徽南院使。

五月，闽王王延钧在街市上斩杀了王延禀，恢复了他原来的姓名叫周彦琛，派遣自己的弟弟都教练使王延政前往建州抚慰官员和百姓。

五月初十日丁卯，废除按亩征收酒曲税钱的办法，城内官造的酒曲按旧价减半，乡村听任百姓自己制造。百姓觉得很方便。

二十二日己卯，任命孟汉琼掌理内侍省的事务，充任宣徽北院使。孟汉琼，本来是赵王王镕的家奴。当时范延光、赵延寿虽然担任枢密使，但是鉴于安重诲因为刚愎自用获罪，对于朝廷的政事往往不置可否。只有孟汉琼和王德妃在宫中当政，人们都害怕他们。此前，宫中的需求稍微超过正常标准，安重诲就上奏，因此非分的需求都几乎被禁绝。到现在，孟汉琼直接以皇后的名义取用府库中的财物，不再照会枢密院和三司，也没有收据、凭证，所取之物多得无法计算。

二十四日辛巳，任命相州刺史孟鹄为左骁卫大将军，充任三司使。

昭武留后赵廷隐从成都前往利州，过了一个月，请求派兵前去攻取兴元府和秦州、凤州。孟知祥认为士卒疲乏，百姓困顿，没有同意。

护国节度使兼中书令安重诲心中不安，上表请求退休。闰五月初三日庚寅，唐明宗下诏让他以太子太师的名衔退休。当天，安重诲的儿子安崇赞、安崇绪逃往河中。

【段旨】

以上为第十段，写闽主王延钧诛杀王延禀。明宗王淑妃与孟汉琼干预政务，需索府库财物不可胜记。安重诲致仕。

【注释】

㊼癸卯：四月十五日。㊽楼船指挥使：水军将领。㊾王仁达：王延钧侄子，性慷慨，有智略，典亲兵。传见《十国春秋》卷九十四。㊿白帜：白旗，投降的标志。(351)屏左右：屏退左右侍从人员。(352)枭首：斩头高悬示众。(353)纵火：放火。(354)斛：量器，十斗为斛。(355)舁：抬。(356)甲辰：四月十六日。(357)别室：府衙的其他房间。(358)奔吴越：逃到吴越国。(359)己酉：四月二十一日。(360)六军诸卫副使：宫廷禁卫军副统领。(361)辛亥：四月二十三日。(362)延政：王审知之子。公元九四三年，延政在建州自立为帝，国号大殷，改元

【原文】

壬辰(379)，以保义节度使李从璋(380)为护国节度使。甲午(381)，遣步军指挥使药彦稠将兵趣河中。

安崇赞等至河中，重诲惊曰："汝安得来(382)？"既而曰："吾知之矣，此非渠意，为人所使耳。吾以死徇国，夫复何言！"乃执(383)二子表送诣阙(384)。

明日，有中使(385)至，见重诲，恸哭久之。重诲问其故，中使曰："人言令公(386)有异志(387)，朝廷已遣药彦稠将兵(388)至矣。"重诲曰："吾受国恩，死不足报，敢有异志！更烦国家发兵，贻(389)主上之忧，罪益重矣。"崇赞等至陕，有诏系狱(390)。皇城使(391)翟光邺(392)素恶重诲，帝遣诣河中察之，曰："重诲果有异志，则诛之。"光邺至河中，李从璋以甲士围其第，自入见重诲，拜于庭下。重诲惊，降阶答拜，从璋奋挝(393)击其首。妻张氏惊救，亦挝杀之。

奏至，己亥(394)，下诏，以重诲离间(395)孟知祥、董璋、钱镠为重诲罪，又诬其欲自击淮南(396)以图兵柄，遣元随(397)窃二子归本道，并二子诛之。丙午(398)，帝遣西川进奏官苏愿、东川军将刘澄各还本道[13]，谕

天德。公元九四五年被南唐所灭。公元九四三至九四五年在位。降南唐后封鄱阳王，徙封光山王。传见《旧五代史》卷一百三十四、《新五代史》卷六十八、《十国春秋》卷九十二。㊳⑬丁卯：五月初十日。㊳⑭罢亩税曲钱：天成三年（公元九二八年）按亩于秋税时交酒曲钱五钱，至是时罢征。㊳⑮己卯：五月二十二日。㊳⑯内侍省：侍奉皇帝、后妃官署，掌拱侍殿中、备洒扫役使之职，长官为知内侍省事。㊳⑰惩：鉴于。㊳⑱须索：需求索取。㊳⑲直：直接。㊴⑩中宫：皇后。㊴⑪关：关白；照会。㊴⑫无文书：没有收据、凭证。㊴⑬辛巳：五月二十四日。㊴⑭逾月：过了一个月。㊴⑮兴元及秦、凤：兴元府和秦州、凤州。㊴⑯庚寅：闰五月初三日。㊴⑰太子太师：三公官，加给退休宰臣，以示尊礼荣崇。㊴⑱崇赞、崇绪：安重诲二子受人指使，奔至河中，以此证明安重诲欲谋反。

【校记】

［12］以：原无此字。张敦仁《通鉴刊本识误》：“‘酉’下脱‘以’字。”当是，今据补。

【语译】

闰五月初五日壬辰，任命保义节度使李从璋为护国节度使。初七日甲午，派遣步军指挥使药彦稠率兵奔赴河中。

安崇赞等人到了河中，安重诲吃惊地说：“你们怎么能来这里?”一会儿又说：“我知道了，这不是你们自己的主意，你们是被别人所利用。我以死殉国，还有什么好说的!”于是把两个儿子抓起来，上表，把他们送往朝廷。

第二天，有中使到来，见了安重诲，痛哭了很长时间。安重诲问他是什么缘故，中使说：“人们说令公要谋反，朝廷已经派遣药彦稠率兵到来了。”安重诲说：“我蒙受国恩，到死也不足以报答，怎么敢谋反！又烦劳国家发兵，给皇上添忧，这样我的罪过就更重了。”安崇赞等人到达陕州时，有诏书命令把他们囚禁在监狱里。皇城使翟光邺一向厌恶安重诲，唐明宗派遣他到河中府察看情况，对他说：“安重诲果真有谋反的迹象，就杀了他。”翟光邺到达河中，李从璋派甲士包围了安重诲的府第，自己进去见安重诲，拜于庭下。安重诲大惊，赶忙走下台阶答拜，李从璋挥起棰鞭击向他的头部。安重诲的妻子张氏惊慌抢救，也被李从璋击毙。

河中的奏报到了朝廷，闰五月十二日己亥，唐明宗下诏，把安重诲离间孟知祥、董璋、钱镠与朝廷的关系作为安重诲的罪行，又诬说他想自己攻打吴国，窃取兵权，又派遣原先押解安崇赞、安崇绪的那班人偷偷地带两人返回河中，把两人一起杀了。十九日丙午，唐明宗派遣西川进奏官苏愿、东川军将刘澄各自返回本道，告谕两川

以安重诲专命[399]，兴兵致讨，今已伏辜[400]。

六月乙丑[401]，复以李从珂同平章事，充西都[402]留守。

丙子[403]，命诸道均民田税[404]。

【段旨】

以上为第十一段，写唐明宗诛安重诲父子，遣使告东、西两川，用兵之由委过于安重诲。

【注释】

[379] 壬辰：闰五月初五日。[380] 李从璋（公元八八七至九三七年）：字子良，明宗侄子。少善骑射，平梁有功。官至河中节度使，封洋王。传见《旧五代史》卷八十八、《新五代史》卷十五。[381] 甲午：闰五月初七日。[382] 汝安得来：你们怎么能来。得，能。[383] 执：逮捕。[384] 诣阙：到朝廷去。[385] 中使：朝廷派出的宫中宦官使者。[386] 令公：安重诲为中书令，故称。[387] 异志：指欲谋反篡位。[388] 将兵：领兵。[389] 贻：遗留；给。[390] 系狱：押在监

【原文】

闽王延钧好[405]神仙之术[406]，道士陈守元[407]、巫者徐彦林与[14]盛韬共诱之作宝皇宫，极土木之盛，以守元为宫主。

秋，九月己亥[408]，更赐东丹慕华姓名曰李赞华。

吴镇南[409]节度使、同平章事徐知谏卒。以诸道副都统、镇海节度使、守中书令徐知询代之，赐爵东海郡王。徐知诰之召知询入朝也，知谏豫其谋。知询遇其丧于涂[410]，抚棺泣曰："弟用心如此，我亦无憾[411]，然何面见先王[412]于地下乎！"

辛丑[413]，加枢密使范延光同平章事。

辛亥[414]，敕解纵五坊鹰隼[415]，内外无得更进。冯道曰："陛下可谓仁及禽兽[416]。"上曰："不然。朕昔尝从武皇猎，时秋稼方熟，有兽逸入[417]田中，遣骑取之，比及得兽，余稼无几。以是思之，猎有损无益，故不为耳。"

说因为安重诲专制君命，朝廷兴兵征讨两川，现在安重诲已经服罪被杀了。

六月初九日乙丑，重新任命李从珂同平章事，充任西都留守。

二十日丙子，命令各道平均百姓的田税负担。

狱内。㊴皇城使：皇城司长官，掌宫城出入之禁令、宿卫、宫门启闭等。㊵翟光邺：字基化，濮州鄄城（今山东鄄城）人，沉默多谋，以孝闻。不营财产，不建私第，常居官舍。官至后周枢密副使。传见《新五代史》卷四十九。㊶棰：棰鞭。㊷己亥：闰五月十二日。㊸离间：挑拨。㊹淮南：指吴国。㊺元随：此指原来押解安崇赞兄弟二人的随从人员。㊻丙午：闰五月十九日。㊼专命：专制君命。㊽伏辜：服罪而被杀戮。㊾乙丑：六月初九日。㊿西都：长安。后唐以长安为西都。㊿丙子：六月二十日。㊿均民田税：征收农民田税，使之均平。

【校记】

［13］道：原作“镇”。据章钰校，十二行本、乙十一行本皆作“道”，今据改。

【语译】

闽王王延钧爱好神仙之术，道士陈守元、巫师徐彦林与盛韬一起劝诱他兴建宝皇宫道观，工程极尽土木建筑之盛，任命陈守元为宫主。

秋，九月十五日己亥，重新赐给东丹慕华姓名叫李赞华。

吴国的镇南节度使、同平章事徐知谏去世。任命诸道副都统、镇海节度使、守中书令徐知询接替他的职务，赐爵号为东海郡王。当初徐知诰征召徐知询入朝，徐知谏参与了谋划。徐知询赴任时在路上遇见了他的归葬行列，就手抚着棺材哭泣说：“老弟对我如此用心，我也没什么怨恨的了，但你有什么脸面在地下见到先王呢！”

九月十七日辛丑，加封枢密使范延光同平章事。

二十七日辛亥，唐明宗下令放飞内廷五坊的鹰隼，朝廷内外不准再进献。冯道说：“陛下可以说是仁爱达于禽兽了。”唐明宗说：“不是这样。朕从前曾跟随武皇打猎，当时秋天的庄稼刚成熟，有一只野兽逃进田里，武皇派遣骑士抓回来，等到抓着野兽，田里的庄稼已经被践踏得所剩无几了。由此想到，打猎有损无益，所以我不做这种事。”

冬，十月丁卯[418]，洋州[419]指挥使李进唐攻通州[420]，拔之。

壬午[421]，以王延政为建州刺史。

十一月甲申朔[422]，日有食之。

癸巳[423]，苏愿至成都，孟知祥闻甥侄[424]在朝廷者皆无恙，遣使告董璋，欲与之俱上表谢罪[425]。璋怒曰："孟公亲戚皆完[426]，固宜归附。璋已族灭[427]，尚何谢为[428]！诏书皆在苏愿腹中，刘澄安得豫闻，璋岂不知邪！"由是复为怨敌。乙未[429]，李仁罕自夔州引兵还成都。

吴中书令徐知诰表称辅政[430]岁久，请归老[431]金陵。乃以知诰为镇海、宁国节度使，镇[432]金陵，余官如故，总录朝政[433]如徐温故事。以其子兵部尚书、参政事景通为司徒、同平章事，知中外左右诸军事，留江都[434]辅政[435]。以内枢使、同平章事王令谋为左仆射兼门下侍郎[436]，以宋齐丘为右仆射兼中书侍郎[437]，并同平章事兼内枢使，以佐[438]景通。

赐德胜[439]节度使张崇爵清河王。崇在庐州贪暴[440]，州人苦之，屡尝入朝，厚以货结权要[441]，由是常得还镇，为庐州患者二十余年。

十二月甲寅朔[442]，初听百姓自铸农器并杂铁器[443]，每田二亩，夏秋输农具三钱[444]。

武安、静江节度使马希声闻梁太祖嗜食鸡，慕之。既袭位，日杀五十鸡为膳，居丧无戚容[445]。庚申[446]，葬武穆王于衡阳[447]，将发引[448]，顿食鸡臛[449]数盘。前吏部侍郎潘起[450]讥之曰："昔阮籍[451]居丧食蒸豚，何代无贤！"

癸亥[452]，徐知诰至金陵。

昭武留后赵廷隐白孟知祥以利州城堑[453]已完，顷在剑州与牙内都指挥使李肇同功，愿以昭武让肇。知祥褒谕[454]，不许。廷隐三让，癸酉[455]，知祥召廷隐还成都，以肇代之。

闽陈守元等称宝皇之命，谓闽王延钧曰："苟能避位受道[456]，当为天子六十年。"延钧信之，丙子[457]，命其子节度副使继鹏[458]权军府事。延钧避位受箓[459]，道名玄锡。

爱州[460]将杨廷艺养假子[461]三千人，图复交州[462]。汉交州守将李进知之，受其赂，不以闻。是岁，廷艺举兵围交州，汉主遣承旨程

冬，十月十三日丁卯，洋州指挥使李进唐进攻通州，攻了下来。

二十八日壬午，任命王延政为建州刺史。

十一月初一日甲申，发生日食。

初十日癸巳，苏愿到达成都，孟知祥听到自己的甥侄在朝廷任官的都平安无事，就派遣使者告诉董璋，想和他一起向唐明宗上表谢罪。董璋大怒说："孟公的亲戚都完好无损，当然应该归附朝廷。我董璋已被灭族，还有什么好请罪的！皇帝的诏书都在苏愿的肚子里，刘澄哪里能够预闻，我董璋难道还不知道这一点吗！"从此，两人又重新成了怨敌。十二日乙未，李仁罕从夔州率兵返回成都。

吴国的中书令徐知诰上表给吴主，说自己辅佐朝政时间太长了，请求告老回金陵。吴主于是任命徐知诰为镇海、宁国节度使，镇守金陵，其余的官职依旧，像他的父亲徐温一样总揽朝政。任命他的儿子兵部尚书、参政事徐景通为司徒、同平章事，掌理中外左右诸军事，留在江都辅佐朝政。任命内枢使、同平章事王令谋为左仆射兼任门下侍郎，任命宋齐丘为右仆射兼任中书侍郎，两人都为同平章事兼任内枢使，一起协助徐景通。

赐予德胜节度使张崇爵位为清河王。张崇在庐州贪婪残暴，州里的人深受其害。他曾经多次入朝，用大量的财物结交掌权的人，因此经常能回到原来的镇所，为患庐州二十多年。

十二月初一日甲寅，开始准许百姓自行铸造农具和各种铁器，每两亩田，在夏秋季交纳农具税三钱。

武安、静江节度使马希声听说梁太祖朱温喜欢吃鸡，羡慕他。继承马殷的王位后，每天杀五十只鸡作为膳食，服丧时面无戚容。十二月初七日庚申，在衡阳安葬武穆王马殷，灵柩即将启程，他一次吃了几盘鸡肉羹。前吏部侍郎潘起讽刺他说："从前阮籍在服丧期间食用蒸小猪，哪一代没有贤达的人哪！"

十二月初十日癸亥，徐知诰到达金陵。

昭武留后赵廷隐向孟知祥报告说利州的城堑已经完工，不久前在剑州时，与牙内都指挥使李肇有同样的功劳，愿意把昭武军镇让给李肇。孟知祥褒奖慰勉他，但没有答应他的请求。赵廷隐再三谦让，十二月二十日癸酉，孟知祥召赵廷隐返回成都，让李肇接替他的职位。

闽国的陈守元等假称是奉宝皇的命令，对闽王王延钧说："您如果能退离王位，接受道教，可以当六十年的天子。"王延钧相信了这些话，十二月二十三日丙子，命令他的儿子节度副使王继鹏暂时代理军府事务。王延钧退离王位，接受符箓，道名叫玄锡。

爱州的将领杨廷艺养了三千名义子，计划收复交州。汉国的交州守将李进知道这一情况，因为受了杨廷艺的贿赂，没向汉主报告。这一年，杨廷艺发兵包围交州，

宝㊻将兵[15]救之，未至，城陷。进逃归，汉主杀之。宝围交州，廷艺出战，宝败死。

【段旨】

以上为第十二段，写吴国执政徐知诰效徐温故事，以子徐景通留江都总揽政务，自己出镇金陵。

【注释】

㊵好：喜欢。㊶神仙之术：炼丹、养生、延寿等方术。㊷陈守元（？至公元九三九年）：闽县（今福建闽侯）人，道士，以左道见信于王延钧，造宝皇宫让其居住，赐号洞真先生。事载《新五代史》卷六十八《闽世家》。《十国春秋》卷九十九有传。㊸己亥：九月十五日。㊹镇南：方镇名，唐懿宗咸通六年（公元八六五年），升江南西道团练观察使为镇南军节度使。治所洪州，在今江西南昌。吴、南唐因之。㊺涂：通“途”。㊻无憾：无恨；无意见。㊼先王：指徐温。㊽辛丑：九月十七日。㊾辛亥：九月二十七日。㊿解纵五坊鹰隼：释放豢养在鹰坊供玩赏、狩猎的老鹰等鸟类。隼，各种鸟类的通称。⑯仁及禽兽：仁爱达于禽兽。⑰逸入：逃入。⑱丁卯：十月十三日。⑲洋州：州名，治所在今陕西洋县。东南至通州七百三十九里。⑳通州：州名，治所在今四川达州市达川区。㉑壬午：十月二十八日。㉒甲申朔：十一月初一日。㉓癸巳：十一月初十日。㉔甥侄：外甥和侄子。㉕谢罪：认罪致歉。㉖完：完整。这里指安全。㉗族灭：全族被杀戮。指杀其子董光业全家。㉘尚何谢为：还有什么可谢罪呢。㉙乙未：十一月十二日。㉚辅政：协助皇帝处理国政。㉛归老：养老。㉜镇：镇守。㉝总录朝政：总理朝廷的政务。㉞江都：今江苏扬州。㉟辅政：协助杨溥处理国务。徐知诰袭用徐温故事，其子景通则袭用他的故事，使吴国的政权移于李氏之手。徐知诰本姓李，为徐温养子，受禅建南唐后，复姓李，改名昪。㊱左仆射兼门下侍郎：即左丞相。㊲右仆射兼中

【原文】

三年（壬辰，公元九三二年）

春，正月，枢密使范延光言：“自灵州㊹至邠州方渠镇㊺，使臣及外国入贡者多为党项㊻所掠，请发兵击之。”己丑㊼，遣静难节度使药

汉主派遣承旨程宝率军救援，还没有赶到，城池陷落。李进逃了回来，汉主把他杀了。程宝围攻交州，杨廷艺出城迎战，程宝战败死去。

书侍郎：即右丞相。㊸佐：帮助；协助。㊹德胜：方镇名，吴置。治所庐州，在今安徽合肥。㊵贪暴：贪婪残暴。㊶权要：掌握大权的人。㊷甲寅朔：十二月初一日。㊸杂铁器：指烧饭铁锅及各种铁制用具。㊹三钱：指征农具税钱数。二亩征税三钱，与夏秋税同时交纳。㊺居丧无戚容：服丧期间没有悲戚的样子。㊻庚申：十二月初七日。㊼衡阳：在今湖南衡阳。㊽发引：灵柩启程。㊾鸡臛：鸡羹。臛，羹。㊿潘起：官至楚静江节度判官，为天策府学士。传见《十国春秋》卷七十二。此称潘起"前吏部侍郎"，《新五代史》卷六十六《楚世家》称"礼部侍郎"。㊶阮籍（公元二一〇至二六三年）：三国魏文学家、思想家。母死将葬，食一蒸豚，饮二斗酒，然后与母诀别。㊷癸亥：十二月初十日。㊸城堑：修城墙和挖护城深沟。㊹褒谕：褒彰慰勉。㊺癸酉：十二月二十日。㊻避位受道：离开皇位，接受道教修炼。㊼丙子：十二月二十三日。㊽继鹏：王延钧长子。公元九三六年即皇帝位，更名昶，改元通文。公元九三九年，控鹤都将连重遇作乱，缢死。公元九三六至九三九年在位。传见《新五代史》卷六十八。㊾受箓：接受道教的符箓。其受道之法，初受《五千文箓》，次受《三洞箓》，次受《洞玄箓》，次受《上清箓》，以成道。㊿爱州：州名，治所移风，在今越南清化西北。㊶假子：义子。㊷图复交州：计划收复交州。因交州为南汉所占。㊸程宝（？至公元九三二年）：杨廷艺围攻交州，时交州刺史李进逃走，程宝被遣攻打杨廷艺。事见《新五代史》卷六十五《南汉世家》。《十国春秋》卷六十三有程宝传。

【校记】

［14］与：据章钰校，十二行本、乙十一行本皆作"兴"，以巫者名为"兴盛韬"，《通鉴纪事本末》同，《十国春秋》作"盛韬"，未知孰是。［15］将兵：原无此二字。据章钰校，十二行本、乙十一行本皆有此二字，今据补。

【语译】

三年（壬辰，公元九三二年）

春，正月，枢密使范延光上奏说："从灵州到邠州的方渠镇，使臣和外国来进贡的人经常被党项人抢劫，请求皇帝派兵讨伐他们。"初七日己丑，唐明宗派遣静难节

彦稠、前朔方节度使康福将步骑七千讨党项。

乙未[468]，孟知祥妻福庆长公主[469]卒。

孟知祥以朝廷恩意优厚，而董璋塞[470]绵州路，不听[471]遣使入谢，与节度副使赵季良等谋，欲发使自峡江[472]上表。掌书记李昊曰："公不与东川谋而独遣使，则异日[473]负约之责在我矣。"乃复遣使语之，璋不从。

二月，赵季良与诸将议遣昭武都监太原高彦俦[474]将兵攻取壁州，以绝山南兵转入山后诸州[475]者。孟知祥谋于僚佐，李昊曰："朝廷遣苏愿等西归，未尝报谢。今遣兵侵轶[476]，公若不顾坟墓、甥侄[477]，则不若传檄举兵[478]直取梁、洋[479]，安用壁州乎！"知祥乃止。季良由是恶昊。

辛未[480]，初令国子监[481]校定九经[482]，雕印卖之。

药彦稠等奏破党项十九族，俘二千七百人。

赐高从海爵勃海王。

吴徐知诰作礼贤院[483]于府舍，聚图书，延士大夫，与孙晟[484]及海陵陈觉[485]谈议时事。

孟知祥三遣使说董璋，以主上加礼于两川，苟[486]不奉表谢罪，恐复致讨，璋不从。三月辛丑[487]，遣李昊诣梓州，极论利害[488]，璋见昊，诟怒[489]不许。昊还，言于知祥曰："璋不通谋议，且有窥西川之志[490]，公宜备之。"

甲辰[491]，闽王延钧复位[492]。

【段旨】

以上为第十三段，写孟知祥三请董璋上表朝廷谢罪，璋不从，西川异心。

度使药彦稠、前朔方节度使康福率领七千名步兵、骑兵讨伐党项。

正月十三日乙未，孟知祥的妻子福庆长公主去世。

孟知祥认为朝廷对两川恩惠优厚，而董璋在绵州阻塞了通路，不让他派遣使者入朝致谢。孟知祥和节度副使赵季良等人商议，想派遣使者从峡江进京上表。掌书记李昊说："您不和东川商量而独自派遣使者，那么日后违反誓约的责任在我们身上了。"于是又派使者告诉董璋，董璋不肯听从。

二月，赵季良和各位将领商量派遣昭武都监太原人高彦俦率兵攻取壁州，以阻断山南的部队转入山后等州。孟知祥就此事和幕僚商议，李昊说："朝廷差遣苏愿等人回来，我们还没有上表表示谢意。现在派兵侵扰，您如果不顾及祖坟和甥侄，还不如传檄发兵直取梁州、洋州，何必要攻壁州呢！"于是孟知祥停止了这次军事行动。赵季良由此忌恨李昊。

二月十九日辛未，初次命令国子监校定九经，雕版印制出售。

药彦稠等人奏报说攻破了党项的十九个部族，俘虏了二千七百人。

赐予高从诲爵位勃海王。

吴国的徐知诰在府舍中建造礼贤院，搜集图书，延揽士大夫，和孙晟及海陵人陈觉一起讨论时事。

孟知祥第三次派遣使者劝说董璋，认为皇上对两川优礼有加，如果不上表谢罪，恐怕还会遭到朝廷的讨伐，董璋不肯听从。三月十九日辛丑，孟知祥派李昊前往梓州，极力向董璋陈说利害，董璋见到李昊，生气臭骂一顿不肯答应。李昊回来后，对孟知祥说："董璋不容商量，而且还有窥伺西川的打算，您应该防备他。"

三月二十二日甲辰，闽王王延钧复位。

【注释】

㊽灵州：州名，在今宁夏回族自治区灵武。㊾方渠镇：地名，在今甘肃环县南。㊿党项：属羌族，是我国古代居住在西北的少数民族。五代时散处邠宁、鄜延、灵武、河西一带，常向中原王朝朝贡。467 己丑：正月初七日。468 乙未：正月十三日。469 福庆长公主（？至公元九三二年）：后唐李克用的侄女，庄宗即位封琼华长公主，明宗时改封福庆长公主。孟知祥称帝，追册为皇后。传见《十国春秋》卷五十。470 塞：阻塞。471 不听：不从；不答应。472 峡江：长江自重庆市奉节瞿塘峡以下称峡江。473 异日：他日，即以后。474 高彦俦（？至公元九六五年）：山西太原人，后蜀大将，官至昭武军节度使。传

见《十国春秋》卷五十四。⑮山后诸州：指巴、蓬、果等州。⑯侵轶：侵犯；侵扰。⑰坟墓、甥侄：指孟知祥祖先坟墓在今河北邢台，孟知祥甥侄在洛阳为官。孟知祥若出兵，恐遭掘坟、灭族之祸。⑱传檄举兵：发出声讨檄文，邀集诸镇，兴兵讨伐。⑲梁、洋：梁州和洋州。⑳辛未：二月十九日。㉑国子监：国家的教育管理机构和最高学府。㉒九经：九部儒家经典，宋以前常以《周易》《尚书》《诗经》《周礼》《仪礼》《礼记》《左传》《公羊传》《穀梁传》为"九经"。版刻印卖九经由此始。㉓礼贤院：用以招待优礼

【原文】

吴越武肃王钱镠寝[16]疾，谓将吏[493]曰："吾疾必不起，诸儿皆愚懦[494]，谁可为帅者？"众泣曰："两镇令公[495]仁孝有功，孰不爱戴！"镠乃悉出印钥[496]授传瓘，曰："将吏推尔，宜善守之。"又曰："子孙善事中国[497]，勿以易姓[498]废事大之礼。"庚戌[499]，卒，年八十一。

传瓘与兄弟同幄行丧[500]，内牙指挥使陆仁章[501]曰："令公嗣先王霸业，将吏旦暮趋谒，当与诸公子异处。"乃命主者[502]更设一幄，扶传瓘居之，告将吏曰："自今惟谒令公，禁诸公子从者无得妄入。"昼夜警卫，未尝休息。镠末年，左右皆附传瓘，独仁章数以事犯之[503]。至是，传瓘劳之，仁章曰："先王在位，仁章不知事令公，今日尽节，犹事先王也。"传瓘嘉叹[504]久之。

传瓘既袭位，更名元瓘，兄弟名"传"者皆更为"元"。以遗命去国仪[505]，用藩镇法。除民田荒绝[506]者租税。命处州[507]刺史曹仲达[508]权知政事。置择能院[509]，掌选举殿最[510]，以浙西营田副使沈崧[511]领之。

内牙指挥使富阳[512]刘仁杞及陆仁章久用事，仁章性刚，仁杞好毁短人，皆为众所恶。一日，诸将共诣府门请诛之。元瓘使从子仁俊[513]谕之，曰："二将事先王久，吾方图其功，汝曹乃欲逞私憾[514]而杀之，可乎？吾为汝王，汝当禀[515]吾命；不然，吾当归临安[516]以避贤路！"众惧而退。乃以仁章为衢州[517]刺史，仁杞为湖州[518]刺史。中外有上书告讦[519]者，元瓘皆置不问，由是将吏辑睦[520]。

知识分子。㊹孙晟（？至公元九五六年）：初名凤，又名忌，山东高密人，善文辞，尤工于诗。官至南唐宰相。传见《旧五代史》卷一百三十一、《新五代史》卷三十三、《十国春秋》卷二十七。㊹陈觉（？至公元九五八年）：江苏泰州人。传见《十国春秋》卷二十六。㊹苟：如果。㊹辛丑：三月十九日。㊹极论利害：充分而深刻地论述利害关系。㊹诟怒：发怒大骂。㊹且有窥西川之志：而且有谋取西川的野心。㊹甲辰：三月二十二日。㊹复位：仍为皇帝。原曾避位受箓，赐道名玄锡。

【语译】

吴越武肃王钱镠卧病在床，对将领府吏们说："我这次生病一定好不了，我的几个儿子都愚昧懦弱，有谁能够当主帅呢？"大家哭着说："两镇令公仁爱孝顺，立有功劳，谁不爱戴他！"钱镠便把所有的印信、钥匙交给钱传瓘，对他说："将领府吏拥戴你，你应好好守住这份基业。"又说："子孙们要好好地侍奉中原，不要因为中原改朝换代而放弃了侍奉大国的礼节。"三月二十八日庚戌，钱镠去世，终年八十一岁。

钱传瓘和兄弟们在同一个幄帐中守丧，内牙指挥使陆仁章说："令公继承先王的霸业，将领府吏们早晚前来拜见，应该和诸位公子分开住。"于是命令主持丧事的人另外设置一个幄帐，扶着钱传瓘住进里面，对将领府吏宣布说："从今以后这里只能谒见令公，禁止诸位公子和随从们随便进入。"陆仁章昼夜警卫，未曾休息。在钱镠晚年，左右的大臣们都归附了钱传瓘，只有陆仁章多次因为一些事情冒犯他。到这时，钱传瓘慰劳他，陆仁章说："先王在位时，仁章不知道侍奉令公，今日为您尽力，就像是当年侍奉先王一样。"钱传瓘听了，夸奖赞叹了很久。

钱传瓘继承王位以后，改名叫元瓘，兄弟们的名字中有"传"字的全都改为"元"。因为有钱镠遗命，除去国家的仪制，行用藩镇之制。免除百姓田地荒芜和户绝无主者的租税。命令处州刺史曹仲达代为掌理政事。设置择能院，主管甄别选拔人才，任命浙西营田副使沈崧掌理其事。

内牙指挥使富阳人刘仁杞和陆仁章长时间当权，陆仁章性情刚烈，而刘仁杞爱说别人的坏话，两个人都被大家痛恨。一天，将领们一起来到府门前，请求钱元瓘杀了他们两个人；钱元瓘让他的侄子钱仁俊劝谕大家，说："这两位将军侍奉先王很长时间，我正指望他们为我做事，你们竟然想逞私愤而杀掉他们，这怎么行呢？我是你们的王，你们应禀从我的命令。不然的话，我就回我的临安好给贤能的人让路！"大家很害怕，退了下去。于是钱元瓘任命陆仁章为衢州刺史，刘仁杞为湖州刺史。朝廷内外有人上书揭短攻击的，钱元瓘都搁置不问，从此文武百官和睦。

【段旨】

以上为第十四段，写吴越王钱镠薨，钱传瓘继位，处置适宜，将吏辑睦。

【注释】

[493]将吏：将军和府吏。[494]愚懦：愚昧懦弱。[495]两镇令公：指钱传瓘。天成三年（公元九二八年），钱镠以两镇授传瓘，是年秋朝廷加传瓘中书令，故此称两镇令公。[496]印钥：印，指吴越国印及镇海、镇东节度使印。钥，指内外城各门及宫门钥匙。[497]善事中国：好好地侍奉中原王朝。[498]易姓：指中原王朝更替。[499]庚戌：三月二十八日。[500]同幄行丧：在同一个帐篷里守灵护丧。幄，帐篷。[501]陆仁章（？至公元九三九年）：浙江淳安人，家贫为钱镠园卒。以功拔擢，官至保大军节度使，同参相府事。传见《十国春秋》卷八十六。[502]主者：主持操办钱镠丧事的人。[503]以事犯之：因处理事务冒犯元瓘。[504]嘉叹：嘉奖赞叹。[505]去国仪：去掉国家的仪制。此指除去吴越国名号。[506]荒绝：荒，指有

【原文】

初，契丹舍利[521]萴刺[522]与惕隐皆为赵德钧所擒，契丹屡遣使请之。上谋于群臣，德钧等皆曰："契丹所以数年不犯边、数求和者，以此辈[523]在南故也。纵之[524]则边患复生。"上以问冀州[525]刺史杨檀[526]，对曰："萴刺，契丹之骁将[527]，向[528]助王都谋危社稷[529]，幸而擒之，陛下免其死，为赐已多。契丹失之如丧手足。彼在朝廷数年，知中国虚实，若得归，为患必深。彼才出塞，则南向发矢[530]矣，恐悔之无及。"上乃止。檀，沙陀人也。

上欲授李赞华以河南藩镇，群臣皆以为不可，上曰："吾与其父约为昆弟[531]，故赞华归我。吾老矣，后世继体[532]之君，虽欲招之，其可致乎！"夏，四月癸亥[533]，以赞华为义成节度使，为选朝士[534]为僚属辅之。赞华但优游自奉[535]，不豫政事。上嘉之，虽时有不法亦不问，以庄宗后宫夏氏[536]妻之。赞华好[537]饮人血，姬妾多刺臂以吮之。婢仆小过，或抉目[538]，或刀刲火灼[539]。夏氏不忍其残[540]，奏离婚为尼。

主而不耕。绝，指户绝而无主。⑤⓪⑦ 处州：州名，治所括苍，在今浙江丽水东南。⑤⓪⑧ 曹仲达（公元八八二至九四三年）：性仁厚好施，食不二味，娶钱镠妹为妻，官至吴越国丞相。传见《十国春秋》卷八十六。⑤⓪⑨ 择能院：吴越国所置机构，掌选拔贤能者。⑤①⓪ 殿最：最好和最差。⑤①① 沈崧（公元八六三至九三八年）：字吉甫，福建人，乾宁二年（公元八九五年）进士，官至吴越国丞相。传见《十国春秋》卷八十六。⑤①② 富阳：县名，在今浙江杭州市富阳区。⑤①③ 仁俊：钱元瓘的侄子，幼警敏有智略，官至威武军节度使。传见《十国春秋》卷八十三。⑤①④ 私憾：私人的怨愤。⑤①⑤ 禀：秉承；接受。⑤①⑥ 临安：县名，在今浙江杭州市临安区，为钱镠故居。⑤①⑦ 衢州：州名，在今浙江衢州。⑤①⑧ 湖州：州名，在今浙江湖州。⑤①⑨ 告讦：攻击别人的短处或揭发别人的隐私。⑤②⓪ 辑睦：安辑、和睦。

【校记】

［16］寝：原无此字。据章钰校，十二行本有此字，张敦仁《通鉴刊本识误》同，今据补。

【语译】

起初，契丹的舍利萴剌和惕隐都被赵德钧擒获，契丹多次派遣使者请求遣返他们。唐明宗和群臣们商议，赵德钧等都说："契丹之所以几年来没有侵犯边境，多次要求讲和，就是因为这些人在我们这里。如果放了他们，那么又会发生边患。"唐明宗询问冀州刺史杨檀，杨檀回答说："萴剌是契丹的骁勇将领，从前帮助王都阴谋危害社稷，幸好活捉了他，陛下免了他一死，赐给他的恩惠已经够多了。契丹失去了他犹如丧失手足。他在朝廷好几年了，知道中国的虚实情况，如果得机归还，对我们的危害一定很大。他一出边塞，就会南下进攻，恐怕那时我们后悔也来不及了。"唐明宗于是将这事作罢。杨檀，是沙陀人。

唐明宗想授予李赞华河南的藩镇，群臣都认为不可以，唐明宗说："我和他的父亲相约结为兄弟，所以李赞华才归附我。我老了，后世继承大统的国君，即使想招抚他，能把他招得来吗！"夏，四月十一日癸亥，任命李赞华为义成节度使，为他选派朝中有学问的官吏做幕僚辅佐他。李赞华只是优游享受，不参与政事。唐明宗认为他很好，即便时常有不法行为也不加追究，把唐庄宗的后宫夏氏嫁给他做妻子。李赞华喜欢喝人血，姬妾们常常刺破手臂让他吸血。奴婢、仆人微小过失，或者被挖去眼珠，或者被刀割火灼。夏氏难以忍受他的残暴行为，向唐明宗奏请和离，出家当尼姑。

【段旨】

以上为第十五段，写后唐明宗纳冀州刺史杨檀之言，不遣还契丹降将，以及李赞华的凶残。

【注释】

㉑舍利：与下文“惕隐”皆为契丹统军头目之称。㉒前剌：契丹统军头目名。㉓此辈：这些人。指担任舍利、惕隐等军事头目的人。㉔纵之：放了他们。㉕冀州：州名，

【原文】

乙丑㊶，加宋王从厚兼中书令。

东川节度使董璋会诸将谋袭成都，皆曰必克。前陵州刺史王晖曰：“剑南万里㊷，成都为大，时方盛夏，师出无名，必无成功。”璋不从[17]。孟知祥闻之，遣马军都指挥使潘仁嗣将三千人诣汉州诇㊸之。

璋入境，破白杨林镇㊹，执戍将武弘礼，声势甚盛。知祥忧之，赵季良曰：“璋为人勇而无恩㊺，士卒不附，城守则难克，野战则成擒矣。今不守巢穴，公之利也。璋用兵精锐皆在前锋，公宜以羸兵诱之，以劲兵待之，始虽小衄㊻，后必大捷。璋素有威名，今举兵暴至㊼，人心危惧，公当自出御之，以强㊽众心。”赵廷隐以季良言为然，曰：“璋轻而无谋㊾，举兵必败，当为公擒之。”辛巳㊿，以廷隐为行营马步军都部署，将三万人拒之。

五月壬午朔[551]，廷隐入辞[552]。董璋檄书至，又有遗季良、廷隐及李肇书，诬之，云季良、廷隐与己通谋，召己令来。知祥以书授廷隐，廷隐不视，投之于地，曰：“不过为反间[553]，欲令公杀副使[554]与廷隐耳。”再拜而行。知祥曰：“事必济矣。”肇素不知书，视之，曰：“璋教我反耳。”囚其使者，然亦拥众[555]为自全计[556]。

璋兵至汉州，潘仁嗣与战于赤水[557]，大败，为璋所擒，璋遂克汉州[558]。

癸未[559]，知祥留赵季良、高敬柔守成都，自将兵八千趣汉州。至

治所信都，在今河北衡水市冀州区。㉖杨檀：即杨光远（？至公元九四四年），字德明，沙陀人，有口辩，通晓吏治，官至后晋太师，封寿王。传见《旧五代史》卷九十七、《新五代史》卷五十一。㉗骁将：骁勇的将领。㉘向：从前。㉙社稷：国家。㉚南向发矢：向南射箭。比喻契丹发兵进攻。㉛昆弟：兄弟。㉜继体：继承大统。㉝癸亥：四月十一日。㉞朝士：朝中有学问的官员。㉟优游自奉：自由自在地享受优越的待遇。㊱夏氏：庄宗昭容，封虢国夫人。㊲好：喜欢。㊳抉目：挖眼睛。㊴刀刲火灼：刀割、火烧。㊵不忍其残：难以忍受他的残暴行为。

【语译】

四月十三日乙丑，加封宋王李从厚兼任中书令。

东川节度使董璋会集众将策划进攻成都，大家说一定能攻下成都。前陵州刺史王晖说："剑南幅员万里，以成都最大，现在正值盛夏，师出无名，必定不会成功。"董璋未予采纳。孟知祥听到消息，派遣马军都指挥使潘仁嗣率领三千人前往汉州刺探他。

董璋进入西川境内，攻破白杨林镇，抓获了戍守将领武弘礼，声势极大。孟知祥很担忧。赵季良说："董璋为人勇猛而没有恩德，士卒不愿依附。他据城固守，就很难攻破，在野外作战，就会被活捉。现在他不守卫老巢，这对您是有利的。董璋用兵，精锐部队全放在前锋，您应该用老弱残兵引诱他们，用精兵强将等待敌军，开始阶段虽然小败，后来一定大胜。董璋一向有威武的名声，现在他起兵突然到达，我们人心惶恐，您应当亲自出去抵御敌军，以此振奋大家的信心。"赵廷隐认为赵季良的话有道理，也说："董璋轻率无谋，这次举兵必定失败，我该替您活捉了他。"四月二十九日辛巳，任命赵廷隐为行营马步军都部署，率领三万人抵御董璋。

五月初一日壬午，赵廷隐来府署向孟知祥辞行。正恰董璋的挑战檄书送到这里，还有给赵季良、赵廷隐和李肇的私人信件，诬蔑他，说赵季良、赵廷隐和他董璋串通商量，召他带兵前来进攻西川。孟知祥把信交给赵廷隐，赵廷隐不看，把信扔在地上，说："不过是使用反间，想让您杀了副使和我廷隐而已。"赵廷隐向孟知祥再拜后就起程了。孟知祥说："事情一定能够成功。"李肇一向不认得字，看了来信，便说："董璋这是叫我造反。"于是囚禁了董璋的使者，但也率军做了自我保护的计划。

董璋的部队到达汉州，潘仁嗣和他在赤水交战，大败，人也被董璋俘虏了，董璋随即攻克了汉州城。

五月初二日癸未，孟知祥留下赵季良、高敬柔守备成都，自己率领八千名士兵

弥牟镇[560]，赵廷隐陈于镇北。甲申[561]，迟明，廷隐陈于鸡踪桥[562]，义胜定远都知兵马使张公铎[563]陈于其后。俄而璋望西川兵盛，退陈于武侯庙[564]下。璋帐下骁卒大噪曰："日中曝我辈何为！何不速战[18]！"璋乃上马。前锋始交[565]，东川右厢马步都指挥使张守进降于知祥，言璋兵尽此[566]，无复后继，当急击之。知祥登高冢[567]督战，左明义指挥使毛重威、左冲山指挥使李瑭守鸡踪桥，皆为东川兵所杀。赵廷隐三战不利，牙内都指挥副使侯弘实兵亦却。知祥惧，以马棰[568]指后陈。张公铎帅众大呼而进，东川兵大败，死者数千人，擒东川中都指挥使[569]元瓒[570]、牙内副指挥使董光演等八十余人。璋拊膺[571]曰："亲兵皆尽，吾何依[572]乎！"与数骑遁去，余众七千人降，复得潘仁嗣[573]。知祥引兵追璋至五侯津[574]，东川马步都指挥使元瓌降。西川兵入汉州府第，求璋不得，士卒争璋军资[575]，故璋走得免。赵廷隐追至赤水，又降其卒三千人。是夕，知祥宿雒县[576]。命李昊草榜[577]谕东川吏民，及草书[578]劳问璋，且言将如梓州，询负约之由[579]，请见伐之罪[580]。乙酉[581]，知祥会廷隐于赤水，遂西还，命廷隐将兵攻梓州。

璋至梓州，肩舆[582]而入，王晖迎问曰："太尉[583]全军出征，今还者无十人，何也？"璋涕泣不能对。至府第，方食，晖与璋从子牙内都虞候延浩帅兵三百大噪[584]而入。璋引[585]妻子登城，子光嗣自杀。璋至北门楼，呼指挥使潘稠使讨乱兵，稠引十卒登城，斩璋首，及取光嗣首以授王晖，晖举城迎降[586]。赵廷隐入梓州，封府库[587]以待知祥。李肇闻璋败，始斩其使以闻[588]。

丙戌[589]，知祥入成都。丁亥[590]，复将兵八千如梓州。至新都[591]，赵廷隐献董璋首。己丑[592]，发玄武[593]，赵廷隐帅东川将吏来迎。

康福奏党项钞盗[594]者已伏诛，余皆降附。

奔赴汉州。到了弥牟镇，赵廷隐的部队在镇北扎营。初三日甲申，天刚蒙蒙亮，赵廷隐在鸡踪桥摆开阵势，义胜定远都知兵马使张公铎则把部队部署在他的阵地后面。不一会儿，董璋远远望见西川的部队气势很盛，就把部队撤退到武侯庙下列阵。董璋帐下的骁勇兵卒大声喊叫："太阳正当午，把我们晒在太阳底下干什么！怎么还不速速一战！"董璋便上马进军。前锋部队刚刚交战，东川的右厢马步都指挥使张守进就投降了孟知祥，说董璋的部队都在这里了，再也没有后继部队，应该赶快攻打他。孟知祥登上高坡督战，左明义指挥使毛重威、左冲山指挥使李瑭把守鸡踪桥，全都被东川部队所杀。赵廷隐三次交战失利，牙内都指挥副使侯弘实的部队也向后退却。孟知祥很害怕，用马鞭指着后面的预备部队。张公铎率领部队大声呼喊着向前冲锋，东川的部队大败，死了几千人，活捉了东川的中军都指挥使元瓒、牙内副指挥使董光演等八十余人。董璋捶打胸脯说："我的亲信部队全光了，我还依靠谁呢！"于是和几名骑兵逃走，剩下的七千名士卒投降了，从降兵中得到了潘仁嗣。孟知祥率兵追击董璋到了五侯津，东川的马步都指挥使元瓌投降。西川的部队进入了汉州的府第，寻找董璋，没有找到，士卒们争抢董璋的军用物资，所以使董璋得以逃脱。赵廷隐率兵追到赤水，又招降了董璋的士卒三千人。当晚，孟知祥留宿在雒县。命令李昊草拟榜文告谕东川的官吏百姓，又起草信件慰劳问候董璋，并且说他自己就要前往梓州，当面问问他背弃誓约的原因，请教一下自己被征伐的罪名。初四日乙酉，孟知祥和赵廷隐在赤水会合，于是自己西还成都，命令赵廷隐率军攻打梓州。

董璋到了梓州，坐着轿子进城，王晖前来迎接问候，说："太尉您带领全部人马出征，现在回来的不到十个人，这是怎么了？"董璋啼哭不能回答。到了府第，正在吃饭，王晖和董璋的侄子牙内都虞候董延浩带着三百名士兵大声嚷叫着闯了进来。董璋带着妻儿登上城垣，儿子董光嗣自杀身亡。董璋到了北门城楼，呼叫指挥使潘稠，让他去讨伐乱兵，潘稠带着十名士卒登上城楼，砍了董璋的头，又割下董光嗣的头，一起交给王晖，王晖带领全城迎接赵廷隐，向他投降。赵廷隐进入梓州城，查封府库，等待孟知祥。李肇听说董璋失败了，才斩杀了董璋的使者，并报告孟知祥。

五月初五日丙戌，孟知祥回到成都。初六日丁亥，又率领八千名士兵前往梓州。到达新都时，赵廷隐派人向他献上董璋的首级。初八日己丑，从玄武出发，赵廷隐率领东川的将领和官吏们前来迎接。

康福奏报党项抄掠抢劫的人已被处死，其余的人都投降归附了朝廷。

【段旨】

以上为第十六段，写董璋为孟知祥所并，割据全蜀成定局。

【注释】

[541] 乙丑：四月十三日。[542] 剑南万里：指整个四川疆域辽阔。唐在四川置剑南节度使，故以剑南指代四川。[543] 诇：侦察；刺探。[544] 白杨林镇：地名，在今四川广汉境内。[545] 无恩：无恩德于人。[546] 小衄：小败。[547] 暴至：突然到来。[548] 强：振奋。[549] 轻而无谋：轻率而没有谋略。[550] 辛巳：四月二十九日。[551] 壬午朔：五月初一日。[552] 入辞：进西川节度使府告辞上前线。[553] 反间：用计离间敌人，使之内讧。[554] 副使：指赵季良。[555] 拥众：率领军队。[556] 自全计：保全自己的打算。[557] 赤水：地名，在汉州东南，在今四川广汉东南。[558] 汉州：州名，治所在今四川广汉。[559] 癸未：五月初二日。[560] 弥牟镇：在今四川成都市新都区境内。[561] 甲申：五月初三日。[562] 鸡踪桥：地名，在今四川成都附近。据胡三省注，应为汉州雒县（即今四川广汉）南之金雁桥，因当时两军在汉州对阵。[563] 张公铎（？至公元九四五年）：山西太原人，少涉猎文史，为政清严。官至保宁军节度使。传见《十国春秋》卷五十一。[564] 武侯庙：诸葛亮庙。诸葛亮有功于蜀，所在皆立庙。此为汉州之武侯庙。[565] 始交：开始交战。[566] 尽此：都在这里。[567] 高冢：高坡。[568] 马棰：马

【原文】

壬辰[595]，孟知祥有疾。癸巳[596]，疾甚。中门副使王处回侍左右，庖人[597]进食，必空器[598]而出，以安众心。李仁罕自遂州来，赵廷隐迎于板桥[599]。仁罕不称[600]东川之功，侵侮廷隐，廷隐大怒。乙未[601]，知祥疾瘳[602]。丁酉[603]，入梓州。戊戌[604]，犒赏将士，既罢，知祥谓李仁罕、赵廷隐曰："二将谁当镇此？"仁罕曰："令公[605]再与蜀州[606]，亦行耳。"廷隐不对。知祥愕然[607]，退，命李昊草牒，俟二将有所推[608]，则命一人为留后。昊曰："昔梁祖、庄宗皆兼领四镇[609]，今二将不让，惟公自领之为便耳。公宜亟还府[610]，更与赵仆射[611]议之。"

己亥[612]，契丹使者迭罗卿辞归国，上曰："朕志在安边，不可不少副其求[613]。"乃遣荝骨舍利与之俱归。契丹以不得荝刺，自是数寇云州及振武。

孟知祥命李仁罕归遂州，留赵廷隐东川巡检，以李昊行梓州军府

鞭子。569 中都指挥使：官名，即中军都指挥使，高级指挥官。570 元墳：董璋大将。571 拊膺：捶胸。572 吾何依：我依靠谁呢。573 复得潘仁嗣：潘仁嗣为西川将，在赤水战役中被董璋所擒。574 五侯津：地名，在四川广汉西南。575 军资：军用物资。576 雒县：在今四川广汉。577 草榜：起草公告。578 草书：起草信件。579 询负约之由：询问违背联盟条约的缘由。580 请见伐之罪：请问被讨伐的罪名。581 乙酉：五月初四日。582 肩舆：轿子。583 太尉：指董璋。因董璋带太尉职衔。584 大噪：大声呼叫。585 引：率领。586 举城迎降：献出梓州城投降孟知祥。587 封府库：封存仓库。588 以闻：向孟知祥报告。589 丙戌：五月初五日。590 丁亥：五月初六日。591 新都：县名，在今四川成都市新都区。592 己丑：五月初八日。593 玄武：县名，在今四川中江县。594 钞盗：抄掠抢劫。

【校记】

［17］璋不从：原无此三字。据章钰校，十二行本、乙十一行本皆有此三字，张敦仁《通鉴刊本识误》同，今据补。［18］何不速战：原无此四字。据章钰校，十二行本、乙十一行本皆有此四字，张敦仁《通鉴刊本识误》、张瑛《通鉴校勘记》同，今据补。

【语译】

五月十一日壬辰，孟知祥生病。十二日癸巳，病情加重。中门副使王处回侍奉左右，厨师送来的食物，一定要让食器空着拿出来，借此安定众心。李仁罕从遂州前来，赵廷隐在板桥迎接他。李仁罕没有称赞赵廷隐在东川的功劳，反而侵侮他，赵廷隐大怒。十四日乙未，孟知祥的病好了。十六日丁酉，进入梓州城。十七日戊戌，犒赏参战将士，事毕之后，孟知祥对李仁罕、赵廷隐说："两位将军应该由谁镇守这里？"李仁罕说："令公如果再把蜀州交给我，我也可以去。"赵廷隐不回答。孟知祥很惊奇，回来后，命令李昊起草任命书，等两位将军有一人推让，就任命另一人为留后。李昊说："从前梁太祖、唐庄宗都是兼领四个军镇，现在两位将军互不相让，只有您自己兼领才合适。您最好赶快回成都府去，再和赵仆射商量此事。"

十八日己亥，契丹使者迭罗卿向唐明宗辞别回国，唐明宗说："朕的想法在于安定边境，不能不稍微满足他们的请求。"于是就遣返萴骨舍利，让他和使者一道回国。契丹因为没有得到萴剌回国，从此以后多次侵犯云州和振武。

孟知祥命令李仁罕回遂州去，留下赵廷隐担任东川巡检，任命李昊代理梓州军

事。昊曰："二虎[614]方争，仆不敢受命，愿从公还。"乃以都押牙王彦铢为东川监押[615]。癸卯[616]，知祥至成都，赵廷隐寻亦引兵西还。

知祥谓李昊曰："吾得东川，为患益深[617]。"昊请其故，知祥曰："自吾发梓州，得仁罕七状，皆云'公宜自领东川，不然诸将不服'。廷隐言'本不敢当东川，因仁罕不让，遂有争心耳'。君为我晓[618]廷隐，复以阆州为保宁军[619]，益[620]以果、蓬、渠、开四州，往镇之。吾自领东川，以绝仁罕之望。"廷隐犹不平，请与仁罕斗，胜者为东川，昊深解[621]之，乃受命。六月，以廷隐为保宁留后。戊午[622]，赵季良帅将吏请知祥兼镇东川，许之。季良等又请知祥称王，权行制书[623]，赏功臣，不许。

董璋之起兵[19]攻知祥也，山南西道节度使王思同以闻，范延光言于上曰："若两川并于一贼[624]，抚众守险[625]，则取之益难。宜及其交争，早图之。"上命思同以兴元之兵密规进取[626]。未几，闻璋败死，延光曰："知祥虽据全蜀，然士卒皆东方人，知祥恐其思归为变，亦欲倚朝廷之重以威其众，陛下不屈意抚之[627]，彼则无从自新。"上曰："知祥吾故人，为人离间至此，何屈意之有！"乃遣供奉官李存瓌赐知祥诏曰："董璋狐狼[628]，自贻[629]族灭。卿丘园亲戚[630]皆保安全，所宜成家世之美名，守君臣之大节[631]。"存瓌，克宁之子，知祥之甥也。

闽王延钧谓陈守元曰："为我问宝皇[632]：既为六十年天子，后当何如？"明日，守元入白："昨夕奏章，得宝皇旨，当为大罗仙主[633]。"徐彦林[20]等亦曰："北庙崇顺王尝见宝皇，其言与守元同。"延钧益自负，始谋称帝。表朝廷云："钱镠卒，请以臣为吴越王。马殷卒，请以臣为尚书令。"朝廷不报，自是职贡遂绝[634]。

府的事务。李昊说："两只老虎正在争斗，在下不敢接受任命，愿意跟您返回成都。"于是任命都押牙王彦铢为东川监押。二十二日癸卯，孟知祥到了成都，赵廷隐不久也率兵西返。

孟知祥对李昊说："我虽然取得了东川，但是担心的更多了。"李昊问是什么原因，孟知祥说："自从我离开梓州，收到了李仁罕的七次报告，都是说'您应该亲自兼领东川，不然的话，将领们心里不服气'。赵廷隐则说'我本来不敢说任职东川，因为李仁罕不谦让，才有了和他争夺的念头'。你替我告诉赵廷隐，我要把阆州再恢复为保宁军，增加果、蓬、渠、开四个州，派他前去镇守。我亲自兼领东川，好让李仁罕不再瞭望。"赵廷隐还是不满意，他要求和李仁罕决斗，得胜的一方镇守东川。李昊深入解释，他才接受任命。六月，任命赵廷隐为保宁留后。初七日戊午，赵季良带领文武官员请求孟知祥兼领东川，孟知祥答应了。赵季良等人又请求孟知祥称王，暂时使用皇帝的制令，赏赐功臣，孟知祥则没有答应。

董璋起兵进攻孟知祥时，山南西道节度使王思同把这一情况报告了朝廷，范延光对唐明宗说："如果两川被一个贼人兼并，安抚民众，据守险要，那么我们攻取他更加困难。应该趁着他们互相争斗，早点收拾他们。"唐明宗命令王思同利用兴元的部队暗中安排进击事宜。没过多久，得知董璋失败死去，范延光对唐明宗说："孟知祥虽然占据了全部蜀地，但士兵都是东方人，孟知祥害怕他们想回家乡会酿成叛乱，也想依靠朝廷的威望来震慑他们，陛下如果不违背自己本意安抚他一番，那么他就无从自新。"唐明宗说："孟知祥是我的老朋友，被人离间才造成今天这种局面，有什么违背本意可言的！"于是派遣供奉官李存瓌向孟知祥颁赐诏书，说："董璋是狐狼之辈，自招族灭。爱卿的祖宗墓园和亲人戚属都安然无恙，你应该好好保持你们家世的美名，谨守君臣的大节。"李存瓌，是李克宁的儿子，孟知祥的外甥。

闽王王延钧对道士陈守元说："替我问问宝皇：我当了六十年天子之后，又会怎么样？"第二天，陈守元进宫向他报告说："昨天晚上我上了奏章，得到宝皇的降旨，说您六十年后可以当大罗仙主。"徐彦林等人也说："北庙的崇顺王曾经见到宝皇，他说的话和陈守元一样。"王延钧听了更加自命不凡了，开始谋划称帝。他上表朝廷说："钱镠去世了，请册封臣为吴越王。马殷去世了，请任命臣为尚书令。"朝廷没有回复，从此他就不再向朝廷称臣纳贡了。

【段旨】

以上为第十七段，写蜀将赵廷隐与李仁罕二人争功不睦，孟知祥自领东川节度使，用以平息二将之争。

【注释】

⑤95 壬辰：五月十一日。⑤96 癸巳：五月十二日。⑤97 庖人：厨师。⑤98 空器：空碗、空盘。表示食物已被孟知祥吃尽，以安众心。⑤99 板桥：在今四川三台东南。⑥00 不称：不称赞。⑥01 乙未：五月十四日。⑥02 疾瘳：病愈。⑥03 丁酉：五月十六日。⑥04 戊戌：五月十七日。⑥05 令公：指孟知祥。因孟知祥曾加中书令衔，故称之。⑥06 再与蜀州：此前李仁罕曾领蜀州，所以这里有"再与"之言。蜀州，州名，在今四川崇州。⑥07 愕然：惊奇的样子。⑥08 推：推举。⑥09 梁祖、庄宗皆兼领四镇：朱温兼领宣武、宣义、天平、护国四镇，李存勖兼领河东、魏博、卢龙、成德四镇。⑥10 府：指成都府。⑥11 赵仆射：指赵季良。⑥12 己亥：五月十八日。⑥13 少副其求：稍稍满足他的要求。⑥14 二虎：指李仁罕与赵廷隐。⑥15 监押：后蜀官名，监管州府政务。⑥16 癸卯：五月二十二日。⑥17 为患益深：更加担心。⑥18 晓：告诉。⑥19 保宁军：方镇名，蜀以阆州为保宁军，董璋取阆州，废保宁军。孟知祥仍复阆州为保宁军。⑥20 益：增加。⑥21 深解：深入解释。⑥22 戊午：六月初七日。⑥23 权行制书：暂时用皇帝的制令。⑥24 并于一贼：合并给一个贼人统治。⑥25 抚众守险：安抚百姓，扼守险地。⑥26 密规进取：严密规划，收取两川。⑥27 屈意抚之：违背自己本意而安抚他。⑥28 狐狼：指董璋依凭窟穴，抗厉犯上。⑥29 自贻：自己招来。⑥30 丘园亲戚：祖先坟墓、亲人戚属。⑥31 守君臣之大节：恪守作为臣子的节操，尽臣子的义务。⑥32 宝皇：道教圣主。⑥33 大罗仙主：神仙名号。⑥34 职贡遂绝：向后唐称臣进贡的事中断。

【校记】

［19］起兵：原无此二字。据章钰校，十二行本、乙十一行本皆有此二字，今据补。［20］徐彦林：据章钰校，十二行本、乙十一行本皆无"林"字。〖按〗本卷上年作"徐彦林"，《新五代史·闽世家》作"徐彦"，《十国春秋》作"徐彦朴"，未知孰是。

【研析】

本卷研析孟知祥以诚得人死力、安重诲跋扈、孟知祥割据西川三件史事。

第一，孟知祥以诚得人死力。明宗长兴元年（公元九三〇年）二月初四日戊戌，西川都指挥使李仁罕、张业设宴请节度使孟知祥会饮。孟知祥从容赴宴，不带一个保镖，独身前往，李仁罕感动得磕头流涕说："老兵唯有以死报答主公的恩德。"孟知祥为何单刀赴会？李仁罕为何感动流涕？因在两天之前发生了重大的告密事件。有一个尼姑举报李仁罕、张业两位将军图谋反叛，设鸿门宴加害孟知祥。孟知祥严加追究，查出是两个中级军官都延昌、王行本编造的谎言，他们要假借孟知祥的手来除掉李仁罕、张业。二月初三日丁酉，孟知祥将都延昌、王行本两人明正典刑，腰斩于市。第二天孟知祥独身赴宴，示以诚心。孟知祥如此果决地处理要案，又如此自信地独身赴宴，充分展示了他的明察善断以及勇敢无畏的人格魅力，这就是超凡入圣的帝王气度，不是常人所有的。孟知祥能割据西川，以小喻大，确实是一时人杰。

第二，安重诲跋扈。明宗养子李从珂英勇善战，建立了许多军功，明宗怜爱有加。庄宗同光二年（公元九二四年），明宗镇真定。有一天安重诲与李从珂饮酒，酒席间二人发生口角，李从珂与安重诲起了冲突，酒醒后，李从珂向安重诲道歉，安重诲仍然怀恨在心，念念不忘除之而后快。李从珂当时为河东节度使，封潞王，安重诲一次又一次在明宗面前打小报告，说李从珂的坏话，明宗不为所动。后来安重诲居然假传明宗诏令，晓谕河东牙内指挥使杨彦温驱逐李从珂。李从珂被逐，逃到虞乡上书闻于明宗，明宗质问安重诲，安重诲反咬杨彦温是奸人。明宗要立案审讯，安重诲力主发兵征讨。明宗要求生擒杨彦温，安重诲竟然指使西都留守索自通、步军都指挥使药彦稠破城后斩杀杨彦温灭口。明宗一再退让，安重诲得寸进尺，又指使宰相冯道、赵凤上奏李从珂擅离职守，必欲置之死地而后快。冯道、赵凤两人上言遭到明宗斥责，两人惶恐而退。又一天，赵凤再次言及，明宗沉默不语。安重诲还不死心，又亲自为言，明宗说："朕昔日为小军官，家里贫困，依靠从珂拾马粪才维持生计，朕如今贵为天子，难道还不能保护一个患难相共的儿子吗？"此时的安重诲居功自满，简直不把明宗皇帝看在眼里，竟然一再逼迫皇帝处置皇子以泄私愤。安重诲跋扈如此，不学无术如此，最终惨遭冤杀，自取之也。

第三，孟知祥割据西川。孟知祥是后蜀的创业者，字保胤，邢州龙岗人。孟知祥叔父孟迁，唐末据邢、洺、磁三州，为晋王李克用所并。知祥长成，品貌非凡，李克用以其弟李克让之女妻孟知祥，入唐封为琼华长公主；李克用另一弟李克宁娶孟知祥之妹为妻。李、孟二姓政治联姻，不论尊卑，孟知祥作为外戚，是庄宗的舅父；作为女婿，是庄宗的堂妹夫。庄宗建号，孟知祥以其特殊关系以及个人才华，任太原尹，为北京留守。郭崇韬伐蜀，与庄宗临别，推荐孟知祥为蜀帅。庄宗于是改任孟知祥为成都尹、剑南西川节度副大使。同光四年（公元九二六年）正月，孟知祥入蜀，其时郭崇韬已死。不久，庄宗崩，明宗立，孟知祥见中原多事，暗中已下定决心，割据西川称王，扩军备战，训练士卒，增设义胜、定远、骁锐、义宁、飞棹等军七万余人。明宗长兴三年（公元九三二年），孟知祥并东川，杀董璋，自兼西川节度使。第二年，明宗封孟知祥为蜀王。同年十一月明宗崩，三个月后，孟知祥即皇帝位，国号蜀，史称后蜀。孟知祥能成就大事，主要有以下三个原因。一是以恩信笼络诸将，得人死力。孟知祥冒死单人赴宴，示诚于李仁罕、张业，后来二人多建奇功。二是广收人才，留赵季良为谋主。唐伐蜀先锋康延孝反叛，孟知祥与诸军合击，斩杀康延孝，孟知祥趁机纳降，得其将李肇、侯弘实及其兵数千以归。唐明宗任太仆卿赵季良为三川制置使入蜀，赐孟知祥官印，制置两川征赋。孟知祥拒不奉诏，截留两川征赋，上表以节度副使留赵季良为谋主，既搪塞了朝廷，又得良师，真是一箭双雕。三是欲擒故纵，联姻董璋反叛朝廷，而且并之。孟知祥原本厌恶董璋，两人不通音问，早有吞并之意。为了合纵对抗朝命，孟知祥用赵季良策，与董璋联姻，诱使董璋先反。安重诲兴兵伐蜀，原本是联合董璋诛讨孟知祥，反过来成了董璋替孟知祥打头阵，对抗朝廷。明宗还师，孟知祥三次邀约董璋上表朝廷谢恩，董璋亲属为朝廷诛灭，孟知祥亲属为朝廷放归，两相对照，董璋愤怒于孟知祥卖己，自不量力兴兵攻蜀，孟知祥名正言顺灭董璋，并东川，不但没有上表朝廷谢恩，反而据地称王称帝。孟知祥虽非命世大才，不能统一中原，但不失时机偏安一隅，也算是一个非常之人。

卷第二百七十八　后唐纪七

起玄黓执徐（壬辰，公元九三二年）七月，尽阏逢敦牂（甲午，公元九三四年）闰正月，凡一年有奇。

【题解】

本卷记事起公元九三二年七月，迄公元九三四年闰正月，凡一年又八个月，当后唐明宗长兴三年七月至后唐末帝清泰元年闰正月。唐明宗本代北胡人，武勇不知书，性忠厚，因乱为众所推，不意得皇帝位，不懂治国之术，权落群小。先是安重诲执政，而有伐蜀之举，促成孟知祥据蜀，继又夏州守将李彝超不奉诏移镇，官军往讨无功，朝廷威信下落。秦王李从荣轻佻峻急，大臣畏避，明宗知其不才而不能裁制，导致从荣反叛被诛。明宗崩，第五子宋王李从厚即位，从厚仁弱，不能掌控朝政，胥吏小人朱弘昭、冯赟等专权，嫉贤妒能，朝廷威信扫地。孟知祥称帝于蜀。石敬瑭得机为北京留守，为后晋建立张本。

【原文】

明宗圣德和武钦孝皇帝下

长兴三年（壬辰，公元九三二年）

秋，七月[1]，朔方奏夏州党项入寇，击败之，追至贺兰山①。

己丑②，加镇海、镇东[2]节度使钱元瓘守中书令。

庚寅③，李存瓌至成都，孟知祥拜泣受诏。

武安、静江节度使马希声以湖南比年大旱④，命闭南岳⑤及境内诸神祠门，竟不雨。辛卯⑥，希声卒，六军使⑦袁诠、潘约等迎镇南节度使希范⑧于朗州而立之。

乙未⑨，孟知祥遣李存瓌还，上表谢罪⑩，且告福庆公主之丧。自是复称藩⑪，然益骄倨矣[3]。

庚子⑫，以西京留守、同平章事李从珂为凤翔节度使。

废武兴军⑬，复以凤、兴、文三州隶山南西道。

【语译】

明宗圣德和武钦孝皇帝下

长兴三年（壬辰，公元九三二年）

秋，七月，朔方守军上奏说夏州的党项入侵，已经打败了他们，追击到贺兰山。

初九日己丑，加封镇海、镇东节度使钱元瓘为中书令。

初十日庚寅，李存瓌到达成都，孟知祥哭着拜伏于地接受诏书。

武安、静江节度使马希声因为湖南连年大旱，下令关闭南岳庙和境内各神祠的庙门，到最后还是没下雨。十一日辛卯，马希声去世，六军使袁诠、潘约等人在朗州迎接镇南节度使马希范，拥立他为王。

七月十五日乙未，孟知祥派遣李存瓌返回洛阳，向唐明宗上表谢罪，并报告了福庆长公主的死讯。从此以后又成为朝廷的藩臣，但愈加骄纵了。

二十日庚子，任命西京留守、同平章事李从珂为凤翔节度使。

废除武兴军，又把凤、兴、文三州归属山南西道。

丁未⑭，以门下侍郎、同平章事赵凤同平章事，充安国节度使。

八月庚申⑮，马希范至长沙。辛酉⑯，袭位⑰。

甲子⑱，孟知祥令李昊为武泰赵季良等五留后草表⑲，请以知祥为蜀王，行墨制⑳，仍自求旌节㉑。昊曰："比者㉒诸将攻取方镇，即有其地，今又自求朝廷[4]节钺及明公㉓封爵，然则轻重之权㉔皆在群下矣。借使明公自请，岂不可邪！"知祥大悟，更令昊为己草表，请行墨制，补两川刺史已下㉕。又表请以季良等五留后为节度使㉖。

初，安重诲欲图两川㉗，自知祥杀李严，每除刺史，皆以东兵卫送之㉘。小州不减㉙五百人，夏鲁奇、李仁矩、武虔裕各数千人，皆以牙队㉚为名。及知祥克遂、阆、利、夔、黔、梓六镇，得东兵无虑㉛三万人，恐朝廷征还㉜，表请其妻子㉝。

吴徐知诰广㉞金陵城㉟周围二十里。

【段旨】

以上为第一段，写孟知祥请旨为蜀王，楚国马殷第四子马希范继马希声为节镇，徐知诰大筑金陵城。

【注释】

①贺兰山：一称阿拉善山，在今宁夏西北边境和内蒙古接界处。②己丑：七月初九日。③庚寅：七月初十日。④比年大旱：连年大旱。⑤命闭南岳：下令关闭南岳庙庙门。南岳，衡山，在今湖南衡山县西，山势雄伟。古称衡山为南岳，山上有南岳庙。这里指的就是衡山上的南岳庙。⑥辛卯：七月十一日。⑦六军使：皇宫禁卫军的统领官。⑧希范：马希范（公元八九九至九四七年），字宝规，马殷第四子，以镇南节度使继楚王位，好学、善诗，性刚愎，奢靡而喜淫。公元九三二至九四七年在位，卒谥文昭。事见《旧五代史》卷一百三十三、《新五代史》卷六十六，《十国春秋》卷六十八有传。⑨乙未：七月十五日。⑩上表谢罪：上表文悔过去年对唐兵采取敌对行动的罪行。⑪称藩：称臣；成为藩镇。⑫庚子：七月二十日。⑬废武兴军：前蜀于永平五年（公元九一五年）置武兴军于凤州，割文、兴二州为属州。今废除，州还山南西道旧属。⑭丁未：七月二十七日。⑮庚申：八月十一日。⑯辛酉：八月十二日。⑰袭位：继承武安、静江节度使位。⑱甲子：八月十五日。⑲草表：起草请以孟知祥为蜀王的表文，上报后唐朝廷。⑳行

二十七日丁未，任命门下侍郎、同平章事赵凤为同平章事，充任安国节度使。

八月十一日庚申，马希范到达长沙。十二日辛酉，继承王位。

十五日甲子，孟知祥让李昊替武泰留后赵季良等五位留后起草奏章，请求朝廷任命孟知祥为蜀王，使用墨制诏书，并且各人自己也向朝廷请求赐给节度使的旌节。李昊说："近年将领们攻取了一个方镇，就占有其地，现在又自己向朝廷请求节钺以及您的封爵，这样一来，大小权力都落在下属手里。如果您自己向皇帝请求，难道不可以吗！"孟知祥彻底明白过来，重新让李昊替自己起草一份奏章，请求使用墨制诏书，补授两川刺史以下官员。又上表请求任命赵季良等五个留后为节度使。

当初，安重诲想收取两川，自从孟知祥杀死了李严之后，朝廷每次任命刺史，都要用后唐兵护送他们赴任。小的州不少于五百人，夏鲁奇、李仁矩、武虔裕等人上任各有几千人，都是以牙队的名义。等到孟知祥攻取遂、阆、利、夔、黔、梓六个军镇，得到了后唐士卒大约三万人，他害怕朝廷把这些人征召回去，就上表请求把这些士卒的妻子、儿女都接到两川来。

吴国的徐知诰把金陵城四周扩建了二十里。

墨制：用黑墨书写的制书，意即非正式公文。㉑自求旌节：谓五留后自己也向后唐请求赐给节度使的旌旗和符节。㉒比者：近年。㉓明公：指孟知祥。㉔轻重之权：大小权力。㉕补两川刺史已下：有权用墨制任命西川、东川刺史以下的官吏。㉖五留后为节度使：即武泰留后赵季良、武信留后李仁罕、保宁留后赵廷隐、宁江留后张业、昭武留后李肇为节度使。㉗图两川：打算收取西川和东川。㉘东兵卫送之：后唐兵保卫他们，送他们至任所。东兵，因后唐在四川之东，故称东兵。㉙不减：不少于。㉚牙队：即衙队。州刺史的禁卫兵。㉛无虑：大约。㉜征还：征召他们回去。㉝表请其妻子：上表章请求将东兵的妻子和子女送到两川来。㉞广：扩充。㉟金陵城：在今江苏南京。

【校记】

［1］七月：原作"七月朔"。据章钰校，十二行本、乙十一行本"朔"字皆不重，张敦仁《通鉴刊本识误》："'月'下脱'辛巳'二字。"即补朔日干支。《册府元龟》记此事作"七月灵武奏夏州党项……"，不言朔日，故当以章钰校为是，今据删。［2］镇东：原作"镇东军"。据章钰校，十二行本、乙十一行本皆无"军"字，今据删。［3］然益骄倨矣：原无此五字。据章钰校，十二行本、乙十一行本皆有此五字，张敦仁《通鉴刊本识误》、张瑛《通鉴校勘记》同，今据补。［4］朝廷：原无此二字。据章钰校，十二行本、乙十一行本皆有此二字，张敦仁《通鉴刊本识误》同，今据补。

【原文】

初，契丹既强，寇抄㊱卢龙诸州皆徧。幽州城门之外，虏骑充斥。每自涿州运粮入幽州，虏多伏兵于阎沟㊲，掠取之。及赵德钧为节度使，城阎沟而戍之，为良乡县㊳，粮道稍通。幽州东十里之外，人不敢樵牧㊴。德钧于州东五十里城潞县㊵而戍之，近州之民始得稼穑。至是，又于州东北百余里城三河县㊶以通蓟州运路。虏骑㊷来争，德钧击却之。九月庚辰朔㊸，奏城三河毕㊹。边人赖之㊺。

壬午㊻，以镇南节度使马希范为武安节度使兼侍中。

孟知祥命其子仁赞㊼摄行军司马㊽，兼都总辖两川牙内马步都军事。

冬，十月己酉朔㊾，帝复遣李存瓌如成都，凡剑南㊿自节度使、刺史以下官，听知祥差署讫奏闻[51]，朝廷更不除人[52]。唯[53]不遣戍兵妻子[54]，然其兵亦不复征也。

秦王从荣喜为诗，聚浮华之士[55]高辇等于幕府[56]，与相唱和[57]，颇自矜伐[58]。每置酒，辄[59]令僚属赋诗，有不如意者，面毁裂抵弃[60]。壬子[61]，从荣入谒，帝语之曰："吾虽不知书，然喜闻儒生讲经义，开益人智思[62]。吾见庄宗好为诗，将家子[63]文非素习，徒取人窃笑，汝勿效也。"

丙辰[64]，幽州奏契丹屯捺剌泊[65]。

前彰义节度使李金全屡献马，上不受，曰："卿在镇为治何如[66]？勿但以献马为事[67]！"金全，吐谷浑人也。

壬申[68]，大理少卿康澄上疏[5]曰："臣闻童谣[69]非祸福之本[70]，妖祥岂隆替之源[71]！故雊雉升鼎而桑谷生朝[72]，不能止殷宗之盛；神马长嘶而玉龟告兆[73]，不能延晋祚之长。是知国家有不足惧者五，有深可畏者六：阴阳不调[74]不足惧，三辰失行[75]不足惧，小人讹言[76]不足惧，山崩川涸[77]不足惧，蟊贼伤稼[78]不足惧。贤人藏匿[79]深可畏，四民迁业[80]深可畏，上下相徇[81]深可畏，廉耻道消[82]深可畏，毁誉乱真[83]深可畏，直言蔑闻[84]深可畏。不足惧者，愿陛下存而勿论[85]。深可畏者，愿陛下修而靡忒[86]！"优诏奖之。

【语译】

当初，契丹强盛以后，把卢龙各州都抢掠遍了。幽州城门之外，布满契丹骑兵。每次从涿州把粮食运进幽州，契丹人大多在阎沟埋伏兵马，把粮食掠走。等到赵德钧担任节度使，在阎沟修建城墙，设立良乡县，运粮的道路渐渐打通。幽州城东十里以外，人们不敢去打柴放牧。赵德钧在州城东面五十里修建了潞县城，派兵守卫，靠近州城的百姓始得耕种。到这时候，又在州城东北一百多里的地方修建了三河县城，用来打通到蓟州的运输道路。契丹的骑兵前来抢掠，赵德钧打退了他们。九月初一日庚辰，上奏朝廷说三河县城修建完毕。边境的居民靠这些城池得到保护。

初三日壬午，任命镇南节度使马希范为武安节度使兼任侍中。

孟知祥任命他的儿子孟仁赞代理行军司马，兼任都总辖两川牙内马步都军事。

冬，十月初一日己酉，唐明宗又派遣李存瓌前往成都，凡是剑南从节度使、刺史以下的官员，都听任孟知祥委任后再奏报朝廷，朝廷不再任命他人。只是不让戍守士兵的妻子、儿女去西川，但是那些士兵也不再征召东还。

秦王李从荣喜欢作诗，在幕府中聚集了浮华文士高辇等人，同他们相互作诗唱和，他很是自我夸耀。每次摆酒设宴，就让幕僚作诗，诗作得不合他意的，当面把诗稿撕毁掷在地上。十月初四日壬子，李从荣进宫谒见，唐明宗对他说："我虽然不认得字，但是喜欢听儒生们讲解经文的意义，扩大人的智慧和思考。我见到唐庄宗喜欢作诗，但武将家的子弟舞文弄墨本来就不在行，只能让人背地里笑话，你不要仿效。"

十月初八日丙辰，幽州方面奏报说契丹人屯兵捺剌泊。

前彰义节度使李金全一再向朝廷进献马匹，唐明宗不肯接受，对他说："你在军镇治理得怎么样？不要一心只想着进献马匹！"李金全是吐谷浑人。

二十四日壬申，大理少卿康澄上疏说："臣听说童谣不是判断祸福的根据，妖异和祥瑞岂能当作兴衰的本源！所以飞雉落于鼎耳，桑谷共生于朝，不能阻止殷王把国家复兴起来；神马长嘶、水涌玉龟吉兆的出现，并没有延长晋朝的国运。由此可知，国家有五件事不值得害怕，有六件事令人深为畏惧：气候变化无常不值得害怕，日月星辰运行失次不值得害怕，小人的流言蜚语不值得害怕，山崩河涸不值得害怕，害虫损害庄稼不值得害怕。贤人深藏不出值得害怕，士、农、工、商不安居乐业值得害怕，上下互相徇私勾结值得害怕，丧失廉耻之心值得害怕，好坏失真值得害怕，听不到直言谠论值得害怕。不值得害怕的事情，希望陛下把它摆在一边，不加理会。很值得害怕的事情，希望陛下留意，不出差错！"唐明宗颁下嘉许的诏书褒奖了康澄。

【段旨】

以上为第二段，写赵德钧守幽州，缮守备，制止了契丹侵扰；大理少卿康澄上奏“五不足惧、六深可畏”，明宗优诏褒之。

【注释】

㊱寇抄：侵犯、抄掠。㊲阎沟：地名，在今河北易县境内。㊳城阎沟而戍之二句：在阎沟筑城墙派兵镇守，并置阎沟为良乡县。㊴樵牧：打柴和放牧。㊵潞县：县名，在今北京市通州区东。㊶三河县：县名，因地近泃、洳、鲍丘三水而得名，在今河北三河。㊷虏骑：契丹的骑兵。㊸庚辰朔：九月初一日。㊹奏城三河毕：上奏朝廷，报告三河县建城完毕。㊺赖之：依靠它。㊻壬午：九月初三日。㊼仁赞：即蜀后主孟昶。㊽行军司马：节度使府高级属官，掌军务。㊾己酉朔：十月初一日。㊿剑南：方镇名，唐玄宗开元七年（公元七一九年）升剑南支度、营田、处置、兵马经略使为节度使，治所益州，在今四川成都。51听知祥差署讫奏闻：听任孟知祥委任后上表申报。差署，派遣任命。52更不除人：不再任命他人。53唯：只。54不遣戍兵妻子：不把戍兵的妻子和子女送到西川来。55浮华之士：华而不实的读书人。56幕府：节度使府。57与相唱和：指秦王与幕府所聚的一群浮华之士吟诗唱和。58颇自矜伐：很是自我夸耀。59辄：便；就。60有不如意者二句：如果诗写得不中其意便当面撕毁诗稿掷在地上。61壬子：十月初四日。62开益人智思：扩大人的智慧和思索能力。63将家子：武将家的子弟。64丙辰：

【原文】

秦王从荣为人鹰视[87]，轻佻峻急。既判六军诸卫事，复参朝政，多骄纵不法[88]。初，安重诲为枢密使，上专属任之[89]。从荣及宋王从厚[90]自襁褓与之亲狎[91]，虽典兵[92]，常为重诲所制[93]，畏事之[94]。重诲死，王淑妃与宣徽使孟汉琼宣传帝命，范延光、赵延寿为枢密使，从荣皆轻侮之[95]。河阳节度使、同平章事石敬瑭兼六军诸卫副使，其妻永宁公主与从荣异母，素相憎疾[96]。从荣以从厚声名出己右[97]，尤忌之[98]。从厚善以卑弱奉之[99]，故嫌隙不外见[100]。石敬瑭不欲与从荣共事，常思外补[101]以避之。范延光、赵延寿亦虑及祸，屡辞机要，请与旧臣迭[102]为十月初八日。㊅捺剌泊：契丹语，也作“捺钵”“纳捺”，即汉语“行在”的意思。其地在今山西大同附近。㊆为治何如：治理得怎么样。㊇为事：作为主要任务。㊈壬申：十月二十四日。㊉童谣：儿童唱的歌谣。㊊祸福之本：祸祟和幸福的根本。㊋妖祥岂隆替之源：妖异和祥瑞难道是兴盛和衰落的根源。㊌雊雉升鼎而桑谷生朝：雊雉升鼎，相传殷武丁祭成汤时，有飞雉停在鼎耳上鸣叫。雊，雉鸡叫。桑谷生朝，殷王太戊时，国都亳桑、穀二木共生于朝。“雊雉升鼎”“桑谷生朝”均非吉兆，武丁、太戊惧而修德，使殷朝振兴。㊍神马长嘶而玉龟告兆：神马长嘶，晋怀帝永嘉六年（公元三一二年）二月，有神马在南城门长鸣。玉龟告兆，魏明帝时，张掖柳谷水涌，有石马、石牛、石龟涌出，时人认为是上天报告吉祥的消息。“神马长嘶”“玉龟告兆”均为吉祥征兆，但魏与晋都很快灭亡。㊎阴阳不调：这里指天地气候变化无常。㊏三辰失行：谓日、月、星运行失次。㊐小人讹言：小人的流言蜚语。㊑山崩川涸：山岳崩溃，河流干涸。㊒蟊贼伤稼：昆虫损害庄稼。蟊，吃根的害虫。贼，吃节的害虫。㊓贤人藏匿：有道德、有贤能的人隐居不愿出仕。㊔四民迁业：士、农、工、商不安本业。四民，指士、农、工、商。㊕上下相徇：上下互相徇私勾结。㊖廉耻道消：丧失廉耻之心。㊗毁誉乱真：好坏失真，是非颠倒。㊘直言蔑闻：听不到正直的话。㊙存而勿论：保留着不必去理会。㊚修而靡忒：留心而不出差误。

【校记】

［5］上疏：原作“上书”。据章钰校，十二行本、乙十一行本皆作“上疏”，今据改。

【语译】

秦王李从荣为人目光凶狠如鹰，性情轻佻冷酷。自从掌理六军诸卫事务以后，又参与朝政，往往骄纵不守法纪。当初，安重诲担任枢密使，唐明宗把一切大权都委托给他。李从荣和宋王李从厚自从孩提时代就和他亲昵，李从荣虽然掌握了兵权，仍然时常被安重诲所辖制，以敬畏之心侍奉他。安重诲死了以后，王淑妃和宣徽使孟汉琼宣布唐明宗的意旨，范延光、赵延寿担任枢密使，李从荣对他们都很蔑视。河阳节度使、同平章事石敬瑭兼任六军诸卫副使，他的妻子永宁公主和李从荣是异母所生，平时相互憎恨。李从荣认为李从厚的声望超过自己，特别忌恨他。李从厚很会用谦卑弱势的姿态侍奉李从荣，所以两人之间的矛盾没有显露出来。石敬瑭不想和李从荣共事，常想补任外职好回避他。范延光、赵延寿两人也顾忌招惹灾祸，一再要求辞去枢要职务，请求能和勋旧大臣轮流担任，唐明宗没有同意。适逢契

之，上不许。会契丹欲入寇，上命择帅臣镇河东，延光、延寿皆曰："当今帅臣可往者独石敬瑭、康义诚耳。"敬瑭亦愿行，上即命除之。既受诏，不落六军副使[103]，敬瑭复辞，上乃以宣徽使朱弘昭知山南东道[104]，代义诚诣阙。

十一月辛巳[105]，以三司使孟鹄为忠武节度使，以忠武节度使冯赟充宣徽南院使、判三司。鹄本刀笔吏[106]，与范延光乡里厚善，数年间引擢[107]至节度使。上虽知其太速，然不能违[108]也。

乙酉[109]，上以胡[110]寇浸[111]逼北边，命趣[112]议河东帅[113]。石敬瑭欲之[114]，而范延光、赵延寿欲用康义诚，议久不决。权[115]枢密直学士[116]李崧以为非石太尉[117]不可，延光曰："仆[118]亦累奏用之，上欲留之宿卫[119]耳。"会上遣中使趣之，众乃从崧议。丁亥[120]，以石敬瑭为北京留守、河东节度使，兼大同、振武、彰国[121]、威塞等军蕃汉马步总管，加兼侍中。

【段旨】

以上为第三段，写秦王李从荣轻佻峻急，大臣畏之。石敬瑭为北京留守，为后晋建立张本。

【注释】

⑧⑦鹰视：形容人的目光凶狠，有如老鹰视物。⑧⑧骄纵不法：骄奢、放纵，不守法纪。⑧⑨上专属任之：明宗专一信任他。⑨⓪宋王从厚（公元九一四至九三四年）：明宗第五子，小字菩萨奴，好读《春秋》，略通大义。明宗崩后第四日，宋王由魏州至京，至三日即皇帝位，公元九三三至九三四年在位。终被李从珂鸩死，谥闵。传见《旧五代史》卷四十五、《新五代史》卷七。⑨①亲狎：亲近。⑨②典兵：统帅军队。⑨③制：制约；约束。⑨④畏事

丹人准备入侵，唐明宗命令挑选一个元帅大臣前去镇守河东，范延光、赵延寿都说："当今的元帅大臣可以前往的只有石敬瑭、康义诚而已。"石敬瑭也愿意前去，唐明宗当即就任命了他。接受了诏命以后，没有免除六军副使的职位，石敬瑭又向唐明宗请辞，唐明宗于是任命宣徽使朱弘昭掌理山南东道，以接替康义诚的职务，让康义诚到朝廷来。

十一月初三日辛巳，任命三司使孟鹄为忠武节度使，任命原忠武节度使冯赟充任宣徽南院使、判理三司。孟鹄本来是一个办理文书事务的小吏，与范延光在乡间的时候交情深厚，几年之间被推荐提拔到节度使。唐明宗虽然知道他提升得太快，但是没有办法阻止。

初七日乙酉，唐明宗因为契丹人渐渐进逼北部边境，命令赶快议定河东主帅人选。石敬瑭希望能得到这个职务，而范延光、赵延寿想任用康义诚，议论了很长时间没有决定下来。代行枢密直学士李崧认为担任此职的非石太尉不可，范延光说："在下也多次向皇上上表请求任用他，但是皇上想把他留下警卫宫禁。"正好这时唐明宗派遣中使前来催促，大家就采纳了李崧的建议。初九日丁亥，任命石敬瑭为北京留守、河东节度使，兼任大同、振武、彰国、威塞等军蕃汉马步总管，加任兼侍中。

之：敬畏而侍奉、听从他。⑮轻侮之：轻蔑他、欺侮他。⑯憎疾：憎恨。⑰右：上。古人以右为上。⑱尤忌之：特别忌恨他。⑲以卑弱奉之：以低下弱势的姿态侍奉他。⑳不外见：不暴露在外面。见，通"现"。㉑外补：补缺外任。㉒迭：轮换。㉓不落六军副使：不免去六军诸卫副使官职。㉔山南东道：方镇名，唐肃宗至德二载（公元七五七年），升襄阳防御使为山南东道节度使，治所襄州，在今湖北襄阳。㉕辛巳：十一月初三日。㉖刀笔吏：办理文书事务的小吏。㉗引擢：荐引拔擢。㉘不能违：因碍于范延光的引荐而难以违背。㉙乙酉：十一月初七日。㉚胡：指契丹。㉛浸：渐进；逐渐。㉜趣：通"促"，赶快。㉝河东帅：河东主帅；河东节度使。㉞欲之：希望担任河东帅。㉟权：暂代。㊱枢密直学士：官名，充皇帝侍从，备顾问应对。㊲石太尉：指石敬瑭。太尉当是石敬瑭之加官。㊳仆：自我之谦称。㊴宿卫：警卫皇宫。㊵丁亥：十一月初九日。㊶彰国：方镇名，后唐明宗置彰国军，治所应州，在今山西应县东。

【原文】

己丑[122]，加枢密使赵延寿同平章事。

吴以诸道都统徐知诰为大丞相、太师，加领德胜[123][6]节度使。知诰辞丞相、太师。

大同节度使张敬达[124]聚兵要害，契丹竟不敢南下而还。敬达，代州人也。

蔚州刺史张彦超[125]本沙陀人，尝为帝养子，与石敬瑭有隙。闻敬瑭为总管，举城附于契丹，契丹以为大同节度使。

石敬瑭至晋阳，以部将刘知远、周瓌[126]为都押衙[127]，委以心腹。军事委知远，帑藏[128]委瓌。瓌，晋阳人也。

十二月戊午[129]，以康义诚为河阳节度使兼侍卫亲军马步都指挥使[130]，以朱弘昭为山南东道节度使。

是岁，汉主[131]立其子耀枢[132]为雍王，龟图为康王，弘度为宾王，弘熙为晋王，弘昌为越王，弘弼为齐王，弘雅为韶王，弘泽为镇王，弘操为万王，弘杲为循王，弘暐为思王，弘邈为高王，弘简为同王，弘建为益王，弘济为辩王，弘道为贵王，弘昭为宜王，弘政为通王，弘益为定王。未几，徙弘度为秦王。

【段旨】

以上为第四段，写徐知诰领德胜节度使，南汉主大封诸子为王。

【注释】

⑫己丑：十一月十一日。⑬德胜：方镇名，吴杨行密置，治所庐州，在今安徽合肥。⑭张敬达（？至公元九三六年）：字志通，代州（今山西代县）人，小字生铁，少以骑射著名，官至应州节度使。抗契丹，不屈死。传见《旧五代史》卷七十。⑮张彦超（？至公元九五六年）：沙陀人，脚跛，明宗养子。历事后唐、契丹、后汉、后周蕃汉四朝，官至后周神武统军。传见《旧五代史》卷一百二十九。⑯周瓌（？至公元九三七年）：晋阳（今山西太原）人，少端厚，善书计，为石敬瑭掌财政，毫厘不差。官至安州节度使，

【语译】

十一月十一日己丑，加封枢密使赵延寿同平章事。

吴国任命诸道都统徐知诰为大丞相、太师，加领德胜节度使。徐知诰辞去丞相、太师二职。

大同节度使张敬达在要害之地屯聚部队，契丹兵最终不敢南下，退了回去。张敬达是代州人。

蔚州刺史张彦超原本是沙陀人，曾经是唐明宗的养子，与石敬瑭有矛盾。他听说石敬瑭任北方各军镇的马步总管，就带领全城军民归附了契丹，契丹任命他为大同节度使。

石敬瑭到了晋阳，任命部将刘知远、周瓌为都押衙，把他们当作心腹。军事委托给刘知远，财政委托给周瓌。周瓌是晋阳人。

十二月十一日戊午，任命康义诚为河阳节度使兼侍卫亲军马步都指挥使，任命朱弘昭为山南东道节度使。

这一年，汉主刘龑封他的儿子刘耀枢为雍王，刘龟图为康王，刘弘度为宾王，刘弘熙为晋王，刘弘昌为越王，刘弘弼为齐王，刘弘雅为韶王，刘弘泽为镇王，刘弘操为万王，刘弘杲为循王，刘弘暐为思王，刘弘邈为高王，刘弘简为同王，刘弘建为益王，刘弘济为辩王，刘弘道为贵王，刘弘昭为宜王，刘弘政为通王，刘弘益为定王。没多久，徙封刘弘度为秦王。

被叛将王晖所杀。传见《旧五代史》卷九十五。㉗都押衙：官名，掌管节度府庶务。㉘帑藏：国库。这里指总管节度府公家财物。㉙戊午：十二月十一日。㉚侍卫亲军马步都指挥使：后唐禁卫军高级将领。㉛汉主：即南汉主刘龑。㉜耀枢：为刘龑长子。与其诸弟共十九人，皆被封王。刘耀枢与刘龑次子刘龟图早卒。三子刘弘度，初封宾王，后改封秦王，以次继刘龑为南汉主，改名玢。刘玢于公元九四二至九四三年在位，后为弟刘弘熙所弑，史称殇帝。刘弘熙，刘龑第四子，杀兄自立，为南汉中宗，更名晟。刘晟以下诸弟，除九弟弘操战死外，其余十四弟皆被中宗所害。刘耀枢与诸弟传见《新五代史》卷六十五，又见《十国春秋》卷六十一。

【校记】

［6］德胜：原作“得胜”。胡三省注云：“‘得胜’当作‘德胜’。”据章钰校，乙十一行本作“德胜”，当是，今据改。

【原文】

四年（癸巳，公元九三三年）

春，正月戊子[133]，加秦王从荣守尚书令兼侍中。庚寅[134]，以端明殿学士归义刘昫[135]为中书侍郎、同平章事。

闽人有言真封宅[136]龙见者，闽王延钧[7]更命[137]其宅曰龙跃宫。遂诣宝皇宫受册，备仪卫，入府，即皇帝位，国号大闽，大赦，改元龙启，更名璘。追尊父祖，立五庙。以其僚属李敏为左仆射、门下侍郎，其子节度副使继鹏为右仆射、中书侍郎，并同平章事，以亲吏吴勖为枢密使。唐册礼使[138]裴杰、程侃适至海门[139]，闽主以杰为如京使[140]，侃固求北还，不许。闽主自以国小地僻，常谨事四邻，由是境内差安[141]。

二月戊申[142]，孟知祥墨制以赵季良等为五镇节度使。

凉州[143]大将拓跋承谦及耆老上表，请以权知留后孙超为节度使。上问使者："超为何人？"对曰："张义潮[144]在河西[145]，朝廷以天平军二千五百人戍凉州。自黄巢之乱，凉州为党项所隔，郓人[146]稍稍物故[147]皆尽，超及城中之人皆其子孙也。"

乙卯[148]，以马希范为武安、武平节度使，兼中书令。

戊午[149]，定难[150]节度使李仁福[151]卒。庚申[152]，军中立其子彝超[153]为留后。

癸亥[154]，以孟知祥为东、西川节度使，蜀王。

先是，河西诸镇[155]皆言李仁福潜通[156]契丹，朝廷恐其与契丹连兵，并吞河右[157]，南侵关中。会仁福卒，三月癸未[158]，以其子彝超为彰武[159]留后，徙彰武节度使安从进为定难留后。仍命静难[160][8]节度使药彦稠将兵五万，以宫苑使安重益为监军，送从进赴镇。从进，索葛[161]人也。

乙酉[162]，始下制除赵季良等为五镇节度使[163]。

丁亥[164]，敕谕夏、银、绥、宥[165]将士吏民，以夏州穷边，李彝超年少，未能捍御，故徙[9]之延安，从命则有李从曮[166]、高允韬[167]富贵之福，违命则有王都[168]、李匡宾[169]覆族之祸。夏，四月，彝超上言，为军士百姓拥留，未得赴镇，诏遣使趣[170]之。

【语译】

四年（癸巳，公元九三三年）

春，正月十一日戊子，加封秦王李从荣代理尚书令兼任侍中。十三日庚寅，任命端明殿学士归义人刘昫为中书侍郎、同平章事。

闽国人有的说在真封宅看见了龙，闽王王延钧把这所宅子改名叫龙跃宫。接着就到宝皇宫接受宝皇的册命，准备了仪仗卫队，回到王府，即位称帝，国号叫大闽，大赦，改年号为龙启，把自己的名字改为璘。上尊号追谥自己的父亲和祖父，设置五庙。任命他的幕僚李敏为左仆射、门下侍郎，他的儿子节度副使王继鹏为右仆射、中书侍郎，两人都为同平章事，任命亲信官吏吴勖为枢密使。唐朝的册礼使裴杰、程侃恰巧来到海门，闽主任命裴杰为如京使，程侃坚持要求北返，闽主不答应。闽主自认为国小地偏，经常谨慎地对待四面邻国，因此闽国境内大体上保持安定。

二月初二日戊申，孟知祥以墨制诏书的形式任命赵季良等五位留后为五个军镇的节度使。

凉州的大将拓跋承谦和当地的父老上表，请求任命暂时代行留后的孙超为节度使。唐明宗询问来使："孙超是什么人？"使者回答说："张义潮当年在河西时，朝廷用天平军两千五百人戍守凉州。自从黄巢之乱，凉州和朝廷的往来被党项人阻绝，戍守当地的郓州人渐渐地死光了，孙超和城中居民都是这些人的子孙。"

二月初九日乙卯，任命马希范为武安、武平节度使，兼任中书令。

十二日戊午，定难节度使李仁福去世。十四日庚申，军中拥立他的儿子李彝超为留后。

十七日癸亥，任命孟知祥为东、西川节度使，蜀王。

此前，河西的各个藩镇都说李仁福暗中勾结契丹，朝廷害怕他和契丹的军队联合，吞并河右，南侵关中。适逢李仁福去世，三月初七日癸未，朝廷任命他的儿子李彝超为彰武留后，调彰武节度使安从进为定难留后。同时命令静难节度使药彦稠率领五万名士兵，以宫苑使安重益为监军，护送安从进前往军镇。安从进是索葛人。

三月初九日乙酉，初次下诏任命赵季良等人为五个军镇的节度使。

十一日丁亥，下诏告谕夏、银、绥、宥等州的将士吏民，称夏州是偏远的边镇，李彝超年纪太轻，不能抵御外敌，所以让他去延安，服从朝廷的命令就有李从曮、高允韬那样的富贵福分，违抗命令则有王都、李匡宾那样的灭族之祸。夏，四月，李彝超上书说，他被当地的军士、百姓所拥戴挽留，未能赴镇就任，唐明宗下诏派使者催促他赴任。

言事者[171]请为亲王置师傅，宰相畏秦王从荣，不敢除人，请令王自择。秦王府判官、太子詹事[172]王居敏荐兵部侍郎刘瓒[173]于从荣，从荣表请之。癸丑[174]，以瓒为秘书监、秦王傅，前襄州支使[175]山阳[176]鱼崇远为记室[177]。瓒自以左迁[178]，泣诉，不得免。王府参佐皆新进少年，轻脱谄谀[179]，瓒独从容规讽[180]，从荣不悦。瓒虽为傅，从荣一概以僚属待之，瓒有难色[181]。从荣觉之，自是戒门者勿为通[182]，月听[183]一至府，或竟日不召，亦不得食[184]。

李彝超不奉诏[185]，遣其兄阿啰王守青岭门[186]，集境内党项诸胡[187]以自救。药彦稠等进屯芦关[188]，彝超遣党项抄[189]粮运及攻具，官军自芦关退保金明[190]。

闽主璘立子继鹏为福王，充宝皇宫使[191]。

【段旨】

以上为第五段，写闽主王延钧即皇帝位，更名璘；秦王李从荣不礼王傅；定难留后李彝超不奉诏移镇，明宗用兵。

【注释】

⑬③戊子：正月十一日。⑬④庚寅：正月十三日。⑬⑤刘昫（公元八八八至九四七年）：涿州归义（今河北雄县）人，好学知名，官至宰相，监修《旧唐书》。传见《旧五代史》卷八十九、《新五代史》卷五十五。⑬⑥真封宅：宅名，王延钧未即位时旧居。⑬⑦更命：改名。⑬⑧册礼使：代皇帝行册封礼的使者。⑬⑨海门：地名，在今福建福清。⑭⓪如京使：到后唐京都洛阳报告称帝的使者。⑭①差安：粗安；稍略安定。⑭②戊申：二月初二日。⑭③凉州：州名，治所武威，在今甘肃武威。⑭④张义潮：唐沙州敦煌（今甘肃敦煌）人，唐宣宗大中年间，他乘吐蕃内乱，领导沙州民众起事，归附唐朝，被任命为归州防御使，旋为节度使。事见《新唐书》卷二百十六下。⑭⑤河西：地区名，指凉州黄河以西、祁连山以北通西域的走廊地带，又称河西走廊。⑭⑥郓人：指天平军去凉州戍守的人，因天平军治所在郓州，故称郓人。⑭⑦物故：死亡。⑭⑧乙卯：二月初九日。⑭⑨戊午：二月十二日。⑮⓪定难：方镇名，唐僖宗中和二年（公元八八二年），夏州节度赐号定难节度。治所夏州，在今陕西榆林市横山区西。后梁、后唐仍之。⑮①李仁福（？至公元九三四年）：官至定难军节度使，封朔方王。传见《旧五代史》卷一百三十二、《新五代史》卷四十。⑮②庚申：二月十四日。⑮③彝

言官建议替亲王设置师傅，宰相害怕秦王李从荣，不敢委任人员，请求让他自己挑选师傅。秦王府判官、太子詹事王居敏向李从荣推荐兵部侍郎刘瓒，李从荣上表请求任命他来当师傅。四月初七日癸丑，任命刘瓒为秘书监、秦王傅，前襄州支使山阳人鱼崇远为记室。刘瓒自认为是被贬了官，哭着向唐明宗申诉，但没有推辞掉。秦王府里的幕僚佐吏都是新进少年之辈，为人轻佻谄媚，只有刘瓒能从容冷静地进行规劝，李从荣非常不高兴。刘瓒虽然是师傅，但李从荣一直当作僚属对待他，刘瓒面有难色。李从荣觉察到了这一点，从此告诫守门人不要给他通报，每月只允许他来王府一次，有时一整天不召见他，也不让他陪太子吃饭。

李彝超不肯接受诏书的任命，派遣他的哥哥阿啰王把守青岭门，聚集境内党项诸部胡人进行自保。药彦稠等进驻芦关，李彝超派遣党项人抄掠官军的粮运和攻城器具，官军从芦关退守金明。

闽主王璘册封他的儿子王继鹏为福王，充任宝皇宫使。

超（？至公元九三五年）：李仁福子。传附《旧五代史》卷一百三十二、《新五代史》卷四十《李仁福传》。⑭癸亥：二月十七日。⑮河西诸镇：指朔方及关中诸镇。故胡注云："河西当作关西。"⑯潜通：暗中勾结。⑰河右：即河西。此河西指今陕北黄河西岸地区，为最古之河西地区。⑱癸未：三月初七日。⑲彰武：方镇名，唐僖宗中和二年（公元八八二年），以延州置保塞军节度。后唐改为彰武军，治所仍在延州，即今陕西延安。⑯⓪静难：静难军，治所邠州，在今陕西彬州。⑯①索葛：村名，在今山西朔州境内。⑯②乙酉：三月初九日。⑯③始下制除赵季良等为五镇节度使：明宗于乙酉始下诏任命蜀中赵季良等为五镇节度使。始，才。此指继孟知祥墨制命赵季良等为五镇留后之后，朝廷始下制承认。孟知祥以墨制除五镇留后见本卷长兴三年。⑯④丁亥：三月十一日。⑯⑤夏、银、绥、宥：皆州名。夏州治所岩绿，在今陕西靖边西。银州治所在今内蒙古鄂托克旗东南。绥州治所在今陕西绥德。宥州治所长泽，在今内蒙古鄂托克旗东南。⑯⑥李从曮：李茂贞长子，长兴元年（公元九三〇年）由凤翔徙宣武节度使。⑯⑦高允韬：长兴元年由鄜延徙安国节度使。⑯⑧王都：拒命被攻杀。事见本书卷二百七十六后唐明宗天成四年（公元九二九年）。⑯⑨李匡宾：据保静镇拒命被杀。⑰⓪趣：通"促"，催促。⑰①言事者：谏官。⑰②太子詹事：官名，东宫属官，掌太子庶务。⑰③刘瓒（？至公元九三五年）：或作"刘赞"。魏州（今河北大名）人，明宗时为中书舍人、御史中丞、刑部侍郎，守官以法，官至秘书监。传见《旧五代史》卷六十八、《新五代史》卷二十八。⑰④癸丑：四月初七日。⑰⑤支使：官名，节度使属官，掌助节度使处理政务。无出身者任此官。⑰⑥山阳：县名，在今江苏淮安。⑰⑦记室：官名，亲王府属官，掌书写笺奏。⑰⑧左迁：降职。刘瓒原官秘书监

为从四品，徙为王傅为从三品。一般王傅为闲官，故视为左迁。当时，秦王位居储副，秦王傅并非闲职，不得言左迁。只是因为太子从荣轻佻峻急，刘瓒恐受祸，借口左迁以求脱身。⑰ 轻脱谄谀：轻佻狡黠而又阿谀奉承。⑱ 规讽：规劝讽谏。⑱ 难色：面有为难之色。⑱ 通：通报。⑱ 听：听任；允许。⑱ 不得食：不得陪太子饮食。即太子从荣不与王傅刘瓒一起进餐，冷待之也。⑱ 不奉诏：不接受诏书。即李彝超拒绝徙镇彰武。⑱ 青岭门：胡三省注认为系汉代上郡桥山之长城门。桥山在今陕西黄陵北。⑱ 党项诸胡：党项族的各部落。⑱ 芦关：关名，在今陕西延安市安塞区北。⑱ 抄：抄掠。⑲ 金明：古县名，在今陕西延安安塞北。⑲ 宝皇宫使：官名，宝皇宫的主管。宝皇宫为闽主王延钧所造道教宫观。

【原文】

五月戊寅[192]，立皇子从珂为潞王，从益为许王，从子天平节度使从温[193]为兖王，护国节度使从璋[194]为洋王，成德节度使从敏[195]为泾王。

庚辰[196]，闽地震，闽主璘避位修道[197]，命福王继鹏权总万机[198]。初，闽王审知性节俭，府舍皆庳陋[199]。至是，大作宫殿，极土木之盛。

甲申[200]，帝暴得风疾[201]。庚寅[202]，小愈，见群臣于文明殿[203]。

壬辰[204]夜，夏州城上举火[205]，比明[206]，杂虏[207]数千骑救之，安从进遣先锋使宋温击走之。

吴宋齐丘劝徐知诰徙[208]吴主都金陵，知诰乃营宫城于金陵。

帝旬日不见群臣，都人[209]恟惧[210]，或潜窜山野[211]，或寓止军营[212]。秋，七月庚辰[213]，帝力疾[214]御[215]广寿殿，人情始安。

安从进攻夏州。州城赫连勃勃[216]所筑，坚如铁石，斸凿[217]不能入。又党项万余骑徜徉四野[218]，抄掠粮饷，官军无所刍牧[219]。山路险狭，关中民输[220]斗粟束藁费钱数缗，民间困竭不能供。李彝超兄弟登城谓从进曰："夏州贫瘠[221]，非有珍宝蓄积可以充朝廷贡赋也，但以祖父世守此土[222]，不欲失之。蕞尔孤城[223]，胜之不武[224]，何足[225]烦国家劳费如此！幸为表闻，若许其自新，或使之征伐，愿为众先。"上闻之，壬午[226]，命从进引兵还。

【校记】

［7］闽王延钧：原无此四字。据章钰校，十二行本、乙十一行本、孔天胤本皆有此四字，张敦仁《通鉴刊本识误》同，今据补。［8］静难：原作“静塞”。据章钰校，十二行本、乙十一行本皆作“静难”，今据改。［9］徙：原作“使”。据章钰校，十二行本、乙十一行本、孔天胤本皆作“徙”，张敦仁《通鉴刊本识误》同，今据改。

【语译】

五月初三日戊寅，册封皇子李从珂为潞王，李从益为许王，皇侄天平节度使李从温为兖王，护国节度使李从璋为洋王，成德节度使李从敏为泾王。

初五日庚辰，闽国地震，闽主王璘避位修道，命令福王王继鹏暂时总理全部事务。当初，闽王王审知生性节俭，官府馆舍都很低矮简陋。到了这时候，闽主王璘大肆兴建宫殿，极尽土木建筑之盛。

初九日甲申，唐明宗突然得了中风病。十五日庚寅，稍微好一些，在文明殿接见群臣。

十七日壬辰夜间，夏州城上点起了火把，天刚亮，各部落胡人骑兵数千人救援夏州城，安从进派遣先锋使宋温把他们打跑了。

吴国的宋齐丘劝徐知诰把吴主迁徙到金陵建都，徐知诰于是在金陵营建宫城。

唐明宗有十来天没有接见群臣，京城里的人喧闹恐惧，有人跑到山野躲了起来，有人待在军营里。秋，七月初六日庚辰，唐明宗带病强撑着驾临广寿殿，人心才安定下来。

安从进攻打夏州。夏州城是赫连勃勃所建造的，坚如铁石，大锄、凿子都凿不进去。又有党项人的一万多名骑兵在四野游荡，抢掠官军的粮饷，官军无法放牧战马。那里的山路又险峻又狭窄，关中的百姓往那里运输一斗粟、一捆柴要耗费几缗钱，民间困乏，不能供应。李彝超兄弟登上城墙对城外的安从进说：“夏州贫瘠，没有珍宝蓄积可以作为朝廷的贡赋，我们只是因为祖父、父亲世代戍守在这块土地，不想失去它。一座小小的孤城，战胜了它不足以显示威武，何必这样烦劳国家兴师动众、耗损钱财呢！希望你能替我们上表报告皇帝，如果允许我们改过自新，或者派遣我们去征战，我们愿意作为大家的先锋。”唐明宗听到这一情况，初八日壬午，命令安从进率兵返回。

其后有知李仁福阴事[227]者，云："仁福畏朝廷除移[228]，扬言[229]结契丹为援，契丹实不与之通也，致朝廷误兴是役，无功而还。"自是夏州轻朝廷，每有叛臣，必阴[230]与之连以邀赂遗[231]。上疾久未平，征夏州无功，军士颇有流言[232]。乙酉[233]，赐在京诸军优给有差[234]，既赏赉无名[235]，士卒由是益骄[236]。

【段旨】

以上为第六段，写明宗染疾，人情恂惧；朝廷用兵夏州，无功而返。

【注释】

⑲² 戊寅：五月初三日。⑲³ 从温：明宗侄子，字德基，为人贪鄙，封兖王。传见《新五代史》卷十五。⑲⁴ 从璋（公元八八七至九三七年）：明宗侄子，字子良，少善骑射，封洋王。传见《新五代史》卷十五。⑲⁵ 从敏（？至公元九五一年）：明宗侄子，字叔达，封泾王。传见《新五代史》卷十五。⑲⁶ 庚辰：五月初五日。⑲⁷ 避位修道：离开帝位，从道士陈守元学道术。⑲⁸ 权总万机：暂时总理全部政务。⑲⁹ 庳陋：低矮简陋。⑳⁰ 甲申：五月初九日。⑳¹ 暴得风疾：突然得了中风病。⑳² 庚寅：五月十五日。⑳³ 文明殿：宫殿名。后梁开平三年（公元九〇九年），改洛阳贞观殿为文明殿。⑳⁴ 壬辰：五月十七日。⑳⁵ 夏州城上举火：夏州城守卫者举火示警。⑳⁶ 比明：天刚刚亮。⑳⁷ 杂虏：党项各族

【原文】

丁亥[237]，赐钱元瓘爵吴王。元瓘于兄弟甚厚，其兄中吴[238]、建武节度使元璙[239]自苏州入见，元瓘以家人礼[240]事之，奉觞为寿[241]，曰："此兄之位也，而小子[242]居之，兄之赐也。"元璙曰："先王[243]择贤而立之，君臣位定，元璙知忠顺[244]而已。"因相与对泣。

戊子[245]，闽主璘复位。初，福建中军使[246]薛文杰[247]，性巧佞，璘喜奢侈，文杰以聚敛求媚[248]，璘以为国计使[249]，亲任之。文杰阴求[250]富民之罪，籍没其财，被榜捶者胸背分受[251]，仍以铜斗火熨之[252]。建州土豪

此后有个了解李仁福隐私的人说："李仁福害怕朝廷把他调任他处，就声扬要联合契丹作为后援，契丹人实际上没有和他来往，致使朝廷错误地发动这次战事，无功而返。"从此夏州瞧不起朝廷，每逢大臣叛变，一定暗中与之联络交通，来邀取贿赂。唐明宗的病拖了很久没有痊愈，征讨夏州又无战绩，军中颇多谣言。十一日乙酉，唐明宗按等级优厚地赏赐了在京城的各路军队，既然赏赐无名，士卒因此更加骄纵了。

人。⑳⁸徙：迁。⑳⁹都人：国都民众。㉑⁰恟惧：喧闹而害怕。㉑¹或潜窜山野：有的人暗中逃到荒野。㉑²或寓止军营：有的人躲到军营里，不敢出来。㉑³庚辰：七月初六日。㉑⁴力疾：竭力支撑着病体。㉑⁵御：登。㉑⁶赫连勃勃（？至公元四二五年）：十六国时期夏国的建立者，公元四〇七至四二五年在位。传见《晋书》卷一百三十、《魏书》卷九十五、《北史》卷九十三。㉑⁷斸凿：挖掘。斸，大锄。凿，凿子。㉑⁸徜徉四野：在四郊安详地游荡。㉑⁹刍牧：放牧战马。㉒⁰输：运送。㉒¹贫瘠：人民贫困，土地瘠瘦。㉒²祖父世守此土：祖父辈世世代代守着这块地方。即唐僖宗时拓跋思恭据夏州，传思谏、彝昌、仁福至彝超。㉒³蕞尔孤城：小小的一座孤城。蕞尔，细小的样子。㉒⁴不武：不能称威武。㉒⁵何足：不值得。㉒⁶壬午：七月初八日。㉒⁷阴事：不为人知的隐私。㉒⁸除移：指从夏州除移他镇。㉒⁹扬言：宣扬而让他人知道。㉓⁰阴：暗暗地。㉓¹以邀赂遗：用来索要财物。邀，通"要"。㉓²流言：不满的谣言。㉓³乙酉：七月十一日。㉓⁴优给有差：优加赏给，各有等级。㉓⁵赏赉无名：赏赐没有名义可依。㉓⁶益骄：更加骄纵。

【语译】

七月十三日丁亥，赐给钱元瓘吴王的爵位。钱元瓘对待兄弟们很厚道，他的哥哥中吴、建武节度使钱元璙从苏州前来朝见，钱元瓘用对待家人的礼节接待他，举杯为他祝福，说道："这是哥哥的王位，而小弟占据了，这是哥哥赐给我的。"钱元璙说："先王挑选了贤能的人册立为王，君臣之位已定，元璙我知道忠于君主、顺守臣节就行了。"于是两人相对而泣。

十四日戊子，闽主王璘复位。当初，福建中军使薛文杰为人奸巧谄媚，王璘喜欢奢侈，薛文杰就搜刮民财来讨好他，王璘便任命他为国计使，亲近信任他。薛文杰暗中搜索有钱人的罪过，抄没他们的财产，被他拷打的人，胸部和背部都要挨拷打，还用铜斗盛火烫他们。建州的土豪吴光前来朝见，薛文杰贪图他的财产，就找

吴光入朝，文杰利其财㉕³，求其罪，将治之。光怨怒，帅其众且㉕⁴万人叛奔吴。

帝以工部尚书卢文纪㉕⁵、礼部郎中吕琦㉕⁶为蜀王册礼使，并赐蜀王一品朝服。知祥自作九旒冕㉕⁷、九章衣㉕⁸，车服旌旗皆拟王者㉕⁹。八月乙巳朔㉖⁰，文纪等至成都。戊申㉖¹，知祥服衮冕㉖²，备仪卫㉖³诣驿，降阶㉖⁴北面受册，升玉辂㉖⁵，至府门，乘步辇㉖⁶而[10]归。文纪，简求㉖⁷之孙也。

戊申㉖⁸，群臣上尊号曰圣明神武广道法天文德恭孝皇帝，大赦。在京及诸道将士各等第优给㉖⁹。时一月之间再行优给，由是用度益窘㉗⁰。

太仆少卿致仕[11]何泽见上寝疾㉗¹，秦王从荣权势方盛，冀㉗²己复进用，表请立从荣为太子。上览表泣下，私谓左右曰："群臣请立太子，朕当归老㉗³太原旧第㉗⁴耳。"不得已，壬戌㉗⁵[12]，诏宰相、枢密使议之。丁卯㉗⁶，从荣见上，言曰："窃闻有奸人请立臣为太子，臣幼少，且愿学治军民㉗⁷，不愿当此名。"上曰："群臣所欲也。"从荣退，见范延光、赵延寿曰："执政欲以吾为太子，是欲夺我兵柄㉗⁸，幽㉗⁹之东宫耳。"延光等知上意，且惧从荣之言，即具以白上。辛未㉘⁰，制㉘¹以从荣为天下兵马大元帅。

【段旨】

以上为第七段，写吴越王钱元瓘友爱兄弟，明宗册礼孟知祥为蜀王，秦王李从荣进位天下兵马大元帅。

【注释】

㉓⁷丁亥：七月十三日。㉓⁸中吴：方镇名，吴越国钱镠宝大元年（公元九二四年），升苏州为中吴军节度，治所苏州，在今江苏苏州。㉓⁹元璙：钱元璙（公元八八八至九四二年），字德辉，钱镠第六子，杨行密婿，性俭约而恭谨，晋封为广陵郡王。传见《十国春秋》卷八十三。㉔⁰家人礼：家内兄弟相见之礼。㉔¹奉觞为寿：举杯祝福。㉔²小子：元璙自称。谦辞。㉔³先王：指钱镠。㉔⁴忠顺：忠于君主，顺守臣节。㉔⁵戊子：七月十四

他的罪过，准备治他的罪。吴光又怨恨又愤怒，就率领他的部众将近一万人反叛，投奔吴国。

唐明宗任命工部尚书卢文纪、礼部郎中吕琦为蜀王册礼使，并且赐给蜀王一品朝服。孟知祥自己制作了九旒冠冕、九章衣，车舆、服饰、旌旗都依照天子的样式。八月初一日乙巳，卢文纪等人到达成都。初四日戊申，孟知祥穿上衮服、戴上冠冕，备好了仪仗卫队，来到驿馆，走到台阶下，面向北，接受唐明宗的册封，然后坐上玉辂，到达王府门前，换坐人挽着的小轿回到府中。卢文纪是卢简求的孙子。

八月初四日戊申，群臣给唐明宗奉上尊号为圣明神武广道法天文德恭孝皇帝，大赦天下。在京城和各道的将士都各按照不同的等级给予优厚的赏赐。当时在一个月的时间内两次颁发优厚的赏赐，因此朝廷的用度就更加困窘了。

以太仆少卿退休的何泽看到唐明宗卧病在床，秦王李从荣的权势正盛极一时，就希望自己再次得到进用，便上表请求唐明宗册立李从荣为太子。唐明宗看了奏表，流下了眼泪，私下里对身边的人说："群臣请求册立太子，朕应回太原的旧宅养老去了。"不得已，八月十八日壬戌，下诏让宰相和枢密使讨论此事。二十三日丁卯，李从荣拜见唐明宗，说道："臣私下里听说有奸人请求册立臣为太子，臣还年轻，况且愿意学习治理军务民政，不愿承受太子之名。"唐明宗说："这是群臣们所要求的。"李从荣退下来以后，见到了范延光、赵延寿，说："你们执政大臣想让我做太子，这是打算夺我的兵权，把我幽禁在东宫而已。"范延光等人知道唐明宗的心意，而且害怕李从荣说的那些话，于是立刻把那些话报告给了唐明宗。二十七日辛未，皇帝下制书任命李从荣为天下兵马大元帅。

日。㉔⑥中军使：官名，行营中军的统兵官。㉔⑦薛文杰：性巧佞，善应对，盗弄国权，枉害无辜。传见《十国春秋》卷九十八。㉔⑧以聚敛求媚：以搜刮钱财献给王璘而求宠。㉔⑨国计使：官名，掌财政。㉕⓪阴求：隐秘地探求；暗中搜索。㉕①被榜捶者胸背分受：被拷打的人，胸部和背部都要挨打。㉕②以铜斗火熨之：用铜斗盛火，烫被打者的伤痕。㉕③利其财：贪他的财富。㉕④且：将近。㉕⑤卢文纪（公元八七六至九五一年）：字子持，举进士，仕后梁为刑部侍郎，后唐为宰相。传见《旧五代史》卷一百二十七、《新五代史》卷五十五。㉕⑥吕琦（？至公元九四三年）：字辉山，幽州安次（今河北廊坊）人，官至端明殿学士。传见《旧五代史》卷九十二、《新五代史》卷五十六。㉕⑦九旒冕：真王帽子，以丝绳串玉垂于帽的前后，共九条，故称九旒冕。㉕⑧九章衣：真王章服。上衣画龙、山、华虫、火、宗彝，下衣画藻、粉米、黼、黻，共九章。㉕⑨车服旌旗皆拟王者：辇车、章服、旌旗都比之于天子。㉖⓪乙巳朔：八月初一日。㉖①戊申：八月初四日。㉖②衮冕：王的冠

服。263 仪卫：仪仗队。264 降阶：下到台阶上。265 玉辂：天子乘坐的车。266 步辇：用人挽着的小轿。267 简求：卢简求，卢文纪之祖，中唐诗人卢纶之子。卢简求历官泾原、义武、凤翔、河东等镇节度使，为唐宣宗时名臣。传见《旧唐书》卷一百六十三、《新唐书》卷一百七十七。268 戊申：八月初四日。269 各等第优给：各按不同等级优加赏给。270 窘：窘迫；拮据。271 寝疾：卧病在床。272 冀：希望。273 归老：致仕养老。274 太原旧第：唐明宗即帝位前，侍奉太祖、庄宗，起于太原，故太原有旧宅。275 壬戌：八月十八日。276 丁卯：八月二十三日。277 学治军民：学习管理军事和民事。278 兵柄：兵权。279 幽：关闭。280 辛未：八月二十七日。281 制：降制书。

【原文】

九月甲戌朔[282]，吴主立德妃王氏[283]为皇后。

戊寅[284]，加范延光、赵延寿兼侍中。

癸未[285]，中书奏节度使见元帅仪[286]，虽带平章事[287]，亦以军礼廷参[288]，从之。

帝欲加宣徽使、判三司冯赟同平章事。赟父名章，执政误引故事，庚寅，加赟同中书门下二品[289]，充三司使。

秦王从荣请严卫、捧圣步骑两指挥为牙兵。每入朝，从数百骑，张弓挟矢[290]，驰骋衢路。令文士试草[291]《檄淮南书》[292]，陈己将廓清[293]海内之意。从荣不快[294]于执政，私谓所亲曰："吾一旦南面[295]，必族之。"范延光、赵延寿惧，屡求外补以避之。上以为见己病而求去，甚怒，曰："欲去自去，奚用表为[296]！"齐国公主[297]复为延寿言于禁中，云延寿实有疾，不堪机务。丙申[298]，二人复言于上曰："臣等非敢惮劳[299]，愿与勋旧迭为之[300]。亦不敢俱去，愿听一人先出。若新人不称职，复召臣，臣即至矣。"上乃许之。戊戌[301]，以延寿为宣武节度使，以山南东道节度使朱弘昭为枢密使、同平章事。制下，弘昭复辞，上叱[302]之曰："汝辈皆不欲在吾侧，吾蓄养汝辈何为！"弘昭乃不敢言。

吏部侍郎张文宝泛海[303]使杭州，船坏，水工以小舟济[304]之，风飘至天长[305]，从者二百人，所存者五人。吴主厚礼之，资[306]以从者仪服钱

【校记】

［10］而：原作“以”。据章钰校，十二行本、乙十一行本皆作“而”，今据改。［11］致仕：原无此二字。据章钰校，十二行本、乙十一行本皆有此二字，张敦仁《通鉴刊本识误》同，今据补。［12］壬戌：原作“丙戌”。张敦仁《通鉴刊本识误》作“壬戌”，今据改。〖按〗是年八月乙巳朔，无丙戌。

【语译】

九月初一日甲戌，吴主册立德妃王氏为皇后。

初五日戊寅，加封范延光、赵延寿兼任侍中。

初十日癸未，中书上奏节度使谒见元帅的礼仪，即使节度使兼带平章事的职名，也应当用军礼参见，唐明宗同意了。

唐明宗想加封宣徽使、判三司冯赟同平章事。冯赟父亲的名字叫冯章，执政大臣错误地引用了过去的旧制，九月十七日庚寅，加封冯赟同中书门下二品，充任三司使。

秦王李从荣请求把严卫、捧圣步骑两指挥作为自己的牙兵。他每次入朝，跟随几百名骑兵，张弓带箭，在大路上奔驰。命令文士草拟《檄淮南书》，文中表达自己将要扫荡天下的意思。李从荣不满于执政大臣，私下里对自己的亲信说：“我一旦南面为帝，一定要族灭他们。”范延光、赵延寿很害怕，一再请求补任外官，躲避李从荣。唐明宗认为他们是看到自己生病了要求离去，十分恼怒，说：“想走自己就走，还上表干什么！”赵延寿的妻子齐国公主又替赵延寿在内官说情，说延寿确实有病，不能胜任机要政务。九月二十三日丙申，范、赵二人又对唐明宗说：“臣等不是害怕辛劳，是希望能和勋旧大臣轮流担任这个职务。我们也不敢全都离开，希望能允许一人先出任外职。如果新上任的人不称职，再征召臣，臣即刻就到。”唐明宗这才答应了他们的请求。二十五日戊戌，任命赵延寿为宣武节度使，任命山南东道节度使朱弘昭为枢密使、同平章事。诏书下达，朱弘昭也请辞不受，唐明宗大声呵斥他说：“你们都不想在我身边，我供养你们这些人干什么！”朱弘昭便不敢说话了。

吏部侍郎张文宝航海出使吴越国的杭州，船坏了，水手用小船载他渡海，被风吹着漂流到了吴国的天长，随从的有二百人，剩下五个人。吴主用厚礼接待他，资

币数万，仍为之牒[307]钱氏，使于境上迎候。文宝独受饮食，余皆辞之，曰："本朝与吴久不通问，今既非君臣，又非宾主，若受兹物[308]，何辞以谢[309]！"吴主嘉之，竟达命[310]于杭州而还。

庚子[311]，以前义成节度使李赞华[312]为昭信[313]节度使，留洛阳食其俸。

辛丑[314]，诏大元帅从荣位在宰相上。

吴徐知诰以国中水火屡为灾，曰："兵民困苦，吾安可独乐！"悉纵遣侍妓[315]，取乐器焚之。

闽内枢密使薛文杰说[316]闽王抑挫[317]诸宗室。从子继图[318]不胜忿[319]，谋反，坐诛，连坐者[320]千余人。

冬，十月乙卯[321]，范延光、冯赟奏："西北诸胡卖马者往来如织[322]，日用绢无虑[323]五千匹，计耗国用什之七。请委缘边镇戍择诸胡所卖马良者给券[324]，具数以闻。"从之。

戊午[325]，以前武兴节度使孙岳[326]为三司使。

范延光屡因[327]孟汉琼、王淑妃以求出，庚申[328]，以延光为成德节度使，以冯赟为枢密使。帝以亲军都指挥使、河阳节度使、同平章事康义诚为朴忠[329]，亲任之。时要近之官[330]多求出以避秦王[331]之祸，义诚度不能自脱，乃令其子事秦王，务以恭顺持两端[332]，冀得自全[333]。

权知夏州事李彝超上表谢罪，求昭雪。壬戌[334]，以彝超为定难[13]节度使。

十一月甲戌[335]，上饯[336]范延光，酒罢，上曰："卿今远去，事宜尽言。"对曰："朝廷大事，愿陛下与内外辅臣[337]参决[338]，勿听群小[339]之言。"遂相泣而别。时孟汉琼用事，附之者共为朋党[340]以蔽惑上听，故延光言及之。

庚辰[341]，改慎州怀化军[342]。置保顺军于洮州，领洮[343]、鄯[344]等州。

助他和随从人员礼服以及数万钱币，还为他写文牒通知吴越的钱氏，让他们在边境上迎候。张文宝只接受了饮食，其余的都辞谢了，说："本朝和吴国长期未通消息，现在既不是君臣关系，又不是宾主关系，如果接受了这些物品，用什么言辞来感谢呢！"吴主很赞赏他说的话。张文宝到达杭州完成使命后回朝。

九月二十七日庚子，任命前义成节度使李赞华为昭信节度使，把他留在洛阳享受俸禄。

二十八日辛丑，下诏规定大元帅李从荣的地位在宰相之上。

吴国的徐知诰因为国内一再发生水灾、火灾，就说："军民生活困苦，我怎么能独自享乐！"便放走所有的侍伎，把乐器拿来烧掉。

闽国的内枢密使薛文杰劝说闽王抑制宗室的力量。闽王的侄子王继图不胜气愤，阴谋造反，获罪被杀，受牵连入罪的有一千多人。

冬，十月十二日乙卯，范延光、冯赟上奏说："西北各部胡人前来京城卖马的人往来如梭，朝廷每天买马的绢大约五千匹，计算下来耗费了国家费用的十分之七。请朝廷委托沿边各处镇所，选择胡人所卖马中优良的发给凭证，把数量呈报朝廷。"唐明宗同意了这一建议。

十五日戊午，任命前武兴节度使孙岳为三司使。

范延光多次通过孟汉琼、王淑妃向唐明宗请求出任外官；十七日庚申，任命范延光为成德节度使，任命冯赟为枢密使。唐明宗认为亲军都指挥使、河阳节度使、同平章事康义诚为人朴实忠诚，亲近他，任用他。当时唐明宗近身机要的大臣大多要求出任外官以躲避秦王之祸，康义诚估计自己不得脱身，就让他的儿子侍奉秦王，力求恭敬顺从、左右逢源，希望能够保全自己。

临时代理夏州事务的李彝超上表谢罪，请求为他平反昭雪。十九日壬戌，任命李彝超为定难节度使。

十一月初二日甲戌，唐明宗为范延光饯行，酒宴结束，唐明宗说："爱卿现在要远离了，有什么事情都要说出来。"范延光回答说："朝廷的大事，希望陛下能和枢密使、宰相商议决定，不要听那一帮小人的话。"于是二人泣别。当时孟汉琼主事，依附于他的人一起结为朋党，蒙蔽迷惑唐明宗的听闻，所以范延光谈到了他们。

初八日庚辰，把慎州怀化军改为昭化军。在洮州设置保顺军，管辖洮、鄯等州。

【段旨】

以上为第八段，写秦王李从荣跋扈乖张，大臣畏避，范延光等求任外镇。明宗知从荣凶顽而不能裁制。

【注释】

[282]甲戌朔：九月初一日。[283]德妃王氏：初事睿帝为德妃，太和五年（公元九三三年）九月册立为皇后。及南唐受禅，睿帝死，不知所终。传见《十国春秋》卷四。[284]戊寅：九月初五日。[285]癸未：九月初十日。[286]仪：仪式。[287]带平章事：即带宰执衔的节度使。[288]廷参：在阶下具军礼参见。[289]执政误引故事三句：唐制，中书、门下二省，唯中书令、侍中为正二品。同中书门下平章事为两省侍郎兼宰相之职，职任同中书门下，而品秩仍为正三品。今执政颁制“同中书门下二品”，是为误引故事。误引故事，错误地沿用了旧例。庚寅，九月十七日。[290]张弓挟矢：拉开弓，带着箭，耀武扬威。[291]试草：打草稿；草拟。[292]《檄淮南书》：讨伐吴国的檄文。[293]廓清：扫清；肃清。[294]不快：不满意。[295]一旦南面：一旦登基即皇帝位。[296]奚用表为：何必用表奏。[297]齐国公主：明宗第十三女，嫁赵延寿。初封兴平公主，长兴四年（公元九三三年）改封齐国公主，清泰二年（公元九三五年）进封燕国长公主。见《五代会要》卷二。[298]丙申：九月二十三日。[299]惮劳：害怕劳苦。[300]迭为之：交替担任宰执。[301]戊戌：九月二十五日。[302]叱：大声呵斥。[303]泛海：浮海；从海道行。[304]济：渡。[305]天长：地名，可能是今上海市崇明区，吴之静海军。[306]资：资助。[307]牒：文牒。吴王替张文宝照会吴越国的牒文。[308]兹物：这些东西。[309]何辞以谢：用什么话来表示感谢呢。[310]达命：此谓把唐王的命令传达到杭州，完成了使命。[311]庚子：九月二十七日。[312]李赞华：即契丹东丹王突欲。[313]昭信：方镇名。后唐明宗长兴二年（公元九三一年），升虔州为昭信节度，治所赣，在今江西赣

【原文】

戊子[345]，帝疾复作。己丑[346]，大渐[347]，秦王从荣入问疾，帝俯首不能举[348]。王淑妃曰：“从荣在此。”帝不应。从荣出，闻宫中皆哭，从荣意帝已殂[349]，明旦，称疾不入。是夕，帝实小愈，而从荣不知。从荣自知不为时论所与[350]，恐不得为嗣[351]，与其党谋，欲以兵入侍[352]，先制权臣[353]。

辛卯[354]，从荣遣都押牙马处钧谓朱弘昭、冯赟曰：“吾欲帅牙兵入宫中侍疾，且备非常[355]，当止于何所[356]？”二人曰：“王自择之。”既而私于处钧曰：“主上万福[357]，王宜竭心忠孝，不可妄信人浮言[358]。”从荣怒，复遣处钧谓二人曰：“公辈殊[359]不爱家族邪？何敢拒我！”二人患

州。赞华为遥领。⑭ 辛丑：九月二十八日。⑮ 悉纵遣侍妓：将侍候的歌伎全部遣送回家。⑯ 说：劝说。⑰ 抑挫：抑制。⑱ 继图：王继图，王延钧侄子，封琅邪王。传见《十国春秋》卷九十四。⑲ 不胜忿：愤怒得不能克制。⑳ 连坐者：因相牵连而入罪的人。㉑ 乙卯：十月十二日。㉒ 往来如织：形容来往的卖马商人甚多。㉓ 无虑：大约。㉔ 给券：给票据凭证。㉕ 戊午：十月十五日。㉖ 孙岳（？至公元九三三年）：冀州（今河北衡水市冀州区）人，强干有才用，官至三司使。传见《旧五代史》卷六十九。㉗ 因：通过。㉘ 庚申：十月十七日。㉙ 朴忠：朴实忠诚。㉚ 要近之官：近身机要的官员。㉛ 秦王：即李从荣。㉜ 持两端：脚踏两条船；左右逢源。㉝ 冀得自全：希望能够保全自己。㉞ 壬戌：十月十九日。㉟ 甲戌：十一月初二日。㊱ 饯：设宴送行。㊲ 内外辅臣：内辅臣指枢密使，外辅臣指宰相。㊳ 参决：参酌决定。㊴ 群小：众多的奸佞小人，此处指孟汉琼等。㊵ 朋党：同类人为个人目的而互相勾结形成的小集团。㊶ 庚辰：十一月初八日。㊷ 改慎州怀化军：胡三省注云，“《五代会要》，是年十一月庚辰，改慎州怀化军为昭化军。史于此盖佚‘为昭化军’四字”。㊸ 洮：洮州，治所美相，在今甘肃临潭西南。㊹ 鄯：鄯州，治所西都，在今青海海东市乐都区。

【校记】

［13］定难：原作“定难军”。据章钰校，十二行本、乙十一行本皆无“军”字，今据删。

【语译】

十一月十六日戊子，唐明宗的病又复发了。十七日己丑，病情加剧，秦王李从荣进宫探病，唐明宗低着头，不能抬起来。王淑妃说：“从荣在这里。”唐明宗没有回应。李从荣出宫，听到宫里的人都在哭，他心里想，唐明宗已经死了，第二天早晨，他就说自己有病，不再进宫。当天晚上，唐明宗的病情实际上已经稍见好转，而李从荣并不知道。李从荣知道自己不为当时的舆论所赞许，害怕不能继承帝位，就和他的党羽密谋，准备带兵进宫侍卫，首先控制掌权的大臣。

十九日辛卯，李从荣派遣都押牙马处钧去对朱弘昭、冯赟说：“我想率领牙兵进入宫中侍候皇帝的疾病，并且防备意外，我应住在何处？”朱、冯两人回答说：“大王自己选择地方。”接着两人又私下对马处钧说：“皇帝康泰，大王应该尽忠尽孝，不应该轻信别人的胡言乱语。”李从荣大怒，又派马处钧对两人说：“你们两位特别不爱惜自己的家族吧？怎么敢拒绝我！”两人听后很担心，进宫告诉了王淑妃和宣徽使孟汉

之[360]，入告王淑妃及宣徽使孟汉琼，咸曰："兹事不得康义诚不可济[361]。"乃召义诚谋之。义诚竟无言，但曰[362]："义诚将校耳，不敢预议，惟相公所使[363]。"弘昭疑义诚不欲众中言之[364]，夜，邀至私第[365]问之，其对如初。

壬辰[366]，从荣自河南府常服[367]将步骑千人陈于天津桥[368]。是日黎明，从荣遣马处钧至冯赟第，语之曰："吾今日决入[369]，且居兴圣宫[370]。公辈各有宗族，处事亦宜详允[371]，祸福在须臾[372]耳。"又遣处钧诣康义诚，义诚曰："王来则奉迎[373]。"

赟驰入右掖门[374]，见弘昭、义诚、汉琼及三司使孙岳方聚谋于中兴殿[375]门外，赟具道[376]处钧之言，因让[377]义诚曰："秦王言'祸福在须臾'，其事可知[378]。公勿以儿在秦府，左右顾望[379]！主上拔擢吾辈，自布衣至将相，苟使秦王兵得入此门，置主上何地？吾辈尚有遗种[380]乎？"义诚未及对，监门[381]白秦王已将兵至端门[382]外。汉琼拂衣起[383]曰："今日之事，危及君父[384]，公[385]犹顾望择利邪？吾何爱余生，当自帅兵拒之耳！"即入殿门，弘昭、赟随之，义诚不得已，亦随之入。

汉琼见帝曰："从荣反，兵已攻端门，须臾入宫，则大乱矣。"宫中相顾号哭[386]。帝曰："从荣何苦乃尔[387]！"问弘昭等："有诸[388]？"对曰："有之，适[389]已令门者阖门矣。"帝指天泣下，谓义诚曰："卿自处置[390]，勿惊百姓！"控鹤指挥使李重吉[391]，从珂之子也，时侍侧，帝曰："吾与尔父，冒矢石定天下，数脱吾于厄[392]。从荣辈得何力，今乃为人所教，为此悖逆！我固知此曹[393]不足付大事，当呼尔父授以兵柄耳。汝为我部闭诸门[394]。"重吉即帅控鹤兵守宫门。孟汉琼被甲乘马，召马军都指挥使朱洪实[395]，使将五百骑以[14]讨从荣。

从荣方据[396]胡床[397]，坐桥上，遣左右召康义诚。端门已闭，叩左掖门[398]，从门隙中窥之，见朱洪实引骑兵北来，走白从荣。从荣大惊，命取铁掩心擐之[399]，坐调弓矢[400]。俄而骑兵大至，从荣走[401]归府[402]，僚佐皆窜匿，牙兵[403]掠嘉善坊[404]溃去。从荣与妃刘氏匿床下，皇城使安从益就[405]斩之，并杀其子，以其首献。初，孙岳颇得豫[406]内廷密谋，

琼，大家都说：“这事没有康义诚是不会成功的。”于是叫来康义诚商议办法。康义诚竟然不说话，只是说：“义诚是个将校而已，不敢预议朝政，我只听从相公的差遣。”朱弘昭怀疑康义诚是不想在众人中说这件事，夜里，把他邀请到自己家里询问他，他的回答和原来一样。

十一月二十日壬辰，李从荣穿着平常的服装，从河南府带领着步兵、骑兵一千人列阵于天津桥。这天黎明，李从荣派马处钧来到冯赟家，对他说：“我今天决定进宫，并且住在兴圣宫。你们各自都有家族，做事应该详密稳妥，是福是祸就在转瞬之间罢了。”又派马处钧到康义诚那里，康义诚说：“秦王来了就奉迎。”

冯赟飞马进入右掖门，看见朱弘昭、康义诚、孟汉琼以及三司使孙岳正聚集在中兴殿门外，冯赟把马处钧所讲的话一五一十地告诉了他们，接着就责备康义诚说：“秦王说‘是福是祸就在转瞬之间’，这事是可想而知的。你不要因自己的儿子在秦王府，就左右观望！皇上提拔我们这些人，从平民百姓升至将相，如果让秦王的兵马走进这个门，把皇上往哪里摆？我们这些人还有子孙后代吗？”康义诚没来得及答话，监门卫将军报告说秦王已经带兵到了端门之外。孟汉琼拂袖而起，说：“今天的事情，危及君主，你康义诚还犹豫观望，选择个人利害得失吗？我绝不爱惜自己的余生，自当亲自率兵抵抗！”他立刻进入了中兴殿门，朱弘昭、冯赟都跟着他，康义诚不得已，也随着他们进去了。

孟汉琼见到唐明宗，说道：“李从荣造反了，士兵已经进攻端门，转眼进入宫内，就要大乱了。”宫里的人相视号哭。唐明宗说：“从荣何苦要这个样子！”就问朱弘昭等人：“真有这事吗？”大家回答说：“有这事，刚才已命令守门人把宫门关上了。”唐明宗指天泪下，对康义诚说：“爱卿自己做主处理吧，不要惊扰百姓！”控鹤指挥使李重吉是李从珂的儿子，当时侍奉在唐明宗身边，唐明宗对他说：“我和你的父亲，冒着战场上的矢石平定天下，他多次在危急之中救过我。李从荣这等人又出过什么力，现在却被人唆使，干出这样悖逆不道的事！我本来就知道他不足以托付大事，真应该把你父亲招来把掌兵的大权交给他。你去替我部署关闭各个宫门。”李重吉当即率领控鹤兵把守宫门。孟汉琼披上铠甲，骑上战马，召唤马军都指挥使朱洪实，让他率领五百名骑兵以讨伐李从荣。

李从荣这时正坐着胡床，坐在天津桥上，派左右侍从召康义诚前来。端门已经关闭，侍从们就叩打左掖门，从门缝中向里窥看，看见朱洪实带着骑兵从北面而来，侍从跑回去告诉李从荣。李从荣大吃一惊，命令手下拿来护胸的铁甲穿上，坐着调理弓矢。一会儿朱洪实的骑兵大批到来，李从荣逃回河南府，他的幕僚佐吏都逃窜躲藏起来，牙兵抢掠嘉善坊后也溃散离去。李从荣和他的妃子刘氏藏匿床下，皇城使安从益靠近床把他们杀了，同时杀了他的儿子，把他们的首级进献朝廷。当初，

冯、朱患从荣狼伉㊼，岳尝为之极言祸福之归㊽，康义诚恨之。至是，乘乱密遣骑士射杀之。帝闻从荣死，悲骇㊾，几落御榻，绝而复苏㊿者再⑪，由是疾复剧⑫。从荣一子尚幼，养宫中，诸将请除之，帝泣曰："此何罪！"不得已，竟与之⑬。癸巳⑭，冯道帅群臣入见帝于雍和殿，帝雨泣呜咽，曰："吾家事至此，惭见卿等！"

时[15]宋王从厚为天雄节度使，甲午⑮，遣孟汉琼征从厚，且权知天雄军府事。

丙申⑯，追废从荣为庶人。执政共议从荣官属之罪，冯道曰："从荣所亲者，高辇、刘陟、王说⑰而已。任赞到官才半月，王居敏、司徒诩在病告⑱已半年，岂豫其谋！居敏尤为从荣所恶，昨举兵向阙⑲之际，与辇、陟并辔而行，指日景⑳曰：'来日及今㉑，已诛王詹事㉒矣。'自非与之同谋者，岂得一切诛之乎！"朱弘昭曰："使㉓从荣得入光政门㉔，赞等当如何任使㉕，而吾辈犹有种乎！且首从差一等㉖耳，今首已孥戮㉗而从皆不问，主上能不以吾辈为庇奸人乎！"冯赟力争之，始议流贬㉘，时谘议㉙高辇已伏诛。丁酉㉚，元帅府判官、兵部侍郎任赞，秘书监兼王傅刘瓒，友㉛苏瓒，记室鱼崇远，河南少尹刘陟，判官司徒诩，推官王说等八人并长流㉜，河南巡官李澣㉝、江文蔚㉞等六人勒归田里㉟，六军判官、太子詹事王居敏，推官郭晙㊱并贬官。澣，回之族曾孙也。诩，贝州人。文蔚，建安人也。文蔚奔吴，徐知诰厚礼之。

初，从荣失道㊲，六军判官、司谏郎中㊳赵远㊴谏曰："大王㊵地居上嗣㊶，当勤修令德㊷，奈何所为如是㊸！勿谓父子至亲为可恃，独不见恭世子㊹、戾太子㊺乎！"从荣怒，出为泾州㊻判官。及从荣败，远以是知名。远，字上交，幽州人也。

孙岳常能参与内廷的密谋，冯赟、朱弘昭担心李从荣乖戾跋扈，孙岳曾经为他们极力说明祸福的归向，康义诚很憎恨他。到了这个时候，乘着混乱，秘密地派遣骑士射杀了他。唐明宗得知李从荣死了，非常惊骇悲伤，几乎跌落御榻，昏死又苏醒过来两次，从此病情又加重了。李从荣有一个儿子还很幼小，养在宫中，将领们要求除掉他，唐明宗哭着说："这孩子有什么罪！"迫不得已，最终把孩子交给了他们。十一月二十一日癸巳，冯道率领群臣进宫，在雍和殿晋见唐明宗，唐明宗泪如雨下，话声呜咽，说："我家的事情到了这种地步，无脸见你们！"

此时宋王李从厚担任天雄节度使，十一月二十二日甲午，唐明宗派遣孟汉琼征召李从厚，并且暂时掌理天雄军府的事务。

二十四日丙申，唐明宗下诏追废李从荣为庶人。执政大臣共同商议李从荣属官的罪责，冯道说："李从荣所亲信的，只有高辇、刘陟、王说而已。任赞到职才半个月，王居敏、司徒诩有病告假已经半年，这些人怎么能够参与谋划！王居敏更是被李从荣所厌恶，昨天李从荣率兵向宫中进攻的时候，和高辇、刘陟并马而行，他指着日影说：'明天到这个时候，已经把王詹事给杀了。'这自然说明王居敏不是他的同谋者，怎么能够把所有的人都诛杀了呢！"朱弘昭说："假如李从荣能够进入光政门，任赞等人该怎样任命，而我们这些人还能有子孙后代吗！况且首犯和从犯只能罪差一等，现在首犯已经杀死了，而从犯全不追究，皇上能不认为我们这些人是在包庇奸人吗！"冯赟极力争辩，这才议定对这批人实行流放和贬官，当时谘议高辇已经伏罪被杀。二十五日丁酉，元帅府判官、兵部侍郎任赞，秘书监兼王傅刘瓒，友苏瓒，记室鱼崇远，河南府少尹刘陟，判官司徒诩，推官王说等八人都被流放远方，河南巡官李澣、江文蔚等六人被勒令回归田里，六军判官、太子詹事王居敏，推官郭晙一起被贬官。李澣是李回的同族曾孙。司徒诩是贝州人。江文蔚是建安人。江文蔚逃奔吴国，徐在诰厚礼相待。

当初，李从荣失去正道，六军判军、司谏郎中赵远劝谏说："大王您身处嗣子的地位，应当努力修养优秀的品德，为什么所作所为竟是这个样子！不要认为父子关系是至亲就可依恃，难道没有看到恭世子和戾太子的往事吗！"李从荣听了很生气，把他外放为泾州判官。到了李从荣失败以后，赵远因此知名于世。赵远字上交，是幽州人。

【段旨】

以上为第九段，写唐明宗病重，李从荣因反叛被诛。

【注释】

㉟戊子：十一月十六日。㊻己丑：十一月十七日。㊼大渐：病势沉重。㊽俯首不能举：垂着头无力抬起。㊾殂：死。㊿不为时论所与：不被当时社会舆论所赞许。351嗣：继承人。352以兵入侍：用军队进入皇宫侍候皇帝。353先制权臣：先控制掌权的大臣，指孟汉琼、朱弘昭、冯赟等。354辛卯：十一月十九日。355且备非常：并且防备意外所应对。356止于何所：住在宫中什么地方。357主上万福：指明宗身体健康，起居正常。358浮言：胡言乱语；空虚不实的话。359殊：很；特别。360患之：担心。361济：成功。362但曰：只说。363惟相公所使：只听你们差遣。364不欲众中言之：不想在众人的面前说这件事。365私第：自己家里。366壬辰：十一月二十日。367常服：穿着便服。368天津桥：桥名，在洛阳西南二十里。为隋炀帝所建，唐贞观十四年（公元六四〇年）令石工以方石加固桥墩。369决入：决定进入宫中。370且居兴圣宫：将住在兴圣宫。因明帝嗣位，先入居兴圣宫，从荣也拟由此即位。371详允：详密而允妥。372须臾：瞬间。谓时间短暂。373王来则奉迎：你来就奉迎。言下之意，不来就不敢轻动。374右掖门：宫城南面西边城门。375中兴殿：殿名，唐庄宗同光二年（公元九二四年）改崇勋殿为中兴殿。376具道：详细述说。377让：责备。378其事可知：意谓篡位的后果可以想见。379左右顾望：左右观望，举棋不定。380遗种：子孙。381监门：监门卫将军。382端门：宫城正南门。383拂衣起：振衣而起立，形容愤激的样子。384危及君父：危害到君主。385公：指康义诚。386相顾号哭：相互顾视，号啕大哭。387何苦乃尔：意谓本来已取得继承人地位，何必这个样子。388有诸：有之乎；有这等事吗。389适：刚才。390卿自处置：你自己处理这件事情吧。即授权由康义诚处理。391李重吉（？至公元九三四年）：李从珂长子。为控鹤都指挥使，闵帝嗣位，出为亳州团练使。传见《旧五代史》卷五十一、《新五代史》卷十六。392数脱吾于厄：李从珂多次从危险中将我救出来。393此曹：他，指李从荣。394部闭诸门：部署关闭各个宫门。395朱洪实（？至公元九三四年）：官至后唐马军都指挥使。传见《旧五代史》卷六十六。396据：坐。397胡床：亦称交床、交椅、绳床。一种可以折叠的轻便坐具。398左掖门：宫城南面东边城门。399铁掩心擐之：将护胸的铁甲穿上。400坐调弓矢：坐着调整弓箭的射程。401走：逃。402府：指河南府。403牙兵：从荣的警

【原文】

戊戌[447]，帝殂。帝性不猜忌，与物无竞[448]，登极[449]之年已逾六十，每夕于宫中焚香祝天曰："某胡人，因乱为众所推。愿天早生圣人[450]，为生民主[451]。"在位年谷屡丰，兵革罕用，校[452]于五代，粗为小康[453]。

卫军。⑭ 嘉善坊：洛阳坊市名。⑮ 就：靠近床边。⑯ 豫：预闻。⑰ 冯、朱患从荣狼伉：冯赟、朱弘昭担心秦王李从荣乖戾跋扈。狼伉，也作狼抗，乖戾跋扈。⑱ 岳尝为之极言祸福之归：孙岳曾为冯赟、朱弘昭极力说明祸福的归向。⑲ 悲骇：既悲伤又惊恐。⑳ 绝而复苏：死而复活。绝，昏死、休克。㉑ 再：再次。指明宗休克了两次。㉒ 剧：加重。㉓ 竟与之：终于交给他们处死。㉔ 癸巳：十一月二十一日。㉕ 甲午：十一月二十二日。㉖ 丙申：十一月二十四日。㉗ 说：通“悦”。㉘ 在病告：有病告假在家休养。㉙ 举兵向阙：带兵进攻皇宫。㉚ 日景：太阳所示晷刻。㉛ 来日及今：明天这个时候。㉜ 王詹事：指王居敏。㉝ 使：假使。㉞ 光政门：即长乐门。唐昭宗入洛，改称光政门。㉟ 赟等当如何任使：任赟等将会得到怎样的任命。㊱ 首从差一等：凡定罪，为首者与胁从者不同，从者减为首者一等。㊲ 孥戮：孥，刑为奴。戮，杀头。孥戮，这里为偏义，指李从荣授首。㊳ 流贬：流放和贬斥。㊴ 谘议：官名，掌顾问咨询。㊵ 丁酉：十一月二十五日。㊶ 友：皇弟、皇子属官，掌陪侍规讽。㊷ 长流：流徙到远方。唐法，长流人称“长流百姓”。㊸ 李澣：河南府尹李从荣之巡官，为唐武宗时宰相李回之族曾孙。㊹ 江文蔚（公元九〇一至九五二年）：字君章，建安（今福建建瓯）人，博学，工文学，后唐长兴进士。官南唐御史中丞，直声震江左。传见《十国春秋》卷二十五。㊺ 勒归田里：勒令回乡，削职为民。㊻ 郭晙：李从荣判六军诸卫事府推官。㊼ 失道：失去正道，不修德行。㊽ 司谏郎中：官名，掌规谏讽谕。㊾ 赵远：字上交，幽州（今北京市）人，事后汉高祖刘知远，避讳，以字行。㊿ 大王：指李从荣。(441) 上嗣：年龄在明宗诸子之上，名正言顺可以继承帝位。(442) 当勤修令德：应当勤奋地培养优良的道德品质。(443) 奈何所为如是：为什么所作所为竟是这个样子。(444) 恭世子：即晋献公太子申生，因受献公宠姬骊姬诬陷，被迫自杀。事见《史记》卷三十九《晋世家》。恭，申生死后谥号。世子，即太子。(445) 戾太子：汉武帝太子刘据，遭权臣江充陷害，谋反，兵败自杀。传见《汉书》卷六十三《武五子传》。戾，谥号。(446) 泾州：州名，治所泾川，在今甘肃泾川县。

【校记】

［14］以：原无此字。张敦仁《通鉴刊本识误》：“‘骑’下脱‘以’字。”当是，今据补。［15］时：原无此字。据章钰校，十二行本有此字，今据补。

【语译】

十一月二十六日戊戌，唐明宗去世。唐明宗平生不猜疑忌恨，与人无争，即帝位那一年已经过了六十岁，每晚在宫中焚香向上天祷告说：“我是个胡人，由于动乱被众人所推举。愿上天早降圣人，好当百姓的君主。”在位期间连年丰收，很少用兵，在五代中比较起来，大致是个小康局面。

辛丑[454]，宋王[455]至洛阳。

闽主尊鲁国太夫人黄氏[456]为皇太后。

闽主好鬼神，巫[457]盛韬等皆有宠。薛文杰言于闽主曰："陛下左右多奸臣，非质[458]诸鬼神，不能知也。盛韬善视鬼，宜使察之。"闽主从之。文杰恶枢密使吴勖，勖有疾，文杰省之，曰："主上以公久疾，欲罢公近密[459]，仆言公但小苦头痛耳，将愈矣。主上或遣使来问，慎勿以他疾对也。"勖许诺。明日，文杰使韬言于闽主曰："适见北庙崇顺王[460]讯吴勖谋反，以铜钉钉其脑，金椎击之。"闽主以告文杰，文杰曰："未可信也，宜遣使问之。"果以头痛对，即收下狱。遣文杰及狱吏杂治[461]之，勖自诬服[462]，并其妻子诛之。由是国人益怒。

吴光请兵于吴，吴信州刺史蒋延徽[463]不俟朝命[464]，引兵会光攻建州，闽主遣使求救于吴越。

十二月癸卯朔[465]，始发明宗丧，宋王[466]即皇帝位。

秦王从荣既死，朱洪实妻入宫，司衣[467]王氏与之[16]语及秦王，王氏曰："秦王为人子，不在左右侍疾[468]，致人归祸，是其罪也。若云大逆，则厚诬[469]矣。朱司徒[470]最受王恩，当时不为[17]之辨，惜哉！"洪实闻之，大惧，与康义诚以其语白闵帝，且言王氏私于从荣[471]，为之诇[472]宫中事。辛亥[473]，赐王氏死。事连王淑妃[474]，淑妃素厚于从荣，帝由是疑之。

丙辰[475]，以天雄左都押牙宋令询[476]为磁州刺史。朱弘昭以诛秦王立帝为己功，欲专朝政。令询侍帝左右最久，雅[477]为帝所亲信，弘昭不欲旧人在帝侧，故出之。帝不悦，而无如[18]之何。

孟知祥闻明宗殂，谓僚佐曰："宋王幼弱，为政者皆胥史[19]小人[478]，其乱可坐俟[479]也。"

辛未[480]，帝始御中兴殿。帝自终易月之制[481]，即召学士读《贞观政要》[482]、太宗实录[483]，有致治之志[484]。然不知其要[485]，宽柔少断[486]。李愚私谓同列曰："吾君延访，鲜及吾辈[487]，位高责重，事亦堪忧。"众惕息[488]不敢应。

二十九日辛丑，宋王到达洛阳。

闽主尊奉鲁国太夫人黄氏为皇太后。

闽主相信鬼神，巫人盛韬等人都受宠信。薛文杰向闽主建议："陛下的身边奸臣很多，如果不向鬼神请示，是不能了解的。盛韬善于看鬼，应该派他去察看。"闽主听从了他的建议。薛文杰很厌恶枢密使吴勖，吴勖有病，薛文杰去探视他，对他说："主上因为你长期生病，想免去你的枢密职务，在下说你只是患了头痛而已，即将痊愈。主上如果派使者来探问，千万不要回答是其他的病。"吴勖答应了。第二天，薛文杰让盛韬对闽主说："刚才看见北庙的崇顺王审问吴勖谋反之事，用铜钉钉在他的脑门，拿金椎锤击。"闽主把这件事告诉了薛文杰，薛文杰说："不可相信，应该派使者查问此事。"吴勖果然回答使者说是头痛，当即就把他收捕下狱。闽主派薛文杰和狱吏联合审讯他，吴勖自诬认罪，连同他的妻子儿女一起被诛杀了。从此，闽国的百姓更加愤怒了。

吴光请求吴国派兵攻闽，吴国的信州刺史蒋延徽不等朝廷的正式命令到达，就率兵会合吴光攻打建州，闽主派遣使者向吴越国求救。

十二月初一日癸卯，开始发布唐明宗的死讯，宋王即皇帝位。

秦王李从荣死了以后，朱洪实的妻子进入宫中，司衣王氏和她说到秦王，王氏说："秦王作为人子，不在皇帝身边侍候疾病，以致被人嫁祸，这是他的过错。如果说他大逆不道，那是严重诬蔑他了。朱司徒平时最受秦王恩宠，当时没有为他辩明，太可惜了啊！"朱洪实听到这话，大为恐惧，就和康义诚把这话告诉了唐闵帝，并且说王氏私通李从荣，替他刺探宫中的情况。十二月初九日辛亥，唐闵帝下诏赐王氏死。这件事牵连到王淑妃，王淑妃一向厚待李从荣，唐闵帝由此怀疑王淑妃。

十二月十四日丙辰，任命天雄左都押牙宋令询为磁州刺史。朱弘昭把诛灭秦王、迎立闵帝当作自己的功劳，想要专擅朝政。宋令询在唐闵帝身边侍奉时间最久，一向被唐闵帝所信任，朱弘昭不愿意旧人待在唐闵帝身边，所以就把他调出外任。唐闵帝很不高兴，但也无可奈何。

孟知祥听到明宗去世，对他的僚佐说："宋王年幼懦弱，当政的都是胥史小人，动乱马上就会发生。"

十二月二十九日辛未，唐闵帝第一次驾临中兴殿。唐闵帝自从服完了以日代月的丧制后，就召来学士为他讲读《贞观政要》《太宗实录》，怀有使天下大治的志向。但是他不知道为政要领，宽容优柔，缺乏决断。李愚私下里对同僚说："我们的皇上有事咨询，很少找我们，我们地位高，责任重大，这事也真让人担心。"大家闷声屏气，不敢回答。

【段旨】

以上为第十段，写明宗崩，宋王李从厚即位，是为闵帝。闽王信巫杀良，百姓离心。

【注释】

⑭⑦戊戌：十一月二十六日。⑭⑧与物无竞：与人无争。⑭⑨登极：称帝。⑮⓪圣人：有道德、有学识的超乎常人的人。这里指明宗祈求太子圣明。⑮①为生民主：做老百姓的主宰者。⑮②校：比之于。⑮③粗为小康：粗略地说，可以称之为小康的局面。小康，小安。⑮④辛丑：十一月二十九日。⑮⑤宋王：指李从厚。⑮⑥黄氏：泉州（今福建泉州）人，黄滔的侄女。初为王审知侧室，王延钧之母，唐明宗封之为鲁国夫人。通文元年（公元九三六年）尊为太皇太后。传见《十国春秋》卷九十四。⑮⑦巫：通鬼神的人。⑮⑧质：正；求证。⑮⑨近密：指枢密使。⑯⓪北庙崇顺王：北庙庙神。王延钧信北庙崇顺王，事见上卷长兴三年（公元九三二年）。⑯①杂治：联合审讯。⑯②勖自诬服：吴勖受刑不过，自己诬称谋反。⑯③蒋延徽：杨行密女婿，与杨蒙友好，官右威卫大将军。传见《十国春秋》卷九。⑯④不俟朝命：吴光自闽奔吴，请兵伐闽，蒋延徽等不及吴主的正式命令即引兵攻闽。⑯⑤癸卯朔：十二月初一日。⑯⑥宋王：李从厚。⑯⑦司衣：宫官名，属尚服局，掌宫内御服、首饰。⑯⑧不在左右侍疾：不在明宗身边侍奉病人。⑯⑨厚诬：严重地诬蔑。⑰⓪朱司徒：指朱洪实，曾

【原文】

顺化[489]节度使、同平章事、判明州[490]钱元珦[491]骄纵不法，每请事于王府[492]不获[493]，辄上书悖慢[494]。尝怒一吏[495]，置铁床炙之[496]，臭满城郭。吴王元瓘遣牙将仰仁诠[497]诣明州召之，仁诠左右虑元珦难制，劝为之备，仁诠不从，常服径造听事[498]。元珦见仁诠至，股栗[499]，遂还钱塘[500]，幽于别第[501]。仁诠，湖州人也。

闽主[20]改福州为长乐府。

亲从都指挥使王仁达[502]有擒王延禀之功，性慷慨，言事无所避。闽主恶之，尝私谓左右曰："仁达智有余[503]，吾犹能御之[504]，非少主臣也。"至是，竟诬以叛，族诛之。

初，马希声、希范同日生，希声母曰袁德妃[505]，希范母曰陈氏[506]。

加检校司徒衔。㊼私于从荣：私通李从荣。㊽诇：侦察；刺探。㊾辛亥：十二月初九日。㊿事连王淑妃：司衣王氏为王淑妃养子李从益乳母，王氏与秦王从荣私通，并为秦王耳目，故王氏被赐死，事连王淑妃。事详见《新五代史》卷十五《淑妃王氏传》。⑰丙辰：十二月十四日。⑱宋令询（？至公元九三四年）：闵帝在藩时旧臣，知书乐善，动皆有礼。传见《旧五代史》卷六十六。⑲雅：向来。⑳为政者皆胥史小人：指朱弘昭、冯赟等都以胥史小吏事明宗于藩邸而逐步掌权秉政。㊼坐俟：坐而等待。意为可能立即发生。㊽辛未：十二月二十九日。㊾帝自终易月之制：闵帝遵循汉、晋丧制，三年之丧，以日代月，服丧二十七日而除服。㊿《贞观政要》：书名，唐吴兢撰，十四卷四十篇，记述唐太宗君臣治理国家之事。㊽太宗实录：即《唐太宗实录》，史官所撰。㊽有致治之志：有达到天下大治的志向。㊽要：要领。㊽宽柔少断：宽容优柔而少决断。㊽鲜及吾辈：很少找我们。时李愚为相，闵帝很少与宰相商量政事。㊽惕息：屏住呼吸，害怕的样子。

【校记】

［16］与之：原无此二字。据章钰校，十二行本、乙十一行本皆有此二字，今据补。［17］不为：二字中间原有空格。据章钰校，十二行本、乙十一行本、孔天胤本皆无空格，今据删。［18］如：原无此字。据章钰校，十二行本、乙十一行本、孔天胤本皆有此字，熊罗宿《胡刻资治通鉴校字记》同，今据补。［19］胥史：原作“胥吏”。据章钰校，十二行本、乙十一行本皆作“胥史”，今据改。

【语译】

顺化节度使、同平章事、判明州钱元珦骄横放纵，不守法度，每次向王府请求事情未获允许就上书，态度狂悖傲慢。曾经对一个小吏发怒，把他放在铁床上烘烤，焦臭的气味弥漫全城。吴王钱元瓘派遣牙将仰仁诠前往明州征召他，仰仁诠的身边人员担心钱元珦难以制服，劝他做好防备，仰仁诠没有听从，穿着日常服装直接走到官府办公的处所。钱元珦看见仰仁诠到来，两腿发抖，接着就被仰仁诠送回钱塘，幽禁在王宫以外的房子里。仰仁诠是湖州人。

闽主把福州改为长乐府。

亲从都指挥使王仁达有擒获王延禀的功劳，生性慷慨，谈论事情无所回避。闽主很厌恶他，有一次私下里对身边的人说：“仁达智谋很多，我还能驾驭他，但他不会做少主的臣子。”到这时，竟然诬陷他叛乱，诛灭了他的全族。

当初，马希声和马希范同一天出生，马希声的母亲是袁德妃，马希范的母亲是

希范怨希声先立不让，及嗣位，不礼[507]于袁德妃。希声母弟希旺[508]为亲从都指挥使，希范多谴责之。袁德妃请纳希旺官为道士，不许，解其军职，使居竹屋草门，不得预兄弟燕集[509]。德妃卒，希旺忧愤而卒。

【段旨】

以上为第十一段，写吴越顺化节度使钱元珦骄纵不法被解职，闽主猜忌杀功臣，楚主马希范虐待兄弟。

【注释】

[489]顺化：方镇名，后唐明宗长兴三年（公元九三二年）升楚州为顺化军。[490]明州：州名，在今浙江宁波。当时钱元珦判明州，系遥领。[491]钱元珦：钱镠子，骄恣不法，废为庶人。传见《十国春秋》卷八十三。[492]王府：指吴越国王府。[493]不获：未获允许。[494]悖慢：狂悖傲慢。[495]尝怒一吏：曾经对部下的一个小吏发怒。[496]炙之：烘烤他。[497]仰仁诠：湖州（今浙江湖州）人，干练豁达，官至吴越宁国军节度使。传见《十国春秋》卷八十八。[498]径造听事：直接到明州府处理公事的处所。[499]股栗：两腿发抖。[500]钱塘：即今

【原文】

潞王[510]上

清泰元年（甲午，公元九三四年）

春，正月戊寅[511]，闵帝大赦，改元应顺。

壬午[512]，加河阳节度使兼侍卫都指挥使康义诚兼侍中，判六军诸卫事。

朱弘昭、冯赟忌侍卫马军都指挥使、宁国节度使[21]安彦威[513]，侍卫步军都指挥使、忠正[514]节度使张从宾[515]。甲申[516]，出彦威为护国节度使，以捧圣马军都指挥使朱洪实代之。出从宾为彰义节度使，以严卫[517]步军都指挥使皇甫遇[518]代之。彦威，崞人。遇，真定人也。

陈氏。马希范怨恨马希声先被立为世子而不让给自己，等到自己继承了王位，便对袁德妃不礼貌。马希声的同母弟弟马希旺担任亲从都指挥使，马希范经常斥责他。袁德妃请求准许马希旺把官职交还，让他做道士，马希范不答应，解除了他的军职，让他居住于竹屋草门，不准参加兄弟们的饮宴聚会。袁德妃死了以后，马希旺忧愤而死。

浙江杭州。501 幽于别第：关在王宫以外的房子里。502 王仁达（？至公元九三三年）：王延钧侄子，有智略，敢直言，积功至楼船指挥使。传见《十国春秋》卷九十四。503 智有余：智谋多。504 犹能御之：还能驾驭他。505 袁德妃：马殷妃，累封德妃，有宠，生马希声。传见《十国春秋》卷七十一。506 陈氏：马殷妃，生马希范。传见《十国春秋》卷七十一。507 不礼：无礼貌。508 希旺：马殷子，袁德妃所生，官至亲从都指挥使。传见《十国春秋》卷七十一。509 燕集：欢宴集会。

【校记】

［20］闽主：原作“闽王”。据章钰校，十二行本、乙十一行本皆作“闽主”，张敦仁《通鉴刊本识误》同，今据改。下之“闽主”同。

【语译】

潞王上

清泰元年（甲午，公元九三四年）

春，正月初七日戊寅，唐闵帝下诏大赦，改年号为应顺。

十一日壬午，加封河阳节度使兼侍卫都指挥使康义诚兼任侍中，判六军诸卫事。

朱弘昭、冯赟忌恨侍卫马军都指挥使、宁国节度使安彦威，侍卫步军都指挥使、忠正节度使张从宾。正月十三日甲申，把安彦威调出外任护国节度使，任命捧圣马军都指挥使朱洪实接替他的职务。把张从宾调出外任彰义节度使，任命严卫步军都指挥使皇甫遇接替他的职务。安彦威是崞县人。皇甫遇是真定人。

戊子[519]，枢密使、同平章事朱弘昭，同中书门下二品冯赟，河东节度使兼侍中石敬瑭并兼中书令。赟以超迁太过[520]，坚辞不受。己丑[521]，改兼侍中。

壬辰[522]，以荆南节度使高从诲[523]为南平王，武安、武平节度使马希范为楚王。

甲午[524]，以镇海、镇东节度使吴王元瓘为吴越王。

吴徐知诰别治私第[525]于金陵，乙未[526]，迁居私第，虚府舍以待吴主[527]。

凤翔节度使兼侍中潞王从珂，与石敬瑭少从明帝征伐，有功名，得众心。朱弘昭、冯赟位望[528]素出二人下远甚[529]，一旦执朝政，皆忌之。明宗有疾，潞王屡遣其夫人入省侍。及明宗殂，潞王辞疾不来，使臣至凤翔者或自言伺[530]得潞王阴事[531]。时潞王长子重吉[532]为控鹤都指挥使，朱、冯不欲其典禁兵[533]，己亥[534]，出为亳州[535]团练使。潞王有女惠明为尼，在洛阳，亦召入禁中。潞王由是疑惧[536]。

吴蒋延徽败闽兵于浦城[537]，遂围建州。闽主璘遣上军使[538]张彦柔、骠骑大将军王延宗[539]将兵万人救建州。延宗军及中涂[540]，士卒不进，曰："不得薛文杰，不能讨贼。"延宗驰使以闻，国人震恐。太后及福王继鹏泣谓璘曰："文杰盗弄国权[541]，枉害无辜，上下怨怒久矣。今吴兵深入，士卒不进，社稷一旦倾覆，留文杰何益！"文杰亦在侧，互陈利害。璘曰："吾无如卿何，卿自为谋[542]！"文杰出，继鹏伺之于启圣门[543]外，以笏[544]击之仆地，槛车[545]送军前，市人争持瓦砾[546]击之。文杰善术数[547]，自云过三日则无患。部送者[548]闻之，倍道兼行，二日而至。士卒见之踊跃，脔食之[549]，闽主亟遣赦之，不及。初，文杰以为古制槛车疏阔[550]，更为之，形如木匮，攒以铁铓[551]，内向，动辄触之。车成，文杰首自入焉。并诛盛韬。

蒋延徽攻建州垂克[553]，徐知诰以延徽吴太祖之婿，与临川王濛素善[554]，恐其克建州，奉濛以图兴复[555]，遣使召之。延徽亦闻闽兵及吴越

正月十七日戊子，枢密使、同平章事朱弘昭，同中书门下二品冯赟，河东节度使兼侍中石敬瑭，一起兼任中书令。冯赟认为自己升迁得过快，坚决推辞不肯接受。十八日己丑，改为兼任侍中。

二十一日壬辰，封荆南节度使高从诲为南平王，封武安、武平节度使马希范为楚王。

二十三日甲午，封镇海、镇东节度使吴王钱元瓘为吴越王。

吴国的徐知诰在金陵另外修建私宅，正月二十四日乙未，他迁居到私宅，把府舍腾空，等待吴主的到来。

凤翔节度使兼侍中潞王李从珂与石敬瑭从少年时就跟随唐明宗四处征伐，立有战功，负有声望，又得人心。朱弘昭、冯赟的地位和声望一直在他们二人之下很远，朱、冯一下子执掌了朝政，都忌惮他们二人。唐明宗生病时，潞王多次派他的夫人进宫看望侍奉。等到明宗逝世，潞王说是有病，不肯前来，去过凤翔的使臣中有人说侦察到了潞王的隐私。当时潞王的长子李重吉担任控鹤都指挥使，朱弘昭、冯赟不想让他掌领禁兵，正月二十八日己亥，把他调出外任为亳州团练使。潞王有个女儿叫惠明出家当尼姑，住在洛阳，把她召进宫中。潞王由此产生了怀疑和恐惧。

吴国的蒋延徽在浦城打败了闽国的部队，接着围攻建州。闽主王璘派遣上军使张彦柔、骠骑大将军王延宗率领士兵一万人救援建州。王延宗的部队走到半路，士卒们不肯前进，说："如果得不到薛文杰，就不能讨伐贼军。"王延宗派使者急驰，把情况报告朝廷，闽国的百姓都很震惊和恐惧。太后和福王王继鹏哭着对王璘说："薛文杰窃国弄权，冤枉死了很多无辜的人，上下怨愤已经很久了。现在吴兵深入境内，我们的士兵不愿前进，国家一旦颠覆，留着薛文杰有什么好处！"薛文杰当时也在场，双方互相陈说着利害关系。王璘对薛文杰说："我不能把你怎么样，你自己考虑吧！"薛文杰走出宫廷，王继鹏在启圣门外候着他，用朝笏把他打倒在地，用囚车押送至军前，街市上的人争着拿石头、瓦片向他投掷。薛文杰擅长术数，自称过了三天自己就没有灾祸了。押送他的人听了这话，就兼程赶路，两天就到了军前。士卒们看见把他押来了，群情振奋，把他切成肉块吃掉了；闽主急忙派出使者前去赦免他，已经来不及了。当初，薛文杰认为按照古代规格制造的囚车不够精致，就重新对囚车做了改造，新囚车形如木柜，四面插上铁针，针锋向内，里面的人一动就触及铁针。这种囚车刚制成，薛文杰自己第一个进去了。同时诛杀了盛韬。

蒋延徽攻打建州，即将攻下时，徐知诰认为蒋延徽是吴太祖杨行密的女婿，和临川王杨蒙很要好，担心他攻下建州后，拥戴杨濛筹划恢复吴国的王权，于是就派遣使者把他召回。蒋延徽也听说闽国和吴越国的军队快要到了，就带兵返回。

兵将至，引兵归。闽人追击，败之，士卒死亡甚众，归罪于都虞候张重进，斩之。知诰贬延徽为右威卫将军，遣使求好于闽。

闰月[556]，以左谏议大夫唐汭[557]，膳部郎中、知制诰陈乂皆为给事中，充枢密直学士。汭以文学从帝，历三镇[558]在幕府。及即位，将佐之有才者，朱、冯皆斥逐之。汭性迂疏[559]，朱、冯恐帝含怒有时而发，乃引汭于密近[560]，以其党陈乂监之[561]。

丙午[562]，尊皇后[563]为皇太后。

安远[564]节度使符彦超奴王希全、任贺儿见朝廷多事，谋杀彦超，据安州附于吴。夜，叩门[565]称有急递[566]，彦超出至听事，二奴杀之。因以彦超之命召诸将，有不从己者辄杀之。己酉[567]旦，副使[568]李端帅州兵讨诛之，并其党。

甲寅[569]，以王淑妃为太妃。

蜀将吏劝蜀王知祥称帝，己巳[570]，知祥即皇帝位于成都。

【段旨】

以上为第十二段，写唐闵帝为群小所控，藩镇观望，孟知祥称帝。吴兵围闽建州，闽兵愤怨，薛文杰被诛。

【注释】

⑸⑽潞王：即后唐末帝李从珂（公元八八五至九三六年），镇州平山（今河北平山）人，本姓王，明宗为将时过平山掠得，养为子，骁勇。公元九三三至九三六年在位。传见《旧五代史》卷四十六至四十八、《新五代史》卷七。⑸⑾戊寅：正月初七日。⑸⑿壬午：正月十一日。⑸⒀安彦威：崞（今山西代县）人，善射，颇知兵法，官至后晋西京留守。传见《旧五代史》卷九十一。⑸⒁忠正：方镇名，后唐明宗天成二年（公元九二七年）升寿州为忠正节度，在今安徽寿县。寿县属吴，张从宾镇忠正，系遥领。⑸⒂张从宾（？至公元九三七年）：素便佞，官至灵武节度使。后叛晋，溺水死。传见《旧五代史》卷九十七。⑸⒃甲申：正月十三日。⑸⒄严卫：禁卫军名，闵帝改左、右羽林军为严卫，左、右龙武、神武军为捧圣。⑸⒅皇甫遇（？至公元九四七年）：常山（今河北正定）人，官至后晋同平章事。契丹灭后晋，皇甫遇义不受辱，自绝吭而死。传见《旧五代史》卷九十

闽兵追击，打败了吴兵，士卒死亡了很多，蒋延徽把兵败的责任归罪于都虞候张重进，把他杀了。徐知诰把蒋延徽贬为右威卫将军，派遣使者去向闽国请求修好。

闰正月，任命左谏议大夫唐汭，膳部郎中、知制诰陈乂都担任给事中，充任枢密直学士。唐汭靠他的文学才能侍从唐闵帝，历经三镇都在幕府中。到了唐闵帝继位，将领和佐吏中有才能的人，朱弘昭、冯赟都把他们排斥在外了。唐汭生性迂阔，朱弘昭、冯赟担心唐闵帝心中对他们的怒气有朝一日会发作，于是就引荐唐汭为枢密直学士，利用他们的同党陈乂监视唐汭。

初五日丙午，尊奉皇后为皇太后。

安远节度使符彦超的奴仆王希全、任贺儿看到朝廷政局动荡，就谋划杀害符彦超，占据安州，归附吴国。一天夜里，两人敲门说有紧急文书，符彦超出门来到厅堂，两个奴仆就把他杀了。乘机借用符彦超的命令把将领们召集来，有不服从他们的马上就杀掉。闰正月初八日己酉的早晨，节度副使李端率领本州的士兵讨伐他们，把他们杀了，他们的同党也一起被处死。

闰正月十三日甲寅，封王淑妃为太妃。

蜀国的将领和官吏劝孟知祥称帝，闰正月二十八日己巳，孟知祥在成都即皇帝位。

五。⑲戊子：正月十七日。⑳超迁太过：提升得过快。㉑己丑：正月十八日。㉒壬辰：正月二十一日。㉓高从诲（公元八九〇至九四八年）：高季兴长子，为人明敏，多权计。季兴死，袭位。公元九二八至九四八年在位。卒谥文献。传见《旧五代史》卷一百三十三、《新五代史》卷六十九、《十国春秋》卷一百一。㉔甲午：正月二十三日。㉕别治私第：在官衙府宅外另造私人住宅。㉖乙未：正月二十四日。㉗虚府舍以待吴主：空着原来的金陵军府舍，以等待吴王杨溥居住。㉘位望：地位和声望。㉙远甚：很远。㉚伺：窥伺；刺探。㉛阴事：不为人知的私事。此指企图谋反之事。㉜重吉（？至公元九三四年）：李从珂长子，为闵帝所杀。传见《旧五代史》卷五十一。㉝典禁兵：统领禁卫军。㉞己亥：正月二十八日。㉟亳州：州名，治所谯县，在今安徽亳州。㊱疑惧：怀疑和惧怕。此为潞王举兵张本。㊲浦城：县名，在今福建浦城。㊳上军使：官名，闽置上军使、中军使、下军使三官，各掌一军。㊴王延宗：王审知子，有政声。传见《十国春秋》卷九十四。㊵及中涂：到了半路上。涂，通“途”。㊶盗弄国权：盗窃、玩弄国家的权力。㊷吾无如卿何二句：意谓我不能把你怎么样，你自己去考虑吧。㊸启圣门：宫门名。㊹笏：朝笏。古时大臣朝见时手中所执的狭长板子，用玉、象牙或竹片制成，以备记事之用。㊺槛车：关押犯人的囚车。这里指将薛文杰关在囚车里。㊻瓦砾：瓦片和

石块。547 术数：方术和气数，指占卜、命相等迷信活动。548 部送者：押送的人。549 踊跃：群情感奋的样子。550 脔食之：切成肉块吃掉。551 疏阔：不精致。552 攒以铁锃：插上铁针。553 垂克：即将攻下。554 素善：向来要好。555 奉濛以图兴复：尊奉杨濛为吴王，恢复吴国的王权。556 闰月：是年闰正月。557 唐汭：闵帝旧时幕府官员。558 历三镇：闵帝曾出任宣武、河东、天雄三镇。559 迂疏：迂阔而不切实际。560 密近：指枢密直学士，因其常侍皇帝左右，故称密近。561 监之：监视唐汭的行动。562 丙午：闰正月初五日。563 皇后：指明宗曹皇后。天成三年（公元九二八年）册为淑妃，长兴元年（公元九三〇年）册为皇后。清泰三年（公元九三六年）闰十一月，随末帝自焚于玄武楼。传见《旧五代史》卷四十九。564 安远：方镇名，唐末置。治所安州，在今天津市蓟州区西北。565 叩门：敲门。566 急递：紧急文书。递，邮传。567 己酉：闰正月初八日。568 副使：节度副使。569 甲寅：闰正月十三日。570 己巳：闰正月二十八日。

【校记】

［21］宁国节度使：原无此五字。据章钰校，十二行本有此五字，张敦仁《通鉴刊本识误》同，今据补。

【研析】

本卷研析“五不足惧、六深可畏”，秦王李从荣之死两件史事。

第一，五不足惧、六深可畏。明宗长兴三年（公元九三二年）十月二十四日壬申，大理少卿康澄上奏，提出天变灾异有五种情况不足畏惧，人事作为有六个方面令人担心。康澄说：“气候变化无常不值得害怕，日月星辰运行不正常不值得害怕，社会上的流言不值得害怕，山崩河涸不值得害怕，虫害为灾不值得害怕。”这就是“五不足惧”。康澄又说：“贤人隐退令人担忧，士、农、工、商不能安居乐业令人担忧，上下串通作弊令人担忧，社会大众寡廉鲜耻令人担忧，是非混淆黑白颠倒令人担忧，听不到直言正论令人担忧。”这就是“六深可畏”。五代乱世，人们唯利是图，以力相尚，诚信的道德底线被践踏，世衰道丧。人之聚散，以利相蒙，全无君臣之义、父子之亲，沦落到禽兽的境界。康澄之论，石破天惊，明宗下诏褒奖。在古代，天灾变异被认为是上天在警告人世间的执政者，使之知惧以期改善政治。因此康澄所说的“五不足惧”，不是真的不足戒惧，而是说人事作为的六种情况更为可怕，警醒明宗用心于人间事务。言辞抑扬之间说得有些绝对，盖矫枉过正而已。

第二，秦王李从荣之死。秦王李从荣，明宗第二子。明宗长子李从璟为人骁勇善战，谦退谨厚，追随庄宗征战，多次立功，任金枪指挥使。李从璟死于庄宗之难，从荣在诸皇子中居长，明宗深爱之。明宗践祚，天成初授从荣邺都留守、天雄军节度使。天成三年（公元九二八年）移北都留守，充河南节度使。天成四年入为河南尹，加尚书令，长兴中又加天下兵马大元帅，封秦王。从荣为人轻佻而自傲，张狂狠戾，入朝严卫，从骑数百，张弓挟矢，横行道路，朝士侧目。从荣藐视大臣，曾对左右说："等我当了皇帝，一定要将他们满门抄斩。"枢密使范延光、赵延寿多次向明宗请求外任，外臣也不愿入朝任宰辅。从荣在宰臣眼中简直就是一个避之不及的恶魔。一些趋炎附势之徒，如太仆少卿何泽，为了讨好李从荣为日后之资，奏请明宗立从荣为太子。明宗害怕丧失权力，泣对奏表，对亲近的人说："群臣议立太子，嫌我老朽，朕应当回到太原看守老房子。"从荣得知，对范延光、赵延寿说："执政想立我当太子，是要夺我兵权，将我幽囚在东宫吗?"范延光等大臣从明宗父子话中知道了父子两人的心病。明宗不想早立太子，推迟一天是一天；李从荣想要掌控兵权，不必计较太子虚名。父子两人贪于权势如此，心理都发生了变态扭曲。明宗染病，从荣兵变，不怕担篡弑之名以夺取权力，无奈太没有人缘，一起事就失败了。明宗也在惊吓之中一命呜呼。

卷第二百七十九　后唐纪八

起阏逢敦牂（甲午，公元九三四年）二月，尽旃蒙协洽（乙未，公元九三五年），凡一年有奇。

【题解】

本卷记事起公元九三四年二月，迄公元九三五年，凡一年又十一个月，当后唐潞王清泰元年二月至清泰二年。此时期为后唐政治又一剧变。闵帝仁弱，大权旁落朱弘昭、冯赟两小人之手。猜疑石敬瑭、潞王李从珂，政未稳而下徙镇诏令。潞王抗命，闵帝征讨，诸军溃于凤翔城下。潞王东进，一路受降，康义诚率禁军征讨，却一心投诚潞王。闵帝仓皇北逃，不带将相随从，到卫州遇石敬瑭，下诏勤王，石敬瑭不奉诏，一路奔洛阳投降潞王。潞王李从珂兵不血刃入洛阳，即帝位，是为末帝。末帝弑闵帝于卫州，全境归服。末帝亦非命世之主，只会在马背上逞勇，不会在马背下服人，竟然抓阄选宰相。末帝无知人之明，辅臣不敢言事，政事可想而知。石敬瑭返北都，借契丹犯边为名，多储兵马粮秣以自保。吴国徐知诰加紧禅代活动。闽国王继鹏弑父自立。荆南孙光宪见微能谏，高从诲闻善改过，司马光评论说：君臣都像这样，哪还会有亡国败家的事件发生。

【原文】

潞王下

清泰元年（甲午，公元九三四年）

二月癸酉①，蜀主以武泰节度使赵季良为司空兼门下侍郎、同平章事，领节度使如故。

吴人多不欲迁都②者，都押牙③周宗言于徐知诰曰："主上西迁④，公复须东行⑤，不惟劳费甚大，且违众心。"丙子⑥，吴主遣宋齐丘如金陵，谕知诰罢迁都。

先是，知诰久有传禅之志⑦，以吴主无失德⑧，恐众心不悦，欲待嗣君⑨。宋齐丘亦以为然。一旦，知诰临镜镊白髭⑩，叹曰："国家安而吾老矣，奈何？"周宗知其意⑪，请如江都，微以传禅讽吴主⑫，且告齐丘。齐丘以宗先己⑬，心疾之⑭，遣使驰诣金陵，手书切谏⑮，以为天

【语译】

潞王下

清泰元年（甲午，公元九三四年）

二月初三日癸酉，蜀主孟知祥任命武泰节度使赵季良为司空兼门下侍郎、同平章事，依旧兼领节度使。

吴国人大多不想迁都，都押牙周宗对徐知诰说："主上如果西迁金陵，您又要东去，不仅耗费人力物力巨大，而且也违背了人们的意愿。"初六日丙子，吴主派宋齐丘前往金陵，告诉徐知诰停止迁都。

此前，徐知诰很早就有了让吴主把皇位传让给他自己的想法，因为吴主没有失德的地方，害怕大家心里不高兴，就想等嗣君继位之后再说。宋齐丘也认为这样好。一天早晨，徐知诰对着镜子夹白胡须，叹息说："国家安定了而我却老了，怎么办？"周宗了解他的想法，就请求前往江都，稍微把禅位的意思暗示吴主，并把这件事告诉了宋齐丘。宋齐丘认为周宗抢了他的先，心里很忌恨他，派使者驰往金陵，带着他的亲笔信极力劝阻徐知诰，认为天时、人心都不允许。徐知诰很吃惊。几天之后，

时人事未可。知诰愕然⑯。后数日，齐丘至，请斩宗以谢⑰吴主，乃黜宗为池州副使。久之，节度副使李建勋⑱、行军司马徐玠等屡陈知诰功业，宜早从民望⑲，召宗复为都押牙。知诰由是疏⑳齐丘。

朱弘昭、冯赟不欲石敬瑭久在太原，且欲召孟汉琼。己卯㉑，徙成德节度使范延光为天雄节度使，代汉琼，徙潞王从珂为河东节度使兼北都留守，徙石敬瑭为成德节度使。皆不降制书，但各遣使臣持宣㉒监送赴镇㉓。

吴主诏徐知诰还府舍㉔。甲申㉕，金陵大火。乙酉㉖，又火。知诰疑有变，勒兵自卫㉗。己丑㉘，复入府舍[1]。

【段旨】

以上为第一段，写吴徐知诰图谋禅让。

【注释】

①癸酉：二月初三日。②不欲迁都：徐知诰拟迁吴都于金陵，吴人多不愿迁都。③都押牙：亦作都押衙，职掌衙内诸事，管领仪仗、侍卫。④西迁：金陵在扬州之西，如迁都，吴王应西迁。⑤东行：如迁都，徐知诰须移镇扬州，故东行。⑥丙子：二月初六日。⑦传禅之志：想要吴王杨溥禅位给自己。⑧无失德：德行没有缺失。⑨欲待嗣君：想等新君继位时再行禅让。⑩临镜镊白髭：照着镜子拔白的胡须。髭，口上的须。⑪知其意：领会他的意思。⑫微以传禅讽吴主：略微用应该传位给徐知诰的事规劝吴王杨

【原文】

潞王既与朝廷猜阻，朝廷又命洋王从璋权知凤翔。从璋性粗率乐祸㉙，前代安重诲镇河中，手杀之㉚。潞王闻其来，尤恶之㉛，欲拒命㉜则兵弱粮少，不知所为。谋于将佐，皆曰："主上富于春秋㉝，政事出于朱、冯，大王功名震主，离镇必无全理㉞，不可受㉟也。"王问

宋齐丘来到金陵，向徐知诰请求杀了周宗好向吴主谢罪，于是徐知诰把周宗贬为池州团练副使。过了很长时间，节度副使李建勋、行军司马徐玠等人一再陈述徐知诰的功业，认为应该早日顺从民众意愿，于是召回周宗又任他为都押牙。徐知诰从此疏远宋齐丘。

朱弘昭、冯赟不想让石敬瑭久在太原，并且想把孟汉琼召回朝廷。初九日己卯，把成德节度使范延光改任为天雄节度使，代替孟汉琼，把潞王李从珂改任为河东节度使兼任北都留守，把石敬瑭改任为成德节度使。全部不颁发正式的诏书，只是分别派遣使者拿着枢密院的文书监护着送往各个军镇。

吴主下诏命徐知诰搬回到原来的府舍中去住。十四日甲申，金陵发生大火。十五日乙酉，又发生了大火。徐知诰怀疑会有变故，就调动军队保卫自己。十九日己丑，回到原来的府舍居住。

溥。⑬先己：先于自己提出禅让之议。⑭心疾之：内心忌恨他。⑮切谏：极力规劝；深切劝谏。⑯愕然：惊奇的样子。因宋齐丘主张徐知诰称帝。⑰谢：致歉；谢罪。⑱李建勋（？至公元九五二年）：字致尧，少好学，能属文，尤工诗。官至南唐宰相。传见《十国春秋》卷二十一。⑲早从民望：早点顺从人民的愿望，禅位给徐知诰。⑳疏：疏远。㉑己卯：二月初九日。㉒宣：枢密院所行文书。㉓监送赴镇：由使臣监护着送他们到各个军镇。㉔还府舍：回到金陵军府住所。㉕甲申：二月十四日。㉖乙酉：二月十五日。㉗勒兵自卫：调动军队保卫自己。㉘己丑：二月十九日。

【校记】

［1］己丑，复入府舍：原无此六字。据章钰校，十二行本、乙十一行本皆有此六字，张敦仁《通鉴刊本识误》、张瑛《通鉴校勘记》同，今据补。

【语译】

潞王李从珂已经与朝廷相互猜疑有隔阂，朝廷又任命洋王李从璋暂时主持凤翔事务。李从璋生性粗率，幸灾乐祸，以前代替安重诲镇守河中，亲手杀了安重诲。潞王得知他要前来，心里对他特别厌恶，想要抗拒朝廷命令，而自己却兵弱粮少，不知道怎么办才好。潞王和将领幕僚们商议，大家都说："皇上年轻，国家大事都由朱弘昭、冯赟决断，大王您功名震主，离开军镇肯定没有全身之理，不能接受调离的命令。"潞王

观察判官滴河马胤孙㊱曰："今道过京师，当何向㊲为便？"对曰："君命召，不俟驾㊳。临丧赴镇㊴，又何疑焉！诸人凶谋㊵，不可从也。"众哂㊶之。王乃移檄邻道，言"朱弘昭等乘先帝疾亟㊷，杀长立少㊸，专制朝权，别疏骨肉，动摇藩垣，惧倾覆社稷。今从珂将入朝以清君侧㊹之恶，而力不能独办，愿乞灵㊺邻藩以济之。"

潞王以西都留守王思同㊻当㊼东出之道，尤欲与之相结。遣推官郝诩、押牙朱廷乂等相继诣长安，说以利害㊽，饵以美妓㊾，不从则令就图之㊿。思同谓将吏曰："吾受明宗大恩，今与凤翔同反，借使事成而荣，犹为一时之叛臣，况事败而辱，流千古之丑迹乎！"遂执诩等，以状闻(51)。时潞王使者多为邻道所执(52)，不则(53)依阿操两端(54)，惟陇州防御使相里金(55)倾心附之(56)，遣判官薛文遇往来计事。金，并州人也。

朝廷议讨凤翔。康义诚不欲出外，恐失军权，请以王思同为统帅，以羽林都指挥使(57)侯益为行营马步都虞候[2]。益知军情将变，辞疾[3]不行(58)。执政怒之，出为商州刺史。辛卯(59)，以王思同为西面行营马步军都部署(60)，前静难节度使药彦稠副之，前绛州刺史苌从简为马步都虞候，严卫步军左厢指挥使尹晖(61)、羽林指挥使杨思权等皆为偏裨。晖，魏州人也。

蜀主以中门使王处回为枢密使。

丁酉(62)，加王思同同平章事、知凤翔行府(63)，以护国节度使安彦威为西面行营都监。思同虽有忠义之志，而御军无法(64)。潞王老于行陈(65)，将士徼幸(66)富贵者，心皆向之(67)。诏遣殿直楚匡祚执亳州团练使李重吉，幽(68)于宋州。洋王从璋行至关西(69)，闻凤翔拒命(70)而还。

三月，安彦威与山南西道张虔钊、武定孙汉韶(71)、彰义张从宾、静难康福等五节度使奏合兵讨凤翔。汉韶，李存进之子也。乙卯(72)，诸道兵大集于凤翔城下攻之，克东、西关城，城中死者甚众。丙辰(73)，复进攻城(74)，期于必取(75)。凤翔城堑卑浅(76)，守备俱乏(77)，众心危急。潞王登城泣谓外军(78)曰："吾未冠从先帝(79)百战，出入生死，金创满身(80)，以立今日之社稷。汝曹从我，目睹其事。今朝廷信任谗臣，猜忌骨肉，我

询问观察判官滴河人马胤孙说："我现在如果奉命调职，经过京师洛阳，应当朝哪个方向为好？"马胤孙回答说："君主有命相召，不等车马准备好就要出发。到京师参加先皇的葬礼，然后去河东军镇赴任，又有什么好犹豫的呢！大家的坏主意，不能听从。"众人都讥笑他。潞王于是移送檄文到邻近各道，说"朱弘昭等人乘着先帝病重之际，杀死长子拥立少子，独揽朝廷大权，离间皇室骨肉，动摇藩镇，我害怕他们倾覆江山社稷。现在我李从珂即将入朝清除君主身边的坏人，而我的力量不能办得到，希望请求邻近方镇来帮助我"。

潞王因为西都留守王思同阻挡在从凤翔往东到洛阳的道路上，所以特别想和他联合。潞王派推官郝诩、押牙朱廷乂等人相继前往长安，向王思同陈说利害关系，馈赠美貌的女伎作诱饵，如果他不顺从，就让两人就地把他解决了。王思同对自己的将领官吏们说："我受过明宗皇帝的大恩，现在和凤翔一起造反，即使事情成功了，得到荣华富贵，仍然是一代叛逆之臣，更何况事情失败了会蒙受耻辱，在千古留下丑恶行迹呢！"当即把郝诩等人抓了起来，向朝廷报告情况。当时潞王的使者大多被邻近各道拘留，要不就是依违两端，唯独陇州防御使相里金是全心全意地依附他，派判官薛文遇往来商议具体事宜。相里金是并州人。

朝廷商议讨伐凤翔。康义诚不想出任在外，怕失去了兵权，就请求任命王思同为统帅，任命羽林都指挥使侯益为行营马步都虞候。侯益知道军情将会发生变故，就以疾病为借口不愿出征。执政大臣们对他很生气，就把他外任为商州刺史。二月二十一日辛卯，任命王思同为西面行营马步军都部署，前静难节度使药彦稠为他的副手，任命前绛州刺史苌从简为马步都虞候，严卫步军左厢指挥使尹晖、羽林指挥使杨思权等人都担任偏裨将佐。尹晖是魏州人。

蜀主任命中门使王处回为枢密使。

二月二十七日丁酉，加任王思同为同平章事、主持凤翔行府，任命护国节度使安彦威为西面行营都监。王思同虽然有忠义之志，但是统御军队却没有章法。潞王熟悉行军打仗，将士们希望能幸运得到富贵荣华的，内心都愿意依附他。唐闵帝下诏派遣殿直楚匡祚抓捕了亳州团练使李重吉，关押在宋州。洋王李从璋受命赴任走到函谷关西，听说凤翔军镇抗拒朝廷命令，就回去了。

三月，安彦威和山南西道节度使张虔钊、武定节度使孙汉韶、彰义节度使张从宾、静难节度使康福等五个节度使向唐闵帝上奏，请求兵力联合讨伐凤翔。孙汉韶是李存进的儿子。十五日乙卯，各道的军队会集在凤翔城下，攻打城池，攻下了东、西关城，城里的人死了很多。十六日丙辰，又进攻凤翔城，希望一定把城池攻下来。凤翔城墙低矮，护城河浅，守备器材都很缺乏，大家感到形势危急。潞王登上城墙，流着泪对城外的军队说："我还没成年的时候就跟随先帝身经百战，出生入死，满身枪伤，这才创立了今天的国家。你们跟随着我，亲眼看见过这些事实。现在朝廷信

何罪而受诛乎！”因恸哭⑧¹。闻者哀之。

张虔钊性褊急⑧²，主攻城西南，以白刃⑧³驱士卒登城。士卒怒，大诟⑧⁴，反攻之，虔钊跃马走免⑧⁵。杨思权因⑧⁶大呼曰：“大相公⑧⁷，吾主也。”遂帅诸军解甲投兵⑧⁸，请降于潞王。自西门入，以幅纸⑧⁹进潞王曰：“愿王克京城日，以臣为节度使，勿以为防、团⑨⁰。”潞王即书⑨¹“思权可⑨²邠宁节度使”授之。王思同犹未之知，趣⑨³士卒登城，尹晖大呼曰：“城西军已入城受赏矣。”众争[4]弃甲投兵⑨⁴而降，其声震地。日中，乱兵悉入⑨⁵，外军亦溃，思同等六节度使皆遁去。潞王悉敛⑨⁶城中将吏士民之财以犒军，至于鼎釜⑨⁷皆估直⑨⁸以给之。丁巳⑨⁹，王思同、药彦稠等走⑩⁰至长安，西京副留守刘遂雍⑩¹闭门不内⑩²，乃趣⑩³潼关。遂雍，鄩之子也。

【段旨】

以上为第二段，写潞王李从珂遣使四出谋起兵，闵帝征兵讨凤翔，反戈为潞王所用。

【注释】

㉙乐祸：喜欢幸灾乐祸。㉚手杀之：亲手杀了安重诲。㉛尤恶之：尤其厌恨他。㉜拒命：拒绝执行调动命令。㉝富于春秋：年纪很轻。㉞必无全理：一定没有全身之理。㉟不可受：不能接受调离的命令。㊱马胤孙：字庆先，棣州滴河（今山东商河县）人，为人懦暗迂愚，举进士，官至后唐宰相。撰《法喜集》《佛国记》行世。传见《新五代史》卷五十五。㊲何向：向哪个方向走。㊳不俟驾：不等待车马来接。意即急速启程。㊴临丧赴镇：到京师参加明宗丧礼，然后到新的任所。㊵凶谋：坏主意。指拒绝执行调动的意见。㊶哂：笑。㊷疾亟：疾病沉重。㊸杀长立少：指杀从荣，立从厚。㊹清君侧：清除皇帝左右的佞臣。一般作为起兵篡位的借口。㊺乞灵：请求。㊻王思同：幽州（今北京）人，为人勇敢，善骑射，好学，颇喜为诗，轻财重义。官至西京留守。传见《新五代史》卷三十三。㊼当：通“挡”，阻挡。㊽说以利害：为他分析利害关系。㊾饵以美妓：送他美丽的女伎作诱饵。㊿令就图之：命令使者就地除掉他。51以状闻：将从珂

任谗臣，猜忌自家骨肉，我有什么罪过，却要被诛杀啊！”于是号啕大哭。听了这话的人都很同情他。

张虔钊性情急躁，负责攻打城西南，拿着雪亮的刀驱逼士卒登城。士卒大怒，对他大骂，掉头攻击他，张虔钊跃马逃走，才免一死。杨思权乘机大声喊叫：“大相公才是我们的主公。”随即率领军士们解下盔甲，丢下兵器，向潞王请求归降。从西门进入城中，他拿着一张纸奉送给潞王说：“希望大王在攻下京城的那一天，任命臣为节度使，不要让臣担任防御使、团练使。”潞王立刻在纸上写了“思权可以担任邠宁节度使”交给他。王思同还不知道这一情况，仍在催促士卒攻城，尹晖大声喊叫着：“城西面的军队已经进城接受奖赏了。”于是大家争相丢下盔甲兵器投降，声响震地。中午，乱兵全都进了城，城外面的军队也溃散了，王思同等六名节度使全部逃离。潞王把城中将士吏民的所有财物都征集起来犒赏军队，以至于鼎、釜之类器物都估了价用来赏给军队。三月十七日丁巳，王思同、药彦稠等人逃到长安，西京副留守刘遂雍关闭城门不让他们进城，他们就奔往潼关。刘遂雍是刘鄩的儿子。

劾反事写成奏章上闻。52 执：拘留。53 不则：否则。54 依阿操两端：依违两端，不置可否。55 相里金：字奉金，并州（今山西太原）人，为人勇悍，能折节下士。官保义军节度使。传见《新五代史》卷四十七。56 倾心附之：全心全意归附他。57 羽林都指挥使：禁卫军军官名，长兴二年（公元九三一年）二月，改卫军神捷、神威、雄武及魏府广捷以下指挥为左、右羽林，置四十指挥，每十指挥立为一军，每一军置都指挥使一人，兼分为左、右厢。58 辞疾不行：托称有病而不愿出征。59 辛卯：二月二十一日。60 都部署：即元帅。61 尹晖：魏州大名（今河北大名）人，官应州节度使。传见《新五代史》卷四十八。62 丁酉：二月二十七日。63 知凤翔行府：凤翔为李从珂所据，故称知行府。64 御军无法：控制军队没有章法。65 老于行陈：熟悉行军打仗。陈，通“阵”。66 徼幸：希望不费气力而偶然获得成功。67 向之：向着他。68 幽：关押。69 关西：地区名，即函谷关以西关中地。70 拒命：拒绝接受调动的命令。71 孙汉韶：字享天，李存进长子。天成初，复姓孙。末帝即位，奔蜀，官至后蜀中书令，封乐安郡王。传见《旧五代史》卷五十三。72 乙卯：三月十五日。73 丙辰：三月十六日。74 城：指凤翔府城。75 期于必取：希望一定攻取城池。76 城堑卑浅：城低，护城河浅。77 守备俱乏：守备器材都缺少。78 外军：指围城军队。79 先帝：指明宗。80 金创满身：伤痕满身。金创，刀枪伤。81 恸哭：号啕大哭。82 性褊急：性子很急。83 白刃：雪亮的刀。84 大诟：大骂。85 走免：逃走而免于被杀。86 因：乘机。87 大相公：指李从珂。李从珂在明宗诸子中居长，故称大

相公。⑧⑧解甲投兵：解除盔甲，丢掉武器。⑧⑨幅纸：纸片。⑨⓪防、团：防御使、团练使。⑨①即书：立即写批文。⑨②可：可任；同意担任。⑨③趣：催促。⑨④弃甲投兵：抛弃盔甲，丢掉兵器。⑨⑤悉入：全部进入凤翔城。⑨⑥敛：搜刮。⑨⑦鼎釜：盛菜的鼎和烧饭的锅。⑨⑧估直：估价。直，通“值”。⑨⑨丁巳：三月十七日。⑩⓪走：逃。⑩①刘遂雍：刘鄩之子，以长安迎降李从珂，官淄州刺史。传附《新五代史》卷二十二《刘鄩传》。⑩②内：通“纳”。⑩③趣：通“趋”，奔向。

【原文】

潞王建大将旗鼓[104]，整众而东[105]，以孔目官虞城刘延朗[106]为腹心。潞王始忧王思同等并力据长安拒守，至岐山[107]，闻刘遂雍不内思同，甚喜，遣使慰抚之。遂雍悉出府库之财于外，军士前至者即给赏令过[108]。比[109]潞王至，前军赏遍，皆不入城。庚申[110]，潞王至长安，遂雍迎谒[111]，率民财[112]以充赏。

是日，西面步军都监王景从等自军前奔还[113]，中外大骇[114]。帝不知所为，谓康义诚等曰：“先帝弃万国[115]，朕外守藩方。当是之时，为嗣者在诸公所取耳，朕实无心与人争国。既承大业，年在幼冲[116]，国事皆委诸公。朕于兄弟间不至榛梗[117]，诸公以社稷大计见告，朕何敢违！军兴之初，皆自夸大，以为寇不足平。今事至于此，何方可以转祸[118]？朕欲自迎潞王，以大位让之，若不免于罪[119]，亦所甘心。”朱弘昭、冯赟大惧，不敢对。义诚欲悉以宿卫兵[120]迎降为己功，乃曰：“西师[121]惊溃，盖主将失策耳。今侍卫诸军尚多，臣请自往扼其冲要[122]，招集离散以图后效[123]，幸陛下勿为过忧[124]！”帝遣使召石敬瑭，欲令将兵拒之。义诚固请自行，帝乃召将士慰谕[125]，空府库以劳之[126]，许以平凤翔，人更赏二百缗，府库不足，当以宫中服玩[127]继之。军士益骄，无所畏忌，负赐物[128]，扬言于路曰：“至凤翔更请一分[129]。”

遣楚匡祚杀李重吉于宋州。匡祚榜棰[130]重吉，责[131]其家财。又杀尼惠明。

【校记】

［2］行营马步都虞候：原作“行营马步军都虞候”。据章钰校，十二行本、乙十一行本皆无“军”字，《旧五代史·晋书·高祖纪》亦作“行营马步都虞候侯益”，今据删。［3］疾：原无此字。据章钰校，十二行本、乙十一行本皆有此字，今据补。［4］争：原作“皆”。据章钰校，十二行本、乙十一行本皆作“争”，张敦仁《通鉴刊本识误》同，今据改。

【语译】

潞王设立大将的旗鼓，整顿部众东进，把孔目官虞城人刘延朗当作心腹。潞王起初担心王思同等人合力据守长安抵抗，到了岐山县，得知刘遂雍不让王思同进城，十分高兴，就派使者前去慰抚刘遂雍。刘遂雍把府库中的财物全部搬到外面来，军士有先到的立刻发给奖赏，让他们通过。等潞王到达时，前面的部队普遍奖赏了，都没有进城骚扰。三月二十日庚申，潞王到达长安，刘遂雍迎接拜见，聚敛民财来作为奖赏部队所需。

这一天，西面步军都监王景从等人从前线逃回京城，朝廷内外大为惊惧。唐闵帝一时不知该怎么办才好，就对康义诚等人说：“先帝去世的时候，朕正在外面镇守方镇。在那时，由谁来继承帝位，在于诸位明公的选择而已，朕实在没有心思与人争夺国家大权。朕继承了大业以后，年纪还轻，把国家大事都委托给诸位明公。朕和兄弟们之间不至于有隔阂，诸位明公把国家大计告诉朕，朕又哪里敢违背众意！当初出兵，全都夸大其词，认为平定乱寇不成问题。现在事情到了这个地步，用什么方法可以转祸为福？朕想亲自迎接潞王，把皇帝大位让给他，如果不能免罪，朕也甘心情愿。”朱弘昭、冯赟极为恐惧，不敢回答。康义承想带着全部宿卫部队迎降潞王作为自己的功劳，就说：“西征部队惊散溃退，是由于主将失策罢了。现在侍卫诸军还很多，臣请求亲自前去扼守住冲要之地，召集流散士卒，以便筹划后面的事情，请陛下不要过分忧虑！”唐闵帝派使者征召石敬瑭，想让他率领部队抵抗潞王。康义诚坚持请求自己带兵前去，唐闵帝便召集将士们进行慰勉和晓谕，把府库里的东西全部拿出来慰劳将士，答应平定了凤翔后，每人再赏赐二百缗钱，如果府库里的钱不够，就用宫中的锦帛珍玩来接济。军士们于是更加骄纵，无所畏忌，他们背着赏赐的东西，在路上扬言说：“到了凤翔另要一份赏。”

唐闵帝派遣楚匡祚在宋州杀了李重吉。楚匡祚对李重吉严刑拷打，索取他的家财。又把潞王女儿尼姑惠明杀了。

初，马军都指挥使朱洪实为秦王从荣所厚。及朱弘昭为枢密使，洪实以宗兄事之。从荣勒兵天津桥，洪实首为孟汉琼击从荣，康义诚由是恨之。辛酉[132]，帝亲至左藏[133]，给将士金帛。义诚、洪实共论用兵利害[134]，洪实欲以禁军固守洛阳，曰："如此，彼亦未敢径前[135]，然后徐图进取[136]，可以万全。"义诚怒曰："洪实为此言，欲反邪！"洪实曰："公自欲反，乃谓谁反！"其声渐厉[137]。帝闻，召而讯之。二人讼[138]于帝前，帝不能辨其是非，遂斩洪实，军士益愤怒。

壬戌[139]，潞王至昭应[140]。闻前军获[141]王思同，王曰："思同虽失计[142]，然尽心所奉[143]，亦可嘉[144]也。"癸亥[145]，至灵口[146]，前军执思同以至。王责让[147]之，对曰："思同起行间[148]，先帝擢之，位至节将[149]，常愧无功以报大恩。非不知附大王立得富贵，助朝廷自取祸殃，但恐死之日无面目见先帝于泉下[150]耳。败而衅鼓[151]，固其所也。请早就死！"王为之改容[152]，曰："公且休矣。"王欲宥之[153]，而杨思权之徒耻见其面。王之过长安，尹晖尽取思同家资及妓妾，屡言于刘延朗曰："若留思同，虑失士心。"属王醉[154]，不待报，擅杀思同及其妻子。王醒，怒延朗，嗟惜[155]者累日。

癸亥[156]，制以康义诚为凤翔行营都招讨使，以王思同副之。

甲子[157]，潞王至华州[158]，获药彦稠，囚之。乙丑[159]，至阌乡[160]。朝廷前后所发诸军，遇西军皆迎降，无一人战者。丙寅[161]，康义诚引侍卫兵发洛阳。诏以侍卫马军指挥使安从进为京城巡检，从进已受潞王书，潜布腹心[162]矣。

是日，潞王至灵宝[163]，护国节度使安彦威、匡国节度使安重霸皆降，惟保义节度使康思立[164]谋固守陕城以俟康义诚。先是，捧圣五百骑戍陕西，为潞王前锋，至城下，呼城上人曰："禁军十万已奉新帝，尔辈数人奚为[165]！徒[166]累一城人涂地[167]耳。"于是捧圣卒争出迎，思立不能禁，不得已亦出迎。

丁卯[168]，潞王至陕[169]，僚佐说[170]王曰："今大王将及京畿[171]，传闻乘舆[172]已播迁，大王宜少留于此，先移书慰安京城士庶[173]。"王从之，移书谕洛阳文武士庶，惟朱弘昭、冯赟两族不赦外，自余勿有忧疑。

当初，马军都指挥使朱洪实被秦王李从荣厚待。到了朱弘昭担任枢密使以后，朱洪实把他当作同宗兄弟来侍奉。李从荣把军队部署在天津桥的时候，朱洪实第一个替孟汉琼攻击李从荣，康义诚因此很憎恨他。三月二十一日辛酉，唐闵帝亲自到左藏，给将士发放金银、绢帛。康义诚、朱洪实一起议论这次用兵的利与弊，朱洪实想用禁军固守洛阳，就说："如果这样，他们也不敢直接前来进攻洛阳，然后慢慢想办法反攻，可以万无一失。"康义诚生气地说："朱洪实说这话，是想造反！"朱洪实说："你自己想造反，还要说别人造反！"两人争吵的声音渐渐大了起来。唐闵帝听到了，把两人叫过来问话。两人继续在唐闵帝面前争辩是非，唐闵帝不能辨别是非，就把朱洪实斩杀了，军士们更加愤怒了。

三月二十二日壬戌，潞王到了昭应。听说先头部队抓获了王思同，潞王说："王思同虽然失策，但对主上尽心尽力，这也是值得赞赏的。"二十三日癸亥，到达灵口，先头部队把王思同押到了。潞王责问他，王思同回答说："思同出身行伍，先帝提拔我，位至建节大将，经常惭愧没有建立功劳报答先帝的大恩大德。我并不是不知道归附大王立刻就能够得到富贵，帮助朝廷是自取祸殃，只是担心身死那天没有脸面在九泉之下见到先帝。现在失败了，以血涂鼓，本是死得其所。请早些赴死！"潞王听了，为之动容，就说："您暂时下去休息吧。"潞王想宽恕他，但杨思权这帮人却没脸再见他的面。当潞王经过长安时，尹晖全部占取了王思同的家产和伎妾，他多次对刘延朗说："如果留下王思同，恐怕失去军心。"适逢潞王酒醉，不等待上报，就擅自杀了王思同和他的妻子儿女。潞王酒醒后，对刘延朗很恼怒，嗟叹惋惜了很多天。

二十三日癸亥，唐闵帝任命康义诚为凤翔行营都招讨使，任命王思同为副招讨使。

二十四日甲子，潞王到达华州，抓获了药彦稠，囚禁了他。二十五日乙丑，到达阌乡。朝廷前后所派出的军队，遇到凤翔来的军队全都迎降，没有一个人作战。二十六日丙寅，康义诚带领侍卫兵从洛阳出发。唐闵帝下诏任命侍卫马军指挥使安从进为京城巡检。安从进已经接到潞王的书信，暗中布置了心腹之人。

这一天，潞王到达灵宝，护国节度使安彦威、匡国节度使安重霸都投降了，只有保义节度使康思立筹划固守陕城，等待康义诚前来增援。在此以前，捧圣军有五百名骑兵戍守陕西，这时成了潞王的前锋，他们到了陕州城下，呼喊城上的人说："禁军十万人已经拥立新皇帝了，你们这几个能干什么！白白地连累一城人肝脑涂地而已。"于是捧圣军的士卒争先恐后地出来迎降，康思立不能禁止，不得已，自己也出城迎降。

三月二十七日丁卯，潞王到达陕州，幕僚佐吏劝潞王说："现在大王即将到达京畿，传闻说唐闵帝已经离开京师，大王应在此稍事停留，先送去文告安抚京城吏民。"潞王听从了这个建议，发布文告晓谕洛阳的文武官员和吏民百姓，除了对朱弘昭、冯赟两个家族不赦免外，其余的人不要担心疑虑。

康义诚军至新安⑰，所部将士⑱自相结⑲，百什为群，弃甲兵⑳，争先诣陕降，累累不绝⑱。义诚至干壕⑲，麾下⑳才余[5]数十人。遇潞王候骑⑱十余人，义诚解所佩弓剑为信⑱，因⑱候骑请降于潞王。

戊辰⑱，闵帝闻潞王至陕，义诚军溃，忧骇⑱不知所为。急遣中使[6]召朱弘昭谋所向⑱，弘昭曰："急召我，欲罪之也。"赴井死⑱。安从进闻弘昭死，杀冯赟于第，灭其族，传弘昭、赟首于潞王。帝欲奔魏州，召孟汉琼使诣魏州为先置⑱。汉琼不应召。单骑奔陕。

【段旨】

以上为第三段，写潞王起兵东向，一路受降至陕州，闵帝派康义诚领禁军出征，也全部投降。

【注释】

⑭建大将旗鼓：树立大将的旗帜、金鼓。⑮整众而东：整顿队伍向东进军。⑯刘延朗（？至公元九三六年）：宋州虞城（今河南开封）人，为李从珂心腹，官副枢密使。传见《旧五代史》卷六十九。⑰岐山：县名，在今陕西岐山县。⑱即给赏令过：立刻发给赏赐令其过境。⑲比：及至。⑳庚申：三月二十日。⑪迎谒：拜迎谒见。⑫率民财：聚敛老百姓的财物。率，本为鸟网，引申为网罗、聚敛。⑬奔还：逃回。⑭中外大骇：朝廷内外大为惊惧。⑮弃万国：指死去。⑯年在幼冲：年纪还很小。当时闵宗二十一岁。⑰榛梗：阻塞而不通。⑱何方可以转祸：用什么方法可以转祸为福。⑲若不免于罪：如果不能免去罪行。⑳宿卫兵：禁卫军。㉑西师：指王思同围凤翔的军队。㉒扼其冲要：把守紧要的地方。㉓以图后效：用来图谋以后的功效。后效，后功。㉔过忧：过分地忧虑。㉕慰谕：慰勉和晓谕。㉖空府库以劳之：拿空国家府库的财物，用以慰劳士兵。㉗宫中服玩：宫廷中锦帛及珍玩。㉘负赐物：背着赐给的财物。㉙至凤翔更请一分：到凤翔投降李从珂，再领一份奖赏。此言说明军队毫无斗志。㉚榜棰：拷打。㉛责：索取。㉜辛酉：三月二十一日。㉝左藏：府库名，藏国家财物。㉞共论用兵利害：一起议论出兵的有利条件和不利条件。㉟径前：直接到洛阳来。㊱徐图进取：慢慢地想办法反击。㊲其声渐厉：争论声逐渐大起来。㊳讼：争辩是非。㊴壬戌：三月二十二日。㊵昭应：县名，在今陕西西安市临潼区。㊶获：擒获。㊷失计：失于计算，谋划错误。㊸尽心所奉：尽

康义诚的军队到达新安，他所率领的将士都自相结合，成十上百个人为一群，丢弃盔甲兵器，争先恐后地前往陕州投降，一群一群络绎不绝。康义诚到达干壕，部下仅剩下几十个人。这时碰上了潞王的侦察骑兵十多个人，康义诚解下自己佩带的弓剑作为信物，通过这些侦察骑兵向潞王请求投降。

三月二十八日戊辰，唐闵帝听说潞王到了陕州，康义诚的军队已经溃散，又担忧又惊怕，不知怎么办才好。闵帝急忙派遣使者召来朱弘昭商议到哪里去，朱弘昭说："这么急切地召见我，是想加罪于我。"便投井死了。安从进听说朱弘昭死了，就把冯赟杀死在他的家中，灭掉他的全族，把朱弘昭、冯赟的首级传送给潞王。唐闵帝想逃往魏州，征召孟汉琼，让他到魏州先做好安置。孟汉琼没理会唐闵帝的召命，一个人骑马投奔陕州。

心竭力地侍奉君主。⑭嘉：嘉奖；赞赏。⑮癸亥：三月二十三日。⑯灵口：地名，在今陕西商洛市洛南县灵口镇。⑰责让：责备。⑱行间：行伍之间。指出身卒伍。⑲节将：建节而为大将。⑳泉下：九泉之下。㉑衅鼓：古代将牲口血涂在鼓上，用以祭祀。这里指愿意被杀，将血涂鼓祭神。㉒改容：因感动而改变态度。㉓宥之：宽恕他。㉔属王醉：适值王酒醉。㉕嗟惜：嗟叹可惜。㉖癸亥：三月二十三日。㉗甲子：三月二十四日。㉘华州：州名，在今陕西渭南市华州区。㉙乙丑：三月二十五日。㉚阌乡：古县名，在今河南灵宝。㉛丙寅：三月二十六日。㉜潜布腹心：暗暗地布置心腹之人，准备迎降。㉝灵宝：县名，在今河南灵宝。㉞康思立（公元八七四至九三六年）：晋阳（今山西太原）人，少善骑射，官至检校太傅，封会稽郡开国侯。传见《旧五代史》卷七十。㉟奚为：干什么；有什么作为。㊱徒：白白地。㊲涂地：被杀害。㊳丁卯：三月二十七日。㊴陕：陕州，在今河南三门峡市陕州区。㊵说：劝说。㊶将及京畿：将到京城的郊区。㊷乘舆：这里指皇帝。㊸士庶：士大夫和庶民，泛指官民。㊹新安：县名，在今河南新安。㊺所部将士：康义诚所统率的将军和士兵。㊻自相结：自相结合；各自组成团伙。㊼弃甲兵：丢掉武器装备。㊽累累不绝：一群一群沿路不断。㊾干壕：地名，在今河南三门峡市陕州区境内。⑱⓪麾下：部下。⑱①候骑：侦察骑兵。⑱②信：信物；凭信。⑱③因：通过。⑱④戊辰：三月二十八日。⑱⑤忧骇：担忧惊怕。⑱⑥谋所向：谋划到哪里去。⑱⑦赴井死：投井自杀。⑱⑧先置：事先做布置。

【校记】

［5］余：原无此字。据章钰校，十二行本有此字，张敦仁《通鉴刊本识误》同，今据补。［6］中使：原无"中"字。据章钰校，十二行本、乙十一行本有"中"字，当是，今据补。

【原文】

初，帝在藩镇，爱信[189]牙将慕容迁，及即位，以为控鹤指挥使。帝将北渡河，密与之谋，使帅部兵守玄武门[190]。是夕，帝以五十骑出玄武门，谓迁曰："朕且幸魏州，徐图兴复，汝帅有马控鹤从我。"迁曰："生死从大家[191]。"乃阳为团结[192]。帝既出，即阖门[193]不行。

己巳[194]，冯道等入朝，及[195]端门[196]，闻朱、冯死，帝已北走。道及刘昫欲归，李愚曰："天子之出，吾辈不预谋。今太后在宫，吾辈当至中书[197]，遣小黄门取太后进止[198]，然后归第，人臣之义[199]也。"道曰："主上失守社稷[200]，人臣惟君是奉[201]。无君而入宫城[202]，恐非所宜。潞王已处处张榜，不若归俟教令[203]。"乃归。至天宫寺[204]，安从进遣人语之曰："潞王倍道[205]而来，且[206]至矣，相公宜帅百官至谷水[207]奉迎。"乃止[208]于寺中，召百官。中书舍人卢导[209]至，冯道曰："俟舍人久矣，所急者劝进文书[210]，宜速具草[211]。"导曰："潞王入朝，百官班迎[212]可也。设[213]有废立，当俟太后教令[214]，岂可遽[215]议劝进乎？"道曰："事当务实。"导曰："安有天子在外，人臣遽以大位劝人者邪！若潞王守节北面[216]，以大义见责，将何辞以对！公不如帅百官诣宫门，进名问安[217]，取太后进止，则去就[218]善矣。"道未及对，从进屡遣人趣之曰："潞王至矣，太后、太妃已遣中使迎劳矣，安得百官无班！"道等即纷然而去。既而潞王未至，三相[219]息于上阳门[220]外，卢导过于前，道复召而语之，导对如初。李愚曰："舍人之言是也。吾辈之罪，擢发不足数[221]。"

康义诚至陕待罪[222]，潞王责之曰："先帝晏驾，立嗣在诸公。今上亮阴[223]，政事出诸公。何为不能终始[224]，陷吾弟至此乎？"义诚大惧，叩头请死。王素恶[225]其为人，未欲遽诛[226]，且宥之[227]。马步都虞候苌从简、左龙武统军王景戡皆为部下所执，降于潞王，东军[228]尽降。潞王上笺于太后取进止[229]，遂自陕而东[230]。

夏，四月庚午朔[231]，未明，闵帝至卫州东数里，遇石敬瑭。帝大喜，问以社稷大计，敬瑭曰："闻康义诚西讨，何如？陛下何为至此？"

【语译】

当初，唐闵帝在藩镇时，宠信牙将慕容迁，等到即位后，任命他为控鹤指挥使。唐闵帝即将向北渡过黄河，秘密地和他商议，让他率领所属士兵把守玄武门。当天晚上，唐闵帝带着五十名骑兵出玄武门，对慕容迁说："朕暂去魏州，慢慢再图复兴，你率领有马的控鹤随我走。"慕容迁说："是生是死都追随皇上。"于是假装聚拢军队。唐闵帝出了城门，他立即关上城门不走了。

三月二十九日己巳，冯道等人入宫朝见，到了端门，听说朱弘昭、冯赟死了，唐闵帝已经向北逃走。冯道和刘昫打算回家，李愚说："天子出行，我们这些人没有参与谋划。如今太后还在宫中，我们应该到中书省去，派小黄门去向太后请示该怎么办，然后再回家，这是人臣的大义。"冯道说："主上失守社稷，作为臣子的只是侍奉君主。没有了君主而再进入宫城，恐怕不合适。潞王已经到处张贴榜文，我们不如回家等候命令。"于是回家去了。走到天宫寺，安从进派人告诉冯道说："潞王兼程前来，快要到了，相公应该率领百官到谷水迎接。"于是冯道就停留在寺中，召集百官。中书舍人卢导到了，冯道说："等候舍人很久了，现在急需的是对潞王的劝进文书，应该赶快草拟。"卢导说："潞王来朝廷，百官列班相迎就可以了。假如有废立国君的事情，应当等待太后的教令，怎么可以匆忙商议劝进的事呢？"冯道说："做事要讲求实际。"卢导说："哪里有天子在外，人臣急忙拿皇帝大位去向人劝进的呢！如果潞王遵守臣节北面称臣，用君臣大义来责求我们，我们将用什么话来回答他！您不如率领百官前往皇宫门口，通报姓名向太后问安，听取太后的定夺，那么或进或退就很妥善了。"冯道还没有来得及回答，安从进多次派人来催促他说："潞王到了，太后、太妃已经派遣宫中的使者前去迎接慰劳了，百官怎么可以不列班迎接！"冯道等人当即纷纷前往。过了一会儿潞王没有来到，三个宰相停留在上阳门外，卢导从他们面前经过，冯道又把他叫来谈劝进的事，卢导的回答还是和当初一样。李愚说："舍人的话是对的。我们这些人的罪过，拔尽了头发来数都数不清。"

康义诚到了陕州等候降罪，潞王责备他说："先帝去世，拥立嗣君由你们做主。当今皇上在居丧期间，国家的政事也由你们安排。为什么不能始终如一地侍奉皇帝，把我弟弟坑害到这种地步呢？"康义诚大为恐惧，磕头请死。潞王向来厌恨康义诚的为人，但是也没想马上就把他杀掉，暂时宽恕了他的罪责。马步都虞候苌从简、左龙武统军王景戡都被他们的部下活捉，向潞王投降，至此，洛阳派来的军队全部投降了。潞王上书太后，请示太后的安排，接着就率领大军从陕州向东进发。

夏，四月初一日庚午，天还没有亮，唐闵帝到了卫州东面几里路的地方，遇上了石敬瑭。唐闵帝大为高兴，向他询问军国大计，石敬瑭说："听说康义诚率兵向西讨伐，怎么样了？陛下为什么到这里来了？"唐闵帝说："康义诚也叛变离去了。"

帝曰："义诚亦叛去矣。"敬瑭俯首长叹数四，曰："卫州刺史王弘贽，宿将习事㉜，请与图㉝之。"乃往见弘贽问之，弘贽曰："前代天子播迁多矣，然皆有将相、侍卫、府库、法物㉞，使群下有所瞻仰。今皆无之，独以五十骑自随，虽有忠义之心，将若之何㉟？"敬瑭还，见帝于卫州驿㊱，以弘贽之言告。弓箭库使㊲沙守荣、奔洪进前责敬瑭曰："公明宗爱婿㊳，富贵相与共之，今之[7]忧患亦宜相恤㊴。今天子播越㊵，委计于公㊶，冀图兴复，乃以此四者为辞㊷，是直㊸欲附贼卖天子耳！"守荣抽佩刀欲刺之，敬瑭亲将陈晖救之，守荣与晖斗死，洪进亦自刎。敬瑭牙内指挥使刘知远引兵入，尽杀帝左右及从骑，独置帝而去㊹。敬瑭遂趣㊺洛阳。

【段旨】

以上为第四段，写闵帝出奔，将相大臣无一追随。闵帝至卫州路遇石敬瑭，石敬瑭不奉诏勤王而是赶往洛阳投降。

【注释】

⑱⑨爱信：宠爱信任。⑲⓪玄武门：洛阳宫城北门。⑲①大家：指皇帝。⑲②阳为团结：假装聚拢军队。⑲③阖门：关闭玄武门。⑲④己巳：三月二十九日。⑲⑤及：到。⑲⑥端门：洛阳宫城南门。⑲⑦中书：中书省。宰相办公处。⑲⑧取太后进止：听取太后进退的意见，即请示太后该怎么办。⑲⑨人臣之义：作为臣子的大义。⑳⓪社稷：国家。⑳①人臣惟君是奉：作为臣子只是侍奉皇帝的。⑳②宫城：皇宫。因唐之二都、三省及寺监都在宫城之内。⑳③归俟教令：回家等待潞王的命令。教令，亲王所出命令。⑳④天宫寺：洛阳寺院名。⑳⑤倍道：兼程。⑳⑥且：将。⑳⑦谷水：在洛阳城西。⑳⑧止：停留。⑳⑨卢导（公元八六六至九四一年）：字熙化，唐天祐进士，美词翰，善谈论，官至后晋吏部侍郎。传见《旧五代史》卷九十二。㉑⓪劝进文书：劝潞王登基为皇帝的表文。㉑①具草：起草；草拟。㉑②班迎：按官阶高低排列班次迎接。㉑③设：假设。㉑④当俟太后教令：应当等待太后的命令。㉑⑤遽：

石敬瑭一再地低头长叹，说："卫州刺史王弘贽，是位老将，懂事，请让我和他商议一下。"于是石敬瑭前去会见王弘贽，向他征询，王弘贽说："前代天子出奔的情况很多，但是都带有将相、侍卫、府库、法物，让臣下有所瞻仰。现在这些都没有，只是带着五十名骑兵随行，即使我们有忠义之心，又将会怎么样呢?"石敬瑭回去，在卫州的驿站见到了唐闵帝，把王弘贽的话向唐闵帝报告了。弓箭库使沙守荣、奔洪进走上前责备石敬瑭说："你是明宗皇帝的爱婿，皇家富贵与你一起共有，如今患难时也应该互相体恤。现在天子流离在外，向你求计，希望谋划复兴之事，而你竟用这四件事来做托词，这是要依附叛贼，出卖天子!"沙守荣拔出佩刀想要刺杀石敬瑭，石敬瑭的亲信将领陈晖救护他，沙守荣与陈晖格斗而死，奔洪进也自刎了。石敬瑭的牙内指挥使刘知远带着士卒进来，把唐闵帝身边的侍卫和随从骑兵全部杀死，只撇下唐闵帝一个人离去了。石敬瑭于是赶往洛阳。

匆忙。㉑⑥守节北面：遵守臣节，北面称臣。㉑⑦进名问安：通报姓名，向太后问安。㉑⑧去就：拥戴或不拥戴。㉑⑨三相：指冯道、李愚、刘昫。㉒⓪上阳门：上阳宫门，在洛阳宫城西。㉒①擢发不足数：拔尽头发来数都数不清楚。指罪恶之多。㉒②待罪：等候降罪，听候处分。㉒③亮阴：服丧期间。㉒④终始：指始终如一地侍奉皇帝。㉒⑤素恶：向来厌恨。㉒⑥遽诛：立即杀戮。㉒⑦且宥之：暂且宽恕了他。㉒⑧东军：指洛阳来的军队。㉒⑨取进止：听候进退的命令。㉓⓪自陕而东：从陕州向东面洛阳进军。㉓①庚午朔：四月初一日。㉓②宿将习事：老将懂事。㉓③图：商量。㉓④法物：祭祀礼器。㉓⑤将若之何：将会怎么办呢。㉓⑥卫州驿：卫州的馆驿。㉓⑦弓箭库使：官名，掌弓箭库。㉓⑧公明宗爱婿：你是明宗所爱的女婿。因石敬瑭娶明宗长女永宁公主。㉓⑨相恤：互相体恤。㉔⓪播越：流离失所。㉔①委计于公：向你求计。㉔②以此四者为辞：以没有将相、侍卫、府库、法物从行为借口。㉔③直：特；只。㉔④置帝而去：把闵帝放在一边，扬长而去。㉔⑤趣：赶往。

【校记】

［7］今之：原无此二字。张敦仁《通鉴刊本识误》："'之'下脱'今之'二字。"当是，今据补。

【原文】

是日，太后令内诸司㉔⑥至干壕㉔⑦迎潞王，王亟㉔⑧遣还洛阳。

初，潞王罢河中，归私第，王淑妃数遣孟汉琼存抚㉔⑨之。汉琼自谓于王有旧恩，至渑池㉕⓪西，见王大哭，欲有所陈㉕①，王曰:“诸事不言可知。”仍自预从臣之列㉕②，王即命斩于路隅㉕③。

山南西道节度使张虔钊之讨凤翔也，留武定节度使孙汉韶守兴元㉕④。虔钊既败，奔归兴元，与汉韶举两镇之地降于蜀。蜀主命奉銮肃卫马步都指挥使、昭武节度使李肇将兵五千还利州，右匡圣马步都指挥使、宁江节度使张业将兵一万屯大漫天㉕⑤以迎之。

壬申㉕⑥，潞王至蒋桥㉕⑦。百官班迎于路，传教㉕⑧以未拜梓宫㉕⑨，未可相见。冯道等皆上笺劝进㉖⓪。王入谒太后、太妃，诣西宫㉖①，伏梓宫恸哭，自陈诣阙之由㉖②。冯道帅百官班见，拜，王答拜。道等复上笺劝进，王立谓道等[8]曰㉖③:“予之此行，事非获已㉖④。俟皇帝归阙㉖⑤，园寝礼终㉖⑥，当还守藩服。群公遽言及此，甚无谓也㉖⑦！”

癸酉㉖⑧，太后下令废少帝㉖⑨为鄂王，以潞王知军国事㉗⓪，权以书诏印㉗①施行。百官诣至德宫㉗②门待罪，王命各复其位。甲戌㉗③，太后令潞王宜即皇帝位。乙亥㉗④，即位于柩前㉗⑤。

帝之发凤翔也，许军士以入洛人赏钱百缗。既至，问三司使王玫以府库之实㉗⑥，对有数百万在。既而阅实㉗⑦，金、帛不过三万两、匹，而赏军之费计应用五十万缗。帝怒，玫请率㉗⑧京城民财以足之。数日，仅得数万缗。帝谓执政曰:“军不可不赏，人不可不恤㉗⑨，今将奈何?”执政请据屋为率㉘⓪，无问士庶自居及僦者㉘①，预借五月僦直㉘②，从之。

王弘贽迁㉘③闵帝于州廨㉘④，帝遣弘贽之子殿直峦往酖之㉘⑤。戊寅㉘⑥，峦至卫州谒见㉘⑦，闵帝问来故，不对。弘贽数进酒㉘⑧，闵帝知其有毒，不饮，峦缢杀之㉘⑨。

闵帝性仁厚，于兄弟敦睦㉙⓪，虽遭秦王忌疾㉙①，闵帝坦怀待之㉙②，卒免于患㉙③。及嗣位，于潞王亦无嫌㉙④。而朱弘昭、孟汉琼之徒横生猜间㉙⑤，闵帝不能违㉙⑥，以致祸败㉙⑦焉。

【语译】

这一天，太后命令宫内承奉部门的官员到干壕迎接潞王，潞王赶忙把他们遣还洛阳。

当初，潞王在河中被罢官，回到洛阳私宅，王淑妃多次派遣孟汉琼存问慰抚他。孟汉琼自认为对潞王有旧恩，到了渑池西边，见到潞王大哭起来，想要有所陈述，潞王说："一些事情不用说我也可想而知了。"孟汉琼依然自认为可以置身随从臣吏之列，潞王立即命令在路边把他斩杀了。

山南西道节度使张虔钊讨伐凤翔时，留下武定节度使孙汉韶守卫兴元。张虔钊打了败仗以后，逃回兴元，和孙汉韶率两镇之地投降了蜀国。蜀主命令奉銮肃卫马步都指挥使、昭武节度使李肇率领五千名士兵回利州，命令右匡圣马步都指挥使、宁江节度使张业率领一万名士兵屯驻大漫天来迎接他们。

四月初三日壬申，潞王到达蒋桥。朝廷百官列队在路边迎接，潞王传令说，因为没有拜谒先帝的灵柩，所以不能和大家相见。冯道等人都上书劝进大位。潞王进宫拜见了太后、太妃，前往西宫，伏在先帝的灵柩上痛哭，自己述说这次到朝廷来的原因。冯道率领百官按班次谒见，行拜礼，潞王答拜。冯道等人又上书劝进，潞王起立，对冯道等人说："我这次前来，是事情出于不得已。等皇帝回到朝廷，先帝安葬好以后，我当返回镇守藩镇。各位突然谈及此事，实在是没什么意思！"

初四日癸酉，太后下令把少帝废为鄂王，任命潞王主持军国大事，暂时用书诏印发布命令。百官前往至德宫门前待罪，潞王命令他们都各还原职。初五日甲戌，太后下令潞王应该即皇帝位。初六日乙亥，潞王在明宗灵柩前即位。

唐末帝从凤翔发兵时，答应军士们进入洛阳后每人赏一百缗钱。到了洛阳以后，询问三司使王玫府库实况，王玫说有几百万的库存。很快查实，黄金和绢帛的数量没有超过三万，而赏赐给军士们的费用估计需要五十万缗钱。唐末帝非常生气，王玫建议聚敛京城百姓的钱财来补足。几天下来，只得到几万缗。唐末帝对执政大臣们说："军队不能不赏赐，民众不能不体恤，现在该怎么办？"执政大臣们建议以房屋数量为计算标准，不论官民是住着自己的房子还是向人租赁房子居住的，预交五个月的租房费，唐末帝同意了这一建议。

王弘贽把唐闵帝迁到州舍住下，唐末帝派遣王弘贽的儿子殿直王峦前去用毒酒把他毒死。四月初九日戊寅，王峦到卫州谒见唐闵帝，唐闵帝问他前来的原因，王峦不回答。王弘贽一再向唐闵帝进酒，唐闵帝知道酒里有毒，不喝，王峦就把他勒死了。

唐闵帝生性仁慈诚厚，和兄弟们关系和睦，虽然受到秦王的忌恨，但唐闵帝却以坦诚的胸怀对待他，最终得以避免灾患。等到继承帝位，对潞王也没有什么猜嫌。而朱弘昭、孟汉琼之徒平白无故地制造猜疑和矛盾，唐闵帝不能违抗他们，因而招致祸败。

孔妃[298]尚在宫中，王峦既还[9]，潞王使人[299]谓之曰："重吉[300]辈[10]何在？"遂杀妃，并其四子。

闵帝之在卫州也，惟磁州刺史宋令询遣使问起居[301]，闻其遇害，恸哭半日，自经死[302]。

【段旨】

以上为第五段，写潞王入洛即皇帝位，是为末帝，闵帝被弑于卫州。

【注释】

(246)内诸司：宫内承奉部门的官员。(247)干壕：干壕镇，在今河南三门峡市陕州区东。(248)亟：急。(249)存抚：存问慰抚。(250)渑池：县名，在今河南渑池县。(251)欲有所陈：想要有所陈述。(252)自预从臣之列：自己排列到随从人员的班列中。(253)路隅：路边。(254)兴元：兴元府，治南郑，为山南西道治所，在今陕西汉中市南郑区。(255)大漫天：地名，在今四川广元北朝天镇。(256)壬申：四月初三日。(257)蒋桥：地名，在洛阳西郊。(258)传教：传潞王教令。(259)梓宫：明宗的棺木。(260)上笺劝进：上表请求即皇帝位。(261)诣西宫：到西宫。明宗灵柩停在西宫。(262)自陈诣阙之由：自己说明到朝廷来的原因。(263)立谓道等曰：起立，对冯道等人说。(264)事非获已：事情出于不得已。(265)归阙：回朝。(266)园寝礼终：埋葬明宗之后。(267)甚无谓也：实在没有意思。(268)癸酉：四月初四日。(269)少帝：即闵帝。(270)知军国事：暂时代行国家大事。(271)书诏印：皇帝画可所用之印。因八宝印被闵帝带走。(272)至德宫：天成元年（公元九二六年），依中书门下奏请，以洛阳明宗即位前旧宅为至德宫。(273)甲戌：四月初五日。(274)乙亥：四月初六日。(275)柩前：明宗的灵柩前。(276)府库之实：府库存

【原文】

己卯[303]，石敬瑭入朝。

庚辰[304]，以刘昫判三司。

辛巳[305]，蜀大赦，改元明德[306]。

帝之起凤翔也，召兴州[307]刺史刘遂清[308]，迟疑不至。闻帝入洛，乃悉集三泉[309]、西县[310]、金牛[311]、桑林戍兵以归，自散关以南城镇悉弃之，

孔妃当时还在宫里，王峦回来以后，潞王派人问她："李重吉他们在哪里？"于是杀了孔妃，连同她的四个儿子也一起杀了。

唐闵帝在卫州期间，只有磁州刺史宋令询派遣使者问安，听到唐闵帝遇害，痛哭了半天，自己上吊死了。

钱的实际数字。㉗㉗ 阅实：核实。打开府库，察看实物。㉗㉘ 率：聚敛；搜刮。㉗㉙ 人不可不恤：民众不能不慰抚。㉘⓪ 据屋为率：以房屋为计算标准。㉘① 僦者：租赁的。㉘② 僦直：租房费。㉘③ 迁：迁移。㉘④ 州廨：卫州官署。㉘⑤ 酖之：用毒酒毒死他。㉘⑥ 戊寅：四月初九日。㉘⑦ 谒见：拜见。㉘⑧ 数进酒：多次进酒。㉘⑨ 缢杀之：用绳子勒死闵帝。㉙⓪ 敦睦：友爱、和睦。㉙① 忌疾：忌恨。㉙② 坦怀待之：襟怀坦诚地对待他。㉙③ 卒免于患：终于免去了灾患。㉙④ 无嫌：无矛盾；无嫌隙。㉙⑤ 横生猜间：平白无故地制造猜疑和矛盾。㉙⑥ 违：违背；违抗。㉙⑦ 以致祸败：因而招致祸祟而败亡。㉙⑧ 孔妃：闵帝皇后，孔循之女，生四子。末帝入立，母子均被杀。传见《新五代史》卷十五。㉙⑨ 潞王使人：谓潞王派人诘问孔妃，重吉安在。按《资治通鉴》书法，潞王已即位，应称"帝使人"。㉚⓪ 重吉：李从珂长子。㉚① 问起居：问安。㉚② 自经死：自己上吊而死。

【校记】

［8］等：原无此字。据章钰校，十二行本、乙十一行本皆有此字，今据补。［9］王峦既还：原无此四字。据章钰校，十二行本、乙十一行本、孔天胤本皆有此四字，张敦仁《通鉴刊本识误》、张瑛《通鉴校勘记》同，今据补。［10］辈：原无此字。据章钰校，十二行本、乙十一行本、孔天胤本皆有此字，张敦仁《通鉴刊本识误》同，今据补。

【语译】

四月初十日己卯，石敬瑭进京朝见唐末帝。

十一日庚辰，任命刘昫判理三司。

十二日辛巳，蜀国大赦，改年号为明德。

唐末帝从凤翔起兵时，召唤兴州刺史刘遂清，他迟疑没有到来。听说唐闵帝进入了洛阳，于是就把三泉、西县、金牛、桑林的戍守士卒全部集中起来回到朝廷，

皆为蜀人所有。癸未[312]，入朝，帝欲治其[11]罪，以其能自归，乃赦之。遂清，郛之侄也。甲申[313]，蜀将张业将兵入兴元、洋州。

乙酉[314]，改元[315]，大赦。

丁亥[316]，以宣徽南院使郝琼权判枢密院，前三司使王玫为宣徽北院使，凤翔节度判官韩昭胤为左谏议大夫，充端明殿学士。

戊子[317]，斩河阳节度使、判六军诸卫兼侍中康义诚，灭其族。

己丑[318]，诛药彦稠。

庚寅[319]，释王景戡、苌从简。

有司百方敛[320]民财，仅得六万。帝怒，下军巡使狱[321]，昼夜督责。囚系满狱[322]，贫者[12]至自经、赴井[323]，而军士游市肆皆有骄色[324]。市人[325]聚诟之[326]曰："汝曹[327]为主力战，立功良苦[328]，反使我辈鞭胸杖背，出财为赏。汝曹犹扬扬自得，独不愧天地乎[329]！"

是时，竭左藏旧物[330]及诸道贡献，乃至太后、太妃器服簪珥[331]皆出之，才及二十万缗，帝患[332]之。李专美[333]夜直[334]，帝让之曰："卿名有才，不能为我谋此，留才安所施乎[335]！"专美谢曰："臣驽劣[336]，陛下擢任过分[337]，然军赏不给[338]，非臣之责也。窃思自长兴之季[339]，赏赉亟行[340]，卒以是骄。继以山陵[341]及出师，帑藏遂涸。虽有无穷之财，终不能满骄卒之心，故陛下拱手[342]于危困之中而得天下。夫国之存亡，不专系于[343]厚赏，亦在修法度[344]，立纪纲[345]。陛下苟不改覆车之辙[346]，臣恐徒困百姓[347]，存亡未可知也。今财力尽于此矣，宜据所有均给之[348]，何必践初言[349]乎！"帝以为然。壬辰[350]，诏禁军在凤翔归命[351]者，自杨思权、尹晖等各赐二马、一驼、钱七十缗，下至军人钱二十缗，其在京者各十缗。军士无厌[352]，犹怨望，为谣言曰："除去菩萨[353]，扶立生铁[354]。"以闵帝仁弱，帝刚严，有悔心[355]故也。

放弃了散关以南的全部城镇，它们都被蜀国人占有了。四月十四日癸未，刘遂清进京朝见皇帝，唐末帝想追究他的罪责，但因为他能自行回来，就赦免了他。刘遂清是刘鄩的侄子。十五日甲申，蜀国将领张业率兵进入兴元、洋州。

四月十六日乙酉，改年号，大赦。

十八日丁亥，任命宣徽南院使郝琼暂时判理枢密院，任命前三司使王玫为宣徽北院使，凤翔节度判官韩昭胤为左谏议大夫，充任端明殿学士。

十九日戊子，斩杀河阳节度使、判六军诸卫兼侍中康义诚，诛灭全族。

二十日己丑，诛杀药彦稠。

二十一日庚寅，释放了王景戡、苌从简。

有关部门千方百计地聚敛民财，只得到六万缗。唐末帝大怒，把拖欠税金的人关进军巡使的狱中，日夜不停地催索。监狱中都关满了人，穷人被逼到上吊、投井，而军士们到街市上游荡，都是满脸一副骄横的样子。街市上的民众聚在一块儿，骂他们:“你们为主上奋力作战，立功确实辛苦，但是反过来让我们前胸挨鞭子后背受棍子，拿出钱财作为奖赏。你们还洋洋自得，难道不愧对天地吗!”

当时，拿出了左藏里所有的旧物和各道贡献的物品，甚至连太后、太妃所用器物、服饰、头簪、耳环也都拿了出来，才够二十万缗，唐末帝很忧虑。当时李专美夜间值班，唐末帝责备他说:“你号称有才，却不能替我谋划解决这个问题，你留着才干往哪里用!”李专美谦谢说:“臣愚劣低下，陛下提拔任用我超过了界限，但是军赏不足，不是臣的责任。我私下认为，自从长兴末年以来，赏赐很多，士卒们也因此而骄纵起来。接着又修建皇帝陵寝和出兵打仗，国库中的钱财就枯竭了。即便有无尽的财富，最终也不能满足这些骄纵士卒们的贪欲，因此陛下才能够在国家危困之中拱手而得天下。大凡一个国家的存与亡，并不单纯取决于优厚的赏赐，还在于修明法度，建立纪纲。陛下如果不更改前朝覆辙的老路，臣担心白白困扰百姓，国家的存亡难以预料。现今的财力全在这里了，应该根据现有的财物把它全部赏赐给军士，何必一定要兑现当初说的话!”唐末帝认为他说得对。四月二十三日壬辰，下诏禁军中凡是在凤翔就归顺的，从杨思权、尹晖等人开始每人赐给马二匹、骆驼一头、钱七十缗，以下军士们每人赐钱二十缗，那些在京城归顺的人每人十缗。军士们不满足，仍然有怨言，编造歌谣说:“除去菩萨，扶立生铁。”因为唐闵帝生性仁慈懦弱，唐末帝却刚毅严苛，大家有懊悔之意。

【段旨】

以上为第六段，写唐末帝搜刮民财以赏军。

【注释】

[303]己卯：四月初十日。[304]庚辰：四月十一日。[305]辛巳：四月十二日。[306]明德：后蜀孟知祥年号，起于四月，止于同年七月。[307]兴州：州名，治所汉曲，在今陕西略阳。[308]刘遂清（？至公元九四六年）：字得一，青州北海（今山东昌乐）人，刘鄩侄子，性至孝。历官淄、兴、登州刺史。传见《旧五代史》卷九十六。[309]三泉：县名，在今陕西略阳。[310]西县：县名，在今陕西勉县西。[311]金牛：县名，在今陕西略阳东北。[312]癸未：四月十四日。[313]甲申：四月十五日。[314]乙酉：四月十六日。[315]改元：改元清泰。[316]丁亥：四月十八日。[317]戊子：四月十九日。[318]己丑：四月二十日。[319]庚寅：四月二十一日。[320]敛：搜刮。[321]下军巡使狱：凡缴钱稽违者，均下军巡使监狱，督责缴纳。军巡使，掌警卫京城。[322]囚系满狱：囚犯关满了监狱。[323]至自经、赴井：以致被逼迫到上吊、投井。[324]骄色：扬扬得意的样子。[325]市人：街市上的民众。[326]聚诟之：聚集在一起骂他们。[327]汝曹：你们。[328]良苦：确实辛苦。[329]独不愧天地乎：难道不愧对天地良心吗。[330]旧物：原有的库存。[331]器服簪珥：法器、服饰、头簪、耳环等。[332]患：忧虑；担心。[333]李专美（约公元八八四至九四五年）：字翊高，京兆万年（今陕西西安）人，少笃学，性廉

【原文】

丙申[356]，葬圣德和武钦孝皇帝于徽陵[357]，庙号明宗。帝衰绖[358]护从至陵所，宿[359]焉。

五月丙午[360]，以韩昭胤为枢密使，以庄宅使刘延朗为枢密副使，权知枢密院房暠[361]为宣徽北院使。暠，长安人也。

帝与石敬瑭皆以勇力善斗，事明宗为左右。然心竞[362]，素不相悦[363]。帝即位，敬瑭不得已入朝，山陵既毕[364]，不敢言归。时敬瑭久病羸瘠[365]，太后及魏国公主[366]屡为之言。而凤翔旧[13]将佐多劝帝留之，惟韩昭胤、李专美以为赵延寿在汴[367]，不宜猜忌敬瑭。帝亦见其骨立[368]，不以为虞[369]，乃曰："石郎[370]不惟密亲，兼自少与吾同艰难。今我为天子，非石郎尚谁托哉[371]！"乃复以为河东节度使。

戊午[372]，以陇州防御使相里金为保义节度使。

丁未[373]，阶州刺史赵澄降蜀。

谨，有政声。官大理卿。传见《旧五代史》卷九十三。㉞ 夜直：值夜班。㉟ 留才安所施乎：留着才能用到什么地方去呢。㊱ 驽劣：才能愚劣低下。㊲ 擢任过分：提拔的职务超过了我的能力。㊳ 不给：不足。㊴ 长兴之季：长兴后期。㊵ 赏赉亟行：赏赐很多。㊶ 山陵：明宗之丧，修建陵寝。㊷ 拱手：指不费气力。㊸ 系于：取决于。㊹ 修法度：修订规章制度。㊺ 立纪纲：建立纲常伦理秩序。㊻ 覆车之辙：指长兴赏赉过度的历史教训。㊼ 徒困百姓：白白困扰老百姓。㊽ 均给之：倾其所有全部赏赐给军士。均，全部。㊾ 践初言：兑现当初说过的话。㊿ 壬辰：四月二十三日。351 归命：归顺；投降。352 无厌：不满足。353 菩萨：指闵帝。闵帝小字菩萨奴。354 生铁：指李从珂。李从珂性刚似铁。355 有悔心：有懊悔推戴李从珂为皇帝的情绪。

【校记】

［11］其：原无此字。据章钰校，十二行本、乙十一行本皆有此字，今据补。［12］贫者：原无此二字。据章钰校，十二行本、乙十一行本、孔天胤本皆有此二字，张敦仁《通鉴刊本识误》同，今据补。

【语译】

四月二十七日丙申，把圣德和武钦孝皇帝安葬在徽陵，庙号叫明宗。唐末帝穿着丧服护送灵柩来到陵寝，在那里住了一夜。

五月初七日丙午，任命韩昭胤为枢密使，任命庄宅使刘延朗为枢密副使，权知枢密院房暠为宣徽北院使。房暠是长安人。

唐末帝和石敬瑭都凭着勇敢善战，侍奉唐明宗为左右近臣。但是两人心里在相互竞争，向来不和睦。唐末帝即位，石敬瑭迫不得已入京朝见，唐明宗的丧事完毕，不敢说返回镇所。当时石敬瑭长久患病，身体瘦弱，曹太后和魏国公主多次替他讲情。而从凤翔来的旧将领幕僚们很多人都劝皇帝把他羁留在洛阳，只有韩昭胤、李专美认为赵延寿在汴梁，不宜猜忌石敬瑭。唐末帝也看到石敬瑭骨瘦如柴，并不忧虑他，于是就说："石郎不仅是内亲，从少时就和我同甘共苦。现在我当了天子，不依靠石郎还依靠谁呢！"于是又任命他为河东节度使。

五月十九日戊午，任命陇州防御使相里金为保义节度使。

初八日丁未，阶州刺史赵澄投降了蜀国。

戊申[374]，以羽林军使杨思权为静难节度使。

己酉[375]，张虔钊、孙汉韶举族[376]迁于成都。

庚戌[377]，以司空兼门下侍郎、同平章事冯道同平章事，充匡国节度使。

以天雄节度使兼侍中范延光为枢密使。

帝之起凤翔也，悉取天平节度使李从曮[378]家财甲兵以供军。将行，凤翔之民遮马[379]请复以从曮镇凤翔，帝许之。至是，徙从曮为凤翔节度使。

初，明宗为北面招讨使，平卢节度使房知温为副都部署，帝以别将[380]事之。尝被酒忿争[381]，拔刃相拟[382]。及帝举兵入洛，知温密与行军司马李冲谋拒之。冲请先奉表以观形势[383]，还，言洛中已安定。知温惧[14]，壬戌[384]，入朝谢罪，帝优礼[385]之。知温贡献甚厚。

吴镇南节度使、守中书令东海康王徐知询卒。

蜀人取成州。

六月甲戌[386]，以皇子左卫上将军重美[387]为成德节度使、同平章事，兼河南尹，判六军诸卫事。

文州都指挥使成延龟举州附蜀。

吴徐知诰将受禅，忌昭武[388]节度使兼中书令临川王蒙，遣人告[389]蒙藏匿亡命，擅造兵器。丙子[390]，降封历阳公，幽[391]于和州[392]，命控鹤军使王宏将兵二百卫之[393]。

【段旨】

以上为第七段，写唐末帝安葬明宗，调整人事，全境粗安。吴徐知诰加紧受禅事宜。

初九日戊申，任命羽林军使杨思权为静难节度使。

初十日己酉，张虔钊、孙汉韶带领全族的人迁徙到成都。

十一日庚戌，任命司空兼门下侍郎、同平章事冯道为同平章事，充任匡国节度使。

任命天雄节度使兼侍中范延光为枢密使。

唐末帝从凤翔起兵的时候，把天平节度使李从曮家中的钱财、盔甲、兵器全部拿来作为军需。大军即将出发时，凤翔的百姓拦住马头请求再让李从曮镇守凤翔，唐末帝答应了他们。到这时候，徙任李从曮为凤翔节度使。

当初，唐明宗担任北面招讨使，平卢节度使房知温为副都部署，唐末帝作为别将受房知温统领。两人曾经喝了酒发怒争吵，拔刀相对。等到唐末帝起兵进入洛阳，房知温秘密地和行军司马李冲谋划要抗拒他。李冲建议先上表到洛阳观察一下形势，李冲回来，说洛阳已经安定了。房知温忧惧不安，五月二十三日壬戌，入朝请罪，唐末帝优待礼遇他。房知温贡献的财物非常丰厚。

吴国的镇南节度使、守中书令东海康王徐知询去世。

蜀国人攻取了成州。

六月初五日甲戌，任命皇子左卫上将军李重美为成德节度使、同平章事，兼任河南尹，判理六军诸卫事。

文州都指挥使成延龟率领全州归附蜀国。

吴国的徐知诰即将接受吴主的禅让，他忌惮昭武节度使兼中书令临川王杨蒙，就派人告发杨蒙藏匿亡命之徒，擅自制造兵器。六月初七日丙子，吴主把杨蒙降封为历阳公，幽禁在和州，命令控鹤军使王宏率领二百名士卒护卫他。

【注释】

㊻丙申：四月二十七日。㊼徽陵：明宗陵墓名，在今河南洛阳。㊽衰绖：丧服。㊾宿：过夜。㊿丙午：五月初七日。(361)房暠（？至公元九四四年）：京兆长安（今陕西西安）人，官至枢密使。传见《旧五代史》卷九十六。(362)心竞：内心有竞争。(363)素不相悦：向来不和睦。(364)山陵既毕：明宗的丧礼完毕。(365)久病羸瘠：长久患病，身体瘦弱。(366)魏国公主：即明宗女永宁公主，石敬瑭之妻。(367)赵延寿在汴：赵延寿在汴梁任宣武节度使，若留石敬瑭，会引起他的疑惧。(368)骨立：骨瘦如柴，人成为一个骨架子。(369)虞：忧虑；担心。(370)石郎：指石敬瑭。(371)尚谁托哉：还依靠谁呢。(372)戊午：五月十九日。(373)丁未：五月初八日。(374)戊申：五月初九日。(375)己酉：五月初十日。(376)举族：率领全族人。(377)庚戌：五月十一日。(378)李从曮：李茂贞子。虽镇天平，而家财、甲兵还在凤

翔。[379]遮马：拦住马头。[380]别将：客将；不属于本系统的另外将领。[381]尝被酒忿争：曾经喝了酒发忿争吵。[382]拔刃相拟：拔刀互相对抗。[383]以观形势：用以观察形势的变化。[384]壬戌：五月二十三日。[385]优礼：优待礼遇。[386]甲戌：六月初五日。[387]重美（？至公元九三六年）：李从珂次子，幼明敏，封雍王。传见《新五代史》卷十六。[388]昭武：方镇名，治所利州，时属蜀，杨蒙为遥领。[389]告：告发。[390]丙子：六月初七日。[391]幽：囚禁。[392]和州：州名，治所历阳，在今安徽和县。[393]卫之：保卫他。以保卫为名，实为监视。

【原文】

刘昫与冯道婚姻[394]。昫性苛察[395]，李愚刚褊[396]，道既出镇[397]，二人论议多不合。事有应改者，愚谓昫曰："此贤亲家所为，更之不亦便乎[398]！"昫恨之，由是动成忿争[399]，至相诟骂[400]，各欲非时求见[401]，事多凝滞[402]。帝患[403]之，欲更命相，问所亲信以朝臣闻望[404]宜为相者。皆以尚书左丞姚𫖮、太常卿卢文纪、秘书监崔居俭[405]对。论其才行[406]，互有优劣，帝不能决。乃置其名于琉璃瓶[407]，夜焚香祝天，且以箸[408]挟之，首得文纪，次得𫖮。秋，七月辛亥[409]，以文纪为中书侍郎、同平章事。居俭，荛之子也。

帝欲杀楚匡祚[410]，韩昭胤曰："陛下为天下父，天下之人皆陛下子，用法宜存至公[411]。匡祚受诏检校[412]重吉家财，不得不尔[413]。今族匡祚，无益死者，恐不厌[414]众心。"乙卯[415]，长流匡祚于登州[416]。

丁巳[417]，立沛国夫人刘氏[418]为皇后。

回鹘[419]入贡者多为河西杂虏[420]所掠，诏将军牛知柔帅禁兵卫送，与邠州兵共讨之。

吴徐知诰召右仆射[15]兼中书侍郎、同平章事宋齐丘还金陵，以为诸道都统判官，加司空，于事皆无所关预[421]。齐丘屡请退居，知诰以南园给之。

护国节度使洋王从璋、归德节度使泾王从敏，皆罢镇居洛阳私第，帝待之甚薄。从敏在宋州预杀重吉，帝尤恶之[422]。尝侍宴禁中，酒酣[423]，顾二王曰："尔等皆何物[424]，辄据雄藩！"二王大惧，太后叱[425]之

【校记】

［13］旧：原无此字。据章钰校，十二行本、乙十一行本皆有此字，今据补。［14］知温惧：原无此三字。据章钰校，十二行本、乙十一行本、孔天胤本皆有此三字，张敦仁《通鉴刊本识误》同，今据补。

【语译】

刘昫和冯道是儿女亲家。刘昫生性苛细精明，李愚刚愎偏激，冯道出任外镇以后，刘昫和李愚两人的见解很多都不一致。遇到有的事情需要改变，李愚就对刘昫说："这是你的亲家翁所办的，改变一下不是很好吗！"刘昫对李愚很恼恨，两人从此动不动就发怒争吵，以致互相谩骂，都想在不是朝见的时候谒见皇帝，很多政事迟滞。唐末帝为此很忧虑，想另行任命宰相，就询问身边的亲信，朝臣中有谁的威望声誉适宜当宰相的。大家都以尚书左丞姚颉、太常卿卢文纪、秘书监崔居俭来回答。论起三人的才识和品行，互有优劣，唐末帝不能决定下来。于是就把这三个人的名字放入琉璃瓶中，晚上焚香向上天祷告，再用筷子到瓶中去夹，首先夹到的是卢文纪的名字，其次夹到姚颉。秋，七月十三日辛亥，任命卢文纪为中书侍郎、同平章事。崔居俭是崔荛的儿子。

唐末帝想要杀楚匡祚，韩昭胤说："陛下是天下人之父，天下人都是陛下之子，施用法律应该至公无私。楚匡祚是接受了诏命去查验李重吉的家财，不得不这样做。现在族灭楚匡祚，无益于死者，恐怕让众心不服。"七月十七日乙卯，下令把楚匡祚远流登州。

十九日丁巳，册立沛国夫人刘氏为皇后。

回鹘来入贡的使者大多被河西一带的杂胡所抢掠，唐末帝下诏命令将军牛知柔率领禁兵护送使者，会同邠州部队一起讨伐杂胡。

吴国的徐知诰征召右仆射兼中书侍郎、同平章事宋齐丘返回金陵，任命他为诸道都统判官，加任司空，对于政事都一概不让他参与。宋齐丘多次请求退休，徐知诰就把南园给了他。

护国节度使洋王李从璋、归德节度使泾王李从敏，都被罢去军镇的职务，住在洛阳的私宅中，唐末帝对他们很淡薄。李从敏在宋州曾参与杀害李重吉，唐末帝尤其厌恶他。两人曾经在宫中陪着唐末帝宴饮，正喝得酒酣耳热，唐末帝回过头看着二王说："你们都是些什么东西，竟然也占据着宏大的藩镇！"两人大为恐惧。太后呵

曰："帝醉矣，尔曹[426]速去！"

蜀置永平军[427]于雅州，以孙汉韶为节度使。复以张虔钊为山南西道节度使、同平章事。虔钊固辞[428]，不行。

【段旨】

以上为第八段，写唐末帝抓阄择相。

【注释】

[394]婚姻：结成儿女亲家。[395]苛察：苛刻烦琐，显示精明。[396]刚褊：强硬而偏激。[397]出镇：指冯道出镇同州，为匡国军节度使。[398]更之不亦便乎：更改它不是很好吗。[399]动成忿争：动辄发怒争论。[400]至相诟骂：直至相互破口大骂。[401]非时求见：不在正式上朝时求见皇帝。[402]凝滞：迟滞；拖延。[403]患：担忧；为难。[404]闻望：声誉威望。[405]崔居俭（公元八七〇至九三九年）：清河（今山东临清）人，出身名门士族，官后唐刑部侍郎。居显官，衣常乏，死之日贫不能葬。传见《新五代史》卷五十五。[406]才行：才识和品行。[407]琉璃瓶：一种矿石质的有色半透明体材料的瓶子。[408]箸：筷子。[409]辛亥：七月十三日。[410]楚匡祚：闵帝殿直，曾遣其杀李从珂长子重吉。[411]宜存至公：应该具有最大

【原文】

蜀主得风疾逾年[429]，至是增剧[430]。甲子[431]，立子东川节度使、同平章事、亲卫马步都指挥使仁赞[432]为太子，仍监国[433]。召司空、同平章事赵季良，武信节度使李仁罕，保宁节度使赵廷隐，枢密使王处回，捧圣控鹤都指挥使张公铎，奉銮肃卫指挥副使侯弘实受遗诏辅政[434]。是夕殂[435]，秘不发丧[436]。

王处回夜启义兴门[437]告[438]赵季良，处回泣不已[439]。季良正色[440]曰："今强将[441]握兵，专伺时变[442]，宜速立嗣君以绝觊觎[443]，岂可但相泣[444]邪！"处回收泪谢[445]之。季良教处回见李仁罕，审其词旨[446]，然后告之。处回至仁罕第，仁罕设备而出[447]，遂不以实告[448]。丙寅[449]，宣遗制[450]，命太子仁赞更名昶。丁卯[451]，即皇帝位。

责他们说:“皇帝醉了，你们赶快离去!”

蜀国在雅州设置永平军，任命孙汉韶为节度使。又任命张虔钊担任山南西道节度使、同平章事。张虔钊坚决推辞，不去赴任。

的公心。㊷⑫检校：检查校阅。⑬不得不尔：不得不这样做。⑭不厌：不服；不合。⑮乙卯：七月十七日。⑯登州：州名，治所蓬莱，在今山东烟台市蓬莱区。⑰丁巳：七月十九日。⑱刘氏（？至公元九三六年）：刘茂威女，为人强悍，末帝害怕她。初封沛国夫人。传见《新五代史》卷十六。⑲回鹘：即回纥，维吾尔族的古称。五代时居甘州（今甘肃张掖）、西州（今新疆吐鲁番、鄯善等市县），常来进贡。⑳河西杂虏：指羌、吐谷浑等少数民族。㉑无所关预：不让参与。㉒尤恶之：尤其厌恨他。㉓酒酣：饮酒酣畅。㉔何物：什么东西。㉕叱：呵责。㉖尔曹：你们。㉗永平军：方镇名，唐僖宗文德元年（公元八八八年），置永平军节度使，治所邛州，在今四川邛崃。后徙雅州，后蜀仍之，在今四川雅安。㉘固辞：坚决推辞，因无面目见梁州人士。

【校记】

［15］右仆射：原作“左仆射”。据章钰校，十二行本、乙十一行本皆作“右仆射”，张敦仁《通鉴刊本识误》同，《新五代史·吴世家》亦作“右仆射”，今据改。

【语译】

蜀主患风疾超过一年，到这时病情加剧。七月二十六日甲子，册立他的儿子东川节度使、同平章事、亲卫马步都指挥使孟仁赞为太子，仍旧监理国政。召来司空、同平章事赵季良，武信节度使李仁罕，保宁节度使赵廷隐，枢密使王处回，捧圣控鹤都指挥使张公铎，奉銮肃卫指挥副使侯弘实接受遗诏，辅佐朝政。当晚蜀主孟知祥去世，保密没对外发布死讯。

王处回在晚上打开义兴门出宫来告诉赵季良，王处回哭个不停。赵季良面色严肃地说:“如今强悍的将领们手握兵权，一心等待时局的变化，应该赶快扶立嗣君，来断绝非分之想，怎么能只是相对哭泣呢!”王处回止住了眼泪表示感激。赵季良让王处回去面见李仁罕，仔细审视他的语意，然后把死讯告诉他。王处回到了李仁罕的宅第，李仁罕布置了防备措施后才出来，王处回就没有把实情告诉李仁罕。二十八日丙寅，宣读孟知祥的遗命，命令太子孟仁赞改名为昶。二十九日丁卯，即皇帝位。

【段旨】

以上为第九段，写蜀主孟知祥驾崩，孟昶即位。

【注释】

㉙ 逾年：超过一年。㉚ 增剧：病情加重。㉛ 甲子：七月二十六日。㉜ 仁赞：即孟昶，孟知祥第三子。母琼华长公主。孟知祥卒，嗣位蜀王，公元九三四至九六五年在位。㉝ 监国：监理国政。皇帝因事外出或患疾，由太子暂时代行职务，处理军国大

【原文】

初，帝以王玫对左藏见财失实㊾，故以刘昫代判三司。昫命判官高延赏钩考穷核㊿，皆积年逋欠(454)之数，奸吏利其征责勾取(455)，故存之(456)。昫具奏其状，且请察其可征者(457)急督之，必无可偿者悉蠲(458)之，韩昭胤极言其便。八月庚午(459)，诏长兴以前户部及诸道逋租(460)三百三十八万，虚烦簿籍(461)，咸蠲免勿征。贫民大悦，而三司吏怨之。

辛未(462)，以姚颉为中书侍郎、同平章事。

右龙武统军索自通，以河中之隙(463)，心不自安。戊子(464)，退朝过洛(465)，自投于水而卒。帝闻之，大惊，赠太尉。

丙申(466)，以前安国节度使、同平章事赵凤为太子太保。

九月癸卯(467)，诏凤翔益兵(468)守东安镇(469)以备蜀。

蜀卫圣诸军都指挥使、武信节度使李仁罕自恃宿将(470)有功，复受顾托(471)，求判六军，令进奏吏(472)宋从会以意谕枢密院，又至学士院侦草麻(473)。蜀主不得已，甲寅(474)，加仁罕兼中书令、判六军事，以左匡圣都指挥使、保宁节度使赵廷隐兼侍中，为之副。

己未(475)，云州奏契丹入寇，北面招讨使石敬瑭奏自将兵屯百井(476)以备契丹。辛酉(477)，敬瑭奏振武节度使杨檀击契丹于境上(478)，却之。

蜀奉銮肃卫都指挥使、昭武节度使兼侍中李肇闻蜀主即位，顾望(479)，不时入朝(480)。至汉州，留与亲戚燕饮逾旬(481)。冬，十月庚午(482)，始至成都，称足疾，扶杖(483)入朝[16]，见蜀主不拜。

事。㉞受遗诏辅政：接受孟知祥的遗命，辅佐孟昶。㉟是夕殂：当天晚上去世。㊱秘不发丧：封锁孟知祥死亡的消息。㊲义兴门：蜀宫门。㊳告：报告孟知祥死讯。㊴泣不已：哭个不停。㊵正色：神色庄重、严肃。㊶强将：指李仁罕、李肇等。㊷专伺时变：专门等待局势的变化。㊸觊觎：非分的企图和妄想。㊹但相泣：只是相对而哭。㊺谢：感激。㊻审其词旨：仔细地审视他的语意。㊼设备而出：布置了防卫而外出。㊽遂不以实告：就不将孟知祥已死的实际情况告诉他。㊾丙寅：七月二十八日。㊿宣遗制：宣布孟知祥留下的命令。(451)丁卯：七月二十九日。

【语译】

当初，唐末帝因为王玫回答左藏现存钱财情况失实，所以任命刘昫代为判理三司。刘昫命令判官高延赏详加核查，发现都是多年拖欠的数量，奸吏们因为征拖欠可以勒索财物从中渔利，所以把所欠数目保留着。刘昫把情况详细地向唐末帝作了汇报，并且请求经过查实可以征收到的抓紧督促缴纳，实在缴纳不出的全部免除，韩昭胤极力说这个办法好。八月初二日庚午，唐末帝下诏，规定凡是明宗长兴年间以前户部和各道所拖欠的租税三百三十八万缗，虚列簿籍，徒增烦乱，全部免除，不再征收。贫困百姓大为高兴，而三司的官吏们却埋怨不满。

八月初三日辛未，任命姚颉为中书侍郎、同平章事。

右龙武统军索自通因为过去在河中军府时与唐末帝的矛盾，内心觉得不安。二十日戊子，退朝之后路经洛水，投水自杀。唐末帝听到后，大惊，追赠他为太尉。

二十八日丙申，任命前安国节度使、同平章事赵凤为太子太保。

九月初六日癸卯，唐末帝下诏命令凤翔增派兵力守卫东安镇，用以防备蜀国。

蜀国的卫圣诸军都指挥使、武信节度使李仁罕自恃宿将有功，又受先帝嘱托辅政，就请求判理六军，他让进奏吏宋从会把他这个意思晓示枢密院，又到学士院探听委任状起草情况。蜀主不得已，九月十七日甲寅，加封李仁罕兼中书令、判六军事，任命左匡圣都指挥使、保宁节度使赵廷隐兼侍中，当他的副手。

二十二日己未，云州奏报契丹入侵，北面招讨使石敬瑭上奏说要亲自率兵屯驻百井，以防备契丹人。二十四日辛酉，石敬瑭上奏说振武节度使杨檀在边境上攻击契丹，击退了他们。

蜀国的奉銮肃卫都指挥使、昭武节度使兼侍中李肇听说蜀主孟昶即位，徘徊观望，不按时入京朝见。到达汉州时，滞留在那里和亲戚欢宴饮酒超过了十天。冬，十月初三日庚午，才到达成都，声称脚有病，拄着手杖入朝，看到蜀主不施跪拜。

戊寅[484]，左仆射、门下侍郎、同平章事李愚罢守本官[485]，吏部尚书兼门下侍郎、同平章事、判三司刘昫罢为右仆射。三司吏闻昫罢相，皆相贺[486]，无一人从归第[487]者。

【段旨】

以上为第十段，写刘昫、李愚罢相，人皆相贺。

【注释】

⑷⑸② 王玫对左藏见财失实：左藏库贮存的实际数字与王玫回答的不符。见，通"现"。⑷⑸③ 钩考穷核：详加钩稽考核。⑷⑸④ 积年逋欠：多年拖欠。⑷⑸⑤ 奸吏利其征责匄取：奸吏因其征收拖欠可以勒索财物从中渔利。匄取，勒索。⑷⑸⑥ 故存之：所以将拖欠之数仍列在账面上。⑷⑸⑦ 可征者：尚能征收的钱、物。⑷⑸⑧ 蠲：免除。⑷⑸⑨ 庚午：八月初二日。⑷⑹⓪ 逋租：积欠租税。⑷⑹① 虚烦簿籍：白白地登录在账簿上。⑷⑹② 辛未：八月初三日。⑷⑹③ 河中之隙：指明宗长兴元年（公元九三〇年），索自通受安重诲指使，告李从珂私造兵甲事。⑷⑹④ 戊子：八月二十日。⑷⑹⑤ 洛：洛水，流贯于洛阳城中。⑷⑹⑥ 丙申：八月二十八日。⑷⑹⑦ 癸卯：九月初六日。⑷⑹⑧ 益兵：增加兵力。⑷⑹⑨ 东安镇：约在今陕西宝鸡市凤翔区以西。⑷⑺⓪ 宿将：老

【原文】

蜀捧圣控鹤都指挥使张公铎与医官使[488]韩继勋、丰德库使[489]韩保贞[490]、茶酒库使[491]安思谦[492]等，皆事蜀主于藩邸[493]，素怨李仁罕，共谮之[494]，云仁罕有异志[495]。蜀主令继勋等与赵季良、赵廷隐谋，因仁罕入朝，命武士执而杀之。癸未[496]，下诏暴其罪[497]，并其子继宏及宋从会等数人皆伏诛。是日，李肇释杖而拜[498]。

蜀源州[499]都押牙文景琛据城叛，果州刺史李延厚讨平之。

蜀主左右以李肇倨慢[500]，请诛之。戊子[501]，以肇为太子少傅致仕，徙[502]邛州。

吴主加徐知诰大丞相、尚父[503]、嗣齐王、九锡[504]，辞不受。

十月十一日戊寅，左仆射、门下侍郎、同平章事李愚被罢免相职，仍守特进、太微宫使、弘文馆太学士本官，吏部尚书兼门下侍郎、同平章事、判三司刘昫罢职改任右仆射。三司的官吏听说刘昫被罢去了宰相的职务，都相互称贺，没有一个人肯送他回家的。

将。㊼①复受顾托：又受孟知祥嘱托辅佐孟昶。㊼②进奏吏：官名，掌传递上奏章疏。㊼③侦草麻：侦察是否写好任命为判六军的委任状的草稿。因唐制，拜免将相的诏令用白麻纸书写，故其草稿称草麻。㊼④甲寅：九月十七日。㊼⑤己未：九月二十二日。㊼⑥百井：百井镇，在今山西太原东北。㊼⑦辛酉：九月二十四日。㊼⑧境上：边境，即振武节度使境内。㊼⑨顾望：内心举棋不定的样子；观望。㊽⓪不时入朝：不按时入朝。㊽①逾旬：超过十天。㊽②庚午：十月初三日。㊽③扶杖：拄着手杖。㊽④戊寅：十月十一日。㊽⑤罢守本官：罢相，仍守特进、太微宫使、弘文馆太学士本官。㊽⑥相贺：互相庆贺。刘昫奏免诸道逋租，使三司吏无利可图。故刘昫罢相，三司吏相贺。㊽⑦从归第：伴送刘昫回归私第。

【校记】

［16］入朝："朝"下原有"见"字。据章钰校，十二行本、乙十一行本皆无"见"字，今据删。

【语译】

蜀国的捧圣控鹤都指挥使张公铎和医官使韩继勋、丰德库使韩保贞、茶酒库使安思谦等人，都侍奉蜀主于藩邸，一向怨恨李仁罕，一起诋毁他，说他有谋反之心。蜀主命令韩继勋等人和赵季良、赵廷隐谋划，乘着李仁罕入京朝见，命令武士把他抓起来杀掉。十月十六日癸未，蜀主下诏公布李仁罕的罪状，连同他的儿子李继宏和宋从会等几个人全都被诛杀。当天，李肇丢掉手杖，向蜀主跪拜。

蜀国的源州都押牙文景琛占据州城反叛，果州刺史李延厚出兵征讨，平定了叛乱。

蜀主的身边近臣认为李肇傲慢无礼，请求杀了他。十月二十一日戊子，任命李肇为太子少傅，让他退休，迁往邛州。

吴主加封徐知诰为大丞相、尚父、嗣齐王，赐九锡；徐知诰推辞不受。

雄武[505]节度使张延朗将兵围文州，阶州刺史郭知琼拔尖石寨。蜀李延厚将果州兵屯兴州，遣先登指挥使范延晖将兵救文州，延朗解围而归。兴州刺史冯晖自干渠[506]引戍兵归凤翔。

十一月，徐知诰召其子司徒、同平章事景通[507]还金陵，为镇海、宁国节度副大使，诸道副都统，判中外诸军事。以次子牙内马步都指挥使、海州团练使景迁[508]为左右军都军使、左仆射、参政事，留江都辅政。

十二月己巳[509]，以易州刺史安叔千[510]为振武节度使，齐州防御使尹晖为彰国[511]节度使。叔千，沙陀人也。

壬申[512]，石敬瑭奏契丹引去，罢兵归。

乙亥[513]，征[514]雄武节度使张延朗为中书侍郎、同平章事、判三司。

辛巳[515]，汉皇后马氏[516]殂。

甲申[517]，蜀葬文武圣德英烈明孝皇帝于和陵[518]，庙号高祖。

乙酉[519]，葬鄂王[520]于徽陵城南[521]，封[522]才数尺，观者悲之[523]。

是岁秋、冬旱，民多流亡，同、华、蒲、绛尤甚。

汉主命判六军秦王弘度募宿卫[524]兵千人，皆市井无赖子弟，弘度昵之。同平章事杨洞潜谏曰："秦王，国之冢嫡[525]，宜亲端士[526]。使之治军已过[527]矣，况昵群小乎！"汉主曰："小儿教以戎事，过烦公忧[528]。"终不戒弘度。洞潜出，见卫士掠商人金帛，商人不敢诉，叹曰："政乱如此，安用宰相！"因谢病归第。久之，不召，遂卒。

【段旨】

以上为第十一段，写蜀主孟昶诛跋扈臣李仁罕。是年秋冬中原大旱，同、华、蒲、绛四州尤为严重。

雄武节度使张延朗率兵包围文州，阶州刺史郭知琼攻克了尖石寨。蜀国的李延厚率领果州的军队屯驻在兴州，派遣先登指挥使范延晖率兵救援文州，张延朗撤除对文州的包围后回去了。兴州刺史冯晖从干渠带领戍守的士兵回到凤翔。

十一月，徐知诰征召他的儿子司徒、同平章事徐景通返回金陵，担任镇海、宁国节度副大使，诸道副都统，判中外诸军事。任命次子牙内马步都指挥使、海州团练使徐景迁为左右军都军使、左仆射、参政事，留在江都辅佐朝政。

十二月初三日己巳，任命易州刺史安叔千为振武节度使，齐州防御使尹晖为彰国节度使。安叔千是沙陀人。

初六日壬申，石敬瑭上奏说契丹人率军离去，他撤兵返回晋阳。

初九日乙亥，征召雄武节度使张延朗为中书侍郎、同平章事、判理三司。

十五日辛巳，汉国皇后马氏去世。

十八日甲申，蜀国在和陵安葬了文武圣德英烈明孝皇帝孟知祥，庙号为高祖。

十九日乙酉，把鄂王安葬在徽陵的柏城之南，坟堆才几尺高，看到的人都为之伤感。

这一年的秋、冬两季干旱，百姓大多流亡，同、华、蒲、绛四州尤为严重。

汉主命令判理六军的秦王刘弘度招募宿卫兵一千名，都是一些市井无赖子弟，刘弘度对他们很亲昵。同平章事杨洞潜向汉主进谏说："秦王是国家的嫡长子，应该亲近品行端正的士人。让他治理军队已经错了，何况他还亲昵一帮小人呢！"汉主说："教小孩子一点军事，过于烦劳你担心了。"最终没有告诫刘弘度。杨洞潜从宫中出来，看见这些卫士抢劫商人的金银、绢帛，商人不敢投诉，杨洞潜叹息说："政事如此混乱，还要宰相干什么！"于是就称病回家休养。好长时间，汉主没有征召他，不久就去世了。

【注释】

⑱医官使：宫廷官，掌医药。⑲丰德库使：宫廷官，掌府库财物。⑳韩保贞：字永吉，潞州长子（今山西长治）人，官至山南节度使。传见《十国春秋》卷五十五。㉑茶酒库使：宫廷官，掌茶酒。㉒安思谦（？至公元九五四年）：官保宁军节度使。传见《十国春秋》卷五十七。㉓藩邸：藩王的官舍。㉔谮之：造谣诋毁他。㉕有异志：有谋反之心。㉖癸未：十月十六日。㉗暴其罪：公布他的罪状。㉘释杖而拜：丢掉手杖朝拜。㉙源州：州名，五代后蜀改洋州为源州，在今陕西洋县。㊿倨慢：傲慢无礼。㉛戊子：十月二十一日。㉜徙：迁移。㉝尚父：相当于父辈。㉞九锡：古代帝王赐给有大功或有权势的诸侯大臣的九种物品，即车马、衣服、乐则、朱户、纳陛、虎贲、弓矢、斧钺、秬鬯。

后赐九锡为权臣篡位信号。[505]雄武：方镇名，唐宣宗大中三年（公元八四九年）升秦州防御守捉使为秦成两州经略、天雄军使。治所秦州，在今甘肃天水市。后唐改为雄武节度。[506]干渠：冯晖为兴州刺史，以干渠为治所，在今陕西略阳。[507]景通（公元九一八至九六一年）：名璟，初名景通，字伯玉，徐知诰长子。徐知诰死，徐璟即南唐帝位，公元九四三至九六一年在位。传见《十国春秋》卷十六。[508]景迁：徐知诰次子。幼警敏，读书过且不忘，年十九卒。传见《十国春秋》卷十八。[509]己巳：十二月初三日。[510]安叔千（公元八八〇至九五一年）：字胤宗，沙陀人，少善骑射，官后晋镇国军节度使。不通文字，人称“没字碑”。传见《旧五代史》卷一百二十三、《新五代史》卷四十八。[511]彰

【原文】

二年（乙未，公元九三五年）

春，正月丙申朔[529]，闽大赦，改元永和[530]。

二月丙寅朔[531]，蜀大赦。

甲戌[532]，以枢密使、天雄节度使兼侍中范延光为宣武节度使兼中书令。

丁丑[533]，夏州节度使李彝超上言疾病[534]，以兄行军司马彝殷权知军州事，彝超寻[535]卒。

戊寅[536]，蜀主尊母李氏[537]为皇太后。太后，太原人，本庄宗后宫也，以赐蜀高祖。

己丑[538]，追尊帝母鲁国夫人魏氏[539]曰宣宪皇太后。

闽主立淑妃陈氏[540]为皇后。初，闽主两娶刘氏，皆士族，美而无宠。陈后，本闽太祖侍婢金凤也，陋而淫，闽主嬖之[541]，以其族人[542]守恩、匡胜为殿使[543]。

三月辛丑[544]，以前宣武节度使兼侍中赵延寿[545]为忠武节度使兼枢密使。

以李彝殷[546]为定难节度使。

己酉[547]，赠吴越王元瓘母陈氏[548]为晋国太夫人。元瓘性孝，尊礼母党[549]，厚加赐与，而未尝迁官授以重任。

国：方镇名，后唐置，治所应州，在今山西应县。⑫ 壬申：十二月初六日。⑬ 乙亥：十二月初九日。⑭ 征：召。⑮ 辛巳：十二月十五日。⑯ 马氏（？至公元九三四年）：刘䶮妻，楚马殷女。封越国夫人，南汉乾亨三年（公元九一九年）册为皇后。传见《十国春秋》卷六十一。⑰ 甲申：十二月十八日。⑱ 和陵：孟知祥坟墓名。⑲ 乙酉：十二月十九日。⑳ 鄂王：即闵帝李从厚。㉑ 徽陵城南：徽陵，后唐明宗陵墓名。城南，柏城之南。唐园陵之制，兆域之外圈以围墙，种植柏树，叫作柏城。㉒ 封：坟堆。㉓ 悲之：为之伤感。㉔ 宿卫：禁卫兵。㉕ 冢嫡：嫡长子。㉖ 宜亲端士：应该亲近品行端正的士人。㉗ 过：错。㉘ 过烦公忧：过于烦劳你担心。

【语译】

二年（乙未，公元九三五年）

春，正月初一日丙申，闽国大赦境内，改年号为永和。

二月初一日丙寅，蜀国大赦境内。

初九日甲戌，任命枢密使、天雄节度使兼侍中范延光为宣武节度使兼中书令。

十二日丁丑，夏州节度使李彝超上奏说自己患病，让他的哥哥行军司马李彝殷暂时主持军州的事务。李彝超不久就去世了。

十三日戊寅，蜀主尊奉他的母亲李氏为皇太后。李太后是太原人，本来是唐庄宗后宫的妃子，把她赐给了蜀高祖。

二十四日己丑，追尊唐末帝的母亲鲁国夫人魏氏为宣宪皇太后。

闽主册立淑妃陈氏为皇后。当初，闽主两度娶刘氏之女为妻，都是士族，长得很漂亮，却得不到闽主的宠爱。陈皇后本来是闽太祖的侍婢，叫金凤，长得丑陋却很淫荡，闽主很宠爱她，又任命她的族人陈守恩、陈匡胜为殿使。

三月初七日辛丑，任命前宣武节度使兼侍中赵延寿为忠武节度使兼枢密使。

任命李彝殷为定难节度使。

十五日己酉，赠封吴越王钱元瓘的母亲陈氏为晋国太夫人。钱元瓘生性孝顺，尊敬礼遇母亲家族，厚加赏赐，但未曾给他们升官或委以重任。

壬戌[550]，以彰圣[551]都指挥使安审琦[552]领顺化[553]节度使。审琦，金全之子也。

太常丞[554]史在德[555]，性狂狷[556]，上书历诋[557]内外文武之士，请徧加考试，黜陟能否[558]。执政及朝士大怒，卢文纪及补阙刘涛、杨昭俭等皆请加罪[559]。帝谓学士马胤孙曰："朕新临天下[560]，宜开言路[561]，若朝士以言获罪，谁敢言者！卿为朕作诏书，宣[562]朕意。"乃下诏，略曰："昔魏徵请赏皇甫德参[563]，今涛等请黜史在德，事同言异[564]，何其远哉[565]！在德情在倾输[566]，安可责也[567]！"昭俭，嗣复之曾孙也。

吴加徐景迁同平章事、知左右军事。徐知诰令尚书郎陈觉辅之[568]，谓觉曰："吾少时与宋子嵩[569]论议，好相诘难[570]，或吾舍子嵩还家[571]，或子嵩拂衣而起[572]。子嵩携衣笥[573]望秦淮门[574]欲去者数矣，吾常戒门者[575]止之[576]。吾今老矣，犹未遍达时事[577]，况景迁年少当国[578]，故屈[579]吾子[580]以诲之[581]耳。"

夏，四月庚午[582]，蜀以御史中丞[583]龙门[584]毋昭裔[585]为中书侍郎、同平章事。

癸未[586]，加枢密使、刑部尚书韩昭胤中书侍郎、同平章事。辛卯[587]，以宣徽南院使刘延皓[588]为刑部尚书，充枢密使。延皓，皇后之弟也。癸巳[589]，以左领军卫大将军刘延朗为本卫上将军，充宣徽北院使，兼枢密副使。

五月丙申[590]，契丹寇新州及振武。

庚戌[591]，赐振武节度使杨檀名光远[592]。

六月，吴德胜节度使兼中书令柴再用卒。先是，史官王振尝询其战功，再用曰："鹰犬微效[593]，皆社稷之灵[594]，再用何功之有！"竟不报。

契丹寇应州。

二十八日壬戌，任命彰圣都指挥使安审琦兼领顺化节度使。安审琦是安金全的儿子。

太常丞史在德，生性狂傲，洁身自好，上书一一指责朝廷内外的文武大臣，请求全部进行考试，提拔有才能的人，罢黜不称职的人。执政大臣和朝中文武官员大怒，卢文纪和补阙刘涛、杨昭俭等人都请求唐末帝对他治罪。唐末帝对翰林学士马胤孙说："朕刚刚君临天下，应该广开言路，如果朝廷之士因为言论获罪，谁还敢说话！你替朕草拟诏书，宣谕朕的意思。"于是颁下诏书，大意是说："从前魏徵为皇甫德参请求奖赏，现在刘涛等人请求罢黜史在德，事情相同，评价不一样，相差为什么这样远啊！史在德的心情在于倾吐内心之言，输诚于国家，怎么可以责备他呢！"杨昭俭是杨嗣复的曾孙。

吴国加封徐景迁同平章事、知左右军事。徐知诰命令尚书郎陈觉辅佐他，徐知诰对陈觉说："我年轻的时候和宋子嵩讨论，喜欢互相诘难，有时是我撇下宋子嵩回家，有时是宋子嵩拂袖而起。宋子嵩有多次带着衣箱朝着秦淮门想要走了，我常常告诫守门的人留住他。我现在老了，还没有完全通晓世事，何况徐景迁年纪轻轻就治理国家，所以要委屈先生来教诲他。"

夏，四月初六日庚午，蜀国任命御史中丞龙门人毋昭裔为中书侍郎、同平章事。

十九日癸未，加封枢密使、刑部尚书韩昭胤为中书侍郎、同平章事。二十七日辛卯，任命宣徽南院使刘延皓为刑部尚书，充任枢密使。刘延皓是皇后的弟弟。二十九日癸巳，任命左领军卫大将军刘延朗为本卫的上将军，充任宣徽北院使，兼任枢密副使。

五月初三日丙申，契丹侵犯新州和振武。

十七日庚戌，赐给振武节度使杨檀名叫光远。

六月，吴国的德胜节度使兼中书令柴再用去世。此前，史官王振曾经询问他的战功，柴再用说："不过是鹰犬为国家立些小功，都是国家的幸运，再用有什么功劳！"最终还是没有告诉他。

契丹侵犯应州。

【段旨】

以上为第十二段，写定难节度使李彝超病逝，以其兄李彝殷继之；吴执政徐知诰为子择师傅；唐末帝下诏开言路。

【注释】

[529]丙申朔：正月初一日。[530]永和：闽王璘第二个年号，起于公元九三五年正月，止于同年十月。[531]丙寅朔：二月初一日。[532]甲戌：二月初九日。[533]丁丑：二月十二日。[534]疾病：病很严重。疾甚为病。[535]寻：不久。[536]戊寅：二月十三日。[537]李氏（？至公元九六五年）：太原人，唐庄宗嫔御，赐孟知祥。性慈俭，常规劝后主节俭。传见《十国春秋》卷五十。[538]己丑：二月二十四日。[539]魏氏：镇州平山（今河北平山县）人，初嫁平山王氏，生李从珂，后为明宗所掠，封鲁国夫人。传见《新五代史》卷十五。[540]陈氏（公元八九三至九三五年）：小名金凤，善歌舞，为王审知才人，王延钧即位，封为淑妃。传见《十国春秋》卷九十四。[541]嬖之：宠爱她。[542]族人：同一祖先的人。[543]殿使：官名，闽置。[544]辛丑：三月初七日。[545]赵延寿（？至公元九四八年）：本姓刘，为赵德钧养子。契丹封之为燕王。传见《旧五代史》卷九十八。[546]李彝殷：以避宋朝庙讳，改名彝兴，为西夏建立者李继捧、李继迁之父。[547]己酉：三月十五日。[548]陈氏：钱元瓘生母，赠晋国太夫人，卒谥昭懿。传见《十国春秋》卷八十三。[549]母党：母亲家族的人。[550]壬戌：三月二十八日。[551]彰圣：禁卫军名，清泰元年（公元九三四年）六月，改捧圣马军为彰圣左、右军，严卫步军为宁卫左、右军。[552]安审琦（公元八九七至九五九年）：字国瑞，沙陀人，父安金全。少以良家子为庄宗义直军使，官后周平卢军节度使，封齐王。传见《旧五代史》卷一百二十三。[553]顺化：方镇名，此为楚之顺化军。[554]太常丞：太常寺属官，掌寺中庶务。[555]史在德：曾上书揭露当时文恬武嬉，建议通过考试拔擢人才。[556]狂狷：狂傲而洁身自好，不肯同流合污。[557]历诋：一桩一桩地指责。[558]黜陟能否：提拔

【原文】

河东节度使、北面总管石敬瑭既还镇，阴[595]为自全之计[596]。帝好咨访外事[597]，常命端明殿学士李专美，翰林学士李崧，知制诰吕琦、薛文遇，翰林天文[598]赵延义等更直[599]于中兴殿庭，与语或至夜分[600]。时敬瑭二子为内使[601]，曹太后则晋国长公主之母也，敬瑭赂太后左右，令伺[602]帝之密谋，事无巨细皆知之。敬瑭多于宾客前自称羸瘠不堪为帅，冀朝廷不之忌。

时契丹屡寇北边，禁军多在幽、并[603]，敬瑭与赵德钧求益兵运粮[604]，朝夕相继。甲申[605]，诏借河东人有蓄积者菽粟[606]。乙酉[607]，诏镇州

有才能的，黜退不称职的。559 加罪：处分；治罪。560 新临天下：开始做皇帝，君临天下。561 宜开言路：应该广开进言之路。562 宣：宣谕。563 赏皇甫德参：皇甫德参，唐太宗时中牟县丞，上书请罢洛阳宫，太宗欲罪之，魏徵谏而赏之。事见本书卷一百九十四唐太宗贞观八年（公元六三四年）。564 事同言异：进言的事相同，朝臣的评价不一样。565 何其远哉：相差为什么这样远啊。566 情在倾输：内心之情在于倾吐胸中之言，输诚于国家。567 安可责也：怎么可以责备他呢。568 辅之：辅导他。569 宋子嵩：即宋齐丘。570 好相诘难：喜欢互相辩驳诘难。571 或吾舍子嵩还家：有时话不投机，我气得撇下宋子嵩回家。572 或子嵩拂衣而起：有时宋子嵩气得拂袖而去。573 衣笥：衣箱。574 秦淮门：金陵城门。575 门者：守门的人。576 止之：阻挡他；留住他。577 犹未遍达时事：还没有完全通晓世事。578 当国：治国。579 屈：委屈。580 吾子：您老先生。581 诲之：教诲他。582 庚午：四月初六日。583 御史中丞：御史台副长官，佐御史大夫，掌刑狱。584 龙门：县名，在今山西河津。585 毋昭裔：河中龙门（今山西河津）人，博学有才名。官至后蜀左仆射。曾命张德钊书《九经》，刻石于成都学宫，并刻《文选》《初学记》《白氏六帖》行于世。传见《十国春秋》卷五十二。586 癸未：四月十九日。587 辛卯：四月二十七日。588 刘延皓（？至公元九三六年）：应州浑元（今山西浑源）人，刘皇后之弟，官邺都留守。传见《旧五代史》卷六十九。589 癸巳：四月二十九日。590 丙申：五月初三日。591 庚戌：五月十七日。592 光远（？至公元九四四年）：本名檀，以明宗名直，避讳改名光远。沙陀人，官至后晋平卢军节度使，封东平王。以勾结契丹叛，被诛。传见《旧五代史》卷九十七。593 鹰犬微效：指自己像鹰犬一样为主人出猎，立些小功。594 社稷之灵：国家的幸运。

【语译】

河东节度使、北面总管石敬瑭回到镇所太原，暗中做自我保全的计策。唐末帝喜欢打听外面的事情，经常让端明殿学士李专美，翰林学士李崧，知制诰吕琦、薛文遇，翰林天文赵延乂等人轮流在中兴殿庭值班，和他们谈话有时到半夜。当时石敬瑭的两个儿子担任内诸司使，曹太后又是晋国长公主的母亲，石敬瑭贿赂太后身边的人，让他们刺探唐末帝的秘密计划，所以不论大小事情他都知道。石敬瑭多次在宾客面前说自己瘦弱，不胜任为帅，以期朝廷不猜忌他。

当时契丹屡次侵犯北方边境，朝廷的禁军大多在幽州、并州，石敬瑭和赵德钧向朝廷请求增派军队，运送粮食，日夜不停地催促。六月二十一日甲申，唐末帝下诏向河东有积蓄的人家借用菽粟。二十二日乙酉，下诏令镇州输纳五万匹绢给总管

输绢五万匹于总管府[608]，籴[609]军粮，率镇、冀人车千五百乘运粮于代州，又诏魏博市籴[610]。时水旱民饥，敬瑭遣使督趣严急，山东[611]之民流散，乱始兆矣[612]。

敬瑭将大军屯忻州[613]，朝廷遣使赐军士夏衣，传诏抚谕，军士呼万岁者数四[614]。敬瑭惧，幕僚河内段希尧[615]请诛其唱首者[616]，敬瑭命都押衙刘知远斩挟马都将李晖等三十六人以徇[617]。希尧，怀州人也。帝闻之，益疑敬瑭。

壬辰[618]，诏窃盗不计赃[619]多少，并纵火[620]强盗，并行极法[621]。

闽福王继鹏私于宫人李春鷰[622]，继鹏请之于陈后，后白闽主而赐之。

【段旨】

以上为第十三段，写石敬瑭回到北都，借契丹屡次犯边为口实，多储兵马粮秣以自保。

【注释】

[595]阴：暗暗地。[596]自全之计：自我保全的计策。[597]好咨访外事：喜欢打听外面的事情。[598]翰林天文：官名，在翰林院掌天文。唐时司天台有天文博士二人，正八品下，掌天文。[599]更直：轮流值夜班。[600]夜分：半夜。[601]内使：官名，内诸司使。[602]伺：刺

【原文】

秋，七月，以枢密使刘延皓为天雄节度使。

乙巳[623]，以武宁节度使张敬达[624]为北面行营副总管，将兵屯代州，以分石敬瑭之权。

帝深以时事为忧，尝从容让[625]卢文纪等以无所规赞[626]。丁巳[627]，文纪等上言："臣等每五日起居[628]，与两班[629]旅见[630]，暂获对扬[631]，侍卫满

府，用来购买军粮，征调镇州、冀州的人力以及车辆一千五百辆运送军粮到代州，又下诏命令魏博在市场收购军粮。当时闹水灾、旱灾，百姓饥饿，石敬瑭派遣使者督促运送非常紧急，太行山以东的百姓都流离失所，动乱的苗头开始出现了。

石敬瑭率领大军屯驻忻州，朝廷派使者赐给军士们夏衣，发布诏书慰抚，军士们一再地呼喊万岁。石敬瑭害怕起来，他的幕僚河内人段希尧请求诛杀那些带头呼喊的人，石敬瑭便命令都押衙刘知远斩杀了挟马都将李晖等三十六个人示众。段希尧是怀州人。唐末帝听到这个事情后，更加怀疑石敬瑭。

六月二十九日壬辰，下诏令盗窃不论赃物多少，以及放火为盗，一起处以极刑。

闽国的福王王继鹏和宫女李春鷰私通，王继鹏向陈皇后请求把李春鷰赐给他，陈皇后告诉闽主后就把宫女赐给了他。

探。⑹⑽³ 幽、并：幽州和并州，分别在今北京和山西太原。⑹⑽⁴ 益兵运粮：增加兵力运送粮食。⑹⑽⁵ 甲申：六月二十一日。⑹⑽⁶ 菽粟：泛指粮食。菽，豆类。粟，小米。⑹⑽⁷ 乙酉：六月二十二日。⑹⑽⁸ 总管府：在晋阳，即今太原。时石敬瑭为北面总管。⑹⑽⁹ 籴：购买。⑹⑴⁰ 市籴：公家在市场上购买粮食。⑹⑴¹ 山东：地区名，泛指太行山、常山之东地区。⑹⑴² 乱始兆矣：叛乱的苗头开始出现了。⑹⑴³ 忻州：州名，治所秀容，在今山西忻州。⑹⑴⁴ 数四：多次；一再。⑹⑴⁵ 段希尧（公元八七八至九五六年）：河内（今河南沁阳）人，官至后周礼部尚书。传见《旧五代史》卷一百二十八。⑹⑴⁶ 唱首者：领头呼万岁口号的人。⑹⑴⁷ 徇：示众。⑹⑴⁸ 壬辰：六月二十九日。⑹⑴⁹ 赃：赃款；赃物。⑹⑵⁰ 纵火：放火。⑹⑵¹ 并行极法：一起处以极刑，即斩首处死。⑹⑵² 李春鷰（？至公元九三九年）：本惠宗宫人，王昶即位，立为贤妃，行则同舆，坐则同席，立为皇后。传见《十国春秋》卷九十四。

【语译】

秋，七月，任命枢密使刘延皓为天雄节度使。

十三日乙巳，任命武宁节度使张敬达为北面行营副总管，率兵屯驻代州，以此分散石敬瑭的兵权。

唐末帝对时局深为忧虑，曾经在闲谈时责备卢文纪等人没有好的建议和帮助。七月二十五日丁巳，卢文纪等人上书说：“臣等每五天一次问候皇上起居，和文武两班大臣一起进见，只能得到短暂的当面对答。眼前全是侍卫，即使有愚见，也不敢

前，虽有愚虑，不敢敷陈[632]。窃见前朝自上元[633]以来，置延英殿，或宰相欲有奏论，天子欲有咨度[634]，皆非时召对[17]，旁无侍卫，故人得尽言。望复[635]此故事[636]，惟听机要之臣侍侧。”诏以旧制五日起居，百僚俱退，宰相独升[637]，若常事自可敷奏[638]。或事应严密、不以其日[639]，或异日[640]，听[641]于阁门[642]奏榜子[643]，当尽屏侍臣，于便殿相待，何必袭延英之名也！

吴润州团练使徐知谔[644]，狎昵[645]小人，游燕废务[646]，作列肆[647]于牙城西，躬自贸易[648]。徐知诰闻之，怒，召知谔左右诘责[649]。知谔惧。或谓知诰曰：“忠武王最爱知谔，而以后事[650]传于公。往年知询失守[651]，论议至今未息。借使知谔治有能名[652]，训兵养民，于公何利？”知诰感悟，待之加厚。

九月丙申[653]，吴大赦，改元天祚[654]。

己酉[655]，以宣徽南院使房暠为刑部尚书、充枢密使，宣徽北院使刘延朗为南院使，仍兼枢密副使。于是延朗及枢密直学士薛文遇等居中用事[656]，暠与赵延寿虽为使长[657]，其听用之言什不三四。暠随势可否[658]，不为事先[659]。每幽、并遣使入奏，枢密诸人环坐议之，暠多俯首而寐，比觉[660]，引颈振衣[661]，则使者去矣。启奏除授，一归延朗。诸方镇、刺史自外入者[662]，必先赂延朗，后议贡献[663]。赂厚者先，得内地，赂薄者晚，得边陲[664]。由是诸将帅皆怨愤，帝不能察。

【段旨】

以上为第十四段，写唐末帝无知人之明，辅臣不敢言事；宣徽北院使刘延朗枉法为奸，末帝不能察。

仔细奏陈。臣私下见到前朝从上元年间以后，设置了延英殿，有时宰相欲有奏言，天子欲有咨询，并不按固定的时间，因为旁边没有侍卫，所以得以畅所欲言。希望能够恢复这一旧制，只让机要大臣在旁边侍奉。”于是下诏，认为过去的制度每五天进宫问候一次起居，百官全都退朝，只有宰相单独登殿，一般事情自然可以奏陈。有时事关机密，刻意避开五日起居时，或奏事之日恰好不是五日起居时，听任在阁门奏上榜子，届时皇上当屏退侍卫之臣，在便殿里接见，何必沿用延英殿这一名称！

吴国的润州团练使徐知谔，亲昵小人，游玩饮宴，荒废政务，在牙城的西边修建了一排店铺，亲自做买卖。徐知诰得知后很生气，叫来徐知谔的左右近臣盘问责骂了一通。徐知谔很害怕。有人对徐知诰说：“忠武王最喜欢徐知谔，然而却把身后的大业传给了您。前几年徐知询失去镇所，议论到现在没有停止。如果徐知谔治理政务具有才干和声望，训练士卒、休养百姓，这对您有什么好处？”徐知诰有所领悟，从此对待徐知谔更加优厚。

九月初四日丙申，吴国大赦，改年号为天祚。

十七日己酉，任命宣徽南院使房暠为刑部尚书、充任枢密使，宣徽北院使刘延朗为南院使，仍兼任枢密副使。于是刘延朗和枢密直学士薛文遇等人在朝中掌握实权，房暠和赵延寿虽然是枢密院的长官，但是他们的意见被采纳的不到十分之三四。房暠随大流表示赞同与否，凡事不争先。每次幽州、并州派遣使者入朝上奏，枢密院的一班大臣环坐讨论，房暠大多低头打盹，等他醒来，伸伸脖子，整整衣裳，而使者已经离去了。上奏和任免官吏，一律都归刘延朗办理。各地的方镇、刺史从外面入朝的，一定先贿赂刘延朗，再商量呈献给朝廷的礼物。贿赂多的就优先，可以得到内地官职，贿赂少的就后办，只能得到边远的职位。因此将帅们都愤恨不平，唐末帝却没有察觉。

【注释】

㉓乙巳：七月十三日。㉔张敬达（？至公元九三五年）：字子通，代州（今山西代县）人，小字生铁，官至大同、彰国、振武、威塞等军蕃汉马步都部署，后被叛将赵延寿、范延光所杀。传见《旧五代史》卷七十、《新五代史》卷三十三。㉕让：责备。㉖规赞：建议和帮助。㉗丁巳：七月二十五日。㉘五日起居：每五天一次问候皇上起居。㉙两班：文武官员分东、西两班。㉚旅见：共同相见。㉛对扬：面对，面对皇帝回答问题。㉜敷陈：仔细奏陈。㉝上元：唐肃宗年号，起于公元七六〇年，止于公元七六一年。㉞咨度：咨询。㉟复：恢复。㊱故事：制度。㊲独升：单独登殿。㊳敷奏：敷陈上奏。㊴不以其日：

不在五日起居时（上奏）。[640]异日：他日。[641]听：任凭；听任。[642]阁门：通便殿小门。[643]榜子：公文书的一种，用于奏事。[644]徐知谔：徐温第六子。著文赋歌诗十卷，号《阁中集》。传见《十国春秋》卷二十。[645]狎昵：亲近。[646]游燕废务：游玩宴会，荒废政务。燕，通“宴”。[647]作列肆：建造一排店铺。[648]躬自贸易：亲自做买卖。躬自，亲身。[649]诘责：盘问责备。[650]后事：身后大业。[651]知询失守：指自升州召知询回扬州，夺知询升州节度使官爵。[652]治有能名：治理政务具有才干和名望。[653]丙申：九月初四日。[654]天祚：吴杨溥第五个年号，起于公元九三五年，止于公元九三七年。[655]己酉：九月十七日。[656]居中用事：在朝中掌握实权。[657]使长：枢密院首长。[658]随势可否：随大流置可否。[659]不为事先：凡事不争先。[660]比觉：等到醒来。[661]引颈振衣：伸伸脖子，整理衣服。刚醒的样子。[662]自外入者：从外面入朝的。[663]贡献：向朝廷献礼物。[664]边陲：边疆辽远地区。

【原文】

蜀金州防御使全师郁寇金州，拔水寨[665]。城中兵才千人，都监陈知隐托它事将兵三百沿流遁去，防御使马全节[666]罄私财[667]以给军，出奇[668]死战，蜀兵乃退。戊寅[669]，诏斩知隐。

初，闽主有幸臣[670]曰归守明，出入卧内[671]。闽主晚年得风疾[672]，陈后与守明及百工院使[673]李可殷私通，国人皆恶[674]之，莫敢言。

可殷尝谮[675]皇城使李仿[676]于闽主，后族[677]陈匡胜无礼于福王继鹏，仿及继鹏皆恨之。闽主疾甚[678]，继鹏有喜色[679]。仿以闽主为必不起[680]，冬，十月己卯[681]，使壮士数人持白梃[682]击李可殷，杀之，中外震惊。庚辰[683]，闽主疾少间[684]，陈后诉之。闽主力疾视朝[685]，诘可殷死状，仿惧而出，俄顷[686]，引部兵[687]鼓噪[688]入宫。闽主闻变，匿于九龙帐下，乱兵刺之而出。闽主宛转未绝[689]，宫人不忍见，竟为绝之[690][18]。仿与继鹏杀陈后、陈守恩、陈匡胜、归守明及继鹏弟继韬[691]，继韬素与继鹏相恶故也。辛巳[692]，继鹏称皇太后令监国。是日，即皇帝位，更名昶。谥其父曰齐肃明孝皇帝，庙号惠宗。既而自称权知福建节度事，遣使奉表于唐。大赦境内，立李春鷰为贤妃。

初，闽惠宗娶汉主女清远公主[693]，使宦者闽清林延遇[694]置邸[695]于番

【校记】

［17］皆非时召对：原无此五字。据章钰校，十二行本、乙十一行本、孔天胤本皆有此五字，张敦仁《通鉴刊本识误》、张瑛《通鉴校勘记》同，今据补。

【语译】

蜀国的金州防御使全师郁入侵金州，攻下了水寨。城中的士卒只有一千人，都监陈知隐假借他事率领三百名士卒沿河逃走，防御使马全节把自己的全部家财都拿出来供给军用，出奇兵拼命死战，蜀兵这才撤退。九月戊寅日，唐末帝下诏处斩陈知隐。

当初，闽主有个受宠幸的臣子叫归守明，出入闽主卧内。闽主晚年患了风疾，陈皇后和归守明以及百工院使李可殷私通，闽国人都厌恶他们，但是没有人敢说出来。

李可殷曾经在闽主面前诋毁皇城使李倣，王后的族人陈匡胜对福王王继鹏无礼，李倣和王继鹏都痛恨他们。闽主病情加重，王继鹏面有喜色。李倣认为闽主肯定不能恢复，冬，十月十八日己卯，他指使几名壮士手持棍棒攻击李可殷，把李可殷打死了，朝廷内外震惊。十九日庚辰，闽主的病稍微好了一点，陈皇后向他说了这件事。闽主强撑着病体临朝视事，追问李可殷被打死的情况。李倣心里害怕，出了宫，一会儿，带着他属下的士卒大声呐喊着闯进宫中。闽主听说发生了叛乱，藏在九龙帐下，乱兵刺他，然后出了皇宫。闽主辗转挣扎，没有断气，宫女们不忍心看着他痛苦的惨状，索性帮他断了气。李倣和王继鹏杀死了陈皇后、陈守恩、陈匡胜、归守明以及王继鹏的弟弟王继韬，王继韬被杀是因为他一向和王继鹏交恶。二十日辛巳，王继鹏声称皇太后命令他监国。当天，即皇帝位，改名叫王昶。追谥他的父亲为齐肃明孝皇帝，庙号为惠宗。接着又自称权知福建节度事，派遣使者向唐朝上表。大赦境内，册立李春鷰为贤妃。

当初，闽惠宗娶了汉主的女儿清远公主，派宦官闽清人林延遇在番禺建立府邸，

禺[696]，专掌国信[697]。汉主赐以大第，禀赐[698]甚厚，数[699]问以闽事。延遇不对，退，谓人曰："去闽语闽，去越语越[700]，处人宫禁，可如是乎！"汉主闻而贤之，以为内常侍，使钩校[701]诸司事。延遇闻惠宗遇弑，求归，不许，素服[702]向其国三日哭。

【段旨】

以上为第十五段，写闽国政变，王继鹏弑父自立，改名王昶。

【注释】

⑥⑥⑤拔水寨：金州治所金城，在汉水岸上，今陕西安康。后唐建水寨以防蜀兵。拔，攻取。⑥⑥⑥马全节（公元八九一至九四五年）：字大雅，魏郡元城（今河北大名）人，少从军旅，官至邺都留守。传见《旧五代史》卷九十、《新五代史》卷四十七。⑥⑥⑦罄私财：拿出全部家产。罄，尽，全部。⑥⑥⑧出奇：出其不意；出奇兵。⑥⑥⑨戊寅：九月癸巳朔，无戊寅，疑为甲寅，九月二十二日。⑥⑦⓪幸臣：宠幸的臣子。⑥⑦①卧内：卧室内。⑥⑦②风疾：指风痹、半身不遂等症。⑥⑦③百工院使：宫廷官，掌木、金等百工。⑥⑦④恶：厌恶。⑥⑦⑤谮：说坏话诬陷别人。⑥⑦⑥李倣（？至公元九三五年）：官闽皇城使。弑王延钧，为王继鹏所杀。传见《十国春秋》卷九十八。⑥⑦⑦后族：闽主王后的族人，即陈氏外戚。⑥⑦⑧疾甚：病重。⑥⑦⑨有喜色：脸上高兴的样子。⑥⑧⓪必不起：一定不能恢复。⑥⑧①己卯：十月十八日。⑥⑧②白

【原文】

荆南节度使高从诲，性明达[703]，亲礼贤士。委任梁震，以兄事之[704]，震常谓从诲为郎君[705]。

楚王希范好奢靡[706]，游谈者[707]共夸其盛。从诲谓僚佐曰："如马王可谓大丈夫[708]矣。"孙光宪[709]对曰："天子诸侯，礼有等差。彼乳臭子骄侈僭忲[710]，取快一时，不为远虑，危亡无日，又足慕乎！"从诲久而悟，曰："公言是也。"它日，谓梁震曰："吾自念平生奉养，固已过矣[711]。"乃捐去[712]玩好，以经史自娱，省刑薄赋，境内以安。

专门掌管两国信使的传递文书。汉主赐给他一所大宅，俸给赏赐非常丰厚，多次向他询问闽国的情况。每当此时，林延遇不作回答，退下后，他对别人说："离开闽国就议论闽国，离开越国就议论越国，身处别人的宫禁之中，怎么能这样呢！"汉主听到这话后很赏识他，任命他为内常侍，让他负责考核宫内各司的事务。林延遇得知闽惠宗王璘被臣下所杀，请求返回闽国，汉主不同意，他便穿上素服，向着自己国家的方向哭了三天。

梃：棍棒。㊇庚辰：十月十九日。㊈疾少间：疾病稍有好转。㊉力疾视朝：勉强支撑着病体临朝视事。686俄顷：过了一会儿。687部兵：皇城使所属禁卫兵。688鼓噪：大声呐喊。689宛转未绝：辗转反复而没有断气。690绝之：绝了他的命。691继韬（？至公元九三五年）：王延钧次子。传见《十国春秋》卷九十四。692辛巳：十月二十日。693清远公主：刘䶮女，适闽主王延钧。传见《十国春秋》卷六十一。694林延遇（？至公元九五六年）：闽清（今福建闽侯）人，为人阴险多计。传见《十国春秋》卷六十五。695邸：官舍。696番禺：县名，在今广东番禺。697国信：两国信使的传递文书。698禀赐：俸给、赏赐。禀，通"廪"，俸禄。699数：多次。700去闽语闽二句：离开闽国就议论闽国，离开越国就议论越国。语，议论，这里有说坏话、透露机密等意思。701钩校：管理；考核。702素服：孝服。

【校记】

［18］不忍见，竟为绝之：原作"不忍其苦，为绝之"。张敦仁《通鉴刊本识误》："'其苦'作'见竟'。"《通鉴纪事本末》同，今据改。

【语译】

荆南节度使高从诲，性情开明通达，亲近礼遇贤能之士。政事委任梁震，把他当兄长一样对待，梁震经常称呼高从诲为郎君。

楚王马希范喜欢奢侈靡费，和他游乐闲聊的人都夸赞他的奢靡之盛。高从诲对自己的幕僚佐吏们说："像马王那样，可以称为大丈夫了。"孙光宪回答说："天子和诸侯，在礼仪上是有等级差别的。他一个乳臭未干的小儿骄奢僭越，图一时之快，不做长远考虑，不久就要倾灭，又有什么值得羡慕的！"高从诲过了好久才醒悟，就说："您的话是对的。"另一天，高从诲对梁震说："我自己反省平日的享受，本来已经是很过分了。"于是舍弃了珍玩和喜好的东西，把阅读经史当作自己的乐趣，减少刑罚，减轻赋税，国境之内得以安定。

梁震曰:“先王待我如布衣交[713],以嗣王属我[714]。今嗣王能自立,不坠[715]其业。吾老矣,不复事人[716]矣。”遂固请退居。从诲不能留,乃为之筑室于土洲[717]。震披鹤氅[718],自称荆台隐士,每诣府,跨黄牛至听事[719]。从诲时过[720]其家,四时赐与甚厚。自是悉以政事属孙光宪。

臣光曰:“孙光宪见微而能谏[721],高从诲闻善而能徙[722],梁震成功而能退,自古有国家者能如是[723],夫何亡国败家丧身之有[724]!”

吴加中书令徐知诰尚父、太师、大丞相、大元帅,进封齐王,备殊礼[725],以升、润、宣、池、歙、常、江、饶、信、海十州[726]为齐国。知诰辞尚父、丞相,殊礼不受。

闽皇城使、判六军诸卫李倣专制朝政,阴养死士[727],闽主昶与拱宸指挥使林延皓等图之。延皓等诈亲附倣,倣待之不疑。十一月壬子[728],倣入朝,延皓等伏卫士数百于内殿,执斩之,枭首[729]朝门。倣部兵千余持白梃攻应天门[730],不克,焚启圣门[731],夺倣首奔吴越。诏暴倣弑君及杀继韬等罪,告谕[732]中外。以建王继严[733]权判六军诸卫,以六军判官永泰叶翘[734]为内宣徽使、参政事。

翘博学质直[735],闽惠宗擢为福王[736]友,昶以师傅礼待之,多所裨益[737],宫中谓之“国翁”。昶既嗣位,骄纵,不与翘议国事。一旦,昶方视事[738],翘衣道士服过庭中趋出[739]。昶召还,拜之,曰:“军国事殷[740],久不接对,孤之过也。”翘顿首曰:“老臣辅导无状,致陛下即位以来无一善可称,愿乞骸骨[741]。”昶曰:“先帝以孤属公[742],政令不善,公当极言,奈何弃孤去!”厚赐金帛,慰谕令复位。昶元妃梁国夫人李氏[743],同平章事敏之女,昶嬖李春鷰,待夫人甚薄。翘谏曰:“夫人先帝之甥,聘之以礼,奈何以新爱而弃之!”昶不悦,由是疏之。未几,复上书言事,昶批其纸尾[744]曰:“一叶随风落御沟[745]。”遂放归永泰,以寿终。

帝嘉马全节之功,召诣阙[746]。刘延朗求赂,全节无以与之。延朗欲

梁震说："先王待我如同布衣之交，把嗣王嘱托给我。现在嗣王能够自立了，可以使先王的事业不败毁。我老了，不能再侍奉人了。"于是坚决请求退休。高从诲挽留不住他，就替他在土洲修筑了房子。梁震身披鹤羽裘，自称是荆台隐士，每次到王府，骑着黄牛到达大厅。高从诲时常到他的家中，一年四季的赐赠非常丰厚。从此，高从诲把全部政务委托给孙光宪。

司马光说："孙光宪看到微小的苗头就能劝谏，高从诲听到正确意见就能够改过从善，梁震功成之后而能够引退，自古以来拥有国家的人能够如此，又哪里会有亡国、败家、丧身的事情！"

吴国加封中书令徐知诰为尚父、太师、大丞相、大元帅，进封齐王，为他准备了特殊的礼数，划出升、润、宣、池、歙、常、江、饶、信、海十个州为齐国。徐知诰推辞了尚父、丞相，没有接受特殊的礼数。

闽国的皇城使、判六军诸卫李倣独揽朝政，暗中蓄养敢死之士，闽主王昶和拱宸指挥使林延皓等人谋划除掉他。林延皓等人假意亲近依附于李倣，李倣对他们不加怀疑。十一月二十一日壬子，李倣入宫朝见闽主，林延皓等人在内殿埋伏了几百名卫士，把李倣抓起来杀了，把首级悬挂在朝门示众。李倣的部下士兵一千多人手拿棍棒攻打应天门，没能攻下来，放火焚烧启圣门，抢走了李倣的首级，投奔吴越国。闽主下诏公布李倣以臣弑君和杀死王继韬等罪状，告谕朝廷内外。任命建王王继严暂时判理六军诸卫的事务，任命六军判官永泰人叶翘为内宣徽使、参政事。

叶翘学识渊博，质朴正直，闽惠宗提升他为福王友，王昶用师傅的礼仪对待他，他对王昶有很多帮助，宫里的人称他为"国翁"。王昶继承王位以后，骄横放纵，不和叶翘商议国事。一天早晨，王昶刚在处理政务，叶翘穿着道士服经过庭中快步向外面走去。王昶把他召了回来，向他行拜礼，说："军国事务繁多，很久没能向您请教了，这是我的过错。"叶翘叩首说："老臣辅导无方，致使陛下即位以来，没有一项善政可以称赞，希望退休还乡。"王昶说："先帝把我嘱托给您，国家政令不好的地方，您应当极力进言，怎么能丢下我离去！"王昶赐给他很多金银、绢帛，安慰劝解他，让他继续担任原来的职位。王昶的原配梁国夫人李氏，是同平章事李敏的女儿，王昶宠爱李春鷰，对待夫人很冷淡。叶翘劝谏他说："夫人是先帝的外甥女，是依礼聘娶的，怎么能够因为有了新欢就抛弃她呢！"王昶听了很不高兴，从此就疏远了叶翘。没过多久，叶翘又上书言事，王昶在奏章的末尾批写说："一叶随风落御沟。"于是把叶翘放归永泰，以寿卒于家。

唐末帝褒奖马全节的功劳，把他征召到朝廷。刘延朗向他要求贿赂，马全节没

除全节绛州刺史，群议沸腾。帝闻之，乙卯⑦，以全节为横海留后。

十二月壬申⑱，以中书侍郎、同平章事、充枢密使韩昭胤同平章事、充护国节度使。

乙酉⑲，以前匡国节度使、同平章事冯道为司空。时久无正拜三公⑳者，朝议疑㉑其职事。卢文纪欲令掌祭祀扫除，道闻之曰："司空扫除，职也，吾何惮㉒焉。"既而文纪自知不可，乃止。

闽主赐洞真先生陈守元号天师，信重㉓之，乃至更易㉔将相、刑罚、选举，皆与之议。守元受赂请托，言无不从，其门如市㉕。

【段旨】

以上为第十六段，写荆南主高从诲纳谏改过，闽主王昶拒谏饰过。

【注释】

⑰03明达：开明通达。⑰04以兄事之：把他当兄长对待。⑰05郎君：门生故吏常呼其主之子为郎君。⑰06奢靡：奢侈靡费。⑰07游谈者：游乐闲聊的人。⑰08大丈夫：有作为、有抱负的人。⑰09孙光宪（？至约公元九六八年）：字孟文，贵平（今四川仁寿东北）人，家世业农。事南平三世，皆处幕中，累官荆南节度副使。性嗜经籍，以文学自负，聚书数千卷，所著有《荆台集》《桔斋集》《玩笔佣集》《巩湖编玩》《北梦琐言》《蚕书》等。传见《十国春秋》卷一百二十。⑰10僭忲：僭越奢侈。⑰11固已过矣：本来已经过分了。⑰12捐去：除去；舍弃。⑰13如布衣交：像普通老百姓一样的交情。⑰14属我：嘱托我。属，通"嘱"。⑰15坠：坠毁。⑰16事人：侍奉别人。⑰17土洲：江陵有九十九洲，土洲为其中一洲。⑰18鹤氅：鸟羽所制的裘。⑰19听事：处理政务的大厅。听，通"厅"。⑰20过：到。⑰21见微而能谏：看到微小的坏苗头便能谏阻。⑰22能徙：能改过从善。⑰23能如是：能够这样。⑰24夫何亡国败家丧身之有：哪里会有亡国、败家、身死的事情。⑰25备殊礼：准备了特殊的礼数。⑰26十州：即升、润、宣、池、歙、常、江、饶、信、海等十州之地，当今江苏全省及安徽、江西之一部，为吴全境之地。升州，在今江苏南京。润州，在今江苏镇江。宣州，在今安徽宣城。池州，在今安徽铜陵。歙州，在今安徽歙县。常州，在今江苏常州。江州，在今江西九江市。饶州，在今江西鄱阳。信州，在今江西上饶。海州，在今江苏东海县。⑰27阴养死士：暗中豢养敢死之士。⑰28壬子：十一月二十一日。⑰29枭首：

有什么东西可以给他的。刘延朗想把他任为绛州刺史，群臣议论纷纷。唐末帝得知了这一情况，十一月二十四日乙卯，任命马全节为横海留后。

十二月十一日壬申，任命中书侍郎、同平章事、充枢密使韩昭胤仍为同平章事、充任护国节度使。

二十四日乙酉，任命前匡国节度使、同平章事冯道为司空。当时已经很久没有正式拜授三公的，朝臣的议论中对其职掌也犯疑惑。卢文纪想让他掌管祭祀扫除，冯道得知后说："司空负责扫除，这是他的职责，我有什么好害怕的。"很快卢文纪自己也知道这样做不可以，就停止了这件事。

闽主赐洞真先生陈守元称号为天师，非常信任倚重他，甚至连更换将相、施用刑罚、选择贤能等政务都和他商议。陈守元接受贿赂，为人请托，闽主对他言无不从，陈守元的门庭像市场一样热闹。

高悬其头以示众。㉚应天门：闽皇城门名。㉛启圣门：闽皇城门名。㉜告谕：布告晓谕。㉝继严：王延钧子，封建王。为政得人心，被王延羲鸩死。传见《十国春秋》卷九十四。㉞叶翘：永泰（今福建永泰）人，博学质直。传见《十国春秋》卷九十六。㉟质直：质朴正直。㊱福王：即王昶，初封福王。㊲裨益：补益；帮助。㊳方视事：刚在处理政务。㊴趋出：快步走出。㊵殷：多。㊶乞骸骨：退休。㊷以孤属公：将我托付给你。属，通"嘱"，嘱托。㊸李氏：王昶原配，累封梁国夫人。传见《十国春秋》卷九十四。㊹纸尾：奏章的末尾。㊺一叶随风落御沟：意即将叶翘放逐回乡。㊻诣阙：到朝廷面见皇帝。㊼乙卯：十一月二十四日。㊽壬申：十二月十一日。㊾乙酉：十二月二十四日。㊿正拜三公：正式任命司徒、司马、司空。(751)疑：疑惑；不确定。(752)惮：惧怕。(753)信重：信任而倚重。(754)更易：更换。(755)其门如市：他的门庭像市场一样热闹。

【研析】

本卷研析闵帝出奔、无将相相随，唐末帝抓阄择相，司马光论荆南君臣三件史事。

第一，闵帝出奔、无将相相随。后唐闵帝，讳从厚，小字菩萨奴，明宗第三子，秦王李从荣同母弟。长兴元年（公元九三〇年），从厚年十七，封宋王，镇邺都。长兴四年秦王诛，明宗崩，宋王自邺入都。十二月初一日癸卯，宋王李从厚发丧于西宫，在明宗柩前即帝位，年二十。欧史称其"为人形质丰厚，寡言好礼"，薛史称闵帝年幼时就"好读《春秋》，略通大义"。闵帝为宋王时，在大臣中有很好的口碑，遭秦王从荣之忌，从厚百般承顺，得免于祸。从厚虽然才能平庸，但无过错，加之性柔宽厚，若得良辅，不失为一个贤君。从厚无意得大位，年少居外藩，朝中无根基。枢密使朱弘昭、冯赟，以及三宰臣司空冯道、右仆射李愚、吏部尚书刘昫，皆明宗旧臣，无一是社稷之臣。镇守凤翔的潞王李从珂，本姓王，镇州平山人。明宗为李克用骑将，过平山，掠得从珂，养以为子。原名阿三，明宗赐名李从珂。李从珂英勇善战，常立战功，颇得庄宗嘉奖。明宗入洛，李从珂以兵从，建立首功，是以李从珂在朝内外享有很高威望。闵帝即位，李从珂年已五十，在明宗诸子中最为年长。李从珂起兵凤翔，唐兵往讨而降之。从珂东出，传檄诸镇，一路望风归降。从珂至陕，闵帝出奔，欲至魏州以图复兴，召大宦官孟汉琼使诣魏州为先导，孟汉琼不应召，单骑奔陕。闵帝在藩镇时的亲信牙将慕容迁时任控鹤指挥使率兵守玄武门，闵帝出奔，密与之谋，令其帅从扈驾。清泰元年（公元九三四年）三月二十八日戊辰，闵帝以五十骑出玄武门，慕容迁随即闭门不行。慕容迁不扈从闵帝而待潞王，自古以来众叛亲离未有甚于此者。四月初一日庚午，闵帝至卫州东卫州驿，遇石敬瑭，帝问瑭以大计。瑭谋及卫州刺史王弘贽，二人议曰："前代天子播迁，皆有将相、侍卫、府库、法物，四者今皆无之，独有五十骑，即使有忠义之心，也没办法表现。"石敬瑭为明宗之婿，以王弘贽所言四者为辞，其实是出卖天子的托词。石敬瑭的牙内指挥使刘知远引兵尽杀闵帝左右及五十骑随从，丢下孤零零的闵帝前去投效潞王。潞王李从珂入洛，百官奉迎。四月初六日乙亥，潞王以太后令在明宗灵柩前即位，是为末帝，史又称废帝。末帝遣人杀闵帝于卫州。长兴四年十二月初一日至清泰元年四月初六日，闵帝在位前后仅一百二十四日，死时年二十一。李从厚的人生和帝王梦，恰似昙花一现。一个花样年华的青年，一个没有过恶的帝王，不由自主地被权力的恶浪吞没，在五代帝王中最为悲剧，令人可悯。

第二，唐末帝抓阄择相。冯道、刘昫、李愚三宰臣在朝，尚能平衡。冯道出镇同州，刘昫和李愚二人不兼容。刘昫生性苛刻精明，李愚刚愎急躁，许多时候两人意见都相左，红着脸争吵是家常便饭，耽误和拖延了政事的实施。末帝很是头疼，想另外再任命一个宰相，不知道该任用谁，就征询左右亲信的意见。左右亲信也拿不定主意，一共推荐了三个人：尚书左丞姚颉、太常卿卢文纪、秘书监崔居俭，三人各有长短。唐末帝想了一个办法，即把三个人的名字写在小纸条上放入琉璃瓶中，在晚上焚香向上天祷告，然后用筷子到瓶中夹纸条。首先夹到的是卢文纪，其次是姚颉。秋七月二十三日辛亥，任命卢文纪为中书侍郎、同平章事。唐末帝抓阄择相，古今奇闻。治国如同儿戏，两年后身死国灭，宜矣。

第三，司马光论荆南君臣。荆南节度使高从诲性情开朗通达，亲近礼遇贤能之士，政事悉委之于梁震，兄事之，主臣之间，如鱼与水。楚王马希范喜欢奢侈华靡，高从诲十分羡慕，对僚属说："能像马王那样气派才是一个真正的男子汉。"僚属孙光宪接过话茬说："天子和诸侯，在礼仪上有很大的差等。马王他还是一个乳臭未干的小儿，如此骄奢僭越，只图一时之快乐，不顾长远的利害，危亡就在眼前，哪里值得羡慕。”高从诲细细思量醒悟过来，赞赏孙光宪，说：“你说得好啊。”又一天，高从诲对梁震说：“我认真反省了自己的行为，平时的享受已经过分了。”于是他收敛了自己的玩好，把空闲时间都用在了读书上，省刑轻赋，从此荆南国境安定。梁震年老，高从诲长成，能纳谏改过，于是致仕告退，高从诲礼遇听从。一年四季，君臣之间像朋友故人一样来往。从此，高从诲把政事全都委托给孙光宪。司马光对此高度评价说：“孙光宪看到了苗头就能够劝谏，高从诲听得进善言纠正过失，梁震功成之后能够引退。从古以来，有国有家的人都这样办理，哪还有亡国、破家、丧身的事情出现呢。”荆南地狭人寡，介于四围强邻之间，居安思危，这是高氏政权产生的客观环境。相形于楚王的奢靡，闽主的饰过亡身，高氏君臣兢兢为治，是值得称道的。